Mrowi się w księgarniach od małych książek o wielkich ludziach. Jest też sporo, choć mniej, wielkich książek o ludziach małych. Tych małych książek o małych ludziach jest chyba najwięcej – ale liczyć nie warto. Na palcach jednej ręki zliczysz wielkie książki o ludziach wielkich. Ta książka jest jedną z nich.

Artur umie słuchać. Fotografii. Notatek w brulionie. Słów spisanych i tych, jakich Ryszard spisać nie chciał, nie zdążył lub nie uznał za warte spisywania, choć warte były (i największym przeoczenia się trafiają, choć na Ryszarda szczęście trafił mu się biograf, który na milczenie, jak i na mowę, na wiersze, jak i puste między nimi przestrzenie, ma wzrok i słuch jak mało kto wyostrzone).

Tych słów na głos wypowiedzianych, i tych przemilczanych – jak i tych schowanych za bacznym, wnikliwym, zrozumienia pełnym, a zawsze życzliwym rozmówcy spojrzeniem. Od kogo się tej wielkiej sztuki słuchania, i kiedy, nauczył? Niechybnie od Ryszarda. Słuchając go – bacznie, wnikliwie i życzliwie – łaknąc zrozumienia. To dzięki tej sztuce powstała wielka książka o wielkim człowieku: o Człowieku, Który Umiał Słuchać (i który umiał tym, czego się dosłuchał, obdarzyć nas, głuchawych lub mało uważnych...).

Przypomina Domosławski, że Józef Ignacy Kraszewski ubolewał, iż Pińsk i Polesie (rodzinne miejsca Kapuścińskiego, osobliwości, cudów i skarbów gdzie indziej nie do znalezienia pełne) nie doczekały się swojego Humboldta – podróżnika, badacza, odkrywcy, który na przełomie XVIII i XIX wieku opisywał Amerykę Łacińską. Ryszard Kapuściński swego Humboldta znalazł. W Arturze Domosławskim.

mówiąc o człowieku albo rozmyślając o nim
przestałem zadawać pytania
czy jest biały czy czarny
anarchista czy monarchista
czciciel mody czy stęchlizny
swój czy obcy
a zacząłem pytać
co w nim jest z człowieka...

Spod czyjego pióra ten wiersz wyszedł? Ryszarda czy Artura? Obaj do jego napisania podobne mają prawo... Obaj swego prawa dowiedli: Ryszard swym życiem, Artur o nim książką.

Zygmunt Bauman

Czyta się to jednym tchem, bo jest to opowieść o żywym człowieku uwikłanym we własny los, w historię, w słabości i śmieszności. Dopiero na takim tle widać wielkość, wielowymiarowość Kapuścińskiego. Domosławski podąża jego śladem, stara się dotrzeć do prawdy i nie przejmuje się tym, że niektórzy chcieliby mieć kolejnego polskiego świętego. Na szczęście nie jest to kolejna hagiografia, która czyni z bohatera jakiegoś mentalnego eunucha. A do takich wizerunków Polak kocha się modlić, ponieważ nie stawiają mu żadnych wymagań, a tylko łechcą narodowy idiotyzm.

Andrzej Stasiuk

Autora tej książki czekają trudne chwile. Krytyka posypie się z różnych stron. Domosławski odważył się opisać nie tylko uśmiech Kapuścińskiego, z którym wychodził do swoich czytelników, ale niepokoje i słabości, które nim pokrywał. Dla jednych, którzy Ryśka wielbili i kochali, za dużo w obrazie ich idola będzie czerni, dla drugich, którzy mieli ochotę Kapuścińskiego lustrować, sądzić i oskarżać – bieli.

Ale to nie jest książka dla tych, którzy najlepiej czują się w uproszczonym świecie dwóch kolorów i nie chcą poznawać innych. Nie dla wyznawców jednej prawdy. Bo jednej prawdy – nie ma. Ani o PRL-u, ani o Etiopii, Iranie, Meksyku, Ugandzie i wszystkich tych miejscach, z którymi zmagał się Kapuściński. Nie ma też jednej prawdy o Ryśku.

Domosławski wszystkie te prawdy spina w węzeł, nazywając „non-fiction" i rzuca do przemyślenia.

Myślę, że Ryszard Kapuściński zasłużył – całym swoim życiem i pisarstwem – na to, by właśnie taka książka, pokazująca go w wielu wymiarach i kolorach, powstała.

Teresa Torańska

Największy myśliciel jest jednak dzieckiem swoich czasów. To, że nie da się zmienić epoki, w której przychodzi żyć, jest ograniczeniem wolności, na które nie ma rady.

Nie żyje się na pomniku. Nawet jeśli chce się go sobie zbudować, żyje się na ziemi.

Człowiek, który stoi na pomniku, za życia był „po prostu" człowiekiem. Chyba mało znajdzie się wielkich ludzi, którzy w życiu nie byliby mniejsi, niż oczekiwalibyśmy na podstawie ich dzieła.

Żyjąc w Polsce, jest bardzo trudno zaistnieć w skali światowej. Gdy zaś to się uda, zaraz ktoś ruszy na poszukiwanie teczki, wiersza z dawnych czasów, argumentów przeciwko pochowaniu w miejscu honorowym. Kto to powiedział, że niektórych grup ludzi nie trzeba w piekle pilnować, bo oni sami wciągną się z powrotem do kotła?

W zawodach twórczych trudno jest wyjść z roli. Podporządkowuje się jej życie, funkcjonowanie, kontakty z otoczeniem. Czasem ze szkodą dla innych. Czasem niebezpiecznie zbliżając się do granic etycznych lub politycznych, których nie należy przekraczać.

Mówić o zmarłych jedynie dobrze lub wcale? Wolter sądził, że właśnie zmarłym należy się prawda – w odróżnieniu od żywych, wobec których najczęściej musimy żywić pewne względy.

Odważny jest autor, który pisze o wybitnym starszym koledze i przyjacielu nie na klęczkach. Znacznie prościej i wygodniej jest uprawiać hagiografię. Taki autor musi liczyć się z kłopotami po publikacji. Najgorsze mogłoby być jednak poparcie udzielone mu przez ludzi niechętnych zarówno bohaterowi książki, jak jemu samemu, którzy znaleźliby nowe argumenty dla swoich oskarżeń.

Marcin Kula

KAPUŚCIŃSKI NON-FICTION

ARTUR DOMOSŁAWSKI

Redaktor prowadzący
Tomasz Jendryczko

Redakcja i indeks
Jan Jaroszuk

Fotoedytor
Aleksandra Majdan

Redakcja techniczna
Agnieszka Gąsior

Korekta
Elżbieta Jaroszuk

Autor i wydawca dziękują za udostępnienie fotografii
Izabelli i Jerzemu Nowakom, Agnieszce i Andrzejowi Krzysztofowi Wróblewskim,
Andrzejowi Czciborowi-Piotrowskiemu oraz Fundacji
Nowego Dziennikarstwa Iberoamerykańskiego w Cartagenie

Świat Książki
Warszawa 2010

Świat Książki Sp. z o.o.
ul. Rosoła 10, 02-786 Warszawa

Skład i łamanie
Piotr Trzebiecki

Druk i oprawa
GGP Media GmbH, Pössneck

ISBN 978-83-247-1906-8
Nr 7735

Spis treści

Każdy człowiek ma trzy życia: publiczne, prywatne i sekretne.

Gabriel García Márquez do swojego biografa Geralda Martina

Wielka popularność wszelkich biografii (duży, osobny dział książek biograficznych w każdej księgarni). Jest w tym jakiś odruch samoobrony człowieka przed postępującą anonimowością świata. W ludziach nadal istnieje potrzeba obcowania (choćby przez lekturę) z kimś konkretnym, jedynym, kto ma imię, twarz, nawyki, pragnienia. Wziętość biografii bierze się też stąd, że ludzie chcieliby zobaczyć, jak ten wielki doszedł do wielkości, chcieliby podpatrzyć styl.

Ryszard Kapuściński, *Lapidarium*

Debata o zasadności pisania biografii pisarzy nie ma końca. Jedni twierdzą, że dzieło autora to wszystko, co powinniśmy o nim wiedzieć. Inni – tak bardzo kochają książki, że pragną wiedzieć więcej o ludziach, którzy je napisali. Istnieje zawsze szansa, że życie pisarza rzuci nowe światło na dzieło i pogłębi jego rozumienie.

Ian Buruma, pisarz i publicysta

Życie pisarza to prawomocny obszar poszukiwań i prawdy o nim nie należy ignorować. Koniec końców może się okazać, że pełne świadectwo o życiu autora jest w większym stopniu dziełem literatury i oświetla kulturę swojego czasu bądź historyczny moment lepiej niż jego książki.

V.S. Naipaul, pisarz, laureat Nagrody Nobla 2001

Książka biograficzna nigdy nie jest w stanie w pełni dotrzeć do źródeł postaci. Banalne stwierdzenie, że oto biograf znalazł „klucz" do czyjegoś życia, jest nieprzekonywające. Jesteśmy nazbyt skomplikowani, niekonsekwentni, by mogło to być prawdą. Biograf może liczyć jedynie na to, że uda mu się oświetlić niektóre aspekty życiorysu, prowadzić poszukiwania, które dadzą pojęcie o bohaterze, i w ten sposób opowiedzieć historię.

Patrick French, biograf V.S. Naipaula

Przede wszystkim rzuca się w oczy uśmiech. Zawsze uśmiech, wszędzie uśmiech. Jakby ta twarz nigdy nie była smutna, zmartwiona, wściekła. Jeśli bez uśmiechu, to raczej zamyślona, skupiona. Zakłopotana. – Nie przeszkadzam? – pytał, kiedy niezapowiedziany, albo i nawet umówiony, wpadał do redakcji, zachodził do czyjegoś biurka, gabinetu. I znów uśmiech: przepraszający, lekko zawstydzony. Uśmiech obronny, otwierający drogę do odwrotu.

Ileż razy słyszałem, że z podobnym uśmiechem, wylewnością witał przyjaciela, którego znał od pół wieku, znajomą, którą widywał od czasu do czasu, redaktora, z którym trzeba się było układać i nieznajomą studentkę, która przychodziła pokazać pracę magisterską o jego twórczości?

– Ach, jakiż on skromny.

– Zawsze tak uważnie wysłucha.

– O tak, przyjaźnimy się.

Każdy, kto z nim rozmawiał, miał takie wrażenie.

Dlatego na początku tej podróży po jego życiu zaskakuje mnie, gdy niektórzy ze starych znajomych z trudem wyłuskują z pamięci anegdoty, sytuacje i kończą opowieść, zanim opowieść, na którą czekam, w ogóle się zacznie.

– O Boże, znaliśmy się kilkadziesiąt lat, a ja tak mało o nim wiem, tyle co nic. Jakie to smutne!

Po każdym spotkaniu mieli wrażenie, że odbyli fascynującą, niezapomnianą rozmowę. Teraz uświadamiają sobie, że oni mówili. On milczał. I słuchał.

– Uśmiech, o którym pan mówi, był maską, która z upływem lat stała się jego naturą – mówi stara przyjaciółka, a znała go naprawdę dobrze. – Skromność? To też maska. Różne rzeczy można o nim powiedzieć, ale nie to, że był skromny. Wysoko się cenił, uważał, że ma do powiedzenia rzeczy, o których inni nie mają pojęcia.

Zgadzamy się, że za skromność brano jego łagodność, życzliwość. To, że się nie wywyższał.

Mówię, że nie wiem, od czego zacząć opowieść o nim; być może będą to impresje na temat uśmiechu. Bo gdy ktoś ma taki sam uśmiech dla wszystkich, to nie może to być sama życzliwość; musi być w tym coś jeszcze, nie sądzi pani?

– Uśmiechem rozbrajał świat, który mógł go skrzywdzić. – Tych żołnierzy, co go przepuszczali przez strefy zakazane w Afryce, a mogli rozstrzelać. Partyjnych decydentów, którzy go wysyłali w świat. Potencjalnych zawistników, których w dziennikarskim zawodzie niemało. – Niech pan zbada, czy on się tego uśmiechu nie nauczył w czasie wojny. Czy uśmiech mu kiedyś nie uratował życia?

Zgoda, mówi jeden z najbliższych przyjaciół, któremu powtarzam tę rozmowę, ale czy tylko o to chodzi? Zawsze miałem wrażenie, mówi, że żył w świecie sekretów, że skrywał wiele tajemnic – przed przyjaciółmi, najbliższymi, przed samym sobą; tak, tak, sekrety ma się również przed sobą. Jakie miał sekrety? Osobiste, polityczne, pisarskie. Mimo światowej sławy, która powinna mu dać pewność siebie, głęboki oddech, był czymś przygnieciony. Widziałem to w jego spojrzeniu, kroku; ten uśmiech, ta miękkość, to sprawianie wrażenia, że wszystkich się lubi i słucha, nawet gdy opowiadają głupstwa.

Tajemnice Ryszarda Kapuścińskiego. Czy tak powinienem zatytułować książkę o człowieku nazywanym „reporterem XX wieku", moim mentorze i szczególnym przyjacielu, bliskim i nie do końca bliskim, którego – często mam wrażenie – lepiej poznaję dopiero teraz?

Tak, gadaliśmy intensywnie przez ostatnich dziewięć lat jego życia, zawsze w królestwie na poddaszu domu przy ulicy Prokuratorskiej na warszawskiej Ochocie. Byłem tam ze sto razy, lecz wtedy – co widzę po czasie – poznałem mniejszą cząstkę pana Ryszarda, Ryszarda, Ryśka, niż mi się zdawało. Rozmawialiśmy o podróżach, z których każdy z nas wracał, o planowanych wkrótce i trochę później; o mądrych książkach i głupich rządach; co tam w polityce i co słychać w gazecie; że nigdy, przenigdy nie wolno porzucić pasji, nawet kiedy ktoś próbuje nam ją wybijać z głowy. Sporo o ludziach: maestro Kapuściński uwielbiał plotkować.

Nigdy jednak nie spytałem, jak się robiło karierę w Polsce Ludowej; za jakie sznurki trzeba było pociągnąć, do kogo się uśmiechnąć, jaką cenę zapłacić. Czułem, że nie lubi pytań o swoją przeszłość, a gdy rozmowa toczyła się nieuchronnie w tę stronę, zręcznie zmieniał wątek. Czasem rzucał, że demokracja czy nie demokracja, a konformizmy i stadne myślenia są podobne, choć czasy różne. Nie wypytywałem, po której był stronie w czasie polskich przełomów ostatniego półwiecza, co robił, co myślał. Czego szukał, pchając się do Konga po zamordowaniu Lumumby, jadąc w sam środek rewolucji w imię Allaha czy przemierzając zbuntowaną Polskę epoki karnawału 1980–1981 – to wszystko wydawało mi się najbardziej zrozumiałe, choć teraz chyba rozumiem więcej. Nie zagadałem, czy czegoś czasem nie podkolorował, nie zmyślił, co mu zarzucali niektórzy krytycy za granicą. Czy czuje się spełniony? (Sądziłem, że tak).

Teraz gdy przesiaduję w jego domowym archiwum, w bibliotekach i archiwach, gdy jeżdżę jego śladami po Afryce, Ameryce Łacińskiej, a przede wszystkim gdy rozmawiam z przyjaciółmi, znajomymi, ludźmi, którzy byli świadkami różnych epizodów jego życia, odkrywam Kapuścińskiego, jakiego znałem słabo, a często wcale. Czy ktoś, kto go kiedykolwiek widział, słuchał, spotkał uwierzyłby, że ten łagodny, uśmiechnięty zawsze mężczyzna złapał kiedyś za fraki pewnego urzędnika, przyparł do ściany i wykrzyczał w szarpaninie: – Jak śmiesz, ty skurwysynu! (Wrócę do tej historii później).

Często odkrywamy go razem: wymieniając obserwacje, próbując nazywać rzeczy ledwie przeczuwane. W jakimś stopniu wszyscy moi rozmówcy są współautorami tej książki, nawet jeśli nie zgodzą się z jej efektem finalnym lub jego fragmentami.

Niektórzy, co znali go blisko, i znają niejeden sekret, dopytują: – A to będzie biografia czy święty obrazek?

Przyjaciółka, niegdyś w nim zakochana, mówi: – Mam nadzieję, że nie pisze pan hagiografii. Rysiek to był wspaniały, barwny facet: reporter, podróżnik, pisarz, mąż, ojciec. Kochanek. Skomplikowany człowiek, żyjący w poplątanych czasach, w kilku epokach, w różnych światach.

– Bez obaw. Wiele mu zawdzięczam, ale nie biorę udziału w „procesie beatyfikacji".

Oboje uśmiechamy się. Bo czy podziw i przyjaźń muszą zabijać dociekliwość?

Chyba nie pomagają. Nie chcę udawać – mam z tym problem i będę się z nim zmagał przez cały czas pisania.

Ciągle szukam tonu dla opowieści, wymyślam jej architekturę. Czy narracyjne wynalazki mistrza przyjdą z odsieczą?

Największy nieporządek panuje na dużym okrągłym stole: fotografie różnych formatów, kasety magnetofonowe... A jeszcze plakaty i albumy, płyty i książki zbierane, podarowane przez ludzi, cała dokumentacja czasu... Teraz na myśl, że powinienem zabrać się do robienia porządków, ogarnia mnie niechęć i bezgraniczne znużenie...

W ramach porządków ustawiłem na parapecie kilkanaście tekturowych segregatorów, ponaklejałem etykietki: „Pińsk i wojna", „Liceum, studia, pierwsze wiersze", „ZMP, PZPR, stalinizm, rewizjonizm", gdzieś dalej „Kontrowersje afrykańskie", „Fiction – non-fiction". Zanim zabiorę się do ostatecznej selekcji notatek, wycinków, książek, przeglądam fotografie – robię to prawie zawsze, nim usiądę do pisania większego tekstu. Fotografia porusza jakąś strunę, której słowo nie uruchomi. (Wpadam w pułapkę, bo przekonuję się, że Kapuściński uwodzi uśmiechem także ze zdjęć; a stan uwiedzenia nie sprzyja dociekaniom).

...siedzę sam w pustym pokoju, przeglądam leżące na stole fotografie i zapiski, słucham nagranych na taśmy rozmów.

Spróbuję zacząć tak...

Dagerotypy

To jedna z ostatnich fotografii. Kapuściński otoczony wianuszkiem młodych, oczywiście z uśmiechem. Są to dziewczyny i chłopcy z Liceum im. Leonarda da Vinci i Uniwersytetu Trydenckiego. 17 października 2006 roku w górskiej gospodzie niedaleko włoskiego miasta Bolzano. Jedna z uczestniczek, Anna, spytała, czy zgodzi się odpowiedzieć na osobiste pytanie. Kapuściński kokieteryjnie: że nie ma nic, czego by o nim nie napisano, nie ma już tajemnic. (Teraz, po prawie trzyletniej podróży po jego życiu wiem, że napisano wiele o jego twórczości, lecz o nim samym prawie nic). Dziewczyna jest przygotowana, cytuje Kapuścińskiemu jego wiersz:

Tylko okryci zgrzebnym płótnem
potrafią przyjąć w sobie
cierpienie drugiego
podzielić jego ból

i pyta, dlaczego poświęcił się pisaniu o ludziach biednych. Kapuściński – że ludzi zamożnych żyje na świecie dwadzieścia procent, reszta to ubodzy. Że należycie do tych wybranych, jesteście wyróżnieni. Żyjecie w raju, lecz większość nie ma doń dostępu. Dzieli się życiowymi odkryciami: człowiek może być ubogi nie dlatego, że jest głodny, albo że nie posiada dóbr, lecz dlatego, że go lekceważą, pogardzają nim. „Ubóstwo to stan niemożności wypowiedzenia się". Dlatego mówi w ich imieniu. Ktoś musi.

Ten prometejski manifest to jego ostatnia publiczna wypowiedź w takim duchu. Kapuściński jest już wtedy przesycony pesymizmem i przeczuciem zbliżającego się końca. Kilka dni później odmawia przyjacielowi spotkania przy kawie – mieli przyjść jacyś ciekawi, lecz nieznajomi ludzie. „Przychodzi taki moment w życiu, kiedy już nie możemy przyjąć nowych twarzy" – notuje potem. Na spotkanie z nieznajomymi musiałby „umeblować twarz", przykleić uśmiech, a nie ma już ani ochoty, ani sił.

Zdjęcie zrobione kilka lat wcześniej, Oviedo – rok 2003, Kapuściński ciągle w niezłej formie: odbiera Nagrodę Księcia Asturii w dziedzinie humanistyki i komunikacji społecznej, nazwaną Noblem świata iberoamerykańskiego (jakiż był z niej dumny!). Jest oszołomiony. Spełniony, doceniony. Gdy dziękuje księciu Filipowi, z trudem ukrywa wzruszenie. Jury napisało w uzasadnieniu, że dał świadectwo niezależności reportera; że przez pół wieku z narażeniem życia i zdrowia obserwował wojny i konflikty na kilku kontynentach. Nie zabrakło uznania, że stał po stronie skrzywdzonych.

Dumą napełniało go to, że nagrodę odbierał razem z księdzem Gustavem Gutierrezem z Peru, ojcem teologii wyzwolenia, obrońcą wykluczonych i krytykiem społecznych nierówności. Trzydziestoparoletniego Kapuścińskiego, który pracował w Ameryce Łacińskiej jako korespondent Polskiej Agencji Prasowej, fascynował buntowniczy ruch. Wtedy księdza Gutierreza nie spotkał. Dla korespondenta z biednej, socjalistycznej Polski, o ograniczonych funduszach, dotarcie do gwiazdy intelektualnej, jaką był w tamtym czasie Gutiérrez, musiało być niełatwe. Po ponad trzech dekadach odbierał nagrodę wspólnie z bohaterem swojego romansu.

A tu fotografie z wielkimi pióra. Cała seria z noblistą Gabrielem Garcią Marquezem podczas warsztatów dziennikarskich w Meksyku. García Márquez zaprosił go jako mistrza fachu, by poprowadził warsztaty dla reporterów z Ameryki Łacińskiej. Pamiętam, że Kapuścińskiemu tak bardzo zależało, żeby „Gazeta Wyborcza" zilustrowała jedną z tych fotografii wywiad z nim o przemianach w Ameryce Łacińskiej, że o mało nie wycofał tekstu rozmowy z druku na krótko przed deadline'em, gdy okazało się, że zdjęcie nie mieści się na stronie. (– Ten wywiad jest nic niewart! Do kosza z nim, skoro nie wiadomo, z jakiej okazji znalazłem się w Meksyku! – krzyczał w chłopięcej złości. Uspokoił się, gdy powiedziałem, że obok tekstu naszej rozmowy znajdzie się jednak nota o jego warsztatach z Garcią Marquezem i ich wspólna fotografia).

Inne zdjęcie – z kolacji z Salmanem Rushdiem, lata osiemdziesiąte,

Nowy Jork, a może Londyn. Po przeczytaniu książki Kapuścińskiego o wojnie w Angoli Rushdie, zafascynowany opisami odpływającego, drewnianego miasta, napisał, że wielu reporterów widziało drewniane miasto, lecz tylko jeden Kapuściński je dostrzegł. Nazwał go „deszyfrantem" zaszyfrowanego mrocznego stulecia.

Jedna fotografia zwraca moją uwagę nie ze względu na siebie samą, lecz późniejszy tekst związany z uwiecznioną na niej chwilą. Kawiarnia pod chmurką, San Sebastian, rok 1996. Kapuściński z księdzem Józefem Tischnerem, Adamem Michnikiem i Jorge Ruizem, warszawskim korespondentem agencji EFE. Cała czwórka brała udział w seminariach letniego uniwersytetu w Kraju Basków. Michnik napisał po śmierci Kapuścińskiego, że spytał go wtedy, kiedy przestał wierzyć w komunizm. Kapuściński odrzekł, że decydujący był rok pięćdziesiąty szósty, lecz na zawsze został po stronie biednych, przegranych.

Na tym zdjęciu nie ma daty. Nie ma też Kapuścińskiego, sam je pstryknął, lecz mówi ono więcej niż niejeden portret. Jest na nim stolik, na którym leżą różne niezbędniki na kolejną podróż: książki (jeden z tytułów zaskakuje: *Africa for Beginners*), notatniki, portfeliki, aparat fotograficzny, pastylki, buteleczki kropli nasercowych i amolu, jakieś teczki. Nazywam to zdjęcie „życie w podróży".

Pastylki i buteleczki z kroplami przypomniały mi o innej fotografii, którą widziałem w domu znajomych Kapuścińskiego – Agnieszki i Andrzeja Krzysztofa Wróblewskich. Jest na niej chyba szczuplejszy niż na wszystkich innych zdjęciach z tamtego czasu – a może to tylko autosugestia? Wrzesień 1964, Paryż. Przechodząc obok jednej z setek kawiarni, znajomi zauważają na stoliku książkę po polsku. Po chwili zjawia się Kapuściński, który gdzieś odszedł na chwilę. Jest tutaj z żoną Alicją i zbiera siły po przebytych w Afryce chorobach: malarii mózgowej i gruźlicy. Jeden z nielicznych urlopów, bo odpoczywać nie umiał – nudził się, wakacyjna bezczynność irytowała go. Wracając nocą z kawiarni, zgubili się. Kapuściński pamiętał, że obok kempingu, na którym mieli nocować, była stacja benzynowa. Całkowity brak zmysłu topograficznego; błądzili do świtu. (– Jak on sobie dawał radę w tej Afryce? – łapią się za głowę znajomi).

Dopiero teraz dociera do mnie, że zdjęcia są ułożone od końca, a mam opowiadać – sam chcę zrozumieć – skąd, z jakiego miejsca, w jaki sposób i jaką drogą dotarł do uczennic i studentów spod Bolzano, do Garcii Marqueza i Salmana Rushdiego, do wiary i niewiary w socjalizm – a także o stu innych sprawach.

Nim więc reporter wyruszy w podróż, wspinając się po skalistych ścieżkach, przedzierając przez wrogi busz, nim trafi do nieufnych wobec białego Afrykańczyków, odkryje cuda pomieszanego świata podbitych i zdobywców, nim zbada tajemnice buntów i rewolucji, pozna sto innych miejsc i ujrzy tysiąc niepojętych rzeczy, jest Pińsk, dom przy ulicy Błotnej, drewniany konik, a na nim mały Rysio wykrzywiający buzię w uśmiech, grymas zniecierpliwienia albo obrony przed świecącymi w oczy promieniami słońca.

Pińsk: początek

Fotografie (1)

To jedna z najwcześniejszych fotografii. Inna niż ta na balkonie domu przy Błotnej; też na koniku na biegunach, na podwórku. Mały Rysio ma włosy zaczesane lekko na prawą stronę, jest ubrany w ciepłą kurteczkę, ale bez czapki, więc to pewnie wiosna lub jesień; może mieć trzy – cztery lata. Zapach dzieciństwa, nic więcej.

Zachowało się parę późniejszych zdjęć: zimowe, jak opatulony idzie ulicą, trzymając ojca za rękę, w tle witryna (zakładu? sklepu?) „Józef Isaak". Podobne zdjęcie – z matką, też na ulicy, w krótkich spodenkach, lato trzydziestego siódmego, słoneczny dzień; Rysio ma pięć lat.

Fotografie zrobiono w Pińsku, mieście wówczas we wschodniej Polsce, które należy teraz do Białorusi. Rodzice, Maria i Józef, nie byli stąd. Maria z domu Bobka, wnuczka piekarza, na którego sąsiedzi wołali „Madziar" (bo ciemna karnacja? bo imigrant?), przyjechała do Pińska z Bochni w Krakowskiem; Józef, syn urzędnika gminnego – z Kieleckiego. Rząd nowego państwa polskiego, które powstało po I wojnie światowej, chciał zasiedlić Polakami wschodnie rubieże, krzewić polską oświatę, lecz mało kto rwał się, żeby jechać na odległe, w dużej części obce kulturowo tereny.

Polski był w Pińsku językiem mniejszości. Dwie trzecie mieszkańców stanowili Żydzi, resztę Białorusini, Ukraińcy, Rosjanie i garstka Niemców. Krótko przed wybuchem II wojny, już po napływie osadników z głębi kraju, ledwie co czwarty mieszkaniec 35-tysięcznego Pińska był rdzennym Polakiem.

Przyjazd tu z centralnej i południowej Polski był czymś pomiędzy zesłaniem a pracą misjonarską. Kapuściński opowiadał, że rodzicom powiedziano mniej więcej tak: – Chcecie dostać pracę, to skończcie seminarium nauczycielskie i jedźcie na Polesie. Młodzi nauczyciele przyjechali do Pińska u progu Wielkiego Kryzysu.

– Urodziłem się jako dziecko osadników – był rok 1932. Kilkanaście miesięcy później urodziła się siostra, Basia.

Trzydzieści lat po wojnie Kapuściński po raz pierwszy jedzie zobaczyć miasto dzieciństwa. Jest połowa lat siedemdziesiątych, Pińsk leży w granicach Związku Radzieckiego.

Staje na ulicy Kościuszki (wtedy i dzisiaj Lenina) i wie od razu, gdzie jest. O, tam mama zabierała go na lody do restauracji Gregorowicza. Pamięta, gdzie był plac 3 Maja, gdzie ulica Bernardyńska. Odkrywa, że obrazy z dzieciństwa, „choć zostają przykryte innymi, wciąż istnieją". Powie potem:

> – Mam wrażenie, że jeśli ja o tym nie napiszę, to świat przedwojennego Pińska już nie zaistnieje, bo pozostał chyba tylko w mojej głowie.

Czy siedmioletni chłopiec z dalekiej prowincji marzy o podróżach, do których zachęca położenie Pińska, pejzaż za oknem, a widok stacjonującej tam flotylli marynarki rzecznej rozbudza wyobraźnię? Aż się chce wyczarować taką opowieść, wiedząc, kim zostanie potem.

> – Polesie było prawdziwą egzotyką. Mnóstwo rzek, kanałów, wielkie rozlewiska. Jak się wsiadło na łódkę, to nie wysiadając, można było dopłynąć do wszystkich oceanów. Pińsk był połączony systemami wodnymi ze wszystkimi oceanami.

Jak z Pińska dopłynąć do oceanów? Rzekami do Bałtyku, Bałtykiem do Atlantyku albo Dnieprem do Morza Czarnego, a stamtąd przez Bosfor, Morze Śródziemne, Kanał Sueski do Oceanu Indyjskiego...

Książka (1)

„Pierwotne dzieje Pińska okryte są gęstą zasłoną dalekiej przeszłości. Kto i kiedy był założycielem grodu pińskiego, nie wiadomo...". Tak się zaczyna książeczka *Słów kilka o Pińsku*, wydana w 1936 roku przez Koło Krajoznawcze Uczniów Gimnazjum im. Marszałka Piłsudskiego. Wyblakłą, bez okładki, pachnącą starością znalazłem na poddaszu Kapuścińskiego w gromadzonych od lat wycinkach i notatkach do książki o mieście dzieciństwa, której nie zdążył napisać.

Czy ojciec historii Herodot, dając opis tajemniczej krainy północnej, pełnej lasów i bagien, wiedział coś o tym węźle gospodarczym, gdzie dokonywano wymiany produktów krainy rzek i moczarów na fabrykaty miast jońskich? Czy legionista rzymski z Dacji i kroczący za nim kupiec dotarli do tej ziemi, skąd wspaniała sosna „pinus" służyć mogła panom świata do budowy zwycięskich trójrzędowców, a gród przyozdobić nazwą „Pinscum" – trudno stwierdzić.

Należy jednak zaznaczyć, że jako naturalne centrum gospodarcze, a z czasem i kulturalne Polesia, tego najciekawszego może rezerwatu naturalnych stosunków panujących niegdyś w Polsce i w Europie, obfituje Pińsk w szereg wzmianek, pozostających na pograniczu między historią a legendą.

Dalej – opisy wojen i rebelii, które przetaczały się przez Pińsk. Rządzą tu kolejno władcy kijowscy, wielcy książęta litewscy i królowie Polski. Przez wieki władcy nadają sobie nawzajem i odbierają Pińsk jak przechodni puchar. Najazdy, wojny. Kozacy, Szwedzi... Pod koniec XVIII wieku, po podziale terytorium Polski między trzech sąsiadów – Rosję, Prusy i Austrię – Pińsk znajduje się w granicach imperium rosyjskich carów.

Polski dziejopis oskarża, że „świetny rozwój gospodarczy i kulturalny miasta przerwała i zniszczyła 123-letnia niewola. Jeszcze z końcem XVIII wieku rozpoczyna rząd rosyjski systematyczną akcję niszczenia polskiego dorobku kulturalnego. Dla zilustrowania gospodarki tej wystarczy nadmienić, że nie pozostawiła po sobie żadnego ładnego gmachu, nawet żadnej cerkwi; miasto zaniedbano, nie budowano dróg, domki stawiano bez planu, ulic nie brukowano...".

Książka (2)

Podróż do Pińska odbywa w okresie zaborów najpłodniejszy polski prozaik Józef Ignacy Kraszewski (1840):

Brzeg, najważniejsze w Pińsku miejsce i jedyne w naszym kraju. Tu to przybijają statki z solą a odbijają z wódką, zbożem, węglami, obręczami itd. Spojrzenie nań przypomni każdemu jeden z tych sławnych widoków chmurnych brzegów Holandii, tak znajomych wszystkim, przynajmniej z rysunków. Sterczą oschłe i pogruchotane statki z obnażonymi masztami, na suchej ziemi stojące, mnóstwo łodzi, obijaników, czółen, bark, Pińczuków w szarych opończach, w czarnych pasach, z krzesiwem w ręku, z lulką w zębach, z kołtunem długim i grubym, opartym na wiosłach. Żydzi czatują u brzegu na gości wysiadających z obijaników okrytych poklatem i niekrytych, Żydówki zapraszają do karczem pobliskich.

Za tło do tego obrazu błoto, woda, a dalej piaski i chmurne niebo jakby Holandii, i powietrze ciężkie a prawie solą przesiękłe, prawie słone... Na wiosnę, gdy lody puściły, kry przeszły, handel ożył; kiedy się tłumy zbierają na brzegu, a tratwy i baki płyną witane i błogosławione przez właścicieli; kiedy cała brudna i zabłocona populacja Pińska stoi nad wodą i ożywa ruchem przemysłu i handlu. Do tego dodać by trzeba otwartą a wielce brudną karczmę, co najwięcej różnych Żydów, kowala w czarnym skórzanym fartuchu, stojącego i gawroniącego obcęgami w ręku; dzieci i bachurów, kilka chudych psów i jednego Izraelitę w koczu, w sobolach, króla tego handlu i ruchu, poglądającego dumnie, z góry, na płynące nadzieje...

Kraszewski ubolewa, że Pińsk i Polesie nie doczekały się swojego Humboldta – podróżnika, badacza, odkrywcy, który na przełomie XVIII i XIX wieku opisywał Amerykę Łacińską („u nas w krajach słowiańskich wszystko jest jeszcze w stanie dziewiczym, do opisu, do wynalezienia i odkrycia przed światem").

Kapuściński, który chciał nim zostać, nie zdążył.

Słów kilka o Pińsku – dalszy ciąg:

W kartach księgi bohaterskich bojów w XIX wieku o Nową Polskę figurują nazwiska mieszczan pińskich i okolicznej szlachty oraz chłopów... w czasie powstania styczniowego partyzanci pińscy stoczyli krwawą potyczkę z wrogiem, pod dowództwem Romualda Traugutta.

W latach dziewięćdziesiątych XIX wieku stał się Pińsk ważną stacją przeładowczą i kolejową. Robotnicy warsztatów kolejowych biorą czynny udział w akcji antyrosyjskiej. Wspomina o tem Józef Piłsudski w artykule z Wilna w dniu 1/II 1893... „Na początku bieżącego miesiąca w Pińsku nastąpiła zmowa robotników warsztatów kolejowych. Robotnicy rzucili pracę, żądając usunięcia zarządzającego warsztatami i przywrócenia zniesionego odpoczynku półgodzinnego. Bezrobocie trwało tydzień".

Piłsudski notuje, że piński protest to „rzadki u nas, objaw samowiedzy klas pracujących".

Mimo niepomyślnych warunków politycznych, wzrasta również transport wodny i rozwija się szereg warsztatów fabrycznych. Z początkiem XX wieku posiada Pińsk dwa gimnazja państwowe i szereg szkół prywatnych z rosyjskim językiem wykładowym. Polska młodzież gimnazjalna prowadzi zakonspirowane kółko samokształceniowe i utrzymuje kontakt z ruchem studentów polskich w Wilnie. Ilość mieszkańców dochodzi w roku 1914 do 35 tysięcy.

Po I wojnie Pińsk znajduje się w granicach nowo powstałej Polski.

Z archiwum (1)

Kapuściński czuje, że opowieść o Polesiu, świecie pogranicza, naznaczona polskim spojrzeniem zawiera fałszywy ton. Dlatego obok polskocentrycznych archiwaliów gromadzi i inne materiały. Na przykład rozważania badaczy o tym, czy mieszkańcy Polesia to osobna nacja, etnia; a może grupa, której nie da się zdefiniować w języku narodu.

Niektórzy etnolodzy głoszą, że chłopi z Polesia, analfabeci, identyfikują się z miejscem zamieszkania, lecz bez poczucia przynależności do państwa czy narodu. Pewien uczeń Bronisława Malinowskiego (bohatera innej nienapisanej przez Kapuścińskiego książki) uważa, że mieszkańcy Polesia to przede wszystkim „tutejsi" – takoż traktują ich władze Polski, tworząc w spisach ludności osobną rubrykę. Tym sposobem nie przesądzano, czy Poleszuki to Polacy, Białorusini, Ukraińcy czy Rosjanie.

Inny szperacz zwraca uwagę na pojęcie „diabła pińskiego", które – jak sądzi – przeniknęło do literatury z języka białoruskiego. Północni sąsiedzi uważali Pińczuków (Poleszuków) za odrębną grupę etniczną i w odróżnieniu od „ludzi", czyli Białorusinów, nazwali ich „diabłami".

Wniosek: „Pińszczyznę u zarania dziejów zamieszkiwało odrębne plemię słowiańskie Pińczuków albo Pinian, praojców dzisiejszej ludności".

Sugestie, że Poleszuki czy Pińczuki to osobna grupa etniczna, nie cieszą się uznaniem współczesnych badaczy. Przydają się jednak jako kontrapunkt dla opowieści pisanych wyłącznie z polskiej perspektywy. Przypominają o specyfice ludzi z pogranicza różnych kultur.

Czy taki był też Kapuściński?

> Ludność wiejska wierzy, że dusza człowieka po śmierci przez 40 dni błąka się po domostwie zmarłego oraz przebywa między rodziną i krewnymi, którym może się ukazywać w ludzkiej postaci...

O aurze świata, z którego wyszedł, więcej niż historie książąt, wojen i zabytków sakralnych mówią opisy wierzeń ludu poleskiego.

Chłopi opowiadają między sobą o samobójcy, którego dusza przyobleczona w ciało błąka się po okolicznych lasach.

> Przebywanie i błąkanie się zmarłego na ziemi uważają ludzie jako karę nałożoną na duszę przez Pana Boga. Dusza ta nie może dostać się do nieba. W wichrze – według mniemania ludu – przebywa taka dusza pokutująca i gdyby w nią rzucić nożem, toby się polała krew. Jednak oczywiście trudno jest trafić!

Toż to jak wschodnioeuropejska wersja Macondo – mitycznej krainy wyczarowanej przez Gabriela Garcię Marqueza w *Stu latach samotności*! W Macondo ludzie latają na dywanach wokół wioski, unoszą się nad ziemią po wypiciu filiżanki czekolady, wybuchają tam epidemie bezsenności i zaników pamięci.

Kapuściński ma skojarzenia z Afryką. Wśród odręcznych notatek znajduję porównanie krainy lat dziecięcych z kontynentem, który opisywał jako reporter: *Polesie znalezione w Afryce*. Oprócz biedy, głodu, chorób wylicza: obecność świata duchów, kult przodków, świadomość tożsamości plemiennej.

Także i to, że Polesie, podobnie jak Afryka, to „teren skolonizowany". Garść namacalnych podobieństw: brak elektryczności, brak bitych dróg, brak butów...

Do takiego miasta przyjeżdżają u progu lat trzydziestych rodzice Kapuścińskiego.

Z notatek i rozmów (1)

Książkę o Pińsku lat trzydziestych Kapuściński opowiada przez lata w wywiadach i w gawędach.

> Myślę, że tamten czas i klimat przyjaznej, współistniejącej i współpracującej wielokulturowości Pińska wart jest ocalenia we współczesnym i zestresowanym świecie…
>
> Ukształtowało mnie wszystko to, co kształtuje tzw. człowieka kresowego. Człowiek kresowy zawsze i wszędzie jest człowiekiem międzykulturowym – człowiekiem „pomiędzy". To człowiek, który od dzieciństwa, od zabawy na podwórzu, uczy się tego, że ludzie są różni i że inność jest po prostu cechą człowieka… W Pińsku jeden dzieciak zabierał z domu śledzia, drugi kulebiak, a trzeci kawałek kotleta… Kresowość to otwarcie na inne kultury, a nawet więcej – ludzie kresowi nie traktują innych kultur jako innych, ale jako część własnej kultury…
>
> To było miasteczko życzliwych ludzi i życzliwych ulic. Do czasu wybuchu wojny nie widziałem tam żadnego konfliktu. Miejsce bez ostentacji, zadęcia, miejsce skromnych prostych ludzi. Moi rodzice jako nauczyciele też byli takimi ludźmi. Może dlatego dobrze się zawsze potem czułem w tak zwanym Trzecim Świecie, gdzie ludzi cechuje nie zamożność, ale gościnność, nie ostentacja, ale współpraca…

Taka sielanka na pograniczu kilku narodów, religii, kultur? W tej części świata w latach trzydziestych XX wieku, gdy wszędzie wokół kipiało od nienawiści etnicznych, religijnych, klasowych?

Gazety

Rok 1930, zbliżają się wybory parlamentarne. „Piński Przegląd Diecezjalny", periodyk wydawany przez kurię, troska się: „czy niechrześcijanin albo chrześcijanin niewierny, obojętny, będzie dbał o to, aby z Sejmu i Senatu wychodziły tylko takie prawa, które są zgodne z nauką ewangeliczną? Oczywiście nie. I jeśli większość posłów będzie niechrześcijańska lub mało chrześcijańska, to zawsze można oczekiwać praw niechrześcijańskich. Stąd wniosek konieczny: głosować tylko na prawych, szczerych chrześcijan".

W innym numerze pisma: „Z ambony należy wyraźnie dać Wiernym wskazówki następujące: ...nie wolno głosować na listy innowiercze (żydowskie, prawosławne, itp.)".

Polska prasa lat trzydziestych z Pińska i Polesia trąbi na okrągło o zagrożeniach: komunistycznym, żydowskim, białoruskim, ukraińskim.

„Dwutygodnik Kresowy" wzywa do walki z „żydostwem" i „zaprowadzenia pełnej polskości". Ostrzega, że społeczeństwo „mimo najlepszych chęci" samo sobie z „żydostwem rady nie da": „Samorząd miejski musi domagać się ustawodawstwa uznającego pierwszeństwo Polaków w Polsce".

To samo pismo kreśli listę wrogów Polski: „Wśród całego szeregu ośrodków promujących antypolskie nastawienia, najgorszym wydaje się być komunizm... Dalej – sztucznie budzona przez wschodniego sąsiada – świadomość «narodowa» białoruska i ukraińska, operująca głównie placówkami kulturalnymi i gospodarczymi... Chcemy stanąć do walki z komunizmem i ruchem białorusko-ukraińskim, ruchem silnym i atrakcyjnym, bliższym ludności miejscowej niż nasz ruch, i w wielu okolicach wrośniętym w teren".

Przytłaczająca większość mieszkańców Pińska to Żydzi, jednak prorządowe „Echo Pińskie" domaga się, aby to Polacy stanowili większość w radzie miejskiej i mieli swojego prezydenta – i takoż się staje. Dlaczego mniejszość ma rządzić większością? Oto uzasadnienie: bo „w Państwie to jak w kamienicy – napisano w «Słowie Polesia» z 1934 roku – której właściciel tak długo gości u siebie lokatora, dopóki stosunki się nie zepsują, a potem wyprasza – szukaj sobie innego locum. O tem żydowskie partie lewicowe winne dobrze pamiętać". To à propos krytyki, jaką formułowała lewicowa partia żydowska Bund wobec tych Żydów, którzy zawierali lokalne sojusze z polskimi ugrupowaniami, przede wszystkim z rządzącym obozem piłsudczyków.

„Dowiedzieliśmy się o organizowaniu w Pińsku partii narodowo-socjalistycznej – donosi innym razem piłsudczykowskie «Echo Pińskie» (6 maja 1934). – Istnieje już zarząd tej organizacji politycznej, co jest oznaką, iż niebawem zarząd ten przystąpi do akcji mającej na celu werbowanie członków i wystąpienie na szerszej arenie naszego życia publicznego". Gazeta krytykuje powołanie partii, jednak nie ze względu na skrajnie szowinistyczną ideologię, lecz dlatego że wyłamuje się z jednolitego frontu popierającego rząd w Warszawie.

Miejscowa partia narodowo-socjalistyczna jest efemerydą. W Pińsku – inaczej niż w miastach na Białostocczyźnie, także w Wilnie i Lwowie – nie dochodzi w latach trzydziestych do pogromów ludności żydowskiej, a obóz nacjonalistyczny ma niewielkie wpływy. Żydowski historyk Pińska Azriel Shohat uważa jednak, że polityczny pejzaż miasta jest daleki od sielanki:

> W Pińsku odczuwało się silnie dyskryminację [Żydów]. Mimo iż było to w większości miasto żydowskie, burmistrzem był Polak i do 1927 roku administrację miejską powoływały polskie władze. Członkami rady miejskiej było jedynie dwóch Żydów, także mianowanych przez polskie władze. Gdy radę miejską wyłaniano wreszcie w wolnych wyborach i Żydzi zdobyli w niej większość mandatów (20 z 25), wciąż nie mieli decydującego wpływu na zarządzanie miastem. Polskie władze nie dopuszczały do tego na wiele sposobów. Co więcej – stworzyły mechanizmy redukowania liczby Żydów w radzie aż do zaledwie pięciu członków w 1939 roku.
>
> Jedynym prawem, jakim Żydzi cieszyli się w pełni, było prawo do tworzenia związków zawodowych i partii politycznych (z wyjątkiem komunistów, którzy byli w sposób bezlitosny prześladowani). Życie polityczne w mieście kwitło, szczególnie w czasie wyborów, czy to do parlamentu, czy władz miejskich, czy też żydowskich wspólnot. Obecne w mieście partie obejmowały całe spektrum politycznych tendencji wśród Żydów.

Gdy w latach trzydziestych nacjonaliści szermują hasłem „swój do swego po swoje", które jest formą nawoływania do bojkotu żydowskich sklepów, kampania ta i narastające wraz z nią nastroje antysemickie nie omijają Pińska. Z powodu proporcji ludnościowych – prawie trzy razy więcej Żydów niż Polaków – skuteczność szowinistów jest dużo mniejsza niż gdzie indziej. U kogo zresztą w mieście – w większości żydowskim – mają Polacy robić zakupy? Jednak bojkot i konflikt Polaków z żydowską większością to w Pińsku codzienność. Rozmawia się o tym w domach, na ulicach, w urzędach, kościołach. Czy gdyby było inaczej, lokalny satyryk wyśmiewałby endecki pomysł bojkotu?

> Bo oto nasze tak piękne hasło
> „Swój do swojego po swoje",
> Już dawno w naszej Polsce zgasło,
> Bo swój cię zedrze we troje,

A żydek zawsze gładki, usłużny,
Towar pokaże ci grzecznie,
Nawet poczeka, gdy jesteś dłużny.
By z ciebie kupca mieć wiecznie.

Są także w Pińsku i dorożkarze,
Ale najwięcej też żydki,
A każdy z żydków mniej płacić każe,
Taki tu zwyczaj jest brzydki.

...

Słowem: niech żyje nasz Pińsk kochany,
I hasło: „swój do swojego".
Niech się w nim wznoszą polskie stragany
I... skubią aż do żywego.

Ten sam żydowski historyk miasta napisze po latach:

> Od połowy lat trzydziestych antysemityzm w Polsce narastał. W Pińsku też Polacy podejmowali próby tworzenia polskiej przedsiębiorczości w taki sposób, by wypchnąć Żydów z gospodarczego życia miasta. Studenci antysemici, którzy przyjeżdżali spoza miasta, organizowali napaści na Żydów. Jednak żaden z ataków nie powiódł się. Polskie firmy nie były w stanie konkurować z żydowskimi, a żydowska młodzież znalazła sposób, by uciszyć polskich chuliganów i przegonić ich z miasta.

Rządzący obóz piłsudczyków wychwala postawy lojalnych wobec władzy stowarzyszeń żydowskich. („Nie można nie podkreślić faktu – pisze «Słowo Polesia» – że wśród tutejszego społeczeństwa żydowskiego istnieje naprawdę kult do Marszałka Piłsudskiego i przy różnych okazjach, jak uroczystości narodowe, manifestuje [ono] szczerze swoje uczucia"). Pozytywnym cenzurkom wystawianym „propaństwowym" Żydom zawsze towarzyszy protekcjonalny ton. Czy to najlepsze świadectwo wzajemnego zrozumienia, sielankowej wielokulturowości Pińska, dialogu między ludźmi różnych narodów i religii, jak nieraz sugerował Kapuściński?
Za takie można uznać raczej niecodzienne, jak na tamte czasy, małżeństwo chrześcijańsko-żydowskie, o którym „Echo Pińskie" pospieszyło

donieść na czołówce wydania (z 16 kwietnia 1934) – choć to raczej wyjątek potwierdzający regułę:

„We wsi Sienkiewicze słynęła z urody pewna żydówka, córka pobożnych rodziców, wychowana w wierze ojców. Przeznaczeniem jej miało być małżeństwo z jakimś bogatym żydem. Los jednak często staje w poprzek zamierzeniom ludzkim. Bo oto jak grom z jasnego nieba padła wiadomość, że pobożna dziewczyna zakochała się w prawosławnym Danielu Montaju". Dalej – opowieść o tym, jak ów prawosławny postanowił przejść na judaizm, a następnie „udał się do szpitala pińsko-karolińskiego, gdzie aktu obrzezania dokonał na nim «specjalista» w tym kierunku, niejaki Rychter".

Informację zatytułowano *Sensacyjny epilog miłości chrześcijanina ku żydówce.*

Z archiwum (2)

Pejzaż Pińska idealnego i pełnego harmonii, w którym króluje tolerancja, a wzajemną odmienność ludzie biorą za skarb, Kapuściński malował w wywiadach i w gawędach; idealizował krainę swojego dzieciństwa. W notatkach robionych do książki o Pińsku wizerunek społeczności miasta komplikuje się, zawiera mnóstwo plam i rys.

Kapuścińskiego interesują Żydzi – większość mieszkańców miasta. Wynotowuje na karteczkach, czym się trudnili: na przykład dzierżawieniem, a mieli co dzierżawić, bo dostali od magnatów ziemię i dobra w zastaw. Inna notka, zatytułowana *Fabryki żydowskie w Pińsku*: świec i mydła, ćwieków drewnianych do butów, beczek, sklejek, klepek podłogowych, zapałek, kredy; ponadto jest tu tartak i młyn parowy. – Żydzi mieli też zakłady produkcji tytoniu, piwa, cegły, skór, chałwy i szkła.

Wydruk z internetu – o zbrodni polskiego wojska na pińskich Żydach. Zdarzyło się 5 kwietnia 1919 roku: około 150 Żydów zebrało się w sprawie zjednoczenia lokalnych stowarzyszeń spółdzielczych. Wojsko zrobiło najazd na spotkanie pod pretekstem, że to bolszewicki spisek. Dziesięć dni wcześniej polscy żołnierze wyparli z Pińska bolszewików, rozbicie zebrania miało więc racjonalne pozory walki z wrogiem. Wszystkich uczestników aresztowano, a następnie na chybił trafił oficerowie wybrali 35 z nich do natychmiastowego rozstrzelania. Rannych dobijano, reszta kopała groby dla 35 zabitych. Odpowiedzialni za zbrodnię dowódcy nie stanęli przed sądem, dostali przydział do innej jednostki.

Kraina idealna z wywiadów prasowych gdzieś pryska:

kiedy spoglądam w głąb czasu w stronę swojego dzieciństwa widzę przede wszystkim jak naszą wyboistą ulicą Błotną później Pereca obecnie Suworowa przejeżdża wóz hyclowski…

kiedy hycle zobaczą psa rzucają się w jego stronę otaczają go wydając dzikie okrzyki a następnie słychać świst lassa i wycie przerażonego zwierzęcia które ciągną i wrzucają do klatki Po chwili wóz rusza dalej

dlaczego ci groźni i niechlujni ludzie łapią biedne psy o tym dowie się każde chrześcijańskie dziecko jeżeli coś spsoci

bądź grzeczny/-a usłyszy wówczas przestrogę mamy albo babci, bo hycle wezmą cię na macę! Dlatego dzięki ciągłej obecności hycli na ulicach naszego miasteczka dzieci chrześcijańskie są dobrze wychowane – żadne nie chce być zjedzone jako anonimowy kawałek kruchego koszernego placka

Fragment ten Kapuściński zatytułował *Dobre wychowanie dzieci chrześcijańskich*.

Czy opowieści o rytualnych mordach dokonywanych przez Żydów na dzieciach chrześcijańskich w celu wytoczenia krwi, którą mieli rzekomo dodawać do macy – haniebny mit powtarzany w kościołach i katolickich domach, będący przez stulecia źródłem nietolerancji, pogromów i zbrodni na Żydach – mały Rysio słyszy na ulicy, od sąsiadów, od bliskich?

Opowieści takie pamięta jego młodsza o rok siostra, Barbara:

– Zaczepił mnie stary Żyd z wielką brodą. „Zaczekaj tu – powiedział. – Zaraz ci przyniosę z domu cukierki". Stoję przed jego domem, czekam. Zjawia się sąsiadka: „Co tu robisz, Basiu?". „Czekam na niego (i pokazuję na dom Żyda). Obiecał, że mi przyniesie cukierki". „Uciekaj stąd, dziecko, natychmiast! On chce cię porwać na macę!".

Po chwili siostra Kapuścińskiego dopowiada:

– Mówiło się wtedy, że Żydzi potrzebowali krwi dzieci do swoich rytuałów.

Gdy latem czterdziestego pierwszego roku wojska III Rzeszy zaatakowały Związek Radziecki (zajęły także Pińsk), 11 tysięcy pińskich Żydów wymordowano od razu w dwóch masowych egzekucjach. Resztę spędzono do getta, w którym rok później zawiązał się ruch oporu i doszło do rewolty. Niewielu Żydom udało się zbiec i skryć w lasach. Jedni przyłączyli się do grup partyzanckich, innych dobili „tutejsi".

Nahum Boneh, świadek miejsca i czasu, po wojnie lider stowarzyszenia pińskich Żydów w Izraelu, napisze po latach:

> ...dla Żyda nawet przystąpienie do oddziału partyzanckiego było niebezpieczne. W tamtych latach nie-Żydzi, którzy natknęli się na Żyda samego, mogli go zabić lub wydać Niemcom. Wśród partyzantów byli antysemici, którzy wykorzystywali każdą okazję (a było ich wiele), żeby zabić Żyda, nawet takiego, który walczył w partyzantce (*The Holocaust and The Revolt in Pinsk 1941–1942*).

Choć wśród relacji zebranych przez Boneha są i świadectwa pomocy niesionej przez Polaków z Pińska żydowskim sąsiadom, wnioski nie pozostawiają złudzeń: „cała nie-żydowska ludność patrzyła obojętnie, a nawet z zadowoleniem na eksterminację Żydów i szansę zawłaszczenia ich własności".

Po burzliwej debacie o zbrodni Polaków na żydowskich sąsiadach w Jedwabnem, jaka przetoczyła się w Polsce na początku tego wieku – jej znaczenie porównywano do „sprawy Dreyfusa" we Francji – obserwacje te nie są dziś nowe, ani odkrywcze. Ukazują, że społeczność polska w Pińsku nie różniła się od antysemickiej „średniej krajowej".

Pińsk Kapuścińskiego, „miasteczko życzliwych ludzi i życzliwych ulic", był mitem. Cudowną Arkadią, krainą lat dziecięcych, w której ludzie różnych religii i narodów żyją w pokoju i harmonii. Światem harmonii, której Kapuściński pragnął w dorosłym życiu dla Afryki, Ameryki Łacińskiej, wszystkich mieszkańców biednego Południa.

Czy także składnikiem pisarskiej autokreacji? Mitologizacją, która spajała życiorys „tłumacza kultur", jakim pragnął, by go widziano u kresu życia? I która wskazywała na źródła tej predyspozycji: oto człowiek dialogu i spotkania z Innym, który wielokulturowością oddycha od dziecka, ma ją niejako we krwi?

Między Pińskiem z archiwum domowego: Pińskiem hycli, Pińskiem Polaków mordujących Żydów lub wydających ich Niemcom na śmierć a Pińskiem – sielską Arkadią z gawęd i wywiadów – roztacza się przepaść.

Aż trudno nie spytać: czy te dwa wizerunki miasta lat dziecięcych dlatego właśnie, że tak odległe, sprzeczne, odpychające się nawzajem, nie złożyły się nigdy w zapowiadaną przez tyle lat książkę?

Z notatek i rozmów (2)

Wspomnienia o domu rodzinnym, jakie Kapuściński zostawił, są ubogie. Niewiele pamiętał sprzed wojny. W tym, co opowiadał, więcej było przeczuć i impresji na pograniczu poezji i fantazji aniżeli pewnych informacji.

W szkicach do pińskiej książki pisze o ojcu, że jest dla niego dobry i że to ważne, święte. Matki – jak wyznaje – nie potrafi jeszcze odczuwać jako odrębnej istoty; są jednością.

Jedynym świadkiem, który po śmierci Kapuścińskiego wyłuskuje z pamięci okruchy wspomnień o domu rodzinnym przed wojną, jest siostra Barbara. Jako studentka anglistyki wyemigrowała w latach sześćdziesiątych do Wielkiej Brytanii, potem do Kanady. Kapuściński był wściekły na nią za tę decyzję tak bardzo, że w pierwszych latach po wyjeździe Barbary ich wzajemne stosunki ochłodziły się.

Uważał, że trzeba było być w Polsce, budować przyszłość kraju dźwigającego się po II wojnie światowej. Wyjazd na Zachód był w jego przekonaniu – wówczas lojalnego członka partii komunistycznej – zdradą. Lecz to nie jedyny powód konfliktu z siostrą. W Polsce Ludowej władze polityczne krzywo patrzyły na ludzi, którzy mieli krewnych na Zachodzie. Pozostanie za granicą, w kapitalistycznym kraju, traktowano jako rodzaj ucieczki i wyrzeczenia się socjalistycznej ojczyzny. Kapuściński, który wtedy od niedawna pracował w rządowej agencji prasowej, obawiał się, że siostra, która „zbiegła" na Zachód, może nadszarpnąć jego reputację, zachwiać zaufaniem decydentów, popsuć rozwijającą się karierę.

– Nie byliśmy bogaci, ale niczego nam nie brakowało. Obydwoje rodzice pracowali w szkole – wspomina Barbara, po mężu Wiśniewska, z którą przez trzy dni rozmawiam w Vancouver.

Jej świadectwo odbiega od niektórych relacji Kapuścińskiego, który nieraz sugerował, że wywodzi się z pińskiej biedy.

Istotnie: nauczyciele w tamtych czasach zarabiają mało, należą jednak do warstwy społecznej będącej odpowiednikiem współczesnej klasy średniej; są elitą kulturalną, zwłaszcza na prowincji, jaką jest Pińsk. Fotografie piętrowego domu również nie wskazują na to, iżby Kapuścińscy mieszkali w ruderze.

A jednak wspomnienia pińskiej biedy to w jakimś stopniu uprawniony element literackiej autokreacji. Mały Rysio rzeczywiście wszędzie wokół widział biedę; sami Kapuścińscy nie biedowali, jednak bieda stanowiła dominantę lokalnego pejzażu; była wszechobecnym składnikiem świata jego dzieciństwa. („Tegoroczna wiosna – pisało w 1936 r. «Nowe Echo Pińskie» – na szczęście dość wczesna, rozbudziła wśród rzesz bezrobotnych nowe nadzieje, że przecież skończył się okres ciężkiej zimy, kiedy to często, gęsto nie było w domu kartofla na obiad, kiedy wynędzniałe głodne dzieci tuliły się do siebie w zimnych, nieopalonych norach").

Ojciec uczy zajęć praktyczno-technicznych; czego uczy matka – Barbara nie pamięta, prowadzi chyba lekcje ze wszystkiego, ogólne nauczanie – czytania, pisania, liczenia dla pierwszych klas.

W ciągu dnia „Rysieczkiem" – jak woła na syna matka, i „żabcią" – jak nazywa małą Basię, zajmuje się niania, garbuska Masia. Maria Kapuścińska po śmierci swojej matki opiekuje się dużo młodszą, nastoletnią siostrą Oleńką. Przebłyski dziecięcej pamięci Barbary sugerują, że rodzice mieli spore grono przyjaciół i znajomych, i że w domu kwitło życie towarzyskie.

Powiedzieć, że „Rysieczek" jest oczkiem w głowie matki, to nie powiedzieć o ich uczuciach i wzajemnych relacjach nic. Córkę kocha, syna wielbi. Jest najpiękniejszy, najzdolniejszy, najmądrzejszy. Wiara Marii Kapuścińskiej w geniusz syna – jak wynika ze wspomnień przyjaciół domu, którzy ją znali po wojnie – znacznie przewyższa przeciętną zapatrzenia matek w utalentowanych synów.

– Mój syn, mój syn... – mówiła o nim z uwielbieniem, w jakimś uniesieniu (w taki sposób o wyrazach miłości matki do syna opowiadała nieraz pani Alicja, wdowa po Kapuścińskim).

Młodość matki Kapuścińskiego przypadła na okres międzywojenny – epokę, w której patriotyzm kojarzył się często z mundurem. Centrum zabaw i spotkań polskiej mniejszości Pińska było oficerskie kasyno. Odbywały się tam wykwintne bale, na które chadzali państwo Kapuścińscy. Pani Maria w kapelusiku, uczesana na Smosarską, dumna, że należy do elity. Gdy dwudziestokilkuletni Rysiek, jako student Uniwersytetu Warszawskiego, wrócił z ćwiczeń wojskowych w polowym mundurze i strzelając obcasami, wykrzyczał: – Podporucznik Ryszard Kapuściński melduje się w domu!, matka rozpłakała się. – Mój syn jest oficerem!

Źle znosiła długie wyjazdy syna, gdy jako korespondent Polskiej Agencji Prasowej znikał na wiele miesięcy, czasem więcej niż na rok w Afryce i Ameryce Łacińskiej, czasami tygodniami nie dając znaku życia. Gdy wyjeżdżał, prosił przyjaciół, żeby „mieli oko na rodziców". Z daleka pisał czułe listy do „maminka", jak zaczął nazywać matkę po powrocie z jednej ze swoich pierwszych podróży zagranicznych – do Czechosłowacji.

Matka przychodziła do warszawskiej siedziby PAP na rogu Alei Jerozolimskich i Nowego Światu i prosiła o korespondencje syna, żeby choć wiedzieć, gdzie jest, czym ma zaprzątnięte myśli, czego w tej chwili jest świadkiem. Nieraz dostawała jego teksty, zanim trafiały do PAP-owskich biuletynów. Z premedytacją nie dano jej przeczytać jednej jedynej korespondencji – z Nigerii. Był rok 1966, tuż po zamachu stanu w tym kraju...

> Czekałem, kiedy mnie spalą, bo UPGA dużo ludzi pali żywcem. Spalone trupy widziałem tu często. Szef operacji przy tej barierze zdzielił mnie pięchą w twarz, w ustach poczułem ciepłą słodycz. Potem oblał mnie benzolem, bo tu palą ludzi w benzolu, który zapewnia spalenie doszczętne. Poczułem zwierzęcy strach, strach, który mnie poraził, jak paraliż, stałem jak wbity w ziemię, jak zakopany w ziemi po szyję. Czułem, że oblewa mnie pot, ale pod skórą czułem takie zimno, jakbym stał na wielkim mrozie... Moje życie będzie ginąć w nieludzkim bólu, będzie odchodzić w płomieniach... Przystawili mi noże do oczu. Przystawili mi nóż do serca...

Redaktorka Wiesława Bolimowska poszła do szefa Michała Hoffmana i zażądała: „Nie wolno tego nigdzie puścić, bo pani Kapuścińska umrze na serce, jeśli to przeczyta". Zablokowano publikację tekstu we wszystkich biuletynach agencji, żeby któraś z gazet – co było częstą praktyką – go nie przedrukowała. Relacja ukazała się dekadę później w tomie reportaży Kapuścińskiego *Wojna futbolowa* (pt. *Płonące bariery*). Maria Kapuścińska już nie żyła, zmarła w 1974 roku, w wieku 63 lat.

Ojciec z kolei lubił dworować z syna. Gdy Rysiek się uczył, coś pilnie studiował, zawsze podkreślał w książkach ważne zdania – robił to zresztą i później jako znany reporter, a potem światowej sławy pisarz – ojciec zaczepiał go: – Idź już spać, Rysiu. Ja ci do rana tę całą książkę popodkreślam.

Potrafił się droczyć, mówiąc, że Rysiek jest średniego wzrostu, a wtedy matka wybuchała: „Jak to średniego, Rysio jest wysoki!". Śmiał się ojciec: „Rysio jest średni wyższy, a ja średni niższy". Na to matka podniesionym głosem kończyła całą tę dyskusję: „Co ty, stary wygadujesz, to ty jesteś mały, a mój syn jest wysoki!".

Rysiek nie mógł liczyć na inspirujące rozmowy z ojcem – o kulturze, książkach, polityce, świecie. Przez długie lata nosił w sobie kompleks niedouczonego prowincjusza, który niewiele wyniósł z domu i wszystkiego musi dopiąć własną harówką.

Kiedyś opowiadał mi, że gdy jako młody reporter spotykał kolegów po piórze, swoich rówieśników – Kazimierza Dziewanowskiego i Wojciecha Giełżyńskiego, obu wywodzących się z prawdziwie inteligenckich domów – wstydził się odezwać.

– Wiedzieli wszystko o wszystkim, przerzucali się nazwiskami i tytułami książek, o których ja nawet nie słyszałem – mówił Kapuściński.

Pobrzmiewała w tej anegdocie nutka dumy, że zaszedł dużo dalej niż koledzy. Ale wiele lat wcześniej, gdy siedział przy nich i nie wiedział, z czym i w jaki sposób włączyć się do rozmowy, musiał się czuć okropnie.

Józef Kapuściński nie bardzo miał pojęcie, czym zajmuje się syn. Bywał oburzony porozkładanymi na podłodze gazetami z nazwiskiem „Kapuściński", które można bezkarnie deptać i wykładać nimi kosz na śmieci. Był człowiekiem sumiennym i obowiązkowym, który – jak sam utrzymywał – nigdy w życiu nie spóźnił się na lekcje. Irytowało go, że syn siedzi zamknięty w pokoju i coś robi (to znaczy: pisze), zamiast chodzić do pracy i zarabiać na rodzinę. Bo przecież pracuje ten, kto chodzi do pracy, a nie ten, co siedzi całe dnie w domu.

Kiedyś przyjechał w odwiedziny do syna i synowej.

– Byłeś dziś, Rysiu, w pracy?

– Byłem, tato, byłem.

– A na którą poszedłeś?

– Na ósmą, tato, na ósmą – łgał syn, żeby nie toczyć z ojcem dyskusji, które do niczego nie prowadzą.

Józef Kapuściński obruszył się kiedyś, gdy znajoma syna i synowej wspomniała, że nosi podwójne nazwisko – panieńskie i po mężu.

– A gdzie szacunek dla męża? – żachnął się.

Siostra Kapuścińskiego, Barbara, powiedziała mi, że ojciec, który zmarł w siedemdziesiątym siódmym roku, do końca życia nie rozumiał, co właściwie robi Rysiek ani kim jest.

Wojna

Mam siedem lat, stoję na łące (wojna zastała nas na wsi we wschodniej Polsce) i wpatruję się w ledwo, ledwo przesuwające się niebem punkty. Wtem w pobliżu, pod lasem, rozlega się straszliwy huk, słyszę, jak z piekielnym łoskotem pękają bomby (o tym, że są to bomby, dowiem się później, bo w tym momencie nie wiem jeszcze, że istnieje coś takiego jak bomba, samo to pojęcie jest obce mnie, dziecku z głuchej prowincji, które nie znało jeszcze radia ani kina, nie umiało czytać ni pisać, a także nie słyszało o istnieniu wojen i śmiercionośnych broni), i widzę wylatujące w górę gigantyczne fontanny ziemi. Chcę pobiec w stronę tego niezwykłego widowiska, ono mnie oszałamia i fascynuje, a nie mam jeszcze wojennych doświadczeń i nie potrafię połączyć w jeden związek, w jeden łańcuch przyczyn i skutków tych srebrno lśniących samolotów, huku bomb, pióropuszy ziemi wylatujących na wysokość drzew i grożącej mi śmierci. Więc zaczynam biec w stronę lasu, w stronę spadających i eksplodujących bomb, ale jakaś ręka chwyta mnie z tyłu za ramię i przewraca na łąkę. „Leż – słyszy rozdygotany głos matki – nie ruszaj się"...

Jest noc i chce mi się spać, ale nie wolno mi spać, musimy iść, musimy uciekać. Dokąd uciekać – nie wiem, ale rozumiem, że ucieczka stała się jakąś wyższą koniecznością, jakąś nową formą życia, ponieważ uciekają wszyscy; wszystkie szosy, drogi, nawet ścieżki polne są pełne wozów, wózków i rowerów, pełne tobołów, walizek, toreb, wiader, pełne przerażonych i błąkających się bezradnie ludzi. Jedni uciekają na wschód, inni na zachód...

Mijamy pobojowiska zasłane porzuconym sprzętem, zbombardowane stacje kolejowe, przewrócone na bok samochody. Czuć prochem, czuć spalenizną, czuć rozkładającym się mięsem. Wszędzie napotykamy trupy koni. Koń – duże, bezbronne zwierzę – nie umie się ukryć, w czasie bombardowania stoi nieruchomo, czeka na śmierć. Na każdym kroku martwe konie, to wprost na drodze, to obok w rowie, to gdzieś dalej w polu. Leżą z nogami uniesionymi do góry, kopytami wygrażają światu. Nigdzie nie widzę zabitych ludzi, bo tych grzebią szybko, tylko ciągle trupy koni karych, gniadych, srokatych, cisawych, jakby to była wojna nie ludzi, a koni...

(Pół wieku później, po przeczytaniu opisu tej scenerii amerykański pisarz John Updike napisze w liście do Kapuścińskiego, że dopiero teraz rozumie znaczenie figury konia w *Guernice* Picassa).

...kiedy po dniach wędrówki jesteśmy blisko Pińska, kiedy z daleka widać już domy miasta, drzewa pięknego parku i wieże kościołów, na drodze przy samym moście wyrastają nagle marynarze. Ci marynarze mają długie karabiny i ostre, kolczaste bagnety, a na okrągłych czapkach – czerwone gwiazdy... nie chcą wpuścić nas do miasta. Trzymają nas na odległość, nie ruszać się! krzyczą i mierzą z karabinów. Mama, a także inne kobiety i dzieci – bo zebrali nas już całą gromadę – płaczą i proszą o litość. Wołajcie o litość, błagają nas nieprzytomne ze strachu mamy, ale co my, dzieci, możemy jeszcze zrobić, i tak już od dawna klęczymy na drodze, szlochamy i wyciągamy w górę ramiona.

Krzyk, płacz, karabiny i bagnety, wściekłe twarze spoconych i złych marynarzy, jakaś furia, jakaś groza i niepojętość, to wszystko jest tam przy moście nad Piną, w tym świecie, w który wkraczam, mając siedem lat.

W Pińsku nie ma co jeść. Maria Kapuścińska stoi godzinami w oknie, czegoś wypatruje. W oknach sąsiadów Rysiek widzi ludzi, którzy tak samo jak matka wyglądają na ulicę. Czy na coś czekają? Ale na co? Rysiek z kolegami godzinami wałęsa się po ulicach i podwórkach. Trochę się bawią, ale w gruncie rzeczy liczą, że uda się znaleźć coś do jedzenia.

Czasem przez jakieś drzwi doleci zapach gotującej się zupy. W takich wypadkach jeden z moich kolegów, Waldek, wtyka nos w szparę tych drzwi i zaczyna pośpiesznie, gorączkowo wdychać ten zapach i z rozkoszą gładzić się po brzuchu, jakby siedział przy obficie zastawionym stole, w chwilę później zmarkotnieje i znowu popada w apatię.

*

Ciągle będzie powracał do wyznania, że wojna – tak jak dla wszystkich, którzy ją przeżyli – była decydującym doświadczeniem; dla dorastającego chłopca – okresem, który ukształtował widzenie człowieka i świata, przypadł między siódmym a trzynastym rokiem jego życia.

Ci, którzy przeżyli wojnę, nigdy się od niej nie uwolnią. Ona pozostała w nich jako garb myślowy, jako obolała narośl, której nawet tak świetny chirurg jak czas nie będzie w stanie usunąć. Przysłuchajcie się spotkaniu tych, którzy przeżyli wojnę. Kiedy zbiorą się i usiądą wieczorem przy stole. Nieważne, o czym zaczną mówić. Tematów może być tysiąc, ale zakończenie będzie jedno: i będzie nim – wspominanie wojny...

Długo myślałem, że jest to świat jedyny, że tak on wygląda, że tak wygląda życie. To zrozumiałe: lata wojny były dla mnie okresem dzieciństwa, a potem początków dojrzewania, pierwszego rozumienia, narodzin świadomości. Stąd zdawało mi się, że nie pokój, a wojna jest stanem naturalnym, a nawet jedynym, jedyną formą egzystencji, że tułaczka, głód i strach, naloty i pożary, łapanki i egzekucje, kłamstwo i wrzask, pogarda i nienawiść są naturalnym i odwiecznym porządkiem rzeczy, treścią życia, esencją bytu.

Co znaczą te słowa? Że zasadą świata i najbardziej podstawowym uczuciem ludzkim jest strach? Że inny to zagrożenie? Że gdy widzę nieznajomego, najpierw muszę się zastanowić, czy nie zechce pozbawić mnie życia? Jak się chronić? Takie instynkty – chyba jeszcze nie myśli, nie tak sformułowane – musi budzić w siedmio-, ośmio- czy trzynastolatku „naturalny stan wojny".

Przeglądam teraz różne teksty Kapuścińskiego – te pisane i mówione za granicą, gdy był już sławny – i odkrywam, że wojna wraca w nich nieustannie; choćby jako krótkie wspomnienie, nawiązanie, punkt wyjścia lub dojścia, zawsze znajdzie sobie miejsce. Gdzieś napisał, że wojna redukuje świat do kolorów czarnego i białego, do „najpierwotniejszej walki dwóch sił – dobra i zła". Jak potem z tego wyjść? Jak się wyleczyć?

Zostawił dwa niezbyt długie teksty wspomnieniowe o latach wojennych. *Ćwiczenia pamięci* i *Pińsk '39* – rozdział w książce o rozpadzie Związku Radzieckiego, *Imperium*. Okruchy wspomnień są w *Podróżach z Herodotem* i *Lapidariach*. Więcej w tych tekstach impresji niż rekonstrukcji zdarzeń. Niełatwo się zorientować, co było wcześniej, co później; co jest pewnością, co przypuszczeniem, a co czas zamienił w półfantazję. Mnóstwo luk pomiędzy „sfotografowanymi" przez pamięć dziecka chwilami. Teraz uświadamiam sobie, że są tu właściwie same luki wypełnione okruchami wspomnień.

W czasie warsztatów dla adeptów sztuki reportażu literackiego w Meksyku, Buenos Aires i Caracas opowiadał, że gdy zakończyła się II wojna światowa, nie wiedział co to takiego pokój. – Byłem zaskoczony, że nagle ucichły strzały, z nieba nie spadają bomby, ludzie przestali ginąć, skończył się głód. Wszystko to wydawało mi się dziwne...

Próbuję wykonać buchalterską robotę: co, gdzie, kiedy; w miarę możliwości po kolei. Jedyną osobą, która może w tym pomóc, jest siostra Barbara. W trakcie rozmów ustalam – i nie jest to niespodzianką – że niektóre wydarzenia zapamiętali tak samo lub podobnie, a niektóre zupełnie inaczej. O wielu Kapuściński nigdy nie wspominał. Nie zapamiętał ich? Nie były dlań ważne? Zbyt traumatyczne?

Zestawiam relacje obojga, nawet te, dotyczące błahych zdarzeń, nie mogąc często przesądzić, która jest bliższa prawdy – są to prawdy dwóch dziecięcych pamięci.

Rysiek „fotografuje" wrażenia, język jego wspomnień intensyfikuje je, jest w nich malarzem impresjonistą. Barbara stara się poukładać fakty, zrekonstruować zdarzenia, po kolei – na ile pozwala pamięć i na ile zdołała ustalić szczegóły w rozmowach z rodzicami po wojnie. Część wspomnień spisała odręcznie na parunastu kartkach.

Rekonstruując detale „naturalnego stanu rzeczy", w jakim dorastali, staram się pamiętać o wszystkim, co wiem o jego późniejszym życiu, a zwłaszcza o pytaniu: W jaki sposób przeżycia czasu wojny i okupacji mogły zaciążyć na postawach, wyborach, zainteresowaniach, poglądach?

Opowieść Barbary

– Wybuch wojny zastaje nas na wsi koło Rejowca, niedaleko Chełma w południowo-wschodniej Polsce. Spędzaliśmy tam wakacje u wujka. (Początek roku szkolnego przypadł na poniedziałek 4 września, dlatego 1 września Maria Kapuścińska z Ryśkiem i Basią była jeszcze poza

Pińskiem). Nie wiele pamiętam z drogi powrotnej do domu. W Pińsku, który znalazł się pod okupacją sowiecką, Rysiek poszedł do szkoły, ja byłam jeszcze za mała.

W szkole od pierwszej lekcji uczymy się alfabetu rosyjskiego. Zaczynamy od litery „s". Jak to od „s"? pyta ktoś z głębi klasy. Przecież powinno być od „a"! Dzieci, mówi zgnębionym głosem pan nauczyciel (który jest Polakiem), spójrzcie na okładkę naszej książki. Jaka jest pierwsza litera na tej okładce? „S"! Petruś, który jest Białorusinem, może przeczytać cały napis: Stalin *Woprosy leninizma*. Jest to jedyna książka, z której uczymy się rosyjskiego, jedyny egzemplarz tej książki...
Wszystkie dzieci będą należały do Pioniera! Któregoś dnia zajeżdża na podwórko szkolne samochód... Ktoś mówi, że to NKWD... Otóż ci z NKWD przywieźli dla nas białe koszule i czerwone chusty. Jeżeli będą ważne święta... każde dziecko przyjdzie w tej koszuli i chuście... (*Imperium*).

– Wkrótce zaczyna się mówić o wywózkach na Syberię. Mieli być wywożeni polscy nauczyciele i policjanci. Ojciec, który był nauczycielem i oficerem rezerwy, decyduje się na ucieczkę, to znaczy przejście przez zieloną granicę do Generalnego Gubernatorstwa – pod okupację niemiecką. Wyrusza o zmierzchu, najpierw do swojego kolegi Olka Onichimowskiego, też nauczyciela, który mieszka niedaleko stacji kolejowej; mają uciekać razem.
Tej samej nocy NKWD przychodzi po ojca. Są uzbrojeni w karabiny zakończone bagnetami. Krzyczą do mamy, gdzie jest mąż? Rysiek biega co pięć minut do łazienki, pewnie lepiej niż ja rozumiał, co się dzieje, i bardziej się bał – miałam sześć lat, on siedem. Na koniec, chyba ze złości, że nie zastali ojca, NKWD-yści dziurawią bagnetami reprodukcję obrazu Matejki *Batory pod Pskowem*, która wisi na ścianie. Mamie dają spokój. Następnego dnia dowiadujemy się, że ojciec był tamtej nocy w Pińsku, bo nie zdążyli z Olkiem na pociąg. Szczęśliwie zanocował u kolegi.

Wpada ich kilku, czerwonoarmistów i cywilów, wdzierają się tak nerwowo i błyskawicznie, jakby ścigały ich rozwścieczone wilki. Od razu karabiny w nas wymierzone. Strach wielki: a jeżeli strzelą? A jeżeli zabiją?... I do mamy – muż kuda? A mama, blada jak papier, rozkłada drżące ręce i mówi, że nie wie... Czego szukają? Mówią, że broni. Ale jaka u nas może być broń? Mój zepsuty kapiszonowiec, z którym chodziłem walczyć z Indianami... Chcą zabrać mamę. Zabrać za karę czy jak? Grożą jej pięściami i okropnie klną. Idi! krzyczy żołnierz do mamy i chce wypchnąć ją kolbą na dwór w ciemną noc. Ale wtedy moja młodsza siostra rzuca się nagle na żołnierza i zaczyna go bić, gryźć i kopać, rzuca się w jakimś szale, furii, obłędzie. Jest w tym taka nieoczekiwana, zaskakująca determinacja, taka drapieżna nieustępliwość, zawziętość i ostateczność, że jeden z czerwonoarmistów, pewnie najstarszy, pewnie komandir, waha się przez chwilę, w końcu nakłada czapkę, zapina kaburę pistoletu i mówi do swoich ludzi – paszli! (*Imperium*).

– Przez kolejne noce nie spaliśmy, czekaliśmy, że enkawudyści przyjdą ponownie.

Zaczęły się wywózki całych rodzin. Taki los spotkał rodzinę mojej koleżanki z sąsiedztwa, Sabiny, córki policjanta. O piątej rano pod ich dom podjechała furmanka z żołnierzami. Żołnierze ładowali rzeczy na furmankę, a mamie Sabiny pozwolili ugotować trochę kaszy na drogę. Usłyszałam hałas i poprosiłam mamę, czy mogę do nich pójść. Mama chyba nie zdawała sobie sprawy z niebezpieczeństwa, jakie mi grozi, i zgodziła się.

Pociąg, którym mieli ich wywieźć, składał się z kilkunastu wagonów i załadowanie ich ludźmi trwało kilka dni. Udało nam się z Ryśkiem i naszą nianią Masią przemycić kilka razy ugotowaną kaszę. Była zima i straszny mróz, ze 30 stopni. Zanim pociąg ruszył, młodsza siostra Sabiny zamarzła.

W szkole, w czasie przerw, albo kiedy wracamy gromadą do domu, mówi się o wywózkach. Nie ma teraz ciekawszego tematu... (*Imperium*).

– Pamiętam, że cały czas mówiło się o jedzeniu, że trzeba coś zdobyć albo kiedy coś przywiozą. Którejś nocy wypadło na mnie, musiałam stanąć w kolejce po stłuczki jajek. Ludzie wypchnęli mnie z tłumu, nie zdobyłam nic i na dodatek stłukłam gliniany garnek.

Kiedyś, głodni i zdesperowani, powlekliśmy się do żołnierzy pilnujących koszar. Towariszcz, powiedział Hubert, daj pokuszat' i zrobił ręką gest wkładania do ust kawałka chleba... W końcu jeden z wartowników sięgnął do kieszeni i zamiast chleba wyciągnął płócienny woreczek i podał nam bez słowa. W środku były ciemnobrunatne, niemal czarne, drobno pokrajane łodygi liści tytoniowych. Czerwonoarmista dał nam również kawałek gazety, pokazał, jak skręcić z niej stożek i wsypać wilgotnej, cuchnącej, tytoniowej kaszy...

Zaczęliśmy palić. Dym drapał w gardle i szczypał w oczy. Świat zaczął wirować, kołysać się i stawać na głowie. Wymiotowałem, a czaszka pękała mi od bólu. Ale ssące, tępe uczucie głodu zelżało, osłabło... (*Imperium*).

– Mama nasza była kochana, nigdy nie dostawaliśmy w skórę, ale jeden raz kiedy sama wróciła z kolejki po stłuczki, zbiła nas. Może była zrozpaczona i sfrustrowana, że niczego nie dostała? Poszło o papierosy. Gdy nie było jej w domu, znaleźliśmy z Ryśkiem pudełko i wypaliliśmy wszystkie – chyba sto sztuk. Pety i popiół wrzucaliśmy za łóżko, sądząc, że w ten sposób mama niczego nie zauważy. Była naprawdę na nas zła, nigdy potem nie pamiętam jej takiej.

– Było już wtedy cieplej, pewnie początek wiosny 1940 roku, i wyjechaliśmy z Pińska na zawsze. Ogłosili, że kto chce, może przejść na stronę niemiecką, zabierając ze sobą 30 kilo bagażu. Mama nie wahała się ani chwili, mimo że zostawiała urządzony dom, do którego – musiała zdawać sobie sprawę – nigdy nie wróci. Wsadziła mnie i Ryśka na furmankę – i ruszyliśmy w drogę. Pamiętam potem jazdę pociągiem. Zanim przeszliśmy przez granicę, pojechaliśmy najpierw do Przemyśla, gdzie mieszkali rodzice ojca. Dziadek był względnie sprawny, ale babcia od lat miała sparaliżowane obie ręce i wymagała troski w czasie uciążliwej podróży.

Na granicy sowiecko-niemieckiej trzeba oddać pieniądze, biżuterię, wszelkie kosztowności. Po niemieckiej stronie – golą głowy, bo Niemcy uważali, że wszyscy jadący ze wschodu mają wszy. Najpierw polewają nam głowy jakąś białą papką, a potem strzygą. Chłopców na łyso, dziewczynki – na krótko. Pamiętam kobietę z małym chłopczykiem, młodszym ode mnie, może czteroletnim, który miał śliczne kręcone blond włosy. Mama nauczyła go wierszyka po niemiecku, wierząc, że ocali jego fryzurę. Chłopiec wierszyk wyrecytował, a chwilę potem maszynka ogoliła mu głowę do skóry.

Nie pamiętam, jak spotkaliśmy ojca, w każdym razie zamieszkaliśmy wszyscy razem w Sierakowie pod Warszawą. To był piętrowy dom, na dole jedna izba, w której ojciec prowadził jednoklasową szkołę; był w niej jedynym nauczycielem. Trzynaście schodków wyżej – dwa pokoje ze ściętymi ścianami dachu: w jednym spali dziadkowie i ja z Ryśkiem, w drugim – rodzice.

Ojciec był surowym nauczycielem, walił uczniów linijką po rękach; mnie kazał przepisywać po 20 razy jakieś słowo, które źle napisałam.

Czy cierpieliśmy głód? Wtedy nie, choć było ciężko, wszyscy chodziliśmy chudzi. W domu był duży żeliwny garnek, w którym mama gotowała zupę. Zupa była codziennie, mieszkaliśmy w końcu na wsi. Dzieci przynosiły jako „opłatę" za szkołę a to litr mleka, a to ziemniaki… Czasem nie starczało zupy dla wszystkich i mama mówiła wtedy, że nie jest głodna.

Głód przyszedł tu za nami z Pińska, ciągle szukałem, gdzie by co zjeść, skórkę chleba, marchewkę, byle co. Kiedyś ojciec, nie mając innego wyjścia, powiedział w klasie: „Dzieci, kto chce jutro przyjść do szkoły, musi przynieść jednego kartofla"… Nazajutrz połowa klasy nie przyszła w ogóle. Niektóre dzieci przyniosły pół, inne ćwierć kartofla. Cały kartofel był wielkim skarbem… (*Ćwiczenia pamięci*).

– Rysiek z kolegami wymyślili zabawę polegającą na tym, że do metalowej rurki nasypywało się prochu i rurkę rzucało z całej siły o sufit – tak to zapamiętałam. Następował ognisty wybuch – na szczęście nie poparzyło nam twarzy, ani oczu; mogła być z tego tragedia.

Mniej więcej po roku pobytu w Sierakowie przeprowadzamy się do Izabelina, gdzie mamy wspaniałe jak na tamte czasy warunki: dom z dwoma pokojami, kuchnią, przedpokojem i werandą. Mamy też ogród, w którym uprawiamy warzywa, kilka drzew owocowych – jabłonie, śliwy, a w drewnianej przybudówce – króliki i kury, co oznacza, że mamy na co dzień jajka. Tata jeździ do szkoły do Sierakowa na rowerze; mama opiekuje się miejscowymi dziećmi, za co dostaje marmoladę i miód. Rysiek i ja chodzimy do szkoły w Izabelinie…

– Przed naszym domem często „parkuje" kilkanaście rowerów. Odbywają się tu zebrania konspiracyjne – ojciec należy do Armii Krajowej – co jest, niestety, widoczne dla każdego. I niebezpieczne. Nasz sąsiad Grothe, właściciel sklepu, był volksdeutschem. Miał żonę, trzy córki i z jedną z nich, Izą, przyjaźniłam się. Któregoś dnia, gdy wróciłam od niej, w domu Grothego zaczęła się akcja. AK wydała na niego wyrok śmierci, na szczęście nie wyznaczyli do jego wykonania ojca. Słyszeliśmy krzyki i wołanie o pomoc. Nie mogliśmy nic zrobić. Później dowiedzieliśmy się, że broniąc się, Grothe wylał kwas na jednego z napastników i zabarykadował się w sklepie. Zastrzelili go przez drzwi.

Następnego dnia zaczął się koszmar. Do wsi przyjechała ciężarówka pełna żandarmów. Samochody, motory, psy, jeden wielki wrzask. Wyciągnęli z domu sąsiada, Wojtka Borzęckiego, to był w okolicy ktoś; przystojny pan, chodzący w bryczesach i butach z wysokimi cholewami; hrabia chyba. Zaczęli go torturować na oczach wszystkich. Wbijali mu gwoździe pod paznokcie, a on wył tak, że jeszcze dzisiaj słyszę to wycie. Patrzymy na to z Ryśkiem przyklejeni do okna. Potem wyciągają nauczyciela Franciszka Piętę. Wożą go samochodem po wsi, zdzierają skórę z twarzy i posypują solą. Klęczymy z mamą i modlimy się w przyspieszonym tempie, jakby szybka modlitwa miała przynieść mu szybciej pomoc.

Boimy się o ojca. Pojechał rano do Sierakowa i nie wraca. Okazało się, że Niemcy zrobili obławę w całej okolicy. W Sierakowie, gdy zamykał szkołę, czekali już na niego. Z tego, co potem opowiadał, gdzieś przy krzyżu przydrożnym podzielili zebranych mężczyzn na dwie grupy. Jednych zabrali ze sobą, ojciec na szczęście znalazł się w grupie, którą puścili wolno. W trakcie selekcji udało mu się wyrzucić na ziemię i zasypać nogą małe bibułki z tajnymi informacjami.

Gdy wraca do domu, jest już noc. Nie zmrużyliśmy dotąd oka, jesteśmy przerażeni. Tamtej nocy rodzice podejmują decyzję, że trzeba uciekać. Rano ojciec jedzie do pracy do Sierakowa, ale już nie wraca – potem prosto do Warszawy. Przez następne miesiące nocuje w różnych miejscach, po znajomych. Co noc ma kłopot, bo musi organizować sobie nocleg gdzie indziej.

Nocą przychodzą partyzanci... Kiedyś przyszli, jak zawsze, nocą. Była jesień i padał deszcz. Rozmawiali o czymś z matką szeptem (ojca nie widziałem od miesiąca i nie zobaczyłem już do końca wojny – ukrywał się). Musieliśmy szybko ubrać się i wyjść: w okolicy była obława, wywozili do obozów całe wsie. Uciekliśmy do Warszawy, do wyznaczonej kryjówki. Pierwszy raz byłem w dużym mieście, pierwszy raz zobaczyłem tramwaj, wysokie kilkupiętrowe kamienice, rzędy dużych sklepów (*Ćwiczenia pamięci*).

– Rysiek i ja z mamą zamieszkujemy na kilka miesięcy u przyjaciółki rodziców z Warszawy, Jadwigi Skupiewskiej. Ojciec czasem wpada na noc, ale zwykle go nie ma. Gdzie dokładnie było to mieszkanie, nie wiem; zapamiętałam kamienicę z powórkiem-studnią. Nie wolno nam podchodzić do okna, bo przebywanie u kogoś bez meldunku jest surowo zakazane. Ryzykowaliśmy więc i my, i przyjaciele, którzy udzielili nam schronienia.

Mieszkaliśmy wtedy w Warszawie (zbliżała się zima roku 1942 – A.D.), na Krochmalnej, koło bramy getta, u państwa Skupiewskich. Pan Skupiewski robił chałupniczo mydełka toaletowe, wszystkie w jednym, zielonym kolorze. – Dam ci mydełka w komis – powiedział – jak sprzedasz 400, będziesz miał na buty, a dług mi oddasz po wojnie. Bo wtedy jeszcze wierzono, że wojna skończy się zaraz. Doradził mi, żebym handlował na linii kolejki elektrycznej Warszawa – Otwock, bo tam jeżdżą letnicy, którzy czasem chcą się umyć, więc mydło kupią. Usłuchałem. Miałem dziesięć lat, a wypłakałem wtedy połowę łez życia, ponieważ nikt tych mydełek nie chciał kupić. Przez cały tydzień chodzenia nie sprzedawałem nic albo na przykład jedno. Raz sprzedałem trzy, i wróciłem do domu pąsowy ze szczęścia.

Po naciśnięciu dzwonka zaczynałem się żarliwie modlić: Boże, żeby tylko kupili, żeby kupili choć jedno! Właściwie uprawiałem rodzaj żebractwa, próbując wzbudzić litość. Wchodziłem do mieszkania i mówiłem: – Niech pani kupi ode mnie mydełko. Kosztuje tylko złotówkę, idzie zima, a nie mam na buty. Czasem to skutkowało, a czasem nie, bo kręciło się dużo innych dzieci, które próbowały jakoś się urządzić – a to ukraść, a to kogoś naciągnąć, a to czymś pohandlować.

Przyszły jesienne chłody, zimno szczypało mnie w stopy, tak że aż bolały, musiałem skończyć z handlem. Miałem 300 złotych, ale pan Skupiewski hojną ręką dołożył mi 100. Kupiliśmy z mamą buty. Jeżeli owinęło się nogę flanelową onucą i jeszcze okręciło gazetą, można było w nich chodzić nawet w duże mrozy (*Podróże z Herodotem*).

– Przenosimy się do Świdra pod Warszawą, po drugiej stronie Wisły. Jest to dom z czterema mieszkaniami, zajmujemy jedno z nich. Chodzimy z Ryśkiem do szkoły w Otwocku, siedem kilometrów w jedną stronę, prawie na głodniaka; rano wypijamy ledwie kubek kawy zbożowej. W szkole na obiad nasz przysmak – miska gorącej zupy. Po powrocie do domu i odrobieniu lekcji mama zwykle mówi: dzieci, spać, nie będzie dziś kolacji. Tak to trwało prawie do końca wojny.

Ojciec pracuje wtedy jako poborca podatkowy w Karczewie – paręnaście, może więcej kilometrów od Świdra – pod fałszywym nazwiskiem. Odwiedza nas raz w tygodniu i przynosi czasem kawałek kiełbasy. Są to prezenty, którymi wykupywali się ludzie niemający pieniędzy; prosili, żeby przyszedł po należności za jakiś czas.

Potem ojciec próbuje pracować jako „złota rączka", człowiek od każdej roboty. Ogłasza na przykład, że lutuje garnki, ale nikt nie chce korzystać z jego usług. Ludzie nie mają pieniędzy, ani jedzenia, żeby zapłacić mu za pracę. Ojciec szyje mi sukienki, robi nam buty...

Przez całą wojnę moim marzeniem są buty. Mieć buty. Ale jak je zdobyć? Co zrobić, żeby mieć buty? W lecie chodzę boso i skórę na stopach mam twardą jak rzemień. Na początku wojny ojciec zrobił mi buty z filcu, ale ojciec nie jest szewcem i buty wyglądają pokracznie, poza tym urosłem i są już ciasne. Marzę o butach mocnych, masywnych, podkutych, które uderzając o bruk, wydają donośny, wyrazisty odgłos... Mocny but był symbolem prestiżu i władzy, symbolem panowania; lichy, podarty but był oznaką poniżenia, piętnem człowieka, któremu odebrano wszelką godność i skazano na nieludzką egzystencję. Mieć mocne buty znaczyło być mocnym, a nawet po prostu być (*Ćwiczenia pamięci*).

– Inne wspomnienia? Pamiętam tragiczną historię Żydówki ukrywającej się w jednym z czterech mieszkań naszego domu. Douczała mnie matematyki, Ryśka chyba nie, bo nie miał z matematyką kłopotów. Dzieliliśmy się z nią zupą. Miała piękne futro i jakaś znajoma chciała je od niej dostać? kupić? Żydówka nie zgodziła się. Kiedyś poszła do tej znajomej w futrze i nie wróciła. Czy tamta wydała ją za futro? Tak się potem mówiło...

Powstanie warszawskie to dolatujące od strony Warszawy kawałki spalonego papieru i śmierć wujka w walce.

Zbliżają się Sowieci, Niemcy zabierają wszystkich chłopców od 16 roku życia do kopania okopów. Zabrani do tej pracy już nie wracają... Taki los spotkał Janka, którego własny ojciec, nasz dozorca, wypchnął, bo sam bał się iść. Dzięki Bogu, Rysiek ma ledwie 12 lat, nie wygląda za tęgo i zostawiają go w spokoju.

Mieszkamy blisko linii frontu, słyszymy odgłosy walk. Często schodzimy do piwnicy, która służy nam za schron. Wszyscy modlą się o to, żeby jakaś bomba nie trafiła w dom, i Pan Bóg nas wysłuchuje...

Rysiek jest w tamtym czasie bardzo religijny; taki pozostanie do końca wojny, i chyba rok albo dwa później też. Jeszcze w Izabelinie służył do mszy jako ministrant. Kiedyś zauważyłam przy naszym łóżku kałużę śliny. – To dlatego, żeby być na czczo do komunii świętej – wyjaśnił mi bardzo przejęty.

W 1944 zostałem ministrantem. Mój ksiądz był kapelanem szpitala polowego. Rzędy zamaskowanych namiotów stały ukryte w sosnowym lesie po lewej stronie Wisły. W czasie powstania warszawskiego, nim ruszyła ofensywa styczniowa, trwała tu gorączkowa, męcząca krzątanina. Z frontu, który w pobliżu huczał i dymił, przyjeżdżały pędem samochody-sanitarki. Przywoziły rannych, często nieprzytomnych, ułożonych w pośpiechu i nieładzie, jeden na drugim, jakby to były worki ze zbożem (tyle że worki ociekające krwią). Sanitariusze, sami już ze zmęczenia półżywi, wyjmowali rannych i kładli na trawie, następnie brali gumowego węża i polewali ich silnym strumieniem zimnej wody. Kto z rannych zaczynał dawać oznaki życia, tego nieśli do namiotu, w którym mieściła się sala operacyjna (przed namiotem, wprost na ziemi leżała codziennie świeża sterta amputowanych rąk i nóg), kto zaś nie poruszył się więcej, tego nieśli do wielkiego grobu, jaki mieścił się na tyłach szpitala. Tam właśnie nad niekończącą się mogiłą stałem godzinami obok księdza, trzymając mu brewiarz i kropielnicę. Powtarzałem za nim modlitwę za zmarłych. Każdemu poległemu mówiliśmy – Amen, dziesiątki razy dziennie – Amen, w pośpiechu, bo gdzieś obok, za lasem, maszyna śmierci pracowała bez wytchnienia. Aż wreszcie kiedyś zrobiło się pusto i cicho – ustał ruch sanitarek, zniknęły namioty (szpital odjechał na zachód), w lesie zostały krzyże (*Ćwiczenia pamięci*).

Z notatek i rozmów (3)

Jedna z hipotez w sprawie „psychologiczne dziedzictwo wojny": wojna uformowała przeświadczenie, że ci, co się wychylają, ci odważni, obrywają pierwsi.

– Odważne dzieci wojny zginęły, mniej odważne – miały większe szanse przeżyć. To takie proste. Doświadczenie wojny, widok śmierci, cierpienia, biedowanie, głód, strach – to wszystko zmienia na zawsze postawę człowieka, jego nastawienie do życia.

To fragment moich notatek z rozmowy z Wiktorem Osiatyńskim, jednym z najbliższych przyjaciół Kapuścińskiego. Zaprzyjaźnili się w latach siedemdziesiątych, gdy obaj pracowali w tygodniku „Kultura". Mówiąc o dzieciach odważnych i mniej odważnych, Osiatyński nie odnosi refleksji wprost do przyjaciela, sugeruje raczej możliwy klucz.

– Nie oceniam ludzi, których młodość przypadła na czasy wojny i potem stalinizmu. Nie wiem, jak sam bym przeżył tamten czas ani jak się zachował.

Dalej mówi: – Nie był człowiekiem wielkiej odwagi, choć kilka razy potrafił powiedzieć „nie". Na przykład, gdy po wprowadzeniu stanu wojennego, 13 grudnia 1981 roku rzucił legitymację PZPR – musiało to być dla niego trudne. Nie mam powodu, czy raczej dowodów, żeby podważać jego opowieści o tym, jak go miano kilka razy rozstrzeliwać, gdy był korespondentem w Afryce i Ameryce Łacińskiej. Lecz nigdy też nie mogłem oprzeć się wrażeniu, że swoją odwagę tworzył w literaturze. Wiedział, że jest inny.

W 1961 roku w Kongu, gdy robiło się niebezpiecznie, Kapuściński barykadował się raczej w pokoju hotelowym, niż wychodził na ulice – tak opowiada jednemu ze wspólnych przyjaciół Dušan Provazník, czeski dziennikarz i tłumacz Kapuścińskiego. Dla ścisłości: Provazník barykadował się razem z Kapuścińskim.

> Spojrzałem na Dušana: stał blady z lękiem w oczach, a myślę, że też stałem blady i z lękiem w oczach. Teraz nasłuchiwaliśmy, czy stukot butów i łomotanie kolbami w drzwi zbliża się w naszą stronę, i nerwowo, w pośpiechu, zaczęliśmy ubierać się, bo źle jest znaleźć się przed umundurowanymi ludźmi w piżamie czy koszuli, to od razu stawia człowieka w gorszej sytuacji. Ten na ulicy krzyczał dalej i bardzo krwawił. Tymczasem żandarmi wypchnęli z hotelu jeszcze kilku białych, nawet nie wiedziałem, skąd się ci ludzie wzięli, bo nasz hotel był z reguły pusty.
>
> Na chwilę ratuje nas przypadek, a mianowicie to, że do naszych pokojów wchodziło się nie z korytarza, ale ze znajdującego się na końcu budynku tarasu, a żandarmi nie zadali sobie trudu przeszukania wszystkich kątów... Ponieważ nie było sensu siedzieć bezczynnie w pokoju, zeszliśmy na dół do hallu, myśląc, że ktoś pojawi się i powie, co słychać... Nagle przed hotel zajechał jeep i wyskoczyła z niego zgraja młodych ludzi z automatami w ręku. Była to najwyraźniej bojówka, szwadron zemsty. Tak, wystarczyło spojrzeć na te twarze: szukali krwi. Wpadli do hallu jak burza i otoczyli nas, przystawiając lufy do głowy.

Wtedy naprawdę pomyślałem: koniec. Nie ruszyłem się. Siedziałem nieruchomy nie z powodu żadnej odwagi, ale z przyczyny czysto technicznej – czułem, że mam ciało z ołowiu, tak ciężkie, że nie będę w stanie go ruszyć (*Wojna futbolowa*).

Doświadczenie niedostatków, cierpienia, wojennej grozy ma też swój paradoksalny rewers: czyni znośniejszą adaptację w ciężkich warunkach pracy korespondenta – w czasie wojen, rewolucji, zamieszek na różnych kontynentach, gdy nie ma co jeść i śpi się byle gdzie. Nie chodzi o to, że Kapuścińskiemu było łatwiej niż innym reporterom, ani że cierpiał mniej, lecz o to, że miał prawdopodobnie inną „wewnętrzną granicę" odporności, zdolności przystosowania się, być może także strachu, aniżeli dziennikarze, którzy wojny nie powąchali w dzieciństwie, wychowali się w dobrobycie i względnym spokoju.

– Rysiek nigdy się do tego otwarcie nie przyznawał, ale obrazy wojny fascynowały go. Ja odczuwam dokładnie to samo – opowiada Mirosław Ikonowicz, przyjaciel z tego samego pokolenia. Poznali się w czasie studiów na wydziale historii Uniwersytetu Warszawskiego; przez lata pracowali dla tej samej agencji prasowej. Ikonowicz, tak samo jak Kapuściński, był korespondentem w czasie wojny domowej w Angoli.

– Wojna, rewolucja, niebezpieczne miejsca były mu potrzebne do „życia na granicy". Porównałbym tę jego – i moją też – potrzebę do potrzeb ludzi, którzy uprawiają sporty ekstremalne. Choć mówił, że nie szuka dodatkowej adrenaliny, to sądzę, że ta potrzeba głęboko w nim tkwiła, nieraz o tym rozmawialiśmy...

„Rysiek nie lubił się konfrontować" – jeszcze jedna notatka z rozmów o nim.

Na ile można w tę niechęć do konfrontacji wplątywać doświadczenia wojny? Czy w takim znaczeniu, że gdy dochodzi do konfliktu, utarczki, zderzenia można dostać po głowie? Lecz z drugiej strony – przez całe życie zawodowe pchał się przecież tam, gdzie niebezpiecznie.

Zostawiam te pytania bez odpowiedzi; będę do nich wracał. Do kwestii osobistej odwagi też. Notuję na marginesie: „Ustalić, co się da w sprawie kilku niedoszłych rozstrzelań Kapuścińskiego", o których opowiadał w książkach i wywiadach.

*

Wojna i buty. Znajoma Kapuścińskiego, Danuta Rycerz, tłumaczka, opowiada, że zawsze zwracał uwagę na jej buty. Podziwiał je i oglądał z jakimś nabożeństwem. Dzięki wojennej obsesji na punkcie (braku) butów potrafił zauważyć i odczuwać coś, czego zapewne nie dostrzegali i nie odczuwali inni.

Na przykład w czasie podróży do Indii, gdy widzi rzesze ludzi bez butów, odzywa się w nim poczucie wspólnoty pojawia „nastrój, jaki odczuwamy, wracając do domu dzieciństwa".

Pomysł, żeby stworzyć fragment opowieści o wojnie poprzez opis butów – zaskakujący, oryginalny:

> Chłopcy, którzy przydają elegancji żołnierskim butom, wiedzą o wojnie wszystko. Buty strasznie zakurzone – były ciężkie walki. Buty zakurzone ot, tak tylko – spokój na froncie. Buty mokre, jakby wyjęte z wody – fedaini walczą na Hermonie, gdzie jest śnieg. Buty cuchnące ropą, umazane w smarze – musiał być bój pancerny, czołgiści mieli ciężki dzień.
>
> Buty – to komunikaty wojenne (*Wojna futbolowa*).

Na pytanie „jak wojna uformowała Kapuścińskiego?" Hanna Krall odpowiada krótko: – Był dzieckiem wojny i jak wielu z jego pokolenia wojna uczyniła go zachłannym na życie.

Postscriptum: nieścisłości i kontrowersje

Po ukazaniu się *Imperium* czytelnicy-pińszczanie prostowali, niekiedy podważali niektóre szczegóły relacji Kapuścińskiego o ich mieście pod okupacją radziecką. Jeden z nich pisał, że posługiwano się rosyjskim elementarzem (*Bukwarem*), a nie – jak napisał Kapuściński – książką Stalina *Woprosy leninizma*. Że do organizacji pionierów przyjmowano tylko Rosjan, i to też nie wszystkich. Że polskie dzieci mogły należeć do pionierów, o ile rodzice przyjęli od razu obywatelstwo ZSRR. Albo – że białe koszule i czerwone chusty pionierzy dostawali od swojej organizacji (a nie od NKWD w szkole).

Ktoś inny twierdził, że zniknięcia kolegów z klasy jesienią 1939 roku nie były wynikiem wywózek polskich rodzin na wschód, gdyż pierwsze wywózki miały miejsce dopiero w lutym 1940 roku. Zniknięcia były wynikiem częstego przechodzenia Polaków spod okupacji radzieckiej pod okupację niemiecką. (To samo uczynili wiosną 1940 roku Kapuścińscy).

Pamięć, zwłaszcza pamięć dziecka, wymieszana z wiedzą uzyskaną po latach nie może być dokładna; zawsze jest subiektywna, w nieunikniony sposób zamazuje granice między twardymi faktami a impresjami, rodzinymi opowieściami, plotkami. Czy istnieje zresztą inna prawda, jaką człowiek jest w stanie opowiedzieć o samym sobie?

Być może Kapuściński pomylił szczegóły. Być może jego pamięć zakodowała te same wydarzenia inaczej niż pamięć jego pińskich recenzentów. Może w szkole, do której uczęszczał autor „sprostowania", korzystano z *Bukwara*, a nie z książki *Woprosy leninizma*, z której uczono Kapuścińskiego. W życiorysach dołączanych do podań o przyjęcie na studia (1950), potem do Polskiej Zjednoczonej Partii Robotniczej (1952) Kapuściński pisał, że należał do organizacji pionierów – a to jeden z podważanych szczegółów jego wspomnień. Nie sposób dziś ustalić, czy rzeczywiście należał.

Tak, pytanie, czy Kapuściński ubarwiał własną biografię, jest zasadne. W toku lektur, rozmów, zestawień faktów, dat i całej biograficznej buchalterii trafiam na ślady, które nie pozwalają uciec od wątpliwości.

Czy opowiadając o swoim życiu, „pisał" jeszcze jedną książkę? Czy Ryszard Kapuściński – bohater książek Ryszarda Kapuścińskiego (wszak jest on bohaterem prawie wszystkich swoich książek) – to postać rzeczywista? W jakim stopniu także literacka? Czy Kapuściński tworzył własną legendę? Jak? Po co?

Legendy (1): ojciec i Katyń

– Ojciec, oficer rezerwy, uciekł z transportu do Katynia.

W Katyniu, wiosną 1940 roku, radziecka NKWD morduje na rozkaz Stalina tysiące polskich oficerów. Są to żołnierze wzięci do niewoli na początku II wojny światowej, po zajęciu przez Związek Radziecki wschodnich terenów Polski.

W *Imperium*, jest fragment poświęcony początkom okupacji radzieckiej w Pińsku. Stylizując tę część na podobieństwo opisu sporządzonego przez dziecko, Kapuściński relacjonuje powrót ojca z wojny 1939 roku:

> Widzę, jak ojciec wchodzi do pokoju, ale poznaję go z trudem. Pożegnaliśmy się latem. Był w mundurze oficera, miał wysokie buty, nowy żółty pas i skórzane rękawiczki. Szedłem z nim ulicą i słuchałem z dumą, jak wszystko na nim chrzęści. Teraz stoi przed nami w ubraniu poleskiego chłopa, chudy, zarośnięty. Ma na sobie lnianą koszulę do kolan przewiązaną parcianym paskiem, a na nogach łykowe kapcie. Z tego, co mówi mamie, rozumiem, że dostał się do niewoli sowieckiej i że pędzili ich na wschód. Mówi, że uciekł, kiedy szli kolumną przez las, i w jakiejś wiosce zamienił z chłopem mundur na koszulę i łapcie.

Wątpliwościami co do ucieczki ojca z radzieckiej niewoli (nie mówiąc o ucieczce „z transportu do Katynia") dzieli się ze mną szkolny przyjaciel Kapuścińskiego, Andrzej Czcibor-Piotrowski, pisarz i tłumacz.

– Wielu pisarzy ma ciągoty do autokreacji, dopisywania do swojej biografii zmyślonych lub częściowo zmyślonych, ubarwionych wydarzeń – mówi. – Nie ma w tym niczego sensacyjnego. Rysiek, jakiego pamiętam, lubił konfabulować.

Kapuściński opowiada o „ucieczce ojca z transportu do Katynia" w jednym z wywiadów, niespełna cztery lata przed śmiercią. (Wcześniej wspomina o tym w rozmowie z Wilhelminą Skulską, w jej tekście *Reporter* z 1988 roku). Może posługuje się skrótem myślowym? To znaczy: chce powiedzieć, że po zajęciu przez Związek Radziecki wschodnich terenów Polski ojciec został schwytany, trafił do niewoli radzieckiej, a następnie uciekł z transportu do jednego z obozów dla oficerów i żołnierzy, których kilka miesięcy później rozstrzelano w Katyniu?

Pytam siostrę Kapuścińskiego, Barbarę, czy zna szczegóły ucieczki ojca z niewoli radzieckiej. Jest zaskoczona pytaniem. Mówi stanowczo, że ojciec nigdy nie był w radzieckiej niewoli, że Opatrzność Boża nad nim czuwała. Nie uciekł więc – dopytuję – z transportu do Katynia? Nie uciekł ani z transportu do Katynia, ani do żadnego z obozów dla polskich oficerów i żołnierzy. Ojciec nigdy nie był w niewoli, a gdyby był, na pewno wiedziałaby o tym. Wrócił, kiedy ustały walki, przebrany w cywilne ciuchy i krótko potem przeprawił się z kolegą, Olkiem Onichimowskim, też nauczycielem, do Generalnego Gubernatorstwa. Musiał uciekać, bo pod okupacją radziecką, jako nauczycielowi, groziła mu wywózka na wschód.

List stryja Kapuścińskiego, Mariana, który znajduję w pracowni mistrza na poddaszu, potwierdza wersję siostry. Na miesiąc przed wybuchem wojny Marian Kapuściński dostał posadę w nadleśnictwie w Sobiborze. We wrześniu 1939 roku, zanim Niemcy doszli do Sobiboru, zjawił się u niego Józef Kapuściński w mundurze wojskowym. Nadleśniczy, przełożony stryja, dał mu cywilne ubranie, żeby go nie złapano jako oficera i nie wywieziono do oflagu. Józef Kapuściński udał się w dalszą podróż do Pińska po cywilnemu.

Dlaczego Kapuściński dopisał ojcu martyrologiczny rys? Pierwsze, co przychodzi do głowy, to, że załatwiał w ten sposób jakieś porachunki z częścią swojej biografii, w której oddał serce i umysł idei komunizmu. Czy ojciec „uciekający z transportu do Katynia" miał coś „zrównoważyć"? Powstrzymać ataki tych, którzy po upadku realnego socjalizmu tropili epizody aprobaty dla tamtego systemu i współpracy z tajnymi służbami w życiu znanych postaci świata polityki i kultury, do których Kapuściński się zaliczał?

W Polsce po roku osiemdziesiątym dziewiątym partie i środowiska antykomunistycznej prawicy przedstawiały wielu ludzi polityki i kultury, którzy w latach młodości uwierzyli, że komunizm jest przyszłością świata, jako zdrajców narodu, tchórzy, karierowiczów, łajdaków. Kapuściński widział dramaty przyjaciół i znajomych ze swojego pokolenia, których poniewierano słowem. Bał się, że i jego dopadną oskarżenia, prasowy pręgierz, publiczne poniżanie.

Źle znosił krytykę, a osobiste ataki przyprawiały go o stany bliskie chorobie. Gdy krótko przed jego śmiercią po Warszawie krążyła plotka, że telewizja publiczna w jednym z programów publicystycznych podda wiwisekcji jego współpracę z wywiadem Polski Ludowej, dzwonił do znajomych, skurczony ze strachu, i pytał, czy ktoś nie słyszał, cóż to chcą mu wyciągnąć, jakim kijem przyłożyć.

– Straszne facety – mówił o prawicowych politykach i publicystach, ściszając głos. – Straszne facety.

Ataku na siebie spodziewał się od początku lat dziewięćdziesiątych. W drugiej połowie tamtej dekady w pisemkach prawicowych zaczęto sugerować, że sukces pisarski zawdzięcza dobrym kontaktom z komunistycznym rządem i współpracy z wywiadem Polski Ludowej. W opowieści o nieżyjącym ojcu Kapuściński mówi wtedy, że ów uciekł z radzieckiej niewoli. Pada również słowo Katyń.

Katyń to w dziejach polskiej martyrologii XX wieku świętość. W stronę Katynia trudniej rzucić kamieniem. Jeśli ojciec „uciekł z transportu do Katynia", to syn musiał wiedzieć od początku, że komunizm to zbrodniczy system. I jeśli służył systemowi, to bez wiary; po prostu układał się z komuną, jak większość Polaków; kombinował, jak przeżyć w możliwie najdogodniejszych warunkach. Taki miał być – jak sądzę – podskórny przekaz legendy o ojcu „uciekającym z transportu do Katynia".

Szukam jeszcze innej hipotezy: psychoanalitycznej (zapominam na chwilę o swoim sceptycyzmie wobec tej szkoły myślenia). W Nowym Jorku spotykam Renatę Salecl, interpretatorkę myśli Lacana, której opowiadam o katyńskiej konfabulacji Kapuścińskiego. Salecl zajmowała się przypadkiem Binjamina Wilkomirskiego, muzyka, który opublikował wspomnienia o swoich traumatycznych przeżyciach w obozach koncentracyjnych w czasie II wojny światowej. Faktycznie nigdy w nich nie był.

W skonfabulowanych wspomnieniach Wiłkomirskiego jego ojciec zostaje rozstrzelany na oczach syna (naprawdę Wiłkomirski nigdy ojca nie poznał). Na moment przed śmiercią – „wspomina" Wiłkomirski – ojciec próbuje krzyknąć, jednak z ust nie wydobywa się żaden głos. Zamiast głosu autorytetu – pisze Salecl w książce *Anxiety* – wydobywa się milczący skowyt i strużka krwi.

– Ojciec bywa w życiu syna postacią wzbudzającą silny niepokój – mówi Salecl. – Nieobecność ojca, jak było w wypadku Wiłkomirskiego, bądź jego słabość wcale nie uśmierzają niepokoju. Przeciwnie – mogą go pobudzać lub prowokować do poszukiwania substytutu ojca, może nim być na przykład kultowy lider polityczny, z którym można się zidentyfikować.

Salecl nie wiedziała nic o relacjach Kapuścińskiego z ojcem. Dopiero po wysłuchaniu jej teoretycznych objaśnień mówię, że ojciec nie był dla Kapuścińskiego inspiracją, nie doceniał syna; w sposób zapewne nieświadomy, bez złej intencji, umniejszał jego wysiłki i dokonania; prawdę powiedziawszy, nie za bardzo rozumiał, czym się syn zajmuje ani kim jest.

– Możliwe, że dopisując ojcu ów silny element heroicznej i martyrologicznej historii Polski – spekuluje Salecl – Kapuściński niejako stwarzał go na nowo, budował autorytet, którego nigdy nie było, a którego tak bardzo potrzebował.

Uwagi Salecl nieźle współbrzmią z tym, co o relacjach Kapuścińskiego z ojcem udało mi się ustalić.

Natchniony poezją, szturmujący niebo

Fotografia (2)

Nie ma tu daty, ale zdjęcie zrobiono nie wcześniej niż we wrześniu czterdziestego ósmego i nie później niż wiosną pięćdziesiątego przed gmachem politechniki. Czterech kolegów z liceum Staszica w Warszawie: ten z największą czupryną to Andrzej Czcibor-Piotrowski, wyprostowany i uśmiechnięty z prawej to Rysiek Kapuściński.

Wrzesień 1948 – ich pierwsze spotkanie. Budynek przedwojennego liceum Staszica przy ul. Noakowskiego ciągle nieodbudowany z wojennych zniszczeń, dlatego „staszicowcy" goszczą w żeńskim liceum Słowackiego przy ulicy Wawelskiej. Tutaj szyby w oknach już wstawione, nie wszędzie jednak są podłogi. W sali gimnastycznej ćwiczy się na ubitej glinie.

Nas, urodzonych około roku 1930 na głębokiej i ubogiej prowincji polskiej, na wsi lub w małych miasteczkach, w rodzinach chłopów lub szaraczkowej inteligencji, cechował w okresie tużpowojennym przede wszystkim bardzo niski poziom wiedzy, zupełny brak oczytania, znajomości literatury, historii i świata, zupełny brak kindersztuby (moje żałośnie mizerne lektury w owych latach: wydana w 1913 roku *Historia żółtej ciżemki* Antoniny Domańskiej czy *Wspomnienia niebieskiego mundurka* Wiktora Gomulickiego, wydane jeszcze w 1906 roku). Przecież wcześniej (lata okupacji) albo nie wolno nam było czytać, albo zwyczajnie – nie było co czytać.

W naszej klasie (było to gimnazjum im. Staszica) mieliśmy jeden stary, podarty egzemplarz jakiegoś przedwojennego podręcznika historii.

Lekcja polegała na tym, że profesor Markowski na początku lekcji kazał czytać naszemu koledze, niejakiemu Kubiakowi, fragment książki, a potem odbywało się odpytywanie. Chodziło o to, żeby własnymi słowami opowiedzieć to, co przed chwilą zostało przeczytane...

Tak byliśmy nadal ofiarami wielkiej wojny, mimo że jej złowrogie odgłosy ucichły dawno, a okopy zarosła trawa. Bo też ograniczanie pojęcia „ofiara wojny" do zabitych i rannych nie wyczerpuje rzeczywistej listy strat, jakie ponosi społeczeństwo. Bo ileż jest zniszczeń w kulturze, jak zdewastowana jest nasza świadomość, jak zubożone i zmarniałe nasze życie intelektualne! I to na szereg pokoleń, na długie lata.

Andrzej Czcibor-Piotrowski czyta ów fragment wspomnień szkolnego kolegi i kręci głową.

– Coś się nie zgadza? – pytam.

– To autokrecja literacka.

– To znaczy?

– Rysiek był bardzo oczytany, a swoje braki z tamtego czasu podkreślał pod koniec życia dlatego, żeby pokazać, jak długą drogę przeszedł. Była długa – fakt. Lecz opowieść o dwóch przeczytanych książkach znacznie ją wydłuża, czyż nie? – uśmiecha się przyjaciel z czasów licealnych.

W odnowionym budynku liceum Staszica chłopcy i dziewczyny po raz pierwszy razem – koedukacja.

– Ach, jaki to był śliczny, czekoladowy chłopiec o ciemnych oczach, z ciemną, gęstą czupryną – mówi o Ryśku koleżanka z klasy, Teresa Lechowska (po latach tłumaczka literatury chińskiej).

„Czekoladowy chłopiec" siada w ławce tuż za Piotrowskim. Szybko łapią wspólny język. Ten język to poezja. Paczkę miłośników sztuk pięknych tworzą z nimi jeszcze Janek Mazur i Krzysiek Dębowski, późniejszy absolwent ASP, grafik.

Nastolatki – głodni swojego towarzystwa, rozmów, wygłupów, bycia razem. Żeby przebywać ze sobą jak najwięcej, spotykają się pół godziny przed lekcjami. Siadają na blatach ławek, palą papierosy i gadają o wszystkim, a najwięcej o wierszach. Gadają i śpiewają. Kapuściński wystukuje rytm profesorskim krzesłem i z zapalczywością, z jaką angażował się później we wszystko w swoim życiu, śpiewa piosenkę o królowej Tamarze według wiersza Lermontowa:

W toj baszni wysokoj i tiesnoj
caryca Tamara żyła,
priekrasna kak angieł niebiesnyj
kak diemon kowarna i zła...

Koledzy wtórują, a gdy gubią wątek, Rysiek podrzuca im początki zapomnianych wersów. Zawodzą tak, aż rozlegnie się dzwonek na pierwszą lekcję.

Po lekcjach wpadają do domku fińskiego, blisko szkoły, też na Wawelskiej, gdzie mieszkają Kapuścińscy.

Tuż po wyzwoleniu gnietli się w małym pokoiku przy magazynie z materiałami budowlanymi, który prowadził Józef Kapuściński. Gdy ruszyła odbudowa Warszawy i Finowie zaczęli przysyłać domki z gotowych elementów dla budowniczych stolicy, Kapuścińscy dostali przydział na takie lokum. Barbara wspomina, że po udręce mieszkania w klitce przy magazynie dwurodzinny domek fiński wydawał się pałacem: pokoik z wnęką, kuchnia, ubikacja i jeszcze mały ogródek, gdzie ojciec sadził warzywa, kwiaty i drzewka owocowe.

Gdy nie ma rodziców, domek fiński to świetne miejsce na pierwsze licealne libacje. Koledzy odbijają flaszkę wódki – ćwiartkę „z czerwoną kartką", na więcej nie mają forsy – i grają w brydża. Puste butelki lądują na stryszku nad toaletą. Przyjaciele Ryśka przychodzą tym chętniej, że niejeden podkochuje się w jego o rok młodszej siostrze („Ach ta Basia, jakaż to była piękność!").

Rysiek ma powodzenie u dziewczyn. Na zabój kocha się w nim jedna z koleżanek. On zaś rozkochuje w sobie jej młodszą siostrę.

To czas pierwszych miłości i podbojów. Chłopcy przechwalają się jeden przed drugim. Jednemu przytrafia się taka historia:

Któregoś dnia zjawia się u kolegi lekko zmieszany, a zarazem dumny z podboju: – Słuchaj, jest wpadka... Nie mógłbyś pomóc?

Ciotka kolegi jest ginekolożką, ma prywatny gabinet na Słupeckiej. Kolega pisze do niej liścik: „Kochana Ciociu Niusiu, przysyłam Ci moją koleżankę...".

Ciocia nie wie, kto naprawdę narozrabiał, to znaczy jest przekonana, że siostrzeniec.

Tymczasem rozrabiaka nie był nawet wystraszony tym, co się stało. Był chłopięco lekkomyślny. Trochę mu zazdrościli – nie tego, co się stało, lecz tego, że miał już za sobą doświadczenia, które wciąż były przed nimi.

Jeden ze szkolnych przyjaciół pamięta, że Rysiek był pierwszy do przechwałek o dziewczynach.

U Czcibora-Piotrowskiego na Filtrowej nie ma popijania. Koledzy siadają grzecznie przy stole i wysłuchują korepetycji z matematyki, jakich udziela im brat gospodarza, Ireneusz. Ale do matmy nie mają serca, ich wyobraźnia i myśli szybują w zupełnie inne rejony.

Wszystko przez polonistę, pana Witolda Berezeckiego. Zaraził ich literaturą, poezją. Zadawał do domu czytanie tygodnika „Odrodzenie" i innych periodyków kulturalnych.

– Pamiętam pracę domową: napisać sonet – opowiada Czcibor-Piotrowski.

Staszic jest nadzwyczajną szkołą; do roku 1950, kiedy zdają maturę, uczą tu przedwojenni nauczyciele o najwyższych kwalifikacjach; łacinę wykłada pani profesor z Uniwersytetu Warszawskiego.

– W klasie humanistycznej uczono nas „myśleć matematycznie": na lekcjach historii nikt nie pytał o daty, lecz o to, dlaczego i skąd. W książkach Kapuścińskiego też nie znajdzie pan dat – zauważa ówczesny prymus klasowy Andrzej Wyrobisz, emerytowany profesor historii Uniwersytetu Warszawskiego.

Z polonistą dyskutują o książkach, które poznali poza programem lekcji. Każdy chce się popisać, ile przeczytał ponad wymagane minimum – taka jest aura, tym się imponuje innym. Wiele księgozbiorów spłonęło w czasie wojny, sporo jednak ocalało – na przykład biblioteka przy Koszykowej. Staszicowcy korzystają z wypożyczalni, które spontanicznie powstają na ulicach, w prywatnych mieszkaniach.

Teresa Lechowska: – Polonista omawiał prace domowe i wywołał Kapustę, jak nazywaliśmy Ryśka, żeby przeczytał swoją na głos. Okazało się, że to był wiersz! Trochę socrealistyczny, trochę liryczny. Zapamiętałam, że było coś o murarzu, który muruje okno, będące ramą dla nieba. Byłam zaskoczona, że Kapusta objawił talent poetycki, bo kojarzyłam go wyłącznie z piłką nożną, na punkcie której był kompletnie zwariowany.

Młodzi aspirujący do literatury zakładają szkolne kółko literackie, kieruje nim Czcibor-Piotrowski. Chcą zapraszać na dyskusje o literaturze znanych pisarzy i krytyków. Udaje się: odwiedzają ich Jacek Bocheński, Roman Bratny, Artur Sandauer.

Kapuściński i Czcibor-Piotrowski mają bzika na punkcie poetów znad Sekwany. Wyrywają sobie egzemplarz *Antologii współczesnej poezji francuskiej* w tłumaczeniu Adama Ważyka. Znają na pamięć mnóstwo wierszy i recytują je na głos. Rysiek deklamuje pierwszy wers, Andrzej dopowiada następny – i tak dalej, i na zmianę.

– Kiedyś gadaliśmy o Paryżu lat siedemdziesiątych XIX wieku i padły słowa o „buncie paryżan szturmujących niebo" – wspomina Czcibor-Piotrowski. – Rysiek snuł plany napisania opowiadania o Rimbaudzie i Verlainie; o ich wędrówce ze wsi do miasta po to, żeby stanąć na barykadach Komuny.

Recytują też Puszkina i Lermontowa, Jesienina i Majakowskiego. Obaj z Kresów, Rosjan czytają w oryginale.

– Pamiętam, jak któregoś dnia Rysiek wpadł do mnie wyraźnie poruszony. W Czechosłowackim Ośrodku Informacyjnym trafił mu do rąk tomik wierszy Františka Halasa. Utwory tego poety, choć przecież rozumiał niewiele, prawie nic, wywarły na nim ogromne wrażenie: rytm, bogactwo języka... Cytował mi coś z pamięci i zatrzymał się nagle na słowie „koralka". Skojarzyło mu się z koralikiem. Po wielu latach, gdy zostałem bohemistą i tłumaczem wierszy Halasa, dowiedziałem się, że „koralka" znaczy po prostu nasza swojska gorzałka.

Pierwsze próby poetyckie. Rysiek wysyła wiersze do tygodnika kulturalnego „Odrodzenie" i „Dziś i Jutro", pisma koncesjonowanego przez partię stowarzyszenia katolików PAX. To ostatnie publikuje w sierpniu 1949 roku dwa wiersze: *Pisane szybkością* i *Uzdrowienie*.

Po latach powie: – Wysłałem je bez przekonania, sondażowo.

W miasto, gdzie uśmiech zasypały cegły,
Ze smutkiem w ciernie wbitym przyszedł
Człowiek.
Jego oczy na gruzach umęczonych legły,
Ręce bólem przetkane zwiastowały –
Nowe...

A dzisiaj pośród drzew dachówki kwitną
I słońce brukuje ulice radośnie.
Nocą gwiazdy wędrują w ciemność
płytką,
Ludzie wyżsi niż domy. Bo Prawda
w nich rośnie.

Wiersz *Obrazki zimowe. Różowe jabłka* ukazuje się w „Odrodzeniu".

Różowe jabłka –
radosne twarzyczki dzieci.
...
I są to synowie i córki
Górników z Zabrza.
Górników – najpiękniejszych zwycięzców.
Świat jest biały, jak gołąb pokoju,
który unosi w dziobie skrawek czerwonego płótna.
Te dzieci wciągają na maszt
czerwoną flagę
rączkami ciepłymi od ufności.

Koledzy – licealni literaci – po cichu zazdroszczą, że Rysiek jest pierwszy, że on „już wszedł do literatury", a oni jeszcze nie.

Czy szesnasto-, siedemnastoletni licealista w pełni rozumie, co dzieje się w kraju? Wie już, że przed wojną był inny ustrój, że teraz Polska ma być socjalistyczna; że dawny wróg – Związek Radziecki – to teraz „bratni kraj": czy pojmuje, co to wszystko znaczy?

W początkach nauki w liceum rewolucja socjalistyczna, jaka zaczyna dokonywać się w Polsce, wciąż jest poza horyzontem zainteresowań chłopca z „głębokiej i ubogiej prowincji polskiej", z rodziny „szaraczkowej inteligencji"... Wątpliwe również, czy dostrzega związek między nowym ładem a swoimi szansami życiowymi.

Owszem, wstępuje do młodzieżówki komunistycznej – Związku Młodzieży Polskiej, lecz nie od razu jest to świadomy wybór ideowy. Do związku zapisywano kolektywnie całe klasy i szkoły – bez pytania młodych o chęć przystąpienia. W państwowych szkołach nadal odbywały się lekcje religii – i nieraz prosto z takiej lekcji szło się na zebranie ZMP.

O nastroju w szkolnej organizacji Kapuściński opowie kilka lat później, gdy już świadomy, politycznie zaangażowany będzie się ubiegał o przyjęcie do partii komunistycznej: „Postawa członków koła, w momencie gdy obejmowałem przewodniczenie, była w większości obca naszej organizacji. Wielu wstąpiło do niej ze względów karierowiczowskich. Na zebraniach grano w karty, odrabiano lekcje lub w ogóle nie przychodzono. Chcąc to wyplenić, zagroziłem usuwaniem z organizacji. Wywołało to przestrach". Złoży z tego powodu samokrytykę: powinien był przyciągać kolegów do ZMP, zachęcać, a nie straszyć ich usunięciem; niefortunnie posłużył się – wyznaje w odręcznie napisanym życiorysie – „lewackimi metodami kierowania organizacją".

Niedawny ministrant a już świeżo upieczony zetempowiec w głębi duszy przeżywa ciągle swój okres „religijno-mistyczny". Ofiarowuje przyjacielowi tomik własnych miniatur poetyckich i prozatorskich *Bóg rani miłością* – tytuł zaczerpnął z poezji Verlaine'a. Sam wystukuje tekst na maszynie i sygnuje nazwą wydawnictwa „Leo", na cześć Lwowa, z którego pochodzi przyjaciel.

Na wzgórzu Golgoty stoją trzy krzyże. Wieki na nich zawisły, ale one tkwią silne, potęgą czasu niezmożone. Silne jak Słowo Boże, potężne jako Wola Chrystusowa, mocarne jako Prawda Ducha Świętego – są krzyże na wzgórzu Golgotą zwanym. A ciemność tu panuje trwożąca duszę ludzką... Ciemność tajemnicza, oczy ludzkie mrocząca. Nad Golgotą Prawda się unosi. Spływa nieustannie z wyżyn, których ludzkość dostrzec nie potrafi ani osiągnąć nie może. Wzgórze golgotańskie to ziemia. Ziemia krwi i płaczu, radości i szczęścia...

– Tkwiły w nas niepokoje metafizyczne – wspomina Czcibor-Piotrowski, adresat religijnych strof. – Zastanawialiśmy się, co się z nami dzieje po śmierci...

Niezbyt długo. Powiew Ducha Czasu zaczyna zmieniać radykalnie charakter pytań stawianych w literaturze, a „Prawdę Ducha Świętego" zamienia na prawdę zupełnie inną.

Dyskusja o poezji w gimn. im. Staszica w Warszawie (tygodnik kulturalny „Odrodzenie", 5 marca 1950 roku) – fragmenty:

W gimnazjum im. Staszica w dn. 21 II odbyła się dyskusja na temat współczesnej poezji. Punktem wyjścia dyskusji było odczytanie 5 wierszy powstałych w ciągu ostatniego trzydziestolecia w różnych warunkach społecznych: Brzękowski *Szklany deszcz*, Czechowicz *Nienazwane, niejasne*, Wierzyński *Manifest szalony*, Gałczyński *Serwus Madonna*, Majakowski *Dobrze* – fragment oraz drukowany niedawno w „Odrodzeniu" debiutancki wiersz ucznia gimn. im. Staszica R. Kapuścińskiego *Różowe jabłka*... Cytujemy bardziej charakterystyczne wypowiedzi młodocianych dyskutantów.

Krzysztof Dębowski: – Wiersze Majakowskiego i Kapuścińskiego zawierają określoną ideologię: ideologię marksistowsko-leninowską. Dlatego są proste zrozumiałe i świadome. Zagmatwana zaś burżuazyjna ideologia wyciska piętno na poezji dwudziestolecia. Utwory pochodzące z tego okresu, pozbawione jakiejkolwiek świadomie postępowej myśli społecznej, opisują rzeczy nierealne, często wprowadzając pojęcia abstrakcyjne. Wiersz taki, przeznaczony dla znawców, nie trafi z pewnością do robotnika czy chłopa, dla których pisze się dzisiaj.

Eugeniusz Czapliński: – Na poezji dwudziestolecia ciąży chaos świata kapitalistycznego. Utwory pozornie mówiące o życiu są negacją życia. Inaczej w przytoczonych wierszach W. Majakowskiego i R. Kapuścińskiego. Te utwory powstały na gruncie budowania socjalizmu. Przez każdy wiersz przemawia świadoma ideologia, zwracają się one ku sprawom robotnika, wychowania młodzieży socjalistycznej, obrazują zagadnienia leżące w kręgu zainteresowań czytelnika.

Andrzej Wyrobisz: – Gałczyński wprawdzie też pisze o robotnikach, o pracy, o socjalizmie, o walce klasowej, ale jak pisze? U Gałczyńskiego bojownicy-komuniści to gwiazdki migocące na niebie, praca to sielankowy, cukierkowy obrazek. Brak tu zupełnie tej prostoty i bezpośredniości, która cechuje Majakowskiego.

Andrzej Piotrowski: – Chciałbym zrobić pewien eksperyment. Mianowicie zestawić dwa utwory: fragment poematu wielkiego poety Włodzimierza Majakowskiego pt. *Dobrze* z fragmentami wiersza początkującego poety Ryszarda Kapuścińskiego pt. *Obrazki zimowe. Różowe jabłka*.

U Majakowskiego treścią utworu jest praca, praca, która jest zasadniczym elementem życia w społeczeństwie socjalistycznym. U Kapuścińskiego mamy do czynienia z elementem dalszym – odpoczynkiem (dzieci na wczasach).

Kapuściński nie akcentuje silniej swej przynależności politycznej, jak to uczynił Majakowski, który stwierdza

Nasze my drzewo
                                        na naszym torze
Ładujemy na nasze wagony.

Autor *Obrazków zimowych* przyjmuje stanowisko obserwatora, sprawozdawcy. I tu tkwi zasadniczy błąd.

Drugim błędem, który najlepiej takie zestawienie uwypukla, jest użycie przez Kapuścińskiego symbolu, który pochodzi, jak wiemy, z całkiem innej epoki, który zaciera prostotę wiersza, stwarza pozory nieszczerości i unika nazywania rzeczy po imieniu. Mówię pozory, gdyż nie wątpię, że Kapuściński szczerze jest oddany naszej wspólnej sprawie i wie, że poezja winna mieć oblicze prawdziwie ideologiczne.

Trudno oceniać poetę z jednego jego utworu. Dalsza twórczość Kapuścińskiego da nam możność ponownego zbadania sprawy. Pokaże nam, jakie tradycje będzie kontynuował. W każdym razie wskazanym i niedoścignionym wzorem poetyki i poezji będzie twórczość Włodzimierza Majakowskiego.

Zdanie, że każdy twórca uczy się na swych błędach, powtarza się każdemu. W naszych ustach jest ono tym szczersze, że Kapuściński jest naszym kolegą i sami będziemy mu pomagać w przezwyciężaniu błędów drogą krytyki jego utworów.

Na zakończenie kol. Ryszard Kapuściński odczytał swój nowy wiersz, bliższy – jak sądził – właściwych tradycji poetyckich.

W sprawie zobowiązań

Cóż, towarzysze – poeci
dajcie i mnie słów parę powiedzieć.
A sprawa jest dla nas ważna:
żółwia trzeba i w wierszach wyprzedzić

...

Nie owijajmy w bawełnę,
rzecz jest przecież prosta:
nie może sprawa poezji
w ogonie wydarzeń zostać.

Jesteśmy daleko w tyle.
Ale rozpocznijmy za górnikami pościg
Chyba się domyślacie
Co by tu rzekł Majakowski?

...

Wiem: niejeden mnie weźmie zdrowo
Przebłyśnie talentu latarką
Nie dla sławy śpiew liry
wymieniam na pracy warkot.

Egzaminują: Markiewka,
Poręcki, Michałek, Markow.
Egzaminują robociarze na czele
z Partią.

Socrealistyczne wersy są pierwszą w życiu świadomą deklaracją ideową Kapuścińskiego.

Po „schodkach" strof Majakowskiego osiemnastoletni Rysiek wchodzi w dwa światy: literatury i królestwa Nowej Wiary.

Lapidarium (1): poeta

– Stałem się ofiarą Majakowskiego – mówił po latach w rozmowie z młodszym kolegą, poetą, Jarosławem Mikołajewskim. – Moje ówczesne próby, moja „majakowszczyzna" była rozczarowująca również dla mnie samego. Chciałem się z niej otrząsnąć, ale nie miałem już czasu poszukiwać innych dróg. Zacząłem pracować jako dziennikarz i przeszedłem do prozy. Do reportażu.

Kapuściński nigdy nie zmierzył się z młodzieńczymi wyborami, nigdy nie wspominał o okolicznościach epoki, w jakich uprawiał „majakowszczyznę": Jakiej sprawie służyła? Jak po latach oceniał tamten czas i swoje zaangażowanie – poety piszącego propagandowe wiersze?

Po przygodzie z „majakowszczyzną" rozstaje się z poezją na prawie trzydzieści lat. Czyta i kolekcjonuje tomiki poetów z kraju i z zagranicy, lecz do pisania poezji nie wraca. Zbiór wierszy *Notes* wyda dopiero w osiemdziesiątym szóstym roku; drugi i ostatni – *Prawa natury* – krótko przed śmiercią.

Mówi, że nie czuje się „poetą profesjonalnym"; że w poetach ceni dbałość o sam język (prozaicy tymczasem dbają głównie o intrygę; eseiści o myśl samą...).

– Pisanie wierszy pozwala dotknąć żywego języka, zbadać jego granice, docenić wartość samego słowa i metafory pozbawionych pobocznych wzmocnień.

– Pewnych stanów i nastrojów nie da się wypowiedzieć inaczej. Tylko przez wiersz.

Wiersze Kapuścińskiego wzbudzają większe zainteresowanie za granicą niż w Polsce. Włoski pisarz Claudio Magris nazywa go „oryginalnym poetą o intensywnym i oszczędnym wyrazie", zestawia z najwybitniejszymi polskimi poetami XX wieku – Miłoszem, Szymborską, Różewiczem.

Z kolei Silvano De Fanti, włoski historyk polskiej literatury, pisze tak:

> Był poetą na co dzień. Był nim, kiedy z najzwyklejszych sytuacji wydobywał ironią, niemal dziecięcą czułością, współczuciem – najskrytszy sens rzeczy i życia, *lacrimae rerum* i ludzi. Był nim, kiedy w ostatnich latach – choć coraz bardziej świadomy swojej kruchości – nikogo swoim bólem nie obciążał. Był w tym okresie życia samą poezją, w swoim cierpieniu podobny do „róży więdnącej" z jego wiersza, która „jest zrozpaczona / jeszcze próbuje rozbłysnąć / jeszcze chciałaby się rozchylić", mimo że „płatki / są już jak połamane skrzydła kolibra".

Pytam Julię Hartwig, wybitną polską poetkę, która przyjaźniła się z Kapuścińskim, o ich rozmowy o poezji. Pytam też, co sądzi o wierszach zmarłego przyjaciela.

– Był poetą zawiedzionym. Mówił, że gdyby miał wybierać, kim chce być, chciałby być właśnie poetą. Czytał poezję, interesował się nowościami, szukał znajomości z poetami. Starał się dopingować młodych, nieznanych i niedocenianych poetów. Sądzę, że jego talent poetycki nie dorastał do talentu reportera. I myślę, że miał kompleksy na tym punkcie. Jego wiersze są na pewno prawdziwe, niektóre naprawdę dobrze „zrobione", nie mają jednak tego, co nazwałabym „wielką skalą", nie poruszają we mnie niczego.

Czy nie miał do poezji wielkiego talentu?

– Może nie miał, a może miał, lecz nie zdołał go rozwinąć, bo całe życie zajmował się czymś innym? Uprawianie reportażu to bycie w „akcji", „w ruchu". Poezja wymaga innego rodzaju skupienia, rozwija inne cechy pisarskie. Jak mówił Baudelaire, poezja wymaga „nicnierobienia". Kapuściński bywał świetnym poetą w prozie.

Andrzej Czcibor-Piotrowski przypomina sobie, jak z pewnym smutkiem, trochę zazdrością Kapuściński powiedział mu kiedyś:

– Ty to jesteś poetą w Związku Literatów Polskich, a ja tylko dziennikarzem.

Na budowie socjalizmu

Aktywista (1)

Jest ich na pierwszym roku historii ponad setka. Siedzą w długich ławkach, w każdej kilka osób. Brakuje miejsc, straszna ciasnota. Powojenna bieda.

Ewa Wipszycka, po latach profesor historii starożytnej, pamięta to tak:

– Od początku wiedziało się, że ten czupryniasty o zalotnym spojrzeniu to poeta pisujący do gazety „Sztandar Młodych". W rozmowie wyczuwało się od razu, że ma większe doświadczenie życiowe niż wielu rówieśników.

Moim sąsiadem z lewej był Z. – pochmurne milczące chłopisko ze wsi pod Radomskiem, w której, jak opowiadał, trzymają w domach jako lekarstwo kawałek zasuszonej kiełbasy i dają possać niemowlęciu, kiedy zachoruje. – Myślisz, że to pomaga? – spytałem bez wiary. – Pewnie, że tak – odpowiedział z przekonaniem i znowu zapadł w milczenie. Z mojej prawej strony siedział chudy, o wątłej, dziobatej twarzy W. Pojękiwał, kiedy zmieniała się pogoda, bo jak mi kiedyś wyznał, darło go w kolanie, a darło od kuli, jaką dostał w leśnej walce. Ale kto z kim tam walczył, kto go postrzelił, tego nie chciał powiedzieć. Wśród nas było też kilku z lepszych rodzin. Ci nosili się czysto, mieli lepsze ubrania, a dziewczyny czółenka na wysokim obcasie. Jednakże były to rzucające się w oczy wyjątki, rzadkie okazy – przeważała uboga, siermiężna prowincja: pomięte płaszcze z demobilu, połatane swetry, perkalowe sukienki (*Podróże z Herodotem*).

Jesień pięćdziesiątego pierwszego. Przewodniczący ZMP na wydziale historii, kolega Kapuściński, wzywa koleżankę Wipszycką na rozmowę. Wipszycka, która tak jak on należy do organizacji od czasów licealnych, pełni funkcję wiceprzewodniczącej związku studentów na wydziale. Nie jest typem aktywistki i koledzy szemrają po korytarzach, że kiepsko sobie radzi. Kapuściński odbywa z nią pouczającą pogawędkę.

– To było jak spowiedź święta!

W czasie „spowiedzi" Kapuściński namawia Wipszycką do złożenia samokrytyki na zebraniu wydziałowej organizacji ZMP. Samokrytyka to rodzaj rytuału, publicznego wyznania grzechów i zaniedbań względem partii, ZMP, ideałów socjalizmu.

– Nie pamiętam szczegółów rozmowy, pamiętam tylko, że tak jak chciał Kapuściński, samokrytykę złożyłam. Rzeczywiście, praca aktywistki związku studenckiego wychodziła mi słabo. Jednak perswazje i naciski były na tyle żenujące, że na długo utrwalił mi się wizerunek Kapuścińskiego jako gorliwca, który grał pierwsze skrzypce w godnej pożałowania procedurze.

Innym razem Kapuściński i paru innych zetempowców z wydziału maglują publicznie dwie studentki. Wybijają im z głowy wiarę w Boga i chodzenie w niedziele do kościoła.

– Był wściekły, że dziewczyny śmiały upierać się przy swoim. Sama byłam niewierząca, uważałam jednak za haniebne oduczanie kogoś wiary na siłę. On chyba tego nie rozumiał – opowiada Wipszycka.

Na drugim bądź trzecim roku jedna z koleżanek redaguje gazetkę ścienną, składającą się z satyrycznych tekstów nagrobnych poświęconych studentom i wykładowcom, którzy dawali się innym we znaki. Tekst na nagrobek Kapuścińskiego brzmi: „Tu grób Kapuścińskiego, lecz niedługo leżał, bo go zaraz wezwali, by do pracy bieżał". (Dekadę później w reportażu *Lamus* Kapuściński wykorzysta ową fraszkę w opisie bohatera tekstu: „Tu leżał Grzegorz Stępik / Lecz niedługo leżał / Wyciągnęli go z grobu / By do pracy bieżał").

– Ten wierszyk – opowiada Wipszycka – świetnie opisuje Kapuścińskiego z tamtych lat: aktywistę, którego ciągle gdzieś wzywają, a on potem wraca z zadaniem mobilizowania nas do działania. Muszę zastrzec, że był w zasadzie lubiany. Choć miał w sobie coś z gorliwości inkwizytora, nie czuło się, by cokolwiek robił ze złością, w taki sposób, żeby zaszkodzić komuś czy dopiec. Dla niego ważna była sprawa, w którą głęboko wierzył.

...walczyć z kontrrewolucją. Tak, wreszcie wiedzieli, co robić, co mówić. Nie masz co jeść? Nie masz gdzie mieszkać? Wskażemy ci sprawcę twojej niedoli. Jest nim kontrrewolucjonista. Zniszcz go, a zaczniesz żyć po ludzku.

Fragment *Szachinszacha*, jednej z najgłośniejszych książek Kapuścińskiego, brzmi jak autoironiczny komentarz po latach. Rozumiał, o czym pisze – nie tylko dzięki obserwacjom z Iranu.

Lata 1949 i 1950, kiedy Kapuściński kończy naukę w liceum i rozpoczyna studia na Uniwersytecie Warszawskim, są początkiem kilku najmroczniejszych lat w powojennej historii Polski. Po II wojnie światowej wschodnia część Europy znalazła się w strefie wpływów Związku Radzieckiego. Władzę pod osłoną wojsk Stalina obejmują w Polsce rodzimi komuniści. Początkowo tolerują pluralizm, opozycję polityczną i kulturalną, lecz po kilku latach ustanawiają dyktaturę Polskiej Zjednoczonej Partii Robotniczej. Tysiące przeciwników nowego systemu trafia do więzień; nawet najbardziej umiarkowana krytyka w prasie, w literaturze, na scenie teatralnej jest tępiona.

Miliony ówczesnych Polaków nie zgodziłyby się jednak na taką tylko pamięć o pierwszych powojennych latach. Ich opowieść mogłaby brzmieć tak: wychodziliśmy z wojny jako społeczeństwo zniszczone, przetrącone – każdy stracił kogoś bliskiego – a zarazem pełne nadziei i entuzjazmu, że wraz z wojną kończy się piekło na ziemi. Dla nielicznych, którzy podjęli walkę z nową władzą, piekło się nie skończyło – trafiali do więzień, wywożono ich na Syberię. Jednak większość wstąpiła, jak pisał poeta, „w nowy życia strumień"; marzyła o normalnym życiu: odnalezieniu bliskich, urządzeniu się, założeniu bądź odbudowaniu rodziny, oddaniu się radościom życia w pokoju, odbudowie kraju ze zniszczeń.

Te okoliczności plus atrakcyjne hasła społeczne komunistów: Polska bardziej sprawiedliwa od przedwojennej, reforma rolna, awans chłopów i robotników – ułatwiają nowej władzy zyskanie poparcia i umocnienie początkowo słabej pozycji w społeczeństwie. Wobec przeciwników politycznych komuniści stosują represje, a równocześnie wprowadzają reformy wzbudzające szeroki entuzjazm. Wywracają starą strukturę społeczną, doprowadzają do awansu socjalnego rzesz chłopów i proletariuszy.

Może mówiło się tam o terrorze, o łagrach, o UB, ale każda dyskusja prowadziła do wniosku, że bez względu na czarne strony tej rzeczywistości uspołecznienie pociągnie za sobą oczyszczenie społeczne i wszystko, co złe, zniknie. Zakładano, że uda się stworzyć Polskę socjalistyczną, ale nie sowiecką

– w taki sposób aurę pierwszych powojennych lat zrekonstruuje Jacek Kuroń, człowiek pokolenia Kapuścińskiego, wtedy młody komunista, później czołowy dysydent.

Od początku lat pięćdziesiątych coraz więcej jest strachu i – stopniowo – mniej entuzjazmu dla władzy, która tłumi krytykę, centralizuje decyzje i coraz częściej sięga po instrumenty represji. Zwrot w polityce komunistów dobrze widać na przykładzie wsi. W pierwszych latach po wojnie, dzięki nadawaniu chłopom ziemi na własność, komuniści zyskują sobie ich wdzięczność. Jednak w latach pięćdziesiątych tych samych chłopów, których obdarowali ziemią, zaczynają zwalczać jako prywatnych właścicieli i producentów. Zmuszają ich do obowiązkowych dostaw żywności, a tych, którzy odmawiają, poddaje się torturom, aresztuje, skazuje na kary grzywny i więzienia.

Podobnej ewolucji ulega polityka partii wobec młodzieży. O ile do końca lat czterdziestych w organizacjach młodzieżowych toczą się w miarę swobodne dyskusje, o tyle w latach pięćdziesiątych zaczyna królować strach i nawet najbardziej lojalni wobec władzy boją się wypowiadać krytyczne opinie. W roku pięćdziesiątym blisko połowa aresztowanych młodych ludzi należy do ZMP; trafiają do aresztów i więzień zwykle dlatego, że ośmielają się mieć własne zdanie, inne od wytycznych najwyższych instancji.

Żeby trafić do więzienia nie trzeba szykować zbrojnej rewolty – wystarczy opowiadać dowcipy o rządach partii, Związku Radzieckim lub Stalinie. O dowcipach władza dowiaduje się z donosów – lata polskiego stalinizmu to królestwo donosicieli. Kuroń wspomni po latach:

Ze strachu, czasem nawet koledzy z ławki, zaczęli na siebie donosić. Lansowanym przez propagandę pozytywnym bohaterem stał się sowiecki pionier Pawka Morozow, który doniósł na własnych rodziców. Władza nie tylko nagradzała donosy, ale ich oczekiwała i domagała się. Społeczna pedagogika nastawiona była na wytworzenie przekonania, że socjalistyczny człowiek ma być lojalny wyłącznie wobec socjalistycznego państwa i partii albo ZMP.

Na przełomie lat czterdziestych i pięćdziesiątych partia zakłada kaganiec ludziom kultury. Ustanawia obowiązujący twórców kierunek: realizm socjalistyczny. Zaraz po wojnie toczą się jeszcze w miarę swobodne debaty na temat dróg i stylów, jakie wybierali twórcy. Jednak w latach pięćdziesiątych partia całkowicie podporządkowuje kulturę i sztukę propagandowym celom. Pisarze, poeci, kompozytorzy, malarze i architekci mają tworzyć wedle „jedynie słusznych" zasad i reguł. Celem twórczości ma być wspieranie budowy socjalizmu w Polsce i stworzenie nowego socjalistycznego człowieka. Dokładnie takie same zadania władza stawia przed środkami masowego przekazu: mają one propagować politykę partii, a w sprawach międzynarodowych – obozu socjalistycznego; prasa, radio i powstająca wówczas telewizja podlegają cenzurze prewencyjnej i kontroli Biura Prasy Komitetu Centralnego.

Rok akademicki 1950–1951. Władza wszczyna kampanię na rzecz przekształcania wyższych uczelni w kuźnię kadr lojalnych wobec partii. Jej częścią jest piętnowanie „reakcyjnych" wykładowców. Zadanie wykonują zazwyczaj studenci – młodzi, gorliwi aktywiści skupieni w ZMP.

Wydział historii na Uniwersytecie Warszawskim, na którym Kapuściński rozpoczyna studia w pięćdziesiątym pierwszym, wychodzi z tej kampanii obronną ręką, przynajmniej jak na klimat czasów i w porównaniu z innymi wydziałami. Tadeusz Manteuffel, kierownik Instytutu Historii, zarazem dziekan i prorektor uniwersytetu, jakimś cudem „uzyskał zgodę «czynników miarodajnych» na pozostawienie steru nauki historycznej w ręku dawnej kadry profesorskiej, uznanej za fachową i zgłaszającej akces do metodologii marksistowskiej" – wspomni tamte lata profesor Stefan Kieniewicz.

– Wydział historii był wyjątkowym miejscem – opowiada Andrzej Werblan, historyk, wówczas początkujący wykładowca, poźniej dygnitarz partii, jeden z jej intelektualnych filarów w latach siedemdziesiątych. – Połowę rady wydziału stanowiły świetności przedwojenne: Manteuffel, Kieniewicz, Arnold; drugą połowę powojenni wykładowcy: Małowist, Jabłoński, Kula, który zresztą wkrótce wylądował na wydziale ekonomii... I jedni, i drudzy byli znakomitymi historykami i pedagogami. To w tamtych latach wydział historii wychował późniejszą elitę historyków.

Studia historyczne błyszczą nie tylko na tle innych wydziałów Uniwersytetu Warszawskiego. Gdy Ewa Wipszycka wyjedzie na staż do

Paryża, szybko się zorientuje, że jej warsztat naukowy i wiedza ogólna znacznie przewyższają umiejętności francuskich rówieśników.

– Niezależnie od tego, jak mroczne były to czasy i jakie obowiązywały nakazy ideologiczne, na wydziale historii wspaniale uczono zawodu historyka – opowiada Wipszycka. – Na zajęciach większości profesorów mówiło się w zasadzie, co się chciało. Rządziła zasada, że student uczy się tyle samo od wykładowcy, co od innych studentów w toku dyskusji. Tej atmosfery swobody nie zniszczyło nawet to, że wśród studentów było wielu funkcjonariuszy Ministerstwa Bezpieczeństwa Publicznego oddelegowanych na studia przez resort. Ubecy nie tylko studiowali – siedzieli również w komisjach na egzaminach wstępnych i współdecydowali o tym, kogo przyjąć, a kogo nie. Inne ich zadania – oczywiste.

– Studenci wiedzieli, kto jest kim?

– Często „wiedziało się", ubecy mieli nawet inny sposób poruszania się niż reszta (śmiech). Uderzająca była nie ich obecność, lecz niewielki wpływ, jaki mieli na panującą na wydziale atmosferę.

Teczka studenta

Przeglądam teczkę studenta Kapuścińskiego z archiwum Uniwersytetu Warszawskiego. Najpierw oceny na świadectwie maturalnym: niezłe, ale wrażenia nie robią. Najwyższe noty z polskiego, przysposobienia wojskowego, religii i wf; dobre – z historii i nauki o Polsce i świecie współczesnym; dostateczne – z matematyki, chemii, łaciny, angielskiego, geografii.

Notatka pt. *Charakterystyka ucznia* z 1950 roku, sporządzona przez jakąś komisję szkolną: „Wyraźne zdolności humanistyczne. Talent poetycki. Duże oczytanie zwłaszcza w literaturze współczesnej. Bardzo aktywny jako przewodniczący KP [Koła Pisarzy] ZMP. Postawa ideologiczna – bardzo dobra. Ukończył szkołę polityczną zarządu stołecznego". Na notatce stempel władz gminy i dopisek, że władza „nie widzi przeszkód, by kandydat studiował na wyższej uczelni".

Kapuściński studiuje historię, jednak pierwszy rok spędza na polonistyce. W teczce znajduje się jego praca z tamtego czasu (nie jest jasne, czy pisał ją na egzaminie wstępnym, czy już w trakcie studiów): *Zadania organizacji młodzieżowych w okresie planu 6-letniego*. Ów plan ogłoszony przez rząd w 1950 roku zakładał szybkie uprzemysłowienie kraju, scentralizowanie zarządzania gospodarką, wykorzenienie resztek gospodarki kapitalistycznej.

Student (lub kandydat na studenta) Kapuściński pisze tak:

> Lenin na zjeździe komsomoła mówił do młodych ludzi radzieckich: „Zadaniem młodzieży jest: uczyć się, uczyć się i jeszcze raz uczyć". Później w swoim przemówieniu do komsomolców Stalin powiedział: „...mamy przed sobą twierdzę. Jest nią wiedza. I musimy tę twierdzę zdobyć...".
>
> Uczyć się – to nie znaczy przez całe życie siedzieć w ławie szkolnej czy na ćwiczeniu seminaryjnym. Uczyć się to znaczy zdobywać wiedzę, pogłębiać ją, doskonalić się w wykonywanych przez siebie czynnościach. Uczyć się – to znaczy dążyć nieustannie do rozwijania świadomości klasowej, to znaczy uzbroić się w naukę marksistowsko-leninowską...
>
> Okres planu 6-letniego to szczególnie trudny etap w rozwoju historycznym Polski Ludowej. Dokonuje się w nim bowiem obalanie jeszcze istniejących form ustroju kapitalistycznego przy równoczesnym powstawaniu nowego, lepszego życia, jakim jest socjalizm...

Dalej w podobnej poetyce: o zadaniach młodych komunistów, o współpracy ludzi nauki i młodzieży z klasą robotniczą pod przywództwem partii. Są cytaty z wypowiedzi robotników wygłaszanych w trakcie spotkań z aktywistami ZMP. Pod tekstem wypracowania – nieczytelny podpis i ocena: czwórka z minusem.

Drugi tekst z teczki studenta to praca, jaką Kapuściński napisał prawdopodobnie na egzaminie wstępnym na historię, dokąd przeniósł się po roku studiów na filologii polskiej: *Rola i znaczenie prasy i radia w życiu politycznym i kulturalnym Polski Ludowej*. Jest to „wykopalisko" szczególne, bo tekst napisał młody człowiek, który pół wieku później zostanie okrzyknięty „reporterem XX wieku".

> Prasa i radio to dwa główne czynniki propagandowe o najszerszym zasięgu oddziaływania, o nieprzeciętnych możliwościach rozwoju... Centralizacja prasy i radia w nowym kraju pozwoliła na rozumną, planową politykę – która prowadzi do powszechnego udostępniania nauki ludziom. Aktualne wydarzenia polityczne i gospodarcze w kraju i poza jego granicami, nauka marksistowsko-leninowska, osiągnięcia w każdej dziedzinie życia Związku Radzieckiego, sytuacja państw kapitalistycznych, wreszcie zdobycze kultury, a także sprawy techniczne – fachowe – oto w najogólniejszym zarysie całokształt spraw, jakie prasa i radio musi przekazać czytelnikowi i słuchaczowi. Stają się oni masowymi

odbiorcami przez to, że oświata stanęła na usługach całego narodu, narodu socjalistycznego. Prasa i radio mobilizują go do dalszej walki i do dalszych zwycięstw; umacniają [słowo nieczytelne – A.D.] wiedzę prawdziwie naukową i postępową, ugruntowują postawę w pełni świadomego bojownika o pokój i socjalizm.

Pracę oceniło dwóch wykładowców: jeden na czwórkę, drugi na czwórkę z plusem. Pod tekstem dopisek: „Mimo pewnego efekciarstwa frazeologii, a także nieco chaotycznego stylu praca dobra, ujmująca zagadnienie na ogół słusznie i dość wyczerpująca".

W teczce znajdują się dwie wersje życiorysu, które Kapuściński napisał ręcznie (jedna dołączona do podania o przyjęcie na polonistykę; druga – gdy przenosił się na wydział historii). W obu opowiada sucho, bezbarwnym stylem losy wojenne – gdzie mieszkał, gdzie chodził do szkoły... Wylicza funkcje, jakie pełnił w różnych organizacjach po wojnie: przewodniczącego koła ZMP w liceum Staszica, przewodniczącego Koła Młodych Pisarzy przy Klubie Pisarzy PZPR; członka Towarzystwa Przyjaźni Polsko-Radzieckiej. Dalej – nagrody literackie dla młodych twórców w konkursach „Przekroju" i „Pokolenia" – za wiersze.

Uwagę zwraca zdanie kończące jedną z wersji życiorysu:

„Różnice w poglądach politycznych doprowadziły mnie do tego, że utrzymuję luźny kontakt z rodziną i jestem na własnym utrzymaniu". (W rzeczywistości Kapuściński mieszkał wtedy razem z rodzicami i siostrą).

Jak rozumieć takie wyznanie napisane przez osiemnastolatka w czasach represji, zamykania w więzieniach nie tylko działaczy opozycji, lecz także „kawiarnianych" krytyków, którzy opowiadali dowcipy na temat władzy?

Czytam ten dokument ponad pół wieku później i wiedząc wszystko, co się wie o tamtej epoce, nie potrafię opędzić się od pytań. Jak rozumieć wyznanie kandydata na studia w Polsce roku pięćdziesiątego o rozluźnieniu związków z rodziną z powodów politycznych?

Po odpowiedź idę do świadków czasu, aktorów dramatu.

Profesor Wipszycka uważa, że „to absolutnie nie donos, lecz znak epoki".

Mówi: – Takie wyznania wynikały z wewnętrznej potrzeby szczerości. My, młodzi działacze ZMP, rozumowaliśmy tak: jeśli nie opowiem ludziom z mojej organizacji o różnicach politycznych między mną a moją rodziną, to tak jakbym coś ukrył/ukryła. A to by znaczyło, że nie mam zaufania do instytucji, która powinna wiedzieć o mnie dostatecznie dużo – czy to uczelni, czy organizacji partyjnej. Wielu z nas pozostawało w konflikcie światopoglądowym z rodzinami i o tych konfliktach opowiadało się na zebraniach ZMP. Różnice pokoleniowe i ideowe strasznie nas w tamtym czasie uwierały.

(Kapuściński powie kiedyś jednej ze swoich znajomych, że po wstąpieniu do partii rodzice go wyklęli).

Kuroń, który studiuje na wydziale historii dwa lata niżej od Kapuścińskiego, będzie wspominał, że „lojalność wobec kolektywu dopuszczano tylko w ramach lojalności organizacyjnej" i choć „na najodleglejszym horyzoncie mogła się pojawić lojalność wobec kogoś bliskiego", to „zawsze należało pamiętać, że wszyscy – nawet najbliżsi – mogą się okazać przebiegle skrytymi wrogami, utajonymi sojusznikami Ameryki albo zamaskowanymi fideistami, których należy niezwłocznie zadenuncjować".

Potwierdzenie, że w taki sposób myśleli młodzi komuniści, „pryszczaci" – jak ich wówczas nazywano, uzyskuję dodatkowo w rozmowie z Andrzejem Werblanem.

– Pisanie i mówienie źle o rodzinie było u młodych działaczy ZMP i partii tamtego czasu normą, wręcz rytuałem. Mówili o swoich rodzinach mniej więcej tak jak pierwsi chrześcijanie mówili o poganach.

– Czyli określenie komunizmu jako Nowej Wiary nie jest metaforą?

– Jest dosłowne. W szczerych spowiedziach młodych działaczy chodziło o odcięcie się od przeszłości, o podkreślenie, że jest się świadomym różnicy między starymi i nowymi czasami. Owszem, niektórzy robili to dla kariery, ale nie Kapuściński. On był w tej swojej wierze szczery, autentyczny. Tak wtedy, jak i później potrafił zmieniać poglądy pod presją rzeczywistości.

Propagandysta (1)

Przed dużym barakiem udekorowanym flagami i portretami przodowników zatrzymują się samochody. Wyskakują z nich chłopcy w SP-owskich mundurach i czerwonych krawatach [SP – Służba Polsce, młodzieżowa organizacja związana z Partią i wojskiem – A.D.]. Za chwilę zacznie się pierwsza powiatowa Konferencja ZMP w Nowej

Hucie. Młodzież Nowej Huty opowie na niej o swych sukcesach, zanalizuje błędy i niedociągnięcia, podzieli się doświadczeniami i wspólnie wyciągnie z nich wnioski, dokona wyboru nowego Zarządu...

Tamte artykuły Kapuścińskiego doskonale ilustrują aurę zetempowskiej rewolucji lat czterdziestych i pięćdziesiątych. Są to relacje ze spotkań i zjazdów aktywistów młodzieżowych i partyjnych.

Godzina 16-ta. Orkiestra gra hymn Światowej Federacji Młodzieży Demokratycznej. Konferencję otwiera tow. Kleszcz, witając w zagajeniu zaproszonych gości – sekr. ZG ZMP kol. Ociepkę i sekretarza Komitetu Powiatowego PZPR tow. Szczygła, kier. Wydz. Org. KW PZPR tow. Stachurkę i wszystkich delegatów.

Na przewodniczącego obrad zostaje wybrany kol. Więcek, proponowany skład prezydium obrad zostaje przyjęty jednogłośnie. Entuzjazm na sali jest wielki. Przemówienie powitalne tow. Szczygła przerywane jest gorącymi oklaskami i okrzykami. Bez przerwy skandowane są słowa Nowa Huta – Pokój – Stalin – Bierut – ZMP.

Po wyborze komisji-matki i komisji mandatowej kol. Kleszcz wygłasza referat polityczno-sprawozdawczy.

„Obradując nad sprawami młodzieży budującej Nową Hutę – musimy pamiętać o sytuacji międzynarodowej, musimy pamiętać o bohaterskiej młodzieży koreańskiej, musimy pamiętać o naszych kolegach walczących z uciskiem w krajach kapitalistycznych. Bo przecież nasze sprawy – to są również ich sprawy. Swą solidarność z ludem koreańskim zamanifestowaliśmy, przeznaczając 2 miliony złotych na ofiary bandyckiej napaści imperialistów – mówi kol. Kleszcz. – Zostało nam powierzone zbudowanie w Planie 6-letnim Nowej Huty, miasta, w którym my, młodzież, będziemy jutro pracować jako technicy i hutnicy, jako wytapiacze i inżynierowie"...

W trakcie dyskusji wpływa do prezydium meldunek, który odczytuje przodownik pracy 44. Brygady kol. Chibowski. Oto treść meldunku:

...Wzorując się na bohaterskim Komsomole, który zbudował wielkie miasto Komsomolsk – zapewniamy Konferencję, że będziemy z całym zapałem budować Nową Hutę dla dobra i szczęścia mas pracujących Polski Ludowej dla umocnienia sił obozu pokoju i postępu.

Nową Hutę zbudujemy przed terminem!

Niech żyje PZPR i jej przewodnik Tow. Bierut.

Niech żyje Wódz Światowego Obozu Postępu i Pokoju, Wielki przyjaciel młodzieży – Józef Stalin.

Niech żyje przodująca organizacja młodzieży postępowej całego świata – Komsomoł.

Niech żyje pierwszy pomocnik Partii – Związek Młodzieży Polskiej.

Oklaski podchwytują wszyscy delegaci i długo sala huczy od oklasków i entuzjastycznego „Niech żyją"...

Dojrzały pisarz Ryszard Kapuściński ma uczucie déjà vu, gdy tysiące mil od Polski ćwierć wieku później widzi podobne sceny:

Odwiedzałem teraz siedziby komitetów. Komitety – tak nazywały się organa nowej władzy. W ciasnych i zaśmieconych pomieszczeniach siedzieli za stołami zarośnięci ludzie... Co robić? A ty wiesz, co robić? Ja? Nie wiem. A może ty wiesz? Ja? Poszedłbym na całość. Ale jak? Jak pójść na całość? Tak, jest to problem. Wszyscy zgodzą się, że jest to problem, nad którym warto dyskutować. Duszne, zadymione sale. Wystąpienia lepsze i gorsze, kilka naprawdę świetnych. Po dobrym wystąpieniu wszyscy odczuwają zadowolenie – przecież uczestniczyli w czymś, co było rzeczywiście udane... (*Szachinszach*).

Przed farsowymi wyborami w pięćdziesiątym drugim roku Kapuściński biega po mieście z Andrzejem Wyrobiszem, kolegą z liceum, teraz z wydziału historii – razem agitują do udziału w głosowaniu. Agitacja nie ma sensu, wiadomo kto wygra – i że nie ma realnego wyboru. Władza chce jednak pochwalić się 99-procentową frekwencją przy urnach. Pomagają jej gorliwi zetempowcy.

– Rysiek wrzeszczał z takim zapałem, że stracił głos – uśmiecha się profesor Wyrobisz.

Naprawdę wiedział, co znaczy iść na całość.

Fundament
trudem i wapnem nasycić.
Budowli wymiar
kreśl kielni dłutem.

Żeby tu
zanim w naszych rękach

poczujemy sześciolatki koniec,
gorącem
piec martenowski pęczniał,
korytem toczył się
stali promień.

...

Żeby
błyskiem i mocą stali
potężniał socjalizmu ogrom.

Pierwszy spust z *Poematu o Nowej Hucie*

W autobiograficznym fragmencie *Podróży z Herodotem*, poświęconym temu okresowi życia Kapuściński nie wspomina ani słowem o działalności w ZMP, a później – w partii.

Lapidarium (2): starszy szeregowy Kapuściński

– Był dość okropnym zupakiem.

Na szkoleniach wojskowych dla studentów Uniwersytetu Warszawskiego student historii sztuki Krzysztof Teodor Toeplitz, wiele lat później jeden z najbardziej znanych w Polsce felietonistów, poznaje studenta historii Kapuścińskiego. Spotykają się na wykładach z wojskowości i w każdą sobotę na ćwiczeniach musztry, czołgania się, strzelania.

– Rysiek był naszym przodownikiem. Przywiązywał wagę do tężyzny fizycznej, mimo że miał raczej drobną posturę. Ta tężyzna pomogła mu później przetrwać w ciężkich warunkach w Afryce, gdzie pracował jako korespondent Polskiej Agencji Prasowej. Jeszcze przed obozem dla podchorążych, który odbywał się pod koniec szkolenia, awansowali Ryśka na starszego szeregowca i nam, zwykłym szeregowcom, starszy szeregowy Kapuściński dawał porządnie w kość. Ostrzejsze bieganie, więcej pompek... Większość traktowała zajęcia wojskowe z przymrużeniem oka, Rysiek – śmiertelnie serio.

Scenki z ćwiczeń wojskowych z udziałem starszego szeregowego Kapuścińskiego pamięta też inny kolega, później dziennikarz, a wtedy student historii Mirosław Ikonowicz.

> Przed egzaminem magisterskim pozostawało jeszcze do zaliczenia wojsko. Kapuściński jako żołnierz był chyba lepszy od nas wszystkich na roku. Niejeden raz ratował mi skórę, gdy razem odbywaliśmy ćwiczenia wojskowe... Po to, aby przystąpić we wrześniu do egzaminu magisterskiego, każdy z nas musiał jeszcze zdobyć stopień oficerski.

Świeżo upieczeni magistrowie historii i innych wydziałów UW pojechali 1 lipca 1955 roku pociągiem towarowym na dwumiesięczne ćwiczenia na głębokich mazurskich piachach w okolicy Nidzicy. Mieszkaliśmy w namiotach rozbitych pod na wpół wyludnioną wsią Muszaki... Podoficerowie wyżywali się na studentach, mając świadomość, że z ćwiczeń każdy z nas wyjedzie z dwoma gwiazdkami na epoletach i będą musieli nam salutować. Rysiek był wzorowym żołnierzem i bez szemrania znosił nawet w lipcowy skwar marsze i biegi po głębokim piachu w pełnym bojowym rynsztunku i w masce gazowej. Wielu mdlało. Szybko zdobył poważanie, a nawet chyba rodzaj autorytetu u naszych zawodowych kaprali.

Jeden z nich, przysadzisty, atletycznie zbudowany osiłek z podwarszawskiej wsi, był dla żołnierzy-studentów szczególnie wredny. Za dwa niedopięte guziki bluzy podczas porannego apelu rozkazał mi ćwiczyć pompki. Po dwudziestu miałem dość, ale kapral nie odpuszczał i zawołał coś w rodzaju: „Popatrzcie na paniczyka!", „Raz-dwa, raz-dwa, ćwiczyć!". Krew we mnie zawrzała, wściekłość wyłączyła rozsądek. Zerwałem się na równe nogi i skaczę do kaprala z pięściami i z okrzykiem: „Popamiętasz mnie sk...synu".

Gość zbladł i nie reaguje. Na szczęście Rysiek Kapuściński z szeregowym Krzysztofem Teodorem Toeplitzem i chyba jeszcze Andrzejem Watem skoczyli do mnie, wykręcili mi do tyłu ręce i wciągnęli do namiotu naszej drużyny. Kapuściński, wysłany na negocjacje z kapralem, zażegnał awanturę.

– Nie wystarczy podskakiwać jak kogut. Zachowałeś się jak głupek, a kapral wykazał opanowanie i wyobraźnię – powiedział Rysiek, gdy trochę ochłonąłem. – On mógłby cię znokautować, zabić lewą ręką. Ale pomyślał: sąd polowy, więzienie za pobicie dowódcy. Widziałeś, jak zbladł, ale przecież nie ze strachu przed tobą. Dla jego kariery zawodowego podoficera, który nie potrafił zapanować nad drużyną, też byłby koniec.

– Odwaga nie wystarczy, myśl do cholery! – zakończył sprawę Rysiek, który na serio przejął się tym, co mnie mogło spotkać.

Przez dalsze pół wieku naszej przyjaźni nigdy mnie tak nie opieprzył. W gruncie rzeczy nie lubił nikogo wprawiać w zakłopotanie i zdobywał się na to bardzo rzadko (*Zawód: korespondent*).

Na budowie socjalizmu cd.

Aktywista (2)

W pięćdziesiątym drugim Kapuściński pisze podanie z prośbą o przyjęcie w „poczet kandydatów Polskiej Zjednoczonej Partii Robotniczej".

Jest moją największą potrzebą i pragnieniem wstąpienie w szeregi naszej ukochanej Partii. Konieczność ta równa największemu dążeniu, jakim jest służenie ze wszystkich sił, całym sobą sprawie naszej Partii. W całym swoim życiu, odkąd pojąłem, komu trzeba je oddać, czułem, jak każde zwycięstwo zbliża mnie do Partii, jak każda porażka czy błąd żąda ode mnie jeszcze większej mocy, aby mimo to nie cofnąć się w swojej drodze – drodze do Partii.

Przyjęcie mnie w poczet kandydatów naszej Partii będzie dla mnie najwyższą nagrodą i honorem, a zarazem najwyższym zobowiązaniem. Chcę jeszcze więcej i jeszcze lepiej, partyjnie żyć, pracować i walczyć na miarę zadań stawianych przez Partię najlepszym towarzyszom partyjnym. Przyrzekam strzec wskazań, jakie ślubował ochraniać i umacniać w imieniu wszystkich „ludzi szczególnego pokroju" – towarzysz Stalin.

Tym, co będzie prowadzić mnie naprzód, będzie oddanie wszystkiego, aby stać się godnym miana jednego z nich i trwać wśród nich przez całe życie.

Do podania dołącza ręcznie napisany życiorys – w poetyce i języku epoki. Nie pisze, że urodził się w Polsce, lecz na Białorusi Zachodniej „wówczas zagrabionej przez sanację" (to jest przedwojenny rząd Polski).

Że po zajęciu tych terenów przez armię radziecką we wrześniu 1939 roku wstąpił do szkolnej organizacji pionierów, lecz potem wyjechał z rodziną do Generalnego Gubernatorstwa; wyjazd ten był – jak pisze – „splamieniem honoru pionierskiego".

Ojciec, według tej wersji życiorysu, nie należał w czasie wojny do żadnej organizacji podziemnej. Po latach Kapuściński będzie opowiadał, że ojciec był w Armii Krajowej. Czy w latach stalinizmu obawiał się, że ujawnienie tego faktu może zaszkodzić i ojcu, i jemu samemu? Z kolei w krótkim życiorysie spisanym przez Józefa Kapuścińskiego trafiam na ślad, że współpracował z Batalionami Chłopskimi.

Na kolejnych stronach podania o przyjęcie do partii Kapuściński składa samokrytykę, że nie dość szybko obudził się w nim młody komunista: „Mój światopogląd obciążony był jeszcze przeżytkami ideologii drobnomieszczańskiej, wiele rzeczy nie rozumiałem, nie czułem potrzeby włączenia się...".

Jak wyjaśnia motywy, które skłoniły go w latach licealnych do podjęcia aktywności w szeregach ZMP? „Zacząłem czytać książki. Pierwsze z nich to *Matka* Gorkiego i *Ojczyzna* Wasilewskiej. Paweł Własow [bohater *Matki*] był moim najlepszym agitatorem".

Wśród swoich mentorów tamtego czasu wymienia Wiktora Woroszylskiego, młodego poetę socrealistycznego i redaktora działu kultury zetempowskiej gazety „Sztandar Młodych", a także innych poetów i pisarzy – Leona Pasternaka, Adolfa Rudnickiego, Igora Newerlego, a przede wszystkim Władysława Broniewskiego. (Ktoś opowie mi potem, że Kapuściński jako przewodniczący Koła Młodych Pisarzy przy Związku Literatów Polskich pilnował, żeby notorycznie pijany Broniewski pił trochę mniej).

List rekomendacyjny do partii pisze Kapuścińskiemu kolega studiujący o rok wyżej – Bronisław Geremek: „Tow. Kapuścińskiego Ryszarda znam od października 1951 r. z pracy w organizacji zetempowskiej na uczelni...".

Obok pochwał dla „ofiarności i oddania, młodzieńczego entuzjazmu i zapału, bojowej postawy", a także „wyrobienia politycznego" i „wzorowej postawy moralnej", Geremek informuje partię o „poważnych błędach i niedociągnięcia" kandydata:

1) niezrozumienie kierowniczej roli organizacji partyjnej na wydziale, niewłaściwy, nieprzemyślany stosunek do towarzyszy partyjnych na I roku,

2) niedojrzały – ciągnący się od poprzedniego roku stosunek do studiów, do nauki, w ostatnim zdołał tow. Kapuściński przełamać ten stosunek, o czym świadczą jego dobre wyniki w sesji letniej,

3) nie w pełni kolektywny styl pracy w kierowaniu organizacją wydziałową, wypływający głównie z braku zaufania do ludzi, do kolektywu,

4) niechętne przyjmowanie krytyki, jak też zbyt mały samokrytycyzm,

5) niedojrzałość decyzji z młodzieńczą fanfaronadą i lewactwem często wiążące się.

– Taka była poetyka rekomendowania kandydata do partii – objaśnia znany historyk. – Nie wypadało tylko chwalić.

Mimo krytycznych słów Geremek popiera prośbę Kapuścińskiego „w przekonaniu, że przybędzie naszej Partii godny jej członek".

30 czerwca 1952 roku narada egzekutywy PZPR na wydziale historii w sprawie przyjęcia Kapuścińskiego do partii. Uczestniczą: Bronisław Geremek, Adam Kersten, Jerzy Holzer i paru innych aktywistów. Obecny jest też kandydat.

Głos zabiera towarzysz Kersten:

– U towarzysza Kapuścińskiego daje się zauważyć pewne niedocenienie nauki. Głównym miernikiem aktywisty jest dla towarzysza Kapuścińskiego praca społeczna.

Polemizuje towarzysz Ługowski.

– Towarzysz Kersten dość przesadnie ocenił naukową sytuację towarzysza Kapuścińskiego. Tak sprawa przedstawiała się w sesji zimowej. Obecnie stosunek do nauki towarzysza Kapuścińskiego zmienił się na dobry.

Towarzysz Geremek postuluje: – Należy odciąć towarzysza Kapuścińskiego od pracy organizacyjnej, żeby mógł położyć większy nacisk na naukę. Towarzysz Kapuściński nie zawsze umie pracować z kolegami niezaangażowanymi.

Towarzysz Kapuściński się broni.

– To, co powiedziano w dyskusji, jest słuszne, szkoda tylko, że dyskusja ograniczyła się do spraw nauki. Miałem rzeczywiście niepartyjny stosunek do nauki i jeszcze niezupełnie ten stosunek przezwyciężyłem.

Towarzysz Holzer spieszy towarzyszowi Kapuścińskiemu na ratunek.

– Dobrze pracował w Zarządzie Wydziałowym ZMP. Jest mocno uczuciowo związany z partią. Posiada duży entuzjazm i zapał do pracy.

Nie całkowicie przezwyciężył następujące wady: niedostatecznie poważny stosunek do nauki, nie zawsze przemyślane decyzje, nie zawsze samokrytyczna postawa. Przyjęcie w poczet kandydatów partii pomoże towarzyszowi Kapuścińskiemu przezwyciężyć błędy.

Ze stenogramu: „Tow. Kapuściński został jednogłośnie przyjęty w poczet kandydatów PZPR"; członkiem partii zostaje 11 kwietnia 1953 roku.

– Tego typu zebrania, lustrowanie życiorysów ludzi w stylu świętej inkwizycji były na porządku dziennym. Geremek, Holzer, także Leszek Kołakowski, późniejsi krytycy Polski Ludowej, ba, filary intelektualne opozycji, byli w latach pięćdziesiątych nawiedzonymi neofitami – tak opowiada Andrzej Werblan, który pozostał w PZPR do końca jej istnienia.

Zapał do prześwietlania życiorysów i postaw kandydatów do partii profesor Wipszycka tłumaczy tak: – W elicie partii na wydziale historii panował kult wiedzy, dlatego tak ostro potraktowano Kapuścińskiego za jego „niepartyjny stosunek do nauki". Chcieliśmy – i nie wyłączam z tego siebie – pokazać, że jesteśmy merytorycznie najlepsi, szczególnie tym „niewierzącym" w socjalizm profesorom i studentom. Dlatego wymagaliśmy od siebie nawzajem najwyższego poziomu, najlepszych wyników w nauce.

Dlaczego zostawało się wtedy komunistą? Dlaczego tak wielu młodych, i nie tylko młodych, utalentowanych ludzi dobrowolnie, ba, z zapałem, religijną gorliwością i fanatyzmem zgłaszało akces do udziału w systemie, który ograniczał wolność i posługiwał się represjami?

> Dla nas, dzieci jeszcze, rozumowanie było proste: skoro Hitler walczy z bolszewią, musi ona być rzeczą dobrą, wartą poparcia. Oto jak następowało identyfikowanie się z bolszewią, czego ktoś później urodzony może już nie pojmować...

O źródłach swoich powojennych wyborów Kapuściński nie powiedział więcej niczego istotnego. Parę zdawkowych wypowiedzi w wywiadach.

> ...wszystko, co robiłem, robiłem z ogromnym przekonaniem.

> Był w tym wszystkim jakiś element religijny, próba jakiejś wiary...

Bardziej rozmowni na ten temat byli inni pisarze tego pokolenia. Z ogromnej literatury rozliczeniowej o zaangażowaniu w budowanie socjalizmu w latach czterdziestych i na początku pięćdziesiątych wybieram dwa głosy kolegów Kapuścińskiego – reprezentatywne dla sposobu myślenia tej części ich generacji, która uwierzyła, że komunizm jest młodością świata, przyszłością ludzkości.

Wiktor Woroszylski tak wspominał:

> Nienawidziliśmy porządku świata, w którym przeżywaliśmy ten zły okres między dzieciństwem a młodością. Gardziliśmy starszym pokoleniem, które nie zdołało światu temu zapobiec, i tęskniliśmy za wielkim zadośćuczynieniem, za nowym światem, budowanym na gruzach, światem nie tylko dobrym i sprawiedliwym, ale silnym, atakującym, dławiącym zło, bezlitosnym. Łaknęliśmy wielkiego podziału, w którym moglibyśmy stanąć po dobrej stronie.

Z kolei świat ówczesnych wyborów Tadeusz Konwicki tłumaczył w taki sposób:

> Jak miałem siedemnaście, osiemnaście lat, koło mnie odbywało się mordowanie narodu. Koło mnie byli chłopcy z automatami, dla których zabicie człowieka nie było przeżyciem. Nie należałem do pokolenia biznesmanów robiących przekręty, ale do pokolenia ludzi zmęczonych straszną wojną. Wtedy ludzie się wznosili na apogeum człowieczeństwa. Żyłem w ekosferze moralnej, w atmosferze napięć. Dlatego łatwo mi było przyjąć taką propozycję lepszego urządzenia świata. Jeszcze przy przekonaniu, że głupi świat doprowadził do hekatomby. Gdybym ja dziś powiedział polskiemu biznesmanowi, że trzeba poprawić świat, on by mnie wyśmiał, a wtedy to nie było śmieszne...
>
> Przyznam się, że jestem całkowicie bezradny w obliczu prób przedstawienia wam – i wszystkim tym, którzy tego nie przeżyli – czasu końca wojny, tego momentu, kiedy wchodziliśmy w nowe życie. Słońce, rozkwitłe sady, nadzieje, że coś się zbuduje, coś się zrobi, że będzie inaczej, lepiej. Oczywiście: można powiedzieć „Byliście, panowie, strasznie naiwni". No tak, byliśmy naiwni, było to związane z naszym wiekiem, z naszym bardzo dotkliwym wojennym doświadczeniem, nie tak długim, ale intensywnym, i z naszym wychowaniem obywatelskim w konwencji polskiego romantyzmu. Moje pokolenie żyło na zupełnie innym

piętrze niż wy. Myśmy żyli w świecie konieczności moralnych, sytuacji dramatycznych... (*Lawina i kamienie*).

Co młodzi wiedzieli o zbrodniach Stalina? O zbrodni w Katyniu, o represjach i zniknięciach ludzi, wywózkach na Syberię? Co młody Rysiek Kapuściński, student historii, działacz ZMP i partii wiedział o tym wszystkim? Jak sobie oni wszyscy z tym radzili?

Notuję na marginesie: „Spytać przyjaciół RK, czy ktoś z nim o tym rozmawiał".

Propagandysta (2)

Kolejny raz trafiam na ślad, że Kapuściński tkał w swoich książkach nieco zniekształconą autobiografię.

W *Podróżach z Herodotem* pisze tak:

> Od śmierci Stalina minęły dwa lata. Atmosfera zelżała, ludzie oddychali swobodniej. Właśnie ukazała się powieść Erenburga, której tytuł dał nazwę tej nowej, zaczynającej się właśnie epoce – *Odwilż*. Literatura zdawała się wtedy wszystkim. Szukano w niej sił do życia, drogowskazów, objawienia.
>
> Ukończyłem studia i zacząłem pracować w gazecie. Nazywała się „Sztandar Młodych". Byłem początkującym reporterem, jeździłem śladem nadsyłanych do redakcji listów...

Nieco wcześniej wspomina o surowej cenzurze politycznej epoki stalinowskiej lat 1949–1955.

Cytuję fragment *Podróży z Herodotem* profesor Wipszyckiej i zanim zdążę zadać pytanie, pani profesor macha ręką:

– 1955 rok? Eee, to coś za późno. Od początku studiów wszyscyśmy go znali jako reportera i poetę ze „Sztandaru Młodych".

W ankiecie rejestracyjnej członka PZPR Kapuściński napisał, że w „Sztandarze Młodych" pracował od czerwca 1950 do września 1951, rok 1955, o którym wspomina w *Podróżach z Herodotem* to comeback. Z kolei w odręcznie napisanym życiorysie, dołączonym do podania o przyjęcie do partii, Kapuściński wyznaje nie tylko, że pracował w gazecie w latach 1950–1951, lecz po zwolnieniu etatu pozostał współpracownikiem pisma przez następne lata.

Dlaczego w pisanej u kresu życia książce nie wspomina o pracy w „Sztandarze Młodych" w latach apogeum polskiego stalinizmu? Po odpowiedź idę do biblioteki.

Nikt dziś nie pamięta, kto proponuje w pięćdziesiątym roku licealiście Kapuścińskiemu współpracę ze „Sztandarem Młodych", nie ma to zresztą znaczenia. Najpewniej ktoś zwraca uwagę na młodego poetę, który właśnie ogłosił kilka wierszy w „Odrodzeniu", „Dziś i Jutro"... („To, że zostałem dziennikarzem, zawdzięczam poezji, nie najlepszej, ale za to mojej" – powie po latach). Poeta żółtodziób należy do Koła Młodych przy Związku Literatów Polskich, tam poznaje Woroszylskiego...

„Sztandar Młodych", gazetę młodych komunistów z ZMP, tworzą ludzie o różnych temperamentach i przede wszystkim różnych doświadczeniach życiowych. Romantyczny zapał budowania nowego, prometejska ambicja świeckiego zbawienia łączą – według wspomnień jednego z weteranów gazety – „zapalczywego Grzesia Lasotę, późniejszego głośnego krytyka literackiego, twórcę wybitnych audycji i programów kulturalnych... Rozważnego i refleksyjnego Stefana Skrobiszewskiego, uosabiającego wśród nas «harcerzyka» w dobrym tego słowa znaczeniu. Stacha Kozłowskiego, «wilniuka», specjalizującego się w problemach międzynarodowych... Krzysia Kąkolewskiego, późniejszego literata rozkochanego w twórczości, a zwłaszcza warsztacie twórczym Melchiora Wańkowicza...". Ktoś ma za sobą zsyłkę na Syberię, ktoś inny walkę w powstaniu warszawskim, ktoś ocalał z Holocaustu... „Byliśmy gotowi przenosić góry, piąć się na szczyty, nieraz burząc przy okazji to, czego burzyć nie należało".

Różnie potoczą się ich późniejsze losy. Ktoś zostanie wierny socjalizmowi do końca, ktoś inny będzie znaną postacią opozycji. Ktoś weźmie udział w antysemickiej nagonce 1968 roku, ktoś inny stanie się jej obiektem... Ktoś wreszcie będzie najsławniejszym na świecie polskim reporterem.

Na ofertę współpracy z gazetą poeta-licealista Kapuściński odpowiada:

– Dajcie mi najpierw zdać maturę.

Natychmiast po maturze – latem pięćdziesiątego roku – zjawia się w redakcji „Sztandaru".

Redakcja zajmuje trzy piętra kamienicy na ulicy Wilczej w centrum Warszawy. Stosy papieru, dym papierosów, rozpalone głowy, dyskusje. Aura miejsca zachwyca młodego poetę. Dosłownie z biegu jego teksty zaczynają pojawiać się regularnie na łamach gazety. Jest recenzentem książek i spektakli teatralnych, poetą, zaangażowanym reporterem i publicystą – uczestnikiem zetempowskiej rewolucji.

27 lipca – artykuł *Masowe wydania poetyckie*:

> Osiem „Arkuszy poetyckich", jakie ukazały się nakładem ZLP – to poważny krok naprzód na drodze upowszechnienia literatury... [Seria obejmuje wiersze Władysława Broniewskiego, Mieczysława Jastruna, Adama Ważyka, Wiktora Woroszylskiego, Leona Pasternaka – A.D.]... Wybór utworów w ramach poszczególnych tomików jest jednak nie zawsze właściwy... Szkoda, że do wyboru utworów W. Broniewskiego nie weszły fragmenty poematów o Stalinie i gen. Świerczewskim...
>
> Następne tomiki „Arkuszy poetyckich" powinny zawierać jedynie wiersze niedwuznaczne ideologicznie. Powinny przedstawiać rewolucyjną treść naszej poezji. Masowy nakład zobowiązuje do niezmiernej czujności w ustalaniu tekstów... Masowy czytelnik chce znaleźć w poezji życie budującej się ojczyzny. Powstawanie nowego człowieka. I powinien je znaleźć.

12 sierpnia – wiersz *Nasze dni* (fragment poematu *Droga prowadzi naprzód*):

> I kiedy
> w wykresach znajdujesz
> obraz dni, które będą,
> kiedy
> marzeniem i pracą
> odlewasz socjalizmu beton
> kiedy
> serce jak tłok maszyny
> ma niecierpliwe tętno –
> jesteś
> i robotnikiem zwycięstw
> i planów potężnych poetą.

Reporter-poeta jeździ po Polsce i tropi błędy, niedociągnięcia zetempowskich organizacji. W artykule z 25 sierpnia postuluje: *Młodzieży Wrocławia należy się dobry teatr*:

> Przechodzimy przez mroczne pomieszczenie, potem przeciskamy się przez wąski prostokątny otwór, i po krętych skrzypiących schodach wchodzimy na ciasną, nieforemną scenę. Stół, ławki, jakiś piecyk. Przez uchylone okno widać dekorację lasu. Po prostu *Okno w lesie*. Taki właśnie jest rytuał sztuki Ryssa i Rachmanowa granej we wrocławskim Teatrze Młodego Widza.
>
> Teraz krzesła są puste. Ale za parę godzin przyjdą tu młodzi mieszkańcy Wrocławia, przyjdą ZMP-owcy i harcerze, aby oglądać tu przedstawienie, aby oglądać sztukę, która nie jest sztuką młodzieżową...
>
> Niedobry jest repertuar wrocławskiego Teatru Młodego Widza...
>
> Sztuki powinny być dyskutowane. Po przedstawieniach ZMP-owcy winni wypowiadać się, co o nich sądzą! Niestety. Dyskusje są urządzane sporadycznie, żywiołowo...
>
> W przedstawieniach występuje duża ilość starszych aktorów o złym stosunku do pracy w teatrze młodzieżowym. Aktorzy ci usiłują jak najszybciej opuścić szeregi zespołu Teatru Młodego Widza, który, ich zdaniem, nie daje „dużego pola popisu". Rzecz jasna, wpływa to na zły poziom ich gry...
>
> Zarząd Wojewódzki nie starał się ubojowić koła ZMP-owskiego przy Teatrze Młodego Widza. A szkoda. Szkoda, bo koło to nie potrafiło w większości wypadków skutecznie oddziaływać na stosunki panujące w tej placówce... Trzeba pomóc dyrekcji teatru w pokonywaniu dużych trudności. Trzeba wpłynąć na zmianę polityki repertuarowej, trzeba starać się o młodzieżową widownię.

W sierpniu jedzie po raz pierwszy do Nowej Huty, robotniczego miasta i kombinatu pod Krakowem, reprezentacyjnej budowli nowego ładu. Towarzyszy szefowi działu kultury, poecie Woroszylskiemu, który czyta tam robotnikom wiersze o budowaniu socjalizmu. Kilka lat później, gdy stalinowski porządek zacznie się kruszyć, ta wizyta okaże się dla Kapuścińskiego nieocenioną reporterską „inwestycją".

Teraz, w artykule z 30 sierpnia, domaga się *Więcej rozmachu w pracy kulturalno-oświatowej w Nowej Hucie*:

…Kina objazdowe wyświetlają filmy od 2–4 razy miesięcznie. Jest to za mało… Nie zawsze urządza się dyskusje, w których ZMP-owcy mogliby wypowiedzieć się, co sądzą o oglądanych filmach… Na odcinku teatralnym sytuacja jest również niedobra… Biblioteki należą do zapomnianych zakątków życia brygad… Trzeba jak najszybciej powiększyć działy beletrystyczne bibliotek brygadowych… Młodzieży w Nowej Hucie należy zapewnić dobrą politycznie i artystycznie rozrywkę. Praca kulturalno-oświatowa w Nowej Hucie musi stanąć na takim poziomie, na jaki zasługują młodzi budowniczowie socjalistycznego miasta.

Artykuł z 31 sierpnia o socjalistycznym współzawodnictwie pracy:

Z tego końca sali montażowej Zakładów Mechanicznych w Ursusie – w krótkich odstępach czasu wyruszają już niemalże gotowe traktory. Masywne, pękate „Ursusy" – montowane wzdłuż całej hali – tkwią teraz nieruchomo. Praca jest skończona. A jutro będą huczeć ich motory. I wtedy odjadą one do spółdzielni produkcyjnych, do miast, kopalń – tam gdzie są potrzebne. Potem pójdą następne. 350 traktorów miesięcznie. Tyle się produkuje. To znaczy, że wszystko jest dobrze?

Nie. Nie wszystko.

Dlaczego?

Dlatego, że można produkować więcej.

„Tak, towarzysze, można produkować więcej – mówi robotnik Czesław Naziębło – ale tylko wtedy, gdy zostaną zmienione nasze normy. Teraz bowiem są one już stare, niesłuszne i uniemożliwiają nam podnoszenie wydajności pracy"…

Zapał i bojowość młodzieżowych robotników w połączeniu z dużym doświadczeniem starszych towarzyszy – gwarantuje nie tylko, że nowe normy będą wykonywane, ale że wkrótce na Zakładach „Ursus" brygady montażowe znacznie je przekroczą. „Uważam, że łamiąc stare, niesłuszne normy – przyspieszymy budowę podstaw socjalizmu w Polsce Ludowej"…

9 września ogłasza wiersz *Zetempowcy*:

Niebo
zastygło w cemencie gwiazd.
Nad ziemią
noc się wznosi, jak podniesiony dźwig.

Tutaj
już mury krzepną.
Tutaj
powstanie miasto.
A obok jest jeszcze pustka.
Ale w pustkę –
nie wierzy nikt...

18 listopada – wiersz *II Światowy Kongres Pokoju*:

Rozpalamy w sercach
naszej woli płomień
Mocniej się
ramię Pokoju
napina.
My –
silniejsi miliardem dłoni,
potężniejsi
myślą Stalina.

Rok 1951 – równie owocny w twórczości młodego reportera w służbie rewolucji.

W sierpniu Kapuściński jedzie po raz pierwszy za granicę – do Berlina. „Sztandar Młodych" wysyła go jako jednego z kilku reporterów na międzynarodowy festiwal młodzieży – propagandową imprezę krajów socjalistycznych.

W relacji *Przywieźli na Zlot sztukę ludową swojej ziemi...* z 11 sierpnia donosi:

> Przed Friedrich Stadt Palast czerwony neon rozprasza mrok berlińskiej nocy. Tu odbywają się międzynarodowe występy zespołów artystycznych. Grupy delegatów zdążają do teatru. Sala jak wszystkie inne w Berlinie – jak ulice, domy i place – bogato, różnorodnie, barwnie udekorowana... Gdy przebrzmiały ostatnie dźwięki hymnu, na scenę posypały się naręcza kwiatów. „Stalin, Stalin, Stalin" – skanduje widownia, skandują artyści.

To w Berlinie po raz pierwszy spotyka Afrykę, która stanie się jedną z największych pasji jego życia.

...pokazy sztuki ludowej Murzynów z Afryki Zachodniej. Chór w długich, ciemnych strojach śpiewa smętną pieśń. Nagle na estradę wpadają tancerze w czerwonych spódniczkach. Zespół pieśni i tańca nie ogranicza się do pokazania tego, co stworzyła ich własna kultura ludowa. Pokazuje i wyraża to, o czym marzy czarny lud z egzotycznych lasów afrykańskich. Lud, który pragnie wolności, lud, który nie chce walczyć i umierać za interesy własnych ciemiężycieli i tak jak każdy z nas walczy o pokój (*Pieśni i tańce młodzieży krajów kolonialnych mówią o niedoli ludu i gorącym pragnieniu pokoju*, 14 sierpnia).

3 września – *Niekończące się życie. W 8. rocznicę śmierci Janka Krasickiego* (młodego działacza komunistycznego podziemia z czasów wojny, przedstawianego wówczas młodzieży jako wzór bohatera):

W latach ucisku kapitalistów Janek Krasicki przyszedł na świat... Rósł szybko zdrowy i wesoły... Zdolny, uczciwy, pracowity stał się świetnym uczniem... Pytający o wszystko zaczął niepokoić zasklepionych, burżuazyjnych profesorów. Umiał wystąpić przeciw krzywdzie i zapytać, skąd pochodzi ucisk... Wstąpił na Wydział Prawa. Zaczął czytać dzieła klasyków marksizmu. Ale słowo „czytać" jest zbyt suche: on żył tymi książkami, chłonął ich treść, zgłębiał olbrzymi sens... W Polsce szalał faszyzm, zaostrzała się walka klas. Siadanie okrakiem na barykadzie było sprzeczne z postawą Janka... Kiedy wybuchła [wojna] rząd faszystowski zdradził Polskę, porzucił naród, uciekł... Janek przedostał się do Lwowa. Znalazł się w ojczyźnie Stalina, w wolnym państwie, które pierwsze w dziejach zbudowało socjalizm... 22 maja 1942 roku lądował na spadochronie radzieckim w Polsce. Był tu potrzebny. Kraj gnębił faszysta... Niedługo prowadził walkę w kraju. 2 września 1943 roku zostaje zamordowany przez hitlerowskich faszystów... Taka jest historia Janka Krasickiego. Historia, która nigdy nie będzie ukończona, bo jego życie nie odeszło. Ono trwa w nas...

W latach 1952–1954 Kapuściński publikuje w „Sztandarze" sporadycznie. W jednej z relacji (z 16 grudnia 1952) pozwala sobie na radykalną, jak na tamten czas, krytykę lokalnych biurokracji – partyjnej i zetempowskiej.

O pracy szkoleniowej gryfickiej organizacji ZMP:

Tu, w powiecie gryfickim, łamiąc linię naszej Partii, sprzeniewierzając się jej słusznej polityce – niektórzy pracownicy aparatu partyjnego i zetempowskiego usiłowali przemocą, terrorem zmusić chłopów do zakładania spółdzielni produkcyjnych. „Uspółdzielczenie" Gryfic prowadzone nie przez pracę polityczno-uświadamiającą, ale drogą przymusu i zastraszenia, otwierało dogodne pole do działalności wroga, zniechęcało chłopów.

Powiat gryficki zaczął gospodarczo upadać.

Dopiero dzięki czujności KC Partii, dzięki trosce Partii o los każdego chłopa, każdej wioski – przyszedł kres na tego rodzaju praktyki. Przeszło rok temu ogłoszona uchwała Biura Politycznego KC PZPR spowodowała przełom w całym życiu powiatu gryfickiego...

11 kwietnia 1953, wiersz *Zaciągu pionierskiego ochotnicy*:

Ociężałym, zduszonym powietrzem
dygocące
targają łoskoty.
Świdra zgrzyt
w caliznę się wedrze
Brył naszarpie
uwali pokotem.

Mroczne kłęby
miałkiego pyłu
znowu
ścianę węgla
osaczą.
I już dalej
rozewrze się wyłom.

Tak pracuje
pionierski zaciąg...

Aktywista (3)

Lata siedemdziesiąte, jakaś domowa libacja i – jak to przy wódce – nocne Polaków rozmowy. Wiktor Osiatyński droczy się z Kapuścińskim:

– Jak mogłeś pisać takie rzeczy w latach pięćdziesiątych? Jak mogłeś popierać to wszystko? Przecież to był system represji, ludzie siedzieli w więzieniach...

– Myśmy o tych więzieniach nic nie wiedzieli.

– Czego nie wiedziałeś? Ja jestem młodszy o dwanaście lat i wiedziałem już w przedszkolu.

– Co wiedziałeś?

– Że ojcowie moich kolegów i koleżanek siedzieli w więzieniach. Jak ty mogłeś nie wiedzieć?

– Bo w moim otoczeniu nie było nikogo takiego. „Wrogów klasowych" i ich dzieci nie przyjmowano w tamtych czasach na studia.

Może to i prawda, mówi Osiatyński, ale z drugiej strony byłby debilem, gdyby nie wiedział.

Spośród znajomych Kapuścińskiego z lat pięćdziesiątych na więzienie z powodów politycznych skazano koleżankę z liceum Staszica, Teresę Lechowską. Lechowska była wtedy studentką UW i członkinią ZMP; zatrzymano ją w roku pięćdziesiątym trzecim pod zarzutem opowiadania dowcipów politycznych. Dostała dwa i pół roku więzienia za – jak stwierdzał wyrok – „rozpowszechnianie fałszywych wiadomości dotyczących stosunków ekonomicznych i politycznych w Polsce oraz przyjaznych stosunków Polski i ZSRR oraz wiadomości usłyszanych z audycji radiowych państw imperialistycznych mogących wyrządzić szkodę interesom PRL". Odsiedziała rok – najpierw w pałacu Mostowskich, potem z więźniarkami mającymi wyroki za przestępstwa pospolite w zakładzie karnym na warszawskiej Gęsiówce.

– Mieli na mnie grubą teczkę, donosiła bliska koleżanka – opowiada Lechowska. – Były tam żarty, na przykład, z radzieckiej nauki. Iwan Miczurin eksperymentował z krzyżówkami genetycznymi i jeden z dowcipów brzmiał tak: „Dlaczego najlepsza jest krzyżówka jabłonki z psem? Bo sama się podlewa i jakby ktoś chciał zerwać z niej jabłka, to szczeka". Sam pan rozumie, jakie to było groźne dla sojuszu polsko-radzieckiego i interesów Polski Ludowej – ironizuje Lechowska.

Pamięta Kapuścińskiego z liceum i uniwersytetu jako zapalonego ideowca.

– Jakimś strasznym świńtuchem to chyba nie był. Wierzył w tamto i tyle.

– Widywaliście się w czasie studiów?

– Wpadaliśmy na siebie od czasu do czasu. Uniwersytet nie był tak duży jak teraz i starzy znajomi z liceum wiedzieli o sobie, gdzie kto jest i co porabia.

– Mógł nie wiedzieć o pani zatrzymaniu i skazaniu?

– Raczej wykluczone. Gdy wyszłam z więzienia, opowiadano mi, że na zebraniach ZMP i partii na uniwersytecie wskazywano mnie jako przykład zakamuflowanego „wroga klasowego", który podstępnie przedostał się na uczelnię. Mógłby nie zapamiętać sprawy kogoś innego, ale ja byłam koleżanką z klasy, widywaliśmy się czasem. Musiał wiedzieć.

Wiele lat później – jedyny raz w tak otwarty sposób – Kapuściński wyzna:

> Jedną z zasadniczych cech sytuacji totalitarnej jest zablokowanie informacji już na poziomie jednostki: człowiek milczy, widzi i wie, ale milczy. Ojciec boi się powiedzieć synowi, mąż – żonie. To milczenie albo mu nakazują, albo wybiera je sam jako strategię przetrwania.

Czy mówiąc o milczeniu, miał w pamięci koleżankę z klasy?

Teresa Torańska, która przeprowadziła obszerne wywiady z dygnitarzami partii wszystkich etapów Polski Ludowej, podsuwa pewien klucz. – Zwróć uwagę – mówi – na biografię generała Jaruzelskiego. Wywieziony z rodziną do Związku Radzieckiego, wiedział o radzieckim stalinizmie i zbrodniach wszystko, a mimo to budował komunizm w Polsce. Po latach został przywódcą partii. Pamięć ludzka jest selektywna, wyrzuca rzeczy, które bolą, zachowuje te, które ułatwiają życie. Rodzina Kapuścińskiego pochodziła ze wschodniej Polski, gdzie „wiedziało się", kim są Sowieci, co robili po 17 września 1939 roku. Kapuścińscy uciekli do Generalnej Guberni przed radzieckimi wywózkami na wschód – jakżeż Rysiek mógł nie wiedzieć, czym jest tamten system? Wiedział wszystko. Ale – jak mawiał towarzysz Gomułka – „człowiek wie tyle, ile chce wiedzieć".

Kładę ten klucz obok „klucza Konwickiego": że nie tak trudno było młodym przyjąć komunistyczną propozycję lepszego urządzenia świata, zwłaszcza że stary doprowadził do hekatomby. Zmęczenie wojną. Reforma rolna. Budowanie z zapałem Nowej Huty – forpoczty lepszego świata. Wykorzenianie analfabetyzmu, w którym młodzi aktywiści z ZMP grali pierwsze skrzypce.

Żeby zrozumieć, dlaczego tak wielu młodych, utalentowanych, wrażliwych czuło się „potężniejszymi myślą Stalina", trzeba poćwiczyć wy-

piło się przywileju późnego urodzenia.
ńskiego – „nie oceniam ludzi, którzy
każdy z nas, urodzonych dużo później,
y stronie? Zarazem trudniej rozumieć,
dzie tamtej epoki – jak Kapuściński –
apomnieć, wymazać, zatrzeć ślady. Bo
go wytłumaczenia ówczesnych zaanga-

orzyński – dziś profesor Uniwersytetu
ury i badacz środków przekazu – infor-
ich latach jego życia, że w jednej z po-
się fragmenty biograficzne, dotyczące
oglądów politycznych, ten wybucha:
moim życiorysie!
ojej twórczości Kapuściński grozi sądem.

wszą rewolucją, jaką obserwuje, której
skórze. Jako aktywny uczestnik, mło-
agandysta, zaangażowany poeta. Sprawa
łeczną zmianą, rozpadem starego świata
awy ludzi w takich czasach i krańcowych
sytuacjach staną się leitmotivami życia Kapuścińskiego; będą pobudzać jego pasję poznawania świata, napędzać całe późniejsze pisarstwo.

W jakimś sensie reporter romantyk goniący po świecie za rewolucjami, rebeliami, powstaniami wyzwoleńczymi rodzi się w epoce stalinowskiej w Polsce – mrocznej z powodu terroru i pełnej nadziei wielu ludzi, że uda się zbudować sprawiedliwy świat bez głodu, wojen, nędzy. Ten paradoks rewolucji, wewnętrzne pęknięcie wielkich wstrząsów politycznych stanie się nieodłączną częścią biografii reportera i postaw człowieka, który dokonywał intelektualnych, zawodowych, życiowych wyborów w epoce zimnej wojny i w warunkach ograniczonej suwerenności swojego kraju.

Alicja, maminek, Zojka

Spojrzał na nią raz, drugi. Zaprosił do kina – chyba do „Stolicy" na Mokotowie, nie pamięta na jaki film. Jesień pięćdziesiątego pierwszego, początek roku akademickiego.

Na zebraniach ZMP siada w kącie z koleżankami, gada, śmieje się. Kolega Kapuściński, bardzo ważny działacz zetempowski, siedzi za stołem prezydialnym, peroruje o wrogach klasowych, wzmożonej czujności – co i rusz ucisza rozchichotaną dziewczynę.

– Koleżanko Mielczarek, przestańcie rozmawiać! („Miał figliki w oczach. Dawał mi w ten sposób znak, że mnie obserwuje").

Spotykają się na uniwersyteckich wieczornicach. Czeka na niego, bo przecież działacz, aktywista, rewolucjonista zawsze gdzieś musi gnać, coś załatwiać, nad czymś radzić – rewolucja to nie żarty, robota od rana do nocy. Spóźnia się na randki, a kiedy w końcu się zjawia, zaczynają tango. Koleżanki i koledzy tworzą wokół nich kółeczko, a oni, wpatrzeni w siebie, nawet tego nie widzą.

Poznali się od razu na pierwszym roku historii. Była nim zafascynowana. Bezgranicznie. Śliczny, czupryniasty, z ciemnymi włosami, zgrabny, wysportowany – wspomina. Kopał piłkę, bardzo lubił grać w piłkę.

– Poderwałaś najładniejszego chłopaka z roku – zazdrościły koleżanki.

Do Warszawy przyjechała na studia ze Szczecina i w wielkim mieście czuła się bardzo wyzwolona. Kiedyś siedzą gromadą w kawiarni, noga na nogę, każda z papierosem. Ona śmieje się, gestykuluje. Usiadł naprzeciwko. Patrzy na nią, patrzy, patrzy – i z dezaprobatą kręci głową. Ona udaje, że go nie widzi, gada dalej, ale szybciutko gasi papierosa. Nigdy więcej nie zapaliła.

Teresa Torańska, z którą wspólnie przeprowadzam wywiad dla „Gazety Wyborczej", pyta Alicję Kapuścińską:

– Wystarczyło, by kiwnął głową?
– Nie, pokręcił... Nie chciał, żeby dziewczyna, na którą zwrócił uwagę, paliła. Dzierlatki takie jak ja wówczas nie paliły.
– Ale sam palił?
– Ponad trzydzieści lat. Za długo. Rzucił dopiero w 1980 roku, kiedy prof. Noszczyk go nastraszył. Ma pan pozarastane tętnice – powiedział mu – więc albo rzuci pan palenie, albo będę musiał nogi panu poobcinać.

Rodzice Alicji, państwo Mielczarkowie, pochodzili z Łodzi. Studiowali w seminarium nauczycielskim, poznali się jako wiejscy nauczyciele. Uczyli w jednoklasówce. Przed wojną zawsze mieszkali przy jakiejś szkole i mama, która nie miała co zrobić z kilkuletnią córką, zabierała ją do klasy. Alicja z bardzo ważną miną siedziała wśród pierwszoklasistek w pierwszej ławce – i mając ledwie trzy lata, zaczynała czytać. Zawsze potem rozpierała ją duma, że lepiej od brata, o trzy lata starszego, umiała zrobić gramatyczny i logiczny rozbiór zdania.

Wojna zastała ich we wsi Józefów, gdzie uczyli rodzice; znaleźli się na terenach, które Niemcy włączyli do Rzeszy. Mielczarkowie ruszyli w stronę Generalnego Gubernatorstwa, przedostali się przez granicę i zamieszkali na Lubelszczyźnie. Cztery lata okupacji niemieckiej Alicja spędziła w małej wiosce: dwadzieścia parę domów, dwie studnie głębokości kilkudziesięciu metrów. Pamięta, że do wału studni była uwiązana łańcuchami beczka, w niej umocowane dwa wiadra. Wodę wlewało się do wiader i nosiło na specjalnym nosidle na ramionach – podobnie jak w Afryce, ostrożnie, żeby nie uronić kropelki.

Kiedy w latach sześćdziesiątych odwiedzi w Afryce ciężko chorego męża, korespondenta Polskiej Agencji Prasowej, ich przyjaciel Jerzy Nowak, dyplomata, będzie zagadywał:

– O, zobacz, Alu, jak oni tu noszą wodę.
– Ja to wszystko widziałam w czasie wojny na Lubelszczyźnie.

Po wojnie rodzice Alicji wyjechali do zachodniej Polski, na tak zwane Ziemie Odzyskane. Najpierw był Koszalin, potem Szczecin. Chodziła do gimnazjum żeńskiego, gdzie panowała dyscyplina w stylu przedwojennym. Dziewczęta nosiły obowiązkowe stroje à la uniform.

Szkołę nazywano ironicznie klasztorem szczerytek – od nazwiska pani dyrektor Janiny Szczerskiej.

Była prymuską: celujące oceny, przewodnicząca samorządu uczennic. Miała nawet zostać „przodownikiem nauki" – jeszcze jeden znak nowych czasów.

Rok przed maturą pani dyrektor wzywa ją do siebie.

– Słuchaj, Mielczarkówna, jesteś przewodniczącą samorządu, uczysz się dobrze. Mam tu zarządzenie od władz, żeby stworzyć klasę pedagogiczną. W kraju brakuje nauczycieli, trzeba szybko wyszkolić nową kadrę. Chcę, żebyś weszła do tej klasy, a ja będę miała argument dla innych, że skoro ty weszłaś, to inne dziewczęta chętniej się zgodzą, wezmą z ciebie przykład.

Chce, nie chce – nie może powiedzieć „nie".

Należy już do ZMP, co nie podoba się mamie.

– Po coś się tam zapisała? – robi Alicji wyrzuty.

– A dlaczego miałabym się nie zapisać?

Za to ojciec jest zadowolony. Jeszcze zanim powstała PZPR, należał do jej poprzedniczki z czasów wojennych – PPR, Polskiej Partii Robotniczej. Ciągle się o to spierali z żoną, ale wojny domowej z tego powodu u Mielczarków nie było.

Matce Alicji marzyła się medycyna, ale przed wojną nie miała na nią szans. Mówi do córki: – Tak bym chciała, byś została lekarzem. I Alicja żyje w przekonaniu, że kiedyś zostanie panią doktor. Gdy w szkole zadają wypracowania *Kim chcę zostać?*, pisze: „Będę lekarzem".

Razem z maturą i dyplomem ukończenia liceum Alicja dostaje państwowy nakaz pracy w jednej ze szczecińskich szkół. Wydaje się, że medycyna czy jakiekolwiek inne studia na zawsze pozostaną tylko marzeniem. A chce studiować – bardzo, za wszelką cenę. Idzie do lokalnego kuratora oświaty. – Nic nie poradzimy, musi pani jechać do ministerstwa.

Pojechała do Warszawy. Tam powiedzieli: – Może pani iść na studia, ale takie, po których można uczyć w szkole.

Wybrała historię na Uniwersytecie Warszawskim. Nie była zafascynowana przedmiotem, lubiła szkolnego nauczyciela historii.

Zamieszkała w czteroosobowym pokoju w tzw. Nowej Dziekance. To był uniwersytecki akademik na Krakowskim Przedmieściu, przy pomniku Mickiewicza, dobudowany do starej Dziekanki, która należała do uczelni artystycznych.

Rysiek mieszkał wtedy z rodzicami i siostrą w dwurodzinnym fińskim domku na Polu Mokotowskim; Kapuścińscy zajmowali jego połowę. Wchodziło się po schodkach do malutkiej sioneczki, po jednej stronie mała ubikacja i minikuchnia z żelaznym zlewem, po drugiej – pokój z wnęką. W pokoju tapczan rodziców, szafa, stół i parę krzeseł. We wnęce oddzielonej od pokoju zasłonką – dwa żelazne łóżka. Pod jedną ścianą spał Rysiek, pod drugą jego siostra Basia.

Ojciec Ryśka wrócił w końcu do pracy nauczyciela robót ręcznych, mama już nie – pracowała w Głównym Urzędzie Statystycznym.

Gdy rodzice są w pracy, a siostra na uczelni, Rysiek przyprowadza Alicję do tego domku.

Gdy razem z Teresą Torańską wypytujemy o te ich spotkania, pani Alicja odpowiada niechętnie.

– Nie piszcie o tym.
– Czego mamy nie pisać?
– Że kiedy ich nie było, spotykałam się z Rysiem w domku fińskim.
– Coś w tym złego?
– Ja publicznie o takich prywatnościach nie opowiadam.
– A my pytamy?
– Teresa, uważasz, że nikt się nie domyśli?
– Alu, domek fiński musi być.
– To z umiarem, proszę.

Domek fiński stoi, gdzie stał. W 1988 roku poszli na spacer na Pole Mokotowskie – budowano tam wtedy Bibliotekę Narodową. Patrzą: z kilkunastu domków zostały dwa, zamienione na pakamery dla robotników; jeden z nich to domek Kapuścińskich. Podchodzą bliżej, zerkają przez okno. Pośrodku pokoju wciąż stoi zrobiony przez ojca Ryśka okrągły, czarny stół; na stole porozkładane papiery. Kiedy ojciec przeprowadzał się w latach siedemdziesiątych, nie zabrał go, bo nie mieścił się w nowym mieszkaniu.

Maria Kapuścińska nie jest zachwycona związkiem syna z Alicją, zwłaszcza że szybko kroi się i ślub, i dziecko. Uważa, że za młodzi do żeniaczki – on dwadzieścia lat, ona dziewiętnaście. Marzy o niezwykłej przyszłości dla syna – choć jakiej, dokładnie sama nie wie. Obawia się, że zbyt wczesne małżeństwo przeszkodzi mu w karierze, jakakolwiek by miała być. I ma pretensje do Alicji o ciążę – w tamtych czasach zawsze winiono dziewczynę.

Gdy już jako oficjalna narzeczona Alicja przychodzi do domku Kapuścińskich, mama Kapuścińska daje jej do cerowania skarpetki syna. Alicja ceruje, pierze i prasuje koszule Ryśka. Pod okiem pani Kapuścińskiej, bez słowa protestu, uczy się obowiązków żony jej ukochanego Rysieczka. Ma być potulna, pracowita, obsługująca męża. Alicja chce przyszłą teściową udobruchać, pokazać, że syn źle nie trafił. Jest wdzięczna, że ją w ogóle wpuszcza do domu.

W domu rodzinnym Alicji w Szczecinie Rysiek robi od razu dobre wrażenie. Z biegu oznajmia, że zamierzają się pobrać, nie wiedzą tylko kiedy, bo nie mają mieszkania. Alicja pyta mamę, czy nie zdziwi się, jeśli szybko będzie dziecko. Mama nie jest zaskoczona, ani oburzona. Widzi, co się święci.

W urzędzie stanu cywilnego na ślubie Ryszarda i Alicji szóstego października pięćdziesiątego drugiego, prócz świadków i paru znajomych, z najbliższej rodziny zjawia się tylko pan Józef Kapuściński i siostra Ryśka, Basia. Maria Kapuścińska bojkotuje uroczystość. Zaprasza potem na obiad, lecz Rysiek się wykręca. Jego ukochany „maminek" najbardziej ze wszystkich nie akceptuje jego małżeństwa. Dopiero umierając, Maria Kapuścińska wyzna synowej: – Alu, byłaś dla mnie córką. Pani Alicja uważa, że to najwyższe odznaczenie, jakie mogła dostać od teściowej. Zasłużyła na nie po ponad dwudziestu latach małżeństwa z jej synem.

Na ślub nie przyjechali też rodzice Alicji. Narzeczeni postanowili, że celowo zawiadomią ich za późno – wysłali telegram na dzień przed ślubem – żeby nie doszło do konfrontacji rodziców. Obawiali się, że scysja lub choćby wymiana kwaśnych min w takim dniu zaciążą nad stosunkami między rodzinami na lata. Potem relacje między rodzicami obojga były poprawne.

Gdy więc Alicja w skromnej granatowej sukience z białym kołnierzykiem i Rysiek w czarnym garniturze z matury, jedynym, jaki wtedy miał, siedzą przed urzędnikiem stanu cywilnego, nie ma przy nich kilku najważniejszych w ich dotychczasowym życiu osób.

Urzędnik recytuje drętwe oficjalne formułki o rodzinie jako „podstawowej komórce społecznej", a Rysiek w tym czasie wyjmuje z kieszeni obrączki, szturcha Alicję i mówi: – Wsadź mi na palec.

Obrączek potem nie nosili. Pani Alicja wyjaśnia, że pracując w szpitalu, musiała bez przerwy myć ręce i obrączka przeszkadzała, a Rysiek swoją obrączkę zgubił.

Krótko po ślubie Alicja bierze na uczelni urlop dziekański i wyjeżdża do Szczecina. W oczekiwaniu na rozwiązanie pracuje w bibliotece szczecińskiego Pałacu Młodzieży.

Drugiego maja pięćdziesiątego trzeciego jej mama wysyła do zięcia depeszę: – Masz córkę.

Rysiek tymczasem wolał mieć syna. Alicja Kapuścińska wspomina:

– Kiedyś uważano, że prawdziwy mężczyzna powinien spłodzić syna, który po ojcu przejmie kierowanie rodziną, zbudować dom i zasadzić drzewo. Rysiek zastanawiał się, jak córkę nazwać. Spotkał naszą przyjaciółkę. Zocha – oznajmił. – Urodziła mi się córka. Powiedziała mi potem, że wyglądał na zadowolonego. No to nazwijcie ją Zofia – zaproponowała. Spodobało mu się.

Lecz jeszcze bardziej od Zofii podoba mu się inne imię – Zojka. Pewna dziewczyna imieniem Zojka jest bohaterką epoki, wzorem młodych komunistów z ZMP, błogosławioną komunistycznej rewolucji.

Radziecka uczennica liceum Zoja Kosmodemiańska po napaści III Rzeszy na Związek Radziecki wstąpiła do specjalnego oddziału Armii Czerwonej. Oddział uprawiał dywersję na tyłach wroga. Po wysadzeniu niemieckiego składu amunicji Zoja została schwytana.

Zoję pytano, przez kogo jest wysłana i kto był wraz z nią. Żądano, by wydała swych towarzyszy. Przez drzwi padały odpowiedzi: „nie", „nie wiem", „nie powiem", „nie". Potem w powietrzu zaświszczały rzemienie i słychać było, jak bito Zoję. Po kilku chwilach młodziutki oficer wyskoczył z pokoju do kuchni, wcisnął twarz w dłonie i przesiedział tu do końca przesłuchania, przymykając oczy i przytykając sobie uszy. Nawet nerwy faszysty nie wytrzymały…

Czterech potężnych chłopów, zdjąwszy pasy, chłostało nimi dziewczynę. Gospodarze domu naliczyli dwieście razów, lecz Zoja nie wydała ani jednego jęku. A potem znowu odpowiadała: „nie", „nie powiem"…

Zoja obróciła się ku dowódcy i zawołała do niego i do żołnierzy faszystowskich:

– Powieście mnie zaraz, ale ja nie jestem sama. Jest nas dwieście milionów, wszystkich powiesić nie zdołacie. Zemszczą się na was za mnie. Żołnierze! Póki jeszcze nie jest za późno, poddajcie się: zwycięstwo i tak będzie nasze!

Kat pociągnął za powróz i pętla zacisnęła gardło Zoi. Lecz Zoja rozsunęła jeszcze obiema rękami pętlę, uniosła się na palcach i zawołała, wytężając wszystkie siły: – Żegnajcie, towarzysze! Walczcie, nie bójcie się. Z nami jest Stalin! Stalin przyjdzie… (L. Kosmodemiańska, *Opowieść o Zoi i Szurze*).

Gdyby urodził się chłopiec, miałby na imię Wowka, czyli Włodzimierz – na część wodza rewolucji październikowej, Włodzimierza Lenina. Według innej wersji „Wowka" miał być hołdem nie dla Lenina, lecz dla Włodzimierza Majakowskiego – Kapuściński opowiadał o tym swojej tłumaczce Agacie Orzeszek:

– Był w tamtych latach zniewolony talentem i siłą głosu Majakowskiego. Żałował, że Broniewski miał na imię Władysław, a nie Włodzimierz, bo wówczas imię syna byłoby uczczeniem obu ukochanych przezeń poetów.

Ale marzenie o synu nie spełniło się.

Wsiada do pociągu i od razu przyjeżdża do Szczecina. Pierwszy rok żyją jednak w rozłące. Alicja w Szczecinie opiekuje się Zojką i rozmyśla o powrocie na studia, Rysiek studiuje i robi zetempowską rewolucję w Warszawie. Wpada z odwiedzinami, ale jest mężem i ojcem „na odległość". Gdy przyjeżdża, zdarza mu się wychodzić na spacery z wózkiem, ale niezbyt chętnie. Taki młody, a już tata. Jest typem wiecznego kawalera, lubi podobać się dziewczynom. Wózek z dzieckiem kiepsko pasuje do tego emploi.

Pewnego razu zjawia się w Szczecinie zdenerwowany: mama dostała udaru. To był wylew albo zator w tętnicy mózgowej. Wyglądało naprawdę groźnie. W domkach fińskich, gdzie mieszkali Kapuścińscy, nie było telefonów. Rysiek pobiegł na Hożą wezwać pogotowie, a lekarz wyjeżdża z poradą: – Najlepiej przystawić pijawki, żeby ściągnęły krew z tętnicy szyjnej.

Pognał na bazar na Polnej i kupił słoik pijawek. Pani Alicja uważa, że te pijawki uratowały teściową. Maria Kapuścińska nie wróciła po udarze do pracy. Funkcjonowała w miarę normalnie, nie wymagała opieki jak osoba niepełnosprawna, lecz jej siły były poważnie nadwątlone.

Po tym wypadku Rysiek mówi do Alicji, żeby dała sobie spokój ze studiami na wydziale historii. Że on po historii zostanie dziennikarzem – a ona? Będzie musiała iść do szkoły i uczyć rozwydrzone bachory. – Idź na medycynę – przekonuje.

Alicja zdaje egzaminy na medycynę w Szczecinie i tam zalicza pierwszy rok studiów. Rysiek tymczasem kończy w Warszawie historię. Pisze pracę magisterską o systemie edukacji w zaborze rosyjskim na początku XX wieku u Henryka Jabłońskiego, późniejszego przewodniczącego Rady Państwa (peerelowski odpowiednik prezydenta kraju bez realnej władzy). Wraca do pracy w „Sztandarze Młodych" i wkrótce dostaje przydział na mieszkanie pracownicze.

Alicja wraca po roku do Warszawy, gdzie kontynuuje studia medyczne. Zojka zostaje w Szczecinie u dziadków. Jest za mała, żeby iść do przedszkola. Do Warszawy rodzice zabiorą ją po roku.

Dostają pokój z kuchnią i łazienką – w bloku na rogu Nowolipek i Marchlewskiego (dzisiejsza Jana Pawła II). Kuchnia spora, z oknem. Stawiają w niej biurko – to ma być pracownia Ryśka.

Alicja wstaje wcześnie rano, szybko coś podszykowuje do jedzenia, potem prasuje w pośpiechu koszule męża, odprowadza Zojkę do przedszkola – na szczęście w sąsiednim domu – i gna na wykłady albo praktyki do szpitala. Wieczorem, kiedy wraca, czeka na nią pranie w wannie – bo pralki w domu nie ma.

Codziennym koszmarem jest nieustający hałas dochodzący zza ściany. Mieszkanie znajduje się między windą a zsypem: z jednej strony trzaskają drzwi od windy, po czym winda rusza z wielkim łubudu; z drugiej jest zsyp – kolejny łomot. Na dodatek zsyp jest połączony z kuchnią wywietrznikiem – żeby kuchnia wietrzyła się do zsypu, zazwyczaj jednak to smród stamtąd wdziera się do kuchni. Alicja zakleja wywietrznik, ale to nie pomaga.

Rysiek dostaje szału. Nie znosi, gdy mu coś przeszkadza w pisaniu. Potrzebuje spokoju, wyciszenia. Gdy tego nie ma, wszystko go drażni.

Gdy więc Alicja widzi, że zaczyna się miotać, że nerwowo chodzi, siadają z Zojką cichutko w kąciku, żeby nie rozdrażnić lwa jeszcze bardziej. Zna go już na tyle, że wie, kiedy się usunąć i nie odpowiadać na zaczepki.

Nigdy nie uderzyła pięścią w stół, nie powiedziała, że ma dość („Co ty, przecież to był mój Rysio! No co ty!").

Gdy pisanie zaczyna iść gładko, on oznajmia uroczyście, że teraz to już pójdzie, że złapał wiatr w żagle. Odczytuje pierwsze zdanie, Alicja skacze z radości. I tak... do następnego akapitu. Zawsze pisał wolno, ledwo wyrabiał redakcyjne normy. Zależało mu, żeby pisać dobrze, nie dużo. Dlatego zarabiał grosze.

Pomaga im ojciec Alicji. Obydwoje jej rodzice pracują i choć pensje nauczycielskie nie są duże, oferują pomoc. Dopiero w 1959 roku, kiedy Alicja skończy studia medyczne i dostanie pierwszą pensję, napisze do ojca, że dziękują za wsparcie, że teraz już dadzą sobie radę.

’56: rewolucja od nowa

Każdą rewolucję poprzedza stan ogólnego wyczerpania i na tym tle – pobudzonej agresji. Władza nie znosi narodu, który ją irytuje, naród nie cierpi władzy, której nienawidzi. Władza roztrwoniła już całe zaufanie, ma puste ręce, naród utracił już resztki cierpliwości i zaciska pięści. Panuje klimat napięcia i coraz bardziej przygniatającej duszności. Zaczynamy ulegać psychozie grozy. Nadciąga wyładowanie. Czujemy to.

Ryszard Kapuściński, *Szachinszach*

– To nie przejdzie – ucina redaktor naczelna „Sztandaru Młodych”. Przeczuwa, że reportaż o Nowej Hucie, który właśnie dostała na biurko, ściągnie na gazetę kłopoty.

Irena Tarłowska nie jest strachliwą szefową. Sporo starsza od dwudziestoparolatków stanowiących trzon zespołu – ma trzydzieści siedem lat. („Była postawną, przystojną blondyną o bujnych na bok zaczesanych włosach” – napisze o niej po latach Kapuściński). Lewicowa dama oddychająca francuską kulturą, w latach międzywojnia w młodzieżówce komunistycznej, w czasie wojny w PPR i podziemnej Armii Ludowej. W życiu osobistym związana z dygnitarzami powojennej władzy – najpierw Ignacym Logą-Sowińskim, potem Jerzym Morawskim, partyjnym „liberałem”. Jej powołanie, w pięćdziesiątym czwartym na stanowisku szefowej „Sztandaru” zastąpiła Helenę Jaworską, dziennikarze odczytują jako jaskółkę nadchodzącej zmiany.

– Nie ma mowy, cenzura tego nie puści – powtarza stanowczo, nie zostawiając nadziei wracającemu do pracy poecie i absolwentowi wydziału historii.

Poprzednie trzy lata Kapuściński pisywał do „Sztandaru" sporadycznie. Czasem recenzja, nieduży reportaż, wiersz ku chwale socjalizmu – nie więcej niż kilka publikacji w roku. Pochłaniały go studia, działalność zetempowska na uczelni, rewolucja dokonała się również w życiu rodzinnym. Wraca do gazety, gdy zaczynają topnieć lody stalinizmu.

Właśnie ukazała się powieść Erenburga, której tytuł dał nazwę tej nowej, zaczynającej się właśnie epoce – *Odwilż*

– napisze równo pół wieku później...

Nad powieścią Erenburga toczą się dyskusje na rozgorączkowanych zebraniach, w zadymionych kawiarniach, na szpaltach gazet. Literaci, krytycy, studenci... Jedni widzą w książce „wspaniałą polemikę moralną z obrazem człowieka przykrojonego do wymagań ideologicznych". Inni krytykują za „zagubienie patosu walki i budowy socjalizmu" oraz fałszywe przeciwstawienie tym ideom „apologii codzienności". I jedni, i drudzy czują, że coś się zmienia, idzie nowe...

Pisarze dostrzegają to, czego wcześniej nie widzieli lub widzieć nie chcieli. Piewca socjalizmu, poeta Mieczysław Jastrun, opisuje w odwilżowym wierszu, jak z jednego okna patrzy na więźniów budujących garaże dla bezpieki, a z drugiego – na wolnych murarzy budujących już nie jak wcześniej świetlaną przyszłość socjalizmu, lecz „mur szpitala wariatów czy Martwego Domu".

Inny poeta i teoretyk literatury, Julian Przyboś, obwieszcza, że poezja socrealistyczna niczym się nie różni od „dawnych kołtuńskich wierszy «bogoojczyźnianych»" – wystarczy zmienić kilka słów i wyjdzie mniej więcej to samo.

Zmieniają się ton i język, estetyka i tematyka...

Bohaterami opowiadań debiutującego Marka Hłaski, kultowego pisarza odwilży i Października '56, bywają wciąż robotnicy, ale nie są to herosi wznoszący wielki gmach socjalizmu, lecz frustraci niewidzący przyszłości, czasem zwyczajni menele, dla których horyzontem marzeń jest flaszka wódki po fajrancie. Pojawia się także liryczna nuta, obca duchowi socrealizmu.

Z Zachodu dociera „zgniła, imperialistyczna literatura" – tygodnik „Życie Literackie" publikuje opowiadanie *Stary człowiek i morze* Ernesta Hemingwaya.

Wystawa *Arsenał* wywraca stalinowskie wyobrażenia o estetyce i celach twórczości plastycznej: pojawia się abstrakcja, którą wcześniej obrzydzano jako „wynaturzoną sztukę burżuazji". Tę samą rewolucję, co *Arsenał* w plastyce, w muzyce wywołuje festiwal Warszawska Jesień, którego pierwsza edycja zbiegnie się z kulminacją politycznego przełomu Października '56. Pomysł imprezy rodzi się rok wcześniej, na fali odwilży. Zrehabilitowano również jazz – zakazaną „muzykę amerykańskiego imperializmu".

Z dalekiego wygnania wraca... śmiech. Nareszcie wolno śmiać się z „wypaczeń socjalizmu": przedstawienia Studenckiego Teatru Satyryków, który działa w Warszawie, przyciągają tłumy inteligentów i wywołują płomienne dyskusje w prasie młodzieżowej.

Śmiał się jeden z bardów epoki:

Towarzysze, może z was drwi
To pytanie zanadto śmiałe:
Towarzysze, czy w waszej krwi
nie za mało czerwonych ciałek?

Jedną z najgłębszych zmian odwilży jest – według słów Jacka Kuronia – „rehabilitacja prywatności". Jeszcze rok, dwa wcześniej nie do wyobrażenia była publiczna debata na uniwersytecie na temat życia seksualnego. „Wiec na temat «czy wolno się kochać przed ślubem» łamał wszystkie konwencje, bo do tej pory były tylko wiece na temat wojny w Korei, amerykańskiej stonki i niemieckich militarystów, ale stopniowo postępujące zmiany polityczne zostały też błyskawicznie wyprzedzone przez rewolucję w sztuce. Młodzi ludzie, którzy od dawna w «Głosie Ameryki» słuchali Willisa Conovera, grywali jazzowe kawałki, ubierali się na «ciuchach», coraz wyraźniej i jawniej buntowali się przeciw oficjalnemu życiu".

Dzięki festiwalowi młodzieży i studentów, w którym uczestniczy blisko dwieście tysięcy młodych ludzi, w tym trzydzieści tysięcy z zagranicy, także z Zachodu, na ulice Warszawy wkracza kolor i uśmiech, wpada świeże powietrze, pobrzmiewa inna muzyka. Festiwal, pomyślany jako propagandowa impreza na rzecz sprawy socjalizmu, staje się spotkaniem polskiej młodzieży z obrzydzaną przez propagandę kulturą zachodnią i rówieśnikami zza żelaznej kurtyny. Festiwal – wspominał Kuroń – „ujawnił całe zakłamanie i fałsz tego stylu życia, który był lansowany jako postępowy. Okazało się, że można być postępowym, a jednocześnie cieszyć się życiem, nosić kolorowe ubrania, słuchać jazzu, bawić się i kochać".

Młodzi roku 1955 chcą naprawiać socjalizm. Bo przecież nie ma powrotu do Polski przedwojennej, wyzysku, nierówności. Socjalizm to przyszłość, sprawiedliwość, równe szanse dla wszystkich! Popełniliśmy błędy – tak, ale da się je naprawić, a nieprawości w przyszłości uniknąć.

Partia traci kontrolę na „froncie kulturalnym". Pojawiają się bluźniercze głosy, że władza polityczna w ogóle nie powinna wtrącać się do kultury: zamach na najświętszy dogmat mówiący o „kierownictwie ideowo-politycznym i partyjnym w sztuce".

Politbiuro radzi i zarządza: dać odpór! Posłuszne pióra ruszają do kontrofensywy. Odpierają „recydywę burżuazyjnego pojmowania sztuki", „nihilizm", „efekciarstwo", „tendencje rewizjonistyczne", „pustkę drobnomieszczańskiego radykalizmu".

„...tyrani bardziej niż petardy i sztyletu boją się słów, nad którymi nie sprawują kontroli, słów krążących luźno, podziemnie, buntowniczo, słów nieubranych w galowe mundury, nieopatrzonych oficjalną pieczęcią. Ale bywa, że właśnie takie słowa w mundurze i z pieczęcią wywołują rewolucję". (Tak pisał Kapuściński ćwierć wieku później w swojej książce o mechanizmach rewolucji, *Szachinszach*).

Śniegowej kuli młodzieńczego sprzeciwu raz uwolnionej wyobraźni nie da się już zatrzymać...

– Nadal wierzyliśmy w socjalizm. Wierzyliśmy, że można wrócić do ideałów, trzeba tylko wyeliminować nieprawości. Byliśmy pod przemożnym wpływem dyskusji o nowej literaturze, sztuce... Tęskniliśmy za otwarciem na świat.

Marian Turski, historyk, ocalony z Holocaustu, jest w „Sztandarze Młodych" szefem Kapuścińskiego i zastępcą Tarłowskiej. Często to on kieruje redakcją, kiedy Tarłowska jest zajęta układaniem stosunków gazety z władzą.

Gdy w „Sztandarze" ukazuje się artykuł niestrawny dla partyjnej wierchuszki, Tarłowska stosuje strategię cwanej gapy: kręci, że nie było jej w redakcji, wyjechała, a młodsi koledzy wydrukowali coś bez jej wiedzy. Ratuje własną głowę i sprawia wrażenie, że wyciągnie konsekwencje wobec podwładnych. Nie wyciągała.

„Sztandar" staje się krok po kroku jedną z trybun odwilżowej krytyki, lecz przykład, jak boleśnie dokładać władzy, dali redaktorzy innego pisma. „Po Prostu" – tygodnik studentów i młodej inteligencji, do niedawna organ ZMP, jako pierwszy wytyka „błędy i wypaczenia" w przedsiębiorstwach, spółdzielniach produkcyjnych. Tak jest na początku odwilży, z upływem miesięcy tygodnik domaga się demokratyzacji systemu, swobody dyskusji wewnątrz partii i ZMP, a nawet partnerskich stosunków ze Związkiem Radzieckim. Wyciąga rękę do środowisk do tej pory wyklinanych przez władze Polski Ludowej – ludzi wywodzących się z niekomunistycznego ruchu oporu w czasie II wojny światowej (podziemnej Armii Krajowej, uczestników powstania warszawskiego 1944 roku). Co tydzień do kiosków ustawiają się kolejki, żeby kupić pismo mówiące innym językiem, podejmujące zakazane wcześniej tematy.

„Sztandar" tymczasem wciąż jest oficjalną gazetą ZMP, choć to na jego łamach toczy się jedna z najbardziej gorących dyskusji o ruchu młodzieżowym.

– Gazeta była forum debaty – opowiada Turski – narzędziem krytyki i zarazem ogniskiem, wokół którego organizowali się młodzi ludzie chcący coś robić w życiu społecznym. Na powierzchnię życia wracają wtedy przedwojenne nurty ruchu młodzieżowego – socjalistyczny, chłopski; pojawiają się też zupełnie nowe. Po raz pierwszy mamy szerszy dostęp do prasy zachodniej, a wzorem jest dla nas niedzielna edycja dziennika francuskich komunistów „L'Humanité – Dimanche".

Jest to moment społecznego fermentu, nikt jeszcze nie wie, co się z niego wyłoni.

Podczas burzliwych narad o ruchu młodzieżowym i wypaczeniach socjalizmu redaktor naczelna „Sztandaru" mówi głosem partyjnych „liberałów":

– Jest niewątpliwą prawdą, że partia lepiej widzi historyczny interes klasy robotniczej. Jeśli jednak nie odbywa się to na drodze pełnej jawności życia politycznego, muszą pojawić się bardzo szkodliwe szczeliny pomiędzy partią a masami, które to szczeliny mogą spowodować, że władza w ręku partii może stać się narzędziem ucisku. Wtedy następuje tłumienie krytyki. Trzeba powiedzieć starą prawdę o naśladownictwie partii w organizacji młodzieżowej i o tym, że czasem miało to charakter wręcz karykaturalny. Aktyw zetempowski, za który wszyscy się uważamy, zawsze był nastawiony na tłumaczenie posunięć partii, nie wdając się w ich słuszność. I tu organizacja będzie miała bardzo poważne trudności, jeżeli się nie powie, że podstawową rzeczą jest samodzielność myślenia. Samodzielność myślenia powinna cechować cały aktyw partyjny, a więc również aktyw, który pracuje w ZMP.

Jeszcze rok lub dwa wcześniej za takie herezje trafiało się do więzienia.

Zanim Kapuściński przyniesie Tarłowskiej reportaż o Nowej Hucie, który według jej przeświadczenia nie ma szans prześlizgnąć się przez sito cenzury, od pierwszych miesięcy pięćdziesiątego piątego jeździ po Polsce. Odwiedza zakłady pracy, rozmawia z robotnikami, przysłuchuje się zetempowskim dyskusjom o tym, dlaczego nie jest tak kolorowo, jak być miało, jakie popełniliśmy błędy, co robić.

Często nie ma go w domu, ani w redakcji. W czasie służbowych delegacji zatrzymuje się w robotniczych hotelach. Spiera się z towarzyszami z ZMP. Niejedna noc jest zapita i zachrypła, Kapuściński do rana słucha opowieści o życiu zwykłych ludzi. Odsypia w pociągach.

Pisze dla „Sztandaru" serię relacji z prowincji, które są głosem w debacie o drążącej ZMP apatii i bezradności, wynaturzeniach partyjnej biurokracji, błędach rządzących.

W relacji z Łodzi obnaża rewolucję na niby, pozorowane działania szefostwa ZMP. Polegają na tym, że „w ramach więzi młodzieży z klasą robotniczą" organizacja wysyła do fabryk instruktorów, którzy nie mają do powiedzenia robotnikom niczego inspirującego. Podobnie wyglądają wizyty aktywistów ZMP w szkołach. „...po co ten cały pobyt w fabryce czy szkole? – pyta Kapuściński. – Mała z tego korzyść, choć spokój oczywiście może być wielki" – pokpiwa.

Ubolewa innym razem nad poziomem umysłowym działaczy: „skończyć z lekceważeniem nauki, nie tolerować nieuctwa, nie zaniedbywać dni instruktorskich, stworzyć warunki dla zdobywania wiedzy". (Przypomnijmy, że trzy lata wcześniej nadgorliwe oddanie politykowaniu kosztem nauki zarzucali Kapuścińskiemu koledzy z wydziału historii – Geremek, Kersten, Holzer).

Po powrocie z narady ZMP w Krakowie sprawozdaje: „Co niepokoi aktyw krakowski? Między innymi nasilenie działalności reakcyjnej części kleru... Niektórzy księża nie dopuszczają do zebrań, nie dają nosić dzieciom chust harcerskich, wpajają młodzieży bierność... Na konferencji krakowskiej 10 dyskutantów stwierdziło, że szkolenie to «lipa», a młodzież często chodzi po nauki do księdza. Dlaczego?" – pyta Kapuściński i z chłodnego sprawozdawcy przeistacza się w żarliwego uczestnika dyskusji:

Przecież to żadna cudotwórcza moc nie pcha jej do plebanii. Co jest takiego w atmosferze zebrań, w temperaturze dyskusji, że młodzież nudzi się na szkoleniu. O to już nikt nie zahaczył ani słowem.

Jedną z odpowiedzi na pytanie „dlaczego młodzież odrzucała zetempowską rewolucję?" znajdzie kiedy indziej, w innej części świata, gdy będzie świadkiem odrzucenia przez Irańczyków modernizacji w wydaniu szacha i ich powrotu do religijnych korzeni. Czy jednak nie doświadczenie porażki stalinowskiej rewolucji w Polsce będzie poruszało jego piórem ćwierć wieku później?

Wielka Cywilizacja... leżała w gruzach. Czym ona była w swojej istocie? Obcym przeszczepem, który się nie przyjął. Był próbą narzucenia pewnego modelu życia społeczeństwu przywiązanemu do zupełnie innych tradycji i wartości. Była przymusem, operacją chirurgiczną, w której bardziej chodziło o to, aby udała się sama operacja, niż aby pacjent pozostał przy życiu, a przede wszystkim – aby pozostał sobą.

...u podstaw Wielkiej Cywilizacji leżało wiele szlachetnych intencji, pięknych ideałów. Ale lud widział je tylko w postaci karykatury, a więc w tej formie, jaką w procesie praktyki przybierał świat idei. I dlatego nawet wzniosłe idee zostały podane w wątpliwość.

Przeglądam spory plik jego tekstów z tamtego czasu: dużo w nich propagandowej stylistyki typowej dla czasu, w jakim powstały. Sporo naiwnej zapalczywości – Kapuściński ma 23 lata – język bywa to nadęty, pełen patosu, to zapięty w gorset partyjnej nowomowy. Mnóstwo nieporadności i banałów: „Doświadczenie ludzkie nakazuje być przezornym" – rozpoczyna jeden z dużych artykułów.

W potokach „drętwej mowy", jak sam gdzieś nazywa partyjne gadanie, trafiają się perełki humoru i ironii: „Uczestniczyłem w naradzie zetempowskiej, na której przewodniczący powiedział: «Towarzysze, jest propozycja, żeby otworzyć okno. Niech towarzysze się wypowiedzą»...".

Artykuły wpisują się w tonację odwilży, rozliczania się z porażek lat stalinizmu. Z zapałem harcerza, zasadniczością prymusa Kapuściński poucza towarzyszy, że samobiczowanie to jednak nie wszystko: „Zabierzmy się do pracy nad jakimś pozytywnym programem".

W tym i paru innych tekstach daje się wyczuć obawę, ażeby odwilżowa krytyka nie przeobraziła się we wrogość wobec socjalizmu i rządów partii. Czy żarliwy działacz ZMP nadal nie widzi, czym były lata rewolucji stalinowskiej? Czy widzi, lecz nie może się jeszcze pogodzić? Widzi, lecz pisze tyle, ile może? Albo pisze to, co każą?

Nie należy do partyjnych „kontrreformatorów", lecz nie czuje się jeszcze komfortowo po stronie zbuntowanych. Pisze, na przykład, polemikę z krytyką wypaczeń, którą formułuje tygodnik „Po Prostu". W artykule dla pisma „Walka Młodych" wspiera swój wywód cytatami z myśli Lenina: „Entuzjazm, który ogarnia nas obecnie, może potrwać jeszcze rok, jeszcze pięć lat. Powinniśmy jednak pamiętać, że w walce, którą wypadnie nam toczyć, nie ma nic prócz rzeczy drobnych. Wokół nas drobne sprawy gospodarcze". Od siebie dodaje: „W tych słowach Lenin odkrył najgłębszy sens i całą tajemnicę strony, w którą powinniśmy się zwrócić. Nie budowanie dróg i kolei przez szturmującą młodzież, jak proponuje w «Po Prostu» w bardzo ciekawym skądinąd artykule Górnicki... Ale właśnie tysiące spraw gospodarczych. Ale dziesięć tysięcy rzeczy drobnych... Przecież coś się tu zmieniło... Nie te czasy! Pora wielkich szturmów skończyła się... Socjalizm się u nas rozwinął, rozbudował. Staje się codziennością... Stał się, staje się on sprawą milionów...".

Jak wiele tekstów z epoki, również i ten zawiera zaszyfrowane dla czytelnika wiadomości – po półwieczu niezrozumiałe. Postulat „koncentrujmy się na drobiazgach i gospodarce", który brzmi zdroworozsądkowo, to propagandowa taktyka obrony partii przed żądaniami demokratyzacji systemu. To jakby nawoływać: skupmy się na naprawianiu konkretnych błędów i zaniedbań, nie zawracajmy sobie głowy gadaniem o kierunku marszu, ten jest przecież właściwy!

W podobnym duchu Kapuściński odpowiada na łamach „Sztandaru" na list nauczyciela z Pomorza – Zenona J. Tu jednak pojawiają się elementy krytyki systemu. Publikację obu tekstów dzieli zaledwie miesiąc: ta różnica akcentów ilustruje tempo odwilżowych zmian.

Zenon J., pisze do przyjaciela Ryszarda: „W dzień praca, ciągle ta sama, wieczorem pusty pokój, nawet bez radia. Kumoterstwo się tuczy, kiedy ci ludzie będą mogli zamieszkać w socjalizmie?".

„Sądzę Zenonie – odpowiada mu Kapuściński – że te błędy, które popełniliśmy, odcisnęły ślad na Twojej postawie". I od empatii przechodzi do łagodnej reprymendy: „A kłopoty z domem kultury? Mury stoją, a brak okien, drzwi – trzeba wykończyć. Czy zrobiłeś wszystko, aby dom ten otwarto? Ludzie wieczorami nie mają gdzie pójść, wielu przesiaduje w zatęchłej gospodzie, a ty sam skarżysz się na samotność i na «pusty pokój, nawet bez radia». A czy nie tam jest Twoje miejsce?”.

Kto ma dokonać zmiany, odnowić socjalizm? – zastanawia się w swoim liście Zenon. „W tym pytaniu odkrywam najgłębszy sens III Plenum KC – odpowiada Kapuściński. – Socjalizm budują masy, budują ludzie. III Plenum wezwało do zwalczania biurokratyzmu i wypaczeń, bezduszności i odgórniactwa, dlatego że one tłumiły inicjatywę, hodowały obojętnych, utrudniały zrozumienie istoty naszych dążeń, opóźniały świadome włączanie się wszystkich ludzi pracy do budowania socjalizmu”.

W innym miejscu listu, będącego osobistym manifestem na rzecz odnowy socjalizmu, Kapuściński pisze: „Trzeba było prześwięcić biurokratów, chwalców papierowej kartki”.

Zaczęło mnie to tak intrygować, że usiadłem w siedzibie jednego z komitetów (pod pozorem czekania na kogoś, kto był nieobecny) i obserwowałem, jak wygląda załatwienie jakiejś najprostszej sprawy. W końcu życie polega na załatwianiu spraw, a postęp na tym, aby załatwiać je sprawnie i ku ogólnemu zadowoleniu. Po chwili weszła kobieta, żeby prosić o zaświadczenie. Ten, który miał ją przyjąć, akurat brał udział w dyskusji. Kobieta czekała. Ludzie mają tu fantastyczną zdolność czekania, potrafią zamienić się w kamień i trwać nieruchomo bez końca. Wreszcie ów człowiek przyszedł i zaczęła się rozmowa. Kobieta mówiła, on pytał, kobieta pytała, on mówił. Targ targiem, doszli do porozumienia. Zaczęło się szukanie kawałka papieru. Na stole leżały różne kartki, ale żadna nie wydawała się odpowiednia. Człowiek zniknął – pewnie poszedł szukać papieru, choć równie dobrze mógł wyjść do baru naprzeciwko, żeby napić się herbaty (było gorąco). Kobieta czekała w milczeniu. Człowiek wrócił, ocierał z zadowoleniem usta (pewnie pił herbatę), ale przyniósł również papier. Teraz zaczęła się część najbardziej dramatyczna – szukanie ołówka. Nigdzie nie było ołówka – ani na stole, ani w żadnej szufladzie, ani na podłodze. Pożyczyłem mu pióro. Uśmiechnął się, kobieta odetchnęła z ulgą. Teraz siadł do pisania. Kiedy zaczął pisać, uświadomił sobie, że nie bardzo wie, co ma zaświadczyć. Zaczęli rozmawiać, człowiek kiwał głową. Wreszcie dokument był gotów. Teraz musiał go podpisać ktoś wyższy. Ale wyższego nie było. Wyższy dyskutował w innym komitecie, nie dało się z nim porozumieć, bo telefon nie odpowiadał. Czekać. Kobieta znowu zamieniła się w kamień, człowiek zniknął, a ja poszedłem na herbatę.

To znowu nie Polska lat pięćdziesiątych, lecz Iran po rewolucji Chomeiniego – w chwili gdy jedną biurokrację zastąpiła inna. Dla zwykłego człowieka zbyt wiele zostało po staremu.

Prowadzę tę grę w pomieszanie tekstów z różnych miejsc i czasów, mając w pamięci rozmowę z Markiem Dannerem. Amerykański reporter i eseista z „pierwszej ligi" dziennikarskiej, profesor uniwersytetu w Berkeley i znajomy Kapuścińskiego zostawia mi takie memento:

– Chciałbym się z twojej książki dowiedzieć, jakie doświadczenia życiowe Ryszarda sprawiły, że tak świetnie rozumiał mechanizmy władzy i rewolucji – w Iranie, Etiopii, krajach Ameryki Łacińskiej.

Właśnie takie.

Marian Turski już nie pamięta, kto późnym latem pięćdziesiątego piątego wysłał Kapuścińskiego do Nowej Huty.

– Ambicją wielu dziennikarzy było znaleźć się właśnie tam, to był prestiżowy temat. Sami wysłani uważali się za wyróżnionych.

Bo Nowa Huta to nie pierwszy lepszy kombinat, lecz okręt flagowy, symbol polskiego socjalizmu. Tymczasem słychać to tu, to tam, że źle się dzieje na okręcie. Ktoś w Komitecie Centralnym PZPR wpada na pomysł, żeby wysłać tam kogoś z misją specjalną. Zostaje powierzona Remigiuszowi Szczęsnowiczowi, kierownikowi domu kultury z Targówka, który pracuje z tak zwaną trudną młodzieżą. Ma się rozejrzeć i napisać sprawozdanie dla KC. Jak wspomi po latach, w Nowej Hucie rozchodziły się wówczas wieści o noworodkach znajdowanych w dołach z wapnem.

Kapuściński dostaje inne zadanie: dać odpór *Poematowi dla dorosłych* Adama Ważyka.

„...w kierownictwie partii się zagotowało. «Co zrobimy z paszkwilem Ważyka? Udowodnijmy, że to kłamstwo!»" – wspominał nieżyjący już Wojciech Adamiecki, wówczas dziennikarz „Sztandaru".

Poemat jest emblematem czasu, przełomowym tekstem, od którego datuje się często początek odwilży w Polsce. Faktycznie stalinowskie lody topnieją od kilkunastu miesięcy – *Poemat* ukazuje się 21 sierpnia 1955 roku w tygodniku „Nowa Kultura". Jednak jako utwór oddający ducha epoki przechodzi do historii ten, nie żaden wcześniejszy, ani późniejszy tekst literacki. Jego autorem jest poeta, który całe serce i twórczość minionych lat oddał sprawie socjalizmu. (– Rozbijałem mitologię, w którą sam przedtem wierzyłem – wyzna po latach).

Poemat opowiada o Nowej Hucie, której budowę opiewali socrealistyczni poeci. Ważyk nie upiększa – dostrzega w Nowej Hucie nagą prawdę o socjalizmie.

Ze wsi, z miasteczek wagonami jadą
zbudować hutę, wyczarować miasto,
wykopać z ziemi nowe Eldorado,
armią pionierską, zbieraną hałastrą
tłoczą się w szopach, barakach, hotelach,
człapią i gwiżdżą w błotnistych ulicach:
wielka migracja, skudlona ambicja,
na szyi sznurek – krzyżyk z Częstochowy,
trzy piętra wyzwisk, jasieczek puchowy,
maciora wódki i ambit na dziewki,
dusza nieufna, spod miedzy wyrwana,
wpół rozbudzona i wpół obłąkana,
milcząca w słowach, śpiewająca śpiewki,
wypchnięta nagle z mroków średniowiecza
masa wędrowna, Polska nieczłowiecza,
wyjąca z nudy w grudniowe wieczory...
W koszach od śmieci, na zwieszonym sznurze
chłopcy latają kotami po murze,
żeńskie hotele, te świeckie klasztory,
trzeszczą od tarła, a potem grafinie
miotu pozbędą się – Wisła tu płynie.

Wielka migracja przemysł budująca,
nieznana Polsce, ale znana dziejom,
karmiona pustką wielkich słów, żyjąca
dziko, z dnia na dzień i wbrew kaznodziejom –
w węglowym czadzie, w powolnej męczarni,
z niej się wytapia robotnicza klasa.
Dużo odpadków. A na razie kasza.

Pięć lat wcześniej w *Poemacie o Nowej Hucie* to Kapuściński sławił tę pokazową budowlę Polski Ludowej. Gdy latem pięćdziesiątego pojechał tam z Woroszylskim, ten czytał budowniczym Nowej Huty swoje wiersze, a osiemnastolatek Kapuściński słuchał, rozglądał się, poznawał ludzi. Napisał potem sporo krytycznych uwag o zaniedbaniach władz „na odcinku kulturalnym": że za rzadko do Nowej Huty przyjeżdżają kina objazdowe, że biblioteki dla robotników marne, że brakuje rozrywki na poziomie...

Teraz ma pojechać i zobaczyć, że wszystko jest w najlepszym porządku.

Kapuściński i Szczęsnowicz wynajmują wspólny pokój w jedynym w Nowej Hucie hoteliku. Spodziewają się nudy, łażenia po placu budowy, sztampowych rozmów z robotnikami... I nagle odkrywają świat, którego nie znali, którego istnienia nie przeczuwali.

Szczęsnowicz pisze w raporcie dla KC, że „za pomocą kościoła i marnej knajpy z wódką nie da się wychować młodzieży budującej Nową Hutę". Obraz, jaki Kapuściński odmalowuje w reportażu *To też jest prawda o Nowej Hucie*, wywołuje reakcję szefowej „Sztandaru":

– To nie przejdzie.

Co nie przejdzie?

Opowieść o matce stręczycielce, która w jednym pokoju inkasowała pieniądze za usługi świadczone przez córkę za ścianą. O czternastolatce, która zaraziła ośmiu chłopaków i „opowiadała o swoich wyczynach tak wulgarnie, że zbierało się na wymioty". O młodych małżeństwach, które spędzają noce poślubne w bramach i rowach. („Któż to wpadł na ten genialny pomysł, że małżeństwa mogą przebywać razem w hotelowym pokoju tylko do 8 wieczór").

Kolega robotnik mówi Kapuścińskiemu, że nigdy nie ożeni się, bo w takich warunkach musiałby „nie mieć szacunku dla swojej żony".

> ...biurokratyzm osiąga w Hucie stopień barbarzyństwa. Oto – kobieta mieszkanka hotelu robotniczego – będzie rodziła dziecko. W tym pokoju mieszka jeszcze 6 dziewcząt. Po trzech miesiącach powinna wrócić do pracy. Nie wraca: pracuje w Hucie, kilka kilometrów od hotelu a musi karmić dziecko cztery razy dziennie. Wszelako każą przynieść jej zaświadczenie, że pracuje. Tak, ale ona nie może go dostarczyć. Wtedy przychodzi hotelowy, zabiera jej pościel, zabiera wszystko, co nie jest jej własnością: kobieta z maleństwem zostaje na deskach.

Kapuściński wysłuchuje o losach starych znajomych sprzed paru lat, którzy mieli dość, nie chcieli znosić „tych wszystkich świństw". Jeden pisał skargi i petycje – ukarano go wstrzymaniem przydziału na mieszkanie, mimo że ma chorą matkę, a żona mieszka na wsi, bo na miejscu nie mają własnego kąta. Innego krytyka wyrzucono z pracy. Kolejnego – uciszono morderczymi plotkami: „że bumelant i rozrabiacz. Też niezgorsza metoda!".

„...ludzie dobrze widzą. Ma się wrażenie, że jakiś potworny grzyb biurokratyzmu narósł tutaj, że się rozplenia i przygniata wszystko, ale nikt się tym nie interesuje...". Kapuściński ujawnia w reportażu, że skargi na to, co dzieje się w Nowej Hucie, docierały do władz ZMP w Warszawie, lecz nikogo nie obchodziły, zostały bez odpowiedzi.

Zamiast pokolorować na różowo świat z poematu Ważyka, Kapuściński przydaje mu jeszcze więcej czerni. Staje po stronie robotników, gdy czują się dotknięci słowami poety: „hałastra", „dusza współobłąkana", „Polska nieczłowiecza", „kasza"... Te wyrażenia – pisze Kapuściński – „są dla nich krzywdzące, nieprawdziwe, obrażające", poczuli, „że nie są nikomu potrzebni, nawet że się ich nie widzi". „Ale przyznali prawdziwość wielu obrazów poematu, tym bardziej że stanowczo zbyt rzadko czytają o sobie całą prawdę".

Kapuściński kończy wezwaniem do partii i ZMP: „W Nowej Hucie muszą zobaczyć, że codziennie stajemy po stronie człowieka pracy... W Nowej Hucie ludzie czekają na sprawiedliwość. Nie mogą czekać długo. Tam trzeba pojechać, rozkopać to, co skrzętnie zakopano przed ludzkim wzrokiem i odpowiedzieć na wiele, wiele różnych pytań".

– Nawet nie ma co z tym iść do cenzury – mówi Tarłowska.

Na korytarzach redakcji szum. Kapuściński dał tekst do przeczytania kolegom i koleżankom, i teraz to oni proszą redaktor naczelną o zwołanie zebrania.

– Tekst trzeba wydrukować!

Tarłowska opiera się. Kapuściński bierze na siebie załatwienie sprawy w urzędzie cenzury.

Ma tam znajomego z okresu studiów, Mietka Adamczyka, i z reportażem w ręku idzie prosto do niego.

– Jak mi zatrzymasz ten artykuł, do końca życia nie podam ci ręki.

Tarłowska resztkami instynktu samozachowawczego powstrzymuje młodszych kolegów przed „postawieniem" artykułu na pierwszej stronie – ląduje na drugiej, 30 września 1955 roku. Jest to pierwszy głośny artykuł Kapuścińskiego.

Wybucha awantura, jakiej spodziewała się chyba tylko naczelna gazety. Biuro Prasy KC podejmuje decyzję o jej odwołaniu, wymówienie dostaje również łaskawy cenzor. Zespół „Sztandaru" ma przywołać do porządku osobiście Jakub Berman, człowiek numer dwa w partii, już, już się szykuje na spotkanie z dziennikarzami. Tymczasem koledzy namawiają Kapuścińskiego, żeby gdzieś zniknął i przeczekał.

Jedzie do... Nowej Huty i dekuje się w hotelu robotniczym. Opiekę roztacza nad nim niejaki Jakus, ten działacz, którego krytykę uciszano plotkami – „że bumelant i rozrabiacz".

Do kontrofensywy przystępują teraz partyjni reformatorzy. Jerzy Morawski, jeden z czołowych odwilżowców (wkrótce zostanie drugim mężem Tarłowskiej), wymyśla komisję KC do zbadania sytuacji w Nowej Hucie. Komisja jedzie na miejsce i widzi... to samo, co zobaczył Kapuściński. „Komisarze" szukają kontaktu z reporterem, ale zetempowcy z Nowej Huty, którzy dali mu schronienie, mówią, że nie wydadzą kolegi, dopóki partia nie da gwarancji, że nic złego mu się nie stanie. Partia daje nie tylko gwarancje, lecz nawet państwowe odznaczenie – Złoty Krzyż Zasługi. Redaktor Tarłowska i przyjazny cenzor wracają do pracy. Wkrótce patologie w Nowej Hucie opisuje „Trybuna Ludu", organ KC. Jako winowajcę gazeta piętnuje lokalną organizację partyjną. Zarząd kombinatu zostaje wymieniony, a miejscowe władze partyjne składają dymisję.

Kapuściński wynosi z tej historii trzy nauki. Dowiaduje się, że pisanie to ryzyko i że za napisane słowa ponosi się konsekwencje. Przekonuje się również, że słowo napisane może zmieniać rzeczywistość. Wreszcie – i tego uczy go historia z cenzorem – że powodzenie w sferze publicznej polega również na „załatwianiu" spraw nieformalnymi kanałami, na budowaniu sieci osobistych kontaktów z ludźmi władzy. Jeśli ma się kolegów tu i tam, to w razie czego pomogą.

Adam Daniel Rotfeld, dobry znajomy Kapuścińskiego, uważa, że Rysiek do końca życia żywił takie przeświadczenie: uczciwość i kompetencje nie wystarczą. Gdy poeta, dziennikarz i znawca włoskiej kultury Jarosław Mikołajewski ubiegał się w 2005 roku o stanowisko dyrektora Instytutu Polskiego w Rzymie, Kapuściński, z którym się przyjaźnił, zadzwonił do Rotfelda, wówczas szefa dyplomacji:

– Słuchaj, mój kolega Jarek...

Postanowił pomóc, będąc przekonany, że wspiera bez wątpienia wybitnego kandydata. Rotfeld zarzeka się, że nie interweniował; Mikołajewski wygrał konkurs, bo był naprawdę najlepszy.

– Rysiek był jednak do końca przekonany, a nawet dumny z tego, że „załatwił" koledze wymarzoną posadę.

Kiedy kulturalna kontestacja, trochę moda, nazwana potem rewizjonizmem, stała się wielką polityką?

Zaczęło się od tajnego referatu Chruszczowa, wygłoszonego w lutym 1956 roku na XX zjeździe KPZR w Moskwie. Jego treść wywołuje w Polsce sensację: oto radziecka partia przyznaje się do mordów, wykańczania przeciwników politycznych, fingowania procesów. Wiedza o podobnych metodach stosowanych przez władze Polski Ludowej dociera do części opinii już przedtem: niecałe dwa lata wcześniej na Zachód ucieka wicedyrektor X Departamentu Ministerstwa Bezpieczeństwa Publicznego Józef Światło, który ujawnia zbrodnie rodzimego aparatu represji (jego departament zajmował się tępieniem ideologicznych odchyleń wewnątrz partii). Polacy słuchają tych rewelacji w Radiu Wolna Europa, przyklejeni do radioodbiorników wyławiają fragmenty koszmarnych opowieści mimo pracujących na pełnych obrotach zagłuszarek.

Referat Chruszczowa uruchamia polityczne trzęsienie ziemi w całym bloku socjalistycznym, a największe w Polsce i na Węgrzech. Jest dyskutowany na zebraniach partyjnych, w środowiskach kulturalnych, na ulicach. Powielone chałupniczymi metodami tezy referatu można kupić za astronomiczną sumę na pchlich targach i bazarach. Dokładnie w tym samym czasie w tajemniczych okolicznościach w Moskwie umiera przywódca polskiej partii Bolesław Bierut, co rodzi falę spekulacji: czy został zamordowany? Ulica powtarza rymowankę: „Pojechał w futerku, powrócił w kuferku...". Zaraz potem z hukiem traci stanowisko człowiek numer dwa – Jakub Berman. Partia pęka od środka.

Ścierają się dwie tendencje, nazwane później frakcjami. Jednych nazwano „puławianami" – ci godzą się na więcej swobód obywatelskich, względną autonomię życia kulturalnego, więcej demokracji w partii, mniej centralnego planowania w gospodarce, więcej samodzielności przedsiębiorstw. Mieli sympatię środowisk opiniotwórczych, wielu ludzi z prasy i świata kultury. (Notabene, spotykają się w mieszkaniu Logi-Sowińskiego i Tarłowskiej, szefowej „Sztandaru"). O drugich mówiono „natolińczycy" – uważano, że mają powiązania z ambasadą radziecką, że nie palą się do demokratyzacji, są za to skłonni poświęcić na ołtarzu rozliczeń ze stalinizmem parę kozłów ofiarnych, najlepiej pochodzenia żydowskiego.

Na wolność wychodzą więźniowie polityczni – ci z powojennego podziemia antykomunistycznego, jak i wyznawcy Nowej Wiary, których uwięziono za krytykę lub w wyniku wewnętrznych rozgrywek o władzę. Pracę w aparacie represji tracą szczególnie okrutni wobec więźniów funkcjonariusze; oskarża się ich o nadużycia władzy. Stalinowski system się rozpada...

W czerwcu dochodzi do buntu robotników w Poznaniu. Po kilku dniach strajków i ulicznych manifestacji wojsko i bezpieka strzelają do protestujących. Ginie kilkadziesiąt osób, jest wielu rannych. Plenum partii nazywa poznańską rewoltę „kontrrewolucją" i akcją „ośrodków imperializmu". Premier Józef Cyrankiewicz grozi, że ręka podniesiona na władzę ludową zostanie obcięta. Cały ruch odnowy znajduje się w stanie zagrożenia.

Dzień po masakrze na polecenie władz partii „Sztandar Młodych", podobnie jak inne gazety, donosi o tragedii językiem stalinowskiej propagandy:

> Od pewnego czasu agentura imperialistyczna i reakcyjne podziemie starały się wykorzystać trudności ekonomiczne i bolączki w niektórych zakładach Poznania dla sprowokowania wystąpień przeciwko władzy ludowej... Agentom wroga udało się sprowokować zamieszki uliczne. Doszło do napadów na niektóre gmachy publiczne, co pociągnęło za sobą ofiary w ludziach... Prowokacja w Poznaniu zorganizowana została przez wrogów naszej ojczyzny... Rząd i Komitet Centralny PZPR są przekonane, że każda próba sprowokowania zamieszek i wystąpień przeciwko władzy ludowej spotka się z należytą odprawą wszystkich ludzi pracy, wszystkich obywateli, którym drogie jest dobro kraju.

Poznańska tragedia jest szokiem, bardzo szczególnym dla tych, którzy nadal wierzą w socjalizm, lecz chcą jego głębokiej reformy. Dlatego protest robotników, maskara i zachowawcze stanowisko władz partii wobec tragedii przyspieszają pęd ku zmianom. W zakładach pracy powstają rady robotnicze, na uczelniach odbywają się wiece na rzecz demokratyzacji...

Kulminacją politycznej zawieruchy jest plenum partii w październiku. Do Warszawy przylatują towarzysze z Moskwy na czele z I sekretarzem KPZR Chruszczowem, a radzieckie wojska ruszają w stronę stolicy. Istnieje obawa, że ich czołgi rozjadą polski ruch odnowy socjalizmu...

Kryzys kończy wybór nowego przywódcy partii – Władysława Gomułki, lidera komunistów z czasów wojny, który niedawno wyszedł na wolność. Uwięziono go na początku lat pięćdziesiątych za tak zwane odchylenie prawicowo-nacjonalistyczne. Gomułka, który instalował system stalinowski w powojennej Polsce, uczestniczył w likwidacji opozycji i godził się na podporządkowanie Polski Związkowi Radzieckiemu, chciał jednak, aby polski socjalizm zachował narodową specyfikę. Nie był entuzjastą kolektywizacji, nie spieszył się z potępieniem niezależnej od Stalina „jugosłowiańskiej drogi do socjalizmu", podobały mu się narodowe akcenty w tradycji Polskiej Partii Socjalistycznej. Jak pisał o nim po latach Jacek Kuroń:

> Żaden PRL-owski przywódca nigdy nie zdobył takiej popularności i miłości tłumów, jaką jesienią 1956 r. uzyskał Władysław Gomułka. Mało kto pamiętał, jaką rolę odegrał w późnych latach 40. Tłumy widziały w nim męża opatrznościowego, zbawcę ojczyzny, jedynego sprawiedliwego. Lata spędzone w więzieniu zbudowały mu legendę obrońcy demokracji i zwolennika wolności.
>
> Wiele początkowych posunięć zdawało się tę legendę potwierdzać. Kilka dni po wyniesieniu Gomułki z aresztu domowego w Komańczy uwolniono prymasa Wyszyńskiego. Wkrótce wynegocjowano umorzenie polskiego zadłużenia w ZSRR, zasady stacjonowania wojsk radzieckich w Polsce, wycofano radzieckich oficerów z wojska polskiego...

Gomułka, który wypływa na fali odwilży i wygłasza na samym początku mocne antystalinowskie przemówienie, szybko przechodzi do pacyfikowania ruchu odnowy. Wielu ludzi Października wyobrażało sobie, że jego wybór to początek reform i budowania zdemokratyzowanego socjalizmu. Gomułka jednak w czasie historycznego wiecu przed Pałacem Kultury i Nauki w Warszawie daje do zrozumienia, że nie życzy sobie radykalizacji zmian. Mówi, że dość wiecowania, wzywa ludzi, żeby wrócili do domów i zabrali się do pracy.

Po awanturze o Nową Hutę Kapuściński staje się śmielszym orędownikiem ruchu na rzecz odnowy socjalizmu.

Jedzie do zakładów chemicznych w Kędzierzynie. W ciągu dnia rozgląda się po halach produkcyjnych, wieczorami chodzi do hotelu robotniczego. Chce się dowiedzieć, co myślą zwykli ludzie. Napisze potem, że w czasie rozmów „rozwiązują się języki, a ci, przed chwilą bierni, okazują się troskliwymi gospodarzami, wnikliwymi i myślącymi".

Opisuje historię robotnicy Celi Wehner, której przytrafiały się osobliwe przygody: raz ocaliła życie koledze, którego poraził prąd; potem odkryła granat między bryłami węgla na taśmie produkcyjnej – o mało nie wybuchł jej w rękach; ujawniła „aferę silnikową", to znaczy: odnalazła wyniesiony z hali fabrycznej silnik, który ktoś ukrył w spalonym budynku pod stosem szmat. Zamiast nagród, premii, pochwał kierownictwo zakładu obcina jej pensję. Problem Celi Wehner polega na tym, że choć należy do ZMP, nie jest aktywistką („mimo że więcej, mądrzej i prawdziwiej potrafi powiedzieć o organizacji niż niejeden z owych oficjalnych aktywistów").

„Chciałbym odnaleźć karykaturę któregoś z licznych tłumicieli krytyki, artykuł piętnujący określonego dzierżymordę, wezwanie do współgospodarzenia wydziałem, potępienie określonego biurokraty. Nic z tego". Miejscowe ZMP nie zauważa, że coś się w kraju zmienia, że już nawet partia w Warszawie dopuszcza ograniczone reformy. Przedsiębiorstwo w Kędzierzynie dławi tymczasem biurokracja, a w ludziach narasta głucha wściekłość.

Ale spotyka też ludzi, których nie obchodzi rewolucja ani życie społeczne. W zakładach przemysłu gumowego w Grudziądzu pewna robotnica mówi mu: – Co mnie to obchodzi, kto rządzi. Bylem tylko zarobiła swój kawałek. Z kolei stary majster, działacz przedwojennej Komunistycznej Partii Polski, jest całym sercem po stronie zmian: – Tu powinni mieć głos robotnicy. Oni powinni wybierać władze, według sumienia a nie według list nasłanych z góry.

Jednym z nurtów październikowej odnowy są powstające spontanicznie w zakładach wielkiego przemysłu rady robotnicze. Jest to – zdaniem ludzi takich jak ówczesny lider robotników z Żerania Lechosław Goździk i jak późniejsi autorzy słynnego listu do partii Jacek Kuroń i Karol Modzelewski – jedyna droga odebrania biurokracji władzy nad społeczeństwem; droga demokratyzacji i ograniczenia centralnego sterowania gospodarką. Nurt ten bierze się z przekonania, że socjalizm jest dobry, został jednak stłamszony przez biurokratów.

Kapuściński podziela to przekonanie. Publikuje w „Sztandarze" jeden z nielicznych w całym swoim życiu tekstów, mających charakter teoretycznej rozprawy, niemal politycznego manifestu: *O demokracji robotniczej*. Pisze, że w scentralizowanym systemie nie ma miejsca na demokrację robotniczą. Że system uniemożliwia robotnikom podejmowanie najdrobniejszych decyzji dotyczących swojego przedsiębiorstwa.

Sytuacja jest jasna: aby rozszerzyć demokrację robotniczą, trzeba usunąć wszelką przesadę, wszelkie wypaczenia w centralizmie, trzeba ten centralizm sprowadzić do granic rozsądku, a przede wszystkim – przywrócić mu demokratyczny charakter. Tymczasem polityka w tej węzłowej sprawie jest dosyć chwiejna i nieszczera. Mówi się: rozszerzajcie demokrację, nie wskazując jednocześnie, co się likwiduje z zasadniczych nonsensów centralizmu…

W ostatnich latach centralizm doszedł u nas do granic absurdu. W praktyce centralizm oznaczał wyłącznie odgórne zarządzanie, oznaczał utrącanie wszelkiej inicjatywy dołów, był tendencją rozbudowywania biurokracji. Stwarzało to system, w którym masy traciły wpływ na kierunek polityki gospodarczej.

Kapuściński jest entuzjastą ruchu na rzecz tworzenia rad robotniczych i usamodzielnienia się przedsiębiorstw. „Ten ruch jest najbardziej cenny, ponieważ przemawia językiem praktyki, życiowego dowodu, namacalnego przykładu… Najlepsze siły partii są zainteresowane umacnianiem tego ruchu".

Dlaczego najbardziej zapalczywi w okresie stalinizmu poeci, pisarze, publicyści – tacy jak Woroszylski, Ważyk i żółtodziób jeszcze wtedy Kapuściński – stają się awangardą ruchu antystalinowskiego? Co sprawia, że z taką samą żarliwością najpierw budują porządek stalinowski, a kilka lat później go demontują?

W rozliczeniowej literaturze pisanej po upadku komunizmu padają różne objaśnienia. Że lata ustabilizowanego stalinizmu są dla nich okresem frustracji, bo spontaniczny ruch budowania nowego ładu wyhamowała żelazna łapa partii, bezpieki, biurokracji. Wszystko, co spontaniczne, oddolne, poza kontrolą – a więc również oni sami – stanowi dla dyktatury zagrożenie.

Profesor Hanna Świda-Ziemba, socjolożka, ironizuje, że w czasie odwilży i Października dawni młodzi stalinowcy znów mogli stanąć na czele pochodu – ruchu na rzecz zmiany, ponownie uwierzyć w utopię, raz jeszcze przeżyć młodzieńczy entuzjazm i cieszyć się z tego, że są po stronie kontestatacji (*Człowiek wewnętrznie zniewolony*). W rozmowie z Anną Bikont i Joanną Szczęsną profesor dopowiada, że „październikowcy" – i wcześniej jako stalinowcy, i później jako antystalinowcy – są pełni bezinteresowności; w okresie odwilży i Października „wracają do samych siebie, z siłą i gniewem na tych, co ich zniewolili, wymazując przy tym z pamięci, że to oni współtworzyli tamte czasy".

Legendarny opozycjonista wobec reżimu Polski Ludowej, Adam Michnik, który w latach sześćdziesiątych zaczynał jako młody komunista-rewizjonista, nazywa kontestację Października '56 „wściekłą reakcją" i „wstydem ludzi", którzy „brali udział w totalitarnej destrukcji". „Rewizjonizm odrzucał totalitarną doktrynę i praktykę, odwołując się do marksistowskiego języka i komunistycznego systemu wartości. Formułując swą krytykę, uwzględniał realia wewnętrzne i międzynarodowe. W ten sposób stawał się bólem oszukanych, którzy podążali drogą samooszustwa".

Może da się to wyjaśnić prościej – i bez surowych ocen? Dla młodych ludzi, takich jak Kapuściński, którzy po II wojnie światowej uwierzyli, że komunizm jest młodością świata, wyśnionym sprawiedliwym ładem, naturalną reakcją na tragedię i oszustwo stalinizmu, które właśnie odkrywali, była próba naprawienia zła, powrót do ideałów, usunięcie tych, którzy ich okłamali. Nie musieli niczego wymazywać z pamięci, naprawdę czuli się oszukani.

Październik był konsekwencją ich wcześniejszych zaangażowań, idealizmu, bezinteresowności. Nie popełnili zbrodni, choć zbrodnie popełniono również w ich imieniu. Nie musieli się samooszukiwać, po prostu uwierzyli, że tym razem to już naprawdę, że teraz... Nie byli pierwszymi, ani ostatnimi w dziejach, którzy próbowali naprawiać ten czy inny ład społeczny, ufundowany na zbrodniach i krzywdzie ludzi, w imię szlachetnych ideałów.

Koniec lata pięćdziesiątego siódmego. Mija prawie rok od przemówienia Gomułki przed Pałacem Kultury. W Biurze Prasy KC odbywa się sąd nad „Sztandarem Młodych" (14 września 1957).

Głos zabiera Artur Starewicz, kierownik Biura:

> O ile w ruchu młodzieżowym „Sztandar" nie ma linii, o tyle w sprawach międzynarodowych „Sztandar" ma linię szkodliwą. Na łamach „Sztandaru Młodych" prowadzi się kampanię przeciwstawiania naszej partii, naszej linii i Polski Ludowej w ogóle – innym krajom socjalistycznym. Linia ta polega na tym, żeby akcentować wszystko, co nas dzieli, a [nie pisać] nic o tym, co nas łączy. Przykład: o Węgrzech to zawsze się pisze o wyrokach i aresztowaniach... To jest szkodliwa działalność...

Nie jest przypadkiem, że „Sztandar" w ZSRR uważany jest za pismo szkodliwe. Dla nas jest to bolesne i istotne, że „Sztandar" traktowany jest tam za pismo antysowieckie...

Gazeta również nie zwalczała legendy AK-owskiej. W tej sytuacji trudno określić charakter pisma. Te wewnętrzne sprzeczności nie mogą być dalej tolerowane. Partia stawia prasie twarde wymogi. Trzeba wyjaśniać, że nasza polityka jest jedynie słuszna, jedynie celowa. Tego rodzaju polityki pismo nie ma...

Ludzie, którzy odeszli od socjalizmu, nie mogą zajmować stanowisk w redakcji. Piętno na gazecie muszą wywierać towarzysze, którzy realizują politykę partii. Na zewnątrz musi obowiązywać jedność poglądów. To jest warunek partyjnej dyscypliny...

Mamy określone wymogi wobec prasy. Szczególnie twarde są one w sprawach międzynarodowych. Domagamy się, aby skończyć z własną polityką. Przecież cenzura może ze „Sztandarem" zwariować. Wytworzyła się psychoza i stąd zdarzają się skreślenia nieuzasadnione. My chyba tam kogoś zmienimy...

Musi [to być] pismo walczące o duszę młodego pokolenia.

Starewicz kończy przemówienie, zaczyna się dyskusja.

Grzegorz Lasota ze „Sztandaru": – Pokazywanie zmian antystalinowskich w Związku Radzieckim to droga dotarcia do młodzieży. Szkoda, że uważa się to za działalność antyradziecką.

Towarzysz Stanisław Brodzki (prezes Stowarzyszenia Dziennikarzy Polskich): – Uważam, że potrzebna jest tu dyskusja o optymalnych granicach wolności słowa. To, co tu było mówione o antysocjalistycznych tendencjach, jest oszczerstwem, ale „Sztandar" musi znać rozpiętość między tym, co jest opłacalne i nieopłacalne.

W czasie dyskusji Mirosław Kluźniak ze „Sztandaru" wskazuje polemiczny dwugłos *Metryka naszego pokolenia* Ryszarda Kapuścińskiego i Krzysztofa Kąkolewskiego jako przykład żywotności gazety. Kąkolewski ogłosił pochwałę prywatności w popaździernikowej Polsce, Kapuściński postulował zaangażowanie się pokolenia w naprawianie świata, „choćby się upadało dziesiątki razy po drodze".

Nad gazetą zbierają się burzowe chmury; coraz więcej kłopotów z cenzurą, coraz więcej telefonów z Biura Prasy KC.

– Ingerencje dotyczyły zwykle aluzji dotyczących Związku Radzieckiego i naszych sympatii do komunistów włoskich i francuskich – opowiada Marian Turski.

W redakcji kipi. Im młodsi, tym kipią bardziej. Wszyscy i wszędzie widzą zakusy na ideały Października. Dziennikarze patrzą Turskiemu na ręce: czy nie idzie na zbyt dalekie kompromisy z władzą (jest wtedy oficjalnie p.o. redaktora naczelnego). Turski domyśla się zwykle, którego tekstu cenzura nie przepuści, lecz unika redaktorskiej ingerencji prewencyjnej. Chce pokazać piszącym dziennikarzom, że jest z nimi.

Tymczasem nowy przywódca partii, Gomułka, ma swoje plany wobec „Sztandaru": gazeta ma być podporządkowana powstającemu w miejsce ZMP – Związkowi Młodzieży Socjalistycznej. Związek jest „pasem transmisyjnym" woli partii do środowisk młodzieżowych. O niezależności i w miarę swobodnej krytyce dziennikarze „Sztandaru" mogą tylko pomarzyć.

Na pierwszy ogień idzie jednak „Po Prostu". Tygodnik to bastion rewizjonizmu, nieustająco nawołuje Gomułkę do demokratyzacji socjalizmu. Jednak dla Gomułki dojście do władzy nie jest początkiem, a końcem zmian. Rewizjonizm traktuje jako „zespół fałszywych poglądów", które „nadwerężają jedność partii". Inteligencki wymysł, a inteligentów nie lubi; zaraźliwy i niebezpieczny wirus poza partyjną dyscypliną i kontrolą.

Na zebraniu zwołanym przez Biuro Prasy KC Jerzy Morawski, członek politbiura partii, zapowiada, że tygodnik „Po Prostu" trzeba będzie rozwiązać albo zawiesić.

– Byłem jedyny w tamtym gronie, który bronił „Po Prostu" – opowiada Turski, uczestnik zebrania. – Kluczyłem, mówiłem, że pojawiają się na łamach tygodnika poglądy niesłuszne, ale rozwiązywać pisma nie należy, bo ma duży prestiż.

Partia decyduje jednak: „Po Prostu" ma zniknąć. Zamknięcie tygodnika i brutalnie rozpędzoną manifestację studentów przeciwko tej decyzji uważa się za symboliczny koniec Października.

Teraz Gomułka i Morawski nakazują wszystkim gazetom opublikowanie wstępniaka witającego z aprobatą likwidację „Po Prostu".

– Jurek, powiedziałem do Morawskiego – opowiada Turski – przecież jeśli ja to wydrukuję, to ty mi ręki nie podasz. Na zebraniu broniłem „Po Prostu", nie mogę być jak chorągiewka.

„Sztandar" jest jedyną gazetą, która odmawia Gomułce opublikowania wstępniaka. Morawski przekazuje wkrótce Turskiemu decyzję władz partii o jego odwołaniu ze stanowiska p.o. redaktora naczelnego. W akcie solidarności większość zespołu dziennikarskiego gazety składa dymisję.

Kapuściński znajduje się wtedy jako wysłannik „Sztandaru"... w Chinach. Na wieść o wydarzeniach w redakcji przyłącza się do koleżanek i kolegów: razem z nimi odchodzi z gazety.

Krótko przed tamtym wyjazdem pisze cykl reportaży o zagubionych po Październiku zetempowcach; o zawiedzionych po raz drugi w ich krótkim życiu nadziejach.

Na prowincji, w jakimś powiecie bez nazwy, Kapuściński wysłuchuje żalów byłego zetempowca – Pawła. Ów zdaje się teraz pozornie zadowolony: jest „wolnym Kozakiem", ma wreszcie spokój, dużo czasu i mało kłopotów. Żadnego biegania od rana do nocy. Żona się cieszy... Lecz spoza sielskiego obrazka wyziera głęboka frustracja.

Teraz Pawła odsunięto, może oglądać politykę tylko z boku. Przestał uczestniczyć w jej realizacji, w tym też sensie polityka przestała do niego należeć. Jako zjawisko obce może ją atakować. A poza tym ileż wartości w tej dziedzinie – dawniej świętych – obalono czy choćby podważono. – I co lepszego postawiono w tamto miejsce? – zapytuje Paweł. Widzi swoje miasteczko. Bezkarna mafia w Radzie Narodowej [władzach gminy] udziela patentów prywacie. Na protesty Komitetu Partyjnego ciągle ta sama odpowiedź: „Partia jest od polityki, my – od gospodarki". Inicjatywa prywatna brutalnie zagarnia teren: sklepy, place, samochody. Parafia „wychowuje młodzież". Dostała największą salę na przedstawienia misterium pasyjnego. Bezkarny spekulant wykupuje towary. „Więc to jest to lepsze – myśli Paweł z ironią – to są owoce demokratyzacji...".

Pytania te stawia sobie również stojący po stronie październikowych zmian Kapuściński.

W kopalni „Dymitrow" w Bytomiu przygląda się powstającemu Klubowi Byłych Zetempowców – teraz frustratów. „Studenci przychodzą i wrzeszczą: wygońcie go – stalinowca" – zwierza się były działacz. Naczelna postawa nowego czasu: nie wychylaj się, nie bądź aktywny, bo „aktywnych – jak mówi inny rozmówca reportera – leje się w ramach stalinowców". Tak, byli aktywiści są rozczarowani tym, jak się im odpłaca za aktywność i poświęcenie.

Byliśmy szarym aktywem. Pierwsi z brzegu. Działaliśmy na dole, wśród ludzi, nie licząc na honory. – Teraz ten klub przywraca nam równowagę. Pytasz, o co nam chodzi. Więc głównie o sprawiedliwą ocenę ZMP: były błędy, ale nie wolno pomiatać.

Kapuściński, jeszcze niedawno taki sam jak oni działacz ZMP, przewodniczący organizacji wydziałowej na uczelni, otwarcie solidaryzuje się z odtrąconymi. Przeciwstawia ich masie, która „po pracy kładzie się spać, wyrywa się na «babki», czasem do kina".

Tylko tych dwudziestu [z klubu byłych zetempowców] zbiera się, nie bacząc na zmęczenie. Są szaleńcami w oczach reszty, bo przecież wiadomo, że się nie da nic zmienić. A jednak oni podejmują swój wysiłek wciąż od nowa, wciąż od nowa, wciąż od nowa. Niezmordowani kowale spełniają swój obowiązek. Ciągle istnieje dla nich jakiś front. I ciągle są przekonani, że nie wolno ustąpić... Ci jedni, na których można liczyć o każdej godzinie. Umieją przekroczyć krąg własnego podwórza i pomyśleć o innych. Jakże jest to cenne! Prości górnicy, zwykli ładowacze. Nie chcą niczego ponad prawo udziału w walce. To nie kurczowi dzierżyciele foteli. To gromada wiecznych zapaleńców, którzy naprawdę przejmują się sprawą młodzieży. Są potrzebni – to jest pewne. Trzeba im oddać to, co należne...

Bo jeśli nie na nich, to na kogo jeszcze w ogóle można liczyć? Kto będzie zmieniał nasz świat? Przecież nie „końcowi"?

„Końcowi" – też młodzi – to przeciwieństwo zetempowców. Kapuściński spotyka ich na warszawskiej Woli, Ochocie; to ludzie nie z jego bajki, kilka lat wcześniej pisałby o nich – „wrogowie". Dla „końcowych" wartościami są uroda, siła, forsa. Nie lubią inteligentów, mądrali – nazywają ich „lamusami" – bo śmierdzą szkołą, a szkoła to najgorsze. Za stalinizmu buntowali się przeciwko zetempowskiemu sztywniactwu, we własnym gronie mówili, co myślą o socjalizmie. Było w ich zachowaniu trochę ryzyka, nuta cynizmu. A teraz? Teraz to wszystko wolno, nawet śmiać się przewodniczącemu ZMP w twarz – i co? I nic.

– Mogę być prorokiem – chwali się Włodek – wiem, co będzie jutro, za miesiąc, za rok.

– To powiedz – namawia go Hanka.

– Po co, ty też wiesz. Wszyscy wiemy.

– No?

– Będzie zawsze tak samo.

Nie ma się przeciw komu ani czemu buntować. Potańcówki, kino, zawody sportowe. Nuda i pustka.

Jeżeli przyjąć, że istnieje jakiś front, gdzie się walczy, gdzie ludzie mają nadzieję, obmyślają wyjście ku lepszemu, jeszcze próbują – to na pewno nie ma tam końcowych. Są poza tym wszystkim, niechętni temu, obcy. Gdyby tamci, którzy „mają nadzieję", nagle znikli, okazałoby się, że nie ma młodej zmiany. Końcowi poszli swoją drogą, oddalającą się, zmierzającą gdzieś w bok. Nie jest to pokolenie nadchodzące, jest to pokolenie, które odchodzi... Odkąd rozkruszyła się organizacja [ZMP], można jeszcze liczyć tylko na szkołę i starszych...

Z opowieści przebija nostalgia za górnymi i chmurnymi latami budowania socjalizmu, nawet jeśli lustrzanym odbiciem patosu tamtych lat są tutaj ci, którzy socjalizm mieli w nosie. W opowieści o „końcowych" Kapuściński rejestruje klimat apatii, popaździernikowej dekadencji – i portretuje Polskę, którą słabo znał; jako młody działacz ZMP nie przyjmował do wiadomości jej istnienia. Ukazuje moment końca buntu, wyczerpania sił, zderzenia z codziennością – tych, którzy socjalizmu nie znosili. Tak jak w opowieściach o zetempowcach – uwiąd nadziei tych, którzy chcieli socjalizm naprawiać.

A potem? Co stało się potem? O czym mam teraz napisać? O tym, jak kończy się wielkie przeżycie? Smutny temat. Bo bunt jest wielkim przeżyciem, przygodą serca. Spójrzcie na ludzi, kiedy uczestniczą w buncie. Są pobudzeni, przejęci, gotowi do poświęceń... Ale przychodzi chwila, kiedy nastrój gaśnie i wszystko się kończy. Jeszcze odruchowo, z nawyku, powtarzamy gesty i słowa, jeszcze chcemy, żeby było tak jak wczoraj, ale już wiemy – i to odkrycie napełnia nas przerażeniem – że to wczoraj więcej się nie powtórzy. Rozglądamy się wokoło i dokonujemy nowego odkrycia – ci, którzy byli z nami, też stali się inni, też coś w nich zgasło, coś się wypaliło. Nagle nasza wspólnota rozpada się, każdy wraca do codziennego ja, które z początku krępuje jak źle skrojone ubranie, ale wiemy, że jest to nasze ubranie i że innego nie będziemy mieć. Z niechęcią patrzymy sobie w oczy, unikamy rozmów, przestajemy być sobie potrzebni.

Ten spadek temperatury, ta zmiana klimatu, należy do najbardziej przykrych i przygnębiających doświadczeń. Zaczyna się dzień, w którym coś powinno się stać. I nie dzieje się nic. Nikt nas nie wzywa, nikt nie oczekuje, jesteśmy zbędni. Zaczynamy odczuwać wielkie zmęczenie, stopniowo ogarnia nas apatia...

Tak napisze wiele lat później w książce o rewolucji w Iranie. (Czy na pewno tylko o Iranie?).

Zaczyna się okres nazwany w powojennej historii Polski „małą stabilizacją".

Romantyk nie godzi się jednak z tym, co widzi i co opisuje w reportażach: „Należy podejmować dalej i od nowa dzieło wyzwolenia świata, choćby się upadało dziesiątki razy po drodze...".

Nie napisałby tego manifestu, gdyby nie pewna podróż, z której niedawno powrócił.

Trzeci Świat: zderzenie, początek

...kiedy zobaczyłem, że w Indiach miliony nie mają butów, odezwało się we mnie jakieś uczucie wspólnoty, pobratymstwa z tymi ludźmi, a czasem nawet ogarniał mnie nastrój, jaki odczuwamy, wracając do domu dzieciństwa.

Ryszard Kapuściński, *Podróże z Herodotem*

Twarz Hinduski uśmiecha się z plakatu. Dziewczyna stoi w cieniu palm, daleko mrocznieje zarys antycznej świątyni. Dołem biegnie napis: „VISIT INDIA!". Hinduska jest piękna, pięknym ludziom niczego się nie odmawia...

Zanim na plakacie pojawi się piękna Hinduska, palmy i antyczne świątynie, jest wielka panika. W gazecie chcą, żeby jechał do Indii – ale przecież nic nie wie o Indiach. Jak pisać o Indiach, skoro nic nie wie o Indiach; nawet nie zna angielskiego. Jak się będzie porozumiewał, po polsku, po rosyjsku, jak, z kim? Biegiem do księgarni, antykwariatu: kupić coś o Indiach. Czy w ogóle coś mają? Może chociaż słownik, mapę.

Gdy latem pięćdziesiątego szóstego naczelna „Sztandaru Młodych" wzywa i oznajmia: „polecisz do Indii", Kapuściński ma dwadzieścia cztery lata, spore doświadczenie publicysty walczącego o socjalizm, sprawozdawcy obsługującego narady ZMP, piszącego o losie robotnika w wielkoprzemysłowych zakładach, kilka wizyt za granicą – w Pradze, na festiwalach młodzieży w Moskwie i Berlinie, lecz o pracy korespondenta nie wie nic, a o miejscu, do którego ma jechać – jeszcze mniej. Jest prowincjuszem, chłopakiem ze skromnego nauczycielskiego domu, początkującym reporterem i aktywistą, którego wysyłają w daleki, obcy świat – bez przygotowania, bez języka, bez ogłady.

Dlaczego Indie? Bo jest odwilż, w Związku Radzieckim trwa rozliczanie stalinizmu, zmienia się polityka międzynarodowa Moskwy, władcy Kremla uchylają niektóre okna i drzwi. Obóz socjalistyczny wygląda w stronę krajów nazwanych Trzecim Światem, które wydobywają się z zależności kolonialnej od krajów Zachodu. W epoce zimnowojennego podziału ruchy wyzwoleńcze walczące z kolonializmem, nawet jeśli nie są czerwone, niejednokrotnie podejmują jakąś formę współpracy z rywalizującą z Zachodem Moskwą, później także Pekinem. Nowo powstające kraje to duże rynki zbytu na towary z państw orbity radzieckiej, przede wszystkim produkty wielkiego przemysłu: maszyny, nawozy, broń. Przywódcy bloku socjalistycznego odwiedzają je, liderzy tychże przyjeżdżają zobaczyć, jak się miewa postęp i socjalizm w Europie Wschodniej.

Dokładnie rok wcześniej Kapuściński obsługuje dla „Sztandaru" wizytę przywódcy Indii Jawaharlala Nehru. „Premier Nehru to polityk walczący o doniosłe dla ludzkości sprawy: o pokojowe współistnienie narodów, o współpracę, o przyjaźń" – pisze w sztampowej notce powitalnej. (Tymczasem ulica powtarza taki dowcip: „Dlaczego Nehru przyjechał do nas w kalesonach?" – to aluzja do białych obcisłych spodni, jakie nosił. „By pokazać, że Indie też budują socjalizm"). Kapuściński jest naturalnym kandydatem gazety, gdy ktoś w Biurze Prasy KC postanawia, że w ramach przyjaźni obozu socjalistycznego z Trzecim Światem polscy reporterzy będą wyjeżdżać i pisać o krajach dalekiego Południa. Przyszłe dziennikarskie gwiazdy pokolenia wyruszają w drogę: Kazimierz Dziewanowski – do Egiptu, Syrii, Libanu, Iraku, Wiesław Górnicki – też na Bliski Wschód i do Indonezji, Wojciech Giełżyński – do Maroka. Kapuściński ma pojechać do Indii.

Omija go największa rewolucyjna gorączka w kraju – nie ma go w październiku, gdy interwencja radziecka w Polsce jest tuż, i chwilę potem, gdy Gomułka przy aplauzie tłumów obejmuje stanowisko przywódcy partii. W nadchodzącym ćwierćwieczu nie będzie świadkiem żadnego z politycznych przełomów w Polsce – aż do strajków na Wybrzeżu latem 1980 roku, kiedy powstanie „Solidarność". Nie będzie go w 1957 roku, gdy Gomułka zamknie tygodnik „Po Prostu" i rozprawi się z ruchem na rzecz odnowy socjalizmu – będzie podróżował po Chinach i Japonii. W czasie protestów studenckich w marcu 1968 roku i dwa lata później, gdy partia krwawo stłumi protesty robotnicze na Wybrzeżu – będzie pracował jako korespondent PAP w Ameryce Łacińskiej. W 1976 roku, kiedy kolejny raz partia użyje siły przeciwko klasie robotniczej, w imieniu której rzekomo sprawowała rządy, będzie pisał z tygodnia na tydzień opowieść o wojnie w Angoli i zaraz potem wyjedzie na wiele miesięcy do Afryki.

Młodego reportera, którego horyzontem są partyjne nasiadówki, fabryki w Grudziądzu, Kędzierzynie, Nowej Hucie, ewentualnie festiwale młodzieży, gdzie można się dogadać po polsku albo po rosyjsku – wyprawa do Azji przeraża, lecz jeszcze bardziej ekscytuje. Wszystko w tej podróży będzie wielkie, niezwykłe. Wieeelki jest samolot: czteromotorowy olbrzym Super-Constellation, który poleci z Rzymu do New Delhi i Bombaju. Niezwykła jest odległość do pokonania – osiem tysięcy kilometrów! A ileż to godzin lotu – dwadzieścia!

Niezwykłe jest jezioro świateł, które stawiającemu pierwszy krok globtroterowi zapiera dech, gdy samolot ma międzylądowanie w Kairze. Z niejakim zdziwieniem stwierdza, że Egipcjanie są czarni i ubierają się w białe – jak pisze – „sutanny". Z dziecięcą satysfakcją odnotowuje, że postawił nogę w Afryce – uwagi i odczucia podróżniczego żółtodzioba.

Nieporadnie dowcipne są również skojarzenia i myśli po wylądowaniu w Indiach: że Kolumb chciał dotrzeć do Indii i nie zdołał, a on, Kapuściński, podołał. Szablonowe pierwsze obserwacje: ruch jest lewostronny na wzór brytyjski; i obowiązkowo o świętych krowach, które nie przestrzegają przepisów drogowych, bezkarnie spacerują po ulicach, to z prądem, to pod prąd – i nic nie można im zrobić, bo są święte.

Pierwszą lekcję Indii dostaje jeszcze w samolocie. Siedzi między starym Anglikiem a starym Hindusem. Anglik narzeka, że odkąd Hindusi wyzwolili się z kolonialnej zależności, ograniczają prawa brytyjskich spółek i kręcą w ten sposób petlę na własną szyję.

– Czy pan wie, jak będzie wyglądać gospodarka Indii bez Anglików? – pyta Anglik.

– Wiemy za to, jak wyglądała gospodarka Indii z Anglikami: powszechna nędza. Średniowiecze – objaśnia współpasażerowi z Polski Hindus. (Tak zrozumiał prawie niemówiący po angielsku reporter).

W New Delhi: mały, ciemny budynek lotniska. Noc – i on sam w indyjskich ciemnościach. Rozgląda się, jest kompletnie zagubiony, nie wie, dokąd jechać ani kogo prosić o pomoc. Nieprzygotowany do podróży, nie umie zagadać po angielsku, nie ma w notesie nazwisk ani adresów. Rozpacz! Romantycznie brzmi tak spisana opowieść w *Podróżach z Herodotem*.

W istocie Kapuściński stoi sam na lotnisku tylko przez chwilę. Wyjeżdża po niego samochodem korespondent Polskiej Agencji Prasowej Ryszard Frelek. Wcześniej spotkali się tylko raz – w obozie pracy dla więźniów: Kapuściński miał napisać o nim reportaż dla „Sztandaru Młodych" (nie napisał), Frelek – relację dla Polskiej Agencji Prasowej.

Po pierwszym dniu pobytu w New Delhi Kapuściński ma jedno pragnienie: wracać. Drażni go tropikalny upał i wilgoć, dręczy poczucie samotności, poraża widok masowo cierpiących ludzi.

Miasto i część kraju położona nad Gangesem przeżyły właśnie coroczny kataklizm: powódź. Pola poza miastem zasłane są ludźmi, w mieście – koczowiska na ulicach. Na rozgrzanej ziemi leżą dzieci, starcy grzeją w cieple kości. Kto zdołał rozłożyć kawałek maty na drodze, ten ma dom; kto nie zdążył, błąka się, szuka dalej... Całe życie skupia się na ulicy. Jak miska na węgielku, smród i muchy, znaczy, że restauracja. Jak człowiek siedzi w kucki, a drugi wymachuje mu nożyczkami wokół głowy – to zakład fryzjerski.

„Życie nie jest tu życiem, jedzenie nie jest jedzeniem, tylko nędza jest naprawdę nędzą..." – napisze na gorąco po powrocie.

Przez dwa kolejne tygodnie Frelek pokazuje Kapuścińskiemu New Delhi. W tej apokaliptycznej scenerii zawiązuje się między nimi przyjaźń, sztama, która przetrwa następnych trzydzieści lat. Frelek stanie się aniołem stróżem, protektorem, współarchitektem kariery Kapuścińskiego – najpierw jako jeden z decydentów w Polskiej Agencji Prasowej, potem wysoki dygnitarz partii, mogący pomóc, gdy trzeba, ochronić, popchnąć sprawy naprzód, nacisnąć właściwy guzik.

Po dwóch turystyczno-krajoznawczych tygodniach w stolicy Indii Kapuściński zaczyna się denerwować. Nie wie, o czym pisać, nie ma materii, z której mógłby ulepić reportaże dla „Sztandaru". Ale jak ma mieć, skoro przegrywa walkę z językiem, nie mówi po angielsku. („Język zdał mi się w tym momencie czymś materialnym, czymś istniejącym fizycznie, murem, który wyrasta na drodze i nie pozwala iść dalej..." – opowie po latach w swojej ostatniej książce). Na straganie kupuje *Komu bije dzwon* Hemingwaya, żeby uczyć się angielskiego, lecz język powieści jest za trudny, przydałby się *English for Beginners*.

Postanawia wyjechać z miasta, zobaczyć przynajmniej prowincję, kultowe miejsca religijne, głębokie Indie.

– Nie masz ubrań, w podróży może być różnie: idzie zima – mówi przytomnie Frelek i zabiera kolegę na bazar.

Kupują ciepłą czapę i chałat z wielobarwnej wełny. Rozklekotanym, zatłoczonym autobusem Kapuściński rusza w drogę. Frelek zauważa, że wśród pasażerów autobusu jego nowy przyjaciel jest jedynym białym.

Cztery tygodnie później do budynku, w którym mieści się biuro Frelka wpada strażnik i woła:

– Chce się tu dostać jakiś Hindus, brudny i oberwany, i powołuje się na pana!

Kapuściński miał ciemne oczy, śniadą cerę – brudny, oberwany mógł wyglądać na miejscowego włóczęgę. W podróży kupił pikowaną derkę, którą zwijał na dzień i rozwijał na noc, spał po szopach z miejscowymi.

– Utożsamił się z Indiami – opowie po latach Frelek.

„Indie z bliska" – wycinki z gazet

Z New Delhi:

Gromada dzieciaków leży w kurzu, wodzi leniwie oczami dookoła. Nie bawią się: są głodne. Nic się tu nie dzieje... O parę kilometrów stąd: wojsko. Krążą pontony, żołnierze zbierają, co się da zebrać: ludzi z drzew, tonące bydło, szczątki narzędzi...

Nie wolno źle myśleć o Gangesie: Ganges przynosi powódź, ale Ganges daje życie. Dolina Gangesu jest spichlerzem Indii, żywi połowę narodu, na jej polach mieszka trzecia część ludności: 110 milionów ludzi!...

Samochód jedzie dalej. Omija zalane drogi, grzęźnie w bagnach, słysząc jego sygnał, matki budzą się i zabierają niemowlęta z drogi. Wszędzie jest to samo. Nie ma końca ludziom, wodzie i tragedii.

Z Benares:

...jeszcze jeden sposób na zbawienie. Wcale nie trzeba umierać, stawać na Sąd Ostateczny, siadać na wadze i drżeć w oczekiwaniu na wyrok. Można tego uniknąć, odbywając pielgrzymkę do Benares...

Zziębnięci, brudni i wychudzeni ludzie wstają z ulicznych legowisk. Wschodzące słońce użycza im pierwszego ciepła – jedynego, jakiego zaznają na tej ziemi. Poprawiwszy opaski na biodrach i turbany na głowach, ruszają ulicami w stronę rzeki... Mijają szare dygocące ciała okręcone strzępami szmat: to ci, którzy umierają na malarię. Mijają sczerniałe korpusy z wystającymi kikutami, z których mięsień odpada po mięśniu: to ci, którzy są trędowaci. Mijają szkielety obciągnięte skórą, niezdolne się podnieść, nawet wyciągnąć ręki: to ci, których trawi gorączka głodu...

Tłum wchodzi do wody, ciepła fala Gangesu sięga do kolan, potem do pasa. Wtedy się zatrzymuje. Tymczasem słońce praży już na dobre, a Benares huczy nabożną muzyką. Ze świątyń dobiega stukot bębnów, zawodzenie fletów, trajkotanie grzechotek...

...na stosach dopalają się ciała zmarłych. Stosy rozmieszczone są nad brzegiem Gangesu i kąpieli towarzyszy bez przerwy ponury swąd palenisk...

...oczyszczeni z grzechów wychodzą z miasta... Idą spaloną ziemią, dziesiątki, setki kilometrów, spokojni, że mogą teraz bez trwogi spoglądać na twarze bogów, których 300000 wypełnia gorące niebo Indii.

Z Bengalu:

Indie są tak niepodobne do Polski! Te same pojęcia tu i tam nie znaczą to samo. „Nie mam domu – mówi mój przyjaciel z Warszawy – mieszkam dosłownie na ulicy". Oczywiście powiedział nieprawdę, użył metafory. Ani jeden człowiek nie mieszka u nas na ulicy. Ale jeśli bezdomny Hindus poda mi adres: „Jezdnia ulicy Mutra, mniej więcej między mostem a kinem" – mogę śmiało go szukać w tym miejscu: on na pewno tam „mieszka".

W Kalkucie spotkałem Martę Malicką – Polkę od kilku lat osiadłą w Indiach. „Podejmujesz rzecz z góry przegraną – powiedziała – będziesz wyjaśniał życie Indii, używając europejskich pojęć. Tego nie da się zrobić".

Miała rację. „Człowiek nie ma co jeść" – tak niekiedy powiada ktoś u nas. To nieprawda: najbardziej biedni jadają trzy razy dziennie. W Indiach „nie mamy co jeść" miało znaczenie dosłowne: w tymże Bengalu pięć milionów ludzi skonało z głodu ledwie trzynaście lat temu. W naszym życiu nie mamy odpowiedników hinduskich zjawisk i stąd tak łatwo o wszelką bujdę...

Egzotyka? Szukam jej pośród ulic Kalkuty, wiosek Bengalu i miasteczek Andhry. Nie znajduję i wcale mnie to nie martwi. Indie nie są krajem egzotycznym, a jeśli się już upierać, to egzotyka jest tam tylko dekoracją... to bytowanie na dnie zupełnej nędzy, wśród plag epidemii i pod obcą bezwzględną władzą. Był to „temat wstydliwy" i trzeba go było zastąpić czymś innym, bardziej strawnym, ponętniejszym. I tak, literaturę o Indiach tak popularnie rozpowszechnianą ograniczono do Tajemniczej Egzotyki. Dżungle i fakirzy, święte małpy i zaklinacze wężów. Tym się karmiła nasza wyobraźnia, żądna wiedzy o dalekich krajach, nie przeczuwając, że zamiast faktów chłonie mity.

Z Kalkuty:

Perony są szerokie na kilka metrów, długie może na sto. Z tego dla podróżnych pozostały ledwie dwa wąskie pasy na skrajach betonu. Reszta zatłoczona jest ludźmi, którzy siedzą, leżą, klęczą. Nie mają gdzie iść, nie mają co z sobą zrobić; to uchodźcy z Pakistanu; to *refugees*. Mają dach nad głową (dworzec jest kryty) – więcej nie mogą mieć niczego. Zresztą na więcej trzeba mieć siły; siły daje jedzenie: nie mają jedzenia...

...kwestia *refugees* – będzie zupełnie niezrozumiała, jeśli nie wspomnimy o rozmowie mr Cooka z mr Smithem, którzy będą tu symbolizować politykę angielską w Indiach. Otóż obaj ci panowie poczuli już przed wielu laty, że Indii nie da się utrzymać jako kolonii, że Indie się w końcu wyzwolą.

Wtedy mr Cook powiedział do mr Smitha:

– Czy nie uważa pan, że musimy osłabić przyszłe państwo?

– Owszem, uważam. Ale jak?

– Otóż mr Smith – jak panu wiadomo – Indie zamieszkuje 254 mln Hindusów i 92 mln Muzułmanów. Góra hinduska – to burżuazja, oni chcą żyć bez nas. Ale góra muzułmańska – to feudałowie, nasi sojusznicy, oni mogą żyć tylko z nami.

– Więc cóż z tego mr Cook?

– Otóż można by stworzyć z Indii dwa państwa: hinduskie i muzułmańskie.

– Ależ w tym kraju, mr Cook, nigdy nie było większych waśni religijnych. Hinduizm jest najbardziej tolerancyjną wiarą na świecie!

– Och, niechże pan będzie rozsądnym politykiem, mr Smith. To się da zrobić!

I rzeczywiście – to się dało zrobić. Tuż po wojnie w Indiach wszczęły się rzezie religijne, rozszalałe tłumy judzone przez sprzedajnych przywódców wyrzynały się do nogi...

Podział zniszczył gospodarkę, zrujnował systemy nawadniania, oddzielił szereg surowców od fabryk. Stworzył dwa nieprzyjazne sobie państwa.

Do dziś ci Muzułmanie, którzy chcieli opuścić Indie, już wyjechali. Ale we wschodnim Pakistanie pozostała część chłopów hinduskich, którzy tam mają ziemię i pragnęliby żyć na niej dalej. Nie mogą: dziki, ślepy szowinizm muzułmański pędzi ich poza granice kraju. Każdego miesiąca przybywa około 20 tysięcy tych uchodźców do Indii. Indie nie miały środków, aby ich utrzymać. Wracali do Pakistanu. Pakistan wyrzucał ich do Indii.

Szlachetny jest wysiłek rządu Indii w ostatnim okresie. Część *refugees* otrzymuje ziemię, dostają zapomogi, buduje im się domy. Parlament przeznaczył na pomoc uchodźcom kolosalną sumę trzech miliardów rupii. Ale to ciągle za mało.

W drodze z Bangalore do Hyderabadu (myśli):

...zjawisko współistnienia epok jest niezmiernie charakterystyczne dla Indii. Starożytność egzystuje tu obok nowoczesności, teraźniejszość jest nasycona przeszłością, a dla zrozumienia tego, co jest dziś, trzeba dokładnie poznać to, co było wiele stuleci wstecz!... W Europie tempo i gruntowność przemian oszczędza takich kłopotów. Postęp czasu ma działanie niszczące wobec zastanej rzeczywistości. Nowe okresy nakładają się warstwami na stare i to, co było sto lat temu, znika często bez śladu z tej ziemi, usuwając się za szkła muzeów i w mrok bibliotek. Staje się historią, która jest ciekawa, ale dniu dzisiejszemu niemal niepotrzebna.

W Indiach jest inaczej. Zbrodnia kolonizacji zatrzymała rozwój w zamierzchłych czasach. Przetrwały one w tym stanie do dzisiaj. Obok tego jednak dotarło i tu nieco nowoczesnej techniki i przemysłu. A także usprawnień i wynalazków XX wieku. Ale było tego zbyt mało, żeby zwyciężyć zacofanie. W ten sposób istnieją dziś obok siebie ludożerczy szczep Naga i reaktor atomowy, drewniana socha i impresjonizm, bambusowe szałasy i konstrukcje Le Corbusier...

Maszyna, przemysł dotarły do Indii nie jako element postępu i wyzwolenia człowieka, ale jako oręż ucisku, jako jarzmo. Dzięki wyższej technice można było grabić i głodzić, niewolić i niszczyć. Dziś jeszcze ten uraz nie jest zagojony…

…uzasadniona duma z zawartości swojego dorobku dziejowego. Indie mają najstarszą z istniejących cywilizację świata. I – obok chińskiej – najbogatszą. Co więcej, jest to cywilizacja żywa. Upadła Grecja, Egipt i Rzym, upadł Sumer i Mezopotamia, Persja i Aztekowie. Hinduska cywilizacja licząca grubo ponad 4 tysiące lat kwitnie i rozwija się nadal.

Na zakończenie podróży przytrafia się Kapuścińskiemu osobliwa przygoda. Ma wracać do kraju statkiem „Stefan Batory", który kursuje między Gdańskiem a Bombajem. Wybucha jednak konflikt o Kanał Sueski, którego nacjonalizację ogłosił prezydent Egiptu Naser; Anglicy i Francuzi wysyłają wojska, żegluga przez kanał ustaje. Polski statek nie dociera do Bombaju. Kapuściński musi wracać samolotem – przez Karaczi, Kabul i Taszkient do Warszawy.

Po wylądowaniu w Kabulu – przykra niespodzianka. Oddaje paszport do kontroli. Czeka. Lotnisko to niewielki barak, wokół pustynia. Policjant wraca z paszportem, kładzie dłoń na dłoni na krzyż i rozsuwa palce: areszt. Urzędnik przywołany z lotniska wyjaśnia, że w Afganistanie obowiązuje wiza tranzytowa; Kapuściński jej nie ma.

Brudna klitka, zimno kurz. Siedzę na ławie, naprzeciwko policjant. Ten drugi poleciał do miasta, przywiezie rozkaz.

Czarne oczy spod ogromnej czapy przypatrują mi się uważnie. Nic wesołego: dziki kraj, z nikim nie można się dogadać, zrobią, co im się podoba.

– No i co? – pytam. – Będziemy tak siedzieć razem do usranej śmierci?

Nie rozumie. Poruszył się bezradnie, wpatruje się dalej z tępym uporem.

Próbuję wyjść na dwór. Zawsze tam trochę słońca. Nie pozwala. Pokazuję, że chce mi się pić. Nie odpowiada. Niedobrze. Jest nudno, trzeba się czymś zająć.

– Generale – mówię. – Będziemy pisać. Wyciągam kartkę papieru i kreślę duże

A

Afgan marszczy czoło, myśli, kręci głową, wreszcie bierze mi z rąk pióro i pisze perskie A.

Wygrana! Zna łaciński alfabet. Teraz ja:

B

On – B – po persku...

Afgan zmęczył się, rozpina płaszcz i zsuwa na czubek głowy swoją przeogromniastą czapę. Śmieje się uradowany i poklepuje mnie po ramieniu...

– Słuchaj generale – mówię. – Lubisz Anglików? *English good?*

Na słowo *English* policjant marszczy czoło i zwiera swoją solidną pięść.

– *English no, English no* – oburza się. Raptem wpada mu do głowy szatańska myśl. Kieruje palec w moją stronę i pyta:

– *English?*

Robię przeczący gest. Uśmiecha się i klepie mnie po ramieniu.

– *Good, good!*

Pytam dalej:

– Rosjan lubisz? *Russia good?*

Afgan uśmiecha się z zachwytem:

– *O, Urusi bisior hubas!* (o, Rosjanie, bardzo dobrze).

Tym samym sposobem dowiedziałem się jeszcze, że Naser jest bożyszczem Afganów, że Pakistan jest wrogiem Afganistanu i że policjant afgański nic nie wie o istnieniu Polski.

Zrobiło się szaro. Powiał pustynny wiatr, zaciemnił krajobraz. Ta bezludna pustka, dzika, nieznana i obca, ten samotny baraczek w pustyni, karawana wielbłądów przechodząca obok, nawoływania przewodników, milczenie policjanta i moje „co będzie dalej" – wszystko to zmieszało się w jakiś niesamowity kłąb, którego ani pojąć, ani rozsupłać nie było sposób...

Szły godziny i była już prawie noc zupełna. Łyk wody. Piasek trzeszczy w ustach, wargi są spieczone, suche pustynne powietrze drapie gardło.

„Wyznawco wielkiego boga – proszę Afgana – napój spragnionego. Czy Mahomet nie wypowiedział się, co masz robić w takich wypadkach?".

Z kłopotów wybawia Kapuścińskiego radziecka ambasada. Kurier dyplomatyczny, którego poznał w samolocie, zorientował się, że Polaka zatrzymano na lotnisku. Ktoś z ambasady radzieckiej odszukał polskiego handlowca, a ten w towarzystwie pracownika radzieckiej placówki pojechał do afgańskiego Ministerstwa Spraw Zagranicznych i załatwił wizę, prawdopodobnie przekupując urzędnika. Wspólnie odbierają „więźnia" z aresztu. Kapuściński musi jednak przedłużyć wizę, bo załatwiona w afgańskim ministerstwie jest ważna tylko jeden dzień.

Na posterunku policji dostaje jedną z pierwszych lekcji Trzeciego Świata w czasach zimnej wojny. Oddający mu paszport urzędnik mówi łamanym angielskim:

– Ma pan szczęście, że jest pod opieką ambasady radzieckiej. Gdyby pan był Anglikiem, poznałby pan nasze piwnice.

Pierwsze spotkanie Kapuścińskiego z Azją ma drugą odsłonę rok później – w Chinach. Odwiedza również Japonię i właśnie ta kilkudniowa wizyta, a nie dłuższa w Chinach, zaowocuje cyklem reportaży. Jednak to Chiny zrobią na Kapuścińskim wrażenie, podobnie jak w Indiach uderzy go trudna do przeniknięcia i fascynująca odmienność.

W Chinach ma nawiązać współpracę z młodzieżówką komunistyczną i gazetą „Czungkuo", odpowiednikiem „Sztandaru Młodych". W pewnym momencie polski Październik i polityka Stu Kwiatów Mao Zedonga wydają się podobnymi pomysłami przydania socjalizmowi nowej energii, otwarciem przestrzeni dla większych swobód, jednak gdy Kapuściński przyjeżdża do Pekinu, obie partie zmieniają kurs, zaczyna się odwrót od reform. Gomułka zamyka „Po Prostu", przewodniczący Mao przykręca śrubę i szykuje się do Wielkiego Skoku.

Któregoś dnia w Pekinie pracownik polskiej centrali handlu zagranicznego przynosi Kapuścińskiemu list od kolegów ze „Sztandaru". Donoszą, że odmówili poparcia dla likwidacji tygodnika „Po Prostu", a po odwołaniu Mariana Turskiego ze stanowiska p.o. redaktora naczelnego postanowili odejść z gazety, niektórzy wahają się, chcą wiedzieć, co zrobi Kapuściński.

Po wcześniejszym, niż planował, powrocie (nie samolotem, lecz Koleją Transsyberyjską), Kapuściński przyłącza się do protestujących i zwalnia się z pracy w „Sztandarze".

Dziennikarze, którzy odeszli, zgadzają się, żeby opublikował na łamach „Sztandaru" reportaże z ostatniej podróży. Obiecują, że nie poczytają tego za złamanie solidarności czy akt nielojalności wobec kolegów, którzy z gazety odeszli. Rozumieją, że gdyby postawili wygórowane wymagania moralne, a Kapuściński je przyjął, miałby kłopoty: do Chin poleciał jako wysłannik „Sztandaru" za wyrwane przez redakcję państwowe pieniądze, powinien wywiązać się z zadania do końca.

*

Trzeci Świat – choć nie Indie, i nie Chiny – stanie się za kilka lat zawodową pasją Kapuścińskiego. – Pasja, pasja, trzeba mieć pasję! – będzie powtarzał znajomym, przyjaciołom, młodym reporterom. Po latach napisze w wierszu, że „przetrwa ten, kto stworzył swój świat". Świat Kapuścińskiego reportera i pisarza zaczął się tworzyć w czasie podróży do Indii. Również los wiecznie nieobecnego męża, ojca, przyjaciela, współpracownika. Ale zimą pięćdziesiątego szóstego, ani nawet rok później jeszcze nie wie, że wpadł na trop swojego tonu, osobnego głosu, oryginalnego tematu.

W serii reportaży z Indii widać wiele wątków, które będą obecne w jego pisarstwie, światopoglądzie do końca: empatia dla biednych, moralny sprzeciw wobec potęg kolonialnych, w jakimś sensie dystans wobec całego kapitalistycznego Zachodu, krytyczny stosunek do europocentryzmu w myśleniu o świecie; zainteresowanie odmiennością. Również w Indiach kształtuje się warsztat reportera, który woli rozmawiać ze zwykłymi ludźmi na ulicy, na pustyni, w zapadłej wiosce niż szukać interlokutorów na salonach władzy; który wtapia się w tło, próbuje żyć jak miejscowi, choć ma w kieszeni bilet powrotny. Na tytuł „tłumacza kultur", reportera, który opisuje inne kraje i kultury z szacunkiem, bez zachodniego wywyższania się, pracuje w jakimś sensie od początku – od pierwszej podróży do Indii, choć przecież nie ma pojęcia, że za trzydzieści lat zyska światową sławę i z wyżyn tejże będzie nauczał, że rolą dziennikarza jest tłumaczyć czytelnikowi odległe kultury.

Dwudziestoczterolatek – i tak dojrzały? Tak i nie. Po powrocie z Indii nie ma pojęcia, czego naprawdę chce. Próbuje, rozgląda się, szuka. Indie są przypadkowo posianym ziarnem, z którego po paru latach coś wyrośnie. Obok dojrzałych refleksji o bogactwie hinduskiej kultury potrafi napisać o Afganistanie – „dziki kraj", a o Sudanie – „jakiś Sudan". Koleżanka ze studiów, profesor Wipszycka, przypomina sobie, że po pierwszym powrocie z Afryki w roku pięćdziesiątym ósmym na wydziale historii zorganizowano spotkanie, w czasie którego opowiadał „okropne rzeczy".

– Sala wypełniona po brzegi, a Kapuściński wygłasza, że Anglicy powinni wysłać do Ghany swoich gurkhów, żeby zrobili porządek z mordującymi się między sobą plemionami. Zamarłam. „Co on wygaduje?" – powiedziałam do kogoś obok. To była mieszanina myślenia kolonialnego i chyba krytyki własnych poglądów z poprzedniego, to znaczy stalinowskiego, etapu. Pamiętam, że to, co mówił, obrażało mnie jako historyka. Przecież ukończył ten sam wydział, co ja, a wtedy wydawało mi się, że pięć lat studiów spłynęło po nim jak po kaczce. Zrobił na mnie wrażenie naiwnego, w myśleniu – wręcz prostackiego. „Zmądrzenie" przyszło później.

Czy właśnie w Indiach dostrzega, że tym, co go naprawdę fascynuje, jest wielka społeczna zmiana? I wpada na pomysł, że wielkim zmianom może towarzyszyć nie tylko w Polsce, lecz również gdzie indziej? W kraju Gomułka kończy właśnie z rewolucją młodych, którzy chcą reformować stalinowski socjalizm – ale pozostaje nadzieja, że ideały socjalizmu, autentyczne, niewypaczone uda się wcielić w życie w budzącym się politycznie Trzecim Świecie. Tam teraz dzieje się Historia.

W osobistym manifeście *Metryka naszego pokolenia*, na krótko przed ostatecznym zdławieniem październikowej odnowy w Polsce, Kapuściński pisze:

> Azja, którą zamieszkuje więcej niż połowa ludzkości, Azja deptana i nikczemniona, dziesiątkowana głodem i plagami, zaczyna po raz pierwszy od wieków jeść trzy razy dziennie, chodzić w butach i uczyć się czytać. W jakiej epoce dokonało się dzieło równie humanistyczne? A całe wyzwolenie człowieka od sochy, lepianki, łojowej lampki, łykowych kapci?... Wiek XX jest wiekiem świata i mierzyć go doświadczeniem jednego kraju (zresztą zawsze w historii bitego po plecach) jest to próbować łyżką wysączyć morze... Należy podejmować dalej i od nowa dzieło wyzwolenia świata, choćby się upadało dziesiątki razy po drodze i choćby wszystko dobre wydawało się leżeć zawsze tak niezmiernie daleko...

Romantyk zafascynowany rewolucją – Wielką Zmianą – będzie jej wkrótce szukał na innych kontynentach. (– Skończyła mu się rewolucja w kraju i pognał za nią gdzie indziej – powiedziała mi jego koleżanka z Polskiej Agencji Prasowej). Lecz zanim pogna w daleki świat na dobre, w kraju narodzi się nietuzinkowy reporter, który wyrwie się z gorsetu partyjnej nowomowy. A także człowiek, który nauczy się zręcznie poruszać po korytarzach władzy, co ułatwi mu karierę w takich warunkach, jakie w gomułkowskiej, a potem gierkowskiej Polsce były. Pozyskany w Indiach nowy przyjaciel, Ryszard Frelek, który wkrótce stanie się jego politycznym mecenasem, odegra w budowaniu tej kariery kluczową rolę.

W „bandzie Rakowskiego”

– Teraz jestem nie ten – odzywa się i trach łebkiem o siarkę. – Nie mam tej iskry, tego bigla. Ale wtedy! Pamiętasz, jak robiliśmy w nocy tę odprawę, jak zaczynaliśmy akcję, jak się waliło, jak potem ściągaliśmy ludzi...

Tamte lata wypaliły go, wypompował się, spłukał. Wydał dużo i nabył dużo. Ma cały skład doświadczeń, przeżyć, mądrości. Już nie znajdzie w sobie tyle energii, żeby zaczynać od początku...

Co ma zrobić poturbowany przez wichury lat pięćdziesiątych młody inteligent, którego „tamte lata wypaliły”? Który najpierw z neoficką gorliwością budował socjalizm, potem dostrzegł wypaczenia i z równym zapałem chciał socjalizm naprawiać, lecz władza pozwoliła na korektę limitowaną? Chodzi o inteligenta, który w socjalizm wierzyć nie przestał, uważał, że jak zmieniać system, to z partią, w partii i przez partię. Był po stronie zmian Października ’56, lecz nie utożsamił się do końca z rewizjonistami, bo ci weszli na drogę – jak mówiła partia – „likwidacji socjalizmu”; albo i z realizmu: widział radykalną naprawę na Węgrzech utopioną we krwi. Jeszcze dalej było mu do przeciwników systemu, którzy zamykali się czy to w Kościele katolickim, czy w prywatności domowego zacisza. Nie znajdował też w sobie energii, żeby zaczynać od początku...

Miejscem na mapie politycznej i kulturalnej Polski Ludowej, w którym inteligent ów może znaleźć przystań, jest nowo powstały tygodnik „Polityka”. Marian Turski, usunięty z fotela kierownika redakcji „Sztandaru Młodych”, przeprowadza do „Polityki” grupę dziennikarzy, którzy w geście solidarności przeciwko odwołaniu go ze stanowiska złożyli dymisje. Jest wśród nich Kapuściński.

*

Początek miała „Polityka" paskudny. Powołał ją do życia w styczniu pięćdziesiątego siódmego sekretariat KC. Szefem mianowano Stefana Żółkiewskiego, marksistowskiego humanistę, ministra szkolnictwa wyższego, wcześniej redaktora walczącego o socjalizm pisma „Kuźnica" (który po latach, w geście solidarności, poprze protestujących przeciwko władzy studentów Uniwersytetu Warszawskiego). Było to jeszcze przed rozpędzeniem rewizjonistycznego tygodnika „Po Prostu" – „Polityka" miała być batem na rewizjonistów, anty-„Po Prostu". Upatrywano w niej zwiastun odchodzenia I sekretarza Gomułki od ideałów Października '56, pragnienie sprawowania pełnej kontroli nad życiem umysłowym oraz w miarę wolnym w latach odwilży i Października obiegiem myśli.

„Rekrutacja członków zespołu – wspominał Michał Radgowski, w «Polityce» od samego początku – odbywała się chyba w dwojaki sposób: 1. zaproponowano grupę działaczy, w większości członków KC, którzy mieli jej nadać właściwą linię, 2. kierownictwo pisma... poszukiwało ludzi młodych, mało wówczas znaczących, ale tym chętniejszych do pisania i działania".

(Dzięki temu, lecz dopiero ponad rok później, trafiają tam ludzie z innych redakcji, w tym grupa Turskiego ze „Sztandaru" z Kapuścińskim).

Rewizjoniści z „Po Prostu" albo „wściekli" – jak ich nazywali przeciwnicy – traktują „Politykę" jako „organ zamordystowski", pismo mające na rozkaz Gomułki wyznaczać polityczną linię całej prasy. Obie redakcje mieszczą się w Pałacu Kultury i Nauki, „Po Prostu" na piątym piętrze, „Polityka" na jedenastym. Ludzie „Po Prostu" mieli na „Politykę" taką alergię, że gdy w ich redakcji zabrakło szklanek i dyrektor administracyjny chciał po koleżeńsku pożyczyć sześć pięter wyżej w „Polityce", zebrało się kolegium „Po Prostu", poddało pomysł pod dyskusję i odrzuciło w wewnątrzredakcyjnym głosowaniu.

„Polityka" tymczasem próbuje definiować się nie jako bicz na rewizjonistów, lecz jako pismo „centrowe" na mapie wewnętrznych podziałów w partii; tygodnik walczący na dwóch frontach. Z jednej strony – broni Gomułki i zmian Października przed partyjną konserwą, dogmatykami, niechętnymi nawet łagodnej liberalizacji; z drugiej – toczy boje z rewizjonizmem z kręgu „Po Prostu", który nazywa „likwidatorstwem w stosunku do partii". Jednak to konflikt z „Po Prostu", atak na rewizjonistów, a nie potyczki z partyjną konserwą nadają „Polityce" polityczną tożsamość, przynajmniej na początku.

Rewizjoniści chcą dopomóc Gomułce w rozbiciu resztek stalinowskich nurtów w partii (czego Gomułka wcale od nich nie oczekiwał). Sądzą, że to stalinowcy a nie „antykomunistyczna reakcja" są problemem chwili. Natomiast współtwórcy „Polityki", tacy jak Mieczysław Rakowski i Andrzej Werblan, już wcześniej ludzie aparatu partii, widzą hierarchię zagrożeń na odwrót. „Powitali oni wydarzenia październikowe – pisał Radgowski – z dwoistym uczuciem: niewątpliwie uznali za ważne i pozytywne przezwyciężenie narastającego od dawna kryzysu", lecz „patrzyli też z obawą na to, co określali jako aktywizację sił prawicy...". Obawiali się, że jakiś bardziej radykalny Październik stanie się – według słów Werblana – „odskocznią do następnego, już niesocjalistycznego etapu".

Gomułka wyraża tę samą myśl prościej i dosadniej: porównuje dogmatyzm do grypy, rewizjonizm zaś do gruźlicy. To liberałowie, rewizjoniści są większym zagrożeniem dla władzy partii, a nie dogmatycy, neostaliniści.

Zamknięcie „Po Prostu" jesienią pięćdziesiątego siódmego redakcja „Polityki" wita z aprobatą. Dobija rewizjonistów zarzutami o „totalną negację", na dodatek stroi się w pióra obrończyni ideałów Października. Wielu sądziło, że wraz z likwidacją tygodnika rewizjonistów „Polityka" wykonała partyjny rozkaz i być może zejdzie z prasowej sceny. Tymczasem pod kierunkiem nowego szefa Mieczysława Rakowskiego, byłego oficera politycznego i człowieka aparatu partii, z nudnego, mentorskiego pisma staje się najciekawszym tygodnikiem z partyjnym stemplem, który wychowa dziennikarskie gwiazdy pokolenia, stworzy szkołę polskiego reportażu i notorycznie będzie kamieniem w bucie rządzących; krytycznym, niekiedy ironicznym recenzentem wewnętrznym partii i realiów Polski Ludowej. Marian Turski powie, że „Polityka" zaczęła z piętnem anty-„Po Prostu", lecz stała się później swoistą kontynuacją rewizjonistycznego poprzednika.

Młodzi redaktorzy „Polityki" znali swoje pokolenie i czuli jego potrzeby. Przeszli z nim Październik, z nim zaczynali pierwszą pracę. Wiedzieli, że po czasie wiecowania przyszedł czas zakładania rodzin, czekania na mieszkania, konfrontacji teorii z życiem. A życie stawiało opór ambicjom. Bo życie, jak się okazało, to także zastałe układy, głupi szefowie broniący swoich stołków, przepisy blokujące inicjatywę, to prowincjonalizm, zaścianek...

Tak pisał w książce o „Polityce" wiele lat później Wiesław Władyka, historyk Polski Ludowej, od lat osiemdziesiątych publicysta tygodnika.

> „Polityka" intuicyjnie szuka kontaktu z inżynierami, którzy spakowali swoje książki i z akademika ruszyli w kraj, z nauczycielami, którzy kiedyś zakładali Kluby Młodej Inteligencji, z dyrektorami, którzy wierzyli w reformy, z artystami, którzy – tak jak w warszawskim Studenckim Teatrze Satyryków – naśmiewali się z absurdów życia i z samych siebie, także z polityki.

To ci ludzie będą bohaterami reportaży i zarazem czytelnikami tygodnika tworzonego przez „bandę Rakowskiego" (nikt już dziś nie pamięta, kto tak ochrzcił zespół „Polityki"). W owej „bandzie" prestiżowe miejsce szybko sobie wypracuje wracający z krótkiego zesłania za biurkiem Kapuściński.

– Odejście Gomułki od ideałów Października było dla Ryśka rozczarowaniem, wierzył, że powstanie w Polsce jakiś oryginalny socjalizm, inna droga, odmienna od radzieckiej.

Jerzy Nowak przez czterdzieści sześć lat najbliższy przyjaciel, próbuje rekonstruować ówczesny stan ducha i umysłu Kapuścińskiego. Poznają się kilka lat po odwrocie od Października, w sześćdziesiątym pierwszym, gdy Nowak szykuje się do wyjazdu na swoją pierwszą placówkę, do Dar es-Salaam; Kapuściński miał za sobą dwie pierwsze podróże do Afryki. Dostał od kogoś telefon młodego aspiranta do dyplomacji, umówili się w kawiarni na warszawskim MDM-ie. Kapuścińskiemu zależało, żeby poznać kogoś, o kim słyszał, że tak jak on interesuje się Afryką i wyjedzie jako dyplomata do Tanganiki. Czas na poważne rozmowy o Polsce i socjalizmie, nadziejach i rozczarowaniach przyjdzie jednak sporo później.

– W tamtym czasie Rysiek uważał, że tylko w ramach partii, poprzez działanie od wewnątrz da się sensownie wpływać na polską rzeczywistość. Trzeba więc skrzyknąć, jak najwięcej inteligentnych, wrażliwych ludzi z pokolenia Października, zachęcać ich do wstępowania w szeregi partii, bo bez niej nic nie zdziałamy, wysiłki pójdą na marne.

Dobre wyjaśnienie zagadki, dlaczego niedawny „odwilżowiec", demaskator nadużyć stalinowskiej biurokracji, znajduje przystań w „Polityce" – tygodniku, mającym piętno ideologicznego destruktora głębszej odnowy socjalizmu.

Jest i inne. Po powrocie z podróży na Daleki Wschód i przyłączeniu się do koleżanek i kolegów, którzy demonstracyjnie odeszli ze „Sztandaru Młodych", Kapuściński nie wie, gdzie się podziać. Niektórzy spośród protestujących znajdują zatrudnienie w popołudniówce „Ekspress Wieczorny", inni w magazynie „Świat", jeszcze ktoś dostaje zakaz druku. Tworzą koleżeński fundusz pomocy na wypadek pozostawania bez pracy; każdy wpłaca niewielką kwotę. Oficjalnie jest to zrzutka na żaglówkę, żeby w razie czego partia nie przyczepiła się, że to jakiś nielegalny związek zawodowy czy wręcz antyrządowy spisek.

Po raz pierwszy Kapuścińskiemu przydaje się znajomość z nowym przyjacielem z Indii – korespondentem Polskiej Agencji Prasowej, Ryszardem Frelkiem. Frelek poleca Kapuścińskiego swojemu szefowi, Michałowi Hoffmanowi. Hoffman, komunista od lat międzywojennych, przygarnia Kapuścińskiego do swojego zespołu.

„Agencja lat pięćdziesiątych – wspomina długoletni PAP-owski weteran Mirosław Ikonowicz – była zbiorowiskiem najbardziej malowniczych postaci z różnych obozów politycznych, które miały za sobą niezwykłe wojenne drogi życiowe". Dawni komunistyczni partyzanci z czasów wojny pracują tu razem z ludźmi niekomunistycznego podziemia, powstańcami warszawskimi; wśród PAP-owców są byli więźniowie Auschwitz i radzieckiego gułagu – wszystkie wersje polskiej martyrologii.

Praca w agencji, opowiada Ikonowicz, dawała rzadki w tamtych czasach przywilej: dziennikarze jeździli za granicę, serwis zagraniczny nie podlegał tak czujnej cenzurze, jak wiadomości krajowe. Wyjątek: informacje o Związku Radzieckim i innych „bratnich krajach", te oglądano cenzorską lupą ze wszystkich stron.

Na razie jednak Hoffman nie wysyła Kapuścińskiego w świat, sadza żółtodzioba w sprawach zagranicznych za biurkiem w siedzibie agencji w Warszawie.

Ponieważ przyjechałem z Chin, mój nowy szef – Michał Hoffman – uznał, że muszę znać się na sprawach Dalekiego Wschodu, i nimi właśnie miałem się zajmować – chodziło o część Azji leżącą na wschód od Indii, sięgającą po niezliczone wyspy Pacyfiku.

Wszyscy o wszystkim mało wiemy, ale przydzielonych mi krajów w ogóle nie znałem, więc ślęczałem nocami, żeby dowiedzieć się czegoś o partyzantkach w dżunglach Birmy i Malajów, o buntach na Sumatrze i Celebesie czy o rebelii plemienia Moro na Filipinach. Znowu świat zaczął przedstawiać mi się jako temat ogromny, którego ani zgłębić, ani opanować nie sposób. Tym bardziej że czasu na to miałem mało, ponieważ całe dnie zajmowała mi praca w redakcji – z różnych krajów co chwila napływały depesze, które trzeba było czytać, tłumaczyć, skracać, redagować i przesyłać do gazet i radia (*Podróże z Herodotem*).

Nienawidzi roboty za biurkiem. Jeszcze tylko raz w życiu, i na chwilę, w drugiej połowie lat sześćdziesiątych, zostanie ponownie zesłany – również przez tegoż Hoffmana – za biurko w warszawskiej siedzibie agencji. Kapuściński uważa, że człowiek pracujący za biurkiem przypomina „inwalidę w gorsecie ortopedycznym", że biurko jest jego narzędziem władzy, a zarazem więzieniem, odgradza go od życia i ludzi, czyni zeń niewolnika. Świat człowieka za biurkiem szybko ulega diametralnej przemianie, zaczynają być ważne inne wartości, a kariera staje się wędrówką od biurka mniejszego do większego. To nie jego bajka.

Ma żyłkę reportera, „hajcuje" go – jak się wyrażał – rozmawianie ze zwykłymi ludźmi: w Polsce, Indiach, Japonii, a potem na jeszcze innych kontynentach. Nie tylko nie umiałby długo pracować za biurkiem, lecz także być reporterem w jakimś kraju Zachodu. Kilka lat przed śmiercią mówił nie na żarty, że umarłby z nudów jako korespondent w Brukseli przy Unii Europejskiej czy w Waszyngtonie, obsługując amerykański establishment. Bo tam życie toczy się w gabinetach, za zamkniętymi drzwiami, za stosami dokumentów. Za biurkami. Wolał wchodzić z pielgrzymami do wód Gangesu, zarażać się malarią w Ugandzie, strzelać w czasie wojny domowej w Angoli.

Dlatego gdy w drugiej połowie pięćdziesiątego ósmego Marian Turski przychodzi z ofertą dołączenia do „bandy Rakowskiego", Kapuściński czuje, że wraca życie.

Głosy (1)

Daniel Passent, felietonista „Polityki": – Nie udzielał się w życiu towarzyskim redakcji. Myśmy ciągle gdzieś się zbierali, chodzili na różne wódki, bale, wspólnie wyjeżdżaliśmy, ale Rysiek nie brał w tym udziału. Przypisuję to nie tyle jego rezerwie wobec ludzi z redakcji, co własnym, osobnym planom i brakowi potrzeb towarzysko-polityczno-środowiskowych. Był zamknięty, mało się o nim wiedziało. Nigdy nie opowiadał o życiu rodzinnym.

Mieczysław Rakowski, długoletni naczelny „Polityki": – Spokojny, zawsze z boku, nieagresywny.

Passent: – Dziewczyny to był jego słaby punkt. Godzinami przesiadywał przy stoliku redakcyjnych gońców. Pracowała tam nadzwyczajnej urody dziewczyna, wszyscy do niej wzdychali, ale ona zwracała uwagę tylko na Ryśka. Nawet się zastanawiałem czasem, o czym on z nią tyle godzin gada i gada.

Rakowski: – Rozkochał w sobie moją sekretarkę – przepiękną dziewczynę! Złamał jej serce. Któregoś dnia nie pojawiła się w pracy. Zostawiła kartkę na biurku, że odchodzi.

W „Polityce" Kapuściński zdobywa dwa szczyty. Razem z kilkoma innymi reporterami współtworzy nurt w powojennym dziennikarstwie, który zyska miano polskiej szkoły reportażu. Także tutaj odnajduje temat swojego życia: jest świadkiem dekolonizacji w Ghanie, wojny domowej w Kongu, zyskuje markę reportera do spraw Afryki i zaraża się tym kontynentem na resztę życia.

Do Ghany „Polityka" wysyła go niemal na „dzień dobry". Rakowski, którego ponad rok przed śmiercią pytałem o Kapuścińskiego, nie pamiętał, jak zrodził się pomysł, żeby nowo przyjętego, nieznającego Afryki dziennikarza (kto zresztą w Polsce znał wtedy Afrykę?) od razu po przyjęciu do pracy wysłać do Ghany.

– Prawdopodobnie – próbował sobie przypomnieć – sam Rysiek śledził prasę zagraniczną, depesze agencyjne, gdy jeszcze pracował w PAP-ie, i zauważył, że to przełomowy moment w historii Afryki. Przyszedł z tym do mnie i przekonał, że temat wart jest wyprawy. Załatwiłem zgodę Biura Prasy KC i dewizy z RSW (Robotnicza Spółdzielnia Wydawnicza), bo tygodniki nie miały własnych funduszy na takie podróże. Był wielki głód wiadomości z Trzeciego Świata, czuliśmy, że tam dzieje się Historia.

Sam Kapuściński pisze o tym tak:

> W tym czasie świat naprawdę interesował się Afryką. Afryka była zagadką, tajemnicą – nikt nie wiedział, co stanie się, kiedy trzysta milionów ludzi wyprostuje plecy i zażąda prawa do głosu. Zaczęły powstawać tam państwa, te państwa kupowały broń i w różnych gazetach

zagranicznych pojawiło się pytanie, czy Afryka nie ruszy na podbój Europy. Dzisiaj takie pytanie wydaje się mało poważne, ale wówczas zadawano je z niepokojem i serio. Dlatego ludzie chcieli wiedzieć, co dzieje się na tym kontynencie, dokąd on zmierza i jakie ma zamiary.

O pierwszej afrykańskiej wyprawie wiadomo niewiele więcej ponad to, co sam Kapuściński opowiada w reportażach i książkach; trwała ona około dwóch miesięcy.

Zanim napisze jedno z najsłynniejszych zdań polskiego reportażu: „Mieszkam na tratwie, w bocznej uliczce handlowej dzielnicy Akry…", zanim oślepi go opisane kilka dekad później w *Hebanie* światło, jasność, słońce; zanim uderzą zapachy rozgrzanych ciał, suszonych ryb, psującego się mięsa i pieczonej kassawy, spotka w samolocie z Londynu do Akry Nadira Khouri, Araba, który zawiezie go z lotniska do hotelu Metropol (właśnie tego na tratwie).

W Akrze idzie na wiec największej ikony afrykańskich ruchów wyzwolenia tamtego czasu – Kwame Nkrumaha. Rok wcześniej jako pierwszy lider afrykański Nkrumah ogłosił niepodległość Ghany i przejął władzę od brytyjskich władz kolonialnych. Robiło wówczas wrażenie wyznanie Nkrumaha z autobiografii: że nie jest mu znana data własnych urodzin.

„Tłum stoi na placu West End. Tłum stoi w słońcu, pod białym niebem Afryki. Tłum stoi i czeka na Nkrumaha, czarny, cierpliwy tłum, tłum spocony…" – zaczyna pierwszy z wieloczęściowego cyklu *Ghana z bliska* reportaż dla „Polityki".

Nie ma śladu, że Kapuściński spotyka Nkrumaha osobiście. Na pewno bardzo tego chce, odwiedza jednego z jego ministrów, jest zafascynowany postacią przywódcy Ghany, który ma panafrykańskie aspiracje. Podobają mu się odwołania do myśli Marksa i Lenina, lecz Nkrumah jest także chrześcijaninem; mówi, że obie inspiracje nie wykluczają się wzajemnie, że chodzi mu o afrykański socjalizm, który nie będzie używał przemocy ani w walce, ani do sprawowania władzy.

Kilka miesięcy przed śmiercią, w czasie wieczoru poezji Kapuścińskiego w Rzymie, podejdzie do niego kobieta, która przedstawi się jako Samia Nkrumah. Córka byłego przywódcy Ghany napisze krótko potem list, z którego również nie wynika, iżby Kapuściński kiedykolwiek spotkał Nkrumaha osobiście. Zaprosi go na obchody pięćdziesiątej rocznicy niepodległości Ghany, których Kapuściński nie doczeka.

To na West Endzie w Akrze zaczynają rozkwitać zasiane w Indiach ziarna antykolonialnego, krytycznego wobec Zachodu i kapitalizmu światopoglądu reportera i pisarza. Światopogląd ten – mimo subtelnych przeobrażeń – przetrwa do końca życia.

Stoi więc Kapuściński na placu w Akrze, słucha, a Kwame Nkrumah mówi:

– Musimy być czujni, ponieważ imperializm i kolonializm mogą przyjść do Afryki w nowym przebraniu. Imperialiści gotowi są przyznawać polityczną niepodległość, ale równocześnie pragną nadal panować nad Afryką w dziedzinie ekonomicznej przez stworzenie kontroli nad życiem gospodarczym nowo wyzwolonych krajów. Nie ma różnicy między imperializmem politycznym i ekonomicznym.

Atakuje kolonialistów:

– Prowadzą oni w Afryce politykę tworzenia chwiejnych i słabych, choć niepodległych państw. Wrogowie wolności afrykańskiej sądzą, że w ten sposób uda im się wykorzystać nasze państwa jako marionetki potrzebne do utrzymania ich (imperialistów) panowania w Afryce.

Ludzie wołają „precz", „prowadź nas Kwame!". A kiedy po trzech kwadransach Nkrumah kończy przemówienie okrzykiem „Niech żyje jedność i niepodległość Afryki!", ryczy jazzowa orkiestra, a tłum zaczyna tańczyć boogie-woogie.

W Ghanie Kapuściński odnajduje coś jeszcze: siebie sprzed paru lat. Rozmawia z zapalonym rewolucjonistą Dedem, który uważa, że wprawdzie Nkrumah jest wspaniały, to jednak zatrzymał się w pół drogi. Dlatego zamiast na stypendium do Ameryki, Ded chce jechać do Polski, uczyć się rewolucji.

Mówi Kapuścińskiemu afrykański „pryszczaty":

– Musimy pójść dalej, śmielej na lewo. Moje pokolenie przyjdzie Nkrumahowi na zmianę, posunie kraj naprzód, da ludowi władzę.

Kapuściński wyznaje, że Ded kogoś mu przypomina i czegoś mu zazdrości.

Po swoich polskich doświadczeniach z łatwością dostrzega, że afrykańska rewolucja wyzwoleńcza, pełna wzniosłych ideałów, nie uniknie za chwilę kłopotów; że po chwilach entuzjazmu nastanie rozczarowanie, gorycz.

Innego znajomego Afrykańczyka Kapuściński pyta, dlaczego nie przyszedł na wiec Nkrumaha. A czy Nkrumah mówił o płacach? Nie mówił. Po co więc miałby przychodzić?

Po powrocie z Ghany, nim wyruszy na kolejną wyprawę, Kapuściński stacza na łamach prasy drobną, lecz ważną potyczkę o Afrykę. Dostaje również wiatru w żagle – okazuje się, że afrykański temat chwycił.

Dziennikarze „Polityki" jeżdżą w teren, spotykają się z czytelnikami w szkołach, klubach studenckich, świetlicach, domach kultury. W ciągu zaledwie półtora roku Kapuściński odbywa blisko pięćdziesiąt takich spotkań. Jest oszołomiony zainteresowaniem „egzotycznym" kontynentem. Ludzie, którzy przychodzą na spotkania, niekoniecznie chcą słuchać o słoniach i afrykańskich tańcach. Przede wszystkim o tym, co dzieje się w polityce i w społeczeństwach; jak Afrykańczycy wyzwalają się spod kolonialnej niewoli, jak się rządzą, jakie mają kłopoty.

Na spotkaniach z publicznością Kapuściński zmaga się z rasistowskim i zafałszowanym obrazem Afryki, jaki popularna literatura stworzyła w umysłach czytelników. Choćby polski noblista Henryk Sienkiewicz: „Patrząc na owe rojowiska ludzkie, doznaje się takiego uczucia, jakby się patrzyło na kłębienie się robaków". Albo katolicki misjonarz z lat trzydziestych: „Tam gdzie czarni zażywają wolności, gdzie nie czuwa nad nimi oko władzy białego człowieka, stanowczo panują dawne pogańskie praktyki, ohydne uczty, na których mięso ludzkie jest najważniejszym i najmilszym daniem".

Na jednym ze spotkań Kapuściński ironizuje: – Afryka była tajemnicza, dzika i pierwotna, jej ludy bierne i jaskiniowe, a całość uzupełniona palmami, cieniem dżungli, rykiem lwa i sykiem węży tworzyła scenerię, w której odgrywał swoją dziejową rolę biały wybawca, mesjasz w hełmie tropikalnym.

Ludzie pytają:

– A czy oni się tam wyrżną?

– Czy Murzyni są jak dzieci?

Jedna pani wstydzi się spytać na głos i po spotkaniu podchodzi do Kapuścińskiego: – Niech mi pan powie tak naprawdę, czy ci czarni śmierdzą? Bo z drugiej strony są naprawdę przystojni!

Kapuściński cierpliwie tłumaczy. Szuka analogii, punktów stycznych w dziejach Polaków i Afrykańczyków. W osobistej relacji po serii spotkań pisze:

> Mamy czyste sumienie wobec Afryki: nie mieliśmy tam kolonii, sami przeżyliśmy swoje pod kolonialnym butem. Jest więc w naszej historii coś, co nas szczególnie przybliża do dramatu, jaki przeżywa Czarny Ląd. Do losów jego mieszkańców, ich walki, ich szansy. Rok 1960 jest rokiem Afryki. Tak się mówi i to jest prawda. W ten sposób nieoczekiwany i niezorganizowany sprawa afrykańska, jeden z największych problemów współczesnego świata, weszła w pole naszego widzenia i stała się przedmiotem naszej pasji.

Tym bardziej irytują go grające na zainteresowaniu „egzotyką" artykuły w prasie. Rzadko pisał tak cierpkim językiem, jak w polemice *Jak robić egzotyczkę*:

> ...panuje u nas wyraźne zjawisko niewyżycia egzotycznego. Można się założyć, że najgorszy kicz, byle miał na okładce fotografię półnagiej Murzynki pod palmą, zostanie sprzedany w ilości, z którą wiele arcydzieł literatury światowej nie może w ogóle współzawodniczyć... Tym razem właśnie „Panorama" aplikuje nam piękną porcję egzotyczki. Inżynier Chromiński opowiada, jak wygląda w Ghanie wiec. Otóż wiec „przemienia się w wielkie święto narodowe. Wszyscy porzucają pracę i przy biciu w bębny spieszą na plac". Co słowo, to bzdura: gdyby kto rzucił pracę, to by jej więcej nie dostał, w bębny nikt nie bije, bo ich się nie używa do tej okazji, nikt się też nie spieszy, bo tam jest za gorąco na pośpiech... W ten sposób spitraszony jest cały ten reportaż, który odkrywa nam jakiś nowy kraj, bo przecież chyba nie Ghanę... On tam był kilka dni, co można zobaczyć? Najwyżej podziwiamy tu tupet i śmiałość uogólnień naszego podróżnika...

Tępienie „egzotyczki" w pisaniu o Trzecim Świecie, przestrzeganie przed tą pułapką będzie po latach tematem wykładów, wywiadów, warsztatów Kapuścińskiego.

> Nigdy nie fascynowała mnie tak zwana egzotyka, choć później przeżyłem kilkanaście lat w świecie określanym jako egzotyczny. Nie pisałem ani o polowaniach na krokodyle, ani o łowcach głów, choć przyznaję,

że są to ciekawe tematy. Ale odkryłem dla siebie inną rzeczywistość, która mnie pociągnęła bardziej niż wyprawa do wioski czarowników czy rezerwaty dzikich zwierząt. Rodziła się nowa Afryka i nie była to przenośnia, nie był to ogólnik z artykułu wstępnego. Godziny tych narodzin były czasem bolesne i dramatyczne, a niekiedy pogodne i radosne, ale w obu wypadkach wszystko odbywało się według innych wzorców, w innym klimacie, no w ogóle inaczej (z naszego punktu widzenia) i to właśnie wydawało mi się, że jest nową, nieopisaną dotąd egzotyką.

Po napisaniu serii reportaży z Ghany, nie może usiedzieć w miejscu. Szuka pretekstu, żeby wrócić do Afryki. Rakowski wysyła go jednak w teren, ma pisać reportaże o polskiej prowincji.

Tymczasem latem – jest rok sześćdziesiąty – Kongo ogłasza niepodległość. Dochodzi do buntu armii, interwencji belgijskich spadochroniarzy, wojny domowej, anarchii. Kapuściński wraca pospiesznie pociągiem do Warszawy i błaga Rakowskiego, żeby redakcja wysłała go do Konga. Rakowski jest za, lecz okazuje się, że z Konga wyrzucono wszystkich dziennikarzy z krajów socjalistycznych.

– To może pojedź do Nigerii – sugeruje.

– Niech będzie choć Nigeria.

Naczelny „Polityki" wspiera starania o pieniądze na wyjazd, komisja wyjazdowa RSW przyznaje Kapuścińskiemu fundusze na wyprawę do Nigerii.

Ale co mi Nigeria, nic nie dzieje się w Nigerii (w tym czasie). Chodzę zgnębiony i załamany. Nagle iskierka nadziei – ktoś twierdzi, że w Kairze jest czeski dziennikarz, który chce przez dżunglę przedzierać się do Konga. Oficjalnie mówię, że jadę do Nigerii, a po cichu przepisuję bilet lotniczy na Kair i wylatuję z Warszawy. Tylko kilku kolegów jest wtajemniczonych w mój plan

– wspomina blisko dwadzieścia lat później w *Wojnie futbolowej*.

„Tajemniczy plan" jest, jak można domniemywać, jedną z legend, które mają tworzyć awanturniczy, pełen niesamowitości życiorys reportera. Istotnie, w Kairze Kapuściński spotyka dwóch czechosłowackich dziennikarzy, Jardę Boučka i Dušana Provazníka (późniejszego tłumacza swoich książek); razem lecą do Sudanu, potem brawurowo przedostają się do Konga. W wyprawie biorą także udział niejaki Miloslav Vaclavik z I wydziału MSW (podający się za Mirka Veselego, dziennikarza Radia Czechosłowackiego) oraz reporter radzieckiej agencji TASS Fediaszyn, który dołączy do grupy dopiero w kongijskim Stanleyville. Wyprawa nie odbywa się jednak w żadnym razie w tajemnicy przed kolegami z redakcji: Kapuściński przysyła do kraju list, który ukazuje się w „Polityce":

> Kochani,
>
> Piszę na kolanie, chwilę przed opuszczeniem Chartumu. Jutro nocą (tj. 27 stycznia) przekroczę granicę Konga. Od granicy do Stanleyville prowadzi droga przez najgęstsze dżungle Afryki. Owa 900 km licząca droga prowadzi przez tereny, które zamieszkują plemiona zupełnie pierwotne, rozumiejące tylko tyle, że biały to belgijski kolonialista. W Kairze powiedzieli nam ludzie z Konga: nawet jeśli nie wezmą was za Belgów, to wezmą was za braci Belgów.
>
> Licho już wie, co jest lepsze. Polacy spotkani po drodze byli dla mnie bardzo serdeczni i wszystkie nasze placówki pomagały mi jak mogły. Ciągle mnie pytają, czy się nie boję, a w Sudanie mam obiecane, że jak wrócę żywy – to na lotnisku powitają mnie nasze dzieciaki w strojach krakowskich.
>
> Na razie jakoś się nie boję. Myślę, że strach przyjdzie później. Wiecie, to będzie się jechać 900 kilometrów przez zwartą dżunglę, ze świadomością, że w każdej chwili wygarną serię z gęstwiny w ten samochód. Bardzo mnie ta podróż ciekawi.
>
> W Kairze zostawiłem na placówce wykaz dokumentów, pieniędzy i rzeczy na wypadek, gdybym zginął. Przyjaciele w Chartumie zaopatrzyli mnie w żywność, papierosy, bandaże i inne drobiazgi.
>
> Najbardziej intrygujące jest to, że jedzie się zupełnie na ślepo. Nic nie wiadomo. Ani jak dojechać, ani gdzie mieszkać, ani czym płacić, ani z kim rozmawiać. NIC. Sytuacja jest taka, że można od razu wpaść w ręce Mobutu, no i wtedy koniec. W Kongu jest za wiele frontów, żeby móc się zorientować. Luźne grupy obu stron poruszają się po całym kraju i tylko od losu szczęścia będzie zależało, pod czyje skrzydła najpierw się dostanę.
>
> Jak już pisałem – niczego nie można się dowiedzieć o Stanleyville. Dlatego nie wiem, jak będzie z łącznością. Poczty nie ma na pewno, więc raczej nie liczcie na prędkie reportaże. Może jest telegraf, wówczas nadsyłałbym depesze do PAP-a. Bardzo chciałbym pisać do was stamtąd, ale nie wiem, jakie są możliwości. Zrobię wszystko, co w mojej mocy.
>
> Jest tu bardzo gorąco, a tam będzie jeszcze cieplej. Dosłownie

i w przenośni. Ale czuję się dobrze i wierzę w swoje szczęście... Boże, jak stąd jest do tej Polski daleko. Zazdroszczę Wam śniegu. No, już kończę, bo motory grają. Do zobaczenia wiosną. Trzymajcie za mnie palce. Postaram się nie zawieść.

Mnóstwo pozdrowień
Wasz RYSIEK
Chartum, 26 I 1961 r.

Gdy przekraczają wreszcie granicę Konga, uroda tego kraju zapiera im dech. „Jest jak bajka, jak dobry sen. Krajobrazy prowincji wschodniej i Kiwu, drogi przez dżunglę, brzegi rzek, park Garamba, wodospady i mosty – nareszcie po przejechaniu jałowej Sahary i wypalonych sawann sudańskich docieramy do zaczarowanego królestwa Afryki. Nie chce się stamtąd wyjeżdżać".

Sytuacja polityczna natomiast to bynajmniej nie bajka, ani sen – raczej senny koszmar. Moment, w którym wyprawa reporterów dociera do Konga, jest następujący: podzielony kraj ma faktycznie cztery rządy; każdy z nich posiada armię. Rząd pułkownika Mobutu, popierany przez Zachód, sprawuje władzę w Léopoldville; rząd Gizengi, popierany przez blok socjalistyczny i niektóre rządy Afryki i Azji, ma siedzibę w Stanleyville; popierani przez Belgów liderzy Czombe i Albert Kalonji kontrolują najbogatszą prowincję Katangę oraz „diamentowe państwo" Kasai; przy czym Czombe z poparciem Belgów ogłosił wcześniej oderwanie Katangi od reszty kraju. Kulminacją kryzysu jest uprowadzenie przez ludzi Mobutu – z poparciem rządów USA i Belgii – bohatera kongijskiego ruchu antykolonialnego, usuniętego właśnie ze stanowiska premiera Patrice'a Lumumby (współpracownika Gizengi). Lumumba krótko po uwięzieniu i poddaniu torturom zostaje bestialsko zabity; jego rodzina zbiegnie do Kairu (odwiedzi ją żona Boučka, Aniela Krupińska, korespondentka PAP).

Chciałem zobaczyć wojnę, po to przedzierałem się do Konga. Ale w Kongu nie znaleźliśmy wojny, tylko bijatykę, absurdalne kłótnie i chamską imperialistyczną intrygę. Nie mieliśmy co tu robić. Były dnie, kiedy nie wychodziliśmy na krok z hotelu, bo nie było gdzie iść. I nie było po co. Wszystko wydawało się zbyt niepojęte albo zbyt oczywiste. Nawet rozmowy nie miały sensu. Zawsze lumumbista uważał mobutowca za łotra, a mobutowiec lumumbistę za łobuza. Ile razy człowiek jest w stanie słuchać takich rzeczy?

W Stanleyville, w hotelu Residence Equateur, reporterzy dowiadują się o zamordowaniu Lumumby. Jest luty, Lumumbę zabito miesiąc wcześniej, lecz wiadomość o jego śmierci ukrywano. Teraz rozeszła się w wersji rozpowszechnianej przez ludzi Mobutu: jakoby po ucieczce z więzienia Lumumbę zatłukli rozjuszeni wieśniacy. W Stanleyville nikt w to nie wierzy. Powszechne jest przekonanie – które potwierdzi się po latach – że śmierć Lumumby to wynik intrygi Belgów i Amerykanów, słowem: Zachodu, białego człowieka, mniejsza o to, czy wyrok wykonali afrykańscy współziomkowie od Mobutu, czy zachodni agenci.

Reporterzy – według relacji Kapuścińskiego – boją się wychodzić z hotelu, bo zwolennicy Lumumby winią za śmierć swojego lidera – najzupełniej słusznie – zachodnie potęgi. W praktyce nienawiść ulicy obraca się przeciwko każdemu, kto ma skórę białego koloru.

Zerwaliśmy się z łóżek – spałem z Dušanem w jednym pokoju, a Jarda w sąsiednim – i skoczyliśmy do okna. Na ulicy przed naszym hotelem... żandarmi katowali białego. Dwóch z nich wykręciło mu do tyłu ręce tak, że musiał klęczeć z pochyloną do przodu głową, a trzeci kopał go butem w twarz. Jednocześnie usłyszeliśmy dobiegające z korytarza okrzyki innych żandarmów, którzy szli od pokoju do pokoju i wyciągali białych na ulicę. Było jasne, że zaczął się poranek zemsty spontanicznej, jaką żandarmi skierowali przeciwko białej kolonialnej rasie, którą obwiniali za śmierć Lumumby...

Radiostacja Stanleyville nadaje komunikat rządowy apelujący do tych białych, którzy jeszcze znajdują się w mieście, aby z powodu zachowania się odosobnionych elementów oraz pewnych grup wojskowych, których rząd „nie jest w stanie w pełni kontrolować", nie wychodzili na ulice i nie pojawiali się w miejscach publicznych...

Do Kapuścińskiego dociera nie po raz pierwszy – lecz po raz pierwszy w taki sposób, że obawia się o życie – co oznacza piętno koloru skóry. Pisał potem, że kiedyś w Akrze szedł w towarzystwie afrykańskiej studentki, którą ścigały przekleństwa i szyderstwa za to, że zadaje się z białym.

„Miałem ze sobą pięciu ludzi i dwudziestu czarnych" – opowiada mi jeden Anglik. To tacy właśnie budowali mit. Totalny, absolutny mit koloru skóry, żywotny i potężny do dziś.

Pytają, za co w Kongu biją białych. Jak to za co? Za to, że biali bili czarnych. Oto zamknięte koło odwetu.

Przychodzą potem i takie dni, że Kapuściński i towarzysze podróży wychodzą z hotelu na ulice. Jadą na pocztę, żeby nadać korespondencje. Uciekają przed żandarmami… Tak relacjonuje Kapuściński. Nie bez perturbacji i niechęci pracowników misji ONZ – wspomina po latach – reporterskiej paczce udaje się wydostać ze Stanleyville. Transportowcem ONZ mają lecieć do Juby na północny wschód, lądują jednak w Usumburu (późniejszej Bujumburze, stolicy Burundi). Stacjonują tam ciągle belgijscy żołnierze.

Kapuściński w dramatycznej relacji (w *Wojnie futbolowej*) opisuje brutalne potraktowanie całej ich grupy przez belgijskich spadochroniarzy, kilkudniowe uwięzienie w zakratowanym pomieszczeniu na lotnisku, strach, że zostaną zamordowani, a ich ciała znikną bez śladu.

Przypominam sobie zasłyszaną uwagę: że Dušan Provazník, dowiedział się o tym, co się im przytrafiło w Kongu dopiero po latach, gdy przeczytał *Wojnę futbolową*.

Czy w niezamierzonej ironii tego zdania nie ma jakiejś podpowiedzi?

Legendy (2): skazany na rozstrzelanie

O niebezpieczne momenty kongijskiej wyprawy spytała Dušana Provazníka Bożena Dudko, autorka rozmów z tłumaczami książek Kapuścińskiego.

> Wypytuję więc pana Dušana o te wszystkie niebezpieczeństwa: spotkania z żandarmami podczas przeprawy przez dżunglę do Stanleyville i ze szwadronami zemsty...; wyprawę na pocztę, na drugi koniec sterroryzowanego miasta, żeby nadać depesze agencyjne; ucieczkę ze Stanleyville przy pomocy komisarza ONZ, uniknięcie rozstrzelania w Usumburze...
>
> Ale bezskutecznie.
>
> – Wszystko znakomicie opisał Ryszard w *Wojnie futbolowej*, ja nie mam nic do dodania – tę odpowiedź usłyszę jeszcze kilka razy.

Paradoksalnie, potwierdzenie wersji Kapuścińskiego w taki sposób, zabrzmiało dla mnie jak... stanowcze zaprzeczenie.

Dlaczego niebezpieczeństwa wyprawy to jedyna sprawa, o której Provazník nie chciał rozmawiać, mimo ponawianych pytań reporterki? O innych wątkach podróży do Konga – mimo że „wszystko znakomicie opisał Ryszard" – opowiadał bez oporów; miał do dodania interesujące nieraz szczegóły.

Niechęć do odpowiedzi na pytanie i stanowcze potwierdzanie wersji Kapuścińskiego (której nikt przecież nie podważał) wzbudziły moje zainteresowanie i zainspirowały do poszukiwania relacji Jardy Boučka. Z pytaniami, jak i gdzie szukać oraz czy taka relacja w ogóle istnieje, poszedłem do kolegi reportera piszącego o Czechach. Ów pomógł mi nawiązać kontakt z Jaroslavem Boučkiem, synem nieżyjącego już „dowódcy" kongijskiej wyprawy. W ten sposób dotarłem do opowieści daleko różnej od opisanej w *Wojnie futbolowej*.

Okazało się, że Bouček junior napisał esej *W głąb Konga*: konfrontuje w nim relację Kapuścińskiego z relacjami swojego ojca, które odnalazł w Archiwum Narodowym w Pradze, jego kairskim dzienniku oraz w listach i depeszach.

Najpierw zestawia opisy tego samego wydarzenia: przekroczenia przez reporterów granicy sudańsko-kongijskiej.

Kapuściński:

> Zapomniałem dodać, że jeszcze w Kairze minister rządu Lumumby – Pierre Mulele (późniejszy przywódca powstania Simbów, zamordowany) wypisał nam odręcznie na zwykłych kartkach papieru wizy do Konga. Ale kogo obchodziła taka wiza? Nazwisko Mulele nic żandarmom nie mówiło. Ich zamknięte, ponure twarze, do połowy ukryte w głębokich hełmach, były nieprzyjazne. Kazali nam wracać do Sudanu. Jedźcie z powrotem do Sudanu, powiedzieli, bo dalej jest niebezpiecznie, im dalej, tym gorzej. Jak gdyby byli wartownikami piekła, które zaczynało się za ich plecami.

Bouček:

> Kolejny szlaban. Z pobliskiej budki wychodzi żołnierz i z niedowierzaniem podnosi karabin. „Białe twarze" przejeżdżały tędy w ubiegłym roku wielokrotnie, wszystko to jednak były pospieszne wyjazdy Belgów z Konga do Sudanu. Wzdłuż drogi i na placyku za jedynym hotelem w Dżubie rdzewieją dziesiątki porzuconych samochodów. Dalej na północ jechać się nie da... A to pierwszy przypadek, kiedy jakiś Europejczyk jedzie w przeciwnym kierunku. Żołnierz wraca do budy, aby rzecz skonsultować, i wraca z dwoma kolegami i sierżantem. Niestety, żaden z nich nie rozumie napisanego po francusku dokumentu zezwalającego na wjazd do kraju, podpisanego przez przedstawiciela rządu Lumumby, ani moich wyjaśnień. Wobec tego jako język pertraktacji wybieramy porozumiewanie się na migi... Potem uniósł szlaban.

Bouček junior zastanawia się: – Czy ekspresyjne przedstawienie niebezpiecznej podróży do Konga u Kapuścińskiego w porównaniu z „cywilną" w nastroju relacją Boučka wypływało z tego, że Kapuściński po raz pierwszy znalazł się w dramatycznej sytuacji wojny domowej w kraju afrykańskim i zbyt dosłownie traktował słowne groźby wypowiadane pod adresem „podejrzanych cudzoziemców"? Jarda Bouček był jako reporter weteranem kilku konfliktów zbrojnych i „słowne pogróżki nie wyprowadzały go do tego stopnia z równowagi".

Z relacji Boučka wynika, że dziennikarze nie musieli wcale wyjeżdżać ze Stanleyville w obawie przed utratą życia w żywiołowych samosądach Afrykańczyków na białych. Syn czechosłowackiego reportera pisze:

> Przed wyjazdem do Konga Bouček pisał do redakcji, że będzie mógł przebywać w Stanleyville około miesiąca, a potem będzie musiał wracać, aby kupić lekarstwa, które ze względu na trwałe dolegliwości były mu niezbędnie potrzebne. Wizę wyjazdową z Konga podpisał Louis Lumumba, brat zamordowanego premiera; przed odjazdem Bouček załatwił sobie wizę powrotną, przewidywał bowiem, że do Konga jeszcze wróci.

Z Konga reporterzy wyjechali, dlatego że – według relacji Boučka – kończyły im się pieniądze, nie mieli pewności, czy ich depesze gdziekolwiek docierają, natrafiła się zresztą okazja: leciał samolot ONZ do Burundi. Bouček podważa relację Kapuścińskiego w sprawie rzekomej niechęci pracowników ONZ do pomocy ich grupie dziennikarskiej; inaczej niż Kapuściński twierdzi, że od początku było wiadomo, że lecą do Usumburu. Bouček junior:

> Pisząc dalej o tym, jak to Belgowie byli zdecydowani wszystkich ich wymordować, [Kapuściński] zapewne dał się ponad miarę zastraszyć pełnymi fanfaronady wypowiedziami niektórych młodych belgijskich oficerów, którzy rzucili pod ich adresem kilka buńczucznych uwag w typie:
>
> – Tych dziennikarzy najlepiej od razu zastrzelić!
>
> Bouček w żadnym wypadku nie odczuwał lęku, że Belgowie mają zamiar ich zabić. Usumburu było to lotnisko cywilne, obok żołnierzy znajdowała się tu cywilna obsługa lotniska, celnicy, piloci i stewardesy linii lotniczych Sabena, pasażerowie, którzy mimo woli staliby się świadkami takiej zbrodni.

Przede wszystkim jednak – jaki miałoby dla Belgów sens uśmiercenie pięciu dziennikarzy oficjalnie akredytowanych przy ONZ?

Bouček junior podsumowuje, że „wyprawa do Konga w żadnej mierze" jego ojcem „nie wstrząsnęła".

Wielu przyjaciół i znajomych Kapuścińskiego uważa, że był katastrofistą w takim znaczeniu, że drobne wydarzenia potrafił rozdymać do niewyobrażalnych rozmiarów, a zwyczajne obawy przedstawiać jako koniec świata.

– Wszystko, co mówił, dzieliłem co najmniej przez dwa – uśmiecha się Adam Daniel Rotfeld.

Wracają słowa jednego z przyjaciół: że swoją odwagę Kapuściński tworzył w literaturze; wiedział, że jest inny.

Częścią legendy Kapuścińskiego reportera jest kilka rozstrzelań, których uniknął. Wiemy o nich wszystkich od niego samego. W Boliwii, jak opowiadał, uratował go szofer, który spił oficera: ów chciał ponoć Kapuścińskiego rozstrzelać jako komunistycznego szpiega. Z kolei po przewrocie w Ghanie chciano go – jak opowiadał – rozstrzelać jako szpiega obalonego w tamtych dniach Kwame Nkrumaha.

Był też rzekomo skazany na rozstrzelanie w Usumburu pod koniec kongijskiej wyprawy. Siedział zamknięty w okratowanym pomieszczeniu na lotnisku razem z czechosłowackimi i radzieckimi dziennikarzami. „...gdy siedziałem w więzieniu w Usumburu skazany na rozstrzelanie..." – mówił Wojciechowi Giełżyńskiemu w wywiadzie w 1978 roku. „...miałem wyrok śmierci, cudem uniknąłem rozstrzelania" – mówi o tamtym zdarzeniu w innym wywiadzie, także z lat siedemdziesiątych.

Ludzie różnie reagują na stres, zagrożenie, szczególnie z dala od domu, w obcym świecie. Tak głębokie różnice między relacjami Kapuścińskiego i Boučka stawiają jednak pod znakiem zapytania nie tylko groźbę rozstrzelania w Usumburu, lecz i wszystkie pozostałe. Między twierdzeniem, że „mogło być groźnie", a sentencją, że „kilkakrotnie uniknął rozstrzelania", jest spora różnica.

Kapuściński przez wiele lat kreował własną legendę: reportera macho, któremu nie straszne wojny, głód, dzikie zwierzęta, tropikalne insekty i choroby, a także śmierć zaglądająca w oczy. Nie ma wątpliwości, że przez ćwierć wieku pchał się tam, gdzie niebezpiecznie; nieraz znajdował się w sytuacjach, które każdego przyprawiłyby o panikę i strach.

Brytyjski dziennikarz William Pike, który od kilku dekad mieszka w Afryce Wschodniej, opowiadał mi, jak w 1988 roku wpadli razem w zasadzkę zastawioną przez partyzantów w Ugandzie (Kapuściński opisał ją w *Hebanie*).

– Zachowywał się spokojnie, godnie, nie panikował – opowiada Pike, którego spotykam w Kampali. Ma jednak zastrzeżenia do akuratności opisów Kapuścińskiego. Na przykład, niespełna metrowe trawy urastały w jego opowieści do dwumetrowych; szeroka, równa droga stawała się pod piórem Kapuścińskiego wyboistą, niebezpieczną ścieżyną.

Różnice między relacjami Boučka i Kapuścińskiego z wyprawy do Konga, w szczególności fragmenty dotyczące zatrzymania w Usumburu, są poważniejsze. Sugerują, że Kapuściński przesadzał, kreował sensacyjną opowieść na kanwie sytuacji, które nie były sensacyjne w takim stopniu, jak je opisał. Tworzył literacką postać Ryszarda Kapuścińskiego, bohatera książek Ryszarda Kapuścińskiego, a tym sposobem swoją legendę.

Przyjaciele wspominają, że nieraz podrywał dziewczyny na opowieści o biedzie, głodzie i niebezpieczeństwach w czasie wojny.

Publiczność, swoich czytelników uwodził bohaterstwem, wizerunkiem reportera macho. Świetnie rozumiał, że częścią dobrej literatury jest aura wokół niej, legenda pisarza. Żywot reportera jeżdżącego na wojny, obsługującego rewolucje i zamachy stanu w Trzecim Świecie, nadawał się do jej tworzenia w sam raz, szczególnie, że tylko niewielką część należało „podkolorować", większość składników legendy była prawdziwa.

Moją hipotezę potwierdza pośrednio uwaga, którą słyszę od Jerzego Nowaka: – Nam, przyjaciołom, opowiadał o tych „rozstrzelaniach" zawsze z przymrużeniem oka. Wiedzieliśmy, że to *licentia poetica* Ryśka. Z czasem zaczął jednak traktować te opowieści na serio. Czytelnikom i słuchaczom pozwalał wierzyć, że wszystkie te niebezpieczne przygody przytrafiły mu się naprawdę i gdy inni o nich mówili bądź pisali – nie zaprzeczał.

W „bandzie Rakowskiego" cd.

Pewnie nie dowiemy się nigdy, co to za towarzysz z polskiego Ministerstwa Spraw Zagranicznych powiedział Kapuścińskiemu, że nie powinien więcej wyjeżdżać jako korespondent, bo nie rozumie „procesów marksistowsko-leninowskich zachodzących w tamtym świecie". Po powrocie z Konga Kapuściński pisze notatkę dla MSZ, w której przedstawia kongijski konflikt, panującą tam anarchię, rozpad nowo powstającego państwa. Prorokuje porażkę sympatyzującego z obozem socjalistycznym Gizengi i zwycięstwo prozachodniego Mobutu. Nieprawomyślne proroctwa nie podobają się towarzyszowi z MSZ.

Zamordowanie Lumumby, romantycznego lidera wyzwalającego się spod władzy kolonialnej Konga, umacnia przekonanie Kapuścińskiego o złowrogiej roli Zachodu w Trzecim Świecie; nie tylko dawnych potęg kolonialnych, lecz także Stanów Zjednoczonych, które w czasie toczącej się zimnej wojny grają wśród zachodnich mocarstw pierwsze skrzypce. (Lata później wyjdzie na jaw, że CIA przygotowywała plan zamordowania Lumumby).

> Każda agresja jest zbrodnią, ale w wypadku Konga najazd kolonialistów ma jeszcze dodatkowy rys cynicznego szyderstwa. Oto wprawni dyplomaci, doświadczeni oficerowie, sprytni przedsiębiorcy – cała obrotna i przebiegła kadra zachodnich ekspertów zachowuje się w niepodległym kraju jak na własnym podwórku, ponieważ jego prawi właściciele nie mają dość sił i środków, aby się obronić, nie mają ani tego doświadczenia, ani tej organizacji, są skłóceni i nie rozumieją bardzo wielu rzeczy. Walka jest nierówna, pięciu silnych chuliganów pastwi się nad małym chłopcem…

Belgowie odgrodzili Kongo od świata. Kongijczyk nie mógł pojechać do Europy, ponieważ nie wolno mu było zobaczyć, że biały pan bywa również zamiataczem ulic. Prasa wychodząca w kolonii cenzurowała wszystkie wiadomości, z których nie mogło wynikać, że w Europie mieszkają również tacy ludzie, co to nie mają na chleb. Dramat Konga – mówił mi tam pewien Europejczyk – polega na tym, że ten najbardziej zacofany w Afryce kraj dostał się pod panowanie najbardziej lichych i małych ludzi w Europie.

Wyprawa do Konga to jedno z najważniejszych doświadczeń, jakie formuje światopogląd Kapuścińskiego, jego spojrzenie na zimnowojenny konflikt, ówczesne dylematy i dramaty z perspektywy wyzwalających się krajów Trzeciego Świata.

W *Dziennikach politycznych* pod datą 23 czerwca 1961 roku naczelny „Polityki" Rakowski notuje: „Rysiek zakończył cykl pt. *Kongo z bliska*. Opublikowaliśmy 12 reportaży. Rysiek jest fantastycznym reporterem. To już nie jest zwykłe dziennikarstwo. Jest to literatura polityczna tworzona przez piekielnie utalentowanego twórcę. Na koncie Funduszu im. Lumumby zgromadziliśmy 2 687 138 zł".

Fundusz im. Lumumby powstaje z inicjatywy Mariana Turskiego, a jego celem jest fundowanie stypendiów uniwersyteckich dla młodych ludzi z Afryki. W ciągu dwóch tygodni na konto wpływa ponad pół miliona złotych – suma wówczas imponująca. W dużej mierze dzięki reportażom Kapuścińskiego „Polityka" wprowadza do obiegu inny niż europocentryczny punkt widzenia. Uczczenie zamordowanego Lumumby stworzeniem funduszu nie jest jakąś propagandową akcją. Ludzie interesujący się światem, a tacy pracowali w „Polityce", przejmują się na serio tym, co dzieje się w budzącym się do życia politycznego Trzecim Świecie. Zarażają tym zainteresowaniem czytelników.

Rok później w konkursie popularności autorów „Polityki" Kapuściński zajmuje pierwsze miejsce. Reportaże z Ghany i Konga grają swoją rolę w zyskaniu sławy i uznania czytelników, lecz to nie jedyne pole popisu Kapuścińskiego. W ciągu paru zaledwie lat przepracowanych w „Polityce" Kapuściński stwarza własny język, nową stylistykę, poetycki rytm zdań, oryginalny sposób obrazowania – uwolnione od gorsetu drewnianej, propagandowej mowy pierwszych lat dziennikarskiej pracy w „Sztandarze Młodych". To ten nowy język i nowy ton sprawiają, że początkująca wtedy reporterka Małgorzata Szejnert pomyślała po przeczytaniu jednego z jego reportaży: On pisze, jak chce.

*

„...był kimś w rodzaju Hanny Krall epoki motocykla i pierwszych neonów..." – napisał kilkanaście lat później redakcyjny kolega Michał Radgowski. (Krall zasłynęła krajowymi reportażami w latach siedemdziesiątych).

– Rozkwitł w „Polityce" – mówi Daniel Passent. – Pisał teksty, które pokazywały bez lukrowania, co naprawdę dzieje się w Polsce.

Kapuściński jedzie na polską prowincję; faktycznie odwiedza ją na zmianę z podróżami afrykańskimi, jeszcze nie wie, że będzie to jego pożegnanie – jako reportera – z Polską. Pożegnanie osobliwe, bo ledwie błysnął jako wnikliwy obserwator Polaków w czasach „małej stabilizacji", chwilę później poszedł zupełnie inną drogą.

– Zdezerterował – powiadali niektórzy.

Kapuściński odpierał zarzuty: – Afryka i Trzeci Świat były przedłużeniem heroicznego okresu reportażu w Polsce.

Przełom lat pięćdziesiątych i sześćdziesiątych – lata „małej stabilizacji" – to już nie romantyczne marsze, nie szturmowanie wielkich budów socjalizmu, nie ideowe debaty i rozbudzanie marzeń; to czas pozytywizmu Polski Ludowej, pracy u podstaw, robienia tego, co się da w warunkach siermiężnego, purytańskiego socjalizmu Władysława Gomułki. Ludzie zarabiają na nowe mieszkania, marzą o samochodzie, próbują się urządzać, mało komu w głowie walka o socjalizm czy z socjalizmem. Większość zamyka się w prywatności życia domowego, rodzinnego, towarzyskiego.

> „Polityka" jest w Polsce Gomułki oazą nowoczesnego na miarę czasu i miejsca myślenia. Z „Polityką" można było wejść do salonu. I porozmawiać tam z Maxem Frischem, Aragonem, Sartre'em, Lévi-Straussem... Odkrywanie świata miało różne wymiary. W reportażach Passenta z Ameryki, Kapuścińskiego i Pasierbińskiego z budzącej się właśnie Afryki, Krall ze Związku Radzieckiego, w publicystyce niemieckiej Rakowskiego i Zdanowskiego okazywał się on nieschematyczny, ciekawy, pełen paradoksów i otwartych pytań (Wiesław Władyka).

„Polityka" szuka własnego stylu myślenia o społeczeństwie, gospodarce, kulturze. Bywa sceptyczna, ironiczna, stawia niewygodne pytania – w ramach zgodnych z zasadniczą linią partii; kreuje gusta i pozytywne snobizmy. „Na przykład akcja pisma «Obywatele, nie jąkać się» – pisze Władyka – kontaktuje się z pierwszymi światowymi doświadczeniami pokolenia ówczesnych trzydziestolatków, które, niestety, nie zna języków obcych; akcja «Spójrzmy na zegarki» jest w istocie rzeczy walką o sensowną organizację pracy i życia, walką z biurokracją i lekceważeniem ludzi".

Tygodnik adresuje swoje teksty i akcje do nauczycieli, inżynierów, lekarzy, architektów – inteligencji humanistycznej i technicznej. Pasją publicystów „Polityki" jest wychowywanie ekonomiczne obywateli. „Szanuje pracę i pieniądze. Irytuje ją niegospodarność i marnotrawstwo. Interesuje się nie przecinaniem wstęgi, lecz konkretnymi efektami". To laurka, lecz nieodległa od aspiracji i autentycznych zabiegów redaktorów „Polityki".

Kapuściński podróżuje po kraju, portretuje prowincjonalną Polskę przełomu lat pięćdziesiątych i sześćdziesiątych. Większość tych reportaży złoży w pierwszą swoją książkę *Busz po polsku*. Nadal zdarza mu się pisać historyjki pozytywne, na wpół socrealistyczne. „Reportaż pozytywny" – już w tamtych czasach brzmiało to ironicznie – to rodzaj tekstu, który opisuje różowe strony życia w socjalizmie, ma optymistyczny ton, ukazuje, że ciężką pracą, wytrwałością można zdobyć góry – tak jak przodownik pracy z Nowej Huty, wcześniej pastuch, który został profesorem na uniwersytecie (*Siły na zamiary*). W innym „reportażu pozytywnym" Kapuściński opisuje wizytę u lokatorów nowo oddanego bloku i zachwyca się skutecznością budownictwa socjalistycznego (*Dom*). Jednak większość swoich opowieści z kraju Kapuściński pisze w innej stylistyce, a tematy i ich ujęcie są zazwyczaj oryginalne, zaskakujące.

Opisuje:

ucieczkę dwóch Niemek z domu starców w Szczytnie (*Wymarsz piątej kolumny* – po latach zarzucano reportażowi tony antyniemieckie);

historię kilku życiowych rozbitków, którzy podnoszą z ruin zniszczone Państwowe Gospodarstwo Rolne (*Wydma*);

społeczność miasteczka, w którym kobiety skatowały piękną dziewczynę; jej twarz artysta użyczył rzeźbie Madonny przed miejscowym kościołem (*Danka*)...

Pisze o studentach wyrzuconych ze studiów, pijakach – wolnych ptakach (*Bez adresu*), o wędrujących od zakładu do zakładu robotnikach, którzy nie chcą robić karier, są pozbawieni ambicji – to antypody socrealistycznych herosów wznoszących wielkie budowle socjalizmu w latach pięćdziesiątych (*Partery*).

Reportaże składają się na wielki fresk mało znanej w Warszawie Polski B i C.

Ze zgryźliwego ducha „Polityki" wywodzą się uwagi reportera w opowieści o dziewczętach z Pratek: „Marzyłem dalej, aby instruktor z powiatu, który obsługuje kolejne zebrania partyjne, już po omówieniu spraw decydujących dla dalszego rozkwitu naszej ojczyzny, zechciał mimo woli i zupełnie na marginesie zapytać: A jak tam z zębami, towarzysze? Myjecie wy te zęby czy nie?" (*Reklama pasty do zębów*).

Niektóre reportaże mają morały – jak o dyskobolu Piątkowskim (*Wielki rzut*). Kapuściński, który kocha sport, szczególnie piłkę nożną, dostrzega u mistrza w rzucie dyskiem coś, co porusza również jego dążeniami: pasję.

> Co jest bodźcem? – pyta sportowiec. – Może nie tylko myśl o rekordzie, ale i ciekawość: ile się jeszcze da zrobić? Co można z siebie wydobyć? Gdzie leży ta ostateczna granica, do której można dojść? Iść jest coraz trudniej. Ale to pasjonujące – pokonywać samego siebie. Ten, który może być, zwycięża tego, który jest. Trwa walka.

Pasję dyskobola Kapuściński przeciwstawia powszechnemu „kombinowaniu" – reportaż o sportowcu ma przez to szersze przesłanie społeczne. Ironizuje: „Może wystarczy trochę zakombinować, gdzieś się wcisnąć i będzie okay? Po co tyrać? Jakaś piosenka, może twarz, umiejętnie wymierzone ukłony – to nie wystarczy?".

Wspaniały rytm zdań, swobodny język, nic ze sztywności, w jakiej Kapuściński dobrowolnie uwięził się w czasach socrealizmu. Wiele z tamtych tekstów wejdzie po latach do kanonu polskiego reportażu literackiego, będzie punktem odniesienia dla kolejnych pokoleń reporterów.

> Wydmę odkrył Trofim. W pięćdziesiątym dziewiątym ważny z powiatu zapytał go: Pilnować umiecie? Trofim się zastanowił: Czemu nie? Na to ważny powiedział: Niech jedzie. Zawieźli go wozem na miejsce. Stanął na podwórzu, rozejrzał się.
>
> Otoczył go świat zmarnowany.

– Gdy przeczytałam *Wydmę*, zatrzymałam się na ulicy i poczułam, że coś się stało w moim życiu. Byłam olśniona językiem, rytmem zdań. Czytałam ten tekst wiele razy, aż się nauczyłam na pamięć.

Małgorzata Szejnert jeszcze po wielu latach ledwo opanowuje ekscytację, jaką wywołał u niej ten reportaż. Po roku osiemdziesiątym dziewiątym między innymi na starych tekstach Kapuścińskiego będzie uczyć warsztatu reporterskiego młodych adeptów sztuki reportażu w „Gazecie Wyborczej".

– Nikt tak wcześniej w Polsce nie pisał. Może trochę Melchior Wańkowicz? Ksawery Pruszyński? Na pewno nikt z naszego pokolenia. Była w jego tekstach swoboda obrazowania, plastyczny język, a jaka brawura! Jak gdyby nic go nie krępowało: żadna cenzura, żadne lojalności polityczne, to była czysta, wolna twórczość. Żałowałam, że został korespondentem zagranicznym, bo bardzo chciałam czytać jego reportaże o Polsce.

Nad dwoma reportażami Kapuścińskiego z tamtego czasu unoszą się cienie politycznego zamówienia.

Uprowadzenie Elżbiety opowiada o nauczycielce spod Kalisza, która decyduje się na życie zakonne, zamyka w klasztorze i zostawia bez pomocy schorowanych rodziców. Niejako w ich imieniu Kapuściński jedzie do klasztoru i próbuje rozmawiać z córką.

> Przez kratę widziałem oczy zakonnicy, oczy wielkie brązowe, z gorączką w źrenicach. Milczała, patrząc gdzieś na bok. Ludzie, którzy patrzą na bok, mają coś do powiedzenia, ale strach knebluje im gardło. Potem usłyszałem jej głos:
>
> – Co mi pan przywozi?
>
> A ja nie miałem nic. Nie miałem żadnych słów ani żadnej rzeczy...
>
> – Właściwie nie wiem. Może tylko krzyk matki.

Nie wiadomo, czy Kapuściński sam wpadł na trop tematu, czy zlecił mu go Rakowski (w rozmowie Rakowski zaprzeczył). Tekst wywoływał wątpliwości, niesmak. Kilkanaście lat później Szejnert napisze: „Autor interweniuje w sprawie trudnej do oceny i używa formy zbyt egzaltowanej. Musi wiedzieć, że tekst jest wodą na młyn oficjalnej niechęci do Kościoła, a jednak działa w najlepszej wierze, jest przekonany, że pomaga chorym, opuszczonym rodzicom bohaterki, która wybrała klasztor obojętny na losy jej bliskich".

Reportaż zawsze jest zakorzeniony w realiach czasu i miejsca – czytany po upadku realnego socjalizmu, w czasach, w których władze państwowe żyją z Kościołem dobrze, czasem nawet za dobrze, broni się jako opowieść o wyborze pewnej kobiety i bezduszności instytucji.

W drugim tekście napisanym na polityczne zamówienie – i to samego przywódcy partii Gomułki – Kapuściński zręcznie skrył się za literacką formą i dowcipnym konceptem.

– Gomułka – opowiada Janusz Rolicki, wtedy początkujący reporter „Polityki" – zażyczył sobie reportażu na pierwszej stronie, który uczciłby 550. rocznicę bitwy pod Grunwaldem, wielkiego zwycięstwa oręża polskiego nad Zakonem Krzyżackim. Zapewne oczekiwał antyniemieckich akcentów, był politykiem, dla którego sprawa Ziem Odzyskanych po II wojnie światowej przez Polskę, a także stawianie się Niemcom w polityce międzynarodowej były niemal obsesją.

Rakowski zleca „prestiżowe" zamówienie Kapuścińskiemu. Reporter znajduje się w pułapce: niezależność spojrzenia czy polityczna dyspozycyjność. Jak z tego wybrnąć?

Opisuje chłopa nazwiskiem Piątek, który uprawia rolę pod wsią Grunwald. Piątek ma zagrodę i hektary ziemi, posyła dzieci do szkoły, stać go na pralkę dla żony. Nie ma pojęcia o bitwie z Krzyżakami w 1410 roku. Gdy rozmawiają o wojnach, Piątek ma na myśli tę światową z Hitlerem, a reporter – tę feudalną, której bogoojczyźniany wizerunek stworzyli w zbiorowej wyobraźni pisarz Sienkiewicz i malarz Matejko. Piątek cieszy się, że młodzież zjeżdża do Grunwaldu, że wieś zrobiła się sławna, choć nie rozumie dlaczego, ale „martwi się, czy mu tysiącem stóp nie przygniotą tego łanu, który tak obiecująco wzrósł".

> Piątek historią się nie zajmuje. Ważna jest ziemia... Ziemia i tak wyda plon. Piątek i tak go zbierze.

Pozbawiony patriotycznego patosu i politycznych akcentów, lekko humorystyczny reportaż nie nadaje się na rocznicowy tekst na pierwszej stronie. Rakowski, którego Gomułka co i rusz wzywa na dywanik, nie chce ponownie rozwścieczyć I sekretarza i *Piątek pod Grunwaldem* ląduje w środku numeru.

Kapuściński okazuje się mistrzem uniku. Na jego zdolność do unikania frontalnych zderzeń, konfrontacji zwraca mi uwagę wielu znajomych i przyjaciół. Nie odmawia napisania reportażu na polityczne zamówienie, lecz pisze go w taki sposób, by nie spełniał wymagań zleceniodawcy. Powiedzenie „nie" nie leżało w jego charakterze, nigdy wcześniej ani potem nie był typem dysydenta, kontestatora; nie był kimś, kto uważa, że jego misją jest dawanie moralnego świadectwa. Lecz chciał też uniknąć etykiety propagandysty, reportera dyspozycyjnego. Napisał tekst na zamówienie, ale taki, którego nie musiał się wstydzić.

Sytuacja, w jakiej się znalazł, nieźle ilustruje jeden z dylematów, z jakimi zmagali się wartościowi dziennikarze w Polsce Ludowej. Chcieli pisać, funkcjonować w oficjalnym obiegu, wielu – jak sam Kapuściński – mimo rozczarowań wciąż uważało socjalizm za swój ustrój. Jednocześnie pragnęli zachować względną niezależność spojrzenia i ocen, źle się czuli w roli partyjnych popychadeł, piór na zlecenie, których niemało widzieli wokół siebie, w tej samej czy innej gazecie. Doświadczenie roboty propagandowej Kapuściński miał już zresztą za sobą.

Głosy (2)

Rakowski: – Gomułka zbeształ mnie za jakiś reportaż Kapuścińskiego. Chodziło o dialog dwóch pań, w którym jedna radzi drugiej, jak dawać chłopu. Było – że „na stojąco". – W partyjnym organie, na pierwszej stronie piszecie o tym, jak chłop obraca babę! – wrzeszczał Gomułka. A po chwili zapytał refleksyjnie: – Na stojąco? A czy to jest w ogóle możliwe?

(Chodzi o reportaż *Spokojna głowa gapy* z 1959 roku i fragment: „Przypadkowo podsłuchuje rozmowę swoich uczennic: «Ty głupia, rób to na stojąco. Nie zajdziesz»").

Artur Starewicz, kierownik Biura Prasy KC: – W Komitecie Centralnym ceniono Kapuścińskiego, cenił go sam Gomułka. Nigdy oczywiście nie wygłaszał jakichś wyczerpujących opinii na jego temat, pamiętam jednak przychylne uwagi, wyrazy uznania dla talentu pisarskiego i jakości analiz.

Rolicki: – Kapuściński miał szacunek do Gomułki. Mówił, że Gomułka to polityk, dla którego mogłyby istnieć tylko dwie polskie ambasady: w Moskwie i w Bonn. W Moskwie – bo wiadomo; w Bonn – bo konikiem Gomułki były Ziemie Odzyskane. Dążył za wszelką cenę do tego, żeby Niemcy Zachodnie uznały przynależność tych ziem do Polski. Kapuściński to szanował. Miał Gomułkę za dobrego gospodarza, który pilnuje każdego worka zboża.

Na krótko przed rozstaniem z „Polityką" Kapuściński znajduje się w centrum skandalu. Oto literat Bohdan Drozdowski publikuje dramat

Kondukt, który Kapuściński odbiera jako plagiat swojego tekstu *Sztywny*.

Streszczenie (autorstwa samego Kapuścińskiego):

> Grupa ludzi wiezie ciężarówką trumnę. W trumnie znajdują się zwłoki górnika, który zginął w wypadku przygnieciony węglem. Wyprawa udaje się do rodzinnej miejscowości górnika, gdzie ma on być pochowany. Jednakże po drodze psuje się samochód. Uszkodzenia nie da się usunąć. Powstaje pytanie: co robić? Zbliża się noc, do celu wyprawy nie jest daleko. Jedni uważają, że trzeba zdobyć jakiś środek lokomocji. Inni – że można by przecież wziąć trumnę i zanieść na miejsce. Stanowisko tych ostatnich zwycięża. Grupa ludzi niesie więc wśród ciemności, przez las – trumnę. Po jakimś czasie, zmęczeni, zatrzymują się, stawiają trumnę z boku, rozpalają ognisko. W nerwowej atmosferze tej nocy dochodzi do bójki, aktów histerii. Zarazem pojawia się kilka przygodnych dziewcząt, zaczynają się umizgi, w których zresztą nie wszyscy biorą udział. W końcu wysłannicy kopalni kontynuują marsz, niosąc trumnę na ramionach.

Zarys fabularny dramatu Drozdowskiego jest niemal identyczny.

W liście do „Polityki" Kapuściński ujawnia, że przed wyjazdem do Konga zwrócił się do niego Drozdowski, prosząc o nienadawanie sprawie rozgłosu. (Drozdowski z kolei twierdził potem, że o pretensjach Kapuścińskiego dowiedział się za pośrednictwem jego znajomych, sam zaś wcześniej nie czytał *Sztywnego*). Zawarli – jak twierdzi Kapuściński – dżentelmeńską umowę: Drozdowski napisze list do miesięcznika „Dialog" (gdzie opublikowano *Kondukt*), w którym przyzna się do inspiracji tekstem Kapuścińskiego i nie dopuści do inscenizacji dramatu; z kolei Kapuściński nie wytoczy sprawy w sądzie i nie nada sprawie rozgłosu. W trakcie ponownego spotkania na kiermaszu książki Drozdowski wpisuje Kapuścińskiemu dedykację w tomiku swoich wierszy: „Drogiemu Ryśkowi Kapuścińskiemu utajonemu współautorowi mojej najlepszej (dotychczas, bo jedynej) sztuki *Kondukt* z serdecznościami zupełnie „Sztywny" z zimna – Drozdowski. 14 V 61 r.".

Kapuściński wpada w furię, gdy po powrocie z Konga orientuje się, że Drozdowski nie opublikował wyjaśnień, a sztukę *Kondukt* ma wystawiać kilka teatrów na prowincji. We wściekłym liście na łamach „Polityki" dokłada wszystkim obrońcom Drozdowskiego: krytykom, którzy chwalili *Kondukt* i bronili uczciwości autora, redaktorom naczelnym pism, którzy te teksty wydrukowali, teatrom, które chcą wystawiać sztukę plagiatora, a nawet milczącym, którzy wolą się nie odzywać, żeby nie stracić dobrych koneksji.

Nie chcę bowiem więcej tych przyjemności, jakich dostarcza czytanie własnych pomysłów, podpisanych czyimś nazwiskiem. Nie chcę, żeby kolejny amator „reportażowych inspiracji" wnosił na wyżyny prawdziwej literatury to, co piszę ja czy moi koledzy w gazecie. Nasz reporterski zawód jest trudny i w to, co piszemy – jakby się komu nie wydawało dziwne – wkładamy swój pot i wysiłek. Uważałem, iż z tego, że nam brakuje wielkości i skrzydeł przydanych tylko twórcom tzw. prawdziwej literatury, nie wynika prawo do zabierania nam tego, co jest nasze. Tak uważałem, ale jakież to się okazało mylne!

Osią sporu o plagiat jest rodzaj literacki *Sztywnego*. W liście atakującym Drozdowskiego Kapuściński nazywa swój tekst opowiadaniem. Drozdowski broni się tak:

...rzecz ta mogła zostać odczytana jako reportaż, do tego reportaż prawdziwy... Fakty zaś podawane w reportażach nie bywają niczyją własnością i mogą być uznawane za własność publiczną podobnie jak anonimowe wiadomości agencyjne, zawierające przecież niekiedy gotowe fabuły dramatyczne... nikt z normalnych ludzi, nie mając żadnej podkreślonej uwagi, że rzecz jest fikcją – nie mógł na to wpaść...

Wątek obu tekstów można by streścić krócej: „ZABIŁO GÓRNIKA, WIOZĄ DO WSI, NAWALIŁ SAMOCHÓD, KŁÓTNIA, NIEŚĆ CZY NIE NIEŚĆ? NIEŚĆ. NOC. LAS. NERWY". I ponad tych kilka zdań NIC, zupełnie nic nie łączy obu utworów.

Drozdowskiego broni Związek Literatów Polskich. W specjalnym komunikacie prezes związku Jarosław Iwaszkiewicz stwierdza, że „zwyczaj grzebania zwłok w miejscu rodzinnym zmarłego górnika... jest znany i szeroko praktykowany", a zatem „temat ten nie może być przedmiotem wyłączności żadnego autora". Orzeka również, że „rodzaj i fabuła utworu są różne".

Tymczasem redakcja „Polityki" staje murem za Kapuścińskim:

Drozdowski pragnie zasugerować, że o plagiacie byłaby mowa tylko wtedy, kiedy zdania i frazy *Sztywnego* i *Konduktu* pokrywałyby się dokładnie. Nie bądźmyż tak naiwni! Nikt nie ma zamiaru ukrywać faktu, że w *Kondukcie* są również inne realia, że nieco inne postacie, że nieco inne szczegóły – zwłaszcza w planie bocznym. Ale fakt pozostaje faktem: nie tylko pomysł jest ten sam, ale również zarys fabularny i – co ważniejsze – atmosfera psychologiczna i filozoficzna…

Jak odbija Drozdowski zarzuty Kapuścińskiego: Wolno zrzynać z cudzego reportażu, jeśli nie jest on zaopatrzony podtytułem „opowiadanie"…

Jakąkolwiek wersję alibi Drozdowskiego byśmy przyjęli, powstaje pytanie: jeśli jest on czysty jak łza – dlaczego tak skwapliwie zgodził się potraktować Kapuścińskiego za współautora sztuki? Dlaczego przyznał się do tego w dedykacji, dlaczego – niedawno temu, choć później odwołał decyzję – postanowił wprowadzić nazwisko Kapuścińskiego na afisz teatralny? Czy ot po prostu – z filantropii i dobrego serca – „gotów był na daleko idące ustępstwa"? Dlaczego – tak pewny swojej uczciwości – wydeptywał wielokrotnie korytarze naszej redakcji, poszukując Kapuścińskiego, a następnie perswadując i nakłaniając „Politykę" do poniechania artykułu?

Do dyskusji włączają się znani pisarze. Antoni Słonimski w satyrycznym tygodniku „Szpilki" pisze, że Drozdowski popełnił plagiat. Julian Przyboś atakuje z kolei „Politykę" za „bardzo przykry i zaciekły ton", a Słonimskiego za ton wręcz „mściwy". Drwi z jakości artystycznej reportażu-opowiadania Kapuścińskiego. „…krzyk o rzekomy plagiat zwrócił nieopatrznie uwagę na *Sztywnego*, co może tylko przynieść szkodę reputacji Kapuścińskiego jako beletrysty".

Stronę Drozdowskiego bierze również prozaik Jerzy Putrament: „Chodzi tu o nieszczęśliwy wypadek, nie o świadome naruszenie czyichś praw". Wina Drozdowskiego polega, według Putramenta, na „wdawaniu się w pertraktacje z Kapuścińskim": „Jest dostatecznie dorosły, żeby wiedzieć o istnieniu na kuli ziemskiej takich ludzi, dla których każdy pretekst jest dobry, byleby rozrabiać. Po cóż tak się im nadstawiać?". Poeta Andrzej Mandalian pokpiwa z kolei z Drozdowskiego: „Opowiadanie Kapuścińskiego przerobił Drozdowski pod nieobecność autora w kraju, a ściślej – podczas jego pobytu w Kongo, gdy nie wiadomo było, co się z chłopakiem stanie…" (Nie jest to ściśle – *Kondukt* został opublikowany w sierpniu 1960 r., Kapuściński pojechał do Konga później).

Rakowski powiedział mi, że nie wyklucza inspirowania tak wielkiej wrzawy w prasie na ten temat w samym KC. Mieliby to robić ludzie niechętni „Polityce" – takich tam nie brakowało – którzy wykorzystali pretekst do zaatakowania „awanturnictwa" tygodnika i zdołali wciągnąć w swoje intrygi niektórych pisarzy. Zapytany jednak o nazwiska, Rakowski zamilkł.

Spór o plagiat ma w biografii Kapuścińskiego inne – zupełnie niepolityczne – znaczenie. Ogniskuje pytania o zasady i granice wprowadzania elementów fikcji do dziennikarstwa. W jakim stopniu wolno deformować rzeczywistość, by uzyskać głębszą prawdę oddającą „istotę rzeczy"? Gdzie przebiegają linie demarkacyjne między fiction i non-fiction? Czy wprowadzając elementy zmyślenia, poddając rzeczywistość obróbce, przesuwamy tekst z półki „dziennikarstwo" na półkę „literatura"? Czy reportaż literacki – jak uważał sam Kapuściński – to autonomiczna twórczość artystyczna, równoprawny gatunek literatury (stąd przede wszystkim wściekłość na Drozdowskiego)?

Lata później, już jako światowej sławy reporter i pisarz, Kapuściński narazi się nieraz na surową krytykę z powodu nonszalanckiego traktowania faktografii jako surowca tekstu, niedokładności, niewiedzy, a nawet zwyczajnych zmyśleń.

Autorska deklaracja, że *Sztywny* to opowiadanie, będzie obfitowała w rewolucyjne konsekwencje dla dalszej twórczości i wychylania się dziennikarstwa Kapuścińskiego w stronę szczególnego rodzaju literatury faktu, która nie gardzi fikcją. Fikcja wedrze się zarówno do świata przedstawionego jego utworów, jak i do wątków autobiograficznych, co nieraz jest jednym i tym samym: Kapuściński to przecież bohater większości swoich książek.

Na początku sześćdziesiątego drugiego roku w życiu Kapuścińskiego pojawia się znowu przyjaciel z Indii: Ryszard Frelek. Po powrocie z placówki korespondenta w New Delhi zostaje decydentem w Polskiej Agencji Prasowej i składa Kapuścińskiemu propozycję otwarcia pierwszego biura PAP w Afryce. Miejsce: Tanganika, Dar es-Salaam – to samo miasto, do którego na placówkę wyjeżdżał właśnie poznany w kawiarni na MDM-ie młody dyplomata Jerzy Nowak.

Dla Kapuścińskiego to okazja do rozwinięcia nowej trzecioświatowej pasji. Żadna gazeta ani tygodnik nie mają takich możliwości finansowych jak PAP; mogą wysyłać reportera za granicę od czasu do czasu.

A do tego w Afryce Kapuściński ma swoją ukochaną rewolucję, Wielką Zmianę. W Polsce Gomułki „nie ma tej iskry, tego bigla", a przecież tęskni za latami, które tak „wypaliły go", w czasie których „wypompował się, spłukał". Odnajduje je w Afryce – tam się teraz dzieje. Nie chce jeszcze zostawać jednym z bohaterów własnych reportaży – tych, którzy przeżyli wiele w czasach zetempowskiej rewolucji, potem w czasie odwilży i Października, a teraz nie mają energii do niczego nowego. Nie identyfikuje się z charakterami czasu „małej stabilizacji", które wnikliwie opisuje: ani z gapą – hamletyzującym humanistą, marzycielem ogarniętym niemożnością, nieprzystosowanym, nieumiejącym rozpychać się łokciami; ani tym bardziej z inżynierem racjonalizatorem, nastawionym na sukces, pieniądze, konsumpcję i zapatrzonym w „świat czterech kółek" (*Spokojna głowa gapy*).

W pierwszych latach pracy korespondenta w Afryce będzie od czasu do czasu przysyłał większe teksty dla „Polityki", jednak jego drogi z tygodnikiem będą się stopniowo rozchodzić. Po powrocie z placówek w Afryce, potem Ameryce Łacińskiej, wybierze inne miejsce zatrudnienia. Do „Polityki" nie napisze już nigdy, ani w czasach Polski Ludowej, ani po upadku realnego socjalizmu.

Rakowski zachował do Kapuścińskiego żal o to, że w „Polityce" wypłynął na szerokie wody, a potem się od niej odwrócił.

– Już po upadku socjalizmu pominął w jakimś swoim biogramie fakt, że przez ponad cztery lata pracował w „Polityce". Nigdy mu o tym nie powiedziałem, ale było to nieprzyjemne.

– Może uważał, że związki z „Polityką" go kompromitują? – zastanawia się Passent. – Na pewno był to skutek jakiejś gry o własny wizerunek, pozycję w establishmencie.

„Polityka", pismo oczywiście partyjne, była w latach siedemdziesiątych bardziej krytyczna wobec realiów Polski Ludowej, stała nieco „dalej" od władzy niż tygodnik „Kultura", z którym Kapuściński związał się później. Od „Polityki" oddalały go również polityczno-towarzyskie koneksje, jakie miał na szczytach władzy. Partyjni protektorzy Kapuścińskiego, przede wszystkim Frelek, całe lata sześćdziesiąte toczyli międzykoteryjne boje z Rakowskim i jego tygodnikiem.

Agnieszka Wróblewska, dziennikarka z kręgu „Polityki", zwraca uwagę, że niezależnie od politycznych motywacji Kapuściński nie pasował do „bandy Rakowskiego". W tej zawsze królował sceptycyzm, jakiś rodzaj ironii, Kapuściński tymczasem był typem entuzjasty, ideowca, gorliwca. Mógł się nie najlepiej czuć w loży sceptyków i szyderców.

Rolę mogło odegrać i to, że był typem indywidualisty, a „Polityka" – jednak przedsięwzięciem zespołowym.

Z kolei po upadku realnego socjalizmu „Polityka" nosiła piętno pisma ancien régime'u, wówczas Kapuściński wolał, żeby go kojarzono z nowymi czasami, demokratycznym ruchem na rzecz zmian – za swoje miejsce wybrał „Gazetę Wyborczą". Do redakcji „Polityki" często wpadał na plotki, odwiedzał starych znajomych, jednak tekstu – mimo usilnych perswazji i starań kilku kolegów – nigdy nie napisał.

Życie w Afryce

Był to kiedyś czteropiętrowy szalowany budynek z wielkim tarasem na dachu, kontuarem barowym i paroma stolikami. Taras pozostał, jest nawet większy, zabudowany oknami – powędrował tylko o parę pięter w górę. Teraz rozpościera się stamtąd olśniewający widok na zatokę i Ocean Indyjski.

To hotel New Africa położony w samym centrum Dar es-Salaam. Jego atrakcją jest dzisiaj ów widok i popularne w mieście kasyno. W sześćdziesiątym drugim, gdy Kapuściński wpada tam wieczorami, atrakcje są inne: na tarasie spotykają się afrykańscy *freedom fighters*, którzy korzystają z gościnności Juliusa Nyerere, prezydenta Tanganiki – pierwszego niepodległego państwa w Afryce Wschodniej. Jest to miejsce, w którym – pisał po latach – spiskuje Afryka. Kapuściński przysiada się do stolików, przy których konspirują Mugabe z Zimbabwe, Mondlane z Mozambiku, Karume z Zanzibaru. Stawia im tanie piwo, słucha. Chłonie wiadomości i atmosferę.

Afryka wrze. Kruszy się system kolonialny, kolejne państwa ogłaszają niepodległość; Kapuściński obserwował początki tego w Ghanie. W niektórych krajach toczy się walka zbrojna – z nią zderzył się w Kongu; widział chaos, anarchię, podziały, ofiary.

Do tych wyzwoleńczych wojen i konfliktów wdziera się inna – zimna – wojna, którą toczą między sobą kraje Północy. Na kontynentach Południa, w Afryce, Azji, Ameryce Łacińskiej – Waszyngton i Moskwa urządzają sobie poligon, rywalizują o wpływy, surowce, testują śmiercionośne bronie. Zimna wojna na południu ma wysoką temperaturę.

Kraje socjalistyczne, w tym Polska, popierają ruchy antykolonialne. Polski rząd otwiera w Dar es-Salaam placówkę dyplomatyczną; skład –

trzy osoby. Tanganika to właściwe miejsce: ogłosiła niepodległość, gości bojowników z kontynentu, jest nieformalnym ośrodkiem spiskowców, a jej przywódca Nyerere mieni się pierwszym afrykańskim socjalistą. Znakomity punkt obserwacyjny procesu dekolonizacji. Obóz socjalistyczny chce zadbać zawczasu o dobre relacje z budzącym się do politycznego życia kontynentem. To potencjalny sojusznik w batalii z kapitalistycznym Zachodem i zagłębie cennych surowców.

Jest zapotrzebowanie na wiadomości z regionu, dlatego w Biurze Prasy KC podejmują decyzję o otwarciu biura Polskiej Agencji Prasowej w Dar es-Salaam. Zadanie dostaje reporter, który udowodnił, że czuje Afrykę i ma kartę towarzysza oddanego sprawie socjalizmu.

– O, Żydka nam przysłali – rzuca na widok schodzącego z samolotu Kapuścińskiego oczekujący go na lotnisku charge d'affairs. Attaché Jerzy Nowak zaniemówił. (– To miała być aluzja do ciemnej karnacji Ryśka – objaśnia).

Pierwsze kroki Kapuściński kieruje w stronę ambasady położonej w hinduskiej dzielnicy Upanga. Wynajmuje na krótko małe mieszkanie, niedaleko placówki, na dłużej osiedli się w wielorodzinnym domu białego koloru, z widokiem na ocean, wśród palm kokosowych i rozłożystych bananowców. Mieszkanie na piętrze, dwa pokoje, kuchnia i łazienka. W jednym pokoju łóżko i rozpięta nad nim niczym ślubny welon moskitiera, w drugim: stół, krzesła, nic więcej.

W Upandze mieszkają Hindusi, przeważnie z sekty izmailitów; białych spotyka się tu rzadko. Po sąsiedzku – luksusowa dzielnica Oyster Bay: „wspaniałe wille, tonące w kwiatach ogrody, puszyste trawniki, równe, wysypane szutrem alejki. Tak, tu żyje się naprawdę luksusowo, tym bardziej że samemu nic nie trzeba robić: o wszystko troszczy się cicha, czujna, dyskretnie poruszająca się służba. Tu człowiek przechadza się tak, jak prawdopodobnie robi to w raju: wolno, luźno, zadowolony, że tu jest, zachwycony pięknem świata". To oczywiście królestwo białych.

Kapuściński znajduje się w klatce apartheidu, jest to klatka ze złota, która utrudnia kontakt z miejscowymi. Dla nich jest po prostu biały, tak samo jak pakujący się do wyjazdu z Tanganiki Brytyjczycy; należy do rasy ciemiężycieli – cóż z tego, że pochodzi z kraju, który nie ma nic wspólnego z krzywdami Afrykańczyków. Zauważa przewrotność apartheidu: czarny nie ma wstępu do białej dzielnicy (chyba że służba), lecz biały z kolei nie może czuć się bezpiecznie w dzielnicach Afrykańczyków.

Nie ma z kim rozmawiać, przynajmniej na początku. Udaje się do lokalnej gazety „Tanganika Standard" – sami biali, ci z Oyster Bay; siedzą na walizkach, wszystko mają w nosie.

Codziennie wpada do domu Jerzego i Izabelli Nowaków na terenie ambasady; jest właściwie jednym z domowników, zaprzyjaźniają się na dobre. Narzuca styl wspólnego spędzania czasu. Kupuje land-rovera, dzięki któremu sporo zwiedzają; potem – drugi samochód, mini morrisa, którego odsprzeda nowym przyjaciołom, gdy będzie kończył misję w Dar. Razem odkrywają ślady cesarstwa niemieckiego: solidne dębowe meble w ratuszu, skrzynki pocztowe. Trafiają też na tropy Sienkiewicza, odwiedzają dawny targ niewolników w Bagamoyo – niegdyś niemieckiej stolicy w Afryce Wschodniej, słynącej z urokliwych plaż.

Kapuściński lubi chodzić na afrykański rynek, próbuje robić zdjęcia, ale okazuje się, że Afrykańczycy krzyczą na niego, wściekają się. Najpierw się dziwi, potem orientuje się, że trzeba spytać: elementarz podróżnika.

Chce zbliżyć się do Afrykańczyków. Po przyjacielsku robi Nowakowi wyrzuty, że polscy dyplomaci zamykają się w kręgu innych białych. – Chodzicie do Tangańczyków? – dopytuje. Nowak tłumaczy, że nie jest to proste, Afrykańczycy nie zapraszają do domów. Kiedyś udało się, i poszli, lecz afrykańscy gospodarze czuli się zawstydzeni swoją biedą. Sami z kolei, gdy się ich zaprasza do domu, nie przychodzą.

W czasie wycieczki poza miasto Kapuściński i Nowak spotykają w hostelu Niemców i Afrykańczyków. Kapuściński przyznaje, że z ostatnimi nie ma o czym gadać, zbliżenie wydaje się prawie niemożliwe. Nie skrywa jednak awersji do białych z Afryki. W reportażu z Ghany pisał o jednym takim: „Patrzę na tego grubaska, na jego spoconą twarz, na tę minę zbitego psa. Co mu poradzić? Myślę sobie, taki kapitalistyczny człowieczek. (Żaden finansowy rekin, tylko płotka z szeregowej armii drobnych sklepikarzy)".

Nowak wyjaśnia, że biali, których spotykali w Tanganice, „nawet z punktu widzenia fizjonomii są paskudni", wszystko jedno jakiej narodowości: Niemcy, Brytyjczycy, Belgowie, Polacy... Typy spod ciemnej gwiazdy, nieudacznicy, którzy ściągali do Afryki, bo gdzie indziej im nie wyszło; dorobkiewicze, wyzyskiwacze miejscowej ludności, obowiązkowo rasiści. Prowadzą bary, hotele – ludzie „biznesiku". Jeden z napotkanych chodzi z małpką, bo „woli się z szympansem napić niż z czarnym". To przeciętna pozostałość kolonialnej klasy, z jaką styka się Kapuściński; twarz Europy, która przybyła do Afryki „szerzyć cywilizację wśród dzikich".

Wiele lat później Nowak, jako ambasador Polski przy NATO w Brukseli, zaprowadzi przyjaciela do belgijskiego muzeum Afryki. Jeszcze w latach dwudziestych sprowadzano tam Afrykańczyków do letniej wioski, którą skonstruowano na dziedzińcu. Można ich było oglądać w chatkach, nad którymi widniał napis: „Prosimy nie dokarmiać, my ich dobrze karmimy".

> Cała ta filozofia obsesyjnej pogardy i nienawiści, podłości i zdziczenia, nim zainspirowała budowę Kołymy i Oświęcimia, została wieki wcześniej sformułowana i zapisana przez kapitanów „Marthy" i „Progresso", „Mary Ann" czy „Rainbow" w ich kabinach, kiedy patrząc przez okno na lasy palmowe i rozgrzane plaże, czekali na swoich statkach, uczepionych wysp Sherbro, Kwale czy Zanzibar, na załadunek kolejnej partii czarnych niewolników

– napisze Kapuściński cztery dekady później w swojej afrykańskiej summie *Heban*.

Razem z przyjacielem uczy się francuskiego, trzy razy w tygodniu chodzą na kurs do ośrodka kultury francuskiej. Flirtują tam z nieziemskiej urody izmailitkami. Kapuściński uczy się także suahili, osiągnie poziom, który pozwoli na prostą wymianę zdań i zorientowanie się, o czym piszą miejscowe gazety.

Na długie spacery i plażę jeżdżą do Oyster Bay lub dalej – półtorej godziny samochodem, wyboistą drogą, do Bagamoyo. W czasie jednego z długich spacerów nad oceanem Kapuściński mówi do Nowaka:

– Wiem, że będziemy się zawsze przyjaźnić.

– Nasze stosunki były nawet nie braterskie, lecz siostrzane – śmieje się Nowak. – To znaczy: zwierzaliśmy się sobie ze wszystkiego, jak siostry. Tak było do końca.

Podobna wrażliwość, podobieństwo losu – obaj z Kresów. Obaj w towarzyskich relacjach skromni, bez przytłaczania się nawzajem; każdy realizuje się zawodowo w innej dziedzinie, nie ma pola rywalizacji, co daje poczucie bezpieczeństwa, tworzy przyjacielską lojalność. Żaden nie ma brata, a obaj zawsze pragnęli; mają idealistyczne wyobrażenie o spełnieniu tego marzenia.

W czasie rozmowy nad oceanem Kapuściński utwierdza Nowaka w jego zamiarze wstąpienia do partii. Choć z dala od kraju, wciąż żyją niedawną rewoltą Października '56. Kapuściński uważa, że polskie interesy daje się pogodzić z udziałem w obozie socjalistycznym. Mimo błędów Gomułki nie wolno wycofywać się w niszę prywatności, trzeba wciągać do partii uczciwych, ideowych ludzi, zmieniać socjalizm na lepsze od środka. Warunkiem udziału powinno być nieczynienie nikomu krzywdy. Nowak – mimo gwałtownego sprzeciwu żony, wręcz domowej awantury – decyduje się na wstąpienie do partii. Kapuściński pisze przyjacielowi rekomendację.

– Jak tylko zaczynali chwalić socjalizm, od razu kontratakowałam – opowiada z pewną dumą Izabella Nowak. W jej domu rodzinnym o antykomunistycznych tradycjach – ojciec walczył w wojnie polsko-bolszewickiej – wierzyło się Radiu Wolna Europa, nie „Trybunie Ludu".

– Ty czarna reakcja jesteś, Iziuniu! – na żarty, a czasem zupełnie na serio grzmiał Kapuściński.

– Okropnie go denerwowały moje uwagi, jeszcze bardziej dlatego, że wygłaszała je kobieta. Z czasem zaczął mnie tolerować, przyzwyczaił się, polubił. Nigdy jednak nie traktował żadnej kobiety jako równorzędnego partnera w rozmowie.

Na zdjęciach z plaży w Dar (może to Bagamoyo?): Kapuściński szczupły, sprężysty, wysportowany. W mieszkaniu ma drążek do podciągania się, ćwiczy codziennie mimo upałów. Lubi się popisywać fizyczną sprawnością. Grzeje się w słońcu na plaży i zaczepia:

– Iziunia, stań mi na brzuchu, zobacz jaki kamień, nawet nie drgnę.

– Zawsze był typem macho, ale bardzo szczególnego rodzaju: miał w sobie ciepło, delikatność, nawet kruchość.

Na leżącego w łóżku wchodzi długa, tłusta gąsienica, czarny pancerzyk i czerwone odnóża. Nie wolno się poruszyć, inaczej straszny stwór wbije odnóża w ciało ofiary. Poruszył się! Robal nie jest jadowity, lecz zostawia na ręce poparzenie, które dokucza przez kilka tygodni.

Życie w Afryce to ciągła czujność, wzmożona uwaga, czy coś nie ugryzie, nie użądli. Jadowite skorpiony, niewidoczne ameby w wodzie i jedzeniu, gigantyczne karaluchy – obrzydliwe, lecz przynajmniej niegroźne. Przede wszystkim – wszechobecne moskity, które roznoszą malarię, i muchy tse-tse.

Małe te i namolne agresory muszą ustalać wieczorem jakiś wykańczający ich ofiary plan działania, ponieważ, jeśli na przykład jest ich dziesięć, nie atakują wszystkie razem – co pozwoliłoby rozprawić się z nimi za jednym zamachem i mieć spokój na resztę nocy – lecz szturmują w pojedynkę: najpierw startuje jakby zwiadowca z misją rozpoznawczą, a reszta najwyraźniej przygląda się, co będzie dalej. Ten wypoczęty po przespanym dniu, zamęcza nas teraz swoim opętanym bzykaniem, aż w końcu, zaspani i wściekli urządzamy polowanie, zabijamy napastnika i już kładziemy się spokojni, że możemy znowu spać, kiedy, ledwie zgasiliśmy światło, następny zaczyna swoje pętle, spirale i korkociągi (*Heban*).

Afryka to przygoda nie tylko na froncie wojennym.

Któregoś dnia idą razem z Nowakiem załatwić coś w urzędzie. Siadają w poczekalni na starych masywnych ławach. Krótko potem na ciele wyskakują im czerwone plamy, które przemieniają się we wrzody. Lekarz stwierdza: w ławach gnieździły się jakieś insekty, złożyły jajeczka i teraz pogryzieni będą hodować larwy, póki nie wyjdą z nich robaki.

Kapuściński nie ma problemu z takimi niedogodnościami. Tłumaczy sobie: – Tylko w taki sposób poznam życie ludzi, o których piszę. Chce mieszkać jak oni, daje się pogryźć przez te same co oni insekty, choruje na te same choroby, je to samo... Nie brzydzi się, gdy dostaje na talerzu zgrillowane szarańcze – tłuste, białawe odwłoki, ledwo przypieczone. Nowak ociąga się – obrzydliwość! Kapuściński niemal rzuca się na jedzenie; jest w Afryce, będzie jadł to, co je Afryka.

W sytuacjach zagrożenia, niepewności, nie wpada w panikę. Gdy jadą nad jezioro Niasa mini morrisem Kapuścińskiego, napada ich stado agresywnych małp, które obsiadają samochód. Można wpaść w histerię, nie mają zapasu wody, w aucie piekło i zaduch, nie można otworzyć okien. Kapuściński zachowuje zimną krew, kiedyś sobie pójdą. Powoli wyjeżdżają ze strefy zagrożenia, małpy dają za wygraną. Innym razem z dala od miasta mini morris psuje się. Kapuściński umie naprawić wszystko. Jest męski do kwadratu, opowiada o budowie silnika, przechwala się znajomością samochodowej techniki. Uwielbia też rajdowe okulary, rękawiczki...

Przygód szukają również na morzu. Małą łódką płyną na pobliską wyspę. Łowią ryby, rozpalają ognisko. Kapuściński rozbija namioty, wcześnie przysypia. Umie zasnąć w każdych warunkach, przechwala się, że inaczej niż większość intelektualistów nie markuje po nocach;

kładzie się wcześnie i wcześnie wstaje. Nagle wokół ogniska pojawiają się małe błyszczące ogniki: sfora szczurów. Nowak budzi przyjaciela, nie gaszą ognia przez całą noc, czuwają do świtu.

Korespondent uczy się Afryki. Rusza się poza Tanganikę – do Kampali na uroczystość ogłoszenia niepodległości; odwiedza Nairobi ciągle pod rządami Brytyjczyków; jest świadkiem narodzin Organizacji Jedności Afrykańskiej (OJA) w Addis Abebie.

W Addis widzi wielkich przywódców rodzącej się Afryki: Ben Bellę z Algierii, przywódcę ZRA Gamala Nasera, premiera Ugandy Miltona Obote, Sékou Touré z Gwinei, cesarza Etiopii Hajle Sellasje i starego „znajomego" z Ghany Nkrumaha. Ten ostatni wzywa do stworzenia politycznej unii państw afrykańskich. Obote oferuje terytorium Ugandy na ćwiczenia dla partyzantek z krajów, które nie uzyskały jeszcze niepodległości: Angola, Mozambik, RPA, Rodezja Południowa...

Że w Kenii wciąż rządzą Brytyjczycy, widać z łamów gazet. Wyzwolenie od władzy kolonialnej jest tuż, a wychodzący w Nairobi „East African Standard" donosi na pierwszej stronie, że księżna Gloucester choruje na grypę, w pałacu Buckingham zaś odbywa się tea party z okazji trzecich urodzin księcia Andrzeja.

Jedyna gazeta, którą w tej części kontynentu redagują Afrykańczycy, „Nakawi News", wychodzi w Niasie (Malawi). Kapuściński studiuje ją od pierwszej do ostatniej strony. Na jej podstawie nadsyła do Warszawy przeglądy prasy.

Z Malawi: rząd wydaje rozporządzenie, że wszyscy kierowcy muszą się natychmiast zatrzymywać, gdy przejeżdża premier Hastings Banda („stary sklerotyczny antykomunista – pisze Kapuściński – bogaty, z własnych pieniędzy utrzymuje partię"). „...ci, którzy nie wykonają zarządzenia, narażą się na gniew narodu Malawi i zostaną srogo ukarani".

Jedyna kobieta lekarz w Niasie, dr Vidah Ngwira, zostaje deportowana, gdyż ośmieliła się skrytykować premiera Bandę. „Ludzi takich jak Ngwira nie potrzeba w naszym kraju".

Z Rodezji Północnej: grupki młodych nacjonalistów polują na dziewczyny, które dla elegancji prostują sobie włosy. Karą jest golenie na łyso: wszak prostowanie włosów to symbol wyrzeczenia się swojej rasy.

Z Kampali: członek parlamentu Ugandy występuje do ministra zdrowia o wydanie zakazu tańczenia twista, gdyż taniec jest niebezpieczny dla zdrowia. Spiker parlamentu, właściciel trzech nocnych lokali, protestuje: – To próba zepchnięcia rządu na niebezpieczną drogę ingerowania państwa w ludzkie przyjemności!

Z Dar es-Salaam: spośród sześćdziesięciu studentów Tanganiki, stypendystów rządu ZSRR na uczelniach w Moskwie, pięćdziesięciu zapowiada, że po powrocie do kraju utworzą prywatne przedsiębiorstwa.

Listopad sześćdziesiątego drugiego: pierwszy miesiąc, w którym Kapuściński nadsyła kilkanaście obszernych korespondencji dla Biuletynu Specjalnego PAP. Publikowane tam teksty to nie krótkie notki, że odbyło się posiedzenie komitetu, przywódca powiedział, a rząd ogłosił – lecz obszerne, niekiedy szczegółowe, fachowe analizy, z elementami reportażu i osobistej impresji.

Biuletyn ma ograniczony krąg odbiorców; początkowo dostają go najwyżsi z najwyższych funkcjonariusze partii; z czasem także członkowie KC, ludzie z ministerstw i innych agend rządowych, redaktorzy gazet i tygodników, radia i telewizji. Z upływem lat biuletyn ma coraz większy nakład: dostają go biblioteki uniwersyteckie, naukowcy, instytucje samorządowe (liczba egzemplarzy zbliża się do pięciu tysięcy). Niektóre teksty z biuletynu są opatrzone notą „nie do publikacji w prasie": zawierają informacje, analizy, opinie niepożądane z punktu widzenia państwowej propagandy. Dotyczy to zwykle przedruków z prasy zachodniej, krytycznych wobec Moskwy i obozu socjalistycznego. Biuletyn nie podlega cenzurze, jedyną jest ta w głowie autora lub redaktora odpowiedzialnego za wydanie.

Polityka szefostwa agencji jest różna w różnych okresach Polski Ludowej. Na przykład w latach siedemdziesiątych redaktor naczelny PAP Janusz Roszkowski będzie beształ służalczych korespondentów, którzy piszą „po linii" moskiewskiej agencji TASS. – Macie opisywać to, co widzicie, a nie zgadywać, jak się pisać „powinno"; oceniać tak, jak czujecie – żąda od dziennikarzy. W redakcji mogą, rzecz jasna, zmienić wymowę tekstu na użytek propagandowy, ale od reporterów naczelny domaga się szczerości.

Prawie sto procent tekstów Kapuścińskiego z Afryki – później też z Ameryki Łacińskiej – nie zawiera wiadomości ani analiz „niewłaściwych" z perspektywy obozu socjalistycznego. Trafiają do Biuletynu Specjalnego czasem dlatego, żeby został jakiś ślad, lub nie mieszczą się w codziennym biuletynie zagranicznym agencji. Co ciekawsze, ukazujące szerszy obraz bądź aktualnie ważne zjawisko przedrukowuje „Polityka", czasem inne periodyki i gazety codzienne – „Życie Warszawy" i organ KC „Trybuna Ludu".

Kapuścińskiego interesują antykolonialne ruchy wyzwoleńcze, przebudzenie polityczne Afryki, zmagania Stanów Zjednoczonych o wpływy na kontynencie i dostęp do surowców; wkraczanie Chin, które podejmują rywalizację ze Związkiem Radzieckim – o patronat nad ruchami antykolonialnymi, rewolucyjnymi oraz o bogactwa naturalne.

Depesza (1)

Uganda w kilka tygodni po proklamowaniu niepodległości

Uganda leży z dala od wielkich szlaków polityki afrykańskiej. W porównaniu z Ugandą nawet spokojna Tanganika wygląda jak kraj płonącej rewolucji. Afrykański element nacjonalistyczny jest tu słaby, nieśmiały i w dodatku skorumpowany. Wciśnięta między wulkaniczną Kenię po jednej stronie oraz chaotyczne Kongo po drugiej – Uganda jest ostoją spokoju politycznego, do którego chronią się Belgowie z Konga, biali osadnicy z Kenii oraz Watutsi z Rwandy. Kraj ten jest może najpiękniejszy w całej Afryce, a jego ludność – głównie czarni plantatorzy kawy i bawełny – należy do najbardziej zamożnych Afrykańczyków...

Uganda jest bazą katolicyzmu w Afryce – kościołów jest tu tyle co w Krakowie. Kraj jest również rezerwatem starych, ale wielce żywotnych monarchii afrykańskich...

Główny problem, który pasjonował tutejsze koła polityczne na krótko przed niepodległością, był następujący: w jakiej kolejności czterech najważniejszych królów Ugandy będzie witać na lotnisku księcia Kentu...

Obecny premier [Milton Obote], który w swoim czasie był uczniem [Jomo] Kenyatty [lidera kenijskiego ruchu wyzwoleńczego] oraz przyjacielem Odingi [innego kenijskiego lidera], jest obecnie ostro krytykowany przez lewicowe elementy swojej partii – Uganda People's Congress za swoją zbyt prozachodnią politykę [chodzi o opowiedzenie się za Waszyngtonem w konflikcie z Kubą].

Depesza (2)

Tanganika: Nyerere prezydentem

Nyerere w ogóle lubi naśladować Nkrumaha pod wielu względami, choć nie ma ambicji być Mesjaszem Afryki. Biali cieszą się, że Nyerere zdobył władzę, gdyż sądzą, że ich nie ruszy. Czarni też się cieszą, gdyż sądzą, że teraz Nyerere weźmie się za białych. Te sprzeczne nadzieje wynikają stąd, że Nyerere zawsze milczy, a każdy tłumaczy to milczenie na swoją korzyść. Jest on swoistym elementem wśród polityków afrykańskich, którzy lubią bardzo mówić wiele i deklarować. W czasie całej kampanii przedwyborczej Nyerere ani razu nie zabrał głosu... [Jerzy Nowak opowiada, że biali zaniepokoili się, gdy trzy miesiące po ogłoszeniu niepodległości Nyerere wydalił dwóch Brytyjczyków za to, że spacerowali z psami owiniętymi we flagę Tanganiki – A.D.].

Cała energia Nyerere obrócona jest zawsze na sprawy krajowe. Próbuje on rozwiązać beznadziejny dylemat – jak dźwignąć z nędzy ten ogromny, zaniedbany kraj, nie mając na to pieniędzy.

Depesza (3)

Uganda: konferencja partii rządzącej

Koła miarodajne twierdzą, że Obote znajduje się pod tak silnym naciskiem prawicy, iż musi iść na ogromne ustępstwa, aby utrzymać swoją pozycję w rządzie i partii. Sam Obote nie jest człowiekiem prawicy, ale jako polityk chwiejny nie umie jej się przeciwstawić...

[Pewien deputowany mówi, że] zmontowany przez Anglików rząd Ugandy stanowi reakcyjną klikę, na czele której stoi minister gospodarki – Anglik – Jimmy Simpson...

Prawica rządowa Ugandy rozpętała w tych dniach wielką kampanię przeciwko emigrantom z Kenii. Emigranci ci stanowią trzon robotników przemysłowych w Ugandzie i posiadają znaczne wpływy w związkach zawodowych... Kenia obawia się, że zamknięcie granic Ugandy dla robotników Kikuyu powiększy i tak już ogromne bezrobocie w Kenii.

Depesza (4)

Kenia: Działalność Armii Wolności Ziemi

[Dziesięć lat po krwawym stłumieniu powstania Mau Mau, w Kenii odradza się ruch oporu – Land Freedom Army. Domaga się niepodległości i reformy rolnej. Głosi, że plantacje powinny przejść w ręce Afrykańczyków. Tymczasem władze Kenii aresztują podejrzanych o udział w partyzantce – A.D.].

Prasa kenijska zamieściła kilkakrotnie zdjęcia wykrytych składów broni należących do Land Freedom Army. Jest to broń domowej roboty, często zresztą bardziej niebezpieczna dla strzelającego niż dla tego, do którego się strzela. Amunicję stanowią niejednokrotnie łupiny orzechów nasączone trującym jadem...

Tak zwana wielka trójka [antykolonialnych liderów] Kenii: Kenyatta, Odinga i Mboya twierdzą, że kwestia tej organizacji jest rozdmuchiwana przez brytyjską administrację, aby usprawiedliwić zwłokę w przyznaniu Kenii niepodległości oraz mieć pretekst do utrzymywania nadal baz militarnych na terenie Kenii.

Depesza (5)

O sytuacji w Kenii [z okazji zmiany gubernatora brytyjskiego]

Tutejsza prasa brytyjska podkreśla, że spośród wszystkich gubernatorów, jakich miała Kenia, [ustępujący gubernator Patrick] Reninson najwięcej się uśmiechał. Taką miał rolę ten układny urzędnik o miernych zdolnościach politycznych i przeciętnej, bezbarwnej karierze.

Reninson istotnie doprowadził KANU [sojusz wielkich plemion] na skraj rozłamu, ale zarazem sprawił, że Kenia przypomina dziś pojazd, którego każde koło jedzie w inną stronę...

Zaczyna się etap przebiegłej walki Londynu o uratowanie tego, co uda się uratować...

Depesza (6)

Znaczenie rozmów Kaundy i Czombego (Rodezja Północna)

Ludzie z grona Kaundy [późniejszego przywódcy Zambii] przebywający w Dar es-Salaam podkreślają dwie rzeczy: 1. Kaunda chce zdobyć władzę za wszelką cenę, ale bez użycia jakichkolwiek środków rewolucyjnych. Mistrzami Kaundy, jak on sam mówi, są Gandhi i Tołstoj. Będąc przeciwnikiem wszelkich gwałtownych działań, musi on zawierać wszelkie możliwe sojusze, aby zwyciężyć. 2. Kaunda uważa Czombego za „błądzącego brata Afrykańczyka". Kiedy zapytałem Amalo Makasa, który jest prawą ręką Kaundy, jak ci dwaj ludzie mogli zasiąść przy jednym stole, odpowiedział mi: „Obaj mają czarną skórę, więc mogą się zawsze pogodzić”.

Depesza (7)

Czombe prowadzi grę na zbliżenie do Stanów Zjednoczonych

...kierunkiem wysiłków amerykańskich jest umocnienie swoich pozycji w Katandze. Amerykanom nie chodzi jednak o samą Katangę. Jest ona tylko częścią tzw. złotego pasa geologicznego, który zaczyna się od uranowych kopalń Kolwezi w Katandze, ciągnie się przez miedziane kopalnie Rodezji, przez azbestowe kopalnie Rodezji Południowej, aż do diamentowych oraz złotych kopalń Transwalu, Prowincji Przylądkowej w Republice Południowej Afryki. Złoty pas stanowi geologicznie i komunikacyjnie zwartą całość. Łączy go linia kolejowa od Jadotville do Capetown. Linia ta ma po drodze trzy ważne odgałęzienia do portów morskich: Beiry, Durbanu oraz Lobito.

Wielki plan kapitału amerykańskiego wobec Afryki polega na dążeniu do opanowania tego pasa. Jego bogactwa posiadają pierwszorzędne znaczenie strategiczne, a poza tym jest to obszar uprzemysłowiony i dobrze zaopatrzony w tanią, ale wykwalifikowaną siłę roboczą. Już obecnie udziały amerykańskie w głównych spółkach monopolistycznych eksploatujących bogactwa złotego pasa Afryki osiągają bardzo wysokie procenty.

W kołach amerykańskich zainteresowanych opanowaniem obszaru złotego pasa rozumie się, że dalszy opór przeciwko ruchom narodowowyzwoleńczym jest absurdem i że należy się dostosować do nowej sytuacji. Stąd ostatnia seria umizgów pod adresem przywódców Afryki ze strony króla diamentowego – Oppenheimera.

To stanowisko USA budzi silne antyamerykańskie nastroje wśród osadników rasistowskich Rodezji oraz Afryki Południowej, natomiast jest dość przychylnie oceniane w pewnych kołach afrykańskich, dla których każdy sojusznik w walce przeciw OAS-owskim rasistom wydaje się dobry.

[Tekst w przeredagowanej postaci ukazuje się w „Trybunie Ludu”, organie KC PZPR. Główna gazeta propagandowa Polski Ludowej usunęła fragment o zmianie stanowiska USA wobec ruchów wyzwoleńczych w Afryce i – w związku z tą zmianą – o przychylniejszych Ameryce ocenach polityków afrykańskich – A.D.].

z archiwum domowego Andrzeja Czcibora-Piotrowskiego

Paczka przyjaciół – miłośników sztuk pięknych z liceum Staszica. Od lewej: Jan Mazur, Andrzej Czcibor-Piotrowski, Ryszard Kapuściński, w przysiadzie Krzysztof Dębowski

fot. Janusz Sobolewski / FORUM

Na warszawskiej ulicy, krótko przed wyjazdem na placówkę korespondenta PAP w Dar es-Salaam, 1962

z archiwum rodzinnego Boučków

Kongijska wyprawa: Ryszard Kapuściński i „dowódca" tamtej wyprawy czechosłowacki reporter Jarda Bouček, 1961

z archiwum rodzinnego Boučków

Przed odlotem ze Stanleyville. Od lewej: Jarda Bouček, korespondent TASS Fediaszyn, Ryszard Kapuściński, Dušan Provazník – wówczas reporter, po latach tłumacz książek Kapuścińskiego na język czeski, 1961

z archiwum Jerzego i Izabelli Nowaków

Korespondent PAP na lotnisku w Nairobi, 1964

Na plaży w Dar es-Salaam, krótko po przyjeździe na placówkę PAP w Tanganice, 1962

z archiwum Jerzego i Izabelli Nowaków

Gdzieś w Afryce Wschodniej, 1964

z archiwum Jerzego i Izabelli Nowaków

z archiwum Jerzego i Izabelli Nowaków

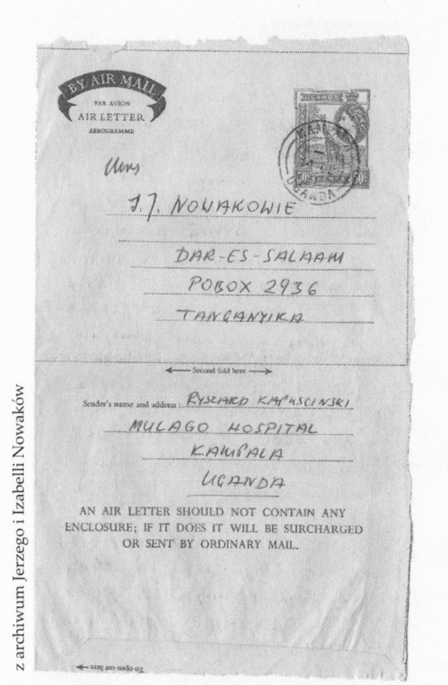
BY AIR MAIL
PAR AVION
AIR LETTER
AEROGRAMME

Mrs

J. J. NOWAKOWIE
DAR-ES-SALAAM
P.O.BOX 2936
TANGANYIKA

← Second fold here →

Sender's name and address: RYSZARD KAPUŚCINSKI
MULAGO HOSPITAL
KAMPALA
UGANDA

AN AIR LETTER SHOULD NOT CONTAIN ANY ENCLOSURE; IF IT DOES IT WILL BE SURCHARGED OR SENT BY ORDINARY MAIL.

← To open cut here

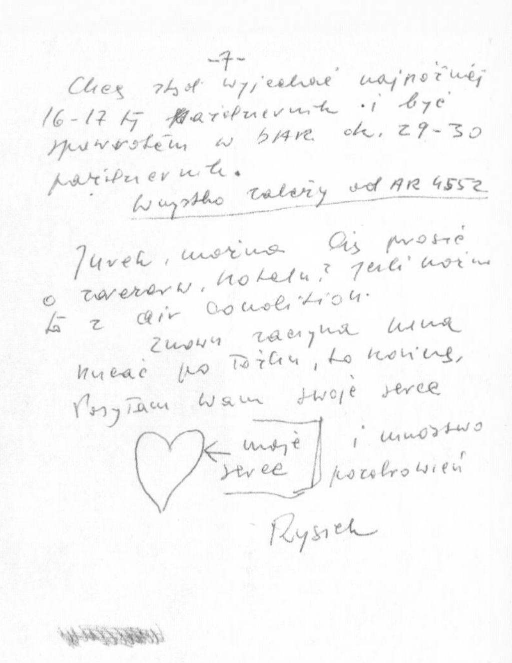
-7-

Chcę stąd wyjechać najpóźniej 16-17 tj. października i być z powrotem w DAR ok. 29-30 października.

Wszystko zależy od AR 4552

Jurek, można Cię prosić o zarezerw. hotelu? jeśli można to z air condition.

Znowu zaczyna mną rzucać po łóżku, to koniec.

Przesyłam Wam swoje serce

♥ ← moje serce

i mnóstwo pozdrowień

Rysiek

Ze szpitala w Kampali chory na malarię mózgową Kapuściński słał listy do Jerzego i Izabelli Nowaków, przebywających na placówce w Dar es-Salaam, październik 1962

z archiwum Jerzego i Izabelli Nowaków

W Dar es-Salaam, 1962

fot. Maciej Billewicz / FORUM

W Warszawie

fot. Andrzej Krzysztof Wróblewski

Z Lechem Wałęsą, dzień po podpisaniu Porozumień Sierpniowych, 1 września 1980

fot. Aleksander Jałosiński / FORUM

Przedzierając się na wiec Lecha Wałęsy na stadionie w Radomiu, 1981

FORUM

Końcówka PRL: spotkanie dziennikarzy – sympatyków „Solidarności" ze Zbigniewem Brzezińskim w mieszkaniu Anny Borkowskiej w Warszawie. Kapuściński stoi pierwszy z prawej

fot. Krzysztof Wojcik / FORUM

Na tle mapy Związku Radzieckiego w swoim mieszkaniu na warszawskiej Ochocie, 1991

fot. Chris Niedenthal / FORUM

W Warszawie, 1996

Depesza (8)

Uwagi korespondenta PAP [o propozycjach Chin dla Afryki]

Chińska aktywność, afrykańska dezorientacja oraz arabskie désintéressement – oto trzy pierwsze wrażenia, jakie odniosło się przed otwarciem Konferencji [w Moshi, w Tanzanii]...

Głównym inspiratorem rozmów w siedzibie delegacji byli przedstawiciele Chin, lansujący w rozmowach tezę, że obecna polityka [pokojowego] współistnienia [między USA i ZSRR] grozi kapitulanctwem, na co wskazuje przykład Kuby. Polityka ta utrudnia również walkę narodowowyzwoleńczą, ponieważ zapewniając imperialistom spokój w stosunkach z blokiem wschodnim, pozwala im na skupienie sił na froncie walki o zachowanie pozycji kolonialnych oraz intensywną ekspansję neokolonialną.

Jednakże nie ma obecnie w Afryce atmosfery, w której Chińczycy mogliby uzyskać pełne poparcie dla swych tez...

...ogólna tendencja panująca w Afryce w jej stosunkach z metropoliami polega raczej na pokojowym osiąganiu celów niż na zaostrzaniu walki do granic wojny. Od czasu Konga [chodzi o podziały, wojnę domową i zewnętrzną interwencję] takie zaostrzanie straciło w Afryce popularność. Żaden wybitny przywódca afrykański nie poprze w tej sprawie stanowiska Chin – ani Nyerere, ani Kaunda, ani Odinga. Wszelkie zaostrzanie jest dla Afryki niewygodne, ponieważ przenosi zimną wojnę na teren tego kontynentu, czego boją się tu jak ognia.

Kapuściński jeździ na pocztę w centrum miasta, stamtąd wysyła korespondencje. Nadaje je teleksem do Warszawy przez Londyn. Gdy wysyła depesze telegramem, łączy „z", „dla", „po" „się" z dłuższymi słowami – wychodzi taniej. Pieniądze to zmora reportera z biednego kraju, podobnie jego agencji; Kapuściński zarabia około 300 dolarów; w Polsce Ludowej to fortuna, dla podróżującego reportera w Afryce – grosze.

– Praca afrykańskiego korespondenta to ciężka harówka.

Wiesława Bolimowska, tak jak Kapuściński zajmowała się w PAP-ie Afryką: jako redaktorka i korespondentka, na zmianę. Nieraz odbierała i redagowała depesze kolegi – trochę konkurenta.

– Męczący klimat, tropikalna chandra... – wspomina. – I ciągła frustracja, bo człowiek umawia się z Afrykańczykami, a oni nie przychodzą na spotkania bez wyraźnego powodu.

Rysiek, mówi, nie zawsze sprawdzał się jako korespondent. Pisał wolno, potrafił pichcić przez cały dzień jedną stronę, pisał po kilka wersji jednego zdania. A praca w agencji to „masowa produkcja" depesz. Szefowie ciągle słali mu monity, że za mało pisze.

Tak jest później; w początkach pracy korespondenta Kapuściński zasypuje biuletyny PAP depeszami, analizami, refleksjami. Chłonie nowy, ciągle nieznany świat. Utożsamia się z mieszkańcami Afryki i ich dążeniami, zakłada ich buty, patrzy ich oczami. Wpatruje się w swoich nowych politycznych idoli.

Alfabet fascynacji: afrykańskie ikony

– Rysiek ma w tamtym czasie różne radykalne fascynacje – opowiada Nowak. – Numerem jeden jest Frantz Fanon. Wie pan kto to?

Autor biblii ruchów antykolonialnych epoki. Urodzony na francuskiej Martynice na Karaibach, Afrofrancuz, żołnierz II wojny światowej, odznaczony za bohaterstwo. Z zawodu psychiatra. W proteście przeciwko brutalności Francuzów w Algierii – jest tam dyrektorem oddziału psychiatrycznego szpitala – rezygnuje ze stanowiska. Przystępuje do antykolonialnej partyzantki algierskiej FLN. Umiera przedwcześnie na białaczkę, lecz w ostatnim roku życia, 1961, pisze książkę, która zapewnia mu sławę po śmierci – *Wyklęty lud ziemi.*

Z pomocą przyjaciela Kapuściński z trudem brnie przez oryginalny tekst – obaj znają francuski dość kiepsko, a angielskiego przekładu książki jeszcze nie ma.

Fanon poddaje miażdżącej krytyce nie tylko zbrodnie Europejczyków na ziemiach podbitych, lecz również rządy rzekomo – jak twierdzi – krajów wyzwolonych. Przekonuje, że proces wyzwolenia, którego jesteśmy świadkami w Afryce, to „fałszywa dekolonizacja", pozostawia władzę w rękach potęg imperialnych i ich lokalnych marionetek. Dlatego agituje za obaleniem tychże w drodze walki zbrojnej; w rewolucyjnej przemocy upatruje siłę oczyszczającą i wyzwalającą.

> Bywa, że przemoc – jako jedyna forma działania – jest dla skolonizowanego ludu czynnikiem pozytywnym, nadającym kształt. Taka forma działania ma właściwości scalające, gdyż w jej kontekście każdy człowiek staje się ogniwem potężnego łańcucha przemocy, który wykrystalizował się jako reakcja na przemoc kolonisty. Poszczególne grupy nawiązują

łączność i przyszły naród osiąga spójność. Zbrojna walka mobilizuje go, wprowadza na wspólną drogę, z której nie ma odwrotu...

Dla jednostki przemoc jest odtrutką. Wyzwala tubylca z kompleksu niższości, uwalnia go od postaw kontemplacyjnych i desperackich. Dzięki niej staje się odważny, urasta we własnych oczach... Masy, które – poprzez przemoc – uczestniczyły w wyzwoleniu narodu, nie pozwolą nikomu drapować się w togę „wyzwoliciela"... Świadomość rozjaśniona blaskiem gwałtu nie daje się stłumić...

Fanon wierzy w rychłe nadejście rewolucji w Afryce. Jej głównym motorem ma być lumpenproletariat i chłopstwo, bo wielkomiejscy robotnicy są skorumpowani przez system, stanowią arystokrację wewnątrz najuboższych grup społecznych. Natomiast „lumpenproletariat jest jak horda szczurów; możesz je przepędzać, obrzucać kamieniami, lecz na próżno – i tak wrócą wygryzać korzenie drzew".

Jomo Kenyatta, przywódca wyzwolonej Kenii, jedna z fascynacji Kapuścińskiego, szybko zamieni się w rozczarowanie.

Któregoś ranka budzi Kapuścińskiego czechosłowacki korespondent Zdeněk Kubeš.

– Czytałeś?

– Co?

– No twój artykuł!

Jakiś czas wcześniej Kapuściński pisze korespondencję o korupcji w kenijskich kołach rządowych. Prosi redakcję PAP, żeby tekstu nie publikować w prasie, materiał jest zastrzeżony dla Biuletynu Specjalnego. Po przeprowadzce z Dar es-Salaam Kapuściński mieszka w Nairobi, musi być ostrożny z demaskowaniem nadużyć władz kraju, który go gości. W redakcji nie zauważają (lekceważą?) zastrzeżenia korespondenta i tekst przedrukowuje „Polityka"; z polskiego tygodnika zaś – kenijski dziennik anglojęzyczny „Standard".

W artykule zatytułowanym *Elita władzy* Kapuściński pisze:

Premier Kenii, Kenyatta, nabywa w ciągu 9 miesięcy 1963 r. trzy najdroższe limuzyny świata (Lincoln Continental, Mercedes 300 SE, Rolls Royce – łączna cena tych wozów wynosi 55 tys. dolarów). Premier Ugandy, Obote, wyprawił wesele w październiku 1963 r. na 28 tys. osób za 60 tys. dolarów, wziętych z kasy państwa. Zapytany, czy nie sądzi, że wesele to było zbyt kosztowne dla Ugandy, Obote odpowiedział: – Wesela brytyjskiej rodziny królewskiej nie są tańsze. Naród Ugandy musi ponieść koszty utrzymania wysokiej pozycji swoich przywódców, którzy byli bohaterami walki... Można powiedzieć – w końcu samochód nie jest tak wielkim wydatkiem państwowym. Ale trzeba znać nędzę budżetów państwowych w krajach Afryki, które w stosunku do ogromnych potrzeb stanowią groszowe sumy, aby wiedzieć, jak wielkim obciążeniem dla tych państw jest utrzymywanie nowobogackich elit rządzących...

Zyski elity afrykańskiej nie biorą się z produkcji. Pochodzą one z dwóch głównych źródeł: z niebywale wygórowanych pensji (a więc ze skarbu państwa) oraz z korupcji. Najbardziej legalną i rozpowszechnioną metodą korumpowania elit afrykańskich przez obce państwa lub przez obcy kapitał, jest przyznawanie członkom tych elit udziałów w spółkach i firmach należących do obcego kapitału...

Dzisiejsze wynaturzenia elit afrykańskich są następstwem tego, że walka o niepodległość toczyła się w oderwaniu od kwestii społecznej, że hasłem konkretnym była wolność, a nie równość. Wynikało to głównie z niedojrzałości politycznej mas. Ale wynikało również z samego stylu walki o niepodległość, stylu narzuconego przez kolonialistę, ale przyjętego przez wiele kierowniczych ośrodków niepodległościowych, stylu polegającego na przetargach, kompromisach, pertraktacjach, poprawkach konstytucyjnych, gwarancjach kartowanych za kulisami bez odwoływania się do mas.

Kenijska gazeta opatruje tekst polskiego korespondenta komentarzem w takim mniej więcej tonie: – Zobaczcie, co o nas piszą komuniści, którzy udają przyjaciół Afryki.

Kapuściński jest przekonany, że za chwilę zostanie deportowany. Idzie do biura linii lotniczych zabukować bilet powrotny do Polski.

Nad skandalem obraduje tymczasem rząd Kenyatty.

– Pewien Brytyjczyk – wspomina Bolimowska – opowiadał mi potem, że Odinga [ówczesny wiceprezydent, przywódca lewego skrzydła obozu rządzącego] spytał zebranych członków gabinetu: „Czy ten polski dziennikarz napisał nieprawdę?". Szmer na sali... Po chwili ktoś wstaje i mówi: „Niestety, to prawda". Odinga: „Dlaczego więc mielibyśmy go aresztować?".

Najpewniej to interwencja Odingi ratuje Kapuścińskiego. Nie zostanie karnie wydalony, lecz wyjeżdża sam trzy miesiące później; po krótkiej rekonwalescencji w kraju przeniesie placówkę PAP do Nigerii.

Wkrótce z Kenii zostaną wyrzuceni wszyscy dziennikarze z obozu socjalistycznego; Kapuściński dostaje na wiele lat zakaz wjazdu.

Fascynacja Patrice'em Lumumbą, liderem walki z belgijskim kolonializmem, jest wcześniejsza. Zanim Kapuściński przyjedzie do Afryki jako stały korespondent, podróżuje do Konga; dociera tam w momencie, w którym rozchodzi się wieść o zamordowaniu Lumumby.
Ulega aurze kultu Lumumby po jego zabójstwie, lecz portret charyzmatycznego lidera, jaki kreśli, jest w gruncie rzeczy realistyczny.

Patrice jest synem swojego ludu. Też będzie czasem naiwny i mistyczny, też z tym usposobieniem łatwym do przeskoków od skrajności do skrajności, od wybuchów szczęścia do bezgłośnej rozpaczy. Lumumba jest postacią pasjonującą, bo nad wyraz złożoną. Nic się w tym człowieku nie poddaje definicji. Każda formuła jest ciasna. Niespokojny, chaotyczny zapaleniec, sentymentalny poeta, ambitny polityk, żywiołowa dusza, zadziwiająco harda i uległa zarazem, do końca ufny w swoją prawdę, głuchy na słowa innych, zasłuchany – w swój własny, wspaniały głos.

Źródłem podziwu dla Agostinha Neto – Kapuściński spotyka go ponad dekadę później, w czasie wojny wyzwoleńczej w Angoli – będzie coś więcej niż wspólna wiara w socjalizm: poezja.
Pierwszy prezydent niepodległej Angoli, zanim wda się w politykę, studiuje medycynę i pisze wiersze. Pochodzi z okolic Luandy, z rodziny wiejskiego nauczyciela i zarazem protestanckiego pastora. Gdy Kapuściński go spotka, Neto będzie już po pięćdziesiątce i będzie miał za sobą połowę życia na wygnaniu i w więzieniach.

Prezydent mieszka w willi za miastem, zbudowanej na skarpie, nad małą, zarośniętą palmami zatoką. To miejsce nazywa się Belas. Byłem tam kilka razy, kiedy chciałem zdobyć wywiad. Neto chętnie przyjmował na rozmowy, ale wymawiał się przed wywiadem. W końcu zgodził się. Było to we wrześniu czy w październiku [1975], w najtrudniejszych dniach. Myślę, że nie chciał tego wywiadu, ponieważ wtedy naprawdę było trudno powiedzieć coś optymistycznego. Rozmawialiśmy o poezji, miałem ze sobą ostatni tom jego wierszy, jaki ukazał się w Lizbonie w tym roku – *Sagrada Esperança*

Às nossas terras
vermelhas do café
brancas do algodão
verdes dos milharais
havemos de voltar.

To umiałem na pamięć. Neto narzekał, że od dawna nie ma czasu pisać wierszy, i wskazywał głową na wiszącą mapę, na wetknięte w nią chorągiewki zielone i żółte, oznaczające pozycje FNLA i UNITA [przeciwnych jego władzy grup zbrojnych]. Wchodziło się do willi po schodach, potem była weranda i jadalnia, za którą znajdował się narożny pokoik. Tam mieścił się jego gabinet: biurko, półki z książkami od podłogi do sufitu, dwa fotele. Często w całym mieszkaniu był sam i kiedy w sąsiednim pokoju dzwonił telefon, Neto przerywał rozmowę i wychodził, żeby podnieść słuchawkę. Niskiego wzrostu, lekko już pochylony, ma powolne, odmierzone ruchy. Szpakowaty, w okularach, wygląda na człowieka mało energicznego, a może po prostu zmęczonego. Dla tej sylwetki lepszym tłem jest ściana książek w zacisznym gabinecie niż trybuna na placu (choć przemawia świetnie). Nigdy nie widziałem go w mundurze, a także nie pamiętam, żeby jeździł na front.

Nkrumah to nie tylko fascynacja: to prawie guru, zbawiciel. Kilka lat wcześniej, w czasie pierwszej wyprawy do Afryki, Kapuściński widzi go na wiecu w Akrze.

Z nieskrywaną sympatią, wręcz ekscytacją, przytacza takie o nim opinie: – To, że mamy Kwame, jest błogosławieństwem dla Ghany, tak jak błogosławieństwem dla Ameryki było to, że miała Lincolna, dla Rosji – Lenina, dla Anglii – że miała Nelsona... Jest mesjaszem i organizatorem, przyjacielem cierpiącej ludzkości, który osiągnął swoje wyżyny drogą bólu, służby i poświęcenia.

Ideą Nkrumaha jest wielka unia państw Afryki. Siebie widzi w roli przywódcy.

Odrzuca dwie pokusy życia i jedną siłę, która może nim zawładnąć, oślepić: kobiety, pieniądze, religię. Przez nie może stracić z oczu cel:

wyzwolenie Ghany. „Ten cel ustala sobie Kwame jeszcze jako chłopiec..." – pisze to entuzjastycznie, to naiwnie Kapuściński.

> Nkrumah jest patetyczny, skupiony, z manierami kaznodziei, które zachował z czasów wystąpień w kościołach murzyńskich Ameryki.

Kapuściński będzie miał nie lada kłopot, gdy w sześćdziesiątym szóstym wojskowi wspierani przez CIA obalą Nkrumaha i wyjdzie na jaw, że „Mesjasz Afryki" udzielał azylu zbrodniarzowi wojennemu Horstowi Schumannowi, lekarzowi z Auschwitz. Schumann, o czym Kapuściński napisze w korespondencji dla Biuletynu Specjalnego, „wykorzystywał więźniów jako króliki doświadczalne dla swych eksperymentów". (Nkrumah nie wróci już do kraju; w czasie puczu odwiedzał Chiny. Resztę życia spędzi na wygnaniu w Gwinei; umrze w trakcie leczenia w Rumunii).

– Gdybym miał go z kimś porównać, to chyba tylko z Mahatmą Gandhim. Był najprawdziwszym idealistą. Wiecznie uśmiechnięty, życzliwy – tak Kapuściński wspomni po latach świętego afrykańskiego socjalizmu, Juliusa Nyerere, prezydenta Tanganiki (później Tanzanii). Jako korespondent tłumaczy Kapuściński dla PAP jego pracę teoretyczną *Ujamaa – podstawa socjalizmu afrykańskiego.*

Pisze Nyerere:

> Afryka jest kolebką ustroju socjalistycznego. Socjalizm istniał w Afryce na długo przed Marksem. Socjalizm afrykański w swej najgłębszej istocie jest ideą humanizmu i braterstwa między ludźmi. To właśnie braterstwo i jedność były podstawą afrykańskiego ustroju plemiennego, w którym nieznane było pojęcie własności – źródło wszelkich konfliktów międzyludzkich. W tym sensie można przyjąć, że w instytucji plemienia afrykańskiego został zrealizowany nie tylko socjalizm, ale nawet komunizm...
>
> Podstawą i celem społeczeństwa afrykańskiego jest ROZSZERZONA RODZINA. Prawdziwy socjalista afrykański nie spogląda na jedną klasę ludzi jako na swoich braci i na inną jako na swoich naturalnych wrogów...
>
> Uważa on wszystkich ludzi za swoich braci – członków rozrastającej się rodziny...
>
> Dlatego UJAMAA – Wspólnota Rodzinna określa istotę naszego socjalizmu. Jest on przeciwieństwem kapitalizmu, który stara się zbu-

dować szczęśliwe społeczeństwo drogą wyzysku człowieka przez człowieka. Jest on również przeciwieństwem doktrynerskiego socjalizmu, który stara się zbudować szczęśliwe społeczeństwo na filozofii nieuniknionego konfliktu człowieka z człowiekiem. My w Afryce nie potrzebujemy być „nawracani" na socjalizm, ani też „pouczani" o demokracji.

Nyerere głosi, że Afryka „ma szansę odrodzenia socjalizmu afrykańskiego", jednak „droga do tego celu nie wiedzie przez marksizm", „droga wiedzie przez nawrót Afryki do ustroju wspólnoty plemiennej", „do odrodzenia plemienia jako socjalistycznej komórki społeczeństwa afrykańskiego".

Kolonialiści narzucali „nie-afrykańskie" traktowanie ziemi jako dobra, którym wolno handlować.

> System taki jest nie tylko nam obcy, ale całkowicie zły... Obywatel będzie miał prawo do kawałka ziemi tylko na zasadzie jej użytkowania. Bezwarunkowe albo dziedziczne posiadanie ziemi (które prowadzi do spekulacji i pasożytnictwa) musi być zniesione...
>
> Ludzie biedni mogą być potencjalnymi kapitalistami – wyzyskiwaczami innych ludzi. Podobnie jak milioner może być socjalistą i cenić swoje bogactwo jako użyteczne w służbie dla innych ludzi.

Nyerere ustanawia system jednopartyjny (opozycji i tak prawie nie ma). Sam kreuje życie polityczne, które wcześniej tu nie istnieje. Mówią o nim Mwalimu – Nauczyciel. Nauczyciel uważa, że opozycja na afrykańskiej ziemi rodzi się z walk plemiennych lub bezmyślnego kopiowania wzorów z Europy. Są to herezje z punktu widzenia demokratycznej myśli Zachodu, jednak dzięki polityce Nyerere Tanzania jest unikatowym w regionie krajem, którym nie wstrząsają plemienne podziały i konflikty.

Gospodarka, której centrum są wiejskie komuny (*ujamaa*), to klęska. Za pożyczone pieniądze Nyerere buduje szkoły i szpitale, jednak system jako całość jest nieefektywny; ludzie uciekają przed biedą ze wsi do miast. W elicie władzy kwitną korupcja i nepotyzm, lecz sam Nyerere skorumpowany nie jest, „nie pomaga" rodzinie. Gdy w połowie lat osiemdziesiątych Tanzania staje się bankrutem, Nyerere ku zaskoczeniu rodaków i opinii światowej dobrowolnie składa urząd. Oznajmia, że zawiódł, i odchodzi: zjawisko niespotykane w dziejach współczesnej polityki. Prawdziwy święty.

Życie w Afryce cd.

W Warszawie Alicja odbiera telefon od Nowaków:

– Rysiek ciężko chory. Złapał malarię, do tego najpaskudniejszą odmianę – mózgową.

Alicja jest akurat na stażu w Klinice Chorób Zakaźnych, zwierza się specjalistce od chorób tropikalnych. Ta drętwieje z przerażenia.

– Jest jakaś poprawa? – pyta spokojnie, nie chcąc denerwować koleżanki. Z malarii mózgowej mogą wyniknąć nawet śmiertelne powikłania.

Od miesięcy Alicja uczy się życia bez męża, to znaczy mąż gdzieś tam jest, ale daleko, czasem nie wiadomo gdzie. W domu się nie przelewa. Kiedy Kapuściński jest w Polsce, pożyczają pieniądze; kiedy wyjeżdża – on żyje z diet, a Alicja oddaje długi z jego pensji. Tak będą żyć przez całe lata.

Przed jednymi ze świąt Bożego Narodzenia Alicja sprzedaje makulaturę, bo nie ma pieniędzy na szpic na choinkę, a Zojka musi mieć przecież przystrojone drzewko świąteczne.

Krótko po wiadomości o malarii dzwoni z „Polityki" Maria Rutkiewicz (prywatnie towarzyszka życia Artura Starewicza). Prosi Alicję o spotkanie, zaprasza do redakcji tygodnika.

– Zastanawiamy się, czy nie mogłaby pani pojechać do męża i się nim zaopiekować. Coś ma z płucami…

– A to przypadkiem nie gruźlica?

Rutkiewicz ujawnia, co wie: doszły wieści, że Rysiek pluje krwią; jest wycieńczony.

Alicja decyduje natychmiast: – Jadę. Załatwia paszport, bezpłatny urlop w szpitalu. Cioteczna siostra męża ma się zaopiekować mieszkaniem. Dziesięcioletnią już Zojkę wysyła do swojej mamy do Szczecina. Przez najbliższy rok córka będzie chodziła do szkoły w Szczecinie.

Z Teresą Torańską pytamy:

– Jak zniosła rok bez obojga rodziców?

– Nie była zachwycona. Wielokrotnie potem mówiła: „Pojechałaś sama, mnie nie wzięłaś".

– I jak jej to pani tłumaczyła?

– Że nikt by mnie z tobą nie wysłał. Że jechałam do chorego ojca, który miał gruźlicę w tropiku... Nie jechałam tam na urlop.

– Najważniejsze dla niego były wyjazdy. Po nich?

– Praca nad książką.

– A potem? Długo, długo nic i...?

– Gdzieś tam się znajdowałam. Myślę, że miałam swoje trwałe miejsce. Tak mi się przynajmniej wydaje.

– Nie miałaś pretensji?

– Przecież on nie wyjeżdżał dla turystyki, dla przyjemności. Tylko do pracy. A ja wiedziałam, że muszę szanować jego pracę. Zawsze miałam głębokie przekonanie, że ta praca jest jedyną, którą chce i ma ambicje wykonywać. Nigdy nie powiedziałam mu „może byś nie pojechał" albo „wolałabym, żebyś został", albo wprost „nie jedź".

– A chciałaś powiedzieć?

– Może i chciałam. Ale rozumiałam, że każdy wyjazd – mniej lub bardziej niebezpieczny – jest spełnieniem jego marzeń. I jedynym sposobem, w jaki chciałby się realizować. To co ja miałam w tej sytuacji do powiedzenia, no co? Powiedzcie.

Nie było go czasem pół roku, czasami po kilka miesięcy. Chodziłam do PAP-u prosić, by pokazywali mi, jakie depesze przysyła. Patrzyłam, skąd są i dzięki temu mniej więcej wiedziałam, gdzie jest i co się z nim dzieje. Ta komunikacja z nim zawsze była koszmarna.

Mówił: wracam za 6 tygodni. I raptem okazywało się, że coś dzieje się w Mozambiku. Albo w Kongu, albo na Zanzibarze. Występował do PAP-u o zgodę, dostawał i jechał.

Pierwsza z chorób – malaria – dopada Kapuścińskiego w Kampali. W towarzystwie niejakiego Leonida (prawdopodobnie korespondenta radzieckiej agencji TASS) jedzie swoim land-roverem z Dar es-Salaam do Kampali. Okazją do tej wyprawy jest uroczystość ogłoszenia niepodległości Ugandy.

Po drodze Kapuściński bije własny rekord życiowy w prowadzeniu samochodu – od szóstej rano do jedenastej w nocy, 750 kilometrów po afrykańskich drogach.

Jak większość dziennikarzy, zatrzymuje się w Kampali w barakach należących do starego szpitala na obrzeżach miasta. Tam traci nagle przytomność.

Nieprzytomnego, nie wiadomo dokładnie jak długi czas, odnajduje towarzysz podróży. Nie ma jak wezwać pomocy, miasto tańczy, śpiewa, właśnie ogłoszono niepodległość. Leonid czuwa nad Kapuścińskim w nocy, ten majaczy, nie jest dobrze. Wreszcie Leonid sam jedzie do szpitala i ściąga karetkę. Zabierają Kapuścińskiego w samych slipkach, zawiniętego w koc, z temperaturą 40,6 stopnia. Ląduje w nowo otwartym szpitalu Mulago – prezent dla ludu Ugandy od królowej brytyjskiej Elżbiety. W warunkach ugandyjskich: luksus.

Otwiera oczy, widzi biały duży ekran (to pomalowany na biało sufit); na tle ekranu – twarz afrykańskiej dziewczyny. Po chwili słyszy (już męski) głos: – Dzięki Bogu żyjesz.

Raz po raz traci przytomność, jest wycieńczony gorączką. Diagnoza: malaria mózgowa. Ze szpitala pisze do Nowaków:

> Dzisiaj to już niebo, ale dwa dni temu myślałem, że wysiądę.
>
> Co za pech. Naokoło kolorowe miasto pełne światła i wrzawy, a ja leżę pod sześcioma ciężkimi kocami spocony i wyję z zimna. Dzisiaj zapytałem mojego lekarza, czy będę wariat, a on mi odpowiedział: *It's still not sure*. Czyli że jest jakaś nadzieja! Przez okno słyszę wycie stadionu, bo jest mecz Ghana [chodzi prawdopodobnie o Ugandę] – Londyn w boksie. Domyślam się, że jak Anglik idzie na dechy to stadion wyje. Są to jedyne objawy antykolonializmu, jakie odnalazłem w Ugandzie.
>
> Różnica między Kampalą a Dar jest taka, jak między Paryżem a Kielcami. Kampala = Paryż, Dar = Kielce... Uganda jest krajem pięknym, ale nudnym... Nie wytrzymam tu chyba ani tygodnia dłużej... Znowu zaczyna mną rzucać po łóżku, więc kończę. Posyłam wam swoje serce [tu rysunek serca z podpisem „moje serce"] i mnóstwo pozdrowień, Rysiek

Lekarz mówi, że musi tu zostać co najmniej miesiąc, Kapuściński: „myślałem, że zwariuję, jak to usłyszałem". Jest sam, „cholernie, cholernie samotny", nikogo nie zna, nie ma z kim pogadać; Leonid wpada, przynosi jabłka, ale jest tu na chwilę, szybko znika. Nie ma co czytać, zresztą nie może: gorączka, majaki, senność, wyczerpanie.

Pije tylko wodę, nic nie je – nie może, wszystko zwraca. Zaczyna śnić o rosołach, kurczakach, pomidorach. Prosi lekarza, żeby go karmiono dożylnie glukozą – nie jest w stanie jeść szpitalnych specjałów, a nie ma pieniędzy, żeby posłać kogoś po lepsze jedzenie z miasta. Waży 54 i pół kilo, w liście do Nowaków rysuje swoją rękę i opatruje rysunek dopiskiem: „średnica w najgrubszym miejscu = 1,75 cm".

Innego dnia pisze następny list, choć pisanie go męczy:

> Coś się we mnie w tych dniach załamało. Dusi mnie w gardle, chce mi się wyć... Jestem teraz jako ta trzcina na wichrze – krucha, wiotka i uległa wszelkim wiatru powiewom.

I kolejny – roztrzęsiony, załamany, że nie ma wieści od przyjaciół z Dar.

> Moi Drodzy! Piszę już trzeci list, ale do mnie nikt nie pisał ani słowa... Smutna strona tego wszystkiego polega na tym, że wyjdę z tego szpitala jako zrujnowany człowiek – z chorą głową, z chorą wątrobą, z chorym żołądkiem, wycieńczony itd. No ale nie poddaję się i może wszystko będzie OK.

PAP i Ministerstwo Spraw Zagranicznych składają się, żeby ktoś z ambasady w Dar poleciał po Kapuścińskiego do Kampali. Jedzie Izabella Nowak – na miejscu nie poznaje przyjaciela: skóra i kości. Zabiera go ze szpitala, razem wracają do Dar.

Gdy Kapuściński wydobrzeje, w czasie jakiejś domowej libacji („a miał raczej słabą głowę", mówi Nowak) wygłasza: – Miałem taki sen: jest wielka akademia na moją cześć, przemawiam i kończę słowami: „Niech wejdzie na scenę Iza, to jest ta, która mi uratowała życie". Wchodzi Iza, rozlegają się brawa.

Po powrocie do Dar wciąż nie ma na nic siły, przelewa się, całymi dniami poleguje. Którejś nocy odkrywa krew na poduszce. Mimo to nie chce iść do lekarza. Żeby zaciągnąć go na badania, przyjaciele uciekają się do fortelu: musi zawieźć Izę do szpitala; żona przyjaciela jest od niedawna w ciąży, a Jerzy cały dzień zajęty w ambasadzie. W szpitalu udaje się namówić go na prześwietlenie: dziury w płucach, gruźlica w stanie ostrym! Nie wolno mu nigdzie lecieć samolotem ani płynąć statkiem.

Na czas leczenia przenosi się bliżej ambasady, gdzie mieszkają Nowakowie. Mieszka oddzielnie, lecz stołuje się u przyjaciół. Ma własny zlew w ubikacji, gdzie myje naczynia, żeby nikogo nie zarazić.

Wie, że powinien rzucić Afrykę i wrócić do Polski. Boi się jednak, że jeśli o gruźlicy powiadomi agencję, więcej go tu nie wyślą. Skoro w tropiku łapiesz choroby, powiedzą, to się nie nadajesz do tego klimatu.

Zostaje. Zakochał się w Afryce, to nie praca, to pasja. Naprawdę nieuleczalna choroba.

Ma do wyboru: leczyć się w szpitalu dla białych, za który PAP musiałby płacić, albo za darmo w przychodni dla Afrykańczyków. Idzie do przychodni dla miejscowych. (Opisze potem, jak strzykawki gotują tam razem z jajkami).

Nie chce martwić bliskich, w liście do matki oszukuje, że miewa się dobrze. Opowiada, jaki opalony, zdrowy, silny. Załatwia matce trudno dostępne w Polsce lekarstwa, śle pieniądze. Prosi, żeby nie ciułała, tylko kupiła sobie coś, o czym marzy, niech będzie to prezent od niego.

Z odsieczą do Dar dociera w końcu Alicja. Gdy Kapuściński podleczy choroby, przenoszą się do Nairobi.

Pierwsze wrażenia:

> Burdel tu jest wszędzie straszny, Anglicy kładą na wszystko lachę, Afrykańczycy jeszcze niczego nie przejęli, jednym słowem organizacyjne bezkrólewie, byle co załatwić – trzy dni chodzenia...
>
> – ...miasto przepiękne, urzekające, klimat bajeczny, Riwiera 24 godziny na dobę,
>
> – jeżeli cokolwiek da się zrobić w tej części Afryki, to cała nadzieja w Kenii, wygląda na to, że tu będzie zimna wojna, już zresztą jest... to jest jednak dużo większy kaliber niż Dar, w każdym razie dynamika jest tu większa bez porównania...

Krótko po przyjeździe do Kenii dociera wiadomość o zastrzeleniu prezydenta Stanów Zjednoczonych Johna Kennedy'ego.

Kapuściński nadaje depeszę:

Śmierć Kennedy'ego wywołała głębokie poruszenie w Nairobi. W mieście opuszczono flagi do połowy masztu. Komitet miejski rządzącej partii KANU w swej depeszy do konsula USA w Nairobi podkreśla, że inspiratorami zabójstwa Kennedy'ego są „koła rasistów i faszystów w południowych stanach USA". Zarówno w Nairobi, jak i Dar es-Salaam w kołach politycznych utrzymuje się przekonanie, iż zabójstwo Kennedy'ego zostało zorganizowane przez rasistów. Wyraża się tu powszechnie obawę, że w USA dojdą do głosu elementy rasistowskie, co wpłynie m.in. na zmniejszenie pomocy USA dla Afryki i utrudni krajom afrykańskim działalność na terenie ONZ.

Najbardziej emocjonującym wydarzeniem, jakie obsługuje w tamtych miesiącach – nie licząc skandalu, jaki wywołał artykułem o korupcji w Kenii i innych nowo wyzwolonych krajach Afryki – jest rewolta na Zanzibarze. W korespondencji, którą publikuje „Trybuna Ludu", Kapuściński donosi:

> Byłem pierwszym dziennikarzem z krajów socjalistycznych, który dotarł na Zanzibar w 5 dni po wybuchu zbrojnej rewolucji, która obaliła neokolonialny rząd burżuazji arabskiej i postawiła u władzy rewolucyjny rząd szejka Abeida Karume. Zgodę na przyjazd uzyskałem w środę w czasie rozmowy telefonicznej, którą przeprowadziłem z Dar es-Salaam z prezydentem nowej republiki, szejkiem Abeidem Karume [poznał go prawdopodobnie przy piwie w hotelu New Africa – A.D.] i ministrem Spraw Zagranicznych i Obrony Abdul Rahmanem Babu. W czwartek wylądowałem małym turystycznym samolotem na lotnisku Zanzibaru, od wybuchu rewolucji otwartym tylko na przyjęcie samolotów, które mają zgodę lądowania wydaną przez kwaterę marszałka polnego rewolucji.

Gdy Kapuściński ląduje na wyspie, po wąskich uliczkach Stone Town – miasta labiryntu, krążą zbrojne patrole armii rewolucyjnej. Miasto przypomina obóz wojskowy. Sklepy zamknięte, po ulicach chodzą uzbrojeni cywile rebelianci. Najbardziej oddane sprawie rewolucji oddziały pilnują więzienia, w którym osadzono członków obalonego rządu. Obstawiają one również kwaterę „marszałka polnego" Johna Okello. W kwaterze zastępca marszałka osobiście wypisuje Kapuścińskiemu przepustkę pozwalającą poruszać się po wyspie.

Chodzi na pocztę wysyłać korespondencje. Poczta również jest obiektem szczególnie chronionym: przed budynkiem stoją uzbrojeni mężczyźni i kobiety – żołnierze rewolucji. Każdą depeszę czyta dwóch z karabinami na piersiach – to cenzorzy. Do hotelu wraca pod rewolucyjną eskortą. Wieczorem ulice są puste, ogłoszono stan wojenny i godzinę policyjną. Widzi, jak wojsko otacza samochód konsula amerykańskiego, a w zatrzymaniu bierze udział sam prezydent Karume i jego minister Rahman Babu.

„Wywiad Republiki – donosi Kapuściński – wykrył materiały kontrrewolucyjnego spisku organizowanego przez ambasadę amerykańską. Prezydent zapowiedział, że w piątek będą deportowani z Zanzibaru dziennikarze amerykańscy. Obecnie znajdują się oni w areszcie w hotelu podobnie jak inni dziennikarze zachodni". (Wiele lat później Kapuściński napisze w *Hebanie*, że razem z tymi dziennikarzami chodził na pocztę słać korespondencje).

Kontrowersją tamtych dni jest domniemany udział Kubańczyków w zanzibarskiej rewolcie. Kapuściński dementuje: „Prasa zachodnia próbowała siać pogłoski, że na czele rewolucji stali oficerowie kubańscy, a nawet że w stolicy Zanzibaru słyszy się dziś wojskowych mówiących po hiszpańsku. Są to zmyślone nonsensy – na Zanzibarze nie ma ani jednego Kubańczyka czy Algierczyka. – Naszym głównym zadaniem jest w tej chwili ustanowienie pełnego porządku, aby nie dać imperialistom pretekstu do zbrojnej interwencji – powiedział mi jeden z członków kwatery marszałka polnego".

Kubańczyków, istotnie, w czasie spontanicznej, lumpenproletariackiej rewolty na Zanzibarze nie ma. Lewicowa partia Umma (wywodząca się z Zanzibarskiej Partii Nacjonalistycznej) jest zaskoczona powstaniem. Szybko jednak wkracza do akcji i przechwytuje ster chaotycznej rebelii. Garstka dwudziestu pięciu działaczy Ummy, jeszcze będąc w partii nacjonalistycznej, przeszła dwa lata wcześniej szkolenie wojskowe na Kubie, teraz ich umiejętności się przydają.

Czy Kapuściński nie wie o ich związkach z Kubą, czy też wie, lecz staje się w tym momencie reporterem w służbie rewolty, z którą sympatyzuje? Nie musi wiedzieć; informacje o szkoleniach wyszły na światło sporo później, choć w roku sześćdziesiątym czwartym CIA już o nich wiedziała. Czy rewolucjoniści zwierzali się z takich doświadczeń reporterowi z socjalistycznej Polski – czy to w dniach rewolty, czy wcześniej na tarasie hotelu New Africa w Dar es-Salaam?

O swoich zaangażowaniach, sympatiach, dylematach reportera na wojnach i rewolucjach Kapuściński opowie kilkanaście lat później, gdy zbierze więcej doświadczeń. Co znaczy dziennikarski „obiektywizm" w sytuacji, gdy jedni uciskają, a drudzy z uciskiem walczą? Albo: gdy jedni są ludożercami, a drudzy walczą o wyzwolenie i socjalizm? Na Zanzibarze orientuje się, że od podania lub zdementowania informacji coś zależy: życie wielu ludzi? los małego kraju?

Najsłynniejszy guerrillero XX wieku Ernesto Che Guevara, człowiek numer dwa rewolucji kubańskiej, przyzna potem, że Kuba odegrała pewną rolę w sukcesie rewolty na Zanzibarze. „Zanzibar jest naszym przyjacielem i gdy było to konieczne, udzieliliśmy mu niewielkiej pomocy, naszej braterskiej pomocy, naszej rewolucyjnej pomocy" – ujawnił Che, mając na myśli szkolenia kadry zanzibarskich nacjonalistów, którzy staną się później lewicowymi rewolucjonistami.

Właśnie na Zanzibarze, nieco później, Guevarę spotyka attaché Nowak. Kapuściński umiera z zazdrości. Jaki jest ten Guevara? O czym rozmawialiście?

– Wy, towarzyszu, jesteście z socjalistycznego kraju – zaczepił polskiego dyplomatę pewien nieznajomy w barze hotelu Stanley, którego nazwę przemalowywano właśnie na Mao Zedong. – Może o mnie słyszeliście, byłem ministrem na Kubie...

Ten nieznajomy to Guevara. Gadają pół nocy. Che jest żywotny, pełen pasji, lecz kiedy przechodzi na sprawy ideologiczne, staje się sztywny, doktrynerski. Przyjechał na Zanzibar zobaczyć, jak się miewa rewolucja. Nie widzi jednak różowo przyszłości socjalizmu na wyspie: dziedzictwo kolonializmu, rasizmu... Powstanie na Zanzibarze ma – w jego opinii – więcej cech buntu na tle rasowym niż klasowym, a on jest przecież marksistą.

W niecały rok od przeprowadzki do Nairobi, jakiś czas po skandalu wokół artykułu o korupcji i rozrzutności rządu Kenyatty, Kapuściński z żoną wracają do kraju. Potrzebuje odpoczynku („odpoczywać nie umiał, nudził się", mówią Nowakowie), pragnie zobaczyć się z rodzicami, przede wszystkim z ukochanym „maminkiem".

Po drodze, w Niemczech Zachodnich, kupują volkswagena garbusa – za pierwsze odłożone z diet zagranicznych pieniądze. Garbus to wtedy szczęście, luksus, żyć nie umierać.

Kapuścińskiego nie ekscytują jednak rzeczy, które można sobie kupić, posiadać, gromadzić (z wyjątkiem książek). Ożywia go myśl, że po niedługim odpoczynku i rekonwalescencji w kraju prędko wróci do Afryki.

Lapidarium (3): historia pewnej plotki

Przejmujący opis gorączki malarycznej, jaka trawiła go w Kampali – gorączki zbliżającej cierpiącego do przeżyć mistycznych – Kapuściński zamieszcza kilka dekad później w *Hebanie*. Fragment ów stanie się powodem nieprzyjemnej plotki, która jeszcze niedawno krążyła po Nairobi.

Reżyser teatralny Keith Pearson jest przekonany, że opis malarycznych majaków w *Hebanie* to plagiat jego wiersza.

– Spotkałem Kapuścińskiego w Kampali w osiemdziesiątym ósmym roku – mówi w telefonicznej rozmowie Pearson. – W czasie wspólnej kolacji opowiadałem mu, jak chorowałem na malarię, a Kapuściński – jak on chorował. Przeczytałem mu wiersz.

Dobrą dekadę później przyjaciele Pearsona zauważają, że w wierszu posłużył się obrazami z *Hebanu*.

– Wziąłeś to od Kapuścińskiego?

– Przeciwnie, to Kapuściński zainspirował się moim wierszem. Możecie sprawdzić: wiersz powstał dużo wcześniej.

Oto źródło plotki o plagiacie, co najmniej: „plagiaciku".

Pearson wysyła mi wiersz pocztą elektroniczną. Porównuje w nim atak malarii do węża Omieri, który pełznie w żyłach chorego; do noża, który rozdziera kości...

Czytam wiersz kilka razy i kilka razy wertuję opis gorączki i majaków w *Hebanie*. Żadnych podobieństw, ani jedno słowo, ani jedna metafora.

Kilka dni później sam Pearson przysyła kolejny e-mail: – Artur, czy mógłbyś wskazać mi odpowiedni fragment w *Hebanie*? Nie mogę go znaleźć.

Dzwonię do Pearsona: – Nie widzę podobieństw, ani słowa, to zupełnie różne opisy. Skąd się wzięła legenda o plagiacie?

– Nawet nie wiesz, jak się cieszę! Mam wspaniałe wspomnienie kolacji z Kapuścińskim i podejrzenie o plagiat zostawiło niesmak. Muszę przyznać, że podobieństwo obu tekstów zasugerowali mi brytyjscy przyjaciele, którzy nie cenią pisarstwa Ryszarda; zarzucają mu niedokładności, ignorancję, konfabulacje. Co za ulga!

Życie w Afryce cd.

Czy Kapuściński dostaje polecenie przeniesienia afrykańskiej placówki PAP do Nigerii, bo teraz tam będzie „się działo", bo tam będzie główny front rywalizacji supermocarstw o wpływy? (Nie tylko między Moskwą a Waszyngtonem, lecz także między Moskwą a Pekinem). Nikt dzisiaj nie potrafi odpowiedzieć, jaki był powód. Najprawdopodobniej po ponad dwóch latach w Afryce Wschodniej, w której kończy się gorączka dekolonizacyjna, sam Kapuściński sugeruje: czas spenetrować Afrykę Zachodnią. Pisze z Lagos:

> Nigeria jest największym mocarstwem niepodległej Afryki. Jest głównym eksporterem w czarnej Afryce takich produktów jak ropa naftowa, cyna i kolumbit... Według szacunków geologicznych jest to jeden z najbardziej zasobnych w bogactwa mineralne krajów Afryki... Nigeria była traktowana przez Waszyngton jako główna baza wpływów amerykańskich w Afryce... Nigeria znalazła się w pierwszej siódemce państw na liście krajów świata otrzymujących pomoc USA. Co drugi biały, jakiego spotyka się w Lagos – to Amerykanin. W Nigerii pracuje największa na całym świecie ekipa Peace Corps. Dla Amerykanów utrata Nigerii jest ciosem ogromnym...

Chodzi tu o wojskowy zamach stanu w styczniu sześćdziesiątego szóstego, który obala neokolonialny reżim, skorumpowany, niepanujący nad rozdzierającymi kraj trybalizmami, w sytuacji kryzysu gospodarczego. Kapuściński pisze analizę dziesięć dni po przewrocie. Wieszczy „dywersję, prowokacje, szantaże ze strony starej reakcji", uważa, że „Waszyngton i Londyn zrobią wszystko, aby utrzymać Nigerię jako swoją bazę w Afryce". „Nigeria to nie Ghana czy Tanzania – w Nigerii Zachód nie popuści, nie ustąpi". Niektóre teksty z Nigerii dla Biuletynu Specjalnego PAP są opatrzone zastrzeżeniem: „materiał nie do publikacji". (Nowak uważa, że powodem tego zastrzeżenia mogło być to, że ówczesne władze Polski Ludowej chciały robić interesy ze skorumpowanymi politykami nigeryjskimi i szczere pisanie o nich było im nie na rękę).

W innej korespondencji Kapuściński donosi, że „dzień przewrotu jest w odczuciu ludności traktowany jak dzień wyzwolenia".

> Brak dotąd dowodów wskazujących na zewnętrzną inspirację przewrotu. Głównym organizatorem przewrotu była grupa oficerów o zdecydowanie patriotycznym i niezależnym nastawieniu. Lewica nigeryjska chce, aby armia jak najdłużej została u władzy. Lewica uważa armię za bardziej postępową niż jakikolwiek realistyczny możliwy inny układ polityczny. Nie jest wykluczone, że walka będzie przebiegała w tym kierunku, że reakcja będzie naciskała na armię, aby oddała władzę cywilom, a lewica będzie popierać pozostanie armii u władzy.

Kapuściński wieszczy serię podobnych zamachów stanu w innych krajach. „W wielu wypadkach przewroty te są jedynym wyjściem z upadku, do jakiego doprowadziły państwa Afryki reżimy neokolonialne". Był już świadkiem podobnych przewrotów zaledwie dwa lata wcześniej w Afryce Wschodniej. Wkrótce rządy wojskowych jako „jedyne wyjście z upadku" rozczarują reportera.

Polska Ludowa nie chce angażować się w Nigerii, mimo że miejscowi komuniści oczekują pomocy: stypendiów na polskich uczelniach dla swoich ludzi, pieniędzy, przede wszystkim – broni. Gdy lider tutejszych komunistów mówi polskiemu ambasadorowi w Ghanie, że partia zamierza wejść na drogę walki zbrojnej, ten odpowiada: – Brak mi kompetencji do rozmowy o pomocy krajów socjalistycznych dla tego typu działań. Ambasador podejrzewa prowokację i donosi o swoich podejrzeniach centrali w Warszawie.

Nigeryjscy komuniści nie dają za wygraną. Piszą list do kierownictwa PZPR: „...pomóżcie nam w uratowaniu naszego kraju, oddając do naszej dyspozycji środki, przy pomocy których moglibyśmy osiągnąć nasz cel, jak to uczyniliście w Korei, Wietnamie i innych krajach. Potrzebujemy broni i amunicji, środków transportowych, pieniędzy, potrzebujemy pomocy w przeszkoleniu naszego personelu w zakresie prowadzenia wojny partyzanckiej i obsługi nowoczesnych rodzajów broni...".

Nigeryjczycy podejrzewają, że polscy komuniści nie ufają im, gdyż zwietrzyli być może sympatie prochińskie – jest to czas rywalizacji między Moskwą i Pekinem o palmę pierwszeństwa w obozie socjalistycznym. Nigeryjczycy deklarują lojalność wobec Moskwy, lecz nie chcą się angażować w ideologiczny konflikt między dwiema ojczyznami rewolucji. W liście do PZPR piszą: Komunistyczna Partia Nigerii jest „głęboko przekonana, że publiczna polemika, dziecinne kłótnie i wygwizdywania nigdy nie będą służyć interesom światowej solidarności komunistycznej. Nasi wspólni wrogowie – kapitaliści, imperialiści i neokolonialiści – wyśmiewają się z nas dlatego, że nieracjonalnie zużywamy naszą energię na takie niewłaściwe zajęcie jak kłótnie z powodu różnic ideologicznych".

Polski ambasador sugeruje władzom PZPR tylko taką pomoc dla Nigeryjczyków, która wykluczy udział akredytowanych w Lagos dyplomatów. Warszawa wstrzymuje się z decyzjami: za dużo zastrzeżeń i znaków zapytania.

Już po zamachu stanu, opisywanym przez Kapuścińskiego, dochodzi do nieformalnej rozmowy nigeryjskich komunistów z Władysławem Gomułką i kilkoma polskimi dygnitarzami w Moskwie. Na wszelkie prośby o pomoc – pieniądze, stypendia, wymiana handlowa – Gomułka odpowiada wymijająco.

– Istnieje międzynarodowa partyjna pomoc finansowa, która jest scentralizowana – mówi. – O tych sprawach będziecie rozmawiali z towarzyszami radzieckimi. Wówczas troszkę inaczej będziecie oceniali waszą sytuację.

Jednak i Moskwa nie pali się do pomocy. Wspiera finansowo utworzenie komunistycznego tygodnika „Advance", nic więcej. Ostrożność radzieckich nie wynika z powodu odkrycia przez nich prochińskich sympatii Nigeryjczyków, wpływy Pekinu są tu śladowe. Towarzysze radzieccy unikają po prostu eskalowania konfliktu z Waszyngtonem na terytorium Afryki. To czas „pokojowego współistnienia" obu supermocarstw, które wchodzący do globalnej gry Pekin chce w pewnym momencie zburzyć. Wyzwalająca się z kolonializmu Afryka wydaje się wymarzonym poligonem chińskiej dywersji.

Argumenty Pekinu Kapuściński wyjaśnia tak: „zapewniając imperialistom spokój w stosunkach z blokiem wschodnim, pozwala [się] im na skupienie sił na froncie walki o zachowanie pozycji kolonialnych oraz intensywną ekspansję neokolonialną". Jednak przywódcy nowo powstałych państw Afryki uchylają się od zaostrzania starych i prowokowania nowych konfliktów z Zachodem, do czego prą Chińczycy. Nie chcą, żeby ich kraje stały się teatrem wojennym światowych potęg. Odmowa poparcia afrykańskich liderów dla pekińskiej strategii sprawia, że na jakiś czas Chiny rezygnują – o czym Kapuściński także donosi w korespondencjach – „ze swoich ambicji w Afryce".

Zanim osiedli się w Lagos, wrzesień sześćdziesiątego piątego, odwiedza Akrę. Wpada w przerażenie: kryzys, dosłownie nie ma co jeść. W liście do Nowaka skarży się, że mógłby tu przeżyć tylko z rodziną. Gdy on w pracy, żona mogłaby wystawać cały dzień za chlebem i margaryną (masło niedostępne) – jest jednak sam. Narzeka na podłe jedzenie w hotelach, coś lepszego zdarza się zjeść, gdy ktoś zaprosi do domu.

> Tam jak się idzie do kogoś na kolację i stoi na stole np. ser, to jest w dobrym tonie wyrazić zdziwienie: O, skąd Pani dostała ser? Papier do pisania pożyczałem w Ambasadzie, bo w ogóle nie ma papieru. Natomiast politycznie Ghana jest ciekawa, ale co z tego, gdybym jeszcze posiedział tam miesiąc, to byłby koniec ze mną.

Zaczyna gwałtownie chudnąć i boi się, że z powodu niedożywienia wróci gruźlica. Po dziesięciu dniach ucieka z Akry do Lagos. Będzie wracał do Ghany na krótko – na konferencje lub przy okazji ważnych wydarzeń.

Nowego miejsca zamieszkania – Lagos – nie polubi. To „parterowo-lepiankowy kolos, rozciągający się na kilometry. Dar to była pchełka! Nairobi – pchełka!". Inaczej niż w Akrze, można tu kupić wszystko („kraj jest kapitalistyczny, a więc zaopatrzenie takie, jak w Londynie, jest wszystko, co chcecie, jak w Nairobi") – za to ceny nie na kieszeń korespondenta z kraju socjalistycznego („straszliwa drożyzna"). Podobają mu się knajpy, kuchnie: libańska, chińska, włoska... Odzyskuje wagę. Męczy go natomiast klimat i położenie miasta na czterech wyspach rozdzielonych lagunami, bo wszędzie daleko („a przy tym nie ma dobrej plaży!").

> Pod względem gorąca Dar to była Syberia! Najgorsza jest tu wilgotność – bez przerwy leje, w powietrzu wiszą ciągle gorące mgły, jest

strasznie duszno dzień i noc. Wiecie, że jestem wrogiem air-conditionera, ale tu nawet ja muszę siedzieć ciągle pod air condit. Ohyda. A mówią tu, że teraz jest *very nice*, że dopiero w styczniu zacznie się piekło.

Prowadzi walkę z centralą w Warszawie, żeby przysłali pieniądze na samochód, bo nie ma nawet jak dojechać na pocztę, skąd powinien wysyłać korespondencje. Siedzi unieruchomiony w hotelu, nie stać go na arcydrogie taksówki. Ogłasza „strajk": nie napisze słowa, dopóki nie znajdą się pieniądze na samochód. A ten jest konieczny podwójnie, bo na dodatek ciekawa polityka dzieje się poza stolicą: w Ibadanie, Enugu, Kano; cały czas trzeba być w ruchu. „PAP wyprawił mnie bez grosza i to są takie skutki oszczędzania" – żali się przyjacielowi. (Kupi w końcu peugeota 403 za 600 funtów brytyjskich z części budżetu placówki przeznaczonego na co innego).

Pasjonat i pracoholik stara się nie marnować czasu. Dużo czyta, spotyka się z ludźmi, choć – jak pisze – „kontakty osobiste bardzo trudne". Cieszy się, że inaczej niż w Dar i w Nairobi mieszka wśród Afrykańczyków, w Lagos nie ma białych dzielnic, „jest się w samym środku Afryki".

Sama praca – nudniejsza niż w Dar. Prasa lokalna – „okropna", same kroniki sądowe, zero polityki, brak opinii, „nic, z czego by można zrobić depeszę". „Dosłownie nic się nie dzieje i w ogóle nie wysyłam depesz – zwierza się Nowakowi. – Tu już wszystko jest ustabilizowane [cztery miesiące później dojdzie do zamachu stanu, o czym Kapuściński nie może wiedzieć – A.D.], a przede wszystkim nad całością sytuacji dominują sprawy czysto gospodarczo-finansowe, innej polityki w ogóle nie ma. Wschodnia Afryka to był rewolucyjny wulkan, Zachodnia jest jak Szwecja czy Szwajcaria. Nudy na pudy. W tej sytuacji można tylko jeździć, zwiedzać i zaliczać kraje – nic więcej". No ale wciąż nie ma samochodu.

Znowu choruje. Jakaś infekcja, zatrucie. Ciało pokrywają wrzody i ropnie. Puchnie. Chce wracać do Polski (i rzeczywiście wkrótce wraca na noszach). Po latach wyzna:

> Nie ma wyjścia, jeżeli ktoś chce wejść w najbardziej mroczne, zdradliwe i niezdeptane zakątki tego lądu, musi być przygotowany, że przypłaci to zdrowiem, jeśli nie życiem. Ale tak jest z wszelką ryzykowną pasją – to moloch, który chce nas połknąć. Niektórzy decydują się

w tej sytuacji na egzystencję paradoksalną, to znaczy – po przyjeździe do Afryki znikają w komfortowych hotelach, nie opuszczają luksusowych dzielnic dla białych, słowem, mimo że topograficznie znajdują się w Afryce, żyją nadal w Europie, tyle że jest to Europa w namiastce, pomniejszona i wtórna. Wszakże taki styl bycia jest niegodny prawdziwego podróżnika i niemożliwy dla reportera, który musi wszystkiego doświadczyć na własnej skórze (*Wojna futbolowa*).

Gorzej niż choroby znosi chandry, samotność, bezsenne noce, poranną bezsilność. Żeby się przed nimi obronić, trzeba mieć „żelazną odporność i siłę woli". W liście do Nowaka pisze:

> Kiedy sobie tak siedzę w Lagos, to sobie myślę, że już tak jak było w Dar, to mi nigdy w Afryce nie będzie. Tamto było zupełnie wyjątkowe, przez to, że Was poznałem i że tam byliśmy. Mnie się tutaj tęskni za Dar, ale za Dar z Wami, to znaczy za takim Dar, którego już nie ma. Przywiązujemy się do miejsca tylko wtedy, jeżeli w tym miejscu jest ktoś, do kogo jesteśmy przywiązani. Tutaj nie mam nikogo, wieczorami wyję w swoim pokoju z nudów, a nie ma ani gdzie, ani jak pójść. Ani do kogo. Cholerne życie moje.

W kolejnym liście, parę miesięcy później, Kapuściński dramatyzuje: „Psychicznie znoszę ten pobyt okropnie. Jestem stary, jestem zmęczony, chcę umrzeć. Stan ciągłego kryzysu. Nic nie piszę, bo nie chcę pisać źle, a dobrze nie mogę. Paraliż, pustka w głowie. Brak energii. Upadek".

Gdzieś się ulatnia optymizm, entuzjazm pierwszej afrykańskiej podróży – do Ghany, pierwszych lat w Afryce Wschodniej.

Niepodległość okazuje się „pozorna", władza Afrykańczyków także. Czy w ogóle nastąpiła dekolonizacja? – zastanawia się Kapuściński. Czy zmiana władzy nie jest powierzchowna, fakt – przejęli ją afrykańscy liderzy, lecz weszli w koleiny kolonialnych rządów, nie zmieniają systemu (z nielicznymi wyjątkami), nadal zależni od metropolii, dają się korumpować Zachodowi.

Pytania te stawia ciągle wierzący komunista, który jednocześnie widzi, dlaczego trudno Afrykańczykom zerwać ze starym ładem: ich gospodarki są związane z rynkami Zachodu; potrzebują kapitału – ten mogą dostarczyć tylko niedawni kolonialiści; wspólnota języka i kontakty osobiste – afrykańska inteligencja studiowała w europejskich metropoliach.

> Na całym kontynencie niepodległość stała się synonimem nędzy i demagogii. Poprawiła ona sytuację przywódców mniej lub bardziej zeuropeizowanych, zarówno rewolucjonistów, jak i pachołków imperializmu, ale nigdzie nie przyniosła poprawy masom. Wołaliśmy kiedyś, że wyzwolenie z jarzma kolonialnego wystarczy, aby otworzyć przed nami drogę postępu, tymczasem niepodległość przyniosła nam – obok starych problemów – nowe trudności...

– słowa kongijskiego towarzysza Lumumby Kapuściński bierze za swoje, puentuje nimi obszerny szkic o polityce afrykańskiej.

> Błąd przywódców afrykańskich polegał na tym, że czynili ludności obietnice, których nie byli w stanie wypełnić. W ten sposób stracili popularność i ułatwili pułkownikom dokonanie przewrotów [chodzi o serię zamachów stanu i buntów wojska między innymi w Kenii, Ugandzie, Tanzanii, Nigerii, Ghanie]. Ale pułkownicy nie będą w stanie wiele zmienić. Już widać, jak niektórzy z tych pułkowników zaczynają obiecywać, improwizować, ochraniać obce interesy i oddawać się demagogii.

„Imperialistom", napisze już od siebie, jest to na rękę; dzięki porażkom afrykańskich rządów odzyskują wpływy, „wykorzystując niedojrzałość polityczną ruchu wyzwoleńczego i sprzedajne elementy w tym ruchu". To już nie kolonializm, lecz neokolonializm – „bardziej elastyczna, bardziej zamaskowana forma zależności Afryki od imperializmu".

Czy skoro Zachód rozpycha się w Afryce, to Polska i inne kraje socjalistyczne powinny w ramach zimnowojennej rywalizacji rzucić się do boju o wpływy na kontynencie? Kapuściński, analityk i publicysta, nie reporter i nie romantyk, doradza powściągliwość, „politykę rozsądnych możliwości". Przede wszystkim jeszcze nie tak dawno większość Afrykańczyków w ogóle nie wiedziała o istnieniu państw socjalistycznych; panuje wśród nich przekonanie, że jak każdy kraj białych ludzi, również państwa socjalistyczne mają w Afryce swoje kolonie.

Nadto pozyskiwanie sojuszników na tym kontynencie jest kosztowne: potrzeby rozwojowe krajów Afryki i ambicje ich liderów są ogromne, a możliwości pomocy ekonomicznej krajów bloku radzieckiego – niewielkie.

> Możliwości eksportowe państw afrykańskich są ograniczone, ponieważ wiele pozycji gospodarczych w tych państwach znajduje się w obcych rękach. [Z kolei] szereg produktów, które Afryka mogłaby eksportować w zamian za pomoc techniczną [krajów socjalistycznych], nie stanowi artykułów pierwszej potrzeby dla krajów socjalistycznych.

Analityk wylewa kubeł zimnej wody na głowę rewolucjonisty marzyciela.

Rewolucjonista marzyciel ma jednak na własny użytek prywatną teorię: samopoświęcenia, samospalenia. Wykłada ją przyjacielowi jeszcze w Dar es-Salaam w czasie jednego z długich spacerów nad brzegiem oceanu.

– Zaszokowały go nędza i głód w Indiach, teraz w Afryce – opowiada Jerzy Nowak. – Uważa, że „zbawienie przez kapitalizm" okazało się porażką, bo Zachód naruszył jedynie tradycyjne struktury plemienne, klanowe, nie rozwiązując żadnego z problemów podbitego świata. Obóz socjalizmu z kolei, obiecując „zbawienie społeczne", mami biedaków, lecz nie jest gotowy niczego poświęcić, naprawdę się zaangażować.

Jakie jest zatem wyjście, jaka recepta? Indywidualny program samopoświęcenia. Jest pod wrażeniem świętego Franciszka i koncepcji odkupienia win, także tych przez nas niepopełnionych. Żyje z poczuciem misji zbawiania świata. Pochodzi z kraju, który nie miał kolonii, lecz mimo to czuje się winny za zbrodnie Europejczyków.

„Tym ludziom mogą pomóc tylko ci, którzy gotowi są poświęcić im swoje zdrowie, życie, nawet ryzykując jego utratę" – mówi. Uważa, że los dał mu szansę uświadomienia dostatniemu światu, co dzieje się w Afryce, tragizmu tutejszej sytuacji, i że powinien przemówić do sumień bogatych ludzi. Żeby jednak dać świadectwo, musi żyć między Afrykańczykami, dzielić, na ile się da, ich los: chorować jak oni, wspólnie głodować.

Czy przemawia przez niego idealistyczny lekkoduch? W naszych afrykańskich latach tak nie uważałem; widziałem, jak przemienia swoją ideę w czyn. I robi to, wiedząc, że jest w tym swoim idealizmie, nawet naiwności, osamotniony. Z czasem zaczyna się oswajać z własną bezradnością. Na zewnątrz tryska optymizmem, w środku popada w stany pesymistyczne, które na własny użytek – chyba trochę niesprawiedliwie – nazywałem „powrotem do realizmu".

Gdy zaczyna ciężko chorować, na malarię, gruźlicę, uświadamia sobie, że samospalenie świata nie uleczy. Jednak wiary w misję uświadamiania światu tragedii Afryki i innych biednych lądów, wiary w konieczność zbawiania świata, nie porzuca.

Do Afryki będzie Kapuściński wracał do końca życia, napisze o niej swoje najważniejsze książki. Będzie świadkiem ewakuacji Portugalczyków z Angoli, ostatniego etapu zmagań o wyzwolenie kraju, krwawej wojny domowej. W Etiopii (Abisynii) będzie obserwował schyłek rządów cesarza Hajle Sellasje i początki czerwonego zamordyzmu pułkownika Mengistu. W Ugandzie na własnych plecach poczuje ciarki, jakie wywołują u miejscowych rządy Idi Amina; po jego upadku pojedzie zbierać materiały do książki o tyranie, której nigdy nie skończy.

Na początku lat dziewięćdziesiątych, gdy będzie szykował się do napisania afrykańskiej summy *Heban*, wyśle z Addis Abeby kartkę do przyjaciela:

> Kochany Jurku,
>
> Dwa miesiące jestem już w Afryce – byłem w Ugandzie, Tanzanii (w tym Zanzibar), Rwandzie, Kenii, Erytrei, a teraz jestem (po raz drugi w tym roku) w Etiopii. Podróż trochę sentymentalna, śladami naszej wspólnej młodości – serce się kraje. Odnalazłem naszą starą ambasadę, w której mieszkaliśmy – zrujnowana.

Ruina ambasady nieźle oddaje stan ducha, z jakim Kapuściński wraca z podróży. Wszystko idzie ku gorszemu, rozkład, degrengolada. W Addis Abebie idzie do Africa Hall, modernistycznej budowli na jednym ze wzgórz miasta, gdzie w sześćdziesiątym trzecim obsługiwał pierwszy szczyt liderów nowej Afryki. Teraz w hallu historycznego budynku dzieciaki grają w ping-ponga, kobieta sprzedaje skórzane kurtki.

Szuka pewnego dokumentu: jest to plan rozwoju i ratowania Afryki. Podaje tytuł, zagaduje o dokument sekretarki, urzędników. Nie mogą znaleźć, większość pytanych w ogóle o planie nie słyszała. Kapuściński zaczyna wątpić, czy plan taki istnieje. Czy Afrykę można w ogóle uratować.

W korytarzach władzy

W gabinecie Artura Starewicza dzwoni telefon.

– Słuchaj, przyjdzie do ciebie Rysiek Kapuściński, opowie ci o swoich planach afrykańskich.

Redaktor naczelny PAP Michał Hoffman, zanim wyda ostateczną zgodę i wystąpi o przydział dewiz na wyjazd swojego reportera, wykonuje telefon do zwierzchnika wszystkich dziennikarzy i redaktorów – szefa Biura Prasy KC.

– Hoffman był rozumnym człowiekiem – opowiada Starewicz, rocznik 1917, w swoim mieszkaniu przy warszawskim Starym Mieście. – Chciał mieć podkładkę na wypadek, gdyby ktoś z władz partii zmył mu głowę za rozrzutność. Afryka nie była priorytetem, ale Hoffman uważał, że to ważne, że warto, poza tym cenił Kapuścińskiego. A ja zawsze wydawałem pozytywną opinię.

Starewicz, człowiek Gomułki, w okresie przełomu Października '56 bliski partyjnym „liberałom" (puławianom), poznaje Kapuścińskiego w czasach „Sztandaru Młodych". Ich kontakty mają „nastrój przyjacielski, choć są formalno-służbowe". Prywatnie nie spotykają się. Mówią do siebie per „wy" (wy, towarzyszu...) – jak mówiło się w tamtych czasach w aparacie partyjnym. Towarzyskie stosunki Kapuściński utrzymuje z żoną Starewicza, która pracuje w „Polityce".

Przychodzi do budynku KC na rogu Alei Jerozolimskich i Nowego Światu – ma tu stałą przepustkę – i opowiada Starewiczowi, gdzie chce wyjechać, co planuje. Gdy wraca z podróży, przychodzi znowu i opowiada, co widział, co przeżył.

– Słyszałem od niego wszystko to, o czym można było przeczytać potem w reportażach, tyle że w bardziej przygodowej wersji. Opowiadał, jak nie miał w Afryce co jeść albo gdzie nocować. Ale lepiej pisał, niż opowiadał... (śmiech). Chciał mnie zainteresować, żeby mieć otwartą drogę do następnych wyjazdów.

– Wiedziało się w KC, kto to taki Kapuściński?

– Oczywiście – że to talent, że pisze świetne analizy. Ale prawdę powiedziawszy, nigdy nie były to jakieś głębokie, obszerne opinie, bo Gomułkę interesowały sprawy niemieckie, Afryka była dla niego egzotyką.

– Utrzymywaliście kontakty później, gdy Gomułkę zastąpił Gierek, a pan odszedł z Komitetu Centralnego?

– Nie. Prawdę mówiąc, nie wiem, co Kapuściński o mnie myślał – w końcu reprezentowałem aparat partyjny skłócony z dziennikarzami. Gdy w latach siedemdziesiątych zostałem ambasadorem w Londynie, nigdy mnie nie odwiedził, choć wiem, że bywał w Londynie. Może nie byłem już mu potrzebny i nie chciał utrzymywać znajomości?

– Wie pan, że Kapuściński miał oparcie w partyjnej koterii niezbyt panu sympatycznej? Jego głównym protektorem był Ryszard Frelek.

– Cóż, Kapuściński był dziennikarzem, z różnymi utrzymywał stosunki. Frelek był w latach sześćdziesiątych sekretarzem Zenona Kliszki [człowieka numer dwa w partii – A.D.]. Kliszko wziął go do siebie, bo nie znał się na ludziach. Wiedział jednak, że Frelek jest inteligentny i może być użyteczny. Zbierał dla niego plotki, różne takie: kto, co, z kim; Kliszko lubił takie rzeczy wiedzieć, a nie miał skąd.

Gdy w sześćdziesiątym ósmym roku partia uderzy w antysemickie bębny, Starewicz, mający żydowskie korzenie, stanie się jednym z obiektów natarcia koterii czerwonych nacjonalistów, wśród których Frelek będzie odgrywał niepoślednią rolę.

Gabinet znajduje się na pierwszym piętrze, w skrzydle budynku KC od strony Muzeum Narodowego. Wysunięty z przodu jest pokój sekretarek, dalej obszerny gabinet wielkości trzech sporych pokoi mieszkalnych, z tyłu pokoik wypoczynkowy. Tu urzęduje Frelek. Po powrocie z placówki korespondenta PAP w Indiach, po krótkim okresie współzarządzania PAP-em, rzuca pracę w zawodzie dziennikarskim i stawia na karierę polityczną.

Trzydziestoparolatek, który wyznacza sobie marszrutę ku szczytom, nie może trafić lepiej: jego szef, Kliszko, ma decydujący głos w najważniejszych sprawach politycznych w kraju, z wyjątkiem gospodarki.

W gestii Kliszki są sprawy kadrowe, oświata, kultura, prasa, sprawy zagraniczne i stosunki z Kościołem. Na dodatek nieobce mu są kulturalne snobizmy: recytuje z pamięci poezje Norwida, publikuje pod pseudonimem własne wiersze.

Dobrali się – także Frelek nigdy nie porzuci intelektualnych ambicji. Pracując jako partyjny dygnitarz, będzie w wolnych chwilach pisywał sztuki teatralne, scenariusze filmowe, powieści obyczajowe, wykładał na wydziale dziennikarstwa, prowadził studia nad dziejami dyplomacji. Towarzysze przyjaciele mówią o nim: – Człowiek renesansu. Towarzysze wrogowie: – Mętna postać, intrygant.

Frelek przepada za Kapuścińskim. To on, jeszcze jako jeden z decydentów w PAP, ściąga go do agencji i proponuje wyjazd na placówkę do Afryki. Poznaje się na talencie kompana z Indii, ich przyjaźń mu pochlebia. Czuje się poniekąd mecenasem; zaspokaja pośrednio własne marzenia, na razie odłożone na kiedy indziej.

Gdy Kapuściński przebywa kilka lat na placówce w Afryce, w partii zaczyna się ferment. Drugie i trzecie szeregi partyjne – trzydziesto- i czterdziestolatkowie – zaczynają szemrać przeciwko starym. Nic nowego: bunt młodszego pokolenia, rebelia biurokratów, próbujących rozepchnąć się, znaleźć swoje miejsce na scenie. Tymczasem drogi awansu są pozamykane, ważniejsze stanowiska zajmują starzy działacze z czasów wojny i okresu tużpowojennego.

Młodzi biurokraci nie mają w sobie ideowego żaru komunistów z heroicznego okresu budowania socjalizmu. Interesują ich przywileje, chcą żyć wygodnie i dostatnio, a I sekretarz Gomułka to asceta starej daty; przeszkadza im konsumować owoce władzy. Warto by go odsunąć – ale jak?

Właśnie wtedy na politycznym horyzoncie pojawia się grupa „partyzantów". To rodzaj nieformalnej frakcji wewnątrz partii, której sztandarowe postacie mają za sobą walkę w komunistycznej partyzantce, pracują w resortach siłowych. Nieformalnym liderem tego ruchu, fermentu, koterii jest weteran czerwonej partyzantki z czasów II wojny światowej Mieczysław Moczar. Sprawuje urząd wiceministra, a wkrótce potem ministra spraw wewnętrznych i prezesa liczącego kilkaset tysięcy członków związku kombatantów. Jego „partyzanci" głoszą osobliwą ideologię: nacjonalizm sformułowany w języku komunistycznej doktryny.

Rehabilitują narodową tradycję, którą oficjalna propaganda Polski Ludowej jeśli nie całkiem wyrzuciła na śmietnik, to uznaje za przeżytek, znak czasów, które bezpowrotnie odeszły. Czerwoni narodowcy lubią mówić o ojczyźnie, tradycji i narodzie wielką literą, z pompą i patosem. Wychwalają osiągnięcia oręża polskiego w dawnych wiekach i w czasie II wojny światowej. W duchu czerwono-narodowej ideologii powstają książki, filmy, sztuki teatralne. Tubą tej ideologii są „Słowo Powszechne" i „Kierunki", pisma koncesjonowanych przez partię katolików, a także partyjne tygodniki „Współczesność", „Życie Literackie", „Kultura".

Szczególnie popularny jest mit o wielkiej wojnie partyzanckiej, jaka rzekomo toczyła się w Polsce pod okupacją niemiecką. Pierwsze skrzypce grała w niej – według mitologii czerwonych narodowców – partyzantka komunistyczna. Gdy będzie to politycznie użyteczne, „partyzanci" zaczną mrugać także do antykomunistycznych bojowników (wielokrotnie liczniejszych) i posłużą się nimi w swoich rozgrywkach wewnątrz partii.

Siła i pewność „partyzantów" bierze się stąd, że zapotrzebowanie na ich ideologię wykracza poza partyjne szeregi. Wielu ludzi w Polsce trzymających się z dala od partii, żyjących w niszy prywatności, katolików odrzucających oficjalny ateizm, a także środowisk, którym bliskie są tradycje patriotyczne, patrzy na „partyzantów" z pewną sympatią, trochę niedowierzaniem, nadziejami. Oto objawił się inny gatunek czerwonych: mówią o ojczyźnie, tradycja narodowa nie jest im wstrętna. Czyżby możliwy był jakiś nasz, swojsko-patriotyczny socjalizm?

Narodowo-patriotyczna mitologia okazuje się doskonałym paliwem dla rewolty drugich szeregów, ludzi aparatu zajmujących stanowiska średniego szczebla – w komitetach miejskich i dzielnicowych partii. Na szczytach władzy nieformalnymi patronami tej nowej fali są „sekretarze sekretarzy": Walery Namiotkiewicz (sekretarz Gomułki), Stanisław Trepczyński (kierownik sekretariatu KC) i Frelek (sekretarz Kliszki). Znaczącymi postaciami fermentu są też: Andrzej Werblan, kierownik Wydziału Nauki KC, wcześniej związany z „Polityką" i zachowujący do czasu dystans wobec „partyzantów", oraz Stefan Olszowski, szef Biura Prasy KC (następca Starewicza). Wszyscy oni są dobrymi znajomymi, kumplami Kapuścińskiego; w przypadku Frelka i Trepczyńskiego – przyjaciółmi również prywatnie.

Przeciwników wewnątrz partii „partyzanci" definiują jako „nihilistów", „kosmopolitów", a także – po staremu – „rewizjonistów". Rewizjonistów nie cierpi także Gomułka, co pokazał niejeden raz; „partyzanci" uważają jednak, że jest zbyt pobłażliwy, a trucizna rewizjonizmu wciąż niszczy partię. Siedliskiem zła są w oczach „partyzantów” przede wszystkim ludzie kultury i nauki, podejrzani jak zawsze jajogłowi szydzący z narodowej tradycji; a jeśli pochodzenia żydowskiego – to już na pewno wrogowie Polski.

Na listę swoich wrogów „partyzanci” wpisują „Politykę” i jej naczelnego Rakowskiego. W swoim dzienniku Rakowski notuje (październik sześćdziesiątego trzeciego):

> Ledwo usiedliśmy przy stoliku, Frelek zapytał mnie: „Powiedz, Mietek, dlaczego bierzesz udział w organizowaniu nagonki przeciwko «Kulturze»?... Czy wierzysz w to, że to jest organ neostalinowców? Czy wierzysz, że «Współczesność» jest pismem faszystowskim, a telewizja czerpie natchnienie z bezpieki?”. Odpowiedziałem, że nie stosuję takich ocen. Co do „Kultury”, to osądzam ją po czynach. Jeżeli, na przykład, pisze „o wielkiej wojnie partyzanckiej”, jaka rozgorzała w kraju w czasie okupacji, to uważam, że zaczyna szerzyć mity, które są nam niepotrzebne... Co się tyczy telewizji, to nie wiem, skąd czerpie natchnienie, wiem tylko tyle, że sześć razy w ciągu pół roku skreślała moje nazwisko z listy ewentualnych autorów...
>
> Frelek przez cały czas usiłował mi dowieść, że jestem w jakiejś grupie, po czyjejś stronie. Odpowiedziałem, że jedyną stroną, do której się przyznaję, jest postęp, humanizm... Dla mnie jedynym człowiekiem, na którego stawiam, jest Gomułka. Wtedy zaczął z innej beczki. Chwalił mnie, że jestem przecież taki zdolny, utalentowany, z otwartą głową itp. Dlaczego więc moje gorzkie doświadczenia... przenoszę na dzień dzisiejszy. Przecież teraz są inni ludzie. Tu go boli. Inni, to znaczy prężni „partyzanci” i szajka żądnych władzy facetów.

Wobec Rakowskiego „partyzanci” stosują początkowo taktykę kija i marchewki. Zanim pasują go na wroga, trwają próby przeciągnięcia na „właściwą” stronę.

– Odbywało się to tak: do redakcji wpadał Frelek i mówił do Rakowskiego: „Słuchaj, nie zadzwoniłbyś do Mietka Moczara? On ciągle pyta o ciebie. Zjedlibyście kolację, pogadalibyście...” – opowiada Marian Turski. W kwietniu 1964 Rakowski notuje:

> Spotkałem się dzisiaj z Andrzejem Werblanem. Andrzej był moim bardzo bliskim kolegą w Październiku. Potem nasze drogi w niektórych sprawach trochę się rozeszły. Był przeciwnikiem liberalnej polityki

w stosunku do intelektualistów, prasy, etc... Na wpół żartobliwie, na wpół poważnie zachęcał mnie, abym się zapisał do „partyzantów"...

Rakowski, którego mierzi narodowa ideologia „partyzantów", opiera się podchodom i perswazjom. Ani on, ani zespół „Polityki" nie ulegną czerwono-nacjonalistycznej fali również w czasie jej apogeum, w marcu sześćdziesiątego ósmego, gdy oficjalnym językiem nacjonalkomunistów stanie się antysemityzm, a polityką partii usuwanie ze stanowisk partyjnych i publicznych ludzi pochodzenia żydowskiego.

Kapuściński, który większość tego czasu przebywa w Afryce, jest po powrocie do kraju zdezorientowany tarciami wewnątrz partii. Rakowski notuje taką anegdotę (sierpień sześćdziesiątego szóstego):

> Niedawno Rysiek Kapuściński opowiadał następującą historię. Po powrocie z Afryki zaprosił go do siebie Trepczyński, szef Kancelarii I Sekretarza w randze kierownika wydziału KC. W rozmowie uczestniczył także Werblan i Olszowski. Po pewnym czasie jego rozmówcy przeszli od spraw afrykańskich do krajowych i zaczęli niezwykle ostro krytykować Gomułkę za jego politykę przeciwko [prymasowi Polski Stefanowi] Wyszyńskiemu. Rysiek był zaskoczony. „Co się dzieje? – pytał mnie. – Wyobraź sobie, że psioczyli jego najbliżsi współpracownicy w pokoju położonym obok jego. Co to ma znaczyć?". Starałem mu się wyjaśnić, na czym polega sytuacja. Otóż nie ulega wątpliwości, że polityka wobec episkopatu stwarza w kraju atmosferę walki politycznej. Czy tylko przeciwko Wyszyńskiemu? Z pewnością nie. Wokół Wyszyńskiego gromadzą się osoby nastawione opozycyjnie, głównie z kół postchadeckich i postendeckich, a więc są to ci ludzie, o poparcie których zabiegają „partyzanci", usiłując utworzyć front narodowy w nowym wydaniu, nad którym widnieje hasło „kochajmy się" (oczywiście w wydaniu ponadklasowym i ponadideologicznym). Obiektywnie rzecz biorąc, polityka Gomułki rozbija ten z trudem montowany front. Nie wiem, czy jest to ze strony tego starego, wytrawnego taktyka zamierzony cel, czy też tylko przypadek. Faktem jest, że w kołach „partyzanckich" nie tai się niezadowolenia.

Kapuściński jest rozdarty między lojalnościami i przyjaźniami. Z Rakowskim pracował przez kilka lat w „Polityce", lubili się i szanowali; lecz naczelny „Polityki" i jego tygodnik zaczynają być źle widziani na szczytach władzy. Co i rusz Rakowski dostaje burę od Gomułki; szturchają go także „partyzanci" i „sekretarze sekretarzy" (najbardziej otwarcie Frelek) – w końcu koledzy, przyjaciele. Za blisko z Rakowskim i „Polityką" – niepolitycznie.

Na dodatek z Frelkiem ma Kapuściński bliskie kontakty towarzyskie, wspólne przeżycia z Indii, kumpelską sztamę; Frelek może więcej: pomóc, załatwić, już zresztą załatwiał. I nie cierpi Rakowskiego, prowadzi z naczelnym „Polityki" wojny podjazdowe. Kogo się trzymać?

Marian Turski, dawny szef ze „Sztandaru Młodych", kolega z „Polityki":

– Rysiek zawsze potrafił układać się z politycznymi szefami. Nie narażał się przełożonym, dzięki czemu miał wolną rękę w wielu sprawach, mógł realizować swoje zamierzenia.

Wykazywał cierpliwość w słuchaniu możnych. Miał w twarzy życzliwość, uśmiech, świadomie czy nieświadomie nie wywyższał się, nie pokazywał, że jest lepszy. A prowincjuszom, nuworyszom na wysokich stołkach to pochlebiało. „On mnie słucha – myślał sobie niejeden. – On – ten wybitny reporter, intelektualista, bywały w świecie, mnie rozumie. Pewnie więc to, co mówię, jest mądre, ciekawe". Umiał słuchać bzdur i wykazywać przy tym zainteresowanie, gdy było mu to potrzebne. Sprawiał wrażenie, że mu na rozmówcy zależy.

Czy to oportunizm? Możliwe. A może umiejętny sposób bycia, osiągania celów.

– Wiedziało się w naszym środowisku, że gdy Kapuściński wracał z kolejnych podróży, robił coś w rodzaju nieformalnych briefingów dla Kliszki i Frelka.

Daniel Passent jest daleki od wystawiania Kapuścińskiemu cenzurek. Takie czasy, tak się funkcjonuje, jeśli chce się pracować w tym zawodzie... Żeby coś pozytywnego zrobić, załatwić, popchnąć sprawy właściwym torem, trzeba mieć koneksje „na górze". Zresztą dzisiejsze oceny są często ahistoryczne: Kapuściński traktuje Polskę Ludową jako swój kraj; miejsce, w którym czuje się dobrze. Jest lojalnym członkiem partii. Dlaczego miałby uważać, że rozmawiając z kolegami w KC, robi coś niewłaściwego?

– Był inteligentniejszy i lepiej zorientowany niż większość naszych dyplomatów w krajach Trzeciego Świata. Można zapisać na plus partyjnym decydentom, że chcieli słuchać, co ma im do powiedzenia o sytuacji w krajach Afryki czy później Ameryki Łacińskiej.

Pomysł, żeby ludzie władzy słuchali, co Kapuściński ma do powiedzenia o Trzecim Świecie, wychodzi od Frelka.

Frelek potrafi załatwić sprawy nie do załatwienia. Józef Klasa, także uczestnik rewolty „drugich szeregów", opowiada, że to dzięki Frelkowi ukazał się w Polsce *Dziennik z Boliwii* Che Guevary – na prośbę i w przekładzie Kapuścińskiego. Skłócony z Moskwą Guevara to w obozie socjalistycznym postać trefna, antyradziecki lewak. Kapuściński idzie ze sprawą do Frelka, Frelek do Kliszki – i dziennik rewolucjonisty zostaje opublikowany (nigdy potem w czasach Polski Ludowej nie zostanie wznowiony).

Załatwia u Frelka nie tylko swoje sprawy – również znajomych. W liście do Jerzego Nowaka, w którym namawia najbliższego przyjaciela do porzucenia dyplomacji i wyboru kariery naukowej pisze tak:

> Miałem spotkanie z seminarium PISM [Polski Instytut Spraw Międzynarodowych] zajmującym się Trzecim Światem – poziom po prostu rozpaczliwy. Najgorsze, że to wszystko emeryci, że nie ma młodych. Każdego, kto w ogóle chce się zajmować Trzecim Światem, traktują na wagę złota. Na Twój temat rozmawiałem już z Rysiem Frelkiem – dadzą Ci stypendium naukowe i wezmą Cię z otwartymi rękami. Szybko zrobisz habilitację, zostaniesz docentem i wkrótce potem Profesorem UW.

Gdy Kapuściński wyjedzie na placówkę korespondenta PAP w Ameryce Łacińskiej, jedyny raz wspólnie z żoną i córką, Frelek zaopiekuje się jego mieszkaniem na warszawskiej Woli. Gdy jest w kraju, często odwiedza Frelka w jego letnim domku na Mazurach. Czasem zaszywa się tam, z dala od redakcji, z dala od Warszawy – i pisze.

– Pamiętam te mocne bez filtra, te przyjęcia. Kiedy Rysio śpiewał „Polesia czar, te dzikie knieje, moczary..." – wspominał Frelek po śmierci przyjaciela.

– Miał dobre wyczucie ludzi.

Andrzej Werblan, prominentny działacz partii tamtego czasu, poznaje Kapuścińskiego za pośrednictwem Frelka. Zna jego afrykańskie korespondencje z Biuletynu Specjalnego PAP. Jest zachwycony zmysłem obserwacji, analizami i wiedzą o dalekim, nieznanym mu świecie.

– Przychodził do nas do KC, pamiętam rozmowy o rywalizacji Związku Radzieckiego z Chinami na terenie Afryki, oczywiście o dekolonizacji. Był idealistą, zawsze emocjonalnie zaangażowany, czasem trochę bezkrytyczny. Emocjonalnie traktuje też swoją lewicowość, przynależność do partii – na całego, bez reszty.

Proszę Werblana o charakterystyki pozostałych – prócz Frelka – politycznych przyjaciół Kapuścińskiego z tamtego czasu.

Trepczyński. Z bogatej przed wojną rodziny notariuszy z Łodzi. Zrywa częściowo z rodziną, w każdym razie – zachowuje wobec niej dystans. Nie bierze ogromnego spadku, zrzeka się go na rzecz państwa, co wywołuje oburzenie bliskich. Otwarty umysł, mówi w obcych językach, chlubi się znajomościami w świecie kultury, między innymi z Jarosławem Iwaszkiewiczem – prezesem Związku Literatów Polskich. Towarzysko uroczy. Po upadku Gomułki zajmie się dyplomacją, będzie wiceministrem spraw zagranicznych, a później przewodniczącym Zgromadzenia Ogólnego ONZ. Politycznie – boczny tor.

Podobnie jak z Frelkiem, Kapuściński spotyka się z Trepczyńskim towarzysko: imieniny, kolacyjki, wódeczki. „Służbowo" Trepczyński otwiera Kapuścińskiemu drzwi do polskich placówek. Józef Klasa wspomina, że gdy był ambasadorem w Meksyku, zadzwonił do niego Trepczyński i mówi: – Słuchaj, zjawi się u ciebie Rysiek Kapuściński... Kapuściński zaprzyjaźni się również z Klasą; pod koniec lat siedemdziesiątych spędzą nawet rodzinnie święta Bożego Narodzenia.

Józef Czesak. Kierownik Wydziału Zagranicznego KC. Sporo starszy od Kapuścińskiego. Reemigrant z Francji, z rodziny górniczej, która wyjechała z Polski przed wojną; we Francji kończył szkoły. Zachodni sznyt, duża inteligencja. Wierzący komunista, ale wierzący „po francusku": z dystansem, autoironią. Lojalny wobec Gomułki; następca – Edward Gierek wyśle go na placówkę do Kanady. Kapuściński odwiedza go w KC, zdaje relacje z podróży zagranicznych, analizuje sytuację polityczną w krajach Trzeciego Świata.

Michał Hoffman. Redaktor naczelny PAP, bezpośredni szef i promotor Kapuścińskiego. Przed wojną dziennikarz Polskiej Agencji Telegraficznej, zakochany w dziennikarskim zawodzie. Ideowiec wywodzący się z przedwojennej Komunistycznej Partii Polski. Nie ma w sobie nic z dogmatyzmu niektórych starych KPP-owców pracujących, na przykład, w cenzurze. Światły, ostrożny. Przetrwa antysemicką czystkę w marcu sześćdziesiątego ósmego – ma żydowskie korzenie – jednak krótko potem odejdzie ze stanowiska szefa agencji.

Wyrozumiały dla ekstrawagancji Kapuścińskiego: to znaczy znikania na długie tygodnie, pisania niekoniecznie newsowym stylem wymaganym w PAP i nie zawsze wystarczająco dużo. Frelek wspomni po latach, że Kapuściński nie błyszczał korespondencjami na temat wydarzeń politycznych i ekonomicznych, bo bardziej interesowało go bratanie się ze zwykłymi ludźmi w kolejnych krajach Afryki. Hoffman toleruje upodobania swojego pupila.

Również Werblan znajduje się w orbicie politycznych koneksji Kapuścińskiego: łączy ich dobra znajomość, nie bliska przyjaźń. Z wykształcenia historyk, należy do grupy tworzącej „Politykę" – bat na rewizjonistów, którzy chcą głębszych zmian systemu. Gdy jednak „Polityka" stanie się coraz bardziej krytyczna wobec realiów Polski Ludowej, Werblan będzie – jak pisze Rakowski w dziennikach – „przeciwnikiem liberalnej polityki w stosunku do intelektualistów, prasy, etc.". W latach sześćdziesiątych siedzi okrakiem na barykadzie między różnymi tendencjami w partii: flirtuje z „partyzantami", ruchem „drugich rzędów", a zarazem koleguje się z Rakowskim i Starewiczem, który także jest obiektem niechęci czerwonych narodowców (z powodu „liberalnych" poglądów i żydowskich korzeni). Gdy „partyzanci" przemówią antysemickim językiem, Werblan napisze intelektualne uzasadnienie ich kampanii i antysemickiej czystki w szeregach partii:

> ...wśród części działaczy i członków partii pochodzenia żydowskiego w ostatnim dziesięcioleciu następowały uwsteczniające, regresywne procesy polityczne. Wytworzyło się wśród tych ludzi środowisko podlegające frustracji politycznej, wyobcowaniu się, zgorzknieniu. Powstał w nim klimat sprzyjający plenieniu się rewizjonizmu i opozycyjności wobec partii, wzmagała się grupowa solidarność nacjonalistyczna i syjonizm, miały nawet miejsce przypadki jawnej zdrady i przechodzenia na pozycje wroga.

Po upadku Gomułki, w latach siedemdziesiątych, Werblan wejdzie do najwyższych władz partii i będzie uważany za czołowego w tym gronie intelektualistę. Bliższą znajomość Kapuściński i Werblan będą utrzymywać po powstaniu ruchu „Solidarność": obaj upatrują wyjście z dramatycznego wówczas konfliktu politycznego w kraju w ruchu odnowy wewnątrz partii, zwanym „poziomkami".

*

W brudnopisie tej książki notuję takie uwagi: nie zapomnieć o najważniejszym – Kapuściński odnosi sukces dzięki swoim zdolnościom i potwornie ciężkiej pracy, wspaniałym reportażom, a potem książkom. Autentyczne partyjne zaangażowanie, przyjaźnie i kontakty na szczytach władzy wiele mu ułatwiają, są pomocne, nawet bardzo; stwarzają warunki dla rozwoju talentu. Uważać jednak, ażeby nie wyszło na to, że wielkość Kapuścińskiego płynie z tego, że znał Frelka i innych towarzyszy. To istotny składnik sukcesu, pasjonujący know-how kariery w czasach Polski Ludowej, ale nie esencja tego, dlaczego Kapuścińskiego podziwiamy i kochamy. Niejeden pisarz i reporter miał bliskie kontakty z władzą, przyjaciół na szczytach, niejednego z nich zapomniano. Kapuścińskiego czytamy nadal – w Polsce i na świecie.

Marcin Kula, historyk, któremu opowiadam o koneksjach Kapuścińskiego w KC, wpada na zaskakujący trop. Napisał wcześniej książkę *Religiopodobny komunizm*, w której analizuje podobieństwa między rytuałami kościelnymi i komunistycznymi. Po jej lekturze Kapuściński napisał do Kuli entuzjastyczny list z gratulacjami.

W rozmowie Kula zauważa, że w komunizmie można się dopatrywać osobliwego śladu po feudalizmie: relacji między seniorem i wasalem.

Przytacza dwa przykłady z życia. Jego ojciec, Witold Kula, wybitny historyk, korzystał od czasu do czasu z pomocy usytuowanego wysoko w partyjnej hierarchii profesora Stefana Żółkiewskiego. Gdy miał, na przykład, kłopot z uzyskaniem paszportu, zwracał się do swojego „seniora", Żółkiewski mówił: „idź do tego a tego pana, on wie, kto ty jesteś, pewno pomoże".

Z kolei Marcin Kula, gdy cenzura przyczepiła się do jakiegoś fragmentu jego *Historii Brazylii*, zwrócił się o pomoc do Hieronima Kubiaka, znajomego naukowca z Uniwersytetu Jagiellońskiego, członka politbiura. Udało się ocalić niepoprawny politycznie passus, choć nie w stu procentach. O interwencję w trudnych sytuacjach Kula prosił Kubiaka jeszcze dwa, trzy razy.

– Proszę tylko nie pisać, że mój ojciec, ja czy Kapuściński byliśmy czyimiś wasalami. Ta niedoskonała analogia ma tylko uzmysłowić jeden z mechanizmów „postępowego" systemu, pewien jego paradoks.

*

– Koniec końców Rysiek zdystansował się od „Polityki" – opowiada Janusz Rolicki, młodszy kolega z redakcji tygodnika.

Gdy spotykają się od czasu do czasu, Kapuściński mówi o dawnych kolegach z „Polityki": „wy". „Wy piszecie to czy tamto..." albo „Oni tam..." – o szefostwie tygodnika. Wyraźnie odcina się od tego, że jeszcze parę lat temu pracowali w jednej redakcji. Koledzy wyczuwają, że niedawne związki z „Polityką" uwierają Kapuścińskiego.

– Jak pan sądzi, dlaczego?

– Odczuwał więź z ludźmi takimi jak Frelek, Trepczyński... A poza tym manewrował, kalkulował...

Ostatnie reportaże w „Polityce" – o Nigerii – publikuje w sześćdziesiątym szóstym roku. Jeszcze tylko parę razy jego nazwisko zawita na łamy tygodnika Rakowskiego, na przykład, gdy „Polityka" będzie przedrukowywać z Biuletynu Specjalnego PAP większe korespondencje z Ameryki Łacińskiej. Potem ostatnie związki ulegną zerwaniu.

– Czy moczarowcy Ryśka kokietowali?

– Zdziwiłbym się, gdyby nie próbowali – odpowiada Turski.

– Patrzył na moczarowców z sympatią – pamięta koleżanka z PAP Wiesława Bolimowska, ale od razu zastrzega: – Trzeba jednak właściwie rozumieć, co to znaczy.

Mówi: nie można patrzeć na tamten ferment w partii wyłącznie przez pryzmat późniejszej kampanii antysemickiej w marcu '68. Moczarowska fala był reakcją na bezruch, stagnację, początkowo wyglądała na ruch kontestacji przeciwko „małej stabilizacji". Moczara poparli nie tylko nacjonaliści, antysemici; również inteligencja techniczna zmęczona Gomułką, pragnąca otwarcia kraju na nowoczesność. Dzisiaj zapomina się, że wielu ludzi z różnych stron widziało w moczaryzmie nadzieję na zmiany.

– A potem przeraziliśmy się twarzą, jaką objawił nam moczaryzm. W PAP-ie moczarowcy – mówiłam o nich „boys" – przejęli Biuletyn Specjalny, bo uważali, że jest opiniotwórczy. Nie dali sobie rady: za ciężka praca, potrzebne kompetencje. Rysiek powiedział potem coś w takim guście: „Dobrze, że wyjechałem, bo oni chcieli, żebym się bardziej zaangażował; jeszcze by mnie w to wciągnęli".

Apogeum antysemickiej kampanii „partyzantów" zbiega się z protestami studentów przeciwko cenzurze (zdjęcie z afisza Teatru Narodowego *Dziadów* Mickiewicza) i w obronie usuwanych z uczelni kolegów. Już nie tylko „partyzanci", lecz również płynący razem z ich falą Gomułka lansują tezę, że protesty młodzieży są inspirowane przez dawnych stalinowców pochodzenia żydowskiego, którzy chcą wrócić do władzy. Wydumana teza służy za uzasadnienie czystki, jaka przetacza się przez kraj: usuwania ze stanowisk w urzędach, komitetach, uczelniach Polaków pochodzenia żydowskiego. Zwolnione miejsca zajmują dotychczasowe drugie, trzecie szeregi partyjnych biurokratów. Cel zdobyty! Sam Gomułka, który bez wstrętu przyłączy się do nacjonalistycznej kampanii, przetrwa u władzy jeszcze tylko dwa i pół roku.

W czasie apogeum nagonki antysemickiej Kapuściński jest korespondentem PAP w Santiago de Chile; podróżuje w tym czasie do La Paz, Limy... Mimo że daleko od kraju, ma okazję zobaczyć z bliska, jak na fali czystek usunięto ze stanowiska ambasadora Jerzego Witolda Dudzińskiego.

Czy w prywatnych rozmowach komentuje to wydarzenie? Czy wypowiada się o zawierusze w kraju: antysemickiej propagandzie, protestach studenckich, represjach?

Ówczesny I sekretarz w ambasadzie w Santiago, Marian Dąbrowski, mówi: – Nigdy nie wchodziliśmy na „dysydenckie" tematy.

Czy Kapuściński wie – lub czy dowie się później – że jego polityczny patron, Frelek, przykłada rękę do antysemickiej kampanii?

Jedenastego marca sześćdziesiątego ósmego na pierwszej stronie „Słowa Powszechnego" ukazuje się apel *Do studentów Uniwersytetu Warszawskiego*, w którym liderzy studenckich protestów zostają scharakteryzowani jako syjoniści i dzieci stalinowców, którzy spotykają się w Towarzystwie Społeczno-Kulturalnym Żydów. Wszystko jasne: „żydostalinowcy" podnoszą głowę, trzeba ją uciąć. Tekst apelu nie jest podpisany. Wiele lat później Rakowski zanotuje w dzienniku: „Po południu [Janusz] Roszkowski [ówczesny szef PAP]... Powiedział mi też o nim [Frelku] coś, co rzuca na niego zupełnie nowe światło. Otóż 9 marca [pomyłka: chodzi o 11 marca – A.D.] 1968 roku w «Słowie Powszechnym» ukazał się żydożerczy artykuł wstępny. Okazuje się, że jego autorem był właśnie Rysio Frelek".

Kolega z tygodnika „Kultura" Maciej Wierzyński pamięta rozmowę z Kapuścińskim krótko po wstrząsie sześćdziesiątego ósmego roku. Kapuściński mówił wtedy, że „przez świat przetacza się fala zamachów i wojskowych dyktatur", a następnie wieszczył, że „u nas też będzie rządziła bezpieka!".

– Wygłaszał to z charakterystycznym dla siebie katastrofizmem.

Agnieszka Wróblewska pamięta spotkanie w redakcji „Polityki", na którym pojawił się Kapuściński, przebywający na krótkim urlopie w kraju.

– Wyraźnie nie chciał zajmować stanowiska w sprawie marca sześćdziesiątego ósmego, przynajmniej w naszym gronie. „Polityka" zachowała się wtedy przyzwoicie; jako jedyne pismo partyjne nie wzięła udziału w antysemickiej nagonce. Rysiek patrzył na nas trochę z góry, z lotu ptaka – że podniecamy się naszym grajdołkiem, a tymczasem na świecie dzieją się wielkie rzeczy, trzeba patrzeć na wydarzenia w Polsce w szerszej perspektywie. Miałam wrażenie, że traktował moczaryzm jako ruch „odświeżający", ale w końcu mnóstwo ludzi, zwłaszcza młodych, dało się wtedy nabrać...

– Myślę – mówi inny kolega dziennikarz, Krzysztof Teodor Toeplitz – że to, co się wydarzyło w sześćdziesiątym ósmym wytłumaczył sobie tak: „Źle się stało, ale mimo wszystko dobrze, że są ci koledzy na górze. Frelek, Olszowski – jeden z promotorów moczaryzmu, którego Rysiek znał z czasów studenckich, Trepczyński... Bo skoro są, to jest nadzieja, że da się im coś wytłumaczyć, będzie można mieć jakiś wpływ...".

Po powrocie z krótkiego urlopu w Polsce Kapuściński pisze w liście do Nowaka (który pracuje wtedy w ambasadzie w Buenos Aires):

> Sytuacja sumarycznie: Wszech-Polacy podciągnęli się w górę, ale nie za bardzo, nie za bardzo. Starym w dużym stopniu udało się przywrócić równowagę, przywrócić stary układ. Jest znowu stabilizacja i zamrożenie kadrowe. Ten stan będzie trwał bardzo długo, w każdym razie kilka lat. Rok 1968 jest już nie do powtórzenia. Żadnych rewelacji do naszego powrotu do kraju nie będzie. To jest kraj, w którym nigdy niczego nie robi się do końca.

Ma też garść rad dla przyjaciela:

> W każdym razie, nie wychylaj się, bo to jest teraz bardzo niemodne. Działaj według zasady – „czyń każdy w swoim kółku, co każe duch Boży, a całość sama się złoży". Nastąpiła zdecydowana indywidualizacja wysiłku, tzn. ważne jest, aby robić coś, co ma na celu rozwój własny.

Stanowisko Kapuścińskiego wobec marcowej zawieruchy nie jest klarowne. Pisze o moczarowcach jako o „Wszech-Polakach", co brzmi szyderczo, świadczy o dystansie; wskazuje, że traktuje ich jako nacjonalistów, a nie współtowarzyszy komunistów. Co jednak znaczą słowa o kraju, „w którym nigdy niczego nie robi się do końca”? Czy ironizuje, że Polska to kraj, w którym nawet złej sprawy nie udaje się doprowadzić do końca? nawet zepsuć wszystkiego do końca? (Z późniejszego okresu Nowak pamięta jego jednoznaczną opinię o antysemickiej nagonce sześćdziesiątego ósmego roku: – Hańba!).

Z pewnością rady udzielane przyjacielowi sugerują, że w tamtym momencie idealistę w Kapuścińskim pokonuje realista. Skoro na socjalistyczne ideały nie ma miejsca, „róbmy swoje”, jak śpiewał znany bard epoki Polski Ludowej.

Lapidarium (4): reporter polityk

Amerykański dziennikarz Mark Danner, znajomy Kapuścińskiego, wyznaje przy kawie w Nowym Jorku:

– Nie mam pojęcia, jak się żyło w Polsce w czasach realnego socjalizmu, ani jak bardzo trzeba było lawirować, żeby pisać sensowne rzeczy. Wyobrażam sobie, że będąc wybitnym reporterem, Ryszard musiał być też świetnym politykiem – czyż nie?

Dobry przykład: reportaże ze Związku Radzieckiego, rok sześćdziesiąty siódmy. Po powrocie z Afryki Hoffman proponuje Kapuścińskiemu wyjazd do republik azjatyckich Związku Radzieckiego. Ma napisać serię reportaży na pięćdziesiątą rocznicę Rewolucji Październikowej. Propozycja trochę niepokojąca: wciąż jest wierzącym komunistą, lecz trochę po przejściach, a nawet rozczarowaniach. Już ma wyczucie, co jest dobrym pisaniem, a co propagandą; co autentyczne, co trąci fałszem.

Gruzja, Armenia, Azerbejdżan, Tadżykistan, Kirgizja, Turkmenia... Serię reportaży publikuje najpierw „Życie Warszawy". Jeden z tekstów opatrzony wielkim nagłówkiem: „W PRZEDEDNIU WIELKIEJ ROCZNICY – 1917–1967". Zbiór rozszerzonych wersji reportaży ukaże się w tomie *Kirgiz schodzi z konia*.

„Ogromny postęp ostatnich lat – pisze z Armenii. – Dużo nowych, murowanych domów. Dużo domków w budowie. Wszędzie burzą stare lepianki. Kobiety z wiadrami wody...".

„Główna ulica, która nazywa się XXII Zjazdu KPZR, służy za świąteczny deptak – pisze z Kirgizji. – Widać tu dużo młodzieży spacerującej w grupach albo parami – para rosyjska, para uzbecka, para kirgiska.

Na XXII Zjeździe KPZR można kupić lody i pierogi z mięsem. Można obejrzeć nowoczesne wystawy, można posiedzieć na ławce...".

„Proszę wybaczyć, ale będę mówiła trochę nacjonalistycznie. Bardzo zabawna jest ta czupurna Azerbejdżanka, która wie, że nacjonalizm jest owocem zakazanym, ale z drugiej strony nie umie się oprzeć pokusie...".

„Stara sztuka Gruzji swoim przepychem i doskonałością wprawia takiego prostaczka jak ja w zupełne oszołomienie...".

– Pisze te opowieści z perspektywy człowieka, który się dziwi – wspomina Rolicki. – Dzięki temu opowiada o systemie radzieckim to, czego nie mógłby zrobić w inny sposób. Majstersztyk: napisać tak dużo prawdy i niekoniecznie krytycznie. Wilk syty i owca cała.

Baku jest przemysłową bazą Azerbejdżanu, typowo kolonialną enklawą, jak Katanga w Kongu...

[Turkmen] wie, że słońce przynosi życie, ale wie również, że słońce przynosi śmierć, z czego nie zdaje sobie sprawy żaden Europejczyk. Wie, co to jest pragnienie i co to jest nasycenie... Oni wiedzą, gdzie są studnie, to znaczy znają tajemnicę przetrwania i ocalenia. Ich wiedza, pozbawiona scholastyki i doktrynerstwa, jest wielka, ponieważ służy życiu. W Europie mają zwyczaj pisać o ludziach pustyni, że są zacofani, nawet skrajnie zacofani. Nikt nie pomyśli, że tak nie wolno sądzić o ludach, które w najstraszniejszych dla człowieka warunkach umiały przetrwać tysiąclecia, wytwarzając typ kultury najbardziej cennej, bo praktycznej, pozwalającej całym narodom istnieć i rozwijać się... (*Kirgiz schodzi z konia*).

– Wrócił wstrząśnięty! – opowiada Bolimowska. – „To niemożliwe – mówił – tyle lat po rewolucji i taka bieda". Znalazł sposób na jej opisanie: spojrzał na Związek Radziecki nie z perspektywy Europy, lecz Afryki. Dzięki temu pokazał dystans cywilizacyjny, jaki pokonano przez pięćdziesiąt lat od rewolucji i nie musiał się wstydzić, że uprawia propagandę.

Amerykański kolega miał dobrą intuicję.

Na szlaku Che Guevary

Korespondent PAP red. R. Kapuściński donosi:

AMERYKA ŁACIŃSKA PRZEŻYWA MOMENT NAJWIĘKSZEGO WSTRZĄSU POLITYCZNEGO na przestrzeni ostatniego dziesięciolecia. Głęboki kryzys wewnętrzny objął w tej chwili większość państw tego regionu...

W CIĄGU OSTATNIEGO TYGODNIA NIE BYŁO W AMERYCE ŁACIŃSKIEJ ANI JEDNEGO DNIA, ABY W WALKACH ULICZNYCH MIĘDZY LUDNOŚCIĄ A ORGANAMI REPRESJI REŻIMÓW ŁACIŃSKO-AMERYKAŃSKICH NIE PADLI ZABICI I RANNI. Zniszczenia dokonane w czasie tych walk obliczane są już na dziesiątki milionów dolarów. Walki toczące się na ulicach wielu tutejszych stolic cechuje wyjątkowa zaciekłość – z jednej strony obserwuje się upór i nieustępliwość rebeliantów, z drugiej – bezwzględność i brutalność policji i wojska. Do tej chwili w trakcie tych starć padło kilkudziesięciu zabitych, jest ponad tysiąc osób rannych i kilka tysięcy aresztowanych.

GŁÓWNĄ CECHĄ TUTEJSZYCH WYSTĄPIEŃ JEST ICH MASOWOŚĆ – w skali regionu fala protestu objęła już miliony ludzi...

DYKTATURY NIEKTÓRYCH KRAJÓW, STARAJĄC SIĘ UPRZEDZIĆ CIOS, ROZPĘTAŁY OSTRY TERROR WEWNĘTRZNY – np. Haiti i Brazylia. W Brazylii zaktywizowano faszystowską organizację terrorystyczną, tzw. CCC, Comando de Caça aos Comunistas (Komando polowań na komunistów) – specyficzny wariant lokalny Ku-Klux-Klanu. „Jestem na liście najbliższych ofiar tej organizacji" – oświadczył kilka dni temu przywódca postępowego skrzydła katolickiego w Ameryce Łacińskiej, arcybiskup brazylijski Hélder Câmara, którego najbliższy współpracownik został w tym tygodniu zamordowany przez bojówkę CCC...

RUCH POSTĘPOWYCH KSIĘŻY PRZYBIERA CORAZ BARDZIEJ NA SILE i stanowi jeden z najciekawszych fenomenów sytuacji politycznej na tym kontynencie... Więzienia brazylijskie przepełnione są księżmi, zakonnikami i zakonnicami. Są oni prześladowani i torturowani...

NA UWAGĘ ZASŁUGUJE WYRAŹNA AKTYWIZACJA PARTYZANTKI MIEJSKIEJ... Najbardziej aktywny ruch partyzantki miejskiej istnieje obecnie w Brazylii, w Gwatemali i w Urugwaju. 8 marca dwudziestu Tupamaros (nazwa organizacji partyzantki miejskiej w Urugwaju) opanowało znajdujące się niemal w centrum Montevideo więzienie, uwalniając 14 kobiet odbywających wyroki za udział w partyzantce. Całą akcję przeprowadzono bez jednego strzału, na oczach tłumu przechodniów. Tego samego dnia Tupamaros zarekwirowali w jednym z banków Montevideo 40 tys. dolarów na potrzeby partyzantki...

DOTYCHCZAS AMERYKA ŁACIŃSKA – Z WYJĄTKIEM WYPADKU KUBAŃSKIEGO – ODGRYWAŁA W POLITYCE ŚWIATOWEJ ROLĘ SATELITY USA... Obecnie przestała być taką siłą, przyjmując jednocześnie nową funkcję samodzielnej siły politycznej.

...ośrodek walki prowadzonej przez Trzeci Świat z siłami neokolonializmu przesunął się aktualnie z Afryki i Azji do Ameryki Łacińskiej...

Czy romantyk goniący po świecie za rewolucjami może trafić na lepszy czas?

Do Ameryki Łacińskiej Kapuściński przyjeżdża w gorącym momencie zimnej wojny. Zaledwie osiem lat wcześniej rewolucja Fidela Castro na Kubie zrywa z zależnością od Stanów Zjednoczonych; stwarza szansę na obalenie półfeudalnego status quo w innych krajach regionu; budzi nadzieję na zbudowanie innego socjalizmu – spontanicznego, z szerokim udziałem mas, bez zamordyzmu i wszechwładzy biurokracji. Proletariusze, chłopi z innych krajów, nieraz w sojuszu z częścią nielicznej w regionie klasy średniej, zaczynają podnosić głowy przeciwko lokalnym dyktaturom, bądź rządom formalnie demokratycznym, lecz sprawowanym w interesie wąskiej elity. Wieśniacy, robotnicy z wielkich plantacji, domagają się demontażu latyfundiów i reformy rolnej. Wielkomiejski świat pracy woła o szerokie ustawodawstwo socjalne, którego przykładów szuka nie tylko na Kubie, lecz także w doświadczeniach obalonego niedawno argentyńskiego caudilla Juana Perona. Do ludzi lepiej sytuowanych, z klasy średniej, docierają buntownicze idee z protestującego Paryża, wzburzonego Berkeley, płonących gett Chicago i Los Angeles. Ci – jeśli nawet żyją względnie dostatnio – pragną żyć w sposób bardziej wolny: mówić, co chcą, pisać, publikować, śpiewać... Rok '68, który „zakołysał światem", jest tuż.

W Ameryce Łacińskiej wszystkie te „niebezpieczne" dążenia mają szczególny kontekst: rozprzestrzeniają się w świecie dramatycznych nierówności, znacznie większych niż w USA i Europie, w regionie, który Wuj Sam uważa za swoją domenę. Ameryka Łacińska jest traktowana jako strefa wpływów Waszyngtonu od początku XIX wieku. W latach dwudziestych tamtego stulecia prezydent James Monroe sformułował doktrynę, według której USA przypisały sobie prawo interweniowania w jakimkolwiek kraju zachodniej półkuli, jeśli zagrożone są amerykańskie interesy. Prominentny polityk epoki zimnej wojny Zbigniew Brzeziński nazwał kiedyś tę doktrynę odpowiednikiem wschodnioeuropejskiej „doktryny Breżniewa". Ta ostatnia przypisywała Związkowi Radzieckiemu prawo do zbrojnej interwencji („bratniej pomocy") w każdym kraju ówczesnego Układu Warszawskiego, jeśli rządy miejscowej partii komunistycznej – ergo interesy Moskwy – znalazłyby się w niebezpieczeństwie.

Zwycięstwo rewolucji na Kubie, jej romantyczna legenda i zaraźliwy wpływ na ruchy emancypacyjne w Ameryce Łacińskiej – lewicowe i komunistyczne, demokratyczne i katolicką teologię wyzwolenia – wywołują zaniepokojenie w Waszyngtonie. Okazało się bowiem, że nieliczna i kiepsko uzbrojona partyzantka, mająca garstkę konspiratorów w miastach, popierana przez chłopów w terenie jest w stanie obalić wspieraną przez USA, uzbrojoną po zęby dyktaturę. Zwrot rewolucji kubańskiej ku Moskwie, a potem kryzys rakietowy w sześćdziesiątym drugim, który niemal doprowadził do konfliktu nuklearnego między USA i ZSRR sprawiają, że niewielka wyspa na Karaibach staje się obsesją amerykańskich polityków.

Waszyngton będzie od tej pory prowadził w Ameryce Łacińskiej „wojnę z komunizmem". W praktyce polega ona na popieraniu najbardziej nawet bestialskich tyranów, jeśli tylko potrafią zdławić ruchy na rzecz społecznego wyzwolenia, nie tylko komunistyczne, proradzieckie, lecz i te najbardziej soft: na rzecz reformy rolnej, rozmontowania postkolonialnej struktury własności, ustawodawstwa socjalnego, demokratycznych wyborów. Niejeden zupełnie umiarkowany demokrata w Argentynie, Brazylii, Gwatemali czy Salwadorze staje się pod wpływem polityki USA i lokalnych watażków w mundurach zaprzysięgłym rewolucjonistą pomalowanym na czerwono.

Kapuściński ląduje w Ameryce Łacińskiej (pierwszy przystanek: Santiago de Chile) miesiąc po śmierci Ernesta Che Guevary, misjonarza socjalizmu, rozstrzelanego bez sądu w Boliwii, gdzie próbował wzniecić rewolucyjny płomień. Na ulice latynoskich miast wylegają studenci i zbuntowani robotnicy; w niektórych – najgwałtowniej w stolicy Meksyku na placu Tlatelolco – będą odstrzeliwani jak zwierzęta w sezonie polowań. W Peru dojdzie do półrewolucyjnego eksperymentu reform socjalnych wprowadzanych przez postępowych wojskowych. W Boliwii podobną próbę podejmie sojusz cywilno-wojskowy, wspierany przez robotników, chłopstwo, studentów i... część armii. W Chile zaś już niedługo wybory wygra demokratyczny marksista Salvador Allende i pojawi się nadzieja na rewolucyjne zmiany drogą pokojową...

Miejsce i czas, w których dzieje się Historia.

Jeszcze chwila i być może by nie wyjechał.

– Co ty tu jeszcze robisz?

Roma Pańska, szara eminencja PAP, dopada go na korytarzu w gmachu agencji. Jest listopad sześćdziesiątego siódmego.

– No zbieram się do wyjazdu.

– Ty, Rysiek! Ty się nie zbieraj, nie czekaj, nie zwlekaj, tylko się stąd wynoś od razu, bo będzie za późno!

– Ale...

– Łap bagaże i znikaj już dziś!

Parę tygodni wcześniej Michał Hoffman pyta Kapuścińskiego, czy nie zechciałby wyjechać na kolejną placówkę: do Ameryki Łacińskiej.

– Oczywiście!

W Meksyku agencja ma korespondenta, Edmunda Osmańczyka, ale kontynent wrze, może warto otworzyć drugie biuro w południowej części regionu; Kapuściński ma się rozejrzeć. Tymczasem w kraju wzbierająca moczarowska fala nie omija PAP-u. Kapuściński ma dobre koneksje, zwłaszcza wśród patronów fali, lecz gdy idą wstrząsy, czystki, lepiej się usunąć, zniknąć. Kto zresztą da głowę, jak się to skończy? Gdzie wylądują kumple protektorzy?

Łapie więc bagaże i dosłownie po kilku dniach znika. Jeszcze w biegu załatwia wizę do Chile – Polska Ludowa ma z Chile dobre stosunki, rządzi tam socjalnie zorientowana partia chadecka, więc prawo wjazdu dostaje od ręki – i *adiós!*

> Po przyjeździe do Santiago zgłosiłem się do biura wynajmu mieszkań, w którym otrzymałem plan miasta i odpowiedni spis adresów. Zacząłem teraz wyszukiwać wskazane mi domy i oglądać oferowane do wynajęcia mieszkania. W ten sposób odkryłem zupełnie nieznany mi świat. Właścicielkami tych mieszkań były wiekowe damy, wdowy, rozwódki, stare panny, w czepkach, w etolach i bamboszach. Po przywitaniu pokazywały nieprawdopodobnie zagracone pokoje, potem wymieniały jakąś fantastyczną sumę pieniędzy, którą należało im wpłacać jako komorne, a wreszcie podsuwały kontrakt, zawierający, poza warunkami umowy, spis rzeczy znajdujących się w mieszkaniu. Była to gruba księga, opasły tom, który w ściśle paranoicznym sensie mógł stanowić pasjonujący, psychologiczny dokument o tym, do jakiego szaleństwa może doprowadzić człowieka chciwość i żądza posiadania zupełnie niepotrzebnych rzeczy. Strona po stronie ciągnął się spis setek, a dalej już tysięcy bezsensownych drobiazgów, kotków, figurek, podstawek, makatek, obrazków, dzbaneczków, oprawek, ptaszków ze szkła, z pluszu, z mosiądzu, z filcu, z plastiku, z marmuru, z wiskozy, z kory, stearyny, satyny, lakieru, papieru, z orzechów, z wikliny, z muszelek, z fiszbinu, z entliczek-pentliczek, z bomby, trąby, hekatomby...
>
> Po latach wśród Afrykańczyków, dla których (co zdarzało się często) jedyną własnością była drewniana motyka, a jedynym pożywieniem zerwany z krzewu banan, ta absurdalna lawina rekwizytów, która zwalała się na mnie po otwarciu każdych drzwi, miażdżyła mnie i zniechęcała. Ratowałem się myślą, że jest to fałszywe wejście w tamten świat, który – tłumaczyłem sobie – musi wyglądać inaczej (*Wojna futbolowa*).

Wkrótce zorientuje się, że pierwsza intuicja jest nietrafna. Mieszkania to doskonała manifestacja tutejszej „barokowej" rzeczywistości, tyle że „chorobliwie i kiczowato wynaturzona".

Barok nie tylko jako styl tworzenia i myślenia, ale również jako ogólna nadmierność i eklektyzm. Wszystkiego tu dużo i wszystko przybiera postać przesadną, wszystko chce się nam narzucić, zaszokować i przytłoczyć. Jak gdybyśmy mieli słaby wzrok, słaby słuch, słaby węch i coś, co wystąpiłoby w formie umiarkowanej i skromnej, zostałoby po prostu niezauważone...

Nadmiar bogactwa i nadmiar nędzy. Patetyczne gesty i kwiecisty język (mnóstwo przymiotników). Rynki, targi, stragany, wystawy – zawalone, przygniecione owocami, jarzynami, kwiatami, ciuchami, naczyniami... Przez ten świat nie można przejść ze spokojną głową i obojętnym sercem. Przedzieramy się z trudem, bezsilni i z poczuciem zagubienia, tym samym, jakie towarzyszy nam w czasie oglądania fresków Diego Rivery i czytania prozy Lezamy Limy. Rzeczywistość jest tu pomieszana z fantazją, prawda z mitem, realizm z retoryką.

Znowu jest głuchy i niemy – jak w Indiach. Z szefami w Warszawie zawiera umowę: przez trzy miesiące nic nie pisze, ma czas na naukę hiszpańskiego.

W Santiago de Chile poznaje polskiego emigranta Mariana Rawicza.

– Mariano, jestem w beznadziejnej sytuacji, siedzę w tym Santiago, jestem korespondentem, nawet nie rozumiem, co piszą w gazetach, a za trzy miesiące muszę zacząć wysyłać korespondencje dla mojej agencji.

– Co mogę dla ciebie zrobić?

– Ja cię błagam, uczciwie ci zapłacę, poświęć mi przez te trzy miesiące po parę godzin dziennie i naucz mnie hiszpańskiego.

Spotykają się codziennie, Kapuściński kuje dniami i nocami słówka, gramatykę. Słucha radia, zaczyna powoli odszyfrowywać tytuły z gazet. Chodził na lekcje francuskiego w Dar es-Salaam, więc hiszpański nie jest zupełną chińszczyzną.

Dwa i pół miesiąca później w chilijskim Instytucie Spraw Międzynarodowych wygłasza po hiszpańsku wykład o sytuacji politycznej w Polsce.

Pierwsza krew. Na giełdzie dziennikarskiej dostaje przeciek o możliwym zamachu stanu. W Chile rządzi lewicująca chadecja, prezydent Eduardo Frei przeprowadza łagodną reformę rolną, wprowadza ustawy socjalne sprzyjające biedocie, lecz dla obudzonych zmianami i powszechną na kontynencie gorączką mas to za mało. Prawdopodobne staje się, że następnym przywódcą kraju zostanie weteran lewicy, marszałek senatu Salvador Allende. Wojsko w Chile stoi na straży legalnego ładu, nie jest tu – jak w wielu krajach regionu – jeszcze jedną partią polityczną. Mimo to prawicy udaje się przekonać grupę oficerów, że krajowi grozi „czerwona zaraza". Na czele spisku staje generał Roberto Viaux.

Kapuściński donosi z Santiago:

> Opinia chilijska śledzi z rosnącym niepokojem rozwój wypadków... W garnizonach wojskowych odbywają się burzliwe zebrania oficerskie, których przebieg nie jest podawany do publicznej wiadomości. Mówi się jednak, że w armii ścierają się w tej chwili dwie tendencje – jedna grupa uważa, że należy dokonać pełnego przewrotu, obalając prezydenta Freia, likwidując parlament oraz zawieszając konstytucję, natomiast druga opowiada się za przewrotem częściowym, to znaczy za utworzeniem rządu wojskowego, z tym jednak, że prezydent Frei pozostałby na swoim stanowisku...
>
> ...patrioci chilijscy rzucili hasło utworzenia frontu obywatelskiego – Frente Cívico – którego celem byłoby ocalenie rządu swobód demokratycznych oraz niedopuszczenie do przewrotu wojskowego. Czołową rolę w tworzeniu się tego frontu odgrywają obecnie partia komunistyczna oraz partia radykalna. Do tej chwili odmawia udziału we froncie partia socjalistyczna, której ślepa polityka opozycji dla opozycji prowadzonej wobec rządu Freia rozbija jedność działania sił demokratycznych przeciwko niebezpieczeństwu zamachu stanu.

Zastrzega: tekst jest przeznaczony TYLKO dla Biuletynu Specjalnego PAP, nie może się ukazać w prasie. Za podanie takiej informacji-spekulacji, szkodliwej dla dobrego wizerunku kraju goszczącego korespondenta, można stracić akredytację.

Kilka dni później odbiera telefon, dzwoni ambasador Dudziński.

– Jesteście wyrzuceni.

– Co się stało?

– Nie wiem co, ale dzwonili z chilijskiego Ministerstwa Spraw Zagranicznych: macie zostać wydaleni.

Powtórka z historii, jaka przytrafiła się Kapuścińskiemu w Kenii...

Dyżurny w warszawskiej centrali PAP omyłkowo wrzucił zastrzeżoną depeszę do normalnego serwisu. 10 maja 1968 roku wiadomość o groźbie zamachu stanu w Chile publikuje na pierwszej stronie „Trybuna Ludu". Ambasada Chile w Warszawie powiadamia swój rząd, a ktoś w chilijskim MSZ postanawia odebrać akredytację korespondentowi, który nadał wiadomość.

Kapuściński wpada w panikę. W kraju polityczna zawierucha, w Chile jest persona non grata, a jeśli zostanie wydalony, żaden kraj w regionie nie da mu akredytacji. Dla korespondenta – zawodowa śmierć.

– Poszedłem do Allende, który był wtedy marszałkiem chilijskiego senatu – wspomni wiele lat później. – Jowialny Allende klepał mnie po ramieniu, mówił: „Nie przejmuj się, coś z tym zrobimy, jakoś to załatwimy".

Wzywają go do Ministerstwa Spraw Zagranicznych Chile.

– Za takie rzeczy wyrzuca się korespondenta w ciągu 24 godzin – informuje oschłym, formalnym tonem wysoki urzędnik. – Tym razem będziemy łagodniejsi.

Daje Kapuścińskiemu do zrozumienia, że ktoś ważny interweniował w sprawie i nie zostanie karnie wydalony; ma jednak wyjechać sam, „dobrowolnie". Kapuściński podejrzewa, że łaskawość chilijskiego MSZ załatwił mu Allende.

Już po wyjeździe z Chile – w Rio de Janeiro, gdzie zatrzyma się na kilka miesięcy – napisze do przyjaciela: „...czuję się tu dużo swobodniej niż w okrzyczanej demokracji chilijskiej, która jest kurewskim reżymem, a nie demokracją, ja Chile po prostu nienawidzę, a w Brazylii jestem zakochany".

Zanim wyjedzie z Santiago na dobre, czyta w dwutygodniku „Punto Final" sensacyjną w tamtym czasie publikację: dziennik boliwijski Ernesta Che Guevary. Guevara prowadził zapiski przez jedenaście miesięcy, niemal do ostatnich dni przed rozbiciem jego oddziału partyzanckiego i rozstrzelaniem.

Kapuściński jedzie do Boliwii pod pretekstem udziału w kongresie przedsiębiorstw zajmujących się wydobywaniem cyny. Prawdziwy powód jest inny: odwiedzenie miejsc partyzanckiego szlaku Che.

O wyprawie nie wiadomo nic ponadto, co sam opowie po latach – bez szczegółów. Jedyne wydarzenie, które wspomni, to pojmanie przez wojsko i próba rozstrzelania przez pijanego oficera. Następcy Che, którzy po pewnym czasie utworzą nowy oddział, twierdzą, że to niemożliwe, iżby korespondent z kraju komunistycznego swobodnie poruszał się w rejonach, gdzie rozbito oddział Guevary. W sześćdziesiątym ósmym teren był wciąż zmilitaryzowany, obecność białego, obcego zostałaby od razu zauważona. Dziennikarze byli traktowani jak wspólnicy rebelii, reporter z bloku wschodniego – byłby uznany za szpiega. Może zjawił się tylko w Santa Cruz, stolicy prowincji, ale w teren nigdy nie wyruszył?

Guevara fascynuje Kapuścińskiego: romantyczny, ginący za idee bojownik o sprawiedliwy świat... Krótko po ukazaniu się dziennika Kapuściński wyjeżdża do Limy, zamyka się w hotelu i przez miesiąc tłumaczy ostatni tekst najsłynniejszego męczennika socjalistycznej rewolucji. Przekład wysyła do Warszawy: tekst ląduje w Biuletynie Specjalnym PAP, lecz z publikacją dla szerokiej publiczności są problemy.

Guevara nie jest bohaterem romansu towarzyszy z Kremla: był poza ich kontrolą, nie działał na rozkazy z Moskwy – i Moskwa o tym wiedziała. Robił rewolucję, gdzie chciał, a nie tam i nie w taki sposób, w jaki oczekiwali towarzysze radzieccy. Pod koniec życia chłostał Związek Radziecki za wyzyskiwanie – wzorem innych imperiów – małych podporządkowanych sobie krajów socjalistycznych i oddanie ideałów socjalizmu w łapy biurokracji. Jego śmierć w Boliwii była na rękę wszystkim: politykom w Waszyngtonie, Moskwie, a nawet w Hawanie, która mogła uczynić zeń – i uczyniła – legendę, mit świętego socjalistycznej rewolucji.

Dziennik z Boliwii ukaże się w księgarniach dzięki interwencji Frelka u Zenona Kliszki, który stawia jednak warunek: tekst trzeba opatrzyć wstępem.

We wstępie Kapuściński uprawia intelektualną ekwilibrystykę. Z jednej strony pisze z admiracją o Che, jego idealizmie i idei zbrojnej rewolucji w Ameryce Łacińskiej. Jest to jednak idea, której sprzeciwia się Moskwa i – zgodnie z jej poleceniami – partie komunistyczne Ameryki Łacińskiej. To czas sporu między Związkiem Radzieckim i Kubą: towarzysze radzieccy nie chcą zaogniać konfliktu z Ameryką; to czas „pokojowego współistnienia" między obydwoma supermocarstwami; a Ameryka Łacińska to strefa wpływów USA. Hawana przeciwnie – podsyca, zachęca do zbrojnych powstań na wzór rewolucji kubańskiej. Jedno z takich powstań miał wzniecić Guevara w Boliwii; poniósł klęskę, zginął.

Jak pisać ciepło o Che i trzymać się „moskiewskiej linii", przeciwnej zbrojnym rewolucjom? Kapuściński znajduje sposób: chwali Guevarę jako idealistę („Dziennik jest jednym z najbardziej pięknych dokumentów naszej epoki, napisanym przez żołnierza rewolucji"); a zarazem krytykuje Fidela Castro za potępianie Komunistycznej Partii Boliwii, która zgodnie z poleceniami z Moskwy nie udzieliła poparcia partyzantce Che („Ataki Fidela Castro na KP Boliwii są po prostu niesprawiedliwe").

– Rysiu wstydził się potem tego wstępu – opowiada Józef Klasa, któremu nieobce są latynoamerykańskie pasje; w latach siedemdziesiątych zostanie ambasadorem w Meksyku.

Rozdarcie między sympatiami dla latynoskich rewolucjonistów z bronią w ręku a poczuciem lojalności wobec promoskiewskich decydentów w Warszawie będzie towarzyszyło Kapuścińskiemu przez większość czasu, jaki spędzi w Ameryce Łacińskiej. To rozdarcie – początkowo również brak orientacji, wyczucia subtelności tutejszych sporów – widać w niektórych korespondencjach.

Tę, z powodu której musi opuścić Chile, pisze zgodnie z „linią moskiewską": wychwala umiarkowaną Komunistyczną Partię Chile, posłuszną wytycznym z Kremla, radykalniejszą zaś Partię Socjalistyczną oskarża o „ślepą politykę opozycji dla opozycji". Z kolei fascynacja Guevarą to wyraz sympatii dla nielubianych w Moskwie „Chrystusów z karabinem na ramieniu", bojowników-idealistów, którzy z bronią w ręku, wbrew nakazom towarzyszy radzieckich, walczą o sprawiedliwszy, bardziej przychylny ludziom – szczególnie tym ubogim – świat.

Legendy (3): Che, Lumumba, Allende

Fascynacja Kapuścińskiego Che Guevarą obrośnie legendą, według której reporter przeprowadzał z rewolucjonistą wywiad, znał go, a nawet pozostawał z nim w przyjaźni.

Legenda powstała za sprawą noty na okładce angielskiego wydania *Wojny futbolowej*: „Przyjaźnił się z Che Guevarą w Boliwii, z Salvadorem Allende w Chile i Patrice'em Lumumbą w Kongu".

Spośród tej trójki Kapuściński spotkał – prawdopodobnie – Salvadora Allende.

O ich spotkaniu wiadomo tylko tyle, ile sam Kapuściński opowiedział w jednym z wywiadów w ostatnich latach życia: to być może Allende uchronił go przed karnym wydaleniem z Chile. Nigdy nie opublikował tekstu o spotkaniu z Allende; nigdy wcześniej nie wspomniał ani o tej, ani o innej z nim rozmowie.

W szkicu *Guevara i Allende* z tomu *Chrystus z karabinem na ramieniu* Kapuściński nie pisze ani słowem o tym, że któregoś z nich spotkał osobiście. Nie ma cienia sugestii, że kiedykolwiek rozmawiali, o czym dziennikarze zazwyczaj spieszą donieść w pierwszych słowach. Istnieje zdjęcie zrobione prawdopodobnie w czasie jakiegoś bankietu, na którym Kapuściński siedzi obok Hortensii Bussi, żony Allende.

Pytam Wojciecha Jagielskiego, dziennikarza specjalizującego się w tematyce afrykańskiej, cieszącego się uznaniem w środowisku polskich reporterów, czy możliwe, że Kapuściński spotkał Lumumbę.

– A gdybyś spotkał Hugona Chaveza lub Eva Moralesa i rozmawiał z nimi, to nie pochwaliłbyś się tym w reportażu, korespondencji? Reporter, który spotyka postać tej rangi, natychmiast łapie choćby jedno zdanie i nadaje: że ten facet powiedział to jemu, jego gazecie, jego agencji. To elementarz naszego zawodu. W tekstach Kapuścińskiego nie ma śladu po „spotkaniu z Lumumbą".

Warsztat dziennikarski, jakim Kapuściński posługuje się w opowieści o Lumumbie (reportaż w „Polityce" z 1961 roku, zamieszczony później w *Wojnie futbolowej*), nie sugeruje, że kiedykolwiek się spotkali, bądź rozmawiali. Zresztą Kapuściński dotarł do Konga w lutym 1961 roku, gdy Lumumba od miesiąca już nie żył.

Czy w ogóle spotykał postacie „tej rangi"? W hotelu New Africa w Dar es-Salaam, gdzie spiskowali rebelianci – późniejsi przywódcy wyzwalających się spod władzy kolonialnej krajów Afryki: Mugabe, Nujoma, Kaunda i inni; wtedy nie byli jeszcze na świeczniku. Gdy w czasie wojny domowej w Angoli Kapuściński spotka przywódcę socjalistycznego ugrupowania MPLA, Agostinho Neto, napisze o tym wprost w reportażach, a potem w książce *Jeszcze dzień życia*.

Skąd zatem rewelacje o przyjaźni z Che Guevarą, Allende, Lumumbą?

Rozmawialiśmy kiedyś o zamachu stanu Pinocheta i Kapuściński powiedział: „O tak, byłem TAM wtedy. Wszystko zaczęło się od zamordowania generała Schneidera...". Rzeczywiście, Kapuściński był w Chile pod koniec 1967 i na początku 1968 roku, potem wracał do tego kraju, między innymi w czasie wyboru Allende na prezydenta w 1970, wizyty w Chile Fidela Castro w 1971 roku, lecz nie był na miejscu w czasie puczu Pinocheta. „Byłem TAM wtedy..." oznaczało jedynie to, że podróżował do Chile w tamtych burzliwych latach. Gdy rozmawialiśmy, byłem jednak pewien, że maestro był świadkiem zamachu stanu (wtedy PAP miała już w Ameryce Łacińskiej innego korespondenta, Zdzisława Marca, i to on słał relacje z chilijskiego dramatu).

Podobnego zabiegu Kapuściński użył, gdy przy innej okazji któryś z nas przywołał masakrę w Meksyku na placu Tlatelolco w 1968 roku. I znowu – Kapuściński powiedział coś w rodzaju: „O tak, byłem tam wtedy". Był – miesiąc później. Do masakry doszło 2 października, wtedy Kapuściński przebywał w Rio de Janeiro, wylądował w Meksyku w połowie listopada, co odkrywam teraz, w trakcie pracy nad książką. Niewątpliwie zrobiła na nim wrażenie żałobna atmosfera ledwie miesiąc po zbrodni – zabito ponad 300 demonstrantów i przypadkowych przechodniów, dwa tysiące raniono. Był świadkiem tamtego burzliwego czasu, lecz ani na Tlatelolco, ani w mieście w dniu masakry go nie było.

Sądzę, że w podobny sposób Kapuściński stworzył legendę o swojej „przyjaźni" z Lumumbą i Che Guevarą. Mógł wspomnieć angielskiemu wydawcy, że przeszedł szlakiem Guevary w Boliwii, ten tymczasem zrozumiał, że przeszedł tym szlakiem RAZEM z Che.

Mitotwórcza „metoda" polegała na sugerowaniu, stwarzaniu przeświadczeń w umysłach odbiorców. Kapuściński nie wchodził w szczegóły, nie dopowiadał do końca, w razie przyparcia do ściany mógł się wycofać; nie można mu było zarzucić kłamstwa. Dopowiadali inni. Dopowiadaliśmy...

Do ściany przyparł Kapuścińskiego na początku lat dziewięćdziesiątych Jon Lee Anderson, reporter i publicysta „New Yorkera", biograf Che Guevary.

– Przygotowywałem się do pisania książki o Che, przeczytałem mnóstwo dokumentów i relacji – i nigdy nie natrafiłem na ślad przyjaźni Guevary z reporterem z Polski – opowiada Anderson. – Guevara nie nawiązywał łatwo przyjaźni i gdy na okładce *Wojny futbolowej* przeczytałem o jego przyjaźni z Kapuścińskim, byłem podekscytowany. Myślałem: to musiała być jakaś sekretna przyjaźń, ależ odkrycie!

Kapuściński miał odczyt w Londynie, Anderson nie pamięta daty, była to prawdopodobnie promocja brytyjskiego wydania *Imperium*. W przerwie, przy stoliku z kawą, Anderson poprosił Kapuścińskiego:

– Opowiedz mi o Che...

– Ach, to błąd wydawcy... – odpowiedział Kapuściński.

– Byłem rozczarowany. Jego odpowiedź zrobiła na mnie wrażenie nieszczerej. Rozczarowanie było tym większe, że zawsze podziwiałem go jako reportera i pisarza, był dla mnie legendą, „punktem odniesienia".

Dobrych kilka lat później Anderson rozmawiał ze znajomą w Liberii i zgadało się o Kapuścińskim. Opowiedział jej o londyńskim spotkaniu i rozczarowaniu – lecz sądził, że w kolejnych wydaniach *Wojny futbolowej* błąd poprawiono. Nie poprawiono. Wspólnie ze znajomą znaleźli gdzieś egzemplarz *Hebanu* – dużo późniejszej książki o Afryce – gdzie na okładce wydrukowano to samo, co zawsze: że Kapuściński przyjaźnił się z Che, Allende i Lumumbą.

– Dobre wydawnictwa na Zachodzie prawie zawsze przysyłają pisarzom okładkę przed drukiem, same proszą o napisanie not i wybór cytatów na okładkę – mówi Anderson, który opublikował wiele książek w prestiżowych wydawnictwach na całym świecie. – Gdyby nawet w wypadku Kapuścińskiego było inaczej, w co wątpię, mógł sprostować ten błąd później.

Mit o znajomości Kapuścińskiego z Guevarą jest powielany. Wieloletni dyrektor miesięcznika „Le Monde diplomatique" Ignacio Ramonet napisał, że Kapuściński znał Che Guevarę i przeprowadzał z nim wywiad. Legendę utrwalali dziennikarze piszący obszerne reportaże o Kapuścińskim, między innymi dla brytyjskiego „The Independent" i amerykańskiego „Vanity Fair". Czy o swojej znajomości z Che mówił im w czasie wywiadów sam Kapuściński? Może „tylko" nie zaprzeczał?

Anderson odniósł wrażenie, że mimo światowej sławy, statusu gwiazdy, Kapuściński zachowywał się jak człowiek bardzo niepewny siebie.

Z niejasnego powodu – mówi Anderson – ważne były dla niego cyfry: że widział tyle to a tyle rewolucji, tyle a tyle zamachów stanu. W Londynie opowiadał, że podczas pracy nad *Imperium* przejechał na terenie Związku Radzieckiego 60 tysięcy kilometrów.

– Pamiętam – mówi Anderson – co wówczas pomyślałem: „O rany, po co on to w kółko powtarza?". 60 tysięcy kilometrów to dużo, ale dlaczego tyle o tym mówi? To tak, jakby siła statystyki i skumulowanych kilometrów dawała mu większy tytuł do zabierania głosu w sprawie. „Nie musisz mi tego mówić, jesteś Kapuścińskim!". I pomyślałem, że to, czym posługiwał się w książkach jako materiałem literackim i co zdawało w nich egzamin, przenosił do życia.

Anderson nie powiedział wtedy o swoich odczuciach ani Kapuścińskiemu, ani nikomu innemu.

– Nie chciałem umniejszać jego rangi. Gdybym powiedział wtedy publicznie o konfabulacji na temat jego przyjaźni z Che, Kapuściński byłby w opałach.

Streszczenie pewnej rozmowy:

– Po co ludzie konfabulują? – zagaduję Wiktora Osiatyńskiego.

– Żeby samym sobie wydawać się lepszymi, niż są naprawdę. Żeby pokazać to innym... Żeby ukryć jakąś słabość. Na przykład, tchórz będzie konfabulował odwagę, ktoś agresywny – swoją tolerancję. Zwykle zakłamujemy to, co nas boli. Znałem człowieka, który opowiadał barwnie o swoim ojcu i rodzinie, których nigdy nie miał.

U pisarza literatury faktu, takiego jak Rysiek, dochodzi motyw nadania większej atrakcyjności temu, co się pisze: żeby zachęcić do czytania, żeby zwrócić na siebie uwagę.

Konfabulacje zdarzają się zwykle wtedy, kiedy człowiek nie jest pewny siebie i musi sobie coś dodawać, czymś nadrabiać. Nie znaczy wcale, że to konieczne, to on sam tak czuje. Czy z tego, co pan ustalił, wynika, że Rysiek konfabulował cały czas, czy w jakimś momencie życia te konfabulacje zanikają?

– Raczej zanikają, choć zdarzają się wyjątki...

– To by potwierdzało moje przeczucie. Gdy stał się znany i ceniony, gdy poczuł się pewniej i nie musiał sobie ani nikomu niczego już udowadniać, przestał konfabulować.

– W niektórych konfabulacjach trwał, nie zdementował ich.

– To zrozumiałe, bo bardzo trudno się wycofać z konfabulacji, zwłaszcza reporterowi. Gdyby ogłosił: „Konfabulowałem!", ktoś mógłby podważać wszystko, co napisał.

Na dodatek, gdy człowiek konfabuluje, działa szczególny mechanizm psychologiczny: po jakimś czasie sam zaczyna wierzyć w to, co zmyślił, i jest absolutnie przekonany, że mówi prawdę. „Odkłamanie" wymaga ogromnego wysiłku, sporej odwagi, znajomości samego siebie.

– Czym Rysiek mógł się kierować, gdy sugerował mi w rozmowie, na przykład, że był w czasie masakry na placu Tlatelolco w '68 roku?

– Sądzę, że tutaj odezwała się silna potrzeba identyfikacji z wielkim mitem, wielkim wydarzeniem historycznym. Przyjechał do Meksyku krótko po masakrze, czuł atmosferę tego wydarzenia i utożsamił się z nim.

Na szlaku Che Guevary cd.

Po wyjeździe z Chile błąka się bez przydziału. Pomysł otwarcia drugiego biura PAP w Ameryce Łacińskiej wydaje się coraz mniej realny: agencja nie ma dość pieniędzy. Kapuściński powinien więc objąć placówkę w Meksyku, jednak centrala PAP w Warszawie ma kłopot z tamtejszym korespondentem, Osmańczykiem. Ten nie ma wcale zamiaru opuszczać stanowiska. („...wymyśla coraz to nowe preteksty – włącznie z tysiącem jakichś niestworzonych chorób i pisze, że on wyjedzie wtedy, kiedy będzie chciał...” – wściekły Kapuściński pisze do przyjaciela).

Nie ma pomysłu, co robić. Zmęczony, zrezygnowany ciągłym załatwianiem formalności – wiz, akredytacji w kolejnych krajach – bez czasu na pisanie, poznawanie, własny rozwój chce wracać do kraju. W agencji mówią jednak: – Czekaj cierpliwie, niedługo pojedziesz do Meksyku.

Na razie ląduje w Rio de Janeiro. Nowo mianowany ambasador Aleksander Krajewski ma ambicję stworzenia tu dynamicznej placówki, oferuje PAP-owi pomoc. Kapuściński oddycha z ulgą – tylko na chwilę.

Dobrodziej szybko zamienia się w osobliwego prześladowcę. Zabiera Kapuścińskiego z lotniska do ambasadorskiej rezydencji i nie chce słyszeć o tym, żeby gość wyprowadził się stamtąd gdzieś indziej. (– Chciał mnie mieć na oku – wspomni Kapuściński. Po co? Nie wiadomo). Nie pozwala reporterowi korzystać z teleksu – co to za pomoc, co za przysługa?

Kapuściński ogłasza strajk głodowy. Kładzie się na łóżku, głowę nakrywa prześcieradłem i leży bez ruchu. Nie je, nie pije, nie wstaje. Próbuje go złamać gosposia – bez sukcesu. Potem sam ambasador – próżny trud. Kapuściński z prześcieradłem na głowie ani drgnie. Kiszki grają mu marsza, kości bolą od leżenia, ale się nie poddaje. Tak przez kilka dni. Ambasador dochodzi do konkluzji, że jego gość jest wariatem.

– Skoro musisz się wyprowadzić, droga wolna...

Wynajmuje pokój z kuchnią w dzielnicy Copacabana, przy najsłynniejszej plaży świata. Z okien ma widok na ocean: najpiękniejsze miejsce na ziemi! Zakochuje się w Rio, zakochuje w Brazylii. W liście do Jerzego i Izabelli Nowaków pisze:

> Kraj jest naprawdę fascynujący i co najważniejsze – to są szalenie klawi, mili ludzie ci Brazylijczycy. Są naprawdę bardzo fajni i pod tym względem żyje się tu fantastycznie. Możecie podróżować po całej Brazylii, tak jakby to był wasz dom. Bardzo polubiłem Brazylię i za wszelką cenę chciałbym tu wrócić.

To lata wojskowej dyktatury, lecz jej łagodnego etapu, dlatego Kapuściński pisze w liście, że „rząd jest bardzo liberalny – wbrew temu co na ten temat pisują w prasie". Miesiąc po wyjeździe z Rio, w grudniu sześćdziesiątego ósmego, dojdzie tu do puczu wewnętrznego w armii i władzę obejmą jastrzębie; opozycja chwyci za broń – powstaną grupy partyzantki miejskiej. Już z Meksyku Kapuściński będzie pisał o postępującej w Brazylii faszyzacji życia politycznego.

Po raz pierwszy styka się tu z ruchem, który stanie się jedną z jego fascynacji: teologią wyzwolenia. Jest to nurt wewnątrz Kościoła katolickiego, który piętnuje antykomunistyczne dyktatury i domaga się reform w duchu rewolucyjno-marksistowskim (co już wkrótce nie spodoba się Stolicy Apostolskiej). W Brazylii teologia wyzwolenia ma rzeczników nie tylko wśród szeregowych księży i świeckich, lecz także biskupów.

Podobnie jak w Santiago de Chile, prawie nic nie pisze. Wiedzie beztroskie życie: plaża, morze, zwiedzanie. Należy do Klubu Korespondentów Zagranicznych, dzięki temu dostaje zaproszenia na obiady z ministrami. Uczy się portugalskiego, choć nie cierpi tego języka. „... brzydki, okropny język. Opanowałem go już nawet dość znośnie, a w czytaniu nawet biegle, ale działa we mnie jakiś irracjonalny sprzeciw przeciw temu językowi i demonstracyjnie mówię po hiszpańsku, a odmawiam mówienia po portugalsku".

Unika alkoholu i kobiet, co w Brazylii wymaga sporo silnej woli. Wie, że jako korespondent z komunistycznego kraju może być obserwowany, sprowokowany – i w ten sposób stać się łatwym celem do skompromitowania.

Pod koniec października dostaje depeszę od Frelka (który z fotela sekretarza Kliszki wraca na krótko do PAP jako wiceszef agencji): jest wreszcie nominacja na stanowisko korespondenta w Meksyku; meksykańskie MSZ dostało już notę z PAP, że Osmańczyk przestaje być korespondentem. Ulga i... znowu niepokój:

> Wylatuję z Rio w przyszłym tygodniu i będę w Meksyku 16 listopada... Czeka mnie teraz okropna przeprawa z Osmańczykiem, coś najbardziej obrzydliwego, co mogło mnie spotkać wiecie, jak bardzo nie nadaję się do takich spraw. W dodatku znowu stracę parę miesięcy czasu, niech to wszystko krew zaleje, po prostu nie mam już siły, zwyczajnie nie mam siły.

Meksyk – wielka fascynacja i jeszcze większa frustracja.

Ma tu kilkupokojowe mieszkanie w centrum przy ulicy Amazonas 57–503 (pisze o nim: „pałac"). Jeden pokój to przestronna pracownia tylko dla niego; komfort, jakiego nie miał ani w Warszawie, ani gdziekolwiek indziej, gdzie pracował. Przyjeżdżają do niego Alicja i Zojka, nie będzie sam; życie towarzyskie z ekipą polskiej ambasady też nie pozwoli na przeżywanie mąk samotności – jak w Kampali, Lagos, Limie, Rio... Będzie jednak całkowicie sam na sam z wielkim kontynentem, który teraz właśnie jest kipiącym wulkanem.

Codziennie przeczytać tony gazet, wysłuchać radia, wybrać, przepisać, napisać, nadać... W Brazylii partyzanci porwali ambasadora, w centrum Montevideo znaleziono zwłoki studenta ze śladami po torturach, w Buenos Aires montoneros zastrzelili ważnego generała, z Meksyku wydalono dyplomatów radzieckich, Fidel – że nie oddamy ani guzika, Douglas Bravo – że dość Fidela, w Chile wybory wygrywa Allende, Nixon zaostrza kurs... Jak to wszystko opanować, wyjaśnić, opisać?

> ...dłuższy pobyt tutaj jest dla mnie psychicznym ciężarem, głównie ze względu na moje pisanie, którego w żaden sposób nie mogę tutaj uprawiać. Zostałem zapędzony przez PAP w kierat codziennych serwisów informacyjnych, skończona głupota, która zabiera mi wszystek czas, całą energię i nie zostawia nic – ani dorobku, ani zadowolenia. A mam w zanadrzu kilka rzeczy do napisania: wszystko zamknięte w teczkach i marzeniach. Dnie i tygodnie przeciekają mi przez palce,

bez śladu – te depesze w kółko wystukiwane, jakieś bzdurne konferencje prasowe, te fiesty nieskończone, od których nie można się opędzić. W dodatku wysokość 2,5 tysiąca metrów, która mnie męczy i bardzo dekoncentruje. No dość, dość.

Raz słońce, raz deszcz, jak mówią słowa latynoskiego szlagieru.

Kochani, nie pisałem dawno z przyczyn, powiedziałbym, psychologicznych, tzn. bardzo długo trwającego poczucia zupełnej klęski na tle Ameryki Łacińskiej, poczucia, że nic tu nie zrobię, że zmarnuję parę lat. Na szczęście, zdaje się, że ten mój strach paniczny i moje załamanie nie było aż tak zupełnie uzasadnione, bo po powrocie z kraju usiadłem do maszyny i właśnie tydzień temu skończyłem tekst na 60 stron pt. *Ameryka Łacińska – 1969*, a dziś przyszła depesza PAP od Zwirena [redaktora agencji], że „doskonałe, wstrząsające, gratulacje" itd. Najważniejsze jednak, że poczułem, jak coś się we mnie odetkało, jak zrobiło mi się w głowie jasno, jak zaczęły mi się układać dalsze plany i jednym słowem ruszyłem na całego.

I znowu pod wozem...

Siedzę teraz w domu sam, szum z ulicy potworny, słońce, ale chłodno. Meksyk – męczący, ciężki, dziesięciomilionowy, polución, smog, dziś dwa napady na bank, a wczoraj – czytam w gazecie – jechał pijany w autobusie, dojechał do końca trasy, kierowca chciał go obudzić, pijak zdenerwował się, że mu przeszkadza spać, wyciągnął spluwę, zabił kierowcę na miejscu i znowu zasnął. Potem, zdziwiony czego od niego chcą, tłumaczył na komisariacie: *„es que me molestaba, hombre"* [no zaczepiał mnie – A.D.]

I tym obrazkiem będę kończył. Obiecuję niedługo znowu napisać...

Towarzystwo z ambasady: Ryszard Majchrzak – ambasador, Irena Majchrzak – ambasadorowa, Eugeniusz Spyra i Henryk Sobieski – sekretarze (po kilkudziesięciu latach znajomość z tymi dwoma będzie miała konsekwencje).

Spotykają się towarzysko i jako towarzysze – na zebraniach komórki partyjnej przy ambasadzie. W zebraniach bierze też udział Alicja Kapuścińska. Kapuściński bywa to protokolantem, to prelegentem, wygłaszającym analityczne referaty. Na przykład o polityce Nixona wobec Ameryki Łacińskiej:

– Prasa latynoska przyjęła wybór Nixona na prezydenta USA z nieufnością i niepokojem, a lewicowe odłamy tej prasy – z wrogością. Prasa ta przypomina, że w okresie swojej wiceprezydentury (w latach administracji Eisenhowera) Nixon był zwolennikiem agresywnej polityki wobec krajów Ameryki Łacińskiej, że w tym czasie Waszyngton jawnie przyznawał się do organizowania reakcyjnych przewrotów wojskowych (np. w Gwatemali) i że Nixon należał do polityków najbardziej niechętnie widzianych w Ameryce Łacińskiej...

Meksykański tygodnik „Sucesos" zastanawia się, czy Nixon dokona agresji na Kubę...

...teza [Nixona] jest prosta: ponieważ Sowieci razem ze swoimi satelitami uznali, że mają prawo narzucić zbrojnie ortodoksyjny reżim komunistyczny w Czechosłowacji [chodzi o zdławienie Praskiej Wiosny w sierpniu 1968 roku – A.D.], to USA mają prawo narzucić zbrojnie Kubie ortodoksyjny reżim „demokracji reprezentatywnej...".

Sekretarz Sobieski niepokoi się rosnącymi na lewicy wpływami trockistów:

– Fakt istnienia problemu trockizmu w międzynarodowym ruchu robotnicznym poważnie utrudnia konsolidację szeregów partii komunistycznych; trockizm to niezmiernie złożony problem. Działalność trockizmu interesuje nas szczególnie na terenie Ameryki Łacińskiej. Obecne są tu również inne wpływy, które wdarły się do działalności ruchu robotniczego i niektórych partii komunistycznych: rewizjonizm, nacjonalizm, maoizm...

Irena Majchrzak, która zamieszkała później w Meksyku i pracowała jako pedagog i antropolożka wśród indiańskich wspólnot, pamięta Kapuścińskiego jako człowieka żyjącego w „niesamowitym napięciu wewnętrznym". – Nigdy wcześniej, ani potem nie spotkałam nikogo tak skupionego. Miał w sobie coś szamańskiego...

Nie rozmawiają o polityce w kraju, na przykład o nagonce antysemickiej, której echa jeszcze nie przebrzmiały (pani Irena jest ocaloną z Zagłady). Każdy się wtedy chronił, pilnował – mówi. Są blisko, lecz Kapuściński jest w jej odczuciu człowiekiem zamkniętym w sobie.

– Prowadził swoją tajemną grę ze światem.

Jak wygląda owo „niesamowite napięcie wewnętrzne"? Na przykład tak:

Właśnie zaczyna się konflikt zbrojny między Hondurasem a Salwadorem, konflikt, który za sprawą reportażu Kapuścińskiego przejdzie do historii jako „wojna futbolowa". Paczka z ambasady wybiera się nad ocean, do Acapulco, gdzie w weekendy odpoczywa klasa średnia stolicy. Majchrzakowie wynajmują dom, czekają na Kapuścińskich.

Tymczasem Kapuściński nasłuchuje od rana w domu wiadomości radiowych o rozwijającym się konflikcie. Wreszcie mówi: – Nie jadę, mam pracę.

Gdy Majchrzakowie tracą już nadzieję na przyjazd przyjaciół, ci zjawiają się. Są oboje. Kapuściński zdenerwowany, zmęczony kilkugodzinną drogą, leje się z niego pot. Przebiera nogami, co chwilę powtarza: – Zaraz jadę z powrotem. Muszę wracać...

– Dokąd? – pyta Majchrzak.

– Wracam do domu, muszę jechać do Hondurasu.

– Usiądź, odpocznij, wskocz do basenu. Napijemy się.

– Nie, nie, nie. Wracam.

W końcu siada. Oczywiście tylko na chwilkę. Majchrzak nalewa whisky. Po godzinie butelka jest pusta. Kapuściński wstaje.

– Teraz to już naprawdę jadę.

– Dokąd to? Przecież piłeś!

– Jadę i koniec!

Na prośbę-groźbę Majchrzaków Alicja wpycha niemal na siłę chwiejącego się męża do samochodu i wiezie do pobliskiego hotelu. Niech się prześpi, pojedzie rano. Państwo ambasadorostwo oddychają z ulgą.

Kwadrans później Alicja zjawia się znowu.

– Pojechał. Wysiadłam wypakować bagaże, a on złapał kierownicę i pojechał.

Majchrzakowie i Alicja nie śpią całą noc, czekają, aż da znać, że dotarł. Dzwoni następnego dnia z pretensjami, że Alicja go puściła. Kiedy po drodze zatrzymał się po benzynę, wypadł z samochodu. Cud, że dojechał, że żyje.

– Przez cały czas obowiązki wobec rodziny i przyjaciół zmagały się w nim z obowiązkiem zawodowym i tym najważniejszym – pasją.

Gdyby wybrał słońce i ocean, nie byłoby „wojny futbolowej". Gdyby Alicja go zatrzymała – być może też.

Kocha te reporterskie wypady, krótkie wojaże – czy to Honduras, Wenezuela, czy Kolumbia albo Chile. Jedzie zawsze, jeśli na wyjazd pozwala budżet placówki. Mimo że to ciężka i niebezpieczna czasem praca, podróże są oddechem od codziennego kieratu, rutyny; od tej „skończonej głupoty, która zabiera cały czas, całą energię i nie zostawia nic – ani dorobku, ani zadowolenia".

Depesze

TEGUCIGALPA (PAP). Specjalny wysłannik PAP, red. R. Kapuściński, informuje:

W czwartek rano, za zgodą sztabu generalnego armii Hondurasu, udaliśmy się bezpośrednio na front wojny, która toczy się od kilku dni między Salwadorem i Hondurasem. Z Tegucigalpy do miasteczka Nacome... Z Nacome jedziemy już na pierwszą linię walki. Dużo wojska i sprzętu zamaskowanego w lesistym terenie. Front znajduje się na granicy między obu krajami. Armia Hondurasu broni skutecznie swojego terytorium, mimo ciągłych ataków ze strony nieprzyjaciela. W pewnej chwili musimy pozostawić nasze samochody – zbliżamy się do linii ognia, a trzy km stąd jest granica.

Dalej trzeba się już przedzierać pod silnym ogniem artylerii i moździerzy... Jest gorące tropikalne popołudnie. O piątej jesteśmy na pierwszej linii wśród żołnierzy ostrzeliwujących pozycje nieprzyjacielskie.

Są to młodzi chłopcy, dobrze uzbrojeni. Wokół ślady długotrwałych zaciekłych walk. Jest to ciężka zażarta wojna, prowadzona w trudnym, gęsto zalesionym terenie. Walka toczy się nieomal twarzą w twarz. Jest dużo ofiar w ludziach i znaczne straty materialne. Późną nocą wracamy z frontu...

Rozgłośnia w Tegucigalpie nadaje apele wzywające cały naród pod broń. Honduras przystąpił do pełnej mobilizacji ludności. W samym mieście panuje spokojna atmosfera, a w punktach poborowych formują się pierwsze oddziały ochotników. Większość sklepów jest zamknięta. Nadal obowiązuje pełne zaciemnienie okien.

LIMA. Pięć dni spędziłem w środkowych i południowych regionach Andów peruwiańskich, w których ekipy Ministerstwa Rolnictwa przeprowadzają reformę rolną, konfiskując majątki obszarnicze. Latyfundia te w zależności od warunków są rozdzielane między indywidualnych gospodarzy albo przekształcane w spółdzielnie produkcyjne, tworzone przez chłopów pańszczyźnianych i parobków danego majątku.

Peruwiańska reforma rolna zapoczątkowana w czerwcu ubiegłego roku [1969 – A.D.] dekretem rządu generała Velasco Alvarado dokonała już ogromnych postępów. W tym miesiącu zakończył się pierwszy, niezmiernie ważny etap reformy: wszystkie wielkie plantacje trzciny cukrowej wraz ze znajdującymi się na ich terenie cukrowniami i wytwórniami rumu, stanowiące własność obcego kapitału i miejscowej oligarchii, zostały przekazane na własność załogom robotniczym. Plantacje te, które noszą obecnie nazwę „rolniczych spółdzielni produkcyjnych", zarządzane są przez rady robotnicze wybrane na zebraniach załóg...

Jest to pierwszy wypadek w Ameryce Łacińskiej przekazania wielkich zespołów rolno-produkcyjnych (z których jeden ma powierzchnię równą obszarowi Belgii), wyposażonych w nowoczesne maszyny i środki transportu na wyłączną własność robotników...

...już w przyszłym roku w rolnictwie peruwiańskim zostanie całkowicie zlikwidowany sektor wielkokapitalistyczny i na jego miejsce powstanie pierwszy socjalistyczny sektor w gospodarce Peru.

PANAMA. Szef Gwardii Narodowej, gen. Omar Torrijos, sprawujący faktyczną władzę w tym kraju, podjął decyzję o zwolnieniu wszystkich więźniów politycznych, z których większość stanowili działacze lewicy i przywódcy partii postępowych... 41-letni gen. Torrijos i jego ekipa młodych oficerów gwardii prowadzą śmiałą i niezależną politykę reform społecznych, przypominającą w dużym stopniu rewolucyjny proces, jaki dokonuje się aktualnie w Peru.

W Panamie rozpoczęła się już reforma rolna – chłopi otrzymują ziemię stanowiącą dotąd nietykalną własność obszarników... Podjęto szeroki program zwalczania analfabetyzmu, kształcenia nauczycieli i budownictwa szkół. Jednocześnie Panama wystąpiła w tym roku z oficjalnym żądaniem rewizji traktatu z 1903 roku, który przyznaje USA prawo administrowania strefą Kanału Panamskiego i eksploatowania samego kanału na warunkach niekorzystnych dla Panamy.

MEKSYK. Amerykański dziennik „The News" pisze dosłownie... „Czy to, co się dzieje w Ameryce Łacińskiej, nie oznacza, że Stany Zjednoczone tracą swoją sferę wpływów?". Niewątpliwie, to, co się dzieje dzisiaj w Ameryce Łacińskiej oznacza załamanie doktryny Monroego od wewnątrz, oznacza rozsadzenie systemu interamerykańskiego i likwidację towarzyszącej mu teorii tzw. panamerykanizmu, która maskowała zasadnicze rozbieżności między imperializmem USA a półkolonialną sytuacją krajów Ameryki Łacińskiej. W miejsce panamerykanizmu zaczyna pojawiać się na południe od Rio Bravo nowa ideologia i nowa teoria polityczna, którą minister Boliwii – René Candia zdefiniował w tych dniach jako „nacjonalizm kontynentalny", wyjaśniając, że „Ameryka Łacińska stanowi odrębny kontynent"...

Nie należy mieć złudzeń co do prawicowego charakteru większości rządów latynoamerykańskich, czy do zdecydowanej reakcyjności niektórych tutejszych reżimów. Ale novum sytuacji polega na tym, że dzisiaj po raz pierwszy w tradycji latynoamerykańskiej, latynoskie koła rządzące występują wspólnie o rewizję stosunków ze Stanami Zjednoczonymi.

MEKSYK. Ostatnie doniesienia, jakie napływają z Miami, wskazują, że reakcyjni emigranci kubańscy przygotowują zbrojną inwazję na Kubę. Tej niedzieli kanał 8 telewizji meksykańskiej nadał sensacyjny reportaż z Miami o przygotowaniach do tej inwazji... Telewidzowie mogli obejrzeć amerykańskie łodzie desantowe z grupami doskonale uzbrojonych ludzi. Pokazano też mały oddział najemników dowodzony przez Vicente Mendeza, który 17 kwietnia br. [1970] usiłował wylądować na Kubie, żeby rozpocząć działania partyzanckie. Grupa Mendeza została prawdopodobnie zlikwidowana w całości przez jednostki armii kubańskiej.

Jeden z organizatorów zapowiedzianej wyprawy przeciw Kubie... przyznał..., że „inwazja 17 kwietnia ruszyła z brzegów Florydy za zgodą amerykańskiej straży granicznej".

SANTIAGO DE CHILE. ...trwają ostatnie przygotowania do sesji Kongresu, który zbierze się w sobotę, aby dokonać ostatecznego wyboru prezydenta republiki... nikt nie ma wątpliwości, że Kongres wybierze... reprezentanta Frontu Jedności Ludowej, 62-letniego doktora Salvadora Allende...

W całym Chile panuje atmosfera spokoju i dyscypliny obywatelskiej. Reakcji nie udało się zbuntować armii, która zachowuje lojalność wobec porządku konstytucyjnego. Nie powiodła się również próba sterroryzowania społeczeństwa poprzez organizowanie akcji zamachów bombowych... W sumie – skrajna prawica jest coraz wyraźniej spychana na pozycje defensywne. Jej historia dobiega powoli końca.

*

...Kongres chilijski ratyfikował wybór Salvadora Allende na prezydenta... Radość odniesionego triumfu przysłonił tragiczny los generała

Schneidera, na którego agenci reakcji dokonali w czwartek zamachu, ponieważ jako wierny żołnierz uniemożliwił oligarchii sprowokowanie przewrotu wojskowego…

W chwili, kiedy przekazuję tę korespondencję, śródmieście Santiago zapełniło się tłumami ludzi, którzy napłynęli z wszystkich dzielnic świętować swój triumf. Jednakże zapowiedziana na dziś wielka manifestacja ludności została na prośbę Allende odwołana w związku z ciężkim stanem, w jakim znajduje się generał Schneider.

*

Ogromne tłumy ludzi zapełniły w poniedziałek centrum Santiago, aby oddać ostatni hołd generałowi René Schneiderowi, dowódcy wojsk lądowych w Chile, który zmarł w niedzielę na skutek ran zadanych mu przez zamachowców… Jak oświadczył Salvador Allende, pogrzeb ten stał się „wielką manifestacją solidarności ludu z armią i wyrazem protestu przeciw zbrodni”…

LA PAZ. Rewolucja boliwijska przeżywa proces dojrzewania i konsolidacji. Od czasu objęcia władzy przez gen. Juana Torresa w październiku ub.r. [1970] prawicowe koła wojskowe, inspirowane przez ambasadę USA, trzykrotnie próbowały dokonać zamachu stanu… W tym roku prezydent Torres przeprowadził dwie czystki w armii. Wielu generałów i wyższych oficerów o reakcyjnych poglądach, formowanych w północnoamerykańskich szkołach wojskowych, zostało usuniętych z armii, a część z nich udała się na emigrację do Argentyny, Brazylii i Paragwaju.

W czasie ostatniej rozmowy, jaką miałem z prezydentem Torresem w La Paz, powiedział mi, że armia boliwijska musi być „zbrojnym ramieniem rewolucji”, a nie „zbrojnym ramieniem obcych interesów”. Torres, który jako mały chłopiec utrzymywał siebie i matkę, sprzedając gazety na ulicach Cochabamby, uważa się za „prezydenta biednych” i stawia przed sobą jako główny cel wprowadzenie sprawiedliwości społecznej w kraju.

PRAWICA OBJĘŁA WŁADZĘ W BOLIWII (pisane z Meksyku). Nowy prezydent Boliwii, 44-letni pułkownik H. Bánzer, który w swoim pierwszym publicznym wystąpieniu zapowiedział, że głównym celem jego polityki będzie „walka z komunizmem”, rozpoczął urzędowanie od wprowadzenia stanu wyjątkowego i godziny policyjnej. W całej Boliwii trwają aresztowania działaczy lewicowych.

W La Paz bojówki faszystowskie napadły i zniszczyły lokal KC KP Boliwii. Faszystowska partia – Boliwijska Falanga Socjalistyczna, która jest w tej chwili współrządzącą partią Boliwii, rzuciła oficjalnie następujące hasło: „falangiści, trzeba wymordować komunistów". Jednocześnie radiostacje rządowe rozpoczęły kampanię oszczerstw skierowaną przeciwko Związkowi Radzieckiemu i innym krajom socjalistycznym.

MONTEVIDEO (pisane z Meksyku). Tupamaros porwali prokuratora generalnego Urugwaju – Berro Oribe. Tym razem celem porwania nie jest zwolnienie więźniów politycznych ani zdobycie pieniędzy na potrzeby organizacji. Partyzanci urugwajscy porwali prokuratora, aby postawić go przed Trybunałem Ludowym – najwyższą instancją prawną Tupamaros – który zbada, w jakim stopniu Berro Oribe jest odpowiedzialny za fakt, że aresztowani ostatnio Tupamaros znaleźli się w dyspozycji prokuratury wojskowej. Konstytucja Urugwaju zabrania, aby osoby cywilne – a Tupamaros rekrutują się spośród cywili – mogły być badane przez wojskowe organa śledcze, czy sądzone przez sąd wojskowy...

Wokół Tupamaros wytworzył się w Ameryce Łacińskiej mit... Są oni niewątpliwie najlepiej na tym kontynencie zorganizowanym ruchem partyzanckim. Wielu ludzi potępia metody Tupamaros, ale wszystkich zdumiewa niebywała sprawność i dyscyplina tej organizacji. Są tacy, którzy uważają, że Tupamaros, gdyby chcieli, mogliby zdobyć władzę. Ale zdaje się, że ich celem nie jest zdobycie władzy, co raczej stała kompromitacja i demaskowanie istniejącej władzy. Tupamaros chcą bardziej działać jako „sumienie ludu" niż jako awangarda szturmująca twierdzę reżimu.

SAN JOSÉ (pisane z Meksyku). W tej chwili wielką sensacją Ameryki Łacińskiej jest wykrycie spisku CIA mającego na celu obalenie prezydenta Kostaryki – José Figueresa. W opinii CIA prezydent dopuścił się przestępstw niewybaczalnych: 1. – zalegalizował partię komunistyczną, 2. – wznowił stosunki dyplomatyczne i handlowe ze Związkiem Radzieckim. W krajach Ameryki Środkowej tego rodzaju polityka nie ma precedensu i Departament Stanu USA postanowił zlikwidować prezydenta, który odważył się naruszyć żelazne kanony antykomunizmu, obowiązujące w tej części świata.

Trudność zorganizowania zamachu stanu w Kostaryce polega na tym, że jest to jedyny kraj Ameryki Łacińskiej, który nie posiada wojska. Jednakże w Kostaryce istnieją dwie armie prywatne. Obie te armie, zakupione przez CIA, miały stać się zbrojnymi wykonawcami przewrotu. Właścicielem pierwszej z tych armii jest znany tu przemytnik, były sierżant armii USA, były deputowany parlamentu Kostaryki – Frank Marshall. Druga armia rekrutuje się z członków faszystowskiej organizacji paramilitarnej, działającej pod nazwą – Movimiento Costa Rica Libre.

Zamachowców skierowano na specjalny kurs. Szkolenie odbywało się na terenie majątku prezydenta sąsiedniej Nikaragui – Anastasio Somozy. Majątki te leżą m.in. na terytorium Kostaryki. Prezydent Nikaragui jest prywatnym właścicielem dużej części obszaru Kostaryki, na którym ma swoje plantacje, własne drogi, lotniska i własne obozy szkoleniowe, przygotowujące oddziały desantowe do inwazji na Kubę. Tym razem w obozach zaczął się trening zamachowców, którzy w początkach lutego mieli ruszyć na San Jose, usunąć Figueresa i postawić u władzy prezydenta, który cieszyłby oko Departamentu Stanu USA.

Ale Kostaryka to kraj mały, toteż wkrótce zaczęły się szepty, plotki, przecieki i spisek CIA został wykryty. Wybuchł skandal...

Po trzydziestu latach wypytuję Kapuścińskiego o wydarzenia opisywane w tych i innych depeszach z Ameryki Łacińskiej. Także o to, jak widzi kontynent trzy dekady później; jakie są jego pierwsze obserwacje.

Odpowiada, że jego latynoskie doświadczenie „spinają" dwa symboliczne wydarzenia: śmierć Guevary w sześćdziesiątym siódmym i pokojowe wkroczenie wicekomendanta Marcosa do stolicy Meksyku w roku dwa tysiące pierwszym.

> 30 lat temu – rzeź ludzi, którzy chcieli zmieniać świat na lepsze, którzy walczyli w imię sprawiedliwości; teraz – wejście do stolicy Meksyku ich spadkobierców, którzy mogą walczyć pokojowymi metodami, głosić swoje postulaty na głównym placu miasta, obok pałacu prezydenta republiki...

Śmierć Guevary, a potem cały ruch protestu 1968 roku, zamyka etap niesłychanie gwałtownej i krwawej konfrontacji między siłami opozycji, która przybierała formę walki zbrojnej, ruchów partyzanckich z udziałem chłopstwa – a elitami rządzącymi, w dużej mierze zdominowanymi przez wojskowych. Bo lata 60. w Ameryce Łacińskiej to czasy wojskowych dyktatur. Jedni z nadzieją, a inni ze strachem oczekiwali wówczas, że powtórzą się dwie, trzy, cztery rewolucje kubańskie, że nastąpi efekt domina i cały region stanie się castrowski.

Nadzieja, że tak się stanie była wtedy nadzieją również Kapuścińskiego.

Alfabet fascynacji: latynoskie ikony

Allende i Guevara. Nie da się ich rozdzielić, obaj są bohaterami rewolucyjnego romansu reportera. Pisze o nich szkic – hołd bohaterom wspólnej sprawy socjalizmu.

Guevara porzuca gabinet ministra, porzuca biurko i wyjeżdża do Boliwii, gdzie organizuje oddział partyzancki. Ginie jako dowódca tego oddziału. Allende – odwrotnie: Allende ginie, broniąc swojego biurka, swojego gabinetu prezydenta, z którego – jak zawsze zapowiadał – „wyniosą mnie tylko w drewnianej piżamie", to znaczy w trumnie. [Popełnił samobójstwo, gdy puczyści Pinocheta szturmowali pałac prezydencki. Gdy Kapuściński pisał swój esej, uważano, że Allende zginął w walce, z bronią w ręku – A.D.].

Pozornie są to więc śmierci bardzo różne, w rzeczywistości różnica dotyczy tylko miejsca, czasu i okoliczności zewnętrznych. Allende i Guevara oddają życie za władzę ludu. Pierwszy – broniąc jej, drugi – walcząc o nią...

Czy można odpowiedzieć, który z nich miał rację? Obaj mieli rację. Działali w różnych okolicznościach, ale cel ich działania był ten sam.

Esej o Allende i Guevarze jest jak wyznanie wiary rewolucjonisty. Jak każda wiara, i ta ma swoich świętych. Co go urzeka? Czym imponują święci?

Allende chce zachować moralną uczciwość.
W ten sam sposób postępuje Guevara.

Oddział Guevary raz po raz chwyta jeńców, szeregowych i oficerów, którzy zaraz zostaną wypuszczeni... – Jesteście wolni – tłumaczy im – my, rewolucjoniści, jesteśmy ludźmi moralnie uczciwymi, nie będziemy się znęcać nad bezbronnym przeciwnikiem.

Ta zasada moralnej uczciwości jest cechą lewicy latynoamerykańskiej. Jest częstą przyczyną jej porażek w polityce, w walce. Ale trzeba zrozumieć sytuację. Młody człowiek w Ameryce Łacińskiej dojrzewa otoczony światem skorumpowanym. To świat polityki robionej za pieniądze i dla pieniędzy, świat rozpasanej demagogii, świat morderstw i terroru policyjnego, świat rozrzutnej i bezwzględnej plutokracji, zachłannej na wszystko burżuazji, cynicznych wyzyskiwaczy, pustych i zdeprawowanych dorobkiewiczów, dziewcząt łatwo zmieniających mężczyzn. Młody rewolucjonista chce ten świat odrzucić, chce go zniszczyć, a nim będzie do tego zdolny – chce mu przeciwstawić świat inny, czysty i uczciwy, chce mu przeciwstawić siebie.

W buncie lewicy latynoamerykańskiej występuje zawsze ten czynnik moralnego oczyszczenia, poczucie moralnej wyższości, dbałość o utrzymanie moralnej przewagi nad przeciwnikiem. Przegram, zginę, ale nikt nie będzie mógł powiedzieć, że naruszyłem reguły walki, że zdradziłem, że zawiodłem, że mam brudne ręce.

Niemal od początku pracy w Ameryce Łacińskiej planuje wielką książkę o Guevarze. Codzienny kierat sprawia, że marzenie rozpływa się, oddala, gaśnie. W liście do Jerzego Nowaka zwierza się:

> ...wisi nade mną książka o Guevarze, na którą podpisałem umowę z „Czytelnikiem". Ponieważ nie mam czasu na napisanie takiej książki od A do Z, a zapotrzebowanie na nią jest wielkie, mam pomysł następujący: zebrałem ponad 30 książek o Che i zrobię rzecz następującą: podzielę jego życiorys na poszczególne etapy i zrobię wybór z tych książek, połączony moim słowem wiązanym, moimi komentarzami itd. Np. mam w tej chwili 6 różnych relacji na temat jego śmierci, ale wszystkie ciekawe, więc można by zrobić rozdział, zawierający te relacje plus moje impresje z pobytu w miejscu, gdzie zginął.

Prosi przyjaciela, który jest właśnie na placówce w Buenos Aires, o zbieranie książek, artykułów, wszelkich publikacji na temat dzieciństwa i młodości Guevary, wywiadów, wypowiedzi rodziców rewolucjonisty, jego rodzeństwa, kolegów.

Książki o swoim bohaterze tamtych lat jednak nie napisał. Zabrakło czasu: codzienna gonitwa, kierat, kolejne wyjazdy… Potem zresztą nastaje inny czas i Guevara nie jest już taki *sexy*, taki *cool*. Do końca Kapuściński zachowuje sentyment dla dawnego idola, nie wypowie zdania, które świadczy o zmianie nastawienia czy zgodzie na antykomunistyczną antylegendę o bezwzględnym rewolucjoniście.

> Czy [Allende i Guevara] popełniali błędy? Byli ludźmi – oto jest odpowiedź. Obaj zapisują pierwszy rozdział w historii rewolucji Ameryki Łacińskiej. Ta historia dopiero się zaczyna, dopiero się tworzy.

W ostatnich latach życia nostalgia Kapuścińskiego dla ideałów Che manifestuje się entuzjazmem dla jego kontynuatora – w innych okolicznościach, miejscu i czasie – przywódcy indiańskiej rebelii w Chiapas, wicekomendanta Marcosa.

O Fidelu Castro napisze zaledwie parę słów, tyle co nic. Gdy jest korespondentem w Ameryce Łacińskiej, nie wolno mu wjechać na Kubę. Kubański stempel w paszporcie zamyka drogę do innych krajów regionu, z wyjątkiem Meksyku. Jednak i Meksykanie stemplują w paszporcie: „przyjechał z Kuby" – na jedno wychodzi.

Na wyspę jedzie tylko raz, krótko po powrocie z meksykańskiej placówki. Zjawia się u Nowaków, na imieninach „Iziuni", i po dobrych paru wódkach dochodzi do ostrej sprzeczki o Fidela i jego rewolucję. Ktoś pozwala sobie na złośliwe uwagi o Castro – w Kapuścińskiego wstępuje rewolucyjna furia. Wygłasza płomienną obronę kubańskiego socjalizmu i jego przywódcy:

– Co wy o tym wszystkim wiecie? Może i popełniają błędy, ale to są ich własne błędy! Szukają swojej, oryginalnej drogi, a my co? Zastygliśmy, nic nie robimy, niczego już nie szukamy!

– O tę Kubę to się kiedyś z Ryśkiem ostro sprzeczałam – wspomina Izabella Nowak. – Jego skłonność do romantyzmu i potrzeba silnych fascynacji czasem przesłaniały mu oczy.

Jerzy Nowak: – Chciał wierzyć, że na Kubie będzie inaczej niż w Rosji po rewolucji bolszewickiej, inaczej niż w Europie Wschodniej, gdzie socjalizm przyniesiono na sowieckich bagnetach. Gdy na początku lat siedemdziesiątych Fidel Castro odwiedził Polskę, powiedział do Edwarda Gierka: „Robimy błędy, ale to są nasze błędy, nie cudze".

To Ryśka przekonywało. Zabrało mu trochę lat, żeby zrozumieć, że jego rewolucyjni idole na Kubie odeszli od czystości rewolucyjnej. Jego fascynacja Fidelem Castro trwała do końca lat osiemdziesiątych.

Jednak i później Kapuściński nie pali się do modnego po upadku socjalizmu ahistorycznego potępiania i rozliczania. Nie jego styl, nie jego sposób myślenia. Tylko raz krytycznie – i bez nienawistnej ornamentyki – mówi o kubańskim liderze.

Marzec 2001 roku, Meksyk, Uniwersytet Iberoamerykański. Konferencja towarzysząca warsztatom dla reporterów z Ameryki Łacińskiej.

Pytanie z sali: Jak pan ocenia Fidela Castro?

Kapuściński odpowiada: Castro jest jednym z nielicznych na naszej planecie przedstawicieli i twórców władzy autorytarnej, dyktatorskiej. Kimś należącym do przeszłości, albowiem żyjemy dziś w epoce demokratyzacji na skalę planetarną, choć często jest to tylko demokracja deklaratywna. Niemniej demokratyczna tendencja jest widoczna i w nadchodzących czasach to nie dyktatorzy, nie „jedyne partie" będą rządzić. Tamta epoka już się kończy.

Dwaj lewicujący generałowie: Velasco Alvarado w Peru i Omar Torrijos w Panamie – nie idole, lecz na pewno silne fascynacje. Pierwszego Kapuściński nazywa autorem „najgłębszego i najpoważniejszego przewrotu społecznego, jaki dokonuje się w latach sześćdziesiątych w krajach Trzeciego Świata"; znaczenie jego refom porównuje do rewolucji Castro na Kubie i nacjonalistycznej Nasera w Egipcie. Demontaż latyfundiów, nadanie chłopom ziemi, tworzenie spółdzielni rolnych, nacjonalizacja banków...

Gdy rozchodzą się pogłoski o próbach zamachu na generała, Kapuściński obszernie o nich informuje; przytacza deklaracje Velasca Alvarado: „Gdyby coś stało się ze mną, w kraju nastąpiłby kataklizm, zabrakłoby latarń, na których wieszano by wrogów rewolucji, ponieważ cały lud powstałby jak jeden człowiek, aby bronić zdobyczy, które osiągnął dzięki temu rządowi. Tej rewolucji nikt i nic nie jest w stanie zatrzymać". Zatrzyma ją w 1975 roku zamach stanu, kończąc eksperyment lewicującego nacjonalizmu w tym kraju.

Podobny przeprowadza generał Torrijos w Panamie. Celem jego rządu jest – donosi Kapuściński – „zbudowanie socjalizmu typu jugosłowiańskiego". W deklaracjach Torrijosa odnajduje bliskie własnym poglądy i język. „Nie ma rewolucji bez rozdziału ziemi". Albo: „Czasy oligarchii, czasy czterdziestu rodzin, które przez wieki panowały w Panamie, skończyły się raz na zawsze". Choć Torrijos deklaruje niechęć do komunizmu, wypuszcza komunistów z więzień i przeprowadza reformy, o których marzy niejeden z nich. Pragnie odzyskać kontrolę nad Kanałem Panamskim, czym naraża się w Waszyngtonie.

„Torrijos jest silną indywidualnością, jest politykiem odważnym, posiadającym szerokie plany reform społecznych. Jego najbliżsi współpracownicy są, podobnie jak on, młodymi oficerami o nacjonalistycznej orientacji i postępowym nastawieniu". Zginie w 1981 roku w katastrofie lotniczej. Jego śmierć wywołuje falę domysłów na temat tego, czy eksplozja samolotu była rezultatem spisku CIA.

– Nie napisałeś najważniejszej rzeczy!

Gdy pod koniec lat dziewięćdziesiątych pisałem dyptyk o teologii wyzwolenia dla „Gazety Wyborczej", Kapuściński zadzwonił po publikacji pierwszej części z przyjacielską reprymendą.

– Skupiasz się na sporach wewnątrz Kościoła, a nie piszesz, że teologia wyzwolenia była wyrazem emancypacji latynoskiej warstwy „niższej średniej": nauczycieli, drobnych kupców, małych przedsiębiorców, studentów, robotników... Bez nich teologia wyzwolenia byłaby tylko dysputą doktrynalną, o której ani wtedy, ani dziś nikt by nie pamiętał. Zdążysz to dopisać do drugiej części?

– Jasne, maestro.

Kapuścińskiego teologia wyzwolenia pasjonuje jako ruch polityczny, jeszcze jeden nurt rewolucji. „Społeczna radykalizacja kleru latynoamerykańskiego stanowi jeden z najbardziej interesujących procesów, które aktualnie zachodzą na tym kontynencie" – donosi z Meksyku.

Z upodobaniem cytuje czołowego marksistę wśród tutejszych biskupów, Mendeza Arceo: „Marksizm oznacza pełnię rozwoju człowieka. Osobiście czuję się silnie związany z moimi braćmi marksistami. Kuba potrafiła zadać cios kolonializmowi USA i z tego bodaj powodu można uznać jej rewolucję za udaną".

Jednak bohaterem numer jeden Kapuścińskiego z kręgu teologii wyzwolenia jest kto inny: arcybiskup Hélder Câmara, „brazylijski Gandhi". W dziesiątkę trafia myśl arcybiskupa o źródłach przemocy w polityce: „Przemoc nr 1 – matka wszystkich przemocy – to niesprawiedliwości społeczne". Zbrojny bunt to jedynie reakcja, przemoc nr 2, po którą sięgają zrozpaczeni. Câmara głoszący zasadę *non violence* nie pochwala drogi walki zbrojnej takich rewolucjonistów jak Che Guevara; atakuje jednak nie zastępy młodych Guevarów, którzy sięgają po broń, lecz źródło problemu, przyczynę ich desperackiego wyboru.

„Pod pretekstem ratowania kraju przed komunizmem nie można konserwować systemu wewnętrznego kolonializmu, nie można skazywać na nieludzkie warunki milionów Brazylijczyków".

– Przyznali mi Nagrodę Księcia Asturii – ten telefon od Kapuścińskiego odbieram parę lat później; jeszcze nie wiem, że ma jakiś związek z teologią wyzwolenia. – A wiesz, z kim ją będę odbierał?

– ?

– Z Gutierrezem! – z trudem opanowuje chłopięcą ekscytację, tyleż z powodu nagrody, ile kompanii, w jakiej ją dostał.

Ksiądz Gustavo Gutiérrez z Peru to ojciec teologii wyzwolenia. Dawny idol – teraz kolega, partner, równy.

Na szlaku Che Guevary cd.

Na początku siedemdziesiątego roku w Meksyku Kapuściński, nie ruszając się zza biurka, pisze mało pamiętany po latach niby-reportaż: o porwaniu i zabójstwie ambasadora NRF w Gwatemali. Jest to tekst klucz do zrozumienia światopoglądu reportera, który ukształtowały lata spędzone w Afryce zrzucającej kolonialną hegemonię, a chyba jeszcze bardziej te w kipiącej od rewolucyjnej gorączki Ameryce Łacińskiej. Opowieść ukazuje się najpierw w Biuletynie Specjalnym PAP, później skrócona jej wersja w prasie, a następnie jako cienka książeczka pt. *Dlaczego zginął Karl von Spreti*.

Tekst budzi kontrowersje, choć solidnej krytyki w kraju Kapuściński nie ma. Wyjątkiem jest esej napisany przez przyjaciela, Wiktora Osiatyńskiego, który stawia tezę – w porównywalnym stopniu polemiczną, co opowieść o zamordowaniu ambasadora: Kapuściński uzasadnił zbrodnię polityczną.

Czy rzeczywiście?

W niektórych krajach Ameryki Łacińskiej dochodzi w tamtych latach do porwań zagranicznych dyplomatów. Dokonują ich lewicowi partyzanci prowadzący walkę z antykomunistycznymi dyktaturami cywilnymi i wojskowymi. Porwania mają zwrócić uwagę świata na prześladowania przeciwników politycznych. W Brazylii, Argentynie, Urugwaju, Nikaragui, a także w opisanej przez Kapuścińskiego Gwatemali zabójstwa i „zniknięcia" opozycjonistów liczone są w tysiącach.

Uprowadzenia dyplomatów służą przede wszystkim nagłośnieniu politycznych zbrodni. Partyzanci biorą na cel dyplomatów, gdyż – jak przewidują – o porwaniu czy zabójstwie lokalnego speca od zrywania paznokci i podłączania prądu do genitaliów świat nigdy by nie usłyszał. Natomiast o porwaniach przedstawicieli rządów współpracujących z dyktaturami opinia międzynarodowa dowiaduje się jeszcze tego samego dnia; wiadomość podają wszystkie agencje informacyjne i inne środki masowego przekazu. Motyw dodatkowy: uprowadzonych dyplomatów partyzanci wymieniają na więzionych przez reżimy towarzyszy walki. Dla torturowanych, przeznaczonych do „zniknięcia" to zwykle ostatnia deska ratunku.

Jednym z porwanych w takich okolicznościach jest Karl von Spreti, ambasador Niemiec Zachodnich w Gwatemali...

Na początku lat pięćdziesiątych do władzy w Gwatemali dochodzi społeczny reformator Jacobo Arbenz. Nie jest komunistą ani sojusznikiem Moskwy, komuniści są zaledwie częścią jego zaplecza – i nie zasadniczą. Arbenz prowadzi politykę na rzecz emancypacji najbiedniejszych grup; przeprowadza reformę rolną, do pewnego momentu z odszkodowaniami dla wywłaszczonego amerykańskiego koncernu United Fruit Co.. W odpowiedzi na te reformy Waszyngton pod hasłami „wojny z komunizmem" organizuje zamach stanu; w istocie chodzi o ochronę interesów amerykańskiej firmy. Przewrót wojskowy zapoczątkowuje serię krwawych dyktatur i represji, których ofiarą padnie około 200 tysięcy ludzi – zamordowanych i „zniknętych".

W latach zimnej wojny Amerykanie głoszą doktrynę „wojny wewnętrznej", którą zaszczepiają w większości krajów regionu. Mówi ona, że „wojna z komunizmem" toczy się nie tylko na scenie globalnej – między demokracją i czerwonym totalitaryzmem, między Ameryką i ZSRR – lecz także na froncie wewnętrznym, wróg nie śpi. Dlatego wojskowi w Gwatemali, Brazylii, Argentynie i innych krajach regionu nie mogą siedzieć spokojnie w koszarach, toczy się wojna, demokrację w imię walki z rewolucyjną zarazą trzeba zawiesić. W walce z adeptami Moskwy i Hawany wolno – według tej doktryny – stosować wszelkie metody. W osławionej School of Americas w Panamie, przeniesionej później do stanu Georgia w USA, amerykańscy specjaliści szkolą latynoamerykańskich oficerów do walki z partyzantkami. Wykłady i seminaria w tej szkole poświęcone są między innymi zadawaniu wyszukanych tortur. Latynoscy wojskowi stają się artystami okrucieństwa...

Stosowane przez nich bestialskie tortury czynią z beztroskich, młodych marzycieli zaprzysięgłych bojowników, gotowych w ekstremalnych sytuacjach, takich jak opisana przez Kapuścińskiego w książeczce o Gwatemali, pociągnąć za spust. Zbuntowani sądzą, że trzeba wstrząsnąć sumieniem opinii międzynarodowej, zmusić zachodnie potęgi, by zaprzestały współpracy z tyranami, powstrzymały generałów-zbrodniarzy. I nieraz ich akcje zbrojne odnoszą zamierzony cel. W korespondencji z tamtego czasu – po jednej z akcji uprowadzenia dyplomaty – Kapuściński omawia artykuł „Sunday Timesa", w którym napisano tak:

> Więźniowie polityczni zostali zwolnieni i dano im sposobność do publicznego poinformowania o brutalności policji w więzieniach i o operacjach wojskowych „drużyn śmierci" na ulicach. Rządy latynoamerykańskie zostały wprawione w zakłopotanie i upokorzone. „Gringo" został całkowicie wyprowadzony z równowagi. Ruchy rewolucyjne wzmocniły się liczbowo i moralnie w wyniku rozgłosu. Stwarzany jest klimat dla rewolucji – czy przynajmniej istotnych reform – w społeczeństwach i tak już niestabilnych.

Gdy gwatemalscy partyzanci porywają ambasadora Karla von Spretiego, Kapuściński siedzi w swoim gabinecie w stolicy Meksyku, czyta miejscową – i nie tylko miejscową – prasę i dostaje od tych lektur białej gorączki.

„Hordy agentów służby bezpieczeństwa Stanów Zjednoczonych napływają do miast Ameryki Łacińskiej, usiłując pochwycić porywaczy dyplomatów" – donosi jedna z angielskich gazet.

Zamiast fali zainteresowania tym, co dzieje się w Gwatemali, zamiast pytań o to, dlaczego dochodzi do porwań dyplomatów – fala jednostronnych potępień partyzantów.

W przeglądzie prasy dla Biuletynu Specjalnego PAP Kapuściński cytuje potępiencze komentarze jugosłowiańskiej „Politiki": porwanie i zabójstwo ambasadora NRF to „akt wandalizmu i terroryzmu". Organ francuskich komunistów „L'Humanité" – że to „niegodny środek w sprawiedliwej walce".

Z satysfakcją odnotowuje, że wychodzący w Niemczech Zachodnich socjaldemokratyczny tygodnik „Der Spiegel" potępia przede wszystkim nie partyzantów, lecz zbrodniczy rząd Gwatemali: „W zamian za swą śmierć Karl hrabia von Spreti odznaczony został gwatemalskim Orderem

Quetzala. Jego życie przedstawiało dla rządu republiki bananowej mniejszą wartość: żadną".

Z chóru potępień partyzantów Kapuściński wyławia głosy w innej tonacji – te, które tłumaczą, na czym polega tragedia Gwatemali, a także wyjaśniające, dlaczego w Ameryce Łacińskiej od dłuższego czasu dochodzi do porywania ambasadorów.

Sprawa porywania ludzi i samolotów stanowi centralny temat tutejszej prasy. Część rządów latynoskich opowiada się za inicjatywą Argentyny, która proponuje odmawiać prawa azylu więźniom politycznym uwolnionym w zamian za wypuszczenie na wolność porwanego dyplomaty. Ze stanowiskiem tym polemizuje dziś wybitny autorytet prawa międzynarodowego, członek Instytutu Prawa uniwersytetu meksykańskiego – dr Héctor Cuadra, który w wywiadzie udzielonym dziennikowi „El Heraldo de México" stwierdza m.in., że „rozwiązanie problemu porwań i terroryzmu, który zapanował na naszym kontynencie, nie polega na zniesieniu prawa azylu, ale na tym, aby rządy latynoamerykańskie szanowały prawa obywateli, ponieważ w przeciwnym wypadku opozycja czuje się zmuszona do podejmowania rozpaczliwych ataków, takich jak zabójstwo ambasadora NRF w Gwatemali. Brak poszanowania praw obywatelskich i zaostrzenie polityki represji w naszych krajach sprawiło, że prześladowani przez rządy ludzie, zmuszeni są do uprawiania taktyki czynów dokonanych – w tym wypadku do porywania dyplomatów. Przyczyną porwań jest fakt, że w każdym z naszych krajów istnieją więźniowie polityczni, których nie chroni żadne prawo i którzy nie mają żadnej nadziei, że będą kiedykolwiek sądzeni".

Zdaniem doktora Cuadry, porwania i terroryzm ustaną tylko wtedy, jeżeli:

1) „rządy latynoskie będą szanować prawo swobodnego wyrażania poglądów",

2) „rządy latynoskie zgodzą się, aby więźniów politycznych otoczyć prawem. Ludzie ci przebywają latami w więzieniach Ameryki Łacińskiej, nigdy nie sądzeni, bez żadnych gwarancji, jakie daje konstytucja".

Cuadra stwierdził, że „Ameryka Łacińska jest ziemią prześladowań politycznych".

Omawiając wypadek śmierci Karla von Spreti, doktor Cuadra powiedział:

– Nie było to morderstwo. Zgodnie z prawem wojennym jest to wypadek schwytania i egzekucji zakładnika, a należy pamiętać, że w Gwatemali toczy się wojna domowa. Rząd stracił kontrolę nad krajem, a armia podziemna – Fuerzas Armadas Rebeldes, prowadzi działania ściśle wojenne.

Po latach Kapuściński wyzna, że książkę o zabójstwie Karla von Spretiego napisał „przeciwko bałamuceniu opinii światowej przez nas – dziennikarzy".

Czym się powodowałem, pisząc np. tekst o Gwatemali? Przede wszystkim chodziło mi o obronę tych ludzi, obronę partyzantów, obronę ich godności, ich racji. Bo wysłuchuje się strasznych rzeczy o tych ludziach, najbardziej haniebnych historii, ponieważ cały system informacji rozprowadzany po świecie jest systemem prawicy. Nie zająknie się ona jednym słowem, jakie tam są dyktatury, jakie są reżimy, jakie realia, które tych bojowników zmuszają do walki. Tylko będzie powtarzać w kółko swoje potępienia „terrorystów". Ale zauważ, że wszystkie ruchy narodowowyzwoleńcze, włącznie z polskim ruchem oporu podczas ostatniej wojny, były przez oficjalną propagandę określane jako terroryzm. Więc pierwszym moim odruchem wtedy, kiedy po zabójstwie Karla von Spreti w Gwatemali rozlała się cała ta fala zniesławień w kraju, w którym codziennie ginie kilkudziesięciu autentycznie niewinnych ludzi, był odruch wewnętrznego protestu i moralna obrona tych ludzi…

Tam masz miasto, w którym człowieka rano, codziennie, budzą serie z automatów, nie trzeba nastawiać budzika. Więc jeśli teraz jest grupa młodych, wspaniałych ludzi, którzy decydują się na walkę, chociaż wiedzą, że idą prosto do grobu, ale nie mają innego wyjścia – to jakżeż można nazwać ich terrorystami? W tamtym systemie nie można liczyć na walkę pokojową, na pracę uświadamiającą wśród mas, na agitację, bo nie masz żadnych możliwości – żadnych mechanizmów, działania, minimum szans. Jesteś schwytany za gardło i jeśli chcesz być człowiekiem, musisz tylko umrzeć. Więc jakżeż tych ludzi nazywać terrorystami? Mogę ich nazwać bojownikami, bohaterami. Nie mogę udawać, że nie istnieje ten pierwszy i podstawowy, zinstytucjonalizowany terror, przeciwko któremu oni właśnie powstają, idą walczyć i zginąć. Taka jest cała prawda, a jeśli ktoś chce poprzestawać na półprawdzie i ćwierćprawdzie, to ulega lub służy fałszowi, zakłamaniu.

„Bałamucenie opinii światowej" polega – w opinii Kapuścińskiego – na deformowaniu przekazu, jednostronnym potępianiu guerrilleros, przy zachowaniu milczenia wobec gwatemalskiej tragedii, która zrodziła desperację porywaczy.

W tej zapomnianej książeczce znajduje się jeden z najgenialniejszych – w moim przekonaniu – fragmentów w całej twórczości Kapuścińskiego (w krótszej wersji zostanie powtórzony w *Wojnie futbolowej*):

> Ludzie, którzy piszą historię, zbyt dużo uwagi poświęcają tzw. głośnym momentom, a za mało badają okresy ciszy... Cisza jest sygnałem nieszczęścia i często przestępstwa... Cisza jest potrzebna tyranom i okupantom, którzy dbają, aby ich dziełu towarzyszyło milczenie... Jakaż cisza emanuje z krajów przepełnionych więzień... Cisza potrzebuje ogromnego aparatu policji. Potrzebuje armii donosicieli. Cisza żąda, aby wrogowie ciszy znikali nagle i bez śladu. Cisza chciałaby, żeby jej spokoju nie zakłócał żaden głos – skargi, protestu, oburzenia... Słowo „cisza" łączy się najczęściej z takimi słowami jak „cmentarz" (cisza cmentarna), „pobojowisko" (cisza na pobojowisku)... Byłoby ciekawe, gdyby ktoś zbadał, w jakim stopniu światowe systemy masowego przekazu pracują w służbie informacji, a w jakim – w służbie ciszy i milczenia. Czego jest więcej: tego, co się mówi, czy tego, co się nie mówi?... Jeżeli w Gwatemali nastawiam lokalną radiostację i słyszę tylko piosenki, reklamę piwa oraz jedyną wiadomość ze świata, że w Indiach urodzili się bracia syjamscy, wiem, że ta radiostacja pracuje w służbie ciszy...

Pisząc z empatią o gwatemalskich partyzantach, Kapuściński znajduje się w politycznie dwuznacznej sytuacji. Owszem, opowieść o zamordowaniu ambasadora NRF jest przede wszystkim wielkim oskarżeniem imperializmu; mimo to nie pasuje do politycznej poprawności obozu socjalistycznego. Moskwa sprzeciwia się wówczas tworzeniu partyzantek w Ameryce Łacińskiej na wzór guerrilli Castro i Guevary z czasów rewolucji na Kubie. Ruchy partyzanckie są niezależne od Moskwy, psują jej politykę „pokojowego współistnienia" z Waszyngtonem – bo przecież każdą rebelię w Ameryce Łacińskiej Amerykanie traktują jako radziecką dywersję w swojej strefie wpływów. Tymczasem Castro wzywa do rozłamów w partiach komunistycznych: dysydenci mają tworzyć zbrojne oddziały i walczyć z bronią w ręku przeciwko prawicowym, projankeskim dyktaturom na kontynencie. Castro głosi, że prawdziwym rewolucjonistą jest ten, kto robi rewolucję. Większość partii komunistycznych w regionie skłania się tymczasem do walki metodami pokojowymi; z punktu widzenia Hawany partie te toczy wirus reformizmu.

Po ponad dwóch latach pracy korespondenta w regionie Kapuściński rozumie subtelności i niuanse sporu między Związkiem Radzieckim i Kubą. W jednej z analiz pisze tak:

> Polemiki między Hawaną a partiami komunistycznymi Ameryki Łacińskiej [posłusznymi Moskwie – A.D.] dotyczyły najbardziej zasadniczych problemów rewolucji na tym kontynencie: czy rewolucji ma dokonać grupa partyzancka bez aktywnego udziału mas (jak brzmiała w uproszczeniu teoria kubańska), czy też rewolucji mają dokonać świadome swoich celów politycznych masy, jak utrzymywały tutejsze partie komunistyczne. Kto ma być kierowniczą siłą rewolucji: oddział partyzancki (teoria Debraya [słynnego francuskiego intelektualisty – A.D.]) czy partia rewolucyjna? Jaka siła społeczna ma być bazą rewolucji: chłopstwo (Debray) czy klasa robotnicza?

Dlaczego zginął Karl von Spreti to opowieść w duchu rewolucyjnego socjalizmu z Hawany, nie tego biurokratycznego z Moskwy.

Zmieniają się zresztą polityczne wiatry: zbuntowana przeciwko moskiewskiej strategii Kuba wyrzeka się w końcu względnej niezależności i popierania partyzantek w regionie. Po radzieckiej interwencji w Czechosłowacji – zdławieniu Praskiej Wiosny w sierpniu sześćdziesiątego ósmego – i braku stanowczej reakcji na tę interwencję ze strony Stanów Zjednoczonych, Fidela Castro nie opuszczają obawy. Niepokoi się tym, że skoro Waszyngton nie zareagował stanowczo na inwazję wojsk Układu Warszawskiego w Pradze, to ciągle wtedy możliwa – jak sądzi – inwazja amerykańska na Kubę może nie spotkać się – prawem analogii – ze zdecydowanym sprzeciwem Moskwy. Dlaczego zresztą towarzysze radzieccy mieliby bronić Castro, który gra im na nosie, psuje geostrategiczne plany, kwestionuje radzieckie przywództwo w obozie światowego socjalizmu?

Castro postanawia zabezpieczyć się na wypadek inwazji USA na Kubę: chowa dumę do kieszeni i wbrew oczekiwaniom ludzi lewicy na całym świecie, także wielu komunistów latynoskich i niektórych kubańskich – popiera zdławienie Praskiej Wiosny. Wysyła do polityków z Kremla czytelny sygnał: kończymy spór o drogę rewolucyjną w Ameryce Łacińskiej, Rzymem światowego komunizmu jest tylko Moskwa, nie będzie więcej kwestionowania jej przywództwa. Wyraża publicznie nadzieję, że gdyby socjalizm na Kubie był zagrożony, Związek Radziecki pomoże.

Praktycznym potwierdzeniem nowej polityki Castro jest jego wizyta w Chile w siedemdziesiątym pierwszym roku: zawiera sztamę z socjalistą Salvadorem Allende, który wprowadza rewolucyjne zmiany pokojowo i demokratycznie. Castro pokazuje twarz realisty: boi się, że wspierana przez USA chilijska prawica obali rząd Allende pod byle pretekstem; dlatego w czasie wizyty w Chile studzi zapał lewicowych radykałów, którzy żądają od Allende natychmiastowego wprowadzenia socjalizmu bez oglądania się na wolę dużej części społeczeństwa.

Kapuściński nadaje z Chile:

> ...wizyta Fidela Castro oraz wygłaszane tu przez niego przemówienia dowodzą, że rozbicie lewicy latynoamerykańskiej na dwa nurty staje się dziś zamkniętym rozdziałem w historii kontynentu... Kilkakrotnie już powtórzył, że droga, która doprowadziła na Kubie do triumfu rewolucji [tzn. walka zbrojna – A.D.], nie jest jedyną i wyłączną drogą prowadzącą do zwycięstwa. Dla wielu latynoskich ugrupowań lewackich, zapatrzonych w Kubę jako jedyny ideał, oświadczenia te muszą zabrzmieć szokująco... Część ludzi przejdzie do lewicy komunistycznej, a małe nieprzejednane grupy zejdą na bezideowe pozycje anarchizmu i utracą znaczenie polityczne...

Zmiana politycznej strategii Hawany ma praktyczne skutki także dla pracy korespondenta z Polski. Kapuściński, który niejako „z urzędu" powinien opisywać świat zgodnie z linią Moskwy, sympatyzuje raczej z „dysydencką" polityką Hawany. Teraz jego rozterki się kończą; pisze o tym niemalże wprost:

> Ta generalna ewolucja Hawany wobec problemów rewolucji w Ameryce Łacińskiej ma również ważne, pozytywne znaczenie dla polityki krajów obozu socjalistycznego na tym kontynencie. W okresie sporów między Fidelem Castro a tutejszymi partiami komunistycznymi nasza sytuacja była trudna: z jednej strony popieraliśmy Kubę, ale jednocześnie też popieraliśmy partie komunistyczne. Pod żadnym względem nie było to dla nas wygodne. Dzisiaj sytuacja krajów naszego obozu ulega w Ameryce Łacińskiej podwójnemu wzmocnieniu: po pierwsze dlatego, że zaczyna się tu okres jednoczenia lewicy, a po drugie również dlatego,

że Fidel Castro podkreśla w swoich wystąpieniach w Chile, iż warunkiem ocalenia rewolucji na Kubie była pomoc krajów socjalistycznych, zwłaszcza Związku Radzieckiego... Fidel Castro występuje jako rzecznik jedności lewicy latynoamerykańskiej i jako rzecznik współpracy tej lewicy z krajami obozu socjalizmu.

Kapuściński nie musi być dłużej rozdarty między sympatią do Castro a lojalnością wobec promoskiewskich decydentów w Warszawie.

W polemice z książką przyjaciela o zabójstwie Karla von Spretiego Wiktor Osiatyński napisał:

> ...Kapuściński uzasadnił zbrodnię. Usprawiedliwił morderstwo popełnione w imię walki z wyzyskiem, uciskiem i dyktaturą...
>
> Kapuściński przebywał wtedy w Meksyku. Czytał niekończące się potępienia partyzantów i niekończące się peany na cześć rządów. Usiadł i napisał książkę. W tej książce nie fotografował, nie opisywał. Tylko wyjaśniał.
>
> Wyjaśniał historię ucisku i terroru panującego od setek lat w Gwatemali. Pokazał wszechwładzę wąskiej elity popieranej przez amerykańskie koncerny w zamian za prawo do eksploatacji. Brutalność policji, terror, tortury, morderstwa. Samotność partyzantów wydawanych w ręce policji przez chłopów, w których interesie przecież podjęli byli swoją walkę...
>
> To, co napisał Kapuściński, wystarczało, żeby zrozumieć, dlaczego partyzanci porwali i zastrzelili von Spretiego. Nie sądzę, by wystarczało, aby ich usprawiedliwić. Kapuścińskiemu wystarczało. Bo z jego książki jednoznacznie wynika, że za śmierć ambasadora odpowiedzialne są: faszyzm gwatemalski, który zmusił partyzantów do przyjęcia tej – jedynej, jaka im pozostawała – formy walki, imperializm amerykański, który utrzymywał ten faszyzm przy życiu, Nixon, który nie przekonał władz Gwatemali, choć mógł to z łatwością zrobić, i wreszcie w pewnym stopniu Brandt, który nie nacisnął w wystarczającym stopniu na Nixona. Partyzanci nie są w ogóle odpowiedzialni.
>
> Ale przecież to partyzanci przystawili Spretiemu pistolet do skroni i pociągnęli za spust.
>
> Przeczytawszy Kapuścińskiego, zrozumiałem, dlaczego to zrobili. W odróżnieniu od autora nie byłem jednak przekonany, czy powinni byli to zrobić. I nie lubiłem tej książki.

Osiatyński nie omija kłopotów, jakie stwarza stanowisko, które sam zajmuje. Lojalnie relacjonuje okoliczności zabójstwa: bezsilność dyskryminowanych, zablokowanie wszelkich dróg politycznej ekspresji, terror – potworny terror antykomunistycznej dyktatury wspieranej przez Waszyngton.

Zdarzało się, że terror stosowany nawet w imię słusznych ideałów był nieprzemyślany i szkodliwy dla samych tych ideałów. Bywało i tak, że nie było innego wyjścia niż odwołanie się do terroru. Zdaniem Kapuścińskiego tak było w marcu 1970 w Gwatemali. Zabójstwo von Spretiego usprawiedliwia w jego oczach sytuacja, w której partyzanci zostali zmuszeni do tego aktu, oraz wyższy cel moralny – walka z uciskiem i dyktaturą.

I tu się z nim nie zgadzam. Sądzę bowiem, że o ocenie terroru nie może decydować tylko cel, ale także jego zakres.

Potępiam więc terror stosowany w imię nawet najsłuszniejszych ideałów, przez który giną jednak niewinni ludzie, niebędący stroną konfliktu. Bo taki terror pachnie mi zasadą „cel uświęca środki". A sądzę, iż przyjęcie tej zasady wcześniej czy później okaże się zgubne dla ruchu, który ją przyjął, bo doprowadzi do porzucenia przezeń tych ideałów i wartości, w imię których podjął walkę.

Kapuściński nigdy nie skomentuje eseju przyjaciela.

– Fajne – powie przy jakiejś okazji. Nic więcej.

– Sądzę, że kierował się tu osobistym kodeksem: nie kłócić się z przyjaciółmi, nie eskalować różnic, wybaczać im błędy – uważa Jerzy Nowak.

Może nie chce z Osiatyńskim polemizować, ponieważ odpierając argumenty przyjaciela, musiałby szukać przekonywających racji za odebraniem komuś życia – a to przecież w publicznej dyskusji samobójstwo? Jak się spierać w takiej sprawie, gdy jest się równocześnie przeciwko jakiemukolwiek zabijaniu? Jak to robić, żeby polemika nie stała się obroną terroryzmu i politycznego zabójstwa?

Kapuściński unika słowa „terroryzm" – wie, że takie słowo z każdego czyni zakładnika, więźnia języka. Jakżeż brzmi epitet: „obrona terroryzmu", „obrona politycznej zbrodni" – a jakże inaczej: „uznanie walki zbrojnej jako jednej z dopuszczalnych dróg"? Dlatego Kapuściński używa słów „partyzanci" – nie „terroryści", „walka zbrojna" – nie „terroryzm".

Nie uważa Karla von Spretiego za postronnego przechodnia, lecz politycznego aktora gwatemalskiej tragedii; przedstawiciela rządu czerpiącego korzyści z eksploatowania bananowej republiki, współpracującego ze zbrodniczą juntą, którą ludzie dotknięci represjami mają prawo traktować jako okupanta wewnętrznego. Jak mówi cytowany przez Kapuścińskiego prawnik, „zgodnie z prawem wojennym jest to wypadek schwytania i egzekucji zakładnika".

Kapuściński nigdzie nie sugeruje, że von Spreti powinien był umrzeć, nawet jeśli był draniem, bądź jego wybory życiowe i zawodowe obsadziły go w drańskiej roli. Nie sugeruje żadnej konieczności, żadnego determinizmu co do tego, że ktoś taki jak on musiał stracić życie. Nie ma dobrego uzasadnienia dla porwania i zabicia człowieka, nawet jeśli kolaborował ze zbrodniczym reżimem. Kapuściński wie, że stawiając sobie za zadanie intelektualne wytłumaczenie zbrodni, rozważając racje za odebraniem komuś życia, jest z góry na godnej pożałowania pozycji; zastawiłby na siebie pułapkę, ustawił w sytuacji szantażu moralnego.

Nie chodzi mu o dobre uzasadnienie dla zabójstwa – takie nie istnieje – lecz o założenie na chwilę butów porywaczy, wczucie się w ich sytuację, dramat kraju, tragedię prześladowanych. A następnie – postawienie pytań: Czy działanie partyzantów można zrozumieć? Czy można zrozumieć młodych ludzi z Gwatemali, Brazylii, Urugwaju, Salwadoru, którzy sięgają po karabiny i bomby w walce z okupantem zewnętrznym lub wewnętrznym?

Psychologiczną sytuację prześladowanych w tamtym czasie – może nawet lepiej niż uprowadzenie i zabójstwo Karla von Spretiego – ilustruje list żony zamordowanego działacza z Brazylii do żony porwanego brazylijskiego dyplomaty (przez partyzantów Tupamaros w Urugwaju):

> Pani Aparecida Gomide,
>
> Cały świat zna pani lęk i pani cierpienia. Prasa i inne środki przekazu bez przerwy mówią o pani dramacie. Mąż pani, dyplomata na służbie, został porwany i w ten sposób włączony w wydarzenia natury politycznej. Lecz pani nie płacze w samotności.
>
> Natomiast nikt nie mówi o moim cierpieniu i moim lęku. Ja płaczę samotnie. Nie mam pani możliwości uzyskania rozgłosu, powiedzenia tak jak pani, że mam rozdarte serce, że chcę być z moim mężem. Pani mąż żyje i jest dobrze traktowany. Powróci. Mój zmarł na skutek tortur, zamordowany przez Pierwszą Armię. Został stracony bez procesu, bez sądu. Domagałam się, by mi oddano jego ciało. Nikt mnie nie słu-

chał, nawet Komisja Praw Człowieka. Nie wiem, co z nim zrobili, nie wiem, co zrobili z jego ciałem.

Nazywał się Mário Alves de Souza Vieira, był dziennikarzem. Został zatrzymany przez policję Pierwszej Armii 16 stycznia tego roku w Rio de Janeiro. Zabrano go do koszar żandarmerii wojskowej, gdzie najpierw straszliwie go pobito, potem wbito na zębaty pal i zdarto z niego skórę przy pomocy metalowej szczotki, bowiem odmawiał podania informacji, których żądali oprawcy. Więźniowie wezwani do sali tortur celem zmycia z podłogi krwi i ekskrementów widzieli mojego męża, gdy nagi, ciśnięty na ziemię, błagający o kroplę wody konał, krwawiąc z ust i nosa. Wśród śmiechu oprawcy wojskowi zabronili udzielać mu pomocy.

Rozumiem, że nie jest pani w stanie pojąć mojego cierpienia, bo dla każdego jego własny ból jest większy niż cudzy. Ale liczę, że zrozumie pani, iż warunki, które doprowadziły do porwania pani męża, a zabicia mojego, są te same, bo ważne jest, by zrozumieć, że gwałt-głód, gwałt-nędza, gwałt-zacofanie, gwałt-tortura prowadzą do gwałtu-porwania, gwałtu-terroryzmu, gwałtu-guerrilli. Bardzo ważną rzeczą jest zrozumieć, kto wprowadza ten gwałt. Czy ci, co powodują nędzę, czy ci, którzy z nią walczą? (Julio Cortázar, *Książka dla Manuela*, przekł. Zofia Chądzyńska).

Lata spędzone w Trzecim Świecie uczą Kapuścińskiego empatii, patrzenia z perspektywy desperatów: zdarzają się sytuacje, w których nic innego nie pozostaje – tak uważają dotknięci represjami, nędzą, brakiem perspektyw – jedynie bomba, karabin, czasem samobójstwo. Gdy za chwilę zabiją ciebie, gdy trzeba ratować torturowanych przyjaciół, gdy nie widać światła w tunelu, pozostaje walka zbrojna (niech nawet będzie: terroryzm i przemoc) jako akt ostatecznej rozpaczy. Trudno taką walkę opiewać, wychwalać. Można i chyba należy ją zrozumieć.

Kapuściński nie uzasadnia politycznej zbrodni; tłumaczy jej anatomię, pomaga czytelnikowi znaleźć się w psychologicznej sytuacji zdesperowanych i robi to z taką empatią, talentem – i zarazem zimną krwią – że niejeden ma prawo przerazić się siebie: czy jeśli po lekturze rozumiem porywaczy-terrorystów, to usprawiedliwiam zabójstwo polityczne? Czy Kapuściński nie idzie za daleko?

Dlaczego zginął Karl von Spreti to nie tylko opowieść o Gwatemali, to parabola zimnej wojny, a także ówczesnych i do pewnego stopnia współczesnych stosunków Północy i Południa. Nie pasowała do politycznej poprawności czasów socjalizmu, nie pasuje do tej królującej po jego upadku – na pewno w kraju Kapuścińskiego.

W czasach zimnej wojny ogromna część współrodaków reportera, niechętnych komunistycznej władzy, żyje w przeświadczeniu, że Zło jest zawsze i jedynie po stronie czerwonych. Bojownicy odwołujący się do ideałów emancypacyjnych, królestwa sprawiedliwości czy po prostu komunizujący noszą na sobie – w ich mniemaniu – piętno sił zniewolenia. Siły zachodnich demokracji – nawet jeśli zrzucają bomby na cywilów bądź prowadzą „uniwersytety tortur" – reprezentują w zimnowojennym podziale Dobro.

Kapuściński bez dwuznaczności pokazuje, że w krajach Trzeciego Świata to „wolny" Zachód jest siłą współodpowiedzialną za zniewalanie społeczeństw, hamulcem wolnościowych aspiracji. Komuniści, lewicowi radykałowie należą tam zwykle do sił walczących z tyranią i niewolą. Czasem są jedyną siłą polityczną, do której uczciwy człowiek może się bez wstydu przyznać.

Z doświadczeń pracy reportera w Trzecim Świecie Kapuściński wcześnie wyciąga wniosek, że oglądanie świata przez okulary zimnowojennego podziału Wschód – Zachód, komunizm – kapitalizm, zaciemnia obraz miast go rozjaśniać. Ważniejsza i akuratniejsza jest dlań perspektywa Północ – Południe; podział na świat dostatni i świat nędzy, wykluczenia oraz wszystkie tego podziału konsekwencje.

Dlatego po upadku utopii nie udzieli mu się entuzjazm dla kapitalizmu, współczesnych pomysłów „szerzenia demokracji" wśród „dzikich", Ameryki-imperium, do której tak wielu w jego kraju wzdycha miłością słabo odwzajemnianą; rewizji historii XX wieku w duchu antykomunizmu. Jako reporter w krajach Trzeciego Świata w epoce zimnej wojny zbyt wiele widział.

Rozumiał też, że nasz „lepszy" świat jest mocno zamieszany w pojawienie się w pierwszych latach XXI wieku „Mahometa z karabinem", o czym mówił w wywiadach w ostatnich latach życia. Był przerażony „partią wojny" w Waszyngtonie i łatwością, z jaką supermocarstwo jest w stanie rozpętać imperialną awanturę. Zaniepokojony także Al-Kaidą, którą uważał nie tyle za organizację, ile „postawę, mentalność", „próbę wepchnięcia wszystkich nie-swoich do piekła".

Na ten wielki temat współczesności nie zdążył nic większego napisać. Jakie są różnice między Chrystusem z karabinem z lat sześćdziesiątych i siedemdziesiątych a dzisiejszym Mahometem z karabinem? Gdzie szukać kryteriów rozgraniczających uprawnioną, bynajmniej nie dobrą, walkę zbrojną od ślepego okrucieństwa terroryzmu, który nie jest bynajmniej bronią tylko słabych?

Nie zostawił uniwersalnego klucza, jednak jego wywiady i wypowiedzi pomagają myśleć o współczesności, stawiać pytania o ocenę dzisiejszych konfliktów. Opowieść o porwaniu i zabójstwie Karla von Spretiego jest numerem jeden na tej liście. I choć nie zawiera prostych analogii, obnaża mechanizm „bałamucenia opinii publicznej", a także politycznego samooszustwa i iluzji: że niby prowadzona jest jakaś batalia przeciwko złu, nazywanym czy to „komunizm", czy „terroryzm", a w istocie choroby, plagi, nieszczęścia, przeciwko którym rzekomo toczy się walkę, są jeszcze bardziej za pomocą jej metod rozprzestrzeniane.

Na razie zabieram się do pakowania, ciągle niemrawo, ale jednak, i mam nadzieję, że na czas odprawię skrzynie i że w terminie wyżej podanym [10–15 kwietnia 1972] rozstanę się z ziemią Azteków. W sumie będzie to cztery i pół roku w Ameryce Łacińskiej, co mi – z grubsza biorąc – wystarczy.

Już się zastanawiam, co będę robić w kraju. I wiem, i nie wiem. Ideałem byłoby nie robić nic i tylko poświęcić się pisaniu. To jest mój wstępny plan, który może rozleci się w zetknięciu z realiami. Chyba zostanę w PAP-ie, tyle że wezmę bezpłatny urlop na pisanie, a potem zobaczymy...

Aha, co mam Wam przywieźć? Ala napisała mi, że koszulę smokingową i różne takie rzeczy, ale może coś jeszcze, może nadeślecie jakąś listę Waszych *pedidos* [zamówień]? W każdym razie, to, co dostałem via Ala, postaram się przytaskać do Warszawy.

No więc Kochani – do prędkiego, jak najprędszego! Już mi udziela się gorączka wyprawy przez Atlantyk, do Europy, do Europy, nie ma życia poza Europą (zobaczymy, co będę mówić po kilku miesiącach!), ale może będę mówić to samo – *quién sabe* [kto wie]? W każdym razie wchodzę w wielki zakręt, w wiraż zawrotny, emocja, aż skóra cierpnie. Pisać, pisać, teraz chcę tylko pisać. Caray [cholera], żeby mi dali spokój, żeby niczego ode mnie nie chcieli, żebym mógł się zamknąć, zapaść, zakopać...

Ucieczki Zojki

W czasie ponadtrzyletniego pobytu w Meksyku Kapuścińskiemu towarzyszą żona i córka. Alicja trochę pracuje, Zojka idzie do liceum. Po półtora roku córka chce wracać do kraju, ma 17 lat i dość determinacji, żeby postawić się rodzicom. Szczególnie ojcu, z którym się kłóci o wszystko.

Z rozmowy z Alicją Kapuścińską:

– Dlaczego córka chciała wrócić?

– Nie wiem, nauczyła się hiszpańskiego i oświadczyła, że woli być w Polsce. Takie miała życzenie.

– Podobna jest do niego?

– Nie, do jego matki.

Alicja wraca z Zojką do Warszawy, sądzi, że na stałe, samej przecież nie zostawi. Pomoc oferuje przyjaciółka, Zofia Sztetyłło: – Niech mieszka u mnie. – Chcesz zostać u cioci Zosi? – Alicja pyta córkę.

– Była szczęśliwa, zrobiła maturę, dostała się na iberystykę. Wróciłam po roku. Rysiek pół roku później, musiał jeszcze zlikwidować placówkę.

„Ucieczka" z Meksyku jest początkiem trudnych relacji ojca z córką, córki z obojgiem rodziców.

Wstęp do tych skomplikowanych stosunków ma miejsce parę lat wcześniej: gdy Alicja jedzie do Afryki do chorego męża. Dziesięcioletnia Zojka zostaje z dziadkami, choć wcale nie chce. Mama tłumaczy: – Nie jadę na wczasy, jadę do twojego ojca, który jest ciężko chory.

Żal, uraz zostają.

Nieraz słyszałem pełne troski uwagi: – Ona wciąż czuje się wewnętrznie opuszczonym dzieckiem. Żadne argumenty tu nie działają, to sprawa jakichś splątanych emocji.

Przyjaciółka domu mówi kiedyś do Alicji: – Alu, ona ci nigdy nie wybaczy, że byłaś żoną jej ojca.

Żale i urazy po raz pierwszy dają o sobie znać u dorastającej, zbuntowanej nastolatki. Chciała wrócić z Meksyku do Polski – i wróciła. Żadna siła nie była w stanie jej zatrzymać.

W czasach studenckich Zojka zakochuje się w chłopaku z Paragwaju. Rodzice nie chcą słyszeć o wyjeździe córki nie-wiadomo-dokąd; właśnie poznali Amerykę Łacińską epoki wstrząsów społecznych, rewolt, zamachów stanu – i strasznej biedy.

Dzięki koneksjom w partii Kapuściński jest w stanie załatwić chłopakowi córki stypendium w Polsce. I załatwia je, tyle że... „zięć" się nie zjawia, nie daje znaku życia, przepada bez śladu. Wkrótce okazuje się, że ubogi Paragwajczyk nie miał po prostu na bilet i musiał najpierw na niego zarobić. Ani „teściowie", ani „narzeczona" na to nie wpadli.

Zjawia się w Warszawie o kilka miesięcy za późno – Zojka jest już zakochana w Kanadyjczyku o polskich korzeniach, który przyjechał do Polski poznać kraj swojego ojca. Latem wybierają się autostopem do Szwecji, żeby popracować, następnie do Francji – na wakacje.

Zaczyna się nowy rok akademicki, Alicja niepokoi się, że córka nie wraca z wakacji. Zojka daje tymczasem wymijające odpowiedzi. Wreszcie dzwoni – przyślijcie mi metrykę, wychodzę za mąż.

W wigilię Bożego Narodzenia bierze ślub w Grenoble. Nazywa się teraz Zofia Grzybowska.

– Byłaś na ślubie?

– No, skąd. Ona mnie o ślubie zawiadomiła, ale nie zaprosiła.

Wariant powtórki z rodzinnej historii: matka Kapuścińskiego również nie była na ślubie syna z Alicją.

– Rysiek był wtedy w Angoli. Wraca i jest wściekły. Jakiekolwiek związki rodzinne z zagranicą były bardzo źle widziane, a dziennikarza, który jeździł jako korespondent, wręcz dyskwalifikowały.

To druga, po siostrze Barbarze, osoba z najbliższej rodziny, która wybiera życie na Zachodzie.

Kapuściński wykrzykuje w złości, że wyrzeka się Zojki. Wzburzone fale wycisza Nowak, uspokój się, mówi, to jej życie, jej prawo, jej wybór. Poza tym nie musi zrzekać się polskiego obywatelstwa, dostanie paszport konsularny.

Zojka wyjeżdża z mężem do Kanady. „Ucieka" po raz drugi.

Małżeństwo z Kanadyjczykiem nie trwa długo. Mimo to Zojka decyduje się zostać w Vancouver. Na jednym z tamtejszych uniwersytetów kończy iberystykę, którą zaczęła studiować w Warszawie; poznaje wkrótce innego mężczyznę, Amerykanina, ma z nim syna, Brendana. Relacje z rodzicami stają się lepsze, wymieniają ciepłe listy: wspaniale tato, że rzuciłeś palenie, córeczko, czy czegoś ci nie trzeba? Zojce pomaga siostra ojca, Barbara, która – szczęśliwym zbiegiem okoliczności – mieszka w tym samym mieście. Mały Brendan ma wspaniały kontakt z jej synami, traktują go jak małego braciszka.

Zojka zapisuje się na kurs maszynopisania, który pozwoli zdobyć tymczasową pracę w biurze lub bibliotece. Tlą się w niej jednak aspiracje artystyczne. Myśli o malowaniu, próbuje pisać…

Gdy w latach osiemdziesiątych Kapuściński staje się pisarzem znanym na świecie i zaczyna dostawać poważniejsze honoraria, pomoc rodziców dla córki staje się hojniejsza. Paradoksalnie – do wzajemnych relacji wraca napięcie.

W czasie spotkania ojca z córką w Palo Alto w Kalifornii, rok osiemdziesiąty czwarty, dochodzi do charakterystycznej dla ich stosunków scysji. Zojka wychodzi na kilka godzin z domu przyjaciół, u których się zatrzymali. Gdy wraca z przechadzki, ojciec robi jej awanturę: dlaczego nie opowiedziała się, dokąd idzie ani kiedy wróci. Zojka odpowiada w podobnym tonie – nie zajmował się nią, kiedy była mała, a teraz jest dorosła i samodzielna; ma własne dziecko i nie musi się ojcu opowiadać.

– Przywiózł córce pieniądze, bardzo był z tego dumny – wspominają przyjaciele. – Ona tymczasem całym swoim zachowaniem komunikowała mu: „Nie myśl sobie, że mnie kupisz za parę tysięcy".

Na przełomie lat osiemdziesiątych i dziewięćdziesiątych wzajemne relacje pogarszają się. Roszczenia rosną. Ojciec tłumaczy córce, że chce i będzie jej pomagał, lecz nie jest w stanie jej utrzymywać.

Zarobił sporo na kilku wydanych za granicą książkach, ale nie ma worka bez dna.

Dzięki „dotacjom" rodziców Zojka wynajmuje w centrum Vancouver pracownię malarską. W czasie wizyty w Kanadzie ojciec ogląda pracownię i odnosi wrażenie, że wynajmowanie lokalu w takim miejscu to rozrzutność, na którą nie stać ani jego, ani tym bardziej córki.

Spokojnie wyjaśnia: uprawianie sztuki wymaga cierpliwości i pokory, bo w dzisiejszej dobie twórczość artystyczna to królestwo nadmiaru, przepełnione talentami, dziełami; na realizację planów artystycznych należy najpierw zarobić pieniądze; mało kto w dzisiejszym świecie – jedynie garstka najwybitniejszych i uznanych tuzów – może sobie pozwolić na utrzymywanie się z samej twórczości artystycznej. Pozostali, czyli większość, muszą pracować w zawodach pozaartystycznych i realizować ambicje twórcze w czasie wolnym, po pracy.

Jest przerażony tym, co dzieje się z córką: prawdę mówiąc, wie niewiele – tylko tyle, ile zaobserwuje i ile ona sama mu powie. Dowiaduje się zatem, że pracę w bibliotece uniwersyteckiej porzuciła parę lat wcześniej, że zamierzała studiować psychologię, potem – „terapię przez malowanie". W Vancouver niepokoi go stan mieszkania. Jedenastoletni wówczas Brendan siedzi całymi dniami sam w domu, w półmroku; chodzi do szkoły, kiedy chce, a kiedy mu się nie chce – nie chodzi. W czasie nieobecności Zojki wnuk informuje go, że żywią się głównie fasolą w sosie pomidorowym z puszki.

Na początku dziewięćdziesiątego drugiego roku Zojka ucieka trzeci raz: pisze do rodziców krótki list, w którym ogłasza zerwanie wzajemnych stosunków. Informuje, że wyprowadza się, nie podaje adresu, ani numeru telefonu. Tylko numer jej konta pozostaje bez zmian.

Rodzice nie rozumieją zachowania córki. Są załamani. Kapuściński przeżywa męki, wyrzuca sobie, że przez lata nie było go w domu, a kiedy był, nie poświęcał Zojce należytej uwagi... Mleko rozlało się dawno temu – co może teraz zrobić? Stara się od lat, pomaga, ile może, śle pieniądze, czasem wbrew rozsądkowi... Obwinia się, że zbyt długo akceptował jej niedojrzałość, a powinien był dawno powiedzieć „nie!". I jego, i Alicję dręczy poczucie bezsilności.

Przez długie miesiące nie wiedzą nic o córce i wnuku. (Zojka zrywa również kontakty z siostrą ojca, Barbarą, która nie ma pojęcia dlaczego).

– Cierpiał, że Zojka odcięła go od jedynego wnuka – opowiada bliski przyjaciel. – Gdy Brendan był kiedyś w Polsce, Rysiek próbował się do niego zbliżyć, coś mu opowiadać o sobie, rodzinie, Polsce. Ale nie zdołał się przebić ze swoimi chęciami. Chłopiec zachowywał się tak, jakby nie opuścił Kanady: nastawiał anglojęzyczne kanały w telewizji i nie interesowało go nic poza tym. Może był jeszcze za mały... A potem wszelki kontakt z nim się urwał.

Gdy po długich miesiącach milczenia Zojka wreszcie się odzywa, rodzinna psychodrama zaczyna się od nowa... Ojciec domaga się, żeby podjęła pracę, a jeśli pracy nie znajdzie, niech udowodni swoje starania zaświadczeniami z biura pośrednictwa pracy... Jest zrozpaczony tym, że jedyny temat, jaki córka porusza w rozmowach i listach, to pieniądze.

Jakiś czas potem Zojka przedstawia mu pomysł kosztownej podróży po Ameryce – zwiedzania słynnych galerii. Wiadomo, kto miałby sfinansować ów wojaż. Ojciec tłumaczy nie pierwszy i nie ostatni raz: na realizowanie ekstrawaganckich planów trzeba najpierw zarobić pieniądze; przypomina córce, że ma już ona czterdzieści pięć lat, powinna liczyć się z siłami i możliwościami ekonomicznymi – tak swoimi, jak i rodziców.

Zojka zmienia nazwisko: będzie się teraz nazywać Rene Maisner. Jest fotografką, plastyczką; tworzy fotograficzno-malarskie kolaże, nie chce, żeby ktokolwiek pomyślał, że zawdzięcza zainteresowanie jej twórczością sławnemu ojcu. „Ucieczka" numer... cztery? pięć?

Gdy przyjeżdża od czasu do czasu do Polski, ojciec zwykle znika z domu. Po kolejnej wizycie Kapuściński ma dość, nie chce więcej widzieć córki w domu. Alicja ulega chwilowo temu samemu nastrojowi, potem stara się uciszyć jego gniew.

Jeszcze nieraz później Zojka przekroczy próg domu rodziców.

Kiedyś wykrzyczała bliskiej przyjaciółce, że go nienawidzi.

Przyjaciółka domu: – To nie była oczywiście żadna nienawiść, tylko zawiedziona miłość.

Po śmierci ojca Rene Maisner – córka sławnego pisarza Ryszarda Kapuścińskiego, jeździ po Europie. We Włoszech, wspólnie z matką, odbierają nagrody, spotykają się z czytelnikami. W Pińsku na Białorusi odsłaniają tablicę pamiątkową na domu, w którym Kapuściński spędził dzieciństwo. Do Hiszpanii, po której krąży wystawa jego zdjęć z Afryki,

Rene Maisner jedzie sama. W Granadzie uczestniczy w konferencji o imigrantach i integracji kulturowej; odbiera nagrodę Harambee, co w języku suahili znaczy „wszyscy razem". Na Uniwersytecie Nawarry w Pampelunie spotyka się ze studentami i profesorami i odpowiada na pytania o ojca.

Udziela prasie kilku wywiadów – o ojcu.

– Był człowiekiem, który okazywał uczucia, ale nie potrafił o nich mówić. Słuchał cierpliwie, ciekawiło go, co ma do powiedzenia człowiek spotkany gdzieś na końcu świata, ale sam raczej milczał. Podobnie traktował mnie. Po powrocie do domu poświęcał dwa dni, by dowiedzieć się, jak wygląda moje życie. Potem pochłaniała go praca: spotkania, rozmowy, pisanie... Godził się płacić za to cenę – bo rozstając się na jakiś czas z krajem, rozstawał się też z rodziną.

– Z lat dziecięcych pamiętam, że spotkania z nim były zwykle nieoczekiwane. Kiedy się pojawiał, cieszyłam się, że znów będzie z nami. Ale z drugiej strony nie potrafiłam okazać żalu z powodu rozłąki. Po prostu zbyt długo przebywał na innej półkuli. Tata rozumiał to i starał się wynagrodzić stracony czas. Gdy miałam kilka lat, przywoził mi lalki. Dziesięć lat później obdarowywał upominkami i ubraniami szytymi przez ludowych artystów z Meksyku czy Peru. To były czasy dzieci kwiatów i takie rzeczy stawały się modne. Zresztą, podobnie noszę się do dziś.

– Zainteresowanie sztuką i fotografią wyniosłam z domu. W naszym warszawskim mieszkaniu, przy ulicy Nowolipki, wisiały pocztówkowe reprodukcje dzieł wielkich malarzy XIX i XX wieku: van Gogha, Cézanne'a, Utrilla, Modiglianiego, Picassa. Ojciec nie tylko fotografował, ale także sam wywoływał zdjęcia. W ciemnię zamieniał kuchnię. To było fascynujące, gdy na białym papierze pojawiały się zarysy krajobrazów lub sylwetki ludzi. Gdy miałam 15 lat, wyjechałyśmy z mamą do ojca do Meksyku. Spędziłam tam półtora roku... Pobyt w Meksyku rozwinął moje zainteresowanie sztuką, której w końcu zdecydowałam się poświęcić. Ojciec uświadomił mi, że bardzo ważna jest specjalizacja w określonej dziedzinie.

– W październiku 2006 przywiozłam mu kalendarz na 2007 rok, z rysunkami i mądrościami buddyjskiego mnicha Thich Nhat Hanha.

Ojciec lubił piękne kalendarze, zapisywał w nich dzień po dniu swoje notatki, terminy, myśli. „Jestem ci bardzo wdzięczny" – powiedział. Oglądał go ze smutkiem, brał do ręki, długo trzymał na stoliku w zasięgu ręki i wzroku. Dopiero później zdałam sobie sprawę, że miał świadomość, jak bardzo jest chory.

– Przed pogrzebem spotkałam wielu ludzi, którzy tatę kochali. Wiedzieli o nim rzeczy, o których nie miałam pojęcia. To było bolesne. W tamtych dniach smutek wywołany odejściem taty mieszał mi się z żalem za czasem, jakiego razem nie spędziliśmy. Uświadomiłam sobie, że wspólnych chwil było mało. Zbyt mało.

Jesienią dwutysięcznego ósmego Rene Maisner, artystka fotograf, pokazuje w warszawskiej Kordegardzie wystawę *Żywioły* – kolaże nawiązują do sił natury: powietrza, ognia, wody, ziemi.

Dziennikarka „Gazety Wyborczej" Lidia Ostałowska przeprowadza z nią wywiad. Na pytania o ojca Rene Maisner odpowiada niechętnie, czasem z irytacją. Broni się przed szukaniem przez reporterkę inspiracji w twórczości ojca.

Po zakończeniu wywiadu oświadcza, że w tekście nie mogą pojawić się pytania o ojca, a w nocie o niej samej – informacja, że jest córką Ryszarda Kapuścińskiego. Ostałowska poddaje się, rezygnuje z opracowania tekstu rozmowy do druku. Wywiad nie ukazuje się.

Reporter zaangażowany, świat czarno-biały

Generał Farrusco, dowódca garnizonu stolicy, przyjeżdża po mnie do obskurnego pensjonatu Fatima w centrum Luandy. Chciałem się zatrzymać w hotelu Tivoli, w którym Kapuściński mieszkał w siedemdziesiątym piątym – w czasie ewakuacji Portugalczyków, gdy odpływało stąd spakowane w skrzynie drewniane miasto, potem podczas oblężenia Luandy, wreszcie – gdy ogłaszano niepodległość, zbiegiem okoliczności – 11 listopada. Ale pokoje w Tivoli są wyprzedane parę miesięcy naprzód. To już zresztą nie ten sam budynek, zmienił fasadę i wystrój; dzisiaj to czterogwiazdkowy, porządny jak na tutejsze standardy hotel, nie skromny hotelik z końca epoki kolonii. Z okien nie widać ani portu, ani zatoki, przesłoniły je wyższe budynki.

(Nie ma też dony Cartaginy, siwej staruszki, która sprzątała w Tivoli, a bez niej – jak pisał – trudno przecież wyobrazić sobie Luandę, Angolę, całą tamtą wojnę...).

Wojna domowa w Angoli skończyła się sześć lat wcześniej, lecz wszędzie w mieście widać jej ślady. Budynki od lat nieodnawiane, część miasta to plac budowy, przez co makabryczne tu korki. Mało hoteli, rezerwować trzeba z wielomiesięcznym wyprzedzeniem, bo do kraju, w którym przez trzydzieści lat toczyła się wojna domowa, mało kto przyjeżdżał. Teraz przyjeżdżają biznesmeni – ci od ropy i diamentów – i to oni okupują większość hotelowych miejsc.

Twardziel Farrusco, niskiej postury, mówiący, a raczej wrzeszczący co chwilę koszarowym językiem – a to na kierowcę, a to na innych podwładnych – jest bliski wzruszenia. Opowiadaj, jak umarł mój przyjaciel Ricardo. Dawno chorował? Mówisz zupełnie jak on? Czyli jak? Po brazylijsku. Masz zdjęcia? Dawaj, szybko!

W czasach kolonialnych Farrusco był w oddziałach komandosów portugalskich. Syn chłopa z południa Portugalii, po skończeniu służby został w Angoli i pracował jako mechanik samochodowy. Gdy wybuchło powstanie przeciwko Portugalczykom, przyszedł pewnego dnia do sztabu MPLA (marksistowskiej formacji wyzwoleńczej) i zaofiarował swoją pomoc: – Pokażę wam, jak to się robi, jak trzeba walczyć.

Kapuściński poznał go na południowym froncie angolańskiej wojny, opisał w serii reportaży, potem w książce *Jeszcze dzień życia*. Zostawił czytelników z ciężko rannym towarzyszem z okopów: gdy wyjeżdżał z Angoli, nie wiedział, czy Farrusco przeżył.

Tymczasem ranny Farrusco trafił do niewoli; proponowano mu przejście na stronę angolańskich przeciwników MPLA, oferowano leczenie w luksusowej klinice w Republice Południowej Afryki. Odmówił. Trafił do więzienia, skąd – gdy tylko wydobrzał – zorganizował ucieczkę, a następnie zmontował partyzantkę na południu kraju, lojalną wobec marksistowskiego rządu MPLA w Luandzie. Wiele lat później przeciwnicy polityczni z ugrupowania UNITA zamordują mu syna – tylko dlatego, że był jego synem.

Teraz w swoim gabinecie na terenie garnizonu stolicy generał Farrusco ogląda fotografie zrobione przez przyjaciela z frontu – polskiego reportera.

– Ricardo opisuje w książce niejaką Carlottę. Nigdy jej nie spotkałem.

– To ona – pokazuję na jedną z fotografii.

– To naprawdę ta dziewczyna? Znałem ją, nie wiedziałem, jak ma na imię, była z nami w Bengueli!

– Jakiego Ricarda pan zapamiętał?

– Był z nami w czasie walk na południu. Nie traktowaliśmy go jak zwykłego dziennikarza.

– Tylko jak kogo?

– Jak jednego z nas.

– Bo był z kraju socjalistycznego? Bo myślał tak samo jak wy?

– Myślał, a jak trzeba było – strzelał.

Przez chwilę nie jestem pewien, czy Farrusco czegoś nie zmyśla. Sympatie polityczne Kapuścińskiego w czasie tej i innych wojen, konfliktów, rewolucji wyzwoleńczych w Afryce i Ameryce Łacińskiej były zawsze klarowne, nie zostawiały miejsca na wątpliwości. Sympatyzować i strzelać to jednak dwie różne rzeczy.

W wywiadach z Kapuścińskim z lat siedemdziesiątych łatwo odnajduję wyznania, które rozwiewają moją niepewność co do tego, czy generała nie zawodzi pamięć:

– Czy był pan kiedyś w sytuacji, że musiał chwycić za broń?
– Tak, np. w Angoli. Jeżeli jest się na froncie, często jest się w sytuacji, że trzeba włączyć się do walki.

– Strzelałeś?
– Tak. Ale to były wyjątki od reguły. Zawsze lepiej iść na front bez niczego, bo jak złapią, można się wybronić bezbronnością, udawać faceta przypadkowo zaplątanego, uśmiechać się głupawo i demonstrować uczciwe intencje. Lepiej nie mieć nawet noża.
– To czemu odstępowałeś od tej reguły?
– Dziennikarz, który się specjalizuje jako korespondent wojenny, idzie czasem z jakimś oddziałem na akcję i wtedy czuje się z nim związany. Nawet podwójnie związany. Popiera ich sprawę, solidaryzuje się z nimi – to raz. Po drugie, kiedy sytuacja staje się groźna, ryzykowna, pragnie tym swoim udzielić wsparcia, żeby nie być ciężarem, którym się mają zajmować, opiekować. W ogniu wszystko inne jest nieważne. Nikt nie ma głowy do ratowania korespondenta, żeby mógł zdać światu relację o tej walce. Musi wziąć odpowiedzialność za samego siebie, strzelać, żeby nie być zastrzelonym. Walczy się o przeżycie...
Nie można być wyrozumiałym dla kogoś, kto cię bierze na muszkę. Nie można przyznać mu nawet odrobiny racji. Chcesz żyć, strzelaj...

Wiele wypowiedzi Kapuścińskiego zaświadcza, że chodzi nie tylko o „odpowiedzialność za siebie" i o przeżycie. Czy – rozważając czysto teoretycznie – strzelałby do przeciwników MPLA w Angoli? Czy strzelałby do latynoamerykańskich partyzantów, gdyby przypadkiem zaplątał się po stronie ich przeciwników, czyli wojska i bezpieki – a potem o tym opowiadał?

Wszystko, co na ten temat powiedział, przynosi odpowiedź, że „nie". Reporter zaangażowany, za jakiego się uważał, staje po jednej ze stron konfliktu, angażuje się czasem do tego stopnia, że razem z bohaterami swojego reportażu strzela do ich (wspólnego?) wroga nie dlatego, że chce przeżyć. Nie przede wszystkim dlatego.

Czy można być zresztą obiektywnym korespondentem wojennym, sprawozdawcą rewolucji, obserwatorem wielkich wstrząsów społecznych? Życie Kapuścińskiego, jego poglądy, pisarstwo przynoszą jednoznaczną odpowiedź na to pytanie.

– Kiedy wracał z kolejnych reporterskich wypraw, nigdy nie wiedziałam, z kim rozmawiam. Z boliwijskim partyzantem? Z etiopskim rewolucjonistą? Z szyickim fundamentalistą?

Tak wspomina Hanna Krall, dama polskiego reportażu.

Mówi: – Rysiek utożsamiał się z tymi, o których pisał, z ich przeżyciami, cierpieniami, racjami; stawał się jednym z nich. Kiedyś wrócił jako „muzułmanin" – przestał pić wino i jeść wieprzowinę. Gdy jednak zaczynał pisać, następowało oddzielanie się autora od opisywanego świata. (Ja postępuję odwrotnie – dodaje – na chłodno, z dystansu obserwuję, dopiero w trakcie pisania zakładam buty moich bohaterów).

Po powrocie z Angoli Kapuściński utożsamia się z bojownikami MPLA i wspierającymi ich żołnierzami kubańskimi, których na odsiecz wysłał Fidel Castro. Wśród reporterów tygodnika „Kultura", w którym pracuje w latach siedemdziesiątych, krążą na ten temat legendy: że walczył w kubańskim mundurze, że pokazywał komuś swój kubański dokument – z fałszywym hiszpańskim nazwiskiem i najzupełniej prawdziwą fotografią. Ile w tym prawdy, ile mitu?

Z Iranu, gdzie obserwował upadek szacha i islamską rewolucję, wraca przejęty sprawą szyickich rewolucjonistów i ich przywódcą, ajatollahem Chomeinim. W dyskusję z nim wdaje się Ewa Staśko, ówczesna sekretarz redakcji „Kultury" (anegdotę opowiada jej mąż, Janusz Rolicki).

– Zobaczysz jeszcze, co ten dziad nawyrabia – zaczepia Kapuścińskiego Staśko. – Francuzi powinni byli zrobić z nim porządek [Chomeini przebywał przez pewien czas na wygnaniu we Francji – A.D.].

– Coś ty! Nie masz pojęcia, co wyprawiał Savak! [policja polityczna szacha Iranu, obalonego przez rewolucję Chomeiniego – A.D.].

Temperatura sprzeczki skacze tak gwałtownie, że interweniować musi redaktor naczelny tygodnika Dominik Horodyński.

Kolumbijski dziennikarz i profesor dziennikarstwa Javier Dario Restrepo, którego spotykam w Bogocie (wykłada w nowo powołanej katedrze im. Kapuścińskiego), zauważył polskiego reportera pod koniec lat osiemdziesiątych – gdy po jednym z zagranicznych wydań książki o Angoli ktoś zarzucił Kapuścińskiemu brak obiektywizmu.

– Czy poznał pan również racje przeciwników marksistowskiego rządu MPLA – bojowników FNLA i UNITA? – pyta Kapuścińskiego krytyczny dziennikarz.

– Nikt mi nie dał takich możliwości. Reportaż wojenny jest skazany na pewną dozę subiektywizmu.

W wywiadzie opublikowanym w meksykańskim dzienniku „La Jornada", który Restrepo daje do czytania swoim studentom, Kapuściński odpiera zarzut braku obiektywizmu i wykłada swój punkt widzenia:

– Nie wierzę w bezstronne dziennikarstwo, nie wierzę w formalny obiektywizm. Dziennikarz nie może być obojętnym świadkiem, powinien posiadać zdolność, którą w psychologii nazywa się empatią... Tak zwane dziennikarstwo obiektywne jest niemożliwe w sytuacjach konfliktów. Próby obiektywizmu w takich sytuacjach prowadzą do dezinformacji.

Formalny obiektywizm, dominujący w dziennikarstwie amerykańskim, szczególnie newsowym, odrzuca również Michael Kaufman, dawny korespondent „The New York Timesa", który zaprzyjaźnił się z Kapuścińskim w czasie wojny w Angoli. Nieraz korzystał z wiedzy polskiego reportera, przekazującego wiadomości z „czerwonej strony" konfliktu, do której korespondent z USA nie miał tak dobrego dostępu. To od Kapuścińskiego dowiedział się o przybyłych do Angoli instruktorach kubańskich, których sam wtedy na oczy nie widział. Dzięki koledze z Polski mógł nadać do swojej gazety w Nowym Jorku: „Jak podaje dobrze poinformowane źródło z bloku wschodniego...".

– Gdy zaczynałem pracę w zawodzie – opowiada Kaufman w swoim nowojorskim apartamencie – wielu moich kolegów dziennikarzy uważało, że jeśli policjant bije Afroamerykanina walczącego o prawa obywatelskie, to obiektywna prawda leży pośrodku między bitym a bijącym. Od początku wydawało mi się, że to nonsens.

I Kapuścińskiego, i Kaufmana interesuje duch czasu, *Zeitgeist*, nie odmierzanie obiektywizmu linijką. Obaj cieszą się, że w Angoli kończy się epoka kolonialna. Czy ich radość jest „obiektywna"?

Kaufman pamięta moment ogłoszenia niepodległości: tłum ludzi tańczących radośnie na ulicach, krzyczących, śpiewających. Zastanawia się, jakie pytanie zadać komuś z podekscytowanych; takie, które dotrze do istoty rzeczy.

– Czego pani pragnie dla swojego dziecka? – pyta w końcu nieznajomą kobietę.

– Będzie żyło.

– Ale: żyło jak?
– Będzie żyło – to wystarczy.

Kaufmanowi zajmuje dłuższą chwilę zrozumienie najprostszego komunikatu, zawierającego sens wydarzenia, którego jest świadkiem. A jak ów sens, jak tamta sytuacja mają się do bezstronności? Co z racjami i przeżyciami tych, którzy musieli z Angoli wyjechać – kolonistami z Portugalii?

Obaj uśmiechamy się nad tymi pytaniami – wymaganiami formalnego obiektywizmu, który odrzucał Kapuściński.

Po powrocie z Angoli, mając za sobą lata pracy korespondenta w Afryce i Ameryce Łacińskiej, Kapuściński wykłada w kilku obszernych wywiadach swoje credo – dziennikarstwa zaangażowanego, „nieobiektywnego".

Punkt wyjścia: sytuacja świata, który opisuje.

O co mi chodzi? Przede wszystkim o przywrócenie godności temu człowiekowi z Trzeciego Świata, pogardzanemu i poniżanemu przez stulecia, bo pogarda była nieodłącznym warunkiem i sztafażem podboju. Pogarda była potrzebna, żeby podbój był skuteczny. Ten człowiek musiał być poniżony po to, żeby był podporządkowany. Ten stereotyp myślenia i zachowania wobec człowieka z Trzeciego Świata został potem upowszechniony przez całą propagandę i filozofię, która przyświecała podbojowi. Więc teraz jest dla mnie rzeczą szalenie ważną przywrócenie temu człowiekowi w naszych oczach jego pełnej godności, jego pełnej ludzkiej wartości.

Korzeni swojej postawy Kapuściński doszukuje się w biografii – własnej i pokolenia, które z oddaniem i zapałem budowało po II wojnie światowej socjalizm.

…na mnie oddziałują przede wszystkim sytuacje „wysokich temperatur", zaangażowania, napięcia emocjonalnego i tak też odbieram to, co było doświadczeniem mojego pokolenia w latach pięćdziesiątych. Nie byliśmy pokoleniem stabilizacji i nie ona wyznaczała naszą perspektywę, racje, działania. Byliśmy raczej pokoleniem okresu poszukiwań i zaangażowania, także wyrzeczeń. Przede wszystkim byliśmy świadomi, że to, co najważniejsze i wspólne, wykracza poza jednostkowy krąg spraw każdego z nas. Później, jeżdżąc do Ameryki Łacińskiej, Afryki, na Bliski Wschód, żyjąc tam, szukałem ciągle tych postaw i ludzi...

Kapuściński stwierdza, że wystąpiło u niego „coś, co w analizie psychologicznej nazywa się fiksacją: zatrzymujemy się na jakimś etapie naszych doświadczeń i dalej idziemy tą samą drogą, pomimo zmieniających się warunków".

W rozmowie z Andrzejem Kantowiczem wyznaje:

– Nigdy nie chodziły mi po głowie takie rzeczy jak domek, dostatek, spokój... Potrzebowałem ruchu, zmian. Mnie odpowiada sytuacja frontowa, konfliktowa, lubię być z ludźmi, którzy walczą, nie chcę poprzestawać na obserwowaniu, chcę uczestniczyć. W gruncie rzeczy jestem monotematyczny. Przedłużyłem sobie temat: z postaw w warunkach konfliktu w kraju przeszedłem do podobnych postaw w świecie. Więc kontynuacja. Ciągnie mnie do ludzi, którzy prowadzą bezpośrednią walkę z narażeniem życia. Którzy walczą o swoje ideały, o przemianę świata...

– Jesteś z pokolenia, które lubiło świat uproszczony do wymiarów dobra i zła. Lubiło silne bodźce.

– Tak. Jestem przeciwnikiem komplikacji. To znaczy widzę ją, szanuję, ale upraszczam. Z przyczyn filozoficznych i zawodowych. Dla jasności widzenia i dla dramaturgii. Polubiłem w młodości sytuacje jednoznaczne i pozostałem im wierny. To jakby moja specjalizacja: ideowe napięcie, stan, w jakim ludzie już nie kryją swych prawdziwych zamiarów. Moja specjalizacja bierze się i z moich psychicznych predyspozycji...

– Ale gdzieś kryje się większa racja. Nas, ludzi żyjących na asfalcie, porzuciłeś dla ludzi bardzo biednych. Ogłosiłeś solidarność z ubóstwem. Więc ideał wyzwolenia od ubóstwa? Miłość bliźniego?

– Miłość bliźniego jest najgłębszą naszą racją. A nie wszyscy chcą być bliźnimi naszymi, w ogóle kogokolwiek. Są i ludzie źli. Patologicznie źli. Gdzie są oni, świat jest patologiczny, chory, tam rodzą się rozpacz, walka z przemocą, walka o sprawiedliwość społeczną.

Kantowicz przyłapuje Kapuścińskiego – jak sądzi – na niekonsekwencji: zarzuca mu, że w reportażu o porwaniu i zabójstwie ambasadora NRF Karla von Spretiego przez gwatemalskich partyzantów „zaniżył wartość życia" rozstrzelanego dyplomaty.

– Akcentujesz ideę miłości, a pozwoliłeś sobie znormować różne zła.

– Nie! Chodziło mi o to, że jedno zło rodzi drugie. Terror reżimu rodzi terror opozycji. Rosnący terror opozycji zwielokrotnia terror reżimu itd., itd. To jest owa spirala terroru, którą trzeba zrozumieć. Wszystko wtedy funkcjonuje na zasadzie niesprawiedliwości. I napisałem książkę nie po to, by usprawiedliwiać porywaczy, tylko by wytłumaczyć, jakie są rzeczywiste przyczyny każdej niesprawiedliwości. Ja mówiłem całą prawdę, a zwartościowałem sytuację, mówiąc, że winnych jest wielu... Nie mogłem się pogodzić z kropką po lakonicznym komunikacie, że Spreti zginął zastrzelony przez partyzantów. Przecież przyczyny podobnych wydarzeń są nadzwyczaj złożone.

– Po deklaracji prostoty ogłaszasz się rzecznikiem złożoności?

– I tak, i nie. Walcząc z dezinformacją prasy zachodniej tylko pozornie skomplikowałem problem, by w istocie pokazać prostą i zasadniczą przyczynę wydarzenia i głęboką niesprawiedliwość społeczną, na straży której stoi przemożny, okrutny aparat reżimowego ucisku. Kierowałem się prawdą: zanim osądzisz, zrozum. Zrozum, że terroryzm jest produktem chorej sytuacji, w której niemożliwe są inne formy walki... Nigdy nie popierałem terrorystów. Popierałem bojowników o wolność, niepodległość i sprawiedliwość. Jednych i drugich błędnie wrzuca się do jednego wora. A ja popierałem partyzantów, których prasa reżimowa nazywa – i ten błąd czyni świadomie – terrorystami.

Kolega korespondent w innych krajach Trzeciego Świata, Wojciech Giełżyński, powątpiewa w czarno-białe, upraszczające deklaracje Kapuścińskiego.

– Powiedziałeś Kantowiczowi, że lubisz silne bodźce – żyje się, nie żyje się – i sytuacje uproszczone. Nie bardzo wierzę w tę deklarację. Za efektowna. Za prosta. Nie wierzę, że nie lubisz rozplątywać rozmaitych komplikacji.

– Naprawdę jestem przeciw komplikacjom... A tamta rzeczywistość, afrykańska czy latynoska, rzeczywistość tamtych konfliktów – jest uproszczona.

– Moim zdaniem jest akurat odwrotnie. Jest szalenie skomplikowana. Bardziej niż w Europie. Bo tam na wszystkie nasze konflikty, jak walka o władzę, o bogactwo, o sprawiedliwość, wolność, nakłada się jeszcze parę innych warstw. Układy plemienne. Więzi klanowe. Nakaz zemsty rodowej i samopomocy rodzinnej. Ciążenie tradycji, których sensu nie potrafimy odcyfrować. Kompletnie inne filozofie, w tej ich „życiowej" postaci, która określa ludzkie zachowania. Inne wierzenia, z takimi choćby skrajnościami jak rytualne mordy. Tam nie jest tak, że rzeczywistość jest prostsza, tylko nasze widzenie jej jest uproszczone. To ty dla wyrazistości upraszczasz, sam się do tego przyznałeś, posługujesz się schematami: dobre – złe, postępowe – wsteczne, mieć – nie mieć, przyjaciel – wróg.

– Zostaję przy swoim. W Europie dochodzi do głosu cała komplikacja natury ludzkiej...

– ...a tam nie?

– ...dochodzi psychologizm, bagaż mitów historycznych i literackich, obsesji, dochodzi typowy dla naszej kultury sceptycyzm. A tam wszystko sprowadza się do całkiem nagich i zupełnie podstawowych podstaw: kto kogo zabije? Tam jak ktoś jest biały, to jest biały absolutnie – oczywiście nie mówię o kolorze skóry – a jak jest czarny, to jest bardzo czarny. Ten Holden Roberto [dowódca FNLA w angolskiej wojnie domowej] to jest naprawdę drań, bez żadnej propagandy, kawał potwornego łotra. Z drugiej strony taki Nyerere [socjalistyczny przywódca Tanzanii] to naprawdę ładna postać, to wrażliwy, skromny i mądry polityk. To jest fakt. Jak to się przenosi na tradycję europejską, to mówią: Kapuściński upraszcza. Ktoś mi w recenzji wytknął, że jak piszę o FNLA, to piszę pejoratywnie, a o MPLA pozytywnie. A tak było. Tamci ćwiartowali, a ci nie ćwiartowali. Tamci wycinali wątroby i zjadali, a ci nie.

Porównuję depesze Kapuścińskiego i Kaufmana. Sprawdzam, czy teoria upraszczania i zaangażowania szkodzi zmysłom obserwacji, przekazywanym informacjom.

W Angoli są trzy strony konfliktu: MPLA, FNLA, UNITA. Kaufman przedstawia wszystkie ugrupowania obiektywizującym językiem, nie ocenia, nie wartościuje. Unika przymiotników. Kapuściński robi to inaczej. Próbka:

Reakcyjny, agenturalny charakter armii FNLA nie ulega żadnej wątpliwości. Jest to armia finansowana i zbrojona przez Zachód – głównie USA i Francję. Pewne wpływy w FNLA ma również Pekin i Tunezja. Armia FNLA jest dobrze uzbrojona, jednak posiada słaby, prymitywny materiał ludzki.

Kapuściński nazywa FNLA formacją „reakcyjną" – w języku obozu socjalistycznego tamtej epoki oznacza to, że FNLA chciałaby utrzymać system kapitalistyczny i silne więzi z krajami Zachodu, wczorajszymi najeźdźcami.

Aura opisu jest ideologiczna, faktografia się zgadza.

Agenturalny charakter armii FNLA? W korespondencjach dla „The New York Timesa" Kaufman nie używa określenia „agenturalny", zamiast tego opisuje związki lidera FNLA Holdena Roberto z przywódcą Zairu Mobutu i zorientowanymi na Zachód plemionami kongijskimi; także historię akcji partyzanckich Holdena Roberto na terenie Angoli podejmowanych z terytorium Zairu. Brzmi to bardziej wiarygodnie, więcej tu informacji, dzięki którym łatwiej zrozumieć, dlaczego Kapuściński mógł nazywać FNLA „armią o charakterze agenturalnym".

FNLA finansowana przez Zachód? Więcej niż od Kaufmana można się o tym dowiedzieć ze wspomnień Johna Stockwella, szefa sił operacyjnych CIA w Angoli w tym czasie. Podtytuł memuarów brzmi: *Po upadku Sajgonu CIA destabilizuje Angolę, przygotowując kolejną wojnę*. Stockwell podaje dokładne dane, ile pieniędzy Amerykanie wydali na broń dla FNLA i UNITA.

Czy „słaby, prymitywny materiał ludzki" FNLA, o którym pisze Kapuściński, to sformułowanie propagandowe, niekoniecznie prawdziwe? Konfrontuję z książką Stockwella: „…niewielu ludzi Holdena Roberto z dowództwa jest wykształconych – żadnych intelektualistów – do tego spędzili większość życia na koktajlach w Kinszasie".

Czy istotnie – jak pisze Kapuściński – marksistowska MPLA, z którą sam sympatyzuje, „dysponuje najlepszym materiałem ludzkim"? Okazję do konfrontacji daje korespondencja Kaufmana: amerykański reporter cytuje wypowiedzi liderów wrogich MPLA armii – Holdena Roberto (FNLA) i Jonasa Savimbiego (UNITA); obaj oni przyznają, że MPLA „ma wśród swoich członków najlepiej wykształconych i przygotowanych Angolczyków".

Kapuściński: FNLA „jest pozbawiona większej bazy [społecznej]". Stockwell: „Roberto [lider FNLA] nie miał ogólnokrajowego poparcia".

Przykłady zgodności faktografii w tekstach Kapuścińskiego, Kaufmana i oficera CIA można mnożyć. Zasadnicza różnica między relacjami tkwi w języku: Kapuściński posługuje się nieraz retoryką noszącą – z perspektywy świata po zimnej wojnie – skazę ideowego zaangażowania, nawet proradzieckiej propagandy. W depeszach z Angoli pisze nieraz tak: „Trudno przewidzieć, jaki będzie następny krok przeciwnika" albo „...udało się zahamować szybkie tempo ofensywy przeciwnika". To sprawozdanie reportera – bojownika MPLA, do którego strzelali ci z FNLA i UNITA, czyli „przeciwnik".

Jak się ów język i zaangażowanie Kapuścińskiego ocenia, to kwestia światopoglądu, wrażliwości, pojmowania zasad zawodu. Różnice języków i dziennikarskich standardów wynikają tu zresztą nie tylko z osobistych zapatrywań i predyspozycji; także z innego charakteru środków przekazu, dla których pracują Kaufman i Kapuściński. Pierwszy pisze dla prywatnej gazety amerykańskiej, dla której ważniejsza była zazwyczaj wiedza i prawda o wydarzeniach, choć zdarzało się, że w dziejach gazety górę brała amerykańska racja stanu. Drugi nadaje depesze dla państwowej agencji prasowej jednego z krajów socjalistycznych, zależnej od rządu, spełniającej obok funkcji informacyjnych także propagandowe.

Te okoliczności polityczne i sympatie ideowe Kapuścińskiego zazwyczaj nie szkodzą warstwie informacyjnej i analitycznej korespondencji. Relacje trzymają wysokie standardy: jest tu solidny background i gorące informacje, szczegóły i synteza. Można się z tych tekstów dowiedzieć wszystkiego, co powinno było znaleźć się w relacjach z angolskiego konfliktu w końcu roku siedemdziesiątego piątego.

> Międzynarodowe znaczenie Angoli jest dwojakie: po pierwsze – jest to jeden z najbogatszych surowcowo krajów świata. Na terenie Angoli znajdują się duże zasoby wszystkich surowców (nafty, rudy żelaza, rudy metali kolorowych, diamenty, złoto, uran itd.). Jest to również kraj o wielkim potencjale rolniczym i hodowlanym. Pod względem zasobów Angola jest bogatsza od Zairu i nie ustępuje Republice Południowej Afryki. Po drugie – na terenie Angoli działa jedyny w tej chwili w czarnej Afryce zbrojny ruch rewolucyjny (MPLA), którego ewentualne zwycięstwo powodowałoby zasadniczą zmianę układu sił w Afryce i stworzyło bezpośrednie zagrożenie dla proamerykańskich potęg na tym kontynencie.
>
> Z tych dwóch powodów walka o Angolę jest walką o wielką stawkę „na miarę wojny algierskiej czy konfliktu, który rozegrał się wokół Konga na początku lat sześćdziesiątych"...

Korespondencje Kaufmana zawierają więcej niż depesze Kapuścińskiego informacji o FNLA i UNITA, do których jako amerykański dziennikarz miał dostęp. Kaufman – inaczej niż Kapuściński – nie potępia tych ugrupowań, chłodno informuje, zestawia fakty, układając je czasem w analizę, która skrywa pogląd reportera (*news analysis*).

Kaufman zwraca uwagę na wymiar angolskiego konfliktu, który czasem umyka Kapuścińskiemu. „Ideologia jest drugorzędna – mówi cytowany przez Kaufmana oficer FNLA. – Naprawdę jest to po prostu walka o władzę. Wszyscy walczyliśmy długo [z Portugalczykami] i zainwestowaliśmy zbyt wiele krwi, by oddać innym zwycięstwo". Akcentuje też międzyplemienny i międzyregionalny charakter angolskiej wojny domowej, którą spotęgowała interwencja sił zewnętrznych. Sugeruje, że współwinnymi angolskiej tragedii są Portugalczycy, którzy nie przygotowali kraju do transformacji.

Z kolei antykolonialne i socjalistyczne sympatie Kapuścińskiego nie przysłaniają mu zmysłu obserwacji, nie przeszkadzają formułować wniosków, brzmiących obrazoburczo z perspektywy poprawności politycznej bloku wschodniego. Na przykład: „Wojska portugalskie poruszają się swobodnie po całym terytorium Angoli, odgrywając zresztą pozytywną rolę, ponieważ pomagają w zaopatrzeniu ludności cywilnej i w służbie zdrowia".

W długiej trajektorii dziennikarskiej Kapuścińskiego odnajduję epizody, w których jego praca miewa rysy propagandy, bądź wzbudza podejrzenia co do niezależności osądu; w najlepszym razie – uderzają koincydencje między poprawnością polityczną obowiązującą w Polsce Ludowej a ocenami reportera.

Gdy cesarz Etiopii Hajle Sellasje ma dobre stosunki z władzami Polski Ludowej, Kapuściński pisze o nim w superlatywach w relacji ze szczytu Organizacji Jedności Afrykańskiej w Addis Abebie w 1963 roku.

> Mimo swoich siedemdziesięciu pięciu lat Hajle Sellasje jest człowiekiem niespożytej energii, bystrego umysłu i głębokiej wrażliwości... jeden z tych wybitnych starców, którzy zdumiewają nas swoją żywotnością i jasnością myśli. Jako człowiek jest ogromnie sympatyczny, pogodny i urzekający... Cesarz jest niewątpliwie najwybitniejszym umysłem politycznym tego kraju...

Polska Ludowa ma – paradoksalnie – wzorowe, choć ograniczone z racji dystansu i stosunkowo niewielkich interesów wspólnych, stosunki z feudalnym władcą Etiopii. Korzenie paradoksu tkwią w polityce zagranicznej Polski przedwojennej, która po inwazji Włoch Mussoliniego na Etiopię w 1935 roku uznała włoską okupację. Gdy kończy się II wojna światowa i w Lublinie formuje się Polski Komitet Wyzwolenia Narodowego, a następnie proradziecki rząd w Warszawie, Hajle Sellasje w rewanżu za bolesny dla niego gest II Rzeczypospolitej uznaje władzę komunistów, ignorując pretensje rządu polskiego na emigracji. Władze Polski Ludowej nie zapomniały stanowiska monarchy i w latach sześćdziesiątych z honorami ugościły dalekiego alianta – feudała, który przyjechał z przesłaniem: – Małe narody łączą się przeciwko wielkim.

Obok rytualnych powitań i duserów „Trybuna Ludu" pisze o „aktywnej polityce cesarza w sprawach Afryki" oraz jego „szerokiej działalności na forum międzynarodowym na rzecz pokoju i odprężenia". Przewodniczący Rady Państwa Edward Ochab bije się w piersi przed etiopskim monarchą za grzechy Polski przedwojennej: „ówczesny rząd polski należał – niestety – do tych, które przyłączyły się do haniebnej decyzji uznania okupacji faszyzmu włoskiego za fakt dokonany".

Jego Cesarska Mość Hajle Sellasje Wspaniały!

W czasie wizyty cesarza w Warszawie dochodzi do komicznego zamieszania. Hajle Sellasje nocuje w pałacu w Wilanowie, gdzie ginie nagle jego ulubiony piesek Lulu (ten sam opisany przez Kapuścińskiego w pierwszych zdaniach jego najgłośniejszej książki *Cesarz*). Być może Lulu poczuł zapach jedzenia i wiedziony obietnicą przysmaków zawędrował do pałacowej kuchni? Cesarz zauważa zniknięcie pieska i stawia na nogi swoich przybocznych, ci zaś – oficerów Biura Ochrony Rządu. Razem przetrząsają wilanowską rezydencję – pieska nie ma. Cesarski adiutant grozi, że jeśli Lulu się nie znajdzie, jego pan następnego dnia wyjedzie z Polski. Wezwano na pomoc Jednostki Nadwiślańskie MSW, które przeszukują park wokół pałacu – po piesku ani śladu. Gdy dalszy ciąg oficjalnej wizyty cesarza w Polsce wisi na włosku, nad ranem piesek Lulu łaskawie wychodzi ze swojej kryjówki. Miniaturowy zwierzak skrył się gdzieś w kuchni i bał się wyjść. Wizyta Hajle Sellasje potoczyła się zgodnie z wcześniejszym planem.

W latach siedemdziesiątych, gdy cesarza obala grupa oficerów, którzy wymachują czerwonymi sztandarami i idą w sojusze z Moskwą, Hajle Sellasje przestaje być dla propagandy Polski Ludowej mężem stanu, nieustraszonym bojownikiem z faszyzmem – staje się przedstawicielem „sił reakcji", a jego obalenie „epokowym przełomem w wielowiekowej historii". Takimi słowami inny już przewodniczący Rady Państwa,

Henryk Jabłoński, wita w Warszawie grabarza cesarskiej władzy, pułkownika Mengistu Hajle Mariama.

Mniej więcej w tym samym czasie Kapuściński pisze z Addis Abeby korespondencje o „terrorystycznej działalności sił prawicy związanej z elementami feudalnymi". Protestująca przeciwko rządom Mengistu młodzież studencka – jak donosi Kapuściński – wywodzi się „w większości z rodzin feudalnych i burżuazyjnych, a więc z warstw, których interesy naruszyła rewolucja etiopska".

Nie ma śladu po wybitności obalonego Hajle Sellasje, jego „bystrym umyśle i głębokiej wrażliwości". Jest tylko feudalizm i reakcja. Czy dlatego, że z jednego z nielicznych naprawdę wolnych przywódców Afryki, stał się ucieleśnieniem politycznego zacofania kontynentu? W najsłynniejszej swojej książce, która ukazuje się niemal w przededniu wizyty Mengistu w Warszawie, Kapuściński odmalowuje cesarza jako satrapę, nieuka, niemal analfabetę.

W czasie wojny w Angoli Kapuścińskiemu przytrafiają się co najmniej dwie sytuacje (nie licząc strzelania na froncie), w których wychodzi z roli reportera, sprawozdawcy wydarzeń, i podejmuje decyzje stricte polityczne.

„...w Angoli miałem pewne wiadomości, jako jedyny dziennikarz na świecie, ale wiedziałem, że w tym momencie są one absolutnie tajemnicą...", „...podane do wiadomości zmienić by mogły bieg wydarzeń historycznych. Jako jeden z niewielu wiedziałem od początku o obecności Kubańczyków...".

Chodzi o wiedzę na temat zarówno kubańskich instruktorów, a potem także przybycie pierwszej kubańskiej jednostki 5 listopada 1975 roku – przed ogłoszeniem przez Angolę niepodległości. Podana publicznie wiadomość o obecności wojsk Fidela Castro w Angoli mogła być w tamtym momencie uznana za interwencję zewnętrzną i stać się zielonym światłem dla analogicznej interwencji wojskowej niektórych krajów Zachodu. Wysłanie kubańskich wojsk do Angoli jest oryginalnym pomysłem Castro, Kreml nie pali się do uwikłania w afrykańską wojnę; dopiero zaangażowanie militarne Hawany stawia Moskwę przed faktem dokonanym i wplątuje na dobre w konflikt angolski.

> Powinienem je [te wiadomości] nadać do Warszawy, oczywiście nie do druku chwilowo, ale z drugiej strony wiem, że te informacje

mogą być po drodze przechwycone. I teraz jest problem wyboru: ryzykować, nie ryzykować? Skutki międzynarodowe, gdyby mi wiadomość podkradli, mogłyby być niebezpieczne. Staję wtedy przed ważnym wyborem politycznym i muszę sam rozstrzygnąć, a przecież ponosi mnie, w końcu jestem reporterem, mam wystrzał, bombę, na takie okazje czeka się całe życie. Czasem mnie ludzie pytają o cenzurę. Ja sam dla siebie jestem cenzorem, bo mogę sypnąć jakąś ważną sprawę, muszę decydować: nadawać do druku, nadawać pod embargo czy też nie dawać wcale ze względu na rangę sprawy i możliwość przechwycenia.

W żadnej korespondencji z tamtych dni Kapuściński nie wspomina o instruktorach z Kuby ani o przybyciu pierwszej jednostki kubańskich wojsk; opowiada o tym dopiero w jednym z wywiadów rok później. Czy zachowałby informację, gdyby chodziło o interwencję – powiedzmy – wojsk amerykańskich w kraju, z którego rewolucyjnym rządem by sympatyzował? Pytanie raczej retoryczne. O najemnikach z Egiptu, Portugalii i RPA walczących po stronie FNLA i UNITA pisze bez skrępowania. O pomocy udzielanej MPLA przez Kubę i kraje socjalistyczne napomyka enigmatycznie – „armia ludowa MPLA nie jest osamotniona". Nic więcej.

O drugiej sytuacji wyjścia z roli korespondenta Kapuściński opowiada naczelnemu PAP, swojemu nieformalnemu szefowi Januszowi Roszkowskiemu (pracuje wówczas w tygodniku „Kultura", jednak PAP płaci za jego zagraniczne wyprawy, między innymi za tę do Angoli). Dowódcy angolskiej MPLA nie mogą porozumieć się z Kubańczykami i nielicznymi wówczas doradcami radzieckimi: bariera językowa. Kapuściński jest jedynym w pobliżu człowiekiem – do tego sympatykiem wspólnej sprawy – który zna wszystkie trzy języki: portugalski, którym mówią Angolczycy, hiszpański, którym mówią Kubańczycy, i rosyjski, którym mówią towarzysze radzieccy. Uczestniczy w sztabowych naradach dowódców jako tłumacz. Słyszy wszystko, wie wszystko. Ilu wiadomości, które tam zdobywa, nigdy nie nada?

W książce o angolskiej wojnie jest fragment, który wskazuje na szpiegowskie źródła informacji (nasłuch radiowy?): Kapuściński relacjonuje naradę w obozie wroga, w czasie której planowana jest strategia zdobycia Luandy. Przysługa dla angolskiej rewolucji nie poszła na marne?

*

Ślad uwikłania w sytuację dla reportera dwuznaczną – dużo mniejszego kalibru – odnajduję w wywiadzie Kapuścińskiego z sekretarzem generalnym Komunistycznej Partii Chile, Luisem Corvalanem (przeprowadza tę rozmowę wspólnie z byłym sekretarzem Gomułki, Walerym Namiotkiewiczem). Kapuściński zwraca się do przywódcy chilijskich komunistów zgodnie z regułami komunistycznego rytuału i języka; jak propagandysta i aktywista, nie dociekliwy dziennikarz:

– Cieszymy się, że zechcieliście poświęcić nam trochę czasu i że poza oficjalnymi rozmowami z kierownictwem naszej partii, mimo tak krótkiego pobytu w Warszawie, spotkaliście się z nami, aby odpowiedzieć na nasze pytania. Sądzimy, że opublikowanie Waszej wypowiedzi będzie bardzo pożyteczne i spotka się z dużym zainteresowaniem naszego aktywu partyjnego…

Nieraz jednak Kapuściński znajduje się w sytuacjach o 180 stopni różnych: zmaga się z propagandowymi i niekompetentnymi interpretacjami wydarzeń w Trzecim Świecie na łamach prasy. Tak dzieje się, gdy w Algierii zostaje obalony prezydent Ahmed Ben Bella, a jego miejsce zajmuje Huari Bumedien. Korespondentka włoskiej „Unity", organu partii komunistycznej, pisze wtedy, że zamach stanu ma charakter prawicowy, Ben Bella to bohater, a Bumedien – faszysta. Jej tekst zostaje przedrukowany w polskiej prasie i staje się oficjalną wykładnią wydarzeń w Algierii.

Kapuściński tymczasem opisuje algierski przewrót inaczej: pisze, że obaj politycy – i Ben Bella, i Bumedien – są lewicowi, tylko w innym stylu; że nie chodzi tu o zmianę orientacji politycznej; że „Algieria nadal pozostanie krajem lewicowym", a pucz jest wynikiem zawiłości lokalnej polityki.

– Więc miałem telefony z Warszawy, awantury straszne – co ja wypisuję! Bumedien to przecież faszysta! Chyba Włosi wiedzą lepiej, bo są bliżej! – krzyczano w słuchawkę. Wtedy tak się zdenerwowałem, że chciałem natychmiast wracać. No, ale po kilku dniach wyjaśniło się, że to nie ja strzeliłem gafę, tylko tamta dziennikarka, która na punkcie Ben Belli miała osobistego bzika. Ja ją trochę rozumiem, to był bardzo ciekawy pan.

*

Innym razem, na łamach Biuletynu Specjalnego PAP, Kapuściński spiera się z propagandowymi opisami w polskiej prasie zamachu stanu w Ekwadorze.

22 czerwca 1970 roku prezydent Ekwadoru – Velasco Ibarra ogłosił się dyktatorem... W kilka dni później dowiedziałem się z naszych gazet, że to był przewrót reakcyjny (*Reakcyjny zamach stanu w Ekwadorze*).

Reakcyjny? Dlaczego? Jeżeli przewrót był reakcyjny, to znaczy, że przedtem było postępowo. Ale czy to prawda? Zacząłem zastanawiać się nad tym zamachem stanu i nad kryteriami oceny przewrotów politycznych w Trzecim Świecie. Tych przewrotów było i będzie dużo i dlatego problem jest ważny.

Generał Marota obalił generała Artumu. Czy ten przewrót był postępowy, czy reakcyjny? To zależy. Mógł być postępowy. Mógł być reakcyjny. Ale bardzo często się zdarza, że taki przewrót jest po prostu politycznie obojętny, że w sensie politycznym nic z niego nie wynika: ot, jeden generał zastąpił drugiego generała. W ciągu ostatnich 30 lat było w Ekwadorze 27 przewrotów, a politycznie kraj ten nie drgnął na centymetr – ani w lewo, ani w prawo. Przewrót może być tylko zwykłym, mechanicznym obrotem karuzeli, bez żadnych ideowych reperkusji. W najnowszej historii Trzeciego Świata możemy odnotować dziesiątki takich przypadków. Generał na miejsce cywila, chudy na miejsce grubego, Iks na miejsce Igreka – ale to, co istotne: linia polityczna władzy – pozostaje bez zmian.

Bywają jednak i inne przewroty, przewroty bardziej złożone: zachowawczo-postępowe czy konserwatywno-rewolucyjne. To określenie wewnętrznie sprzeczne, paradoksalne, wyraża jednak najlepiej sytuację, w której władza, aby przetrwać, aby się ocalić, atakuje jednocześnie na dwie strony, na lewo i na prawo, licząc na poparcie centrum, co w poszczególnych wypadkach może oznaczać: na poparcie wojska czy szerzej – aparatu ucisku. Ten rodzaj przewrotu jest w Trzecim Świecie typowy dla wszelkich ruchów, wysuwających hasła etatyzmu, to znaczy umocnienia roli państwa jako kierowniczej, organizującej siły w społeczeństwie. Ideologią tych ruchów jest najczęściej mniej lub bardziej radykalny nacjonalizm, a ich bazą społeczną – masy miejskie.

Zamach stanu prezydenta Velasco Ibarry był właśnie klasycznym przewrotem zachowawczo-postępowym...

W Ekwadorze u źródeł zamachu z 22 czerwca leżała walka między warstwą średnią a oligarchią o rolę i miejsce państwa w społeczeństwie.

I tego dnia średniacy tę walkę wygrali, co jest na pewno, ponad wszelką wątpliwość i dyskusję, faktem postępowym.

Istota problemów w Ekwadorze (jak i całej Ameryce Łacińskiej) polega na tym, że historycznie biorąc, najpierw istniała w tych krajach oligarchia, a dopiero potem powstały niepodległe (czy tzw. niepodległe) państwa. Oligarchia więc mogła budować model i strukturę władzy wedle własnych potrzeb i interesów. W tej dziedzinie szczególną wagę miało stworzenie mechanizmów, które trzymałyby to państwo na usługach oligarchii...

Dlaczego jednak zamach stanu prezydenta Ibarry, choć postępowy, jest zarazem zachowawczy (zachowawczo-postępowy)? Dlatego, że merytorycznie, globalnie zamach ten niczego nie zmienia. Nie zmienia struktury kolonialnej społeczeństwa, nie zmienia losu głodujących chłopów – nie likwiduje zależności kraju od obcego kapitału... Może on jednak (co nie jest zawsze pewne) stanowić początek procesu, który w Ekwadorze doprowadzi do powtórzenia peruwiańskiego wariantu rewolucji. Taka szansa istnieje. W tym celu armia musiałaby objąć całą władzę, ponieważ tak w Ekwadorze, jak w Peru, armia jest jedyną siłą zdolną przeprowadzać reformy.

Ten obszerny wywód świetnie ukazuje kompetencję Kapuścińskiego, jego dbałość o akuratność analizy, a także zmagania o niezależny od politycznej poprawności czasów socjalizmu sposób myślenia.

Czy zmieni zapatrywania ideowe, gdy budowla Polski Ludowej zacznie się chwiać – i potem, po upadku realnego socjalizmu? Czy skłonność do przedstawiania konfliktów w kolorach czarno-białych pozostanie trwałym składnikiem jego myślenia i pisania? A spojrzenie na standardy zawodu? Co z poglądem, że dziennikarski obiektywizm jest w pewnych sytuacjach niemożliwy, a nawet trąci fałszem?

Słowami takimi jak „imperializm" czy „reakcja" posługiwał się do końca życia – jednak w prywatnych rozmowach, nigdy w autoryzowanych wywiadach czy własnych tekstach. W nowych czasach – szczególnie w pierwszych latach po upadku realnego socjalizmu – zmienia język pisany, łagodzi ideową wyrazistość, płynie z prądem, z duchem nowych czasów, mimo że nie znosi antykomunistycznej poprawności, która króluje po osiemdziesiątym dziewiątym roku – ani tej w wersji prawicowej, ani liberalnej.

Można w tej zmianie własnego języka widzieć pisarską ewolucję, można widzieć koniunkturalizm. A może tak zwaną mądrość życiową, która doradza nie zamykać sobie drzwi do komunikowania się z czytelnikami i słuchaczami innego czasu, mającymi inne doświadczenia i inną wrażliwość? Bo o świecie – szczególnie Trzecim Świecie, nazwanym po końcu zimnej wojny Południem – Kapuściński mówi mniej więcej to samo, co wcześniej, pozostaje wierny swoim wartościom, osobnemu i zaangażowanemu spojrzeniu, nie drażniąc zarazem uszu odbiorców z innego czasu, z innej bajki.

Wybiegam do przodu, przeskakuję dwie epoki...

Reporter wraca z rozpalonej rewolucyjną gorączką Ameryki Łacińskiej, jeździ do pogrążonej w wojnie domowej Angoli, rewolucyjnej Etiopii – w kraju tymczasem kolejny etap historii realnego socjalizmu: nazwijmy go socjalizmem konsumpcyjnym. Dwie różne planety. Tam: walka na śmierć i życie o inny ład, sprawiedliwość, wzniosłe idee – tu: walka o telewizor, pralkę i malucha.

Co się z tego zderzenia, kontrastu, dysonansu urodzi?

Chrystus z karabinem w czeskiej komedii na dworze cesarza

A pan nasz lubił odwiedzać prowincje, lubił prostym ludziom dawać do siebie dostęp, poznawać ich troski, pocieszać obietnicą, pochwalać kornych i pracowitych, karcić leniwych i władzom nieposłusznych...

Ma być teraz „druga Polska", inny socjalizm. Dość skąpstwa, wiązania końca z końcem. „Oszczędna mama" (stary przywódca Gomułka) idzie w odstawkę, ster przejmuje „szczodry tata": nowy I sekretarz Edward Gierek. Wprowadza inny styl rządzenia, pokazuje, że jest dobrotliwym panem, solidnym gospodarzem, hojnym opiekunem. Jeździ po kraju, próbuje dowieść, że władza nie odrywa się od mas, przeciwnie – schodzi na dół, szuka bliskości z ludem.

Kolejny ten zwrot w dziejach Polski Ludowej jest okupiony kilkudziesięcioma ofiarami śmiertelnymi. Robotnicy Wybrzeża wyszli na ulice miast z żądaniami podwyżek płac, poprzedni przywódca partii wysłał przeciwko nim wojsko i milicję. W wyniku społecznego wstrząsu dochodzi do przetasowania koterii na szczytach.

Kapuściński nie ogląda polskiego dramatu z bliska, jest wtedy w Meksyku. Gdy wraca z placówki, zastaje w kraju zupełnie inną aurę.

Ani śladu po siermiężnym socjalizmie Gomułki. Na początku nowej dekady o niebo łatwiej niż w poprzednich latach dostać podstawowe produkty: żywność, ubrania, sprzęt gospodarstwa domowego. Życie Polaków staje się znośniejsze, a slogan Gierka „Aby Polska rosła w siłę, a ludzie żyli dostatniej" nie jest w pierwszych latach jego rządów daleki od codziennego doświadczenia zdecydowanej większości. Górnicy zachwyceni, bo dostają fantastyczne pensje i premie; rolnicy narzekają mniej – bo Gierek znosi tak zwane obowiązkowe dostawy.

Gierkowszczyzna to także otwarcie Polski Ludowej na Zachód. Łatwiej dostać paszport, a jeśli ktoś wybiera się w podróż na drugą stronę żelaznej kurtyny, może kupić oficjalnie sto dolarów (wcześniej tylko na czarnym rynku, stokrotnie drożej). Potępiana albo ośmieszana wcześniej popularna kultura zachodnia zyskuje „prawa obywatelskie" – amerykańskie filmy i seriale w telewizji stają się wręcz jednym ze znaków firmowych dekady. Pojawia się rodzima rozrywka na niezłym poziomie; rozkwit przeżywa popularna piosenka, działa parę naprawdę dobrych kabaretów. Polska bawi się, pije, tańczy.

> ...pan nasz okazywał szczególną żywotność i koncept. Przyjmował korowody planistów, ekonomistów, finansistów, rozmawiał, pytał, zachęcał i chwalił.

Nowy przywódca Gierek ma ambitne plany. Za radami partyjnych ekspertów myśli o jakiejś półrynkowej reformie, szybko jednak porzuca skomplikowane pomysły. Po co się trudzić: Polska pożyje z rezerw oszczędnościowych zrobionych przez poprzedniego I sekretarza, a za chwilę staje się cud – napływają zachodnie kredyty.

Kapitalistyczne kraje Zachodu przeżywają rozkwit, tani pieniądz szuka ujścia, socjalistyczna Polska chętnie przyjmie pożyczki dowolnej wielkości. Nie trzeba niczego racjonalizować: czary-mary – i w sklepach pojawiają się towary, o których wcześniej można było tylko pomarzyć; płace idą w górę; wraca nadzieja, że wreszcie nadchodzi dostatnie życie, na które wszyscy czekali.

> ...jeżeli pozyska się obcy kapitał, żeby budował fabryki, żadna reforma nie jest potrzebna. I proszę – do reform pan nasz nie dopuścił, a fabryki budowali, budowali, czyli był rozwój.

Rusza budownictwo z tak zwanej wielkiej płyty, na mieszkania wciąż trzeba poczekać, lecz są one względnie tanie. Młode małżeństwa dostają specjalne kredyty, kupują lodówki, pralki, telewizory, meble – wszystko na raty, a jak kto szczęściarz, to i wyrwie talon na samochód (dobro wciąż deficytowe).

> Jedni planowali, drudzy budowali, no, słowem zaczął się rozwój nie na żarty.

Po roku ciężkiej pracy: tanie wczasy, jak się uda, to nawet za granicą – w Bułgarii, Rumunii, na Krymie. Organizacje młodzieżowe, które w latach budowania fundamentów socjalizmu stawiały na ideowość, bezinteresowność, osobiste poświęcenie, teraz zajmują się tak zwanym załatwianiem: a to deficytowych towarów dla swoich działaczy, a to zagranicznych wycieczek...

Powstaje coś w rodzaju socjalistycznej klasy średniej – szerokiej grupy, stanowiącej właściwie większość Polaków, nastawionej na konsumowanie. Jeden z czołowych dysydentów epoki przyzna po latach, że był to jedyny okres, kiedy naprawdę bał się społeczeństwa, czuł się zmarginalizowany. Bo niemal cała Polska aprobuje na początku dekady gierkowski socjalizm; mało komu przeszkadza brak wyborów, władza jednej partii, ograniczona wolność słowa. Żyć nie umierać, niech żyje socjalizm i towarzysz Gierek – niech żyje! niech żyje! niech żyje!

> ...lubił postęp, więc i tym razem objawiła się w nim jaśnie dobrotliwa chęć działania i nieukrywane ambicje, aby po latach syty i uradowany lud zakrzyknął z uznaniem – hej, ten ci nas rozwinął!

Kapuściński wraca ze świata, w którym socjalizm oznacza heroiczną walkę, poświęcenie osobistego świętego spokoju. Ameryka Łacińska to rewolucyjny wulkan: *Cuba sí, yanquis no*; bożyszczem młodych jest zamordowany niedawno Che Guevara; Salvador Allende robi w Chile pokojową rewolucję socjalistyczną, którą chcą wywrócić Amerykanie, lokalni oligarchowie i klasa średnia.

Tam: za wiarę w socjalizm młodzi idealiści trafiają do więzień, na tortury, giną w dżungli, nieraz zupełnie nierozumiani przez tych, o których prawa się upominają. Tu: za wiarę w socjalizm młodzi kombinatorzy jako pierwsi dostają M-4, samochód i wycieczkę do Soczi. Tam: wielkie idee, szczęk karabinów – tu: taka sobie kasa, leniwe wgapianie się w telewizor, bankietowanie. Tam: bunt, nonkonformizm, adrenalina – tu: fałszywe uśmiechy, strojenie min do władzy. Tamto socjalizm i to tutaj też socjalizm? Gdzie się podziać, gdzie znaleźć miejsce, jak dopasować się do życia na tej innej planecie?

Jest teraz gwiazdą na skalę krajową. W czasie kilkuletniej nieobecności wychodzi kilka jego książek, które umacniają pozycję utalentowanego reportera, znawcy Afryki i Ameryki Łacińskiej. Najpierw – nietrzecioświatowy, znakomicie przyjęty tom reportaży z azjatyckich republik Związku Radzieckiego *Kirgiz schodzi z konia*. Rok później – bardziej publicystyczna niż reporterska książka *Gdyby cała Afryka*, druga po *Czarnych gwiazdach* (1963) poświęcona dekolonizacji (są to zazwyczaj rozszerzone analizy pisane dla Biuletynu Specjalnego PAP). Dosłownie za chwilę – tłumaczenie *Dziennika z Boliwii* Che Guevary, a niedługo potem – wstrząsająca książeczka o porwaniu i zabójstwie ambasadora NRF w Gwatemali *Dlaczego zginął Karl von Spreti*. O Trzecim Świecie, mimo ograniczeń, jakie nakłada system, dużo łatwiej pisać wartościowe rzeczy; cenzura nie jest wyczulona na „niepoprawne" nuty tak bardzo jak w tekstach i książkach o tematyce krajowej i zagranicznej dotyczącej krajów Zachodu.

Kapuściński pozostaje chwilowo bez pracy. Ma już dość PAP-u, wie, że harówka agencyjna nigdy nie pozwoli na pisanie książek – a to jest teraz jego główne marzenie, plan numer jeden. Ma w notatkach, teczkach, głowie kilka nienapisanych tomów, do tej pory nie miał czasu, żeby spokojnie usiąść, zrobić remanent, ruszyć. Rozmyśla o napisaniu osobnej książeczki o ówczesnym idolu Che Guevarze; innej, która byłaby rodzajem podsumowania czterech i pół roku spędzonych w regionie – o Ameryce Łacińskiej.

Najpierw musi gdzieś jednak zaczepić się, dostać stałą pensję, z czegoś żyć. Rozgląda się po mapie prasy w kraju i zastanawia, które miejsce będzie najlepsze. Nie chce iść tam, gdzie trudno będzie otrzymać zgodę i pieniądze na wyjazdy. Wybór powinien paść na pismo mające dobre koneksje z decydentami, kumplami na górze – bo to oni w razie kłopotów będą pchać sprawy do przodu.

Kapuściński, idealista romantyk, ma jednocześnie dobre wyczucie personalnych układów, potrafi poruszać się po korytarzach partyjnego dworu, stwarzać sobie warunki dla realizowania zawodowych aspiracji i marzeń.

> Kto chciał wspinać się po stopniach pałacu, musiał na początku opanować wiedzę negatywną, to znaczy musiał przede wszystkim wiedzieć, czego nie wolno – jemu i jego poddanym: czego nie wolno powiedzieć i napisać, czego nie wolno zrobić, czego przeoczyć lub zaniedbać.

Idzie po radę do swojego głównego protektora, Frelka, który w nowym rozdaniu na szczytach władzy awansował, i to wysoko – został kierownikiem Wydziału Zagranicznego KC. Frelek sugeruje: rozejrzeć się, poczekać, dobre miejsce na pewno się znajdzie.

Na chwilę, to znaczy na około rok – również za radą Frelka – Kapuściński zatrudnia się w miesięczniku „Kontynenty" (jego protektor pisuje tu felietony o sprawach międzynarodowych). To jedyne pismo, w którym przyjmuje funkcję redaktorską, zostaje nawet zastępcą szefa. Czyta teksty koleżanek i kolegów, uczestniczy w zebraniach redakcyjnych, nie daje jednak odczuć innym, że jest ich przełożonym. Swoim zwyczajem entuzjasty „zawyża" oceny tekstów (tak wspomina kolega, Jerzy Chociłowski). Sam pisze dla „Kontynentów" niechętnie, to niszowy miesięcznik, Kapuściński pragnie dla swoich opowieści szerszej publiczności. „Kontynenty" to zresztą przystań, chwilowa przechowalnia.

Próbuje w tym czasie roboty profesorskiej: prowadzi zajęcia na podyplomowych studiach dziennikarskich na Uniwersytecie Warszawskim.

– Przed salą stoi szczupły, opalony facet w ciemnym, opiętym golfie i dżinsach typu „dzwony" – wspomina Ewa Junczyk-Ziomecka. – Nagle zaczyna klaskać, jak nauczyciel w szkole zapędzający uczniów „do klasy, do klasy, już po dzwonku na lekcję!". Ponieważ wyglądał na wysportowanego, pomyślałam, że to pan od wf. A to był ON.

Pierwszy wykład o Ameryce Łacińskiej, Che Guevarze: rozczarowanie. Wielki Kapuściński jest mało efektownym mówcą. Studenci spodziewają się, że sławny reporter, który wraca z dalekiego świata, opowie o przygodach. Tymczasem on wchodzi w meandry polityki w Ameryce Łacińskiej, mówi o postaciach, o których młodzi nawet nie słyszeli. Wielki świat to dla słuchaczy Jugosławia, oczywiście Francja, Anglia. A Meksyk, Chile, Boliwia? O świecie, o którym opowiada Kapuściński, nie wiedzą dosłownie nic.

Wykłady trwają semestr. Mimo przepaści doświadczeń między Kapuścińskim a kilkoma studentkami i studentami zawiązuje się przyjaźń, sztama, która przetrwa wiele lat. Już niedługo, niektóre ze studentek, będą koleżankami z jednej redakcji.

Mniej więcej wtedy Frelek daje przyjacielowi sygnał: znalazło się właściwe miejsce. Z tygodnika „Kultura" odchodzi owiany złą sławą redaktor naczelny Janusz Wilhelmi (jeden z byłych dygnitarzy partyjnych i kolega z redakcji opowiadają, że z powodu Wilhelmiego Kapuściński nie chciał zaraz po powrocie z placówki podjąć pracy w „Kulturze"). Nowym szefem zostaje znajomy Frelka – Dominik Horodyński; rad będzie mieć Kapuścińskiego w swoim zespole.

*

Tygodnik „Kultura", jak większość opiniotwórczych periodyków w Polsce Ludowej, ma swoje zawiłe dzieje polityczne.

Powstaje w roku sześćdziesiątym trzecim z połączenia dwóch pism: „Przeglądu Kulturalnego" i „Nowej Kultury". „Przegląd Kulturalny" był pismem nastawionej rewizjonistycznie inteligencji – ostatnim już wówczas bastionem tego nurtu wewnątrz partii. Gomułka chciał je zlikwidować, mieć wreszcie całą prasę pod swoją kontrolą. Połączenie dwóch pism jest pretekstem do zamknięcia zbyt niezależnego, w opinii przywódcy partii, tytułu.

– Powołanie do życia tygodnika „Kultura" zbiega się z rehabilitowaniem przez Gomułkę natolińczyków – tak wspomina Andrzej Werblan, jeden z ówczesnych ideologów.

Natolińczycy, przypomnijmy, to grupa niechętna rozliczeniom z wypaczeniami okresu stalinowskiego, nieraz odwołująca się do nacjonalizmu i antysemityzmu. Niektórzy mówią o nich – „twardogłowi".

– Czy „Kultura" będzie ich pismem?

– W jakimś sensie, tak – przyznaje Werblan.

Jednym z zadań tygodnika jest pacyfikowanie rewizjonistycznych nastrojów wśród inteligencji. Na jego łamach pojawiają się agresywne artykuły, prowadzi brutalne rozrachunki wewnątrzśrodowiskowe. Ludzie pióra bojkotują „Kulturę", nikt porządny nie chce tam pisać.

Szefem tygodnika jest w tamtym czasie Janusz Wilhelmi; przejdzie do złej legendy ówczesnej polskiej prasy. Mówią o nim „mistrz cynizmu". – Wystrzegajcie się pierwszych odruchów, bo te mogą być przyzwoite – poucza młodych publicystów. Jeden z nich pamięta, że Wilhelmi mówił o sobie: – Jestem polskim nacjonalistą.

Politycznie i towarzysko Wilhelmi, a także jego zastępca Roman Bratny, są związani z partyjnymi nacjonalistami, moczarowcami. Prowadzą pismo na wojnę ze światem kultury, szczególnie z tą jego częścią, która niecałkowicie wyrzekła się marzeń o reformie socjalizmu i której nie podoba się rehabilitacja nacjonalizmu pod sztandarami partii.

W sześćdziesiątym ósmym, w czasie protestów studenckich i antysemickiej nagonki, „Kultura" lawiruje.

– Nie opiera się nacjonalistycznej fali, tak jak „Polityka" Rakowskiego – przyznaje Krzysztof Teodor Toeplitz, publicysta „Kultury" – lecz, z drugiej strony, nie angażuje się tak mocno po stronie nacjonalkomunistów jak inne tytuły, na przykład „Prawo i Życie" czy „Walka

Młodych". Choć szefowie tygodnika mają koneksje z partyjnymi nacjonalistami, są jednak inteligentnymi, niepozbawionymi wątpliwości ludźmi. W sześćdziesiątym ósmym wykonują różne polityczne slalomy.

– Wydawało się, że „Kultura" znajdzie się w pierwszej linii antysemickiej kampanii – wszak powołali ją do życia ludzie, którzy inspirowali nacjonalistyczną propagandę – opowiada Maciej Wierzyński, wicenaczelny pisma w latach siedemdziesiątych. – Tak się jednak nie stało. Przez sześćdziesiąty ósmy przeszliśmy skurwieni niecałkowicie.

W apogeum nagonki na polskich Żydów „Kultura" nie publikuje antysemickich filipik, które wylewają się z innych tytułów. Przedrukowuje na pierwszej stronie przemówienie Gomułki – atak na opozycyjny ruch młodzieży, w odredakcyjnym artykule pisze o „nieuleczalnych maniakach politycznych", „programowych opozycjonistach", przypomina, że rodzice niektórych działaczy studenckich byli stalinowcami (bez nazwisk, w czym celowały inne gazety i periodyki). Publikuje teksty broniące Polski przed oskarżeniami o antysemityzm, przywołując na pomoc krytyczne wypowiedzi prezydenta Francji Charles'a de Gaulle'a o Izraelu.

Wierzyński: – Nie ma co się jednak czarować: w latach sześćdziesiątych „Kultura" była pismem takiego, powiedzmy, „oświeconego moczaryzmu".

Ilustracją politycznych slalomów „Kultury" jest sytuacja, w której ten sam autor raz szydzi z umysłowej hołoty, a innym razem – broni rozprawy Gomułki ze studentami i krytyczną częścią inteligencji przed zarzutem „antyinteligenckości".

Na początku lat siedemdziesiątych, już po dojściu do władzy Gierka, naczelny „Kultury" Wilhelmi awansuje: dostaje posadę w telewizji, na jego miejsce przychodzi Dominik Horodyński. Mówią o nim czerwony hrabia.

Wywodził się z konserwatywnej rodziny, bliskiej tradycji PSL-Piast. Przed wojną należał do Falangi, faszyzującego odłamu polskiego nacjonalizmu. Po wojnie został na świecie zupełnie sam: całą rodzinę wymordowali Niemcy; ostatni brat zginął w czasie powstania warszawskiego. Andrzej Werblan, który z Horodyńskim przyjaźnił się przez kilka dziesięcioleci, uważa, że polityczny przełom przeżył właśnie podczas powstania (był wtedy adiutantem jednego z dowódców – Jana Mazurkiewicza-„Radosława").

– Ujrzał militarny i polityczny bezsens powstania, niepotrzebne ofiary. Po wojnie zaczął głosić polityczny realizm: przystąpił do PAX-u.

Toeplitz: – Horodyński miał zakopać przepaść między „Kulturą” a światem kultury, którą wykopał jego poprzednik. Partia wiedziała, że Horodyński nie wykręci jej żadnego niebezpiecznego numeru. Był człowiekiem poharatanym przez życie, uwikłanym, mającym za sobą kontakty ze służbami specjalnymi, przewidywalnym i łatwym do kontrolowania.

Wierzyński: – Horodyński miał towarzyskie koneksje wśród artystów i ludzi kultury. Salonowy styl, lubił się bawić, bankietować. Miał liberalne poglądy i samo jego przyjście w oczach niektórych zmieniało oblicze pisma, jego obecność była sygnałem, że „Kultura” nie będzie organem partyjnych pałkarzy. Poza tym – był straszliwie leniwy, chodził bez przerwy na przyjęcia, jeździł na polowania, a tygodnikiem kierowałem ja i Ewa Staśko, sekretarz redakcji.

Pracę w tygodniku podejmuje w tamtym czasie spora grupa młodych: Barbara Łopieńska, Mariusz Ziomecki, Ewa Szymańska, Wiktor Osiatyński, Janusz Głowacki, Teresa Torańska, Tomasz Łubieński, Włodzimierz Kalicki... Ambitni reporterzy i publicyści, których niełatwo kontrolować.

– Przyjście Kapuścińskiego – wspomina Wierzyński – było niejako ostatecznym stemplem, że „Kultura” to pismo, którego nie trzeba się wstydzić. Dlaczego Rysiek wybrał „Kulturę”? Tak mu doradzili, jak sądzę, jego protektorzy – że tu łatwiej mu będzie realizować własne plany niż na przykład w „Polityce”, która miała wtedy gorsze koneksje na szczytach władzy.

Dziennikarze „Kultury”, owi młodzi, którzy zaczęli wtedy swoją drogę zawodową, wspominają bez wstydu pismo, które tworzyli. Przekonani, że „Kultura”, nie żaden inny periodyk, miała wówczas najlepszy zespół reporterów: Łopieńska, Ziomecki, Szymańska, Torańska, także Jacek Snopkiewicz, Michał Mońko; wśród nieco starszych – Stefan Kozicki, Ewa Berberyusz... Osiatyński przywozi ze stypendium w Kalifornii teczkę ambitnych rozmów z największymi wybitnościami naukowymi Ameryki; w galerii tych znakomitości są: Toffler, Chomsky, Berg, Zimbardo, Galbraith i kilkunastu innych. To tu dojrzewa talent literacki Głowackiego i eseistyka Łubieńskiego. Tu publikuje Kapuściński.

Rzeczywistość Polski Ludowej reporterzy tygodnika opisują w poetyce czeskiej komedii, to znaczy: łącząc wyczulenie na absurdy, burleskowy często humor, odrobinę melancholii, apoteozę zwykłego życia.

Bo i lata siedemdziesiąte w Polsce Ludowej niewiele mają z aury poprzednich dekad: ani tej heroicznej – dla wierzących w socjalizm, ani grozy – dla nielicznych buntowników. Nie ma wielkich batalii idei, jest życie z dnia na dzień, nadzieja na dorobienie się czegoś. Rażące nudą partyjne celebry transmitowane w telewizji są pustymi rytuałami; w ideologię mało kto wierzy, łącznie z tymi, którzy ją głoszą.

Reporterzy „Kultury" wyłapują świetnie groteskowe strony tej rzeczywistości. Nieczęsto mogą pisać wprost, odkrywają uroki dwuznaczności, aluzji, metafory.

Zamiast publicystyki piętnującej marnotrawienie sił i środków – pisze się reportaż o długiej drodze towaru od wyprodukowania do momentu, w którym trafia na sklepowe półki. Artykuł ukazuje, jak to trzeba ostemplować, „oksięgować" każdy etap, zużywając przy tym tony papieru, zatrudniając armię ludzi. Papierowa rzeczywistość – takiż i tytuł reportażu.

Albo reportaż o ruskich w barze mlecznym. Czy o ulicy Brzeskiej na warszawskiej Pradze, na której „można mieć żonę na rogu, męża pijaka, ale dzieci muszą być normalne".

Wiejące nudą, groteskowe obrady Komisji Oceny Zabawek i Weryfikacji Opakowań to alegoria (i zarazem parodia) partyjnych nasiadówek, z których nic nie wynika.

Reportaż o iluzjonistach: subtelna puenta dekady złudnego dobrobytu, która kończy się bankructwem Polski Edwarda Gierka.

> Włodzimierz Treć, inżynier mechanik z Głubczyc, uważa, że ludzie nie wykazują oporów przy popadaniu w złudzenia.
>
> – Może tylko w pierwszej chwili – zastrzega – na samym początku. Bo potem zdolni są poddać się każdej sugestii z łatwością wręcz przerażającą.
>
> – Wynika to – stara się ich wytłumaczyć – z życia codziennego, z jego trudów i niedoli, i jednocześnie z wewnętrznych, niezaspokojonych może nadmiernie dążeń do spełnienia marzeń, złudnych, oczywiście nieosiągalnych (Teresa Torańska, *W kręgu*).

Dominik Horodyński chętnie dzieli się wspomnieniami z tamtych czasów. Jest już bardzo chory, ma osiemdziesiąt pięć lat, od długiego czasu dochodzi do siebie z powodu złamanej nogi (umrze kilka miesięcy po naszej rozmowie).

W ostatnich latach życia dopadają go oskarżenia o współpracę z wywiadem Polski Ludowej. Czy i komu wyrządził zło, opinia publiczna się nie dowie. Logika lustracyjna w Polsce po upadku realnego socjalizmu polega na publicznym stawianiu zarzutu moralnego, w cieniu którego człowiek żyje potem przez lata. Rzadko się docieka prawdy materialnej: co oczerniony faktycznie czynił, czy było w jego/jej działaniach coś etycznie nagannego, czy skrzywdził kogoś, czy przekazywał jedynie wiadomości cenne dla państwa polskiego takiego, jakie wówczas było. Może figurował tylko w kartotece służb specjalnych – nic więcej? Ludzie zapamiętują hasło: „agent".

– A wie pan, że niektórzy redaktorzy naczelni donosili na siebie nawzajem? – mówi Horodyński, gdy pytam o relacje „Kultury" z władzami partii.

– Jak to donosili? Do kogo?

– Do cenzury, do Wydziału Prasy KC.

– Po co?

– Na przykład żeby odwrócić uwagę od tego, co sami robią. Mówili na przykład do jakiegoś towarzysza: „Zobacz, co u tego Horodyńskiego tam wyrabiają?".

– I co się potem działo?

– Jak się zebrało dużo donosów, skarg, zastrzeżeń, wzywali do Wydziału Prasy KC i wymierzali kary.

– Jakie kary?

– Mogli zwolnić, mogli tylko upomnieć, dać ostrzeżenie.

– Ale miał pan przecież protektorów we władzach?

– Jak były kłopoty, dzwoniłem do Stasia Trepczyńskiego, do Frelka – i oni już tam załatwiali, co trzeba.

– To mógł pan powiedzieć takiemu cenzorowi albo sekretarzowi od prasy, że w razie czego...

– Nie, nie. Nie należało być ani za bardzo opornym, ani lokajskim. Jak dawali reprymendę w Wydziale Prasy, nie należało sugerować, że ma się poparcie gdzieś wyżej, o nie! To mogło zaszkodzić.

– Pamięta pan najgorszą taką sytuację?

– Dramatów nie było. Proszę pana, dla ludzi mojego pokolenia punktem odniesienia była wojna – miałem przejmować się uwagami jakiegoś sekretarza KC? (śmiech).

> ...moje pokłony miały charakter funkcjonalny i usprawniający... służyły celowi ogólnemu, państwowemu, a więc nadrzędnemu, podczas gdy dwór pełen był dostojników kłaniających się gorliwie i bez żadnego

porządku czasowego, byle tylko nadarzyła się okazja, a do tej gibkości karku nie popychała ich wyższa potrzeba, lecz jedynie przypochlebstwo, służalczość i nadzieja na awans czy darowiznę.

Maciej Wierzyński, zastępca Horodyńskiego, opowiada, że naczelny na wiele zespołowi pozwalał. Gdy pojawiały się zarzuty z cenzury lub z Wydziału Prasy KC, szef spychał kłopoty na zastępcę, mówił, że młodzi koledzy narozrabiali, że on nic nie wiedział. Na co dzień z cenzurą i Wydziałem Prasy targował się więc Wierzyński.

Co prześmiewczy reportaż na łamach, to telefon z KC:

– Tam u was, towarzysze, pierwsza strona pozostaje w sprzeczności z ostatnią!

...nauczyli się drugiego języka, szybko, poliglotycznie opanowali nowy język, przyswoili go i doszli w tym do niebywałej wprawy, tak, że my, prości i nieoświeceni, staliśmy się narodem dwujęzycznym... Każdy z języków posiadał różne słownictwo i różny sens, a nawet różną gramatykę, a jednak wszyscy umieli uporać się z tymi trudnościami i w porę wypowiedzieć się we właściwym języku.

Jeśli tekst trafia na Mysią (siedziba cenzury) i tam zostaje skreślony, zazwyczaj nie ma ratunku, ląduje w redakcyjnym koszu. Niekiedy jednak szuka się sojuszników... w Wydziale Prasy KC. Cenzor boi się czasem przepuścić artykuł ryzykowny dla jego własnej posady, a towarzysze wyżej, zwierzchnicy, mają akurat lepszy humor albo wiedzą, jaki jest trend chwili, gdzie są wytyczone granice – i udaje się tekst uratować.

Zdzisław Marzec, zastępca kierownika Wydziału Prasy, mówi, że „Kultura" nie wzbudzała sympatii w KC.

– Nie lubiłem Horodyńskiego i wcale tego nie ukrywałem.

– Dlaczego?

– Za duży cwaniak.

– Jakie zarzuty stawiano „Kulturze"?

– Głównie lawiranctwa.

– Czyli?

– Krytyczne aluzje, różne szyderstwa, słowem – dwuznaczny stosunek do ówczesnej rzeczywistości.

Jeden język służył do mówienia zewnętrznego, drugi – wewnętrznego, pierwszy będąc słodkim, a drugi – gorzkim, pierwszy gładzonym, a drugi chropawym, ten – na wierzch wywalonym, ów do gardła podwiniętym...

Ktoś w Wydziale Prasy traci w końcu cierpliwość i zamawia u wiernego partyjnej linii publicysty, Michała Misiornego, filipikę przeciwko krytycznym reporterom. Misiorny przypisuje reporterom i publicystom tygodnika (też aluzyjnie, nie otwarcie) „drobnomieszczańską mentalność". Zbrodnie pomniejsze: „ironia, styl prześmiewczy, swoiste czarnowidztwo". Salonowość, sceptycyzm, szyderstwo. Tymczasem rolą reporterów jest, jak sugeruje mentor na zlecenie, zaangażowanie w rozwój i budowanie w Polsce socjalizmu.

Wierzyński pisze polemikę, jednak kłopot pozostaje. Wie, że stoi przed dylematem: albo założy reporterom kaganiec i stanie się wewnętrznym cenzorem, albo Wydział Prasy KC pozbędzie się go, a wtedy zostanie na lodzie, z wilczym biletem. Znajduje trzecie wyjście: cichą posadę w redakcji sportowej telewizji.

Wspomina: – To był moment, w którym Gierek i Łukaszewicz (sekretarz KC do spraw propagandy) podjęli próbę spacyfikowania tego, co się w prasie wymykało spod ich kontroli. Każde pismo miało organizację partyjną, w „Kulturze" nikt nie chciał zostać jej sekretarzem. Powiedzieliśmy koledze Andrzejowi Kantowiczowi: „Poświęć się, bo inaczej przyślą nam tu jakiegoś sukinsyna". Odbębniał za nas rytuały życia partyjnego, udawał przed decydentami na górze. Przypłacił to ciężką chorobą.

Wiktor Osiatyński wspomina, że co roku urządzano w redakcji losowanie, kto napisze tekst na kolejną rocznicę rewolucji październikowej. A potem wszyscy pomagali wymyślić taki sposób na spłacenie zbiorowego serwitutu, żeby partia była rada, a autc[illegible] zachowali twarz.

Kapuściński znajduje się w sytuacji schizofrenicznej. Dzięki niezawodnym kontaktom w KC, uważany za „dobrego towarzysza", czuje się bezpiecznie, nie tknie go żaden kacyk, ani szef. Chwalą go w Wydziale Prasy: wewnętrzna notatka stwierdza, że jego korespondencje z Ameryki Łacińskiej to wzór dla innych reporterów. (Autor notatki, Zdzisław Marzec, pisze, że „opracowania w typie *Dlaczego zginął Karl von Spreti...* rzeczywiście wnoszą coś nowego, czego niestety nie można powiedzieć o codziennej paplaninie, która nadal króluje na niejednej stronie BS [Biuletynu Specjalnego PAP]").

Sam, bez pośrednictwa szefów „Kultury", Kapuściński załatwia wyjazdy zagraniczne. Finansuje je PAP, z którym utrzymuje współpracę, bądź RSW „Prasa", bo „Kultura", jak i zresztą inne periodyki, nie ma własnych funduszy dla reporterów międzynarodowych. Jego projekty mają zawsze wsparcie kierownika Wydziału Zagranicznego Frelka. Wszyscy są zadowoleni: PAP – bo ma na bieżąco depesze z krajów Trzeciego Świata, „Kultura" – bo ma gorące reportaże, partia – bo dostaje analizy sytuacji politycznej w Trzecim Świecie od najlepszego reportera w kraju, sam Kapuściński – bo tylko wyjazdy pozwalają mu systematycznie śledzić wydarzenia w krajach, które go pasjonują; zbiera też relacje, obserwacje, wrażenia do kolejnych książek. („Był naszą gwiazdą, perłą – mówi Janusz Roszkowski, szef agencji w czasach Gierka i jeszcze kilka lat później – Rysiek sam proponował tematy, pieniądze zawsze się dla niego znajdowały").

Równocześnie rzeczywistość, z którą Kapuściński zderza się w Polsce lat siedemdziesiątych, nie jest z jego bajki. Horyzontem większości Polaków, w tym wielu znajomych, przyjaciół, jest dorabianie się; Polska Ludowa bawi się, popija. Nawet ci, którzy nie wierzą w socjalizm, zwyczajnie cieszą się: jest lepiej, niż było... Tymczasem on, reporter z Trzeciego Świata, żyje w ideowym napięciu, w czarno-białym świecie. Zajmowanie się rewolucjami i wojnami domowymi biednego Południa to nie praca dla zdobycia fortuny ani przykry życiowy obowiązek – to pasja (uwielbiał to słowo!), intelektualne, nieraz mocno osobiste zaangażowanie. Dla Kapuścińskiego socjalizm, rewolucja to nie burleska w PGR-ze, nie groteska w komitecie, lecz nastawianie karku, ryzykowanie życiem dla sprawy, idei, lepszego świata. Jego horyzont, perspektywę, emocje kształtują często doświadczenia ostateczne.

Jak wracam do Ameryki Łacińskiej, to trochę jakbym wracał na cmentarz. Mnóstwo ludzi, których znałem, z którymi byłem razem, nie żyje. I jak wracam do Afryki, to też trochę, jakbym wracał na mój cmentarz... Możliwe, że mam przez to trochę skrzywione widzenie świata. Dlatego że ciągle obracam się w tej rzeczywistości, w tych sytuacjach. Gdybym dziś pisał wspomnienia, to nie wiem, ile mógłbym nazwisk znaleźć ludzi, z którymi się znałem, z którymi byłem bardzo blisko, a którzy jeszcze żyją w tej chwili. Weźmy Afrykę. Ben Barka, zamordowany w strasznych okolicznościach. Miałem przyjaciela Pinto, który został zastrzelony następnego dnia po rozmowie ze mną, jak wjeżdżał na swoje podwórko. Mondlane, twórca Frelimo... rozerwany przez bombę, która została mu przysłana jako prezent. Ludzie z Angoli, ludzie z Erytrei... Poruszam się ciągle wśród ludzi, których już nie ma... Całe oddziały partyzanckie, z którymi chodziłem w Andach, nie istnieją. Wszyscy wyginęli. Historia, którą opisywałem w reportażu *Chrystus z karabinem na ramieniu*, to jakby symbol: tych 77 ludzi, chłopców, którzy szli i po kolei wszyscy wyginęli. Było wiadomo od początku do końca, że wszyscy zginą. I oni to wiedzieli. Bo tam jest oczywiste, kiedy się wyrusza, że się już nie wróci. A mimo to idą, w przekonaniu, że muszą, że nie ma innego wyjścia. Mówiąc sobie: do jakiegoś momentu musimy ginąć, żeby później zwyciężyć.

Cykle reportaży, które Kapuściński publikuje na łamach „Kultury" w odcinkach – i które złożą się w trzy kolejne książki – opowiadają o takich właśnie bojownikach za sprawę społecznego wyzwolenia.

Jeszcze dzień życia – o końcu epoki kolonialnej w Angoli i tamtejszych rewolucjonistach z MPLA (Ludowego Ruchu Wyzwolenia Angoli).

Chrystus z karabinem na ramieniu – o Palestyńczykach walczących o prawo do własnego państwa, boliwijskich partyzantach próbujących wywołać rewolucję, porywaczach ambasadora NRF w Gwatemali (skrócona wersja *Dlaczego zginął Karl von Spreti*), ludziach z ruchu wyzwolenia Mozambiku FRELIMO oraz ikonach epoki: Erneście Che Guevarze i Salvadorze Allende.

Wojna futbolowa – synteza doświadczeń epoki dekolonizacji w Afryce i rewolucyjnych prób w Ameryce Łacińskiej (wiele reportaży z kilku poprzednich tomów Kapuściński powtarza tu w nieco zmienionych wersjach); zawiera w niej między innymi portrety bohaterów niepodległej Afryki – Kwame Nkrumaha, Patrice'a Lumumby, Ahmeda Ben Belli, opis zamachu stanu w Nigerii; tytułowy reportaż opowiada o wojnie Hondurasu z Salwadorem.

O tym ostatnim tomie jeden z recenzentów napisze tak:

W żadnej z dotychczasowych książek Kapuścińskiego nie dostrzegało się jeszcze świata jako spójnej całości. Dopiero *Wojna futbolowa* każe nam widzieć, że pomiędzy wyglądem ulicy w Gwatemali podczas porwania Karla von Spreti, wyglądem wyludnionej Kinszasy, zamkniętej w skrzyniach Luandy, a wyglądem słonecznej uliczki Tbilisi – istnieje coś wspólnego. I tego wspólnego jest tak dużo, że spomiędzy egzotycznych miast i krajów wyjrzy ku nam często jakieś rodzinne miasteczko, znajoma ulica, bar, twarz znajomego lub dobrze znanego człowieka... Wiemy, że owa spójność i niepodzielność świata istnieją dzięki ludziom, którzy go zaludniają, niszczą i budują.

W „Kulturze" Kapuściński spotyka nową generację dziennikarzy, dla której opowieści o idealistycznych *freedom fighters* brzmią jak baśnie przybysza z innej planety, nie zazębiają się z żadnym z ich pokoleniowych doświadczeń. Na dodatek ci „jego" bojownicy są czerwoni: dlaczego wzruszać się losem durniów, w najlepszym razie naiwniaków, którzy chcą urządzić sobie taki świat, jaki my już znamy – i mamy go dość? Dla dwudziestoparolatków ze studium dziennikarskiego i „Kultury" socjalizm to trochę groteski, puste rytuały, nuda. Marzą o wygodnym życiu, wielkim świecie: Zachód to jest to! Ktoś jedzie na stypendium do Stanów, ktoś inny na urlop do Europy Zachodniej. Na Zachodzie młodzi łykają spore porcje nowych wrażeń, doświadczeń, myśli.

> Ludzie ci wracali do kraju pełni nieprawomyślnych idei, nielojalnych poglądów, szkodliwych pomysłów, nierozważnych i porządek naruszających projektów i ledwie rozejrzawszy się po cesarstwie, chwytali się za głowy, wołając – Boże święty, jak coś takiego może w ogóle istnieć!

Kapuściński wraca tymczasem ze świata i opowiada o Zachodzie, który zniewalał biedne kraje Trzeciego Świata, o przekleństwie „amerykańskiego imperializmu". Dla młodych opowieści kolegi-mistrza brzmią nieraz jak propagandowe frazesy, dla Kapuścińskiego „amerykański imperializm" to nie slogan, lecz akuratny opis, coś, czego dotknął, powąchał, zobaczył.

Po powrocie z wojny domowej w Angoli w redakcji odbywa się spotkanie. Jeden z kolegów, Tomasz Łubieński, pyta zaczepnie:

– Czym ty się tak w tej Angoli zachwycasz? Z kim ci angolscy komuniści wespół z Kubańczykami walczą?

– Jak to z kim? Z imperializmem amerykańskim!

Dla Łubieńskiego odpowiedź trąci oficjalną propagandą. I on, i niektórzy dziennikarze z redakcji mają z Kapuścińskim kłopot: lubią i szanują sławnego kolegę, a zarazem nie rozumieją jego upartej wiary w socjalizm, przynajmniej ten trzecioświatowy.

– Nie lubisz Ameryki, a dlaczego czepiasz się też Francuzów? – pyta któregoś razu Łubieński, zaprzysięgły frankofil.

– Ty znasz Francuzów z Paryża – kulturalnych, wykształconych, a ja znam tych z kolonii. To barbarzyńcy! Jak im wejdziesz w drogę, pokrzyżujesz ich interesy, zabiją cię.

Gdy wraca z kolejnych wojaży, wpada do mieszkających po sąsiedzku na warszawskiej Woli Ewy i Mariusza Ziomeckich. Przywozi whisky, marlboro. Przychodzą jeszcze Ewa Zadrzyńska, Ewa Szymańska i Maciej Wierzyński… Siedzą na dywanie, bo u Ziomeckich prawie nie ma mebli, młodzi wpatrzeni w mistrza, podróżnika, przyjaciela. Do rana Kapuściński snuje opowieści: co widział, czym żył przez ostatnie miesiące – na Bliskim Wschodzie, w Angoli, Etiopii…

Opowiada na głos przyszłe książki, chce usłyszeć sam siebie, przetestować. Jak mówi o wywróconym samochodzie z ładunkiem pomarańczy, przyjaciele czują zapach tych pomarańczy. Gdy coś jest niejasne, dopytują, ale rzadko. To nie jest dialog – to mistrz mówi. Potem, kiedy czytają w „Kulturze" cykl reportaży o Angoli, słyszą jego głos – te same epizody, anegdoty, które słyszeli w domu.

– Tłumaczył nam – wspomina Ewa Junczyk-Ziomecka – że możemy sobie narzekać na Związek Radziecki, lecz w krajach Trzeciego Świata to Związek Radziecki pomagał podbitym społeczeństwom wybijać się na niepodległość. To wyjaśnienie pozwalało nam wierzyć, że Rysiek jest po dobrej stronie.

– Podziwialiście mistrza, wielbiliście przyjaciela, a zarazem była między wami przepaść: jego idee nie były waszymi, jego idole nie byli waszymi… Jak sobie radziliście z tym dysonansem?

– Nieraz mówiliśmy między sobą: „Trzeba Ryśka spytać, czy on dał się na to wszystko nabrać? Bo jeździ do tej Afryki, Ameryki Łacińskiej, wraca i próbuje zarażać nas swoją wiarą w tamtejszy socjalizm, ruchy wyzwoleńcze… Czy on nas przypadkiem nie nabiera?".

– I spytaliście?

– Niestety, nie. Opowiadał przez lata, że napisze książkę o Polsce, o sobie. Liczyłam, że przyniesie odpowiedź na wiele pytań. Myślę, że wielu tajemnic Ryśka nie poznamy nigdy. Może lepiej…

Mariusz Ziomecki, który jeszcze jako student ekonomii zaczyna pracę w „Kulturze", szuka w Kapuścińskim mistrza i ojca. Rzadko spotyka go w redakcji, bo Kapuściński wpada tu najwyżej raz w tygodniu, nie ma nawet biurka. Jeśli przychodzi, zamyka się w gabinecie z redaktorem naczelnym, więc i tak jakby go nie było.

Spotykają się poza redakcją. Gdy u Kapuścińskiego zaczynają się problemy z krążeniem (jest jeszcze wtedy namiętnym palaczem) i z kręgosłupem, Ziomecki wyciąga go na długie spacery. Próbują grać w tenisa – bez powodzenia, Ziomecki gra zbyt słabo, żeby zachęcić starszego kolegę do systematycznych treningów.

To czas zapatrzenia początkującego dziennikarza w mistrza. Ziomecki i paru młodych reporterów z „Kultury" nazywają się dumnie uczniami Kapuścińskiego, choć Kapuściński nie czyta ich tekstów, nie czyni uwag. Mówi ogólnie: cały czas trzeba się uczyć, nawet kiedy człowiek odnosi sukces; człowiek sukcesu, który spoczywa na laurach i nie rozwija się dalej, szybko się kończy. Znasz dwa, trzy języki? Za mało – trzeba znać sześć, siedem! Czytać poważne, ambitne książki, nie przestawać, cały czas iść naprzód.

Dość szybko mistrz popada u ucznia w niełaskę. (– Po okresie silnej fascynacji, nastaje etap, w którym „syn" dystansuje się od „ojca" – uśmiecha się Ziomecki). Kapuściński należy do partii, Ziomecki – nie ma nawet dylematu „tak" czy „nie"; Kapuściński gloryfikuje czerwone rewolucje w Trzecim Świecie, Ziomecki – nie dowierza w tej sprawie opowieściom mistrza...

– Dlaczego ta Afryka jest w twoich reportażach taka socrealistyczna? Dlaczego bojownicy są u ciebie świętymi, a ci drudzy bandytami? Przecież świat nie jest taki...

– Trzeci Świat jest taki!

– Nie podejmował dyskusji, szedł w zaparte – wspomina Ziomecki. – Nawet kiedy zmieniły się epoki i wraz z nimi punkty widzenia, uparcie trwał przy swoim zdaniu.

W czasie jakiejś rozmowy Kapuściński oburza się na bezideowość Polaków, których spotkał w czasie angolskiej wojny domowej. Byli to przedstawiciele handlowi, sprzedający Angolczykom polskie ciężarówki świetnie poruszające się po górzystych terenach.

– Nic ich nie obchodzi ta wojna! U Kubańczyków, Rosjan widać ideowe zaangażowanie, a dla naszych liczy się tylko handelek i gorzała!

Nieraz rozmawiają o przynależności mistrza do partii i niechęci młodych do zapisywania się w jej szeregi. W tej sprawie rozumieją się nieco lepiej.

– Dobrze, że się nie zapisujecie do partii – mówi młodym Kapuściński. – Ale to nie znaczy, że gdybyśmy my, starzy, z partii wystąpili, to byłoby dobrze. Byłby wielki huk; potraktowano by to jako demonstrację polityczną, zaszkodzilibyśmy gazecie.

Ziomecki tłumaczy sobie, że w krajach Trzeciego Świata jego mistrz i „ojciec" szuka krainy swojej młodości, klimatu zaangażowania z lat pięćdziesiątych, ideowości. Wierzy – i przekonuje o tym młodych – że Trzeci Świat jest bardziej czysty, podział na dobre i złe bardziej klarowny.

– Chciałbym wierzyć, że to dobre wyjaśnienie paradoksu Ryśka – mówi Ziomecki.

Ideowy Kapuściński doskonale porusza się po labiryntach bezideowego dworu Gierka. Do nowego lokum swojego protektora na pierwszym piętrze „białego domu" – jak nazywano siedzibę Komitetu Centralnego – wpada teraz częściej niż kiedyś; na tyle często, że kilku towarzyszy z ówczesnego establishmentu wspomina teraz: – Przesiadywał u Frelka cały czas.

Na zamówienie Frelka pisze dla Wydziału Zagranicznego analizy o sytuacji w krajach Trzeciego Świata.

Z bliska przygląda się mechanizmom rządzenia, nie tylko tym ogólnym, lecz także ich anatomii, kuchni, podszewce. Widzi, jak zmieniają się ludzie, którzy dostają nowe stanowiska, więcej władzy.

> ...jednym z objawów ponominacyjnych jest zmiana sposobu mówienia, miejsce pełnych i jasnych zdań zajmują teraz rozliczne monosylaby, mruknięcia, chrząknięcia, zawieszenia głosu, wieloznaczne pauzy, mgliste słowa i takie reagowanie na wszystko, jakby on to dawno i dużo lepiej wiedział.

Zaczyna rozumieć, jak wiele w świecie władzy zależy nie od wiedzy, własnego wysiłku, pomysłów czy nawet ideowości, lecz zupełnie innych przymiotów, okoliczności.

> ...łaskawy pan nigdy nie kierował się zasadą zdolności, tylko zawsze i wyłącznie zasadą lojalności...
>
> ...ważniejszy jest ten, kto ma częściej ucho cesarskie. Częściej i dłużej. O to ucho koterie staczały najbardziej zażarte walki, ucho było najwyższą stawką w grze. Wystarczyło – ale nie było to łatwe! – dosunąć się do przemożnego ucha i szepnąć. Szepnąć i już – tylko tyle.

Widzi również z bliska wzajemną rywalizację różnych partyjnych koterii.

Powiedziałbym, że powoli, powoli w pałacu tworzą się trzy frakcje. Pierwsza – to ludzie kratowi, zawzięta i nieustępliwa koteria, która domaga się zaprowadzenia porządku i nalega, żeby aresztować warchołów, wsadzić za kraty buntowników... W drugiej frakcji grupują się ludzie stołowi – to koteria liberałów, ludzi słabych i w dodatku filozofujących, którzy uważają, że trzeba zaprosić buntowników do stołu i rozmawiać... Wreszcie trzecią frakcję tworzą ludzie korkowi – których, powiedziałbym, w pałacu najwięcej. Ci nic nie uważają, ale liczą, że jak korek na wodzie, tak ich będzie unosić fala wydarzeń...

Teresa Torańska pamięta, że gdy umówiła się na wywiad z wysokim dygnitarzem partii – bez uzgodnienia z szefostwem redakcji – Horodyński zrobił jej niemal awanturę. Poszła do Kapuścińskiego, sądząc, że znajdzie w nim sojusznika.

– Rysiek tymczasem – wspomina – powiedział, że zachowałam się nielojalnie. I zaczął mi tłumaczyć jak dziecku: „Słuchaj, musisz zrozumieć, że redakcja jest w pewnym układzie politycznym. Jeśli wywiad się ukaże, to ktoś w KC pomyśli, że nasz tygodnik popiera tego towarzysza – a czy to akurat dobrze dla nas? Jeśli z kolei wywiad się nie ukaże, to ów towarzysz pomyśli, że jesteśmy przeciwko niemu". Nie pojmowałam tej piętrowej konstrukcji, tych abstrakcyjnych układów, chciałam mieć po prostu ciekawy wywiad.

Dla Kapuścińskiego wewnętrzne układy w partii nie są abstrakcyjne. Jedną paczkę przyjaciół ma w „Kulturze", a zupełnie inną tworzy razem z partyjnymi towarzyszami z KC i Ministerstwa Spraw Zagranicznych. Też spotykają się w domach, włóczą po knajpach. Razem się bawią, gadają, piją. Kapuściński wie z pierwszej ręki, co piszczy w Komitecie Centralnym, jaka koteria, tendencja, jaki nastrój biorą górę, a kto jest w danej chwili na cenzurowanym.

Oprócz Frelka i Trepczyńskiego w paczce są koledzy poznani w ambasadach, konsulatach, biurach radców handlowych. Łączą ich latynoskie doświadczenia i pasje: Henryk Sobieski, sekretarz z ambasady w Meksyku, który ma teraz posadę u Frelka, Janusz Balewski, radca handlowy z Kostaryki, Józef Klasa, były ambasador w Hawanie (rzadziej w towarzystwie, bo z Krakowa), Stanisław Jarząbek, attaché i sekretarz ambasady z Kuby...

– Częstą okazją do przyjęć w tym gronie są wyjazdy i przyjazdy przyjaciół z zagranicznych placówek – opowiada Jarząbek. – Kapuściński jest obecny zawsze. Lubi mieć kolegów dyplomatów, bywa, że w czasie swoich podróży zatrzymuje się u któregoś z nas.

– Nieraz o trzeciej nad ranem – wspomina Balewski – trafialiśmy z szumiącymi głowami do mieszkania Ryśka na Woli.

– Pamiętam te tunele między kolumnami książek w maleńkim pokoju, w którym powstawały dzieła – mówi Klasa.

Jarząbek: – Byliśmy nim zafascynowani – ja sam na pewno! Na przyjęciu u Elżbiety Dzikowskiej i Tony'ego Halika wygłosiłem pean na cześć Ryśka. Jego wtedy nie było i Dzikowska szepnęła do mnie: „Bądź bardziej realistyczny w ocenach, przyjrzyj się Ryśkowi uważniej!". Wtedy nie przyjąłem tej złośliwej, jak mi się zdawało, uwagi; byłem Kapuścińskim zauroczony.

Klasa: – Kiedy byłem ambasadorem w Meksyku w drugiej połowie lat siedemdziesiątych, Rysiek przyjechał do nas na Boże Narodzenie. Niezapomniane dla nas święta.

Kolegom z placówek Kapuściński ma do zawdzięczenia publikację pierwszej swojej książki za granicą – poza obozem krajów socjalistycznych. Klasa i Balewski, dzięki osobistym kontaktom z wiceministrem kultury Meksyku Javierem Wimerem, doprowadzają do wydania tomu *Jeszcze dzień życia*. (W Meksyku ukazuje się pod tytułem *La guerra en Angola* – Wojna w Angoli).

Książkę przekłada z polskiego Maria Dembowska, lecz jej hiszpański ma kubańskie naleciałości. Wimer mówi: – Trzeba to poprawić. Przez cztery tygodnie, późną nocą, do mieszkania Balewskiego w stolicy Meksyku zajeżdża limuzyna z eskortą ochroniarzy. Wiceminister kultury Meksyku razem z polskim radcą handlowym popijają tequilę i poprawiają tłumaczenie książki polskiego reportera – przerabiają hiszpański z Kuby na hiszpański z Meksyku.

– To była pierwsza książka Kapuścińskiego, która wyszła na Zachodzie – chlubi się Balewski. – I odniosła spory sukces.

Po wielu latach starzy towarzysze będą mieli żal do dawnego kumpla, że w nowych czasach, po upadku socjalizmu, odwrócił się od nich.

Dzięki dobrym znajomościom z ludźmi władzy Kapuściński obserwuje z bliska, jak na partyjnym dworze idzie się w odstawkę. Jeden z kolegów, Józef Klasa, podpada przywódcy partii. Klasa jest w tamtym czasie sekretarzem Komitetu Wojewódzkiego w Krakowie. Najpierw awansuje dzięki Gierkowi, potem jednak współpraca między władcą centrum i namiestnikiem prowincji układa się nie najlepiej.

Klasa nie lubi, na przykład, wychodzącego w Krakowie tygodnika „Życie Literackie", uważa, że pismo i jego naczelny, Władysław Machejek, kompromitują polską kulturę. Robi podchody, żeby Machejka usunąć z redakcji. Gierek – przeciwnie, lubi naczelnego tygodnika i broni go przed zakusami Klasy. Niby głupstwo, lecz przywódcy partii nie podoba się samowolka prowincjonalnego zarządcy. Po paru spięciach Klasa zostaje wysłany na placówkę do Meksyku – stanowisko ambasadora to boczny tor dla kacyka wysokiego szczebla.

> Szczodrobliwy pan chciał zachować wyłączność nominacji i promocji, dlatego krzywo patrzył, jeżeli jakiś dostojnik na boku i po cichu próbował nominować i promować. Taka natychmiast karcona samowolność groziła, że w wyważone przez czcigodnego pana układy wkradnie się jakaś nieregularność, jakaś kłopotliwa dysproporcja i pan nasz, zamiast oddawać się sprawom najwyższym, będzie musiał zająć się prostowaniem, wyrównywaniem.

Czy właśnie od Klasy Kapuściński słyszy to, co były sekretarz partii w Krakowie opowiada teraz po paru dekadach: że Gierek jest leniwy, niczego nie czyta, nie chce mu się?

> ...czcigodny pan nie miał zwyczaju czytania. Dla niego nie istniało słowo pisane i drukowane, wszystko trzeba było referować mu ustnie.

– Sądzę, że Rysiu zaczął nabierać krytycyzmu wobec naszej władzy gdzieś około siedemdziesiątego szóstego roku – wspomina Klasa. – Nie podobały mu się wiece poparcia dla Gierka, które po protestach robotniczych przeciwko podwyżkom cen żywności organizował Józek Kępa [I sekretarz w Warszawie, Kapuściński znał go z czasów zetempowskich]. „Straciłem do niego szacunek", tak mi potem powiedział.

W drugiej połowie lat siedemdziesiątych idylla pierwszych lat rządów Gierka zamienia się w codzienną udrękę wystawania w kolejkach po wiele produktów pierwszej potrzeby. Coraz dłużej czeka się na mieszkanie, na pralki i lodówki trzeba „polować", coraz więcej spraw i rzeczy niezbędnych do w miarę wygodnego życia trzeba „załatwiać". Rząd wprowadza kartki na cukier. Obietnice konsumpcyjnego socjalizmu zaczynają się oddalać. Gdy braknie dóbr dla zwykłych ludzi, widoczne stają się przywileje, razi jawna niesprawiedliwość systemu...

Kapuściński namacalnie odczuwa w końcówce lat siedemdziesiątych, co się dzieje z „drugą Polską" towarzysza Gierka. Zawsze żył skromnie, wtedy – w trzech pokoikach na warszawskiej Woli, ma jednak możliwość załatwienia w razie konieczności niemal wszystkiego. Jeździ wówczas radziecką ładą i gdy opony auta są na wykończeniu, chce kupić nowe – kłopot, że nigdzie nie może ich dostać. Próbuje załatwić je na szczeblu... Komitetu Centralnego. Zwraca się o pomoc do Frelka, ten dzwoni gdzie trzeba. Po odbiór opon Kapuściński musi pojechać do składu na warszawskim Okęciu.

Dociera na wskazane miejsce, ktoś prowadzi go do magazynu, otwiera zaryglowane drzwi. Widzi gigantyczną przestrzeń hali, kompletną pustkę – i tylko jedną oponę na środku wielkiego hangaru.

– Oto maksimum tego – opowiada zaraz potem jednemu z przyjaciół – co można dzisiaj załatwić przez Komitet Centralny: jedną oponę!

To był mały piesek rasy japońskiej. Nazywał się Lulu. Miał prawo spać w łożu cesarskim. W czasie różnych ceremonii uciekał cesarzowi z kolan i siusiał dygnitarzom na buty...

Zanim napisze zdanie o piesku Lulu, tygodniami leży na podłodze w swoim mieszkaniu na Woli i rwie włosy z głowy.

– Nie mogę, nie mogę więcej pisać tak samo! Koniec!

Nie je, nie śpi, „a niech mnie wyrzucą" – myśli. Wyłącza telefon, więc koledzy z redakcji ślą telegramy: kiedy będą reportaże z Etiopii? (Tak opowiada później w wywiadach).

Przychodzi wreszcie z pierwszym odcinkiem, ledwie parę kartek. Ma niepewną minę i, jak zawsze, ten przepraszający uśmiech. Co powiedzą? To jego pierwszy tekst w zupełnie nowej stylistyce, nieznanej konwencji.

– Już po paru zdaniach – wspomina Wierzyński – zrozumiałem, że mam w ręku wspaniały utwór. Czy to reportaż? Raczej literacka opowieść, baśń, traktat o władzy. Zaczęliśmy Ryśka zmuszać, żeby co tydzień przynosił odcinek.

Cykl ukazuje się pod tytułem *Trochę Etiopii*, wszyscy jednak czują, że to nie o dalekiej Afryce. Etiopia, dwór cesarza Hajle Sellasje to kostium, metafora. Cykl Kapuścińskiego to uniwersalna opowieść o wypaczeniach wszelkiej władzy, o ludziach dworów wszelkich – także o towarzyszach z Komitetu Centralnego, Gierku, absurdach polskiej rzeczywistości.

– Cenzura się nie czepiała? – pytam Wierzyńskiego.

– Głupio im było, bo cenzurowanie aluzyjnej opowieści o Etiopii byłoby przyznaniem się do słabości. Czasem z łagodnym wyrzutem mówili: „Czy wy, towarzysze, musicie wciąż o tych cesarzach?".

Kolegów bawi opowieść Kapuścińskiego. Wyłapują żarty, metafory, ironiczne uwagi. O nieskrywanych ambicjach „szczodrego ojca" narodu, „aby po latach syty i uradowany lud zakrzyknął z uznaniem – hej, ten ci nas rozwinął!". O dwóch językach komunikacji społecznej, które mają „różne słownictwo i różny sens, a nawet różną gramatykę", jednak „wszyscy umieli uporać się z tymi trudnościami i w porę wypowiedzieć się we właściwym języku". O tym, że jeśli pozyska się zagraniczne kredyty, to żadna reforma nie jest potrzebna.

W cyklu o Etiopii koleżanki i koledzy czytają nawet o sobie samych: tak jak młodzi w cesarstwie Hajle Sellasje wracają z zagranicznych podróży „pełni nieprawomyślnych idei, nielojalnych poglądów", patrzą dookoła i łapią się za głowy – „Boże święty, jak coś takiego może w ogóle istnieć!".

Niektórzy dumają: jakie jeszcze polskie absurdy podsunąć Kapuścińskiemu do wyśmiania? Okazja nadarza się, gdy Gierek uruchamia pokazowy, niedorzeczny plan regulowania Wisły – żeby odwrócić uwagę ludzi od kłopotów władzy i realnych problemów kraju. Kapuściński przystaje na zabawę.

> W Pałacu zgnębienie, rąk opuszczenie, trwożliwe czekanie, co jutro się stanie, aż ci nagle pan nasz pozywa doradców, karci ich, że rozwój zaniedbują, i łajankę taką uczyniwszy, ogłasza, że będziemy tamy na Nilu stawiać. Jakże tamy stawiać, mruczą wewnątrzbrzusznie skonfundowani doradcy, kiedy prowincje głodują, naród wzburzony, stołowi szeptają, żeby cesarstwo poprawić...

Odcinki cyklu *Trochę Etiopii* złożą się na książkę *Cesarz*, dzięki której Kapuściński zyska za kilka lat światowy rozgłos. Niektórzy przyjaciele, także znawcy jego twórczości, okrzykną książkę „traktatem o władzy", a jej autora wybitnym znawcą problematyki władzy właśnie, niekoniecznie najlepszym znawcą Afryki. Ta opinia o *Cesarzu* upowszechni się, będzie swego rodzaju odruchem obronnym, gdy po zagranicznych wydaniach „traktatu o władzy" pojawią się zarzuty co do akuratności faktów z dziejów Etiopii w nim przywołanych.

Pewien recenzent napisze, że *Cesarz* wykracza daleko poza Etiopię: w opowieści tej, złożonej z monologów dworzan etiopskiego monarchy, skierowanych do „mister Richarda" Kapuściński przedstawia „rozkład, zmierzch, upadek pewnej formy, uważanej przez wielu za trwałą i niewzruszoną. Jest to upadek zupełny i totalny, bo tylko takim upadkiem kończą się absolutne, autorytarne rządy. Ale zanim dochodzi do upadku, te rządy istnieją, są popierane w gazetach, chwalone za mądre decyzje. Rządzą w ciszy i spokoju, bo zatrudniają całe ekipy pracujące po to, by było wokół nich cicho i spokojnie... I książka Kapuścińskiego o tym mechanizmie mówi, ujawnia go, demaskuje, zdziera osłonę milczenia nie z cesarza, który już nie żyje i nikomu już nie zaszkodzi, lecz z systemu, który wcale wraz z nim nie odszedł. System ten, jeśli nie w Etiopii, pojawi się gdzie indziej, wszędzie tam, gdzie okaże się potrzebny, gdzie potrzebna będzie cisza i korupcja. Będzie służył każdemu, kto zechce kogoś zniewolić i upodlić".

Józef Tejchma, członek politbiura, minister kultury, nie pamięta, czy Gierek kiedykolwiek wypowiadał się o *Cesarzu*. Nie wie nawet, czy czytał książkę, bo Gierek w ogóle czytał mało. (Kapuścińskiego znał Tejchma od czasu jego pierwszego słynnego reportażu – o Nowej Hucie, gdzie był niegdyś działaczem młodzieżowym).

Pamięta, że gdy poszła fama o aluzjach w tekście Kapuścińskiego, również w KC zaczęto czytać jego cykl o Etiopii jako metaforę mechanizmów władzy i partyjnego dworu. W swoim dzienniku pod datą 16 marca '78 roku, Tejchma zanotował: „Rzecz o Etiopii, ale równie dobrze o Polsce dzisiejszej". „Im bliżej końca, tym straszniejsze rwactwo i niczym niehamowane wydzirki... Życie pałacu, choć ruchliwe i gorączkowe... w gruncie rzeczy pełne było milczenia, czekania, odkładania".

Jerzy Waszczuk, sekretarz KC nadzorujący sprawy kultury, świetnie pamięta famę wokół *Cesarza* jako aluzyjnej narracji o Polsce lat siedemdziesiątych. Sam – jak wyznaje po latach – widział w opowieści Kapuścińskiego uniwersalną metaforę autorytarnej władzy.

– Narastał krytycyzm wobec rządów Gierka – dopowiada Zdzisław Marzec. – I oto pojawił się *Cesarz*, który wypełnił społeczne zapotrzebowanie na krytykę władzy. Czy taki był zamysł Kapuścińskiego – nie wiem. Fakt, że nigdy nie odciął się od aluzyjnego odczytywania swojego dzieła. Jednak ani książka, ani publikowane wcześniej w „Kulturze" jej odcinki, nie budziły oporów w cenzurze i Wydziale Prasy KC.

Członek politbiura Andrzej Werblan pamięta, że wersję o politycznej aluzyjności *Cesarza* upowszechniają wtedy partyjni twardogłowi. Chcą w ten sposób skompromitować w oczach Gierka „liberałów", którzy pozwalają na takie harce dziennikarzy. Gierek jednak puszcza te intrygi mimo uszu.

– Pan czytał *Cesarza* jako książkę o Gierku i jego dworze?

– Pamiętam, jak Zenon Kliszko [po upadku Gomułki odsunięty od wszelkich stanowisk] powiedział do mnie: „Zobacz, Kapuściński napisał o was!". Sądzę, że napisał o Hajle Sellasje, nie o Gierku. Uchwycił jednak istotne, powtarzające się cechy i mechanizmy każdej władzy autorytarnej, również władzy Gierka. Te mechanizmy są tu ważniejsze od didaskaliów tego czy innego kraju. Książka mogła nie być aluzyjna, lecz polska rzeczywistość się w niej przeglądała.

– Czego Kapuściński nie lubił w Gierku?

– Na początku był entuzjastą, potem zaczęła go razić z jednej strony – pewna dworskość, z innej – bezideowość, technokratyzm. Bliższa mu była siermiężność Gomułki.

Cesarza wystawia w warszawskim Teatrze Powszechnym znany reżyser Zygmunt Hübner. Na premierę przychodzi Tejchma i łapie się za głowę.

– Pamiętam, że siedzę na widowni – opowiada – i słyszę ze sceny kwestie w rodzaju: „Aż dziw bierze, że się to wszystko jeszcze trzyma!". Ludzie śmieją się, biją brawo. Ja też się najpierw śmieję. Po chwili przychodzi refleksja: „Z czego ja się śmieję. Chyba z siebie?". I przychodzi złość – na Kapuścińskiego, którego wielu ludzi w KC traktowało po przyjacielsku, a jeszcze bardziej na Hübnera za to, że dokonał nadużycia: wyostrzył oryginalny tekst, wyakcentował wszystkie aluzje do sytuacji polskiej.

> ...nikomu nie przyszło do głowy, że taki żurnalista, który najpierw chwali, ośmieli się później zganić, ale taka już widać łotrowska natura owych ludzi bez godności i wiary.

Nie pamiętam już, od kogo słyszę uwagę, która „neutralizuje" zdziwienie, zaskoczenie tym, że tak ideowy, tak wierny partii Kapuściński nagle się zbiesił:

– Wielu ideowców z pokolenia, które w latach pięćdziesiątych budowało socjalizm, przeżyło rozczarowanie i stanęło w awangardzie rewolty '56 roku. Następnie znowu się rozczarowało – odwrotem Gomułki od reformy socjalizmu. Ludzie ci wynieśli ze swoich doświadczeń pozytywną obsesję: wyczulenie na deformacje autorytarnej władzy.

Kapuściński, który w rewolucjach i powstaniach w Trzecim Świecie szuka ideału, moralnej czystości, nadziei, nowego życia – także swojej młodości – widzi również tam, jak autorytarna władza wypacza najwznioślejsze idee, przemienia szlachetnych idealistów w bezdusznych biurokratów, narkomanów władzy, niekiedy okrutników. Doświadczenie to czyni go jeszcze bardziej wyczulonym na deformacje władzy pozbawionej kontroli.

Ostatni rok! Tak, ale któż mógł wówczas przewidzieć, że ów... będzie naszym rokiem ostatnim? Owszem, czuło się jakąś mglistość, smętne jakieś odmętne niewydarzenie, nawet jakąś odmowność, a i w powietrzu coś tak to ciężko, to nerwowo, to napięcie, to zwiotczenie, raz zwidnienie, raz ściemnienie, ale żeby z tego, tak nagle, prosto w przepaść?

Największy w historii Polski Ludowej bunt społeczny jest tuż. Po której stronie barykady znajdzie sobie miejsce romantyk rewolucjonista mający wszakże liczne koneksje z ludźmi upadającego dworu?

O miłości i innych demonach

Kobieta jest wyczekiwaniem. Stąd najwyższe wcielenie tej postawy – Penelopa.
Ryszard Kapuściński, *Lapidarium III*

– Płakałaś w poduszkę? – Teresa Torańska pyta Alicję Kapuścińską.
– Nie.
– Nigdy?
– Chyba nie. Za dużo szczegółów ode mnie żądacie. Człowiek musi dostosować się do sytuacji. Życie szło do przodu i już. On miał swoją pracę, ja swoją...

Alicja jest cenionym pediatrą. Pracuje w szpitalu Akademii Medycznej na ulicy Działdowskiej, od pierwszych staży do emerytury, trzydzieści pięć lat. Są tam dwa rodzaje etatów: akademickie i szpitalne. Etat akademicki – wyższa pensja, krótszy dzień pracy, dłuższy urlop, lecz także obowiązek zrobienia specjalizacji i zdawania egzaminów na stopnie naukowe. Alicja ma „gorszy" etat – szpitalny. Mimo to prowadzi zajęcia ze studentami; bez przymusu, jaki narzuca etat akademicki, robi I i II stopień specjalizacji.

Szef Alicji, dyrektor Kajetan Kaliciński, pyta ją kiedyś:
– Pani chyba nie utrzymuje się za to, co tu pani płacę?
– Mam męża, on dostaje pensję.
– Czyli do szpitala przychodzi pani uprawiać swoje hobby.
– Można tak powiedzieć.
– I za to my pani jeszcze płacimy.

Pośmiali się i tyle. Nie od dyrektora przecież zależały zarobki Alicji.

Mówi, że wstydziła się przyznać, ile zarabia, nawet swojemu ojcu. Po latach robi doktorat z celiakii – nietolerancji białka zbożowego u dzieci. Dostaje wyróżnienie. Tytuł odbiera w Teatrze Wielkim, ubrana w togę, z biretem na głowie.

Rysiek siedział w drugim rzędzie i patrzył z dumą. Miała satysfakcję. Myślała: Widzisz, nie jestem gorsza niż inne.

Inne.

– ...wchodził do kawiarni Czytelnika i wszystkie dziewczyny wodziły za nim oczyma.

– I on obdarzał je uśmiechem. Pewnie się w nim kochały. Wiem, że się kochały. Ale co miałam robić. Myślałam: niech się kochają.

– Serce nie bolało?

– Oj, czasami bolało, ale przestawało, kiedy widziałam, że jednak jestem dla niego osobą ważną.

Lgną do niego. Nie musi wyruszać na podbój, to lądy do podbicia same przypływają, zapraszają konkwistadora. On wybiera. Stoi cichutko z boku na bankiecie, przyjęciu, przedstawieniu; centrum towarzyskie jest zupełnie gdzie indziej, lecz magnes i tak działa.

Co w nim takiego jest? No magnes. Spojrzenie, głos, delikatność – bardzo męska delikatność; niesamowite opowieści i także aura wokół podróżnika, który objechał niebezpieczne krainy, widział wojny i rewolucje. Seksapil. Uśmiech.

Ryszard Frelek wspominał, że wiele dziewczyn czarował Pińskiem.

– Wzbudzał w nich współczucie, bo miał teorię, że ono jest najważniejsze. „Na Polesiu była wielka bieda. Jak przychodziły pierwsze mrozy, tato wkładał mi kożuszek, obwiązywał rzemieniem albo drutem i rozwijał dopiero, jak ciepło się robiło. A jak ktoś chorował, to się go nacierało terpentyną, kładło na piec i leżał, póki nie wyzdrowiał". Kopałem Rysia po kostkach pod stołem. Jaki drut, jaka terpentyna? Pan Józef Kapuściński był nauczycielem!

Kiedyś oczarował sekretarkę jednego z partyjnych dygnitarzy. Zakochała się na zabój. Żeby uwolnić przyjaciela od kłopotu, ów wysłał ją na placówkę do Hawany.

Zdarzają się kwiaty jednej nocy, ale okazjonalnie; reguła jest inna. Zawsze chodzi o miłość – taką czy inną. Potrzebuje jej. Potrzebuje podziwu, potrzebuje intymności. Romantyczny kochanek, który o szóstej rano gna na dworzec z bukietem róż, bo ona przyjechała.

– Przecież masz żonę.

– Nie przejmuj się. Ma kogoś.

Taki sobie wymyślił wykręt – opowiada dobra przyjaciółka – na uciszanie wyrzutów sumienia niektórych pań.

Każda jest centrum świata, królową – byle tylko nic od króla nie chciała, niczego nie wymagała.

Wiadomo, że nawet najtrwalsze królestwa nie są wieczne. Powiedzmy sobie: te tutaj trwają krótko. Obowiązuje (zazwyczaj) zasada trzech miesięcy: tyle trzeba, żeby wyparowało pierwsze zauroczenie; nie należy sprawy przeciągać. Dłużej zresztą nie można, jest przecież pisanie, trzeba się skupić; ciągłe wyjazdy, żona. Ale było wspaniale, naprawdę cudownie, jak w bajce.

Bądź dla mnie pani jakby chwila z bajki
bądź bajką którą ułożymy sami
nie są potrzebne słońce ani księżyc
jedynym światłem będą twoje oczy

Nie są potrzebne krzewy ani drzewa
tam gdzie są lasy będą twoje włosy
a tam gdzie rzeki tam twoje ramiona
a tam gdzie fale będzie kołysanie

A z tego świata który nas otoczy
weźmiemy z sobą tylko krople rosy
ażebyś potem kiedy sen się skończy
i bajka zgaśnie miała w czym się przejrzeć

(Jeden z przyjaciół oburza się na ten „wstrętny, machistowski wiersz": – Rozkochuje, łamie serce, a ona ma sobie potem marzyć o nim, „kiedy sen się skończy i bajka zgaśnie". Okropny szowinizm!).

Nie należy wracać, rozpalać na nowo tego, co przygasło. Gdy jednak jakaś dawna królowa trzy albo pięć lat później zachoruje, będzie miała wypadek i on dowie się o tym, zostawi na środku ulicy aktualną monarchinię i pogna z kwiatami na oddział szpitalny. Ona poczuje, że wciąż jest ważna, że zapadła mu w serce na zawsze. Że nadal jest królową, bo on pamięta.

Królową może zostać sekretarka, ekspedientka, studentka, intelektualistka, poetka, reporterka, tłumaczka, korektorka, redaktorka, cenzorka, konspiratorka... Miłość nie zna barier, ani granic, jest ponad klasami i zawodami, ponad kolorami (brunetki, blondynki), miarami (wysokie, niskie, szczupłe, puszyste), doświadczeniami (młodsze i nie najmłodsze), stanami (panny, mężatki, rozwódki).

– Człowiek niepewny siebie, a takim był Rysiek, szuka akceptacji i potwierdzenia własnej wartości na różnych polach, również w relacjach damsko-męskich – tłumaczy jeden z przyjaciół.

– Jest prostsze wyjaśnienie: miał wielki apetyt na życie i tyle – komentuje inny.

Lubi pochwalić się liczbą podbojów.

– To on liczył? – nie dowierza zmieszana jedna z podbitych.

– Rysiek kochał całą ludzkość – wybucha śmiechem najprawdziwsza z królowych – a jej żeńską połowę kochał bardziej.

W reportażach, książkach prawie nie ma kobiet. Kapuściński-mężczyzna żeńską połowę ludzkości kocha bardziej, lecz reporter Kapuściński rzadko ją zauważa. Wyjątkiem jest Carlotta z książki *Jeszcze dzień życia*, o wojnie domowej w Angoli. (Czy wyjątkiem?).

> ...przyszła z automatem na ramieniu i choć miała przyduży mundur, dawało się wyczuć, że jest zgrabna. Wszyscy natychmiast zaczęliśmy się do niej zalecać... Nasza dziewczyna była Mulatką, miała nieopisany wdzięk i wtedy wydawało nam się również – wielką urodę, choć później, kiedy wywołałem jej zdjęcia, jedyne zdjęcia Carlotty, jakie po niej zostały, stwierdziłem, że nie była taka piękna. To znaczy – nikt nie powiedział tego na głos, żeby nie zburzyć naszego mitu, naszego wyobrażenia o Carlotcie... Od początku wydawała nam się piękna. Dlaczego? Bo taki był nasz nastrój, bo to nam było potrzebne, bo tak chcieliśmy. Zawsze stwarzamy urodę kobiet, więc i tym razem myśmy stworzyli urodę Carlotty...

A potem Carlotta ginie.

Nie dowiemy się, co myślała, lubiła, jaka była. Występuje jako obiekt męskiego podziwu; wiemy, jak wyglądała, jak ona – jedyna dziewczyna w grupie – oddziaływała na mężczyzn. Niewiele więcej.

Kiedyś reporter piszący o Afryce, Adam Leszczyński, młodszy o dwa pokolenia, pyta Kapuścińskiego:

– Dlaczego, pisząc o Afryce, nigdy nie pisze pan o seksualności? Przecież Afryka to przede wszystkim seksualność.

– To kwestia pokoleniowa. Dla ludzi mojej generacji seksualność to sfera, o której się publicznie nie mówi.

Lecz seksualność afrykańska Kapuścińskiego interesuje. Cathy Watson i William Pike, u których pomieszkuje w Kampali pod koniec lat osiemdziesiątych, opowiadają, że wypytywał w kółko ich kierowcę Freda o życie seksualne Afrykańczyków. Interesowała go poligamia.

Jednak w afrykańskiej książce *Heban* są o seksualności tylko dwa zdania, odległe od antropologicznych pytań zadawanych Fredowi. Nocny bar w Dar es-Salaam, należący do polskiego imigranta: tłok, ścisk, hałas. „Klientów przyciąga tu uroda czekoladowej Miriam, pięknej striptizerki z odległych Seszelów. Jej popisowy numer to obieranie i zjadanie, w specjalny sposób, banana".

W *Podróżach z Herodotem* w sposób niezamierzony Kapuściński demaskuje się, jak postrzega żeńską połowę ludzkości.

> ...sprzedawczynie nie siedziały, ale stały, wpatrując się w drzwi wejściowe. Dziwne było, że stały milczące, zamiast siedzieć i rozmawiać ze sobą. Przecież kobiety mają tyle wspólnych tematów. Kłopoty z mężem, problemy z dziećmi. Jak się ubrać, co ze zdrowiem, czy nic się wczoraj nie przypaliło.

– A nie mówiłam panu, że się z kobietami nie przyjaźnił? – uśmiecha się Izabella Nowak, gdy wskazuję ów fragment *Podróży*... – Teraz wie pan dlaczego.

Potrafi być brutalny w słowach: gdy jest kryzys, konflikt, gdy mówi „żegnaj" albo gdy kandydatka na tron królowej waha się: – A może nie? Jest to jednak brutalność kogoś, komu zależy. Nie macho, nie zimnego drania. (Tak opowiadają).

Jeden z przyjaciół mówi: – Wobec wielu kobiet był takim słodkim draniem.

Czasem zadurzony jak nastolatek miota się: – Teraz to już koniec, w końcu się rozwiodę, dosyć tego.

– Gdyby naprawdę chciał się rozwieść, pierwsza bym mu to wybiła z głowy! – mówi najprawdziwsza z królowych. – Alicja była jego ostoją. Wśród znajomych krąży anegdota: gdy w Afryce psuje się Ryśkowi samochód, umie naprawić sam. Gdy auto rozkracza się na skrzyżowaniu w Warszawie, nie dzwoni po pomoc drogową, tylko do Alicji, żeby wszystko załatwiła.

– Kubo, ratuj!

Czułe przezwisko żony, Kuba, powstaje po powrocie Kapuścińskiego z Afganistanu w ostatnich dniach pięćdziesiątego szóstego. Strażnik, który go pilnował na lotnisku w Kabulu, bo znalazł się tam bez wizy, ucieszył się na wiadomość, że Kapuściński nie jest Anglikiem. Anglik – *kaput*, Rosjanin – *friend*. – *O, Urusi bisior hubas!* (o, Rosjanie, bardzo dobrze).

Kapuściński bawi się brzmieniem słów, powtarza je, deklamuje. *Hubas* przechodzi transformację ku „kubasowi", a „kubas" przepoczwarza się w „kubę" – tyle że dużą literą.

– Kubo, ratuj!

Ale Kubę przed światem ukrywa. Wieczny kawaler.

– Dlaczego, Alu, nie byłaś u nas na kolacji? – pyta znajoma.

– Bo Rysio mnie nigdzie nie zabiera.

– To on miał żonę? – pyta zaskoczona Elena Poniatowska, meksykańska pisarka, którą odwiedzam w jej mieszkaniu w stolicy Meksyku. – Wspominał kiedyś o córce.

Daniel Passent: – Dopiero po wielu latach znajomości usłyszałem, że ma żonę.

Kolega z tygodnika „Kultura", uważający się za przyjaciela: – Panią Alicję zobaczyłem po raz pierwszy w styczniu dwa tysiące siódmego, tuż przed jego śmiercią. Przyszła na Uniwersytet Warszawski odebrać w jego imieniu Nagrodę im. Franciszka Ryszki.

Niektórzy przyjaciele domu Kapuścińskich sądzą, że „bez Alki Rysiek by zginął". Gdy stał się znany na świecie i dostawał honoraria z różnych źródeł, Alicja uczyła się przepisów podatkowych i prawa autorskiego. Gdy wybierał się w podróże, wyszukiwała mu połączenia lotnicze; posiadła dziesiątki innych umiejętności sekretarki, asystentki, księgowej. Współtworzyła „administracyjno-logistyczne" zaplecze jego kariery.

Ale przez całe życie Rysiek trzymał ją w cieniu. Dopiero gdy odszedł, Alicja znalazła się w świetle kamer, zetknęła ze światem, którego nie poznała za życia męża, zaczęła uczestniczyć w jego sukcesie.

On jest około czterdziestki, ona dwa razy młodsza. On wraca z dalekiej podróży, wpada na domową prywatkę. Międzynarodowe towarzystwo. Opowiada, zaciekawia. Ona już należy do niego, on jeszcze o tym nie wie.

– Co cię w nim kręciło?

– Wszystko.

– A najbardziej?

– Najciekawsza część męskiego ciała.

– A dla ciebie, to która?

– Mózg.

Po całonocnej libacji poranne pożegnanie: – To kiedy się zobaczymy?

Potem i ją koronuje na królową; jeszcze nie wie, że wcale nie na trzy miesiące. Zauroczenie, zaślepienie, szaleńcza namiętność trwają dwa lata. Spotykają się w mieszkaniach znajomych, przyjaciół, którzy zostawiają klucze; lata później w garsonierze na warszawskim Służewcu, u niej, gdy będzie miała własne mieszkanie.

– Nie było w nim żadnej rutyny, nic konwencjonalnego, był „kreatywny", romantyczny, nic na „odwal się". Czułość, poczucie bliskości...

Odkąd jesteś
wszystko zmienia barwę
ma dodatkowy odcień –
ciebie
odkąd jesteś
zmieniają się dźwięki –
są nasycone twoim głosem...

– Wiesz, jak już razem zamieszkamy... – ona do niego któregoś dnia.
– Spojrzał na mnie tak, że w jednej sekundzie zrozumiałam, że albo mogę mieć to, co mam, albo nic. „Nic" nie wchodziło w grę. Wybrałam to, co mi dawał.

Potem sama by nie chciała. Tak mówi. On potrzebuje żony, która go obsłuży, będzie dyrektorem administracyjnym, księgową, ochmistrzynią... To nie dla niej. Jest niezależna, ambitna, ma plany. Intelektualistka. Pociągająca – także w rozmowie. Czepialska, dosadny język. Podobnie odbierają świat, ona jeszcze dziś mówi: – Jestem czerwona, nie podoba się?

Będzie miała wiele związków, zazwyczaj udanych. Faceci lgnęli do niej tak samo, jak do niego lgnęły kobiety.

Po paru miesiącach namiętności on mówi, że koniec. Musi pisać, skupić się, dosyć tego wariactwa. Dwa dni później dzwoni. Ona daje dozorcy pięć złotych, żeby po jedenastej wieczorem otworzył bramę.

Potem znowu z nią zrywa, i znowu...

Przy pierwszych zerwaniach ona cierpi. Po kolejnych – wie, że za parę dni i tak zadzwoni telefon.

W jednym z listów pisze do niej słowami poety: – Teraz, kiedy już wiesz, że Ciebie kocham, nie zrobisz mi nigdy nic złego.

Też wiedziała, że nie zrobi jej nic złego.

Pisze, że gdyby ją skrzywdził, skrzywdziłby siebie, ponieważ pozbawiłby się prawa do tego, co dla niego najdroższe – prawa do ich miłości.

Nie myśli o małżeństwie – i tak jest panią sytuacji: tylko ona wie, kiedy on wyjeżdża i kiedy wraca. Odwozi go taksówką na lotnisko i z lotniska odbiera. Na Bliski Wschód jedzie tylko na chwilę, choć oficjalnie wyjazd służbowy trwa dłużej. Gdy ma wyjechać do Angoli, zwierza się jej z obaw, czy wróci żywy.

Mniej więcej wtedy, po dwóch latach, to ona mówi „koniec". Zakochała się w innym. Nie ma czasu na łzy, pożegnania. On jedzie na wojnę, ona zaczyna nowe życie.

Z wojny wraca żywy i... wszystko od nowa. Teraz szanse są wyrównane: oboje w związkach, razem będą konspirować. Przez trzydzieści trzy lata.

Gdy ona jest daleko, on pisze w listach, że otacza go pustynia. Pustynia – miejsce, w którym jej nie ma.

– Nie chciałaś pobłyszczeć w jego blasku?

– Przeciwnie, byłam zazdrosna o naszą prywatność, intymność – i nic się w tej sprawie nie zmieniło, choć on nie żyje. Dlatego w twojej książce nie będzie mojego nazwiska. Byłam z nim dla niego samego, nie dlatego, że był sławny. Zresztą gdy się poznaliśmy, był znany tylko w Polsce, do światowej sławy brakowało kilkunastu lat.

Nieraz namawia ją na wyjście do restauracji, na bankiet, premierę. Raz się złamała. Wchodzą do knajpy. Słychać szepty: – O, Kapuściński...

– Kończ tę kaszę – mówi do niego. – Idziemy stąd.

Kiedy chciał ją potem gdzieś zabrać na kolację czy bankiet, mówiła: – Zrobię ci kanapkę…

Zostają w domu, cieszą się sobą, nikt o tym nie wie.

– To on był niedyskretny. Gdyby nie kłapał jęzorem, nigdy byś się nie dowiedział.

Nie ma w ich miłości nic zaborczego. Opowiadają sobie o innych związkach. – Dobrze ci z nim, dobrze ci z nią? Fantastycznie, jestem szczęśliwa, chcę, żebyś był kontent.

Kiedyś ona wiąże się z dużo młodszym narzeczonym. Dzwoni: – Wpadnij.

– Teraz to chyba przesadziłaś.

– Był zazdrosny?

– Zazdrosny – nie, ale czuł się dyskomfortowo, że ma rywalizować z „pięknym dwudziestoletnim". Sam czuł się „szpetnym czterdziestoletnim".

Innym razem ona mówi: – Chyba się rozwiodę.

– Zwariowałaś, zabraniam ci! To przecież mój przyjaciel!

Gdy on zbliża się do sześćdziesiątki i nie ma ochoty snuć opowieści o podbojach, ona myśli, że coś ukrywa. Rozbraja ją wyznaniem: – Wiesz, w życiu pisarza przychodzi moment, w którym najcenniejszymi kochankami są jego własne książki. (Na sakramentalne pytanie przyjaciela „jak tam dziewczyny?", coraz częściej zaczyna odpowiadać: – Już mi się nie chce, jestem zmęczony, nie mam czasu).

Rozmawia z nią o Alicji. Przeżywa marny stan psychiczny żony, mówi o niej z troską, przejmuje się. Wie, że nie jest niewinny.

– Byłaś zazdrosna o Alicję?

– Nigdy. Jestem jej dozgonnie wdzięczna za ciche przyzwolenie na nasze – Ryśka i moje – prawo do miłości. To szlachetne i godne podziwu.

Postanawia, że będzie kochać i szanować wszystko, co on kocha i czego potrzebuje.

– Alicja była dla niego ważniejsza niż może to wynikać z całej tej opowieści.

Zwraca uwagę na jego szpitalne zapiski tuż przed śmiercią:

> Kuba spędza ze mną kilka godzin dziennie. Jakiż jej jestem za to wdzięczny!

– W takich chwilach pisze się prawdę.

– Tyle lat i nigdy nie mieszkaliście razem?

– Nigdy dłużej niż kilka dni.

– Nie staliście się jak wiele starych małżeństw bratem i siostrą, mamą i synkiem, tatą i córeczką.

– Nigdy.

Żar tlił się do końca.

A ciągłe rozstania? To tylko kolejne doświadczenia. Zawsze wiedzieli, że – jak napisał w jednym z listów – minie tylko kilka wieków i nadejdzie ich chwila. Ich sekunda. Pięknie było myśleć o każdej najbliższej sekundzie.

Wraca do Alicji. Zawsze wraca. Najpierw do mieszkania na rogu Nowolipek i Marchlewskiego, do tego na ulicy Pustola, potem na Prokuratorskiej.

> – Cóż z tego, że więcej go w domu nie było, niż był. Już tego nawet nie pamiętam. A może nie chcę pamiętać? Obecność fizyczna nie jest najważniejsza. Najważniejsze były klucze. Ojej, klucze! Klucze! – wołał przed wyjazdem. Zabierał klucze od mieszkania, pakował do walizki. – Muszę wiedzieć – mówił – że mam dokąd wrócić. Wiedział, że ma dom, do którego zawsze, cokolwiek by się stało, może wrócić.

Ostatnia rewolucja, ostatni zamach

Zwykle przyczyn rewolucji szuka się w warunkach obiektywnych – w powszechnej biedzie, w ucisku, w gorszących nadużyciach. Ale spojrzenie to, choć trafne, jest jednostronne. Takie bowiem warunki istnieją w stu krajach, a jednak rewolucje wybuchają rzadko. Potrzebna jest świadomość biedy i świadomość ucisku, przekonanie, że bieda i ucisk nie są naturalnym porządkiem świata.

Ryszard Kapuściński, *Szachinszach*

Kiedy wracałem z zagranicy, zawsze pytałem, co tu się działo – mówi Kapuściński w książce *Kto tu wpuścił dziennikarzy*. – Opowieści były coraz bardziej przesiąknięte poczuciem beznadziei, poczuciem grzęźnięcia w błocie, poczuciem, że to bagno nas wchłania. Drugi objaw to nasilające się – w miarę upływu czasu – wrażenie, że coś musi się stać. Istniało przekonanie, że ten naród – zduszony, przygnieciony, pozbawiony głosu, pozbawiony szansy samorealizacji – wybuchnie.

Wybucha latem osiemdziesiątego roku. Ludziom żyje się coraz gorzej, po wiele towarów pierwszej potrzeby stoją w wielogodzinnych kolejkach. Jednego dnia udaje się upolować cukier, innego trochę mięsa i wędliny. Ze śmiechem przechodzącym w złość ludzie opowiadają sobie, że jak jednego dnia można kupić krem do golenia, to brakuje żyletek, kiedy natomiast są żyletki, nie ma kremu. Pogarszają się warunki pracy w wielu zakładach, nie ma środków na zakup odpowiednich ubrań ochronnych – niejednemu przypominają się skąpe czasy Gomułki. Coraz więcej Polaków ucieka w alkohol, pijaństwo staje się powszechną plagą.

Tylko w telewizji, radiu i gazetach obraz kraju nie zmienia się. Propaganda sukcesu zachwala osiągnięcia cudownej dekady: zbudowaliśmy tyle domów, wyprodukowaliśmy tyle samochodów, konsumpcja wzrosła... Tymczasem latem osiemdziesiątego roku Polska Ludowa jest bliska bankructwa, trwające kilka lat party za cudze pieniądze kończy się dotkliwym kacem i upadkiem dworu Gierka.

„Kryzys gospodarczy był niezbędnym, ale bynajmniej nie wystarczającym warunkiem rewolucji – pisze brytyjski historyk polskiej rewolucji Timothy Garton Ash. – Decydujące przyczyny leżały raczej w sferze świadomości niż bytu. W 1980 roku to szczególne społeczeństwo, jednocześnie chore i pewne siebie, sfrustrowane i zjednoczone, stało naprzeciw słabej i podzielonej elity władzy, która nie miała już ani środków, by zyskać dobrowolne poparcie społeczne, ani dość woli, aby wymusić posłuszeństwo przy pomocy siły fizycznej. Aczkolwiek poszczególne elementy, jak determinacja Kościoła [już po wyborze polskiego kardynała na papieża i jego spektakularnej wizycie w kraju rok wcześniej], wzburzenie robotników przeciwko «robotniczemu» państwu, były zjawiskiem w historii nowym, to zasadnicze przesunięcie politycznej energii oraz pewności siebie z rządzących na część rządzonych stanowi cechę znaną z prehistorii poprzednich rewolucji".

> Istniało przekonanie, że kierownictwo partii już dawno przeciągnęło strunę odporności psychicznej społeczeństwa, a ponieważ społeczeństwo nie jest zorganizowane, to zareaguje w sposób chaotyczny.

Centrum społecznego wstrząsu jest Stocznia im. Lenina w Gdańsku, gdzie wybucha strajk. Na samym początku strajkujący próbują ugrać z rządem jedynie podwyżki pensji, jakieś dodatki, przywrócenie do pracy zwolnionych za podburzanie do buntu. Z upływem dni strajkujący wykazują coraz więcej uporu i determinacji i obserwatorzy – a także sami uczestnicy – zaczynają się obawiać, że partia zdławi protest przy pomocy milicji i wojska, jak dziesięć lat wcześniej w tym samym miejscu. Niektórzy nie wykluczają zbrojnej interwencji Związku Radzieckiego, jak w Czechosłowacji w '68 roku. Potęga Moskwy, realny socjalizm, podział świata na Wschód i Zachód wydają się wciąż nienaruszalne, trwałe, wieczne.

To były wizje krwawej rzezi, krwawego odwetu... To były wizje katastroficzne, apokaliptyczne. Te wizje wynikały z faktu, że udało się władzy doprowadzić do bardzo dużej atomizacji społeczeństwa, że udało się przy pomocy propagandy, wszystkich pseudowartości reklamowanych w środkach masowego przekazu stworzyć nieufność człowieka do człowieka, skłócenie wewnętrzne, ale również dezintegrację w sensie warstwowym, klasowym, grupowym.

Po dwudziestu kilku rewolucjach, powstaniach, zamachach stanu, jakie obserwował w Trzecim Świecie, Kapuściński zobaczy za chwilę, jak w jego kraju z iskry rozgorzeje rewolucyjny płomień.

Warszawa. Poszedłem to obejrzeć. Wrażenie było ogromne. Po latach zastoju, bezczynności, zastraszenia i marazmu raptem w ciągu godziny zobaczyłem inne społeczeństwo. Strajk komunikacji miejskiej ma zawsze walor optyczny. Tramwaje i autobusy stojące wzdłuż Alei Jerozolimskich i Marszałkowskiej utworzyły krzyż. Letnie popołudnie. Ludzie zupełnie spokojnie zaczęli podejmować marsz na dalekie dzielnice, hen na Służew czy Bielany. Bez żadnych protestów. Czuło się, że zaczyna się kształtować jakaś wspólnota narodowa. Widziało się zdecydowanie społeczeństwa, jego determinację. Było to tym bardziej wstrząsające, że działo się w Warszawie, mieście szalenie społecznie zdezintegrowanym.

Po której stronie znajdzie sobie miejsce romantyczny rewolucjonista, wierzący lewicowiec, gdy ostrze buntu zwraca się przeciwko władzy przyznającej się do socjalistycznych idei? Razem ze zbuntowanym ludem („elementami antysocjalistycznymi" – jak głosi rządowa propaganda) czy po stronie partii, do której należy od prawie trzydziestu lat, obok kumpli z Komitetu Centralnego, którzy przecież – jak tylko trzeba było – zawsze pomagali?

Ruch opozycyjny w Polsce Ludowej organizuje się już od kilku lat. Powstaje Komitet Obrony Robotników – grupa inteligentów, która udziela pomocy robotnikom wyrzuconym z pracy za udział w protestach przeciw podwyżkom cen żywności. Działa „uniwersytet latający", nielegalne związki zawodowe, wychodzą czasopisma polityczne i kulturalne nieobjęte cenzurą. Ten podziemny świat ma swoje wewnętrzne podziały na lewicę i prawicę. Jedni formułują program walki o pełną niezależność od Moskwy, inni patrzą na tę szansę realistycznie – zadowolą się większymi obszarami wolności, przestrzeganiem praw człowieka, względną autonomią Polski wewnątrz bloku radzieckiego. Jednym bliżej do Kościoła katolickiego, innym dalej... Namiastka prawdziwych podziałów, jakie występują wszędzie w demokratycznej polityce.

To zupełnie inna opozycja wobec dyktatury niż rewolucyjne ruchy sprzeciwu, które Kapuściński zna z Trzeciego Świata. Ta polska próbuje działać jawnie, w ramach ówczesnego prawa, powołuje się na międzynarodowe zobowiązania władz do przestrzegania praw człowieka. Odrzuca walkę zbrojną, przemoc, terror indywidualny. Lecz i władza autorytarna w Polsce lat siedemdziesiątych jest inna niż trzecioświatowe tyranie: jej przeciwnicy nie znikają, nie są skrytobójczo mordowani, konspiratorów zatrzymuje się zazwyczaj na 48 godzin, a następnie wypuszcza, instytucje represji nie stosują tortur. Prasa podlega cenzurze, lecz partia dopuszcza ograniczoną krytykę (poprzez aluzje i metafory), świat kultury cieszy się niemałą swobodą.

Kapuściński trzyma się z dala od opozycji, wciąż jest lojalnym członkiem partii. Gdy w siedemdziesiątym szóstym robotnicy Radomia i Ursusa protestują przeciwko podwyżkom cen żywności, a zaraz potem powstaje KOR, on publikuje cykl reportaży z Angoli, w którym całym sercem opowiada się po stronie marksistowskiej MPLA. Gdy tworzą się kolejne grupy dysydenckie i rozwija podziemny ruch wydawniczy, Kapuściński z sympatią obserwuje czerwoną rewolucję w Etiopii. Gdy Polacy ekscytują się „naszym papieżem", sprawozdaje pierwszą zagraniczną podróż Jana Pawła II do Meksyku, gdzie dochodzi do konfliktu ze zwolennikami teologii wyzwolenia. W teologii tej papież widzi „zarażenie" wpływami marksizmu, Kapuściński jest jej sympatykiem.

(W Meksyku zatrzymuje się u Józefa Klasy, wówczas ambasadora. – Jakżeż Rysiu lubił ten programowo ateistyczny kraj! – wspomina Klasa. – A co konkretnie mu się podobało? – Że Kościół został ustawiony na swoim miejscu).

Jeszcze zanim wybuchnie polski bunt, Kapuściński jedzie dwukrotnie do Iranu, gdzie ogląda upadek szacha Rezy Pahlaviego i rewolucję islamską ajatollaha Chomeiniego. Wstrząśnięty okrucieństwami bezpieki szacha, identyfikuje się z jego przeciwnikami. Gdy w Polsce narasta zmęczenie kryzysem, lonty już podpalone, wybuch społeczny tuż, pisze dla „Kultury" cykl reportaży o rewolucji irańskiej. W wielu fragmentach – świadomie czy mimowolnie – dotyka polskiej rzeczywistości. Czytane po latach, brzmią jak proroctwa.

> Oto nakarmiony i ubawiony tłum przestaje być posłuszny. Zaczyna domagać się czegoś więcej niż rozrywki. Chce wolności, żąda sprawiedliwości. Despota jest zdumiony. Rzeczywistość domaga się, aby zobaczyć człowieka w całej jego pełni, w całym bogactwie. Ale taki człowiek zagraża dyktaturze, jest jej wrogiem i dlatego gromadzi ona siły, aby go zniszczyć...

Albo:

> Wszystkie książki o wszystkich rewolucjach zaczynają się od rozdziału, który mówi o zgniliźnie władzy upadającej albo o nędzy i cierpieniach ludu. A przecież powinny one zaczynać się od rozdziału z dziedziny psychologii – o tym, jak udręczony, zalękniony człowiek nagle przełamuje strach, przestaje się bać. Powinien być opisany cały ten niezwykły proces, który czasem dokonuje się w jednej chwili, jak wstrząs, jak oczyszczenie. Człowiek pozbywa się strachu, czuje się wolny. Bez tego nie byłoby rewolucji.

Jak umęczeni codziennością, uśpieni, obawiający się o jutro ludzie przełamują strach, zobaczy już za chwilę z bliska w Stoczni Gdańskiej im. Lenina.

> Po przejściu bramy przechodziło się do budynku BHP, gdzie znajdowało się biuro akredytacji. Siedziały tam dwie dziewczyny, sympatyczne, ale już bardzo zmęczone i skołowane. One mogły wydać akredytację bądź nie. Albo wydawały na jeden dzień, albo na stałe. Ja dostałem stałą.

Między początkiem strajku a pojawieniem się w stoczni dziennikarzy postulaty robotników ulegają radykalnej zmianie. Już nie chodzi o podwyżkę płac, o powrót do pracy wyrzuconych i zaniechanie represji wobec zbuntowanych. Strajkujący żądają uznania niezależnych od partii i pracodawcy związków zawodowych, prawa do strajku, wolności słowa i druku, programu wyprowadzenia kraju z kryzysu, w jaki wpędziła go ekipa Gierka... Takich żądań w bloku radzieckim nie stawiał nikt od bardzo dawna.

Kapuściński znajduje się w grupie dziennikarzy, którzy zjawili się w stoczni kilka dni po rozpoczęciu strajku. Gdy przyjeżdża, na miejscu są już między innymi Wojciech Giełżyński i Lech Stefański z „Polityki", Stefan Kozicki i Mariusz Ziomecki z „Kultury", Ewa Junczyk-Ziomecka z „Panoramy"; przyjechali też dziennikarze głównego organu prasowego partii „Trybuny Ludu", obecni są reporterzy prasy lokalnej. Jeszcze nie wiadomo, jak się to wszystko skończy: czy władza dogada się ze strajkującymi, czy raczej wyśle na „uliczne negocjacje" milicję i wojsko? Może wezwie na pomoc towarzyszy radzieckich? Kapuściński ma świadomość, że dzieje się coś ważnego – ale czy sam już wie, po której jest stronie?

Dziennikarze należący do partii przybywają do stoczni niezupełnie na własną rękę. Partia wie, partia się zgadza – o tym, co się dzieje za bramą, lepiej wiedzieć od swoich. Giełżyński po drodze do Gdańska zatrzymuje się na noc w Komitecie Wojewódzkim w Elblągu. Następnego dnia, właśnie w Elblągu, przygląda się strajkującym robotnikom, którzy wykrzykują do niego: „Wy, w dupę jebani szpiedzy, po co tu przyjeżdżacie z Warszawy!?".

Do Komitetu Wojewódzkiego w Gdańsku centrala wysyła Wiesława Ilczuka, zastępcę kierownika Wydziału Prasy. Ma czuwać nad dziennikarzami i przekazywać, co trzeba do KC. Niektórzy dziennikarze, członkowie partii, przychodzą się opowiedzieć; Ilczuk lub lokalni towarzysze udzielają im zgody na wejście do stoczni. Wieczorami organizują narady, w czasie których reporterzy zdają relacje, co słychać za bramą, o nastrojach wśród strajkujących. Niektórzy próbują przekonywać partyjnych bossów, że tu nie ma żadnej kontrrewolucji, lecz autentyczny robotniczy bunt.

– Gdy Kapuściński jedzie do stoczni – przypomina Janusz Rolicki, kolega z „Kultury" – nie jest opozycjonistą, kontestatorem, lecz pupilem władzy, zaufanym towarzyszem towarzyszy z KC.

Najpierw zresztą zjawia się w Szczecinie – w strajkującej również tam stoczni. Jedzie na prośbę Kazimierza Barcikowskiego, sekretarza KC, który będzie prowadził negocjacje z tamtejszym Międzyzakładowym Komitetem Strajkowym. Znają się z czasów studenckich; Barcikowski jest prawą ręką Stanisława Kani, człowieka odpowiedzialnego w KC za bezpieczeństwo, następnego I sekretarza. Barcikowski ma opinię partyjnego „liberała". Prosi Kapuścińskiego, żeby zrobił rozeznanie: co słychać w stoczni, jakie są nastroje wśród strajkujących – i zdał mu potem relację. Chce mieć informacje i analizę sytuacji pochodzące z innych źródeł niż partyjne i milicyjne.

– Rysiek nie robił tajemnicy z tego, że pojechał do stoczni w Szczecinie na prośbę Barcikowskiego – opowiada Piotr Halbersztat, w tamtych dniach wysłannik Polskiej Kroniki Filmowej.
– Jak pan o tym usłyszał?
– Od niego samego.
Dopiero ze Szczecina Kapuściński jedzie do stoczni gdańskiej. Czy sam się orientuje, że serce rewolucji bije właśnie tu? Czy – podobnie jak wizytę w Szczecinie – ktoś mu to sugeruje?
Strajkujący stoczniowcy są nieufni wobec dziennikarzy z oficjalnych środków przekazu. Ktoś z tygodnika „Prawo i Życie" okazuje legitymację prasową. Dziewczyny z biura akredytacji oglądają ją i odpowiadają krótko: przepustki nie będzie. Dlaczego? Nie pora na dysputy, następny proszę.

Strajkujący uważali, że prasa kłamie, że jest niewiarygodnym sługą reżimu. Trudno im było wytłumaczyć, jaki jest prawdziwy sposób transmisji, obróbki informacji. Dziennikarza identyfikowano z obowiązującym modelem propagandy i było tak dotąd, dopóki nie uzyskał indywidualnego zaufania. Któregoś dnia na salę posiedzeń wpuszczono wszystkich dziennikarzy. Nie pozwolono jednak wejść [Tadeuszowi] Strumffowi. On się odróżniał, bo nosił różową, pomarańczową pelerynkę. Wszyscy ze służb porządkowych wiedzieli – ten jest z „Trybuny" i tego nie wpuszczać.

Ewa Junczyk-Ziomecka rozmawia o wpuszczeniu dziennikarzy na salę obrad z Bogdanem Lisem, jednym z przywódców strajku. Ten początkowo nie chce się zgodzić na obecność oficjalnej prasy. Ostatecznie jednak mięknie.

Robotnicy mieli często do nas stosunek zabawowo-pobłażliwy. Któryś z kolegów powiedział, że jest dziennikarzem. Rozmawiali dłuższą chwilę. Zaczęli go za coś atakować i jeden ze stoczniowców tak spointował konflikt: „No dobra, zostawcie go w spokoju. Niech już sobie idzie do tego swojego Gierka".

Przepustkę do stoczni i dalej – na salę obrad liderów strajku z delegacją rządu – pomaga niektórym zdobyć Wojciech Adamiecki, publicysta sympatyzujący z KOR-em. Kapuściński zna go z pierwszych lat swojej pracy dziennikarskiej w „Sztandarze Młodych", heroicznych czasów budowania socjalizmu, potem rewolty przeciwko „błędom i wypaczeniom" lat stalinowskich. Teraz widzi, że Adamiecki jest nie tylko po stronie robotniczego protestu, lecz otwarcie po stronie antyrządowej opozycji.

Wśród strajkujących i koczujących przed bramą stoczni Kapuściński zauważa ludzi, którzy – jak opowie po latach – zabrali ze sobą na długie godziny bezczynnego siedzenia jego książki. Trudno o moment większej satysfakcji dla autora. Z dumą podpisuje egzemplarze *Buszu po polsku*, *Chrystusa z karabinem na ramieniu*, *Wojny futbolowej*, *Cesarza*...

To natychmiast ułatwiało mi wejście w środowisko.

Za chwilę Kapuściński przekona się, że ma w ręku znacznie lepszą przepustkę: znajomość języków obcych. Do stoczni zjeżdżają zagraniczni korespondenci, strajkujący potrzebują kogoś, kto wytłumaczy dziennikarzom ze świata ich racje i postulaty.

– Gdy tylko komitet strajkowy ogłosił, że poszukuje się ludzi znających języki – opowiada Halberszat – Rysiek zgłosił się natychmiast. Szybko zrozumieli, że ktoś taki jak on jest im po prostu niezbędny.

Któregoś dnia, wśród zagranicznych obserwatorów, zjawiają się dwaj trockiści z Hiszpanii. Kapuściński chętnie się godzi być ich tłumaczem, prowadzi do ludzi z komitetu strajkowego.

– Chcieliśmy się zapoznać z waszą rewolucją – zagaja jeden z hiszpańskich gości.

– Panowie się pomylili – odpowiada robotnik z komitetu strajkowego. – Nie robimy tu żadnej rewolucji. Załatwiamy nasze sprawy. Wybaczcie, ale proszę natychmiast opuścić teren stoczni, bez prawa powrotu.

Kapuściński, który zna świetnie realia wielu krajów Trzeciego Świata, w stoczni uświadamia sobie, że ma mgliste pojęcie o swoim kraju.

Przez wiele lat nie miałem kontaktu ze środowiskiem robotniczym. Przede wszystkim dlatego, że nie było mnie w kraju. Dla mnie Sierpień to wielkie odkrycie... Spotkałem się ze społecznością bardzo dojrzałą, na bardzo, bardzo wysokim poziomie. System w latach siedemdziesiątych funkcjonował tak, że robotnicy na forum publicznym nie występowali. Obawiam się, że wielu kolegów dziennikarzy zajmujących się problematyką krajową na dobrą sprawę też robotników nie znało. Mechanizm polegał na izolowaniu klasy robotniczej od inteligencji, nawet na niemożności dokładnej penetracji tego środowiska. Nie można było przecież tak po prostu pójść do zakładu pracy. Trzeba było mieć przepustkę. Przepustkę wydawała dyrekcja. Trzeba było najpierw mieć jej zezwolenie. Kiedy miało się już zgodę dyrektora, to on dawał kogoś, kto towarzyszył podróżom reportera po fabryce. Odgradzało to dziennikarzy od rzeczywistego kontaktu z robotnikami i wpływało na sposób rozmowy, na to, co oni mówili…

To była sprawa dezintegracji naszego społeczeństwa. Można było żyć w środowiskach wzajemnie odizolowanych, odciętych od siebie. Tu byli robotnicy, tu byli urzędnicy, tu byli dziennikarze, tu byli studenci – niestykające się, nieprzenikające kręgi społeczne. Nie było rzeczywistej wiedzy o klasie robotniczej. Był tylko frazes. „Klasa robotnicza – przodująca siła narodu" – to był zwrot w przemówieniach oficjalnych, natomiast autentycznych materiałów – jaka jest klasa robotnicza i jakie dokonują się w niej przemiany – nie było.

Większość dziennikarzy spoza Trójmiasta zatrzymuje się w hotelu Monopol, niedaleko stacji kolejowej Gdańsk Główny. Spotykają się tu na śniadaniach, lecz długie rozmowy toczą dopiero późną nocą, po kolejnym dniu strajku. Schodzą się do największego – wieloosobowego – pokoju kolegów z Polskiej Kroniki Filmowej lub zbierają w mieszkaniach gdańskich dziennikarzy. Snują scenariusze dalszych wypadków, rozbudzają wzajemne nadzieje, koją niepokoje.

– Wszystkie nasze spekulacje i przewidywania zazwyczaj się nie sprawdzały – przypomina sobie Junczyk-Ziomecka. – Myliliśmy się prawie zawsze. Rysiek też.

Ktoś wspomni potem, że uderzył go spokój Kapuścińskiego i jego przekonanie o słuszności tego, co tu się dzieje.

Ktoś inny zapamięta jego słowa: że po objechaniu tylu wojen, przewrotów, rewolucji nareszcie ma poczucie wagi tego, co dzieje się w Polsce.

Koledzy i koleżanki wiedzą, że to Kapuściński jest w ich gronie najlepiej zorientowany w roszadach i manewrach, jakie odbywają się w Warszawie. Ciągną go za język, szczególnie ci z prasy lokalnej. Pytają o odchodzących ze stanowisk dygnitarzy i o nowych, którzy przychodzą na ich miejsce. Kto jest kto? Co znaczy ta czy tamta zmiana? Niech pan powie, co się dzieje w Szczecinie?

Kapuściński jest jednak małomówny. Ostrożny.

– Z całą pewnością nie był liderem dziennikarskiej grupy w stoczni – mówi Lech Stefański.

To, co się działo, i nasze rozmowy były wielkim, osobistym przeżyciem. Zdawaliśmy sobie sprawę, że rozstrzygają się sprawy, które wpłyną na nasze osobiste losy reporterskie, na to, co i jak będziemy pisać.

Oficjalna propaganda bagatelizuje znaczenie strajków na Wybrzeżu. Informuje o „przerwach w pracy" w niektórych zakładach, milczy o skali protestu i postulatach zbuntowanych załóg robotniczych. Na dodatek łączność telefoniczna Wybrzeża z resztą kraju zostaje odcięta.

Zebrani w stoczni dziennikarze postanawiają zaprotestować.

– Dyskusje ciągnęły się godzinami – wspomina Wojciech Giełżyński. – Wszyscy są „za", ale każdy ma jakieś „ale". Nie wiemy, czy wolno nam podpisywać list protestacyjny z zaznaczeniem, kto pracuje dla jakiej redakcji, czy samym tylko imieniem i nazwiskiem. Do kogo adresować protest? Do Stowarzyszenia Dziennikarzy? Do Wydziału Prasy KC?

Wreszcie tekst jest gotowy:

My, polscy dziennikarze, obecni na Wybrzeżu Gdańskim w czasie strajku, oświadczamy, że wiele informacji dotychczas publikowanych, a przede wszystkim sposób ich komentowania, nie odpowiadało istocie zachodzących tu wydarzeń. Taki stan rzeczy sprzyja dezinformacji. Istniejąca blokada telekomunikacyjna oraz brak możliwości publikowania materiałów przedstawiających prawdziwy obraz sytuacji dotykają nas boleśnie i uniemożliwiają wypełnianie obowiązków zawodowych. Uważamy, że pełne informowanie społeczeństwa o wszystkim, co się dzieje w kraju, może sprzyjać rozwiązywaniu sytuacji konfliktowych, a w przyszłości przyczyniać do rozwoju społecznego.

Zaczynają się prawdziwe dylematy. Podpisać, nie podpisać?

Junczyk-Ziomecka: – Stoimy pod drzewkiem i podpisujemy się pod tym kwitem. Niejeden odczuwa strach. W końcu jakiś dziennikarz nie wytrzymuje, wyrywa kartkę z własnym podpisem i zaczyna ją zjadać. Rzucamy się: „Oddawaj!". Trzeba odtworzyć tekst.

– Powstało straszliwe oburzenie...

– Śmiali się skonsternowani...

– To jest skandal! – krzyczeli.
– Jak pan się zachował! Swoje to swoje, ale cudze nazwiska wyrywać!
– To są indiańskie podchody...
– Co za kultura! Kto to widział, żeby dziennikarz w ten sposób...
– Przecież przymusu nie ma, a pan wyrwał...
– Mógł powiedzieć, żeby go skreślić...
– ...Stał taki zrezygnowany, jakby go ktoś kopał, jakby go ktoś bił... I w końcu odszedł z 10 metrów.
– Odszedłem, ochłonąłem, a następnie wróciłem i przeprosiłem za moją reakcję. „Koledzy, przepraszam was, ja się chcę podpisać. Chłopaki, głupi jestem, podpisuję"...
– Zachował się normalnie w nienormalnej sytuacji... (*Kto tu wpuścił dziennikarzy*).

Pod oświadczeniem podpisuje się trzydziestu sześciu dziennikarzy, wśród nich Ryszard Kapuściński, członek partii od prawie trzech dekad, kolega towarzyszy Frelka, Werblana, Olszowskiego, Trepczyńskiego, Barcikowskiego, Klasy...

Dla wielu dziennikarzy ten podpis był jednak ogromną życiową decyzją. Zastanawialiśmy się, czy będą represje. Pamiętam jednego z kolegów, który podpisał, a następnego dnia podszedł do mnie i powiedział: „Panie Ryszardzie, jak pan myśli, ja podpisałem, ale jak to będzie?...". Był strasznie zdenerwowany. Wszyscy mieliśmy poczucie, że decyzja jest słuszna, ale ryzykowna. Dzisiaj to wygląda troszkę groteskowo, ale wtedy... 25 sierpnia... W końcu zaprotestowaliśmy przeciw całej linii propagandy wobec Wybrzeża, wobec tego co się tam działo.

Robotnicy nie bardzo pojmują dylematy dziennikarzy: żyją w trochę innej już rzeczywistości. Odczytane stoczniowcom oświadczenie dostaje lekkie brawa, lecz brawami nagradza się wtedy najmniejsze nawet „nie". Jeden ze świadków wspomni, że polityczną demonstrację dziennikarzy robotnicy potraktowali jako „powrót synów marnotrawnych", głos tych, co to się „rychło w czas obudzili, ale dobre i to".

Któregoś z tamtych dni Tomasz Łubieński spotyka Kapuścińskiego poza stocznią, na ulicy. Zdenerwowany Kapuściński szepcze mu na ucho: – Mam informację, że czołgi radzieckie stoją pod Elblągiem w pełnej gotowości bojowej.

Panikarskie alarmy Kapuścińskiego pamięta też Giełżyński: – „Zaraz wejdą, zaraz wejdą", powtarzał.

– Sądzę, że historia go straszyła, a i on sam się nią straszył – mówi Łubieński. – Z drugiej strony, jej znajomość ze studiów, a jeszcze bardziej z własnego życia, dawała mu dystans: wiedział, że raz jest tak, a raz inaczej.

Strach przed interwencją wojska, milicji, inwazją wojsk radzieckich to leitmotiv codziennych rozmów.

> Te portrety [papieża i Matki Boskiej umieszczone na bramie stoczni] pełniły rolę tarczy ochronnej. Robotnicy mówili: „Żołnierz polski nie będzie strzelał do papieża, czołg nie przejedzie przez ołtarz".

Wszyscy zgodnie wątpią, iżby Rosjanie mieli tego rodzaju skrupuły.

– Kapuściński chodził swoimi mysimi ścieżkami: gdzieś nagle znikał i równie nagle się pojawiał – opowiada Stefański. – Długo nie wierzył w pozytywne zakończenie strajku ani jakiś optymistyczny scenariusz „co potem?".

– Widywałam go, jak gdzieś z boku, pod płotem, drzewem czy na murku siedzi i z kimś rozmawia – wspomina Junczyk-Ziomecka. – Nie robił notatek, a napisał potem najlepszy tekst o strajku w całej polskiej prasie.

> W strajku specjalnie nic się nie robi. Siedzi się, słucha się, stoi się w grupie ludzi, rozmawia, znowu siedzi, pali papierosa i czeka, i czeka... Myśmy tam w większości nie pracowali. To wszystko polegało raczej na dzieleniu w tych godzinach wspólnego losu... To były dni nieustających wzruszeń...

Także niejednej osobistej przemiany. Któregoś dnia wpada do stoczni kolega z redakcji, Janusz Głowacki. Ktoś sobie pokpiwa, że mający opinię playboya pisarz chce sobie pstryknąć zdjęcie ze strajkiem w tle... i good bye.

– No, co tam słychać chłopcy? Strajkujecie podobno... – zagaduje stojących razem Kapuścińskiego, Giełżyńskiego i Adamieckiego. Gdy dłuższą chwilę później wraca z sali obrad, łapie się za głowę, powtarzając: – Pałac Zimowy! Rewolucja!

Dla Kapuścińskiego, dla większości dziennikarzy, pobyt w stoczni ma coraz bardziej charakter obywatelski, nie zawodowy. Niczego w tych dniach nie piszą, wiadomo, że żadna relacja nie ukaże się w gazetach. Ważne, że są ze strajkującymi – i przemiany, jakie dokonują się w ich umysłach, postawach.

> Olbrzymie wrażenie robił widok morza w nocy. Poprzez unieruchomione dźwigi portowych żurawi widać było światełka dziesiątków statków oczekujących na wejście do portu. Widok ten rozpościerał się zaledwie o kilkadziesiąt metrów od sali, gdzie siedzieliśmy, centralnego miejsca w całych wydarzeniach. Ten prześwit na zatokę ze stojącymi statkami dawał poczucie ogromnej siły, jaką miał strajk. To stała przecież unieruchomiona cała Polska.

Nie potrafi oprzeć się swoim déjà vu z Trzeciego Świata. Na przykład gdy widzi zarządzoną przez przywódców strajku prohibicję alkoholową, dyscyplinę strajkujących, wspólne modlitwy – i dotrzymywanie tych postanowień przez masę, którą może kontrolować, tylko ona sama.

> ...dla mnie to rzecz absolutnie naturalna, że w każdym buncie zorganizowanym, w którym występuje masa mająca autorytet, ta masa działa w bardzo etyczny sposób... W rewolucji irańskiej, kiedy były manifestacje, nie tam 100 czy 10 tysięcy ludzi, ale dwumilionowe, te dwumilionowe manifestacje szły przez miasto i gdy dochodziły do szpitala, spontanicznie zapadało milczenie, żeby była cisza, żeby chorym nie przeszkadzać. Obok tych manifestacji spontanicznie wytwarzały się grupy ludzi, które szły z workami plastikowymi i zbierały wszelkie śmiecie, odpadki, po to, żeby pozostawić czyste miasto. A Teheran na co dzień wygląda jak wielki śmietnik. Po manifestacji Teheran wyglądał jak oczyszczone wreszcie miasto.

W *Notatkach z Wybrzeża*, dwa tygodnie po strajku, pisze:

> Nikt nie pił, nie robił awantur, nie budził się przywalony ogłupiającym kacem. Przestępczość spadła do zera, wygasła wzajemna agresja, ludzie stali się sobie życzliwi, pomocni i otwarci. Zupełnie obcy ludzie poczuli nagle, że są – jedni drugim – potrzebni. Wzorzec tego nowego typu stosunków, który wszyscy przyjmowali, tworzyły załogi wielkich zakładów strajkujących.

(Jeden z kolegów nazywa dyżurujących przy bramie stoczni robotników „strażnikami rewolucji" – jeszcze jedno skojarzenie z rewolucją w Iranie, o której pisał niedawno na łamach „Kultury").

Któregoś dnia Kapuściński przygląda się wizycie pięciu kobiet z miejscowej spółdzielni rzemieślniczej. Kobiety chcą przyłączyć się do strajku, ale nie chodzi im o podwyżkę: domagają się usunięcia prezesa, ponieważ ów jest chamem; wszelkie próby nauczenia go grzeczności nie powiodły się.

Kapuściński uświadamia sobie, że sprawy płacowe, ekonomiczne nie są istotą polskiego buntu. Utwierdza się w przekonaniu, które uformowały lata spędzone w Trzecim Świecie, że głównym motorem większości ruchów protestu, powstań i rewolucji nie jest walka o chleb, lecz urażona godność. Przychodzi taki moment, w którym ludzie nie chcą znosić więcej upokorzeń...

To będzie główna myśl eseju, który planuje napisać, jak się to wszystko już skończy. Na tę okazję odrzuca metodę reportażu: jeden robotnik powiedział to, inny tamto... Sądzi, że taki tekst rozmyje istotę opisywanych wydarzeń.

> To musiał być tekst-pięść, tekst-uderzenie. Tekst, który poruszy, który wstrząśnie. Napisałem go z wielkiej pasji, z wielkiej chęci objawienia czegoś niesłychanie ważnego, historycznego. Chodziło o to, żeby pokazać innego człowieka, innego Polaka, inną rzeczywistość. Pokazać, że bierzemy historię w swoje ręce, że od tego momentu wszystko będzie inaczej.

Dwa tygodnie po zwycięskim strajku, upadku dworu Gierka i zgodzie władz Polski Ludowej na powstanie związku zawodowego „Solidarność" – pierwszej niezależnej od partii organizacji pracowników w bloku radzieckim – Kapuściński ogłasza w „Kulturze" swój tekst-pięść:

> ...sierpniowy strajk był zarazem i dramatycznym zmaganiem się, i świętem. Zmaganiem o swoje prawa i Świętem Wyprostowanych Ramion, Podniesionych Głów...
>
> Nie wiem, czy wszyscy mamy tego świadomość, że cokolwiek jeszcze się stanie, od lata 1980 żyjemy w innej Polsce...
>
> Kto stara się sprowadzić ruch Wybrzeża do spraw płacowo-bytowych, ten niczego nie zrozumiał. Bowiem naczelnym motywem tych wystąpień była godność człowieka...

…rozegrała się również batalia o język, o nasz polski język, o jego czystość i jasność, o przywrócenie słowom jednoznacznego sensu, o oczyszczenie naszej mowy z frazesów i bredni, o uwolnienie jej z trapiącej plagi – plagi niedomówień…

…nie było żadnego elementu zemsty, żadnej chęci odkucia się, ani jednej próby rozgrywania spraw personalnych na żadnym szczeblu… W tych sierpniowych dniach wiele słów nagle odżyło, nabrało wagi i blasku: słowo – honor, słowo – godność, słowo – równość.

Zaczęła się nowa lekcja polskiego. Temat lekcji: demokracja. Trudna, mozolna lekcja, pod surowym i bacznym okiem, które nie pozwala na ściągawki. Dlatego będą także dwójki. Ale dzwonek już się rozległ i wszyscy siadamy w ławkach.

Zanim „tekst-pięść" ukaże się na łamach tygodnika, ląduje na biurku Jerzego Waszczuka, sekretarza KC zajmującego się sprawami kultury i środkami przekazu.

– Rozmawiałem z Kapuścińskim osobiście – wspomina Waszczuk. – Był urzeczony Wałęsą, robotnikami, strajkiem. Uważał, że w stoczni zdarzyło się to samo, co oglądał przez lata w Trzecim Świecie, że Wałęsa to ktoś taki, jak Che Guevara, tylko w innej rzeczywistości, a Polska to ogniwo łańcucha rewolucyjnych procesów na świecie. Prosiłem, żeby złagodził swój tekst…

– Pamięta pan, co konkretnie?

– Namawiałem, żeby poskromił swój entuzjazm dla zbuntowanych robotników i napisał coś pozytywnego o partii: że jednak odrzuciła wariant siłowy, że poszła na kompromis ze strajkującymi. Kompromis to zawsze zasługa dwóch stron.

– W czym Kapuściński ustąpił?

– W niczym. Nie zgodził się na żadne zmiany, nawet przecinka.

– Mógł powiedzieć „nie" sekretarzowi KC? To jakąż on miał silną pozycję w partii?

– To był czas kryzysu, rozluźnionych reguł. Mechanizmy rządzenia nie działały normalnie. W innej sytuacji byłoby to niemożliwe: ja byłbym bardziej stanowczy, a Kapuściński znacznie bardziej uległy.

Na naradzie w Komitecie Centralnym z udziałem redaktorów naczelnych gazet i czasopism Mieczysław Róg-Świostek, naczelny „Chłopskiej Drogi", mający opinię „twardogłowego", przypuszcza atak na Kapuścińskiego:

– Taki wybitny dziennikarz i tak głupio uległ „Solidarności"! (Józef Klasa, który opowiada tę anegdotę, nie pamięta, czy ktoś się za Kapuścińskim ujął; raczej nie, bo by zapamiętał).

Jeszcze w stoczni, tuż po strajku, kolega z czasów rewolty pięćdziesiątego szóstego roku Andrzej Krzysztof Wróblewski robi Kapuścińskiemu zdjęcie z przywódcą robotników, Lechem Wałęsą.

– Rysiek był Wałęsą zachwycony, na klęczkach. Zakochał się w nim jak nastolatek w pierwszej dziewczynie.

Rok później w czasie pewnej debaty Kapuściński mówi:

> ...przywództwo strajku od początku składało się z ludzi o bardzo wysokim poziomie etycznym, ludzi wierzących, takich jak Wałęsa, ludzi, którzy nie tylko w okresie strajku, ale w ogóle nie piją. Cała ta kierownicza grupa strajku to byli ludzie, którzy nie musieli dokonywać w sobie żadnego przełomu etycznego, oni po prostu cały czas tacy byli.

Wróblewski tymczasem, razem z Danielem Passentem, robią po zakończeniu strajku wywiad z Wałęsą dla „Polityki". Nie są uniżeni wobec lidera robotników, stawiają mu cierpkie pytania, za co dostają później tony listów z obelgami. Wróblewski opowiada potem kolegom, jak to „Wałęsa przyjął go w swoim gabinecie pod palmą, mając na biurku z jednej strony krucyfiks, a z drugiej talerz po bigosie".

– Ja się zakochałem w rewolucji tylko raz: w pięćdziesiątym szóstym roku – mówi Wróblewski. – A Rysiek w stoczni zakochał się po raz drugi, może trzeci, czwarty... – kto wie który? Widział więcej rewolucji niż ktokolwiek inny. I za bardzo się wtedy rozpędził, zagalopował, był bezkrytyczny. Jak gdyby po wszystkich swoich doświadczeniach zapomniał, że nie należy dawać kredytu żadnej rewolucji. Zachowywał się jak facet bez nóg, który podrywa się do tańca i nie widzi, że jest śmieszny.

– Zawsze był typem entuzjasty – mówi Andrzej Werblan, kolega z partyjnej strony barykady. – Gdy wierzył w socjalizm, był w swojej wierze autentyczny, szczerze oddany partii. Gdy się rozczarował, tak samo szczerze fascynował go robotniczy bunt. Podatny na presję rzeczywistości: gdy czymś się przejął, zmieniał poglądy.

Jednak ich zmiana w roku osiemdziesiątym nie jest tak prosta, jak się na pierwszy rzut oka wydaje.

*

Cała nasza redakcja „Kultury" wstąpiła do „Solidarności". Byłem wówczas ogromnie przejęty i zaangażowany.

Sam do „Solidarności" nie wstępuje – tak pamiętają po latach koleżanki i koledzy z „Kultury", którzy zapisali się do nowego ruchu-związku. Do „Solidarności" nie wstępuje również szefostwo tygodnika.

W ulegającym podziałom środowisku dziennikarzy Kapuściński zachowuje dobre relacje z ludźmi dokonującymi w tamtym czasie rozmaitych wyborów politycznych. W „Kulturze" nie dochodzi zresztą do poważniejszych spięć, niemal cały zespół sympatyzuje z „Solidarnością". Inaczej jest w „Polityce", gdzie dziennikarze podzielili się na entuzjastów „Solidarności", jej otwartych wrogów i krytyków-sceptyków; na dodatek redaktor naczelny, Rakowski, został właśnie wicepremierem…

W głowach paru kolegów lęgnie się myśl, żeby zaproponować Kapuścińskiemu prezesowanie Stowarzyszeniu Dziennikarzy Polskich. Jego jednak nigdy nie interesowały stanowiska, nasiadówki; robota organizacyjna śmiertelnie go nudzi. Na sondażowe pytanie „czy gdyby padła taka propozycja…" od razu odpowiada – zgodnie z przewidywaniami – „nie".

Natychmiast po zakończeniu strajku w stoczni rusza w podróż po Polsce – również na prośbę towarzyszy z KC.

– Tak samo jak o wyjazd do strajkującej stoczni w Szczecinie poprosił go o to prawdopodobnie tenże Barcikowski, choć dziś nie przysiągłbym, że padało w rozmowach jego nazwisko – opowiada Halbersztat, który po zakończeniu strajku podjął pracę w „Kulturze". – Na pewno Rysiek opowiadał, że prosili go koledzy z KC. Chcieli dostać od niego analizę sytuacji w zrewoltowanym kraju, widzianej okiem reportera, który zna się na rewolucjach i masowych ruchach społecznych.

Towarzysze z „białego domu" wciąż uważają go za swojego.

Kapuściński odwiedza strajkujące zakłady, przesiaduje dniami i nocami w różnych komitetach, przygląda się rodzącemu się ruchowi społecznemu, „samoograniczającej się rewolucji". Odkrywa inną Polskę…

W dziesiątą rocznicę masakry robotników Wybrzeża przed bramą stoczni w Gdyni Kapuściński uczestniczy w mszy upamiętniającej tamtą tragedię. Jest z nim Teresa Torańska, po mszy idą razem do wielkiej świetlicy na terenie stoczni, gdzie słuchają wspomnień świadków wydarzeń z 1970 roku. Ludzie ci wychodzą na scenę, po raz pierwszy opowiadają publicznie o swoich przeżyciach z tamtych dni. Kapuściński nagrywa ich opowieści na mały magnetofon Sony.

Pewien lekarz opowiada, jak przywożono rannych do szpitala; wszystkiego na miejscu pilnowała bezpieka. Wspomina chłopaka, któremu groziła amputacja nóg i przewieziono go helikopterem do innego szpitala. – Nawet nie wiem, czy przeżył – mówi, i w tej samej chwili z tłumu dochodzi głos: – To byłem ja, żyję!

Matka opowiada o potajemnym z rozkazu bezpieki pogrzebie syna nocą...

– Rysiek to wszystko chłonął – mówi Torańska. – Odkrywał Polskę, której nie znał.

Wielkie wrażenie robi na nim czterogodzinny strajk powszechny w marcu 1981 roku; widzi w nim wydarzenie bez precedensu w dziejach Polski i współczesnej Europy. Oto całe – dosłownie całe – społeczeństwo zatrzymało się na kilka godzin. Rodzaj plebiscytu przeciwko władzy.

Niektórym działaczom i sympatykom „Solidarności" wydaje się, że pełne zwycięstwo nad systemem jest tuż. W jakiejś rozmowie w redakcji „Kultury" ktoś porównuje partię do małego pieska, który chciałby zatrzymać rozpędzony pociąg, czyli „Solidarność".

Dokładnie w tym czasie, po jednym z największych kryzysów w stosunkach między partią a „Solidarnością", Kapuściński razem z Torańską wracają samochodem z Bydgoszczy do Warszawy. Kapuściński tłumaczy, że w całej tej polskiej zawierusze nie chodzi o jakąś tam „Solidarność". – Toczy się walka o niepodległość Polski.

– Była szósta rano, siedzieliśmy w moim maluchu na parkingu przed jego domem, a on mówił to prawie szeptem, jak gdyby ujawniał największy sekret, jakby odkrywał Amerykę – uśmiecha się Torańska.

– Jak sądzisz, dlaczego?

– Bo do tamtego momentu wierzył w ustrój, kolegów z KC. Ciągle mówił „Barcikowski powiedział to..." albo „jak się widziałem z Barcikowskim...". Jeszcze dobrych parę miesięcy po powstaniu „Solidarności" uważał się za człowieka partii. Dostrzegał, że coś trzeba poprawić, zreformować, ale ustrój utrzymać. W drodze z Bydgoszczy do Warszawy, w czasie tamtej rozmowy na parkingu przed domem po raz pierwszy zauważyłam, że następuje w nim przemiana.

Wycinki z gazet

Wywiad, marzec 1981:

– Wrócił już pan do kraju?

– W jakimś sensie z kraju wcale nie wyjeżdżałem. W takim to, że pisząc, zawsze myślałem o naszych sprawach, o polskim czytelniku. Jeżeli już jeździłem po świecie, szukałem takich rzeczy, które dla niego miałyby jakieś znaczenie, jakąś wartość... Pisałem o młodych ludziach walczących o niepodległość, o swoją godność. O tych, którzy umieli poświęcić się dla jakiejś większej sprawy. Taki jest temat *Chrystusa z karabinem na ramieniu*, *Wojny futbolowej*...

– *Cesarz*, aczkolwiek traktujący o rewolucji w Etiopii, odczytywany był, szczególnie już w scenicznej postaci, jako studium władzy także rodzimej. Prawidłowe to odczytanie autorskich intencji?

– Chciałem napisać książkę, która pokazywałaby mechanizm władzy pałacowej. Motyw: system, który mieliśmy w Polsce w ostatnich latach posiadał wiele elementów pałacu. Chciałem pokazać – i tak jest pisany *Cesarz* – władzę zamkniętą w rozgrywkach wewnątrzpałacowych, wyizolowaną ze społeczeństwa. Także i to, do jakich deformacji takie wyobcowanie prowadzi i czym się musi skończyć...

– Od sierpnia jeździ pan po Polsce. Słucha pan ludzi, ale i do nich przemawia, jak choćby dziś do lubelskich studentów. Z jakim celem? Dlaczego pan milczy jako reporter?

– Postanowiłem zanurzyć się w Polskę. Przez wiele lat nie jeździłem po kraju, chcę teraz odrobić tę zaległość. Świadomie postanowiłem więcej patrzeć, obserwować, mniej pisać.

– Jest to już inny *Busz po polsku*...

– Tak. I mam nadzieję, że ta książka, którą wkrótce rozpoczynam, będzie też inna niż *Busz po polsku*. Busz był opisowy, idący w nastrój. Teraz bardziej mi będzie chodziło o refleksję, próbę sumowania polskich lat powojennych...

– Sprawił to, przepraszam, reportera wiek dojrzały czy warunki, nowa rzeczywistość?

– Myślę, że jedno i drugie...

– W reporterskich wędrówkach, jak sądzę, szukał pan portretu Polaka pamiętnego roku osiemdziesiątego, szuka go pan i dziś. Jakim on jest dla pana?

– W moim przekonaniu wydarzenia ostatnich miesięcy zburzyły

całą serię stereotypów, z jakim wiązane było pojęcie – Polak. I to w opinii naszej, jak i świata. Polak często był – może nieoficjalnie, ale w rozmowach prywatnych, zwierzeniach – uważany za element buntowniczy, anarchizujący, trochę nieodpowiedzialny. Rozdmuchiwana była tradycja sejmików szlacheckich, naszego liberum veto. Opowiadało się, że gdzie dwóch Polaków, tam trzy partie. I cały taki pakiet stereotypów błąkał się po świadomości ludzi. Tymczasem wszystko okazało się nie tak.

Wydaje mi się, że jedną z cech tego wielkiego ruchu, z którym mieliśmy i mamy do czynienia, była ogromna dyscyplina, ogromna umiejętność spontanicznego zorganizowania się... – zrozumienia całej naszej złożonej sytuacji. I wobec siebie, i wobec świata zaprezentowaliśmy się jako społeczeństwo, które potrafiło z wielką determinacją, ale też i w wielkiej dyscyplinie prowadzić swoją walkę, realizować swoje dążenia.

To zaskakiwało – o czym miałem okazję przekonać się – bardzo wielu korespondentów zagranicznych. Przed przyjazdem naczytali się przesadnych, egzaltowanych relacji. Z samolotu czy pociągu wysiadali wystraszeni. Oczekiwali manifestacji, walk... Tymczasem przyjeżdżali do kraju, w którym toczyło się normalne życie. Ulica wyglądała normalnie, funkcjonował handel, czynne były szkoły i uczelnie, kina i teatry. I to ich szalenie zaskakiwało. Nie mogli się zupełnie połapać w tym, co się dzieje, na czym to wszystko polega...

W świadomości zakodowane mamy, że takiemu ruchowi towarzyszy ustalona symbolika, cały sztafaż. Manifestacje, wiece, palące się ogniska – cały ten teatr rewolucji był tutaj po prostu nieobecny. Znaleźliśmy inne formy realizowania swoich społecznych dążeń, bardziej zdyscyplinowane, mniej spektakularne, ale wcale przez to nie mniej skuteczne.

Jest jeszcze jeden charakterystyczny rys. Mieliśmy zawsze opinię ludzi słomianego ognia. Zdolnych do zdobycia się na jednorazowy odruch, wybuch – potem ogień szybko wypala się i wszystko wraca do starego porządku. Natomiast tutaj ujawniła się ważna cecha – stanowczości i determinacji, dużej woli trwania przy swoim. Cenne jest to na przyszłość, bo wydaje mi się gwarantem tego, że zapoczątkowany proces zmian będzie się utrwalał...

– Wróćmy do mającej powstać książki. Osobiście obiecuję sobie znaleźć w niej tematy, o których tu mówimy. Ich dokończenie.

– Zacząłem pisać książkę o naszych polskich sprawach, współczesnych nam, ale też z reminiscencjami sięgającymi do lat pięćdziesiątych. Tytuł roboczy – *Postulat*. Chcę pokazać ewolucję mojego pokolenia, tego pokolenia, które przeszło całą serię kryzysów. Ostatni z nich, sierpniowy, zastał jednych po tej stronie, innych po przeciwnej. Stawiam pytanie o mechanizmy, które doprowadziły do tego rozejścia się, przekształceń. Nie chodzi mi przy tym o losy jednostkowe, ale o próbę pokazania tego, co się w nas dokonało, okoliczności, które oddziaływały i oddziałują na kształtowanie się postaw.

Pisaniu temu poświęcę wiosnę i lato. Mam zamiar i nadzieję, że pierwszy odcinek ukaże się w mojej macierzystej „Kulturze" jeszcze w marcu („Sztandar Ludu" 11 III 1981, rozmawiał Zbigniew Miazga).

Nie napisze ani zapowiadanej książki, ani jednego nawet reportażu o Polsce czasu „karnawału" (tak ochrzczono szesnaście miesięcy między strajkami w sierpniu 1980 a grudniem 1981 roku, kiedy to generał Jaruzelski wprowadza stan wojenny, kończąc epokę nadziei na reformę socjalizmu).

W udzielanych w tym czasie wywiadach jak gdyby unikał wypowiedzi wprost o nowym ruchu, ucieka w ogólne refleksje, które nie stawiają go jednoznacznie po stronie buntu. Mówi o dojrzałości Polaków, potrzebie odnowy, znaczeniu dziejących się wydarzeń. Nazwa „Solidarność" czasem pada, ale nieczęsto.

Maciej Wierzyński, który pracuje wtedy w telewizji, próbuje kilkakrotnie zaprosić Kapuścińskiego do studia, żeby opowiedział telewidzom o swoich podróżach po zrewoltowanej Polsce.

– Zawsze padała ta sama odpowiedź: „nie". Jak gdyby nie chciał mówić o „Solidarności"... Po krótkim okresie entuzjazmu miał przeczucie, że to się wszystko źle skończy. Może właśnie dlatego odmawiał?

Bardziej niż „Solidarność" Kapuścińskiego zajmuje w miesiącach „karnawału" odnowa partii. Z sympatią patrzy na ferment wewnętrzny: działaczy, którzy strajkują razem z załogami robotniczymi. Uważają oni, że partia utraciła społeczne poparcie, lecz jeszcze nie przegrała. Ciągle ma szansę, musi się tylko zdemokratyzować, wyjść naprzeciw oczekiwaniom świata pracy.

Kapuściński jedzie do Torunia, gdzie spotyka inicjatorów ruchu partyjnej odnowy.

Zaczyna się w „Towimorze", zakładzie produkującym sprzęt okrętowy, oraz na Uniwersytecie Toruńskim. Na zebraniach komitetów partyjnych w obu instytucjach działacze wybierają oddolnie swoje egzekutywy, bez porozumienia z komitetem miejskim. Obie nowo wybrane egzekutywy nawiązują między sobą współpracę – również bez porozumienia z „górą".

Do ruchu odnowy wewnątrz partii przykleja się wdzięczna nazwa „poziomki" (bo dogadały się struktury poziome organizacji – bez namaszczenia wierchuszki, a partia ma przecież strukturę pionową). Z kolei ludzie partyjnego aparatu, niechętni tym przemianom, ochrzczą nowy ruch „toruńską zarazą".

Kapuściński rozumie, że powstanie nowych struktur wewnątrz ugrupowania typu neostalinowskiego to akt niemal rewolucyjny. Obieg informacji i decyzji w tego rodzaju organizacji przebiegał jak świat światem z udziałem wyższej instancji. Tymczasem oba komitety z Torunia przerwały ów obieg, wprowadziły element niekontrolowany, wirus spoza systemu.

Halbersztat: – Był zafascynowany Zbigniewem Iwanowem, jednym z liderów partyjnej odnowy.

Iwanów to działacz robotniczy, którego wybrano sekretarzem partii w jednym z dużych zakładów. Komisja kontroli partyjnej wyrzuca go z organizacji, ale członkowie partii w przedsiębiorstwie nie uznają tej decyzji. Powstaje paradoksalna sytuacja: bezpartyjny kieruje organizacją partyjną. Potem wybrano Iwanowa delegatem na zjazd, jednak władze w Warszawie unieważniły jego mandat i w końcu Iwanów przeniósł się do „Solidarności".

Wiosna 1981 roku debata w redakcji „Miesięcznika Literackiego". Większość uczestników, w tym świadkowie strajku w stoczni, Wojciech Giełżyński, Janina Jankowska, Jerzy Surdykowski, Krzysztof Czabański, Andrzej Krzysztof Wróblewski, mówi przede wszystkim o „Solidarności". Kapuściński nie wypowiada o „Solidarności" ani słowa. Za „dużo bardziej zapalny temat" uważa „sytuację wewnątrz partii".

> ...ruch oddolnej odnowy w partii zaczął się jako konsekwencja sierpniowej fali strajków, kiedy to uczestniczący w strajku członkowie partii doszli do wniosku, że trzeba szukać wyjścia z kryzysu, w jakim znalazła się partia, poprzez jej demokratyzację, poprzez stworzenie statutowych zabezpieczeń przed możliwością powtórzenia się błędów i wypaczeń...
>
> ...śmiałość żądań, stanowczość wysuwanych postulatów przez tzw. doły partyjne jest w wielu wypadkach nieporównanie dalej idąca niż żądania sformułowane w postulatach „Solidarności"...

Jak wygląda skład tych nowych egzekutyw i skład komisji toruńskiej? Są to młodzi ludzie, jest to z reguły młode pokolenie członków partii – z zakładów pracy i z wyższych uczelni. Chcą działać, chcą tworzyć nowe wartości. I nie chcą się więcej wstydzić. Mają poczucie swojej racji, przekonanie o tym, że to, co robią, jest słuszne, ba, że jest to jedyna droga wyjścia partii z kryzysu, odzyskania wiarygodności w społeczeństwie.

Działacze „poziomek" noszą w klapach marynarek, na swetrach, koszulach dwa znaczki: „Solidarności" i PZPR-u. Nie chcą likwidować partii, chcą jej umocnienia i wyjścia na spotkanie ludziom nowego ruchu społecznego.

Tam, w Toruniu, ale także i innych województwach, obserwujemy w partii dwa zjawiska. Pierwszym, jest właśnie wspomniany wyżej ruch oddolnej demokratyzacji, oddolnej odnowy. Drugim – oddawanie legitymacji partyjnych... Wielu przedstawicieli aparatu tłumaczy, że odchodzi „element przypadkowy". Ale nie jest to ścisłe. Najczęściej oddają legitymacje robotnicy – zostają natomiast urzędnicy. W ostatnich miesiącach skład socjalny partii bardzo się zmienia...

Jest ciekawe, że ruch odnowy w partii – tam, gdzie się rozwinął – zatrzymał proces występowania z partii; jego działacze zwrócili się do swoich towarzyszy z apelem: nie występujcie, spróbujemy razem coś zrobić.

O odnowie partii Kapuściński rozmawia często z Werblanem (najbliższego z partyjnych przyjaciół, Frelka, nie ma wtedy w kraju; posłano go na ambasadora przy ONZ). Werblan traci w tamtych dniach stanowisko w Komitecie Centralnym; pozostaje jednak posłem na Sejm – właśnie z Torunia. Po początkowych napięciach z „poziomkami" Werblan zbliża się do ruchu wewnątrzpartyjnej odnowy.

– Miałem wrażenie, że Kapuściński, który znał już wtedy wielu działaczy „poziomek", był kimś w rodzaju łącznika między nimi a Werblanem – opowiada Krzysztof Czabański, kolega z „Kultury" i organizacji partyjnej. Wrażenie takie Czabański wyniósł ze spotkania, w którym brali udział Kapuściński, Werblan, a także naczelny tygodnika Horodyński.

– Kapuściński obawiał się wtedy – mówi Werblan – że partia ulegnie rozpadowi. Sympatyzuje z „poziomkami", widząc w tym ruchu nadzieję na odbudowanie jej wiarygodności i wpływów w społeczeństwie.

Rozumowanie Kapuścińskiego odwołuje się do doświadczeń Węgier w 1956 roku i Czechosłowacji w 1968 roku. Do zbrojnej interwencji Związku Radzieckiego dochodziło w tych krajach nie z powodu pojawienia się ruchów kontestacji bądź nieposłuszeństwa wobec Moskwy, lecz rozkładu obu partii; faktu, że nie były w stanie zapanować nad kryzysową sytuacją, społecznym żywiołem. (Towarzyszy z Kremla irytował, na przykład, przywódca rumuńskiej partii Ceauşescu, gwarantował jednak porządek i spokój, dlatego nigdy nie zdecydowali się go usunąć).

– Zależało nam wówczas – mówi Werblan – żeby uczynić z partii godną zaufania społecznego siłę, która w razie gwałtownego konfliktu z „Solidarnością" będzie w stanie nad nim zapanować, powstrzymać rozpad struktur państwowych. Jeśliby te się rozpadły, interwencja radziecka była na sto procent pewna.

Wojciech Giełżyński powątpiewa, czy ówczesne kalkulacje Kapuścińskiego były trafne.

– Przecież to „poziomki" rozsadzały partię od środka, osłabiały ją i mogły przez to ściągnąć na nas radziecką interwencję. W oczach Kremla to „poziomki", a nie „Solidarność", prowadziły partię ku rozkładowi.

Podobnie uważa Janusz Rolicki: – O „Solidarności" zawsze można było powiedzieć, że to kontrrewolucja. Moskwa obawiała się natomiast, że sama partia stanie na czele przemian. Podobny wariant w Czechosłowacji w 1968 roku zakończył się zbrojną interwencją.

„Poziomki" nalegają na szybki zjazd partii. Góra zwleka. Do zjazdu dochodzi latem osiemdziesiątego pierwszego: „poziomki" przegrywają, partia zwiera szeregi przeciwko „Solidarności". (Czy również oddala groźbę „bratniej pomocy" z Moskwy?).

Życzenie Kapuścińskiego poniekąd się spełnia – partia nie rozpada się. Jej umocnienie dokonuje się jednak nie w drodze odbudowania wiarygodności, wyjścia naprzeciw ruchowi „Solidarność", lecz zwiększenia dyscypliny, okopania się na zachowawczych, jak na tamten rewolucyjny czas, pozycjach.

Po zjeździe entuzjasta zamienia się w pesymistę.

Z ówczesnych rozmów z Kapuścińskim Werblan pamięta urzeczenie „Solidarnością", czystością ruchu, a zarazem obawy przed czynnikiem anarchicznym, wygórowanymi aspiracjami, niemożliwymi do zaspokojenia w tamtym czasie.

– Myślał o sobie jako o kimś, kto łączy obie strony. Miał dobre kontakty z ludźmi obu obozów.

Dlatego w miesiącach „karnawału" Kapuściński siedzi okrakiem na barykadzie. Z jednej strony kibicuje „poziomkom", reformie wewnątrz partii, z drugiej – wspólnie z intelektualistami bliskimi „Solidarności" podpisuje apel o rozwagę do radykałów obu stron. Niewypowiedzianym wprost kontekstem apelu jest groźba interwencji wojsk radzieckich. „Nie znamy grup liczących się w opinii społecznej, które by mniemały, że korzystne dla Polski może być napięcie między nami i naszymi sąsiadami, które by pochwalały jakiekolwiek nieprzyjazne gesty wobec Związku Radzieckiego, które by dążyły do zerwania przez Polskę obowiązujących ją sojuszy...". Oprócz Kapuścińskiego oświadczenie podpisują Władysław Bartoszewski, Stefan Bratkowski, Tadeusz Mazowiecki, Jan Olszewski, Henryk Samsonowicz, Stanisław Stomma, Jerzy Turowicz, Andrzej Wajda i kilku innych intelektualistów.

Kapuściński – nie tylko doświadczony reporter, ale i człowiek wywodzący się z Kresów – ma świadomość, że polskiej sytuacji nie da się rozpatrywać w oderwaniu od geopolityki. Polska stanowi część obozu radzieckiego: ograniczenie władzy partii, niepodległość, wystąpienie Polski z Układu Warszawskiego, o czym wykrzykują co i rusz niecierpliwi z „Solidarności", to w tamtym czasie mrzonki. Wracają obrazy z dzieciństwa: radzieccy żołnierze na moście przy wjeździe do Pińska kierują w jego stronę lufy karabinów; krzyk siostry, płacz matki, strach, rozpacz; enkawudziści przychodzą do domu po ojca... (– Zawsze, gdy mówił o Związku Radzieckim, ściszał głos – przypomina sobie kolega z redakcji „Kultury").

W czasie licznych podróży po Polsce przysłuchuje się negocjacjom między załogami robotniczymi, ludźmi „Solidarności" i dyrekcjami zakładów, działaczami partii. Powie potem, że na dramatyczny rozwój wypadków wpłynął niski poziom rozgrywek na szczeblu lokalnym, zakładowym, brak poważnej refleksji politycznej, radykalna frazeologia, sprowadzanie sporów do gier personalnych. Jednak po rozbiciu przez partię „Solidarności" i uwięzieniu tysięcy jej działaczy dochodzi do przekonania, że nie zawiniła ta czy inna grupa, tacy czy inni liderzy jednej i drugiej strony: przeszkodą dla demokratycznych zmian był model ustrojowy, z istoty swojej niezdolny do ich przyswajania. Grecka tragedia na Wisłą.

Tuż przed ogłoszeniem stanu wojennego rozmawia z Frelkiem, który właśnie wrócił z Nowego Jorku. Spotykają się w kawiarni Ambasador w Alejach Ujazdowskich w Warszawie. Kapuściński mówi przyjacielowi, że wybiera się do Gdańska, gdzie będą obradować – jak się okaże po raz ostatni – władze „Solidarności".

– Był roztrzęsiony – wspomni po latach Frelek. – Ja właśnie wróciłem ze Stanów, Amerykanie pokazywali mi mapy z rozmieszczeniem wojsk na granicach.

Frelek dzieli się tymi wiadomościami z przyjacielem.

13 grudnia, kiedy w całym kraju nie działają już telefony, Frelek uruchamia swoje znajomości, żeby sprawdzić, czy Kapuścińskiemu nic złego się nie stało, czy wrócił bezpiecznie z Wybrzeża.

Wrócił. Jakiś patrol legitymował go tylko w drodze powrotnej do Warszawy.

Śnieg, żołnierze i wozy pancerne na ulicach. Dzień po wprowadzeniu stanu wojennego Kapuściński idzie do redakcji „Kultury". Tygodnik, podobnie jak wszystkie periodyki, zostaje zawieszony. Do redakcji na Wiejskiej przychodzą również Janusz Rolicki, Stefan Kozicki, Zygmunt Simbierowicz i Andrzej Kantowicz. Wszyscy oni tworzą Podstawową Organizację Partyjną PZPR w redakcji tygodnika.

Rolicki, jak sam opowiada, proponuje rozwiązać organizację partyjną w redakcji. Wszyscy są zgodni. Legitymacje członkowskie przekazują sekretarzowi organizacji Kantowiczowi, który ma je zanieść do komitetu dzielnicowego. Zanosi je jednak do redaktora naczelnego Horodyńskiego.

Horodyński uważa, że decyzja kolegów-towarzyszy jest pochopna.

– To będzie gwóźdź do trumny „Kultury" – mówi, gdy się dowiaduje o decyzji dziennikarzy.

Legitymacje lądują w jego biurku.

Horodyński gra na zwłokę, nie zanosi legitymacji do komitetu dzielnicowego. A nuż coś się wydarzy? A nuż ktoś będzie żałował i da się wszystko odkręcić? Dopóki legitymacje leżą u niego, sprawa jakby nie istnieje...

W którym momencie legitymacje znalazły się w komitecie, Horodyński – gdy rozmawialiśmy – nie pamiętał. Być może dopiero w 1984 roku – formalnie Kapuściński przestaje być członkiem właśnie wtedy. Pierwsza intuicja redaktora naczelnego okazała się trafna: rozwiązanie organizacji partyjnej w redakcji sprawia, że „Kultura" – inaczej niż większość zawieszonych wówczas periodyków – nigdy więcej się nie ukaże.

– Wystąpienie z partii musiało być dla Ryśka trudną, niemal dramatyczną decyzją – mówi Wiktor Osiatyński, przyjaciel z „Kultury", który do partii nie należał.

Większość życia, całe dorosłe, Kapuściński należał do partii. Wierzył w socjalizm, wierzył, że partia to jego miejsce, a partia uważała go za swojego człowieka. Tą decyzją przekreślił wiele ze swojej przeszłości, spalił wiele mostów, nadszarpnął wiele z dotychczasowych koneksji, które pozwalały mu wyjeżdżać za granicę, funkcjonować w rzeczywistości Polski Ludowej.

Tego samego dnia po południu Kapuściński zjawia się u Anny Borkowskiej, znajomej ze Stowarzyszenia Dziennikarzy Polskich. Wita go trzyletnia córka pani domu:

– Wujku, jak ty masz w domu jakieś książki, to ty je lepiej szybko wynieś i gdzieś schowaj, bo jak oni przyjdą, to ci je zabiorą.

I po chwili dodaje: – Ja to wszystko wiem, bo my też mamy dużo książek i już je wszystkie wynieśliśmy.

Odwiedza Frelka. Rozmawiają długie godziny…

Któregoś dnia wpada do redakcji PAP, gdzie pracował przez wiele lat. Przyjacielskie rozmowy, dodawanie sobie nawzajem otuchy. Wszyscy są przerażeni, co będzie dalej. Cisza i spokój czy przeciwnie: strajki, manifestacje, walki uliczne? Wieczorem 17 grudnia, po powrocie do domu, kolega z PAP Ryszard Piekarowicz, wieloletni korespondent w krajach Azji, notuje w swoim dzienniku:

> Kapusta mówi: sytuacja nie jest dobra i będzie się pogarszać. Dojdzie do biernego oporu, ludzie nie będą strajkować, ale nie będą dobrze pracować, będą udawać, że pracują. Czekają nas lata dyktatury jałowej, z której nic dobrego nie przyjdzie. Na domiar złego sytuacja gospodarcza jest bardzo ciężka, a w obozie też źle. Żywność mogą dawać [kraje obozu] z miesiąc, nie dłużej. W Czechosłowacji i na Węgrzech było inaczej – kryzysy polityczne następowały w okresie albo pomyślności gospodarczej, albo przynajmniej znośności.
>
> Poza tym przeciwko władzy są prawie wszyscy: chłopstwo, robotnicy, inteligencja, młode pokolenie, studenci. Władza może liczyć tylko na armię, SB, aparat partyjny i stare pokolenie robotników i biedoty.
>
> Jaruzelski popełnił błąd, że nie przejął władzy wyraźnie w imieniu armii dla ratowania państwa, w imieniu narodu, jako rozjemca między „Solidarnością" i partią. Mógł powiedzieć, że interweniuje, gdyż „Solidarność" i partia nie potrafią się pogodzić i zaczynają brać się za łby. Więc trzeba zapobiec wojnie domowej.

Młodzi myślą tylko, jak z Polski wyjechać. Nikt nie wierzy, aby się mogło co zmienić na lepsze.

W 1956 na Węgrzech znaczna część przeciwników rządu, najaktywniejsza, uciekła za granicę, co od razu osłabiło opór. Z Polski nie uciekł prawie nikt. Poza tym na Węgrzech w 1956 r. było tylko parę wielkich fabryk, reszta to wieś, a u nas jest bardzo wiele dużych zakładów z robotnikami po stronie „Solidarności".

Moskwa wolałaby, aby Polska gniła dalej, tak jak gniła, niż aby doszło do próby sił. Teraz, pozostając słabi, pozostaniemy zależni od ZSRR i innych Ksów [krajów socjalistycznych].

Dopisek do powyższej relacji, zrobiony kilka dni później:

Czy stan wojenny ma udaremnić interwencję radziecką, czy też ma być wstępem do niej? Kapusta sądzi, że interwencja jest nieunikniona.

Również w rozmowie z Mariuszem Ziomeckim kilka dni później Kapuściński wróży rychłą interwencję.

– Snuł scenariusze najczarniejsze z możliwych, był panikarzem numer jeden. Mówił, że poleje się krew, że będzie straszna rzeź. I jak przyjdzie co do czego, to za nas, dziennikarzy, wezmą się w pierwszej kolejności. Wtedy nikt nie miał dobrej prognozy – to na jego obronę. Potem zrozumiałem, że znajomość dynamiki zamachów stanu w Trzecim Świecie nie wyposażyła go w mądrość przydatną w naszej, polskiej sytuacji.

Władze stanu wojennego kręcą bat na nieposłusznych dziennikarzy: każdy, kto chce dalej uprawiać zawód, musi stawić się przed tak zwaną komisją weryfikacyjną. To funkcjonariusze partii zadecydują, komu dadzą pożyć w zawodzie, komu nie. Odmowę poddania się weryfikacji traktuje się jako akt nielojalności wobec państwa, zatrzaśnięcie drzwi do uprawiania zawodu w oficjalnych środkach masowego przekazu.

Kapuściński decyduje: – Nie idę na żadną weryfikację.

Jak większość, którzy przed komisją nie stanęli (lub zostali przez nią odrzuceni), zostaje wezwany do siedziby wydawnictwa RSW „Prasa" – wydawcy prawie wszystkich gazet i czasopism w kraju. W Polsce Ludowej głównym pracodawcą jest państwo i to RSW „Prasa" wręcza teraz w imieniu państwa wymówienia nieposłusznym dziennikarzom, a chwilę potem składa propozycje pracy w innych branżach i zawodach – zazwyczaj w Zakładzie Ubezpieczeń Społecznych.

Teresa Torańska zjawia się tuż za Kapuścińskim. Gdy ten wychodzi z pokoju, pyta:

– Co ci zaproponowali?

– Starszego inspektora w ZUS.

– Roześmiałam się. Rysiek tymczasem uciekł bez słowa. Mnie ta groteska bawiła, on czuł się dotknięty – być może tym, że jemu, Kapuścińskiemu, śmieli coś takiego zaproponować. Nie miał wyczucia groteskowości sytuacji ani poczucia humoru na własny temat.

Pracy w ZUS Kapuściński oczywiście nie podejmuje.

Po śmierci przedstawiano czasem Kapuścińskiego jako ofiarę represji rządu generała Jaruzelskiego. Odpowiadając na jedną z takich sugestii, rzecznik ówczesnego rządu Jerzy Urban napisał w liście do dziennikarza „Gazety Wyborczej":

> Oświadczam, że z początkiem 1982 r. po odpowiednich moich staraniach i uzgodnieniach zaprosiłem Kapuścińskiego do siebie, do biura rzecznika rządu, i oficjalnie złożyłem mu następującą propozycję: niech wybierze sobie dowolne czasopismo zawieszone wówczas lub nie – a finansowane przez RSW „Prasę" – i wyjedzie jako jego korespondent do jakiego chce kraju III Świata. Wyjaśniłem, że proponuję czasopismo, a nie gazetę lub PAP, aby nie miał żadnych powinności bieżących. Kapuściński z miejsca powiedział, że propozycja go nie interesuje, nie podając przyczyn, a ja bez dyskusji przyjąłem to do wiadomości. Polityczne motywy odmowy rozumiały się wówczas same przez się. Jednakże to była decyzja Ryśka. Jeśli więc nawet jest prawdą, że jakieś ogniwo władzy chciało go zweryfikować, a spotkawszy się z odmową, proponowało posadę w ZUS, nie jest to cała prawda o traktowaniu Kapuścińskiego przez ówczesne władze.

Władza miała z Kapuścińskim kłopot: jak traktować lojalnego przez prawie trzydzieści lat członka partii, starego kolegę, który właśnie zrobił polityczną woltę? Na dodatek w rządzie Jaruzelskiego zasiadają bliscy znajomi z tej samej branży. Przemówienia pisze generałowi Wiesław Górnicki, dawny korespondent PAP w Nowym Jorku, na Bliskim Wschodzie i w Dalekiej Azji, którego talent reporterski porównywano czasem do talentu Kapuścińskiego. Wicepremierem jest Rakowski, były szef z czasów pracy w „Polityce". Rzecznikiem rządu Urban, dawny kolega, też z „Polityki".

Książki Kapuścińskiego ukazują się w latach osiemdziesiątych bez przeszkód ze strony władz. Kilka miesięcy po wprowadzeniu stanu wojennego wychodzi *Szachinszach* – książka o rewolucji islamskiej w Iranie, uważana często za jedno z dwóch, obok *Cesarza*, najwybitniejszych jego dzieł. Wychodzą trzy kolejne wydania *Cesarza*, a *Szachinszach* – czytany zwykle jako aluzyjna, uniwersalna opowieść o mechanizmach rewolucji – doczeka się w tamtym czasie dwóch wznowień.

Kapuściński nie zrywa całkowicie kontaktów z dawnymi towarzyszami; nie od razu. Już nie chce być kojarzony z partią, sam się od władzy odsuwa, ale na kolację czy wódkę ze starymi kumplami czasem się umówi.

Gdy Stanisław Jarząbek, ambasador w Hawanie, przyjeżdża do Warszawy, spotyka się z Kapuścińskim w knajpie na warszawskim MDM-ie. Kapuściński narzeka: wszystko idzie ku gorszemu, nie ma pracy, nie ma gdzie publikować.

– Może byś przyjechał na Kubę? – zagaduje Jarząbek. – Zapewnię ci wszystko, co zechcesz. Mógłbyś prowadzić zajęcia na uniwersytecie, miałbyś też coś z tego do swojego pisania. Rozmawiałem już nawet z Rakowskim, nikt z rządu nie będzie ci robił przeszkód...

– A ile mi Kubańczycy zapłacą? – pyta Kapuściński.

Jarząbek wpada w konfuzję.

– Zorientowałem się, że ma w nosie moją pomoc, lecz nie chce tego otwarcie powiedzieć. Pytanie o pieniądze miało sprawić, żebym nie nalegał z zaproszeniem.

– Jak wyglądała pana rozmowa z Rakowskim?

– Powiedziałem mu, że chcę pomóc Kapuścińskiemu, zaprosić go na Kubę. Spytałem również, czy przyjmie Kapuścińskiego w tej sprawie. Rakowski odpowiedział, że zawsze chętnie i że Kapuściński zna drogę do niego, nie potrzebuje pośredników.

Kapuściński nie zjawił się w gabinecie Rakowskiego. Ten ostatni ma w tamtym czasie fatalną opinię wśród ludzi opozycji po wizycie w Stoczni Gdańskiej, kiedy to na oczach całej Polski (spotkanie pokazała telewizja) rugał robotników sympatyzujących z „Solidarnością" i obecnego na spotkaniu Lecha Wałęsę. Rakowski miał też w pogardzie dawnych przyjaciół – dziennikarzy, którzy przeszli na drugi brzeg.

„Co się stało? Dlaczego pewni ludzie teraz nie tylko, że przechodzą na drugą stronę, ale robią to w tak spektakularny sposób?" – pyta Rakowski w obszernym wywiadzie z tamtych lat. Wskazuje dawnego kierownika Wydziału Prasy KC Stefana Staszewskiego i Dariusza Fikusa, przez dwadzieścia lat swoją prawą rękę w „Polityce", eksprzyjaciela, który wydał właśnie w podziemiu rozliczeniową książkę o środowisku dziennikarskim. Zaczepia w niej Rakowskiego niejeden raz. „Otóż w moim najgłębszym przekonaniu – ciągnie swój wywód Rakowski – ktoś, kto traci wiarę w ten obóz i nie widzi możliwości pozostania w nim dłużej, a nie jest już młodzieńcem, powinien położyć uszy po sobie i... milczeć".

Czy uwagi mają zastosowanie również do Kapuścińskiego? Raczej nie, bo Kapuściński milczy. Inaczej niż wielu dziennikarzy, którzy rozstali się z partią, nie pisze, ani nie wygłasza filipik przeciwko rządowi i dawnym towarzyszom. Ponieważ jednak zbliża się wtedy do opozycji, Urban wymierza mu na własną rękę kuksańca. Po emisji w telewizji BBC filmu dokumentalnego o polskim reporterze, w czasie jednej z konferencji prasowych Urban nawiązuje do sceny, w której Kapuściński prosi ekipę filmową o wyłączenie kamery (przejeżdżają właśnie obok jednego z budynków MSW): „Sugeruje to Brytyjczykom – pokpiwa rzecznik rządu – że filmowanie Kapuścińskiego jest policyjnie zakazane i przydaje pracy brytyjskich realizatorów heroicznego wymiaru. To dziecinada. Kapuściński nie jest obiektem militarnym ani przedmiotem tajemnicy państwowej. Można go filmować w dowolnym miejscu i w każdy sposób. Czynienie z Polski miejsca grozy wprowadza w błąd brytyjskich widzów".

Gdy pod koniec dekady partia zacznie rozważać negocjacje z podziemną „Solidarnością" i pojawi się koncept rozmów Okrągłego Stołu, Kapuściński, wciąż mający dobre kontakty z ludźmi obu stron, zostanie poproszony o mediację. Chodziło zapewne o drobiazg, być może kruszenie pierwszych lodów, bo nikt już dziś nie pamięta szczegółów. Jarząbek, który po powrocie z Hawany zostaje prawą ręką Józefa Czyrka, członka politbiura i czołowej postaci ówczesnego rządu, umawia na prośbę swojego szefa spotkanie z Kapuścińskim. Hasło wywoławcze: Czyrek chce przekazać przez Kapuścińskiego jakiś polityczny komunikat dla Bronisława Geremka, doradcy Wałęsy, szefa Komitetu Obywatelskiego, wokół którego skupiają się główne nurty opozycji.

Gdy Kapuściński zjawia się w gabinecie Czyrka, ten – jak sam opowiada – prosi go o „analizę sytuacji kraju na tle trendów światowych". Jest już rok 1988.

– Gdy sformułowałem moją prośbę, Kapuściński zaczął się zachowywać z rezerwą – mówi Czyrek. – Opowiadał ciekawie, ale było dla mnie jasne, że nie czuje się komfortowo. Nie rozumiałem początkowo dlaczego.

Jarząbek pamięta, że po dłuższym czasie, może godzinie, czerwony ze złości Kapuściński wyszedł z gabinetu Czyrka, bez słowa zerwał z wieszaka płaszcz i wybiegł bez pożegnania. Czyrek nie chciał powiedzieć podwładnemu, co się właściwie stało.

– Przysięgam, że nic się nie wydarzyło – zapewnia mnie Czyrek. – Myślę, że Kapuściński miał jakieś oczekiwania wobec naszej rozmowy.

– Może miał ku temu podstawy?

– Możliwe, że poczuł się emisariuszem, a nie dostał żadnej wiadomości do przekazania. Może dlatego wybiegł poirytowany?

Czyrek twierdzi, że sugerował generałowi Jaruzelskiemu oficjalne zgłoszenie przez Polskę Kapuścińskiego do literackiej Nagrody Nobla. Generał miał odrzec „tak", potem jednak polityczne trzęsienie ziemi, wielka zmiana ustrojowa wypchnęły sprawę z porządku dnia i pamięci pomysłodawcy.

Już tylko od czasu do czasu, coraz rzadziej, Kapuściński spotyka się ze starymi przyjaciółmi z partii – Frelkiem, Trepczyńskim... W liście do Jerzego Nowaka pisze z Filadelfii, że właśnie pędzi na dworzec, bo jedzie do Nowego Jorku, „żeby Staszkowi Trepczyńskiemu oddać ten list". Jednak odsuwanie się od dawnych towarzyszy, którzy przez lata byli podporą kariery, zaczyna być dla nich oczywiste. I przykre.

W osobistym dzienniku Frelek notuje, że człowiek, z którym spędził w bliskiej przyjaźni trzydzieści lat i którego przez cały ten czas wspierał i chronił, odwraca się do niego plecami.

Nie wiadomo, co robić. Mój rytm życia wyglądał do tej pory tak: wyjeżdżałem, wracałem, pisałem z tego książkę albo cykl reportaży i znowu wyjeżdżałem. Ten rytm został przerwany przez stan wojenny. Zastanawiałem się: co tu robić?

Dziennikarze związani z „Solidarnością", jak i ci, którzy niedawno zerwali z oficjalnym obiegiem, szukają sobie miejsca. Jedni zmieniają zawód, drudzy wyjeżdżają z kraju – na stałe lub jakiś tylko czas, inni angażują się w organizowanie prasy podziemnej.

Kapuściński przychodzi na spotkania działającego nieoficjalnie Stowarzyszenia Dziennikarzy Polskich. Zebrania odbywają się często w mieszkaniu Wilhelminy Skulskiej przy ul. Wiejskiej. Spotykają się tu prominentne postacie środowiska: Stefan Bratkowski, Dariusz Fikus, Maciej Iłowiecki, Jacek Maziarski, Aleksander Wieczorkowski, Wanda Falkowska, Eligiusz Lasota, Ernest Skalski. Rozmawiają, radzą, dyskutują... Niektórzy decydują się na publikowanie w ukazujących się nielegalnie poza cenzurą gazetkach, inni w obawie przed uwięzieniem trzymają się z dala od konspiracji.

– Rysiek po prostu z nami był.

Anna Borkowska, uczestniczka spotkań podziemnego SDP, akcentuje słowo „był".

– Nikt nie oczekiwał, że będzie biegał z ulotkami i odezwami. Jeśli tylko był w kraju, przychodził na spotkania, i samo to miało dla nas znaczenie. Przychodził na wigilie środowiskowe, brał udział w spotkaniu ze Zbigniewem Brzezińskim w czasie jego pierwszego pobytu w Polsce.

> Spotkanie z Brzezińskim. Głosy warszawskie – pesymistyczne. Brzeziński natomiast określa siebie jako historycznego optymistę. Mówi, że w tej chwili rewolucja w Polsce oznaczałaby klęskę, ewolucja zaś może dać zwycięstwo (*Lapidarium*).

Z kolei Maciej Iłowiecki pamięta, że Kapuściński był ostrożny, może aż nazbyt. Podpisywał czasem jakieś oświadczenia SDP, lecz gdy ich wymowa wydawała mu się zbyt mocno antyreżimowa, uchylał się.

– Obawiał się, że nie pozwolą mu wyjeżdżać za granicę, a bez tych wyjazdów nie mógł żyć. Miałem nawet o to cichą pretensję, dzisiaj rozumiem go dużo lepiej.

Wielu ludzi i wiele środowisk trzymających się do tej pory z dala od Kościoła znajduje w czasie stanu wojennego azyl w parafiach kierowanych przez księży – sympatyków „Solidarności". Kapuściński, który od czasów licealnych nie miał kontaktu z Kościołem instytucjonalnym, przychodzi do parafii pod wezwaniem św. Stanisława Kostki na warszawskim Żoliborzu. Raz w miesiącu kapelan „Solidarności", ksiądz Jerzy Popiełuszko, odprawia tu „msze za Ojczyznę", które gromadzą tysiące ludzi, stają się manifestacjami poparcia dla podziemnej „Solidarności" i sprzeciwu wobec władz stanu wojennego. Jesienią 1984 roku ksiądz Popiełuszko zostaje uprowadzony i zamordowany przez funkcjonariuszy Służby Bezpieczeństwa.

– Kapuściński przychodził na „msze za Ojczyznę" – wspomina Anna Szaniawska, przyjaciółka księdza Popiełuszki, zaangażowana w organizowanie ruchu kulturalnego wokół parafii. – Czasami odczytywał w czasie mszy fragmenty Biblii. Po mszy przychodził do zakrystii, gdzie zbierali się przyjaciele księdza Popiełuszki. Nie prowadził przy parafii żadnej działalności, liczyło się to, że przychodził, że z nami był.

Brałem żywy udział w podziemnej akcji wykładowczej, organizowanej przez „Solidarność". Miałem bardzo dużo spotkań. Mówiło się na nich i o sytuacji w kraju, i o sytuacji międzynarodowej. Utrata zaufania do prasy oficjalnej była wówczas powszechna. Wielu kolegów wyjechało, wielu internowano, więc ogromne było zapotrzebowanie na takie nielegalne, tajne odczyty. Odbywały się one głównie na plebaniach, w kościołach. Czasem też w prywatnych domach, ale to raczej rzadko, bo było niebezpiecznie. Ostra inwigilacja wciąż trwała. Te spotkania miały dla ludzi wielkie znaczenie – nie tylko ze względów informacyjnych, ale i integracyjnych. Ważne było, że jesteśmy razem. Zaczęły istnieć dwie Polski: ta oficjalna – rządząca, i ta podziemna – drugiego obiegu...

Koleżanki i koledzy, którzy przekroczyli kolejny Rubikon – redagują i wydają podziemne gazetki – nieraz namawiają Kapuścińskiego do współpracy.

Nigdy nie zgodził się napisać tekstu dla „Tygodnika Mazowsze", największego z podziemnych pism. Współredagująca tygodnik Anna Bikont spotkała się z nim kilka razy, żeby spisać jego refleksje o sytuacji międzynarodowej. W tygodniku ukazał się jeden spisany w ten sposób tekst o sytuacji w Afganistanie w roku osiemdziesiątym trzecim (podpisany inicjałami N.D.).

Obecny reżim jest tak znienawidzony, że po ewentualnym wycofaniu wojsk radzieckich do władzy doszłyby siły skrajnie antyradzieckie... Jeśli trwać będzie sytuacja krwawego impasu, jeśli postępować będzie dalszy rozkład rządowej armii afgańskiej, Rosjanie będą musieli rozstrzygnąć: albo podjąć wojnę totalną z narodem afgańskim, albo szukać politycznych rozwiązań...

Ernest Skalski, kolega z redakcji „Kultury", który po stanie wojennym redaguje podziemny „Przegląd Wiadomości Agencyjnych", pamięta, że Kapuściński wykręcał się od współpracy z jego pismem umową, jaką rzekomo zawarł ze swoim amerykańskim wydawcą.

– Sprzedałem im prawa do wszystkiego, co napiszę. Mieliby mi za złe, gdybym opublikował coś gdzie indziej.

Kochany Jurku!

Właśnie dziś wieczorem dostałem Twój list i „New York Review of Books" (za co ogromne dzięki!)...

Otóż powtórzę moją zasadniczą tezę na dzień dzisiejszy (podkreślam to „dzisiejszy", gdyż sytuacja jest ciągle daleka od stabilizacji): odczuwa się, że w tej chwili zmalała do minimum groźba interwencji, jak również zmalała poważnie groźba wojny domowej. Jednym słowem, wszelkie rozwiązania siłowe zeszły na daleki plan, a coraz bardziej realny staje się scenariusz przewlekłego, wykańczającego kryzysu, w którym nie będzie lała się krew, natomiast wszyscy będziemy dosyć wymęczeni, strudzeni i nerwowo zszarpani. Wszelkie warianty w rodzaju „skończyć z tym!" są dziś w Polsce całkowitym nonsensem i nie należy przywiązywać do nich żadnej wagi.

W liście, pisanym kilka miesięcy po wprowadzeniu stanu wojennego, Kapuściński informuje najbliższego przyjaciela – przebywającego na placówce w Nowym Jorku – o nastrojach w kraju i możliwym rozwoju wypadków.

Coraz bardziej jedyną drogą staje się rozszerzenie bazy władzy przez partię i to jest właśnie płaszczyzna, na której toczyć się będzie teraz walka: ile tej władzy będzie oddane, w jakich dziedzinach itd. Wszystko inne poza tym, jest kompletną bzdurą, brednią, lipą i nie dawaj temu żadnego posłuchu.

Jednym słowem, apeluję o Twój i Iziuni spokój co do rozwoju sytuacji w Polsce i na Wasze pytanie – co będzie? Odpowiem Wam w ten sam sposób, jak codziennie odpowiadam tu na spotkaniach z czytelnikami: NIC NIE BĘDZIE. Będzie dużo szarpaniny i dużo biedy – to wszystko. Po prostu cechą polskiego procesu jest to, że nie ma on wewnętrznych rozwiązań trwałych i merytorycznych. Musi dopiero stać się coś poza Polską, aby ten proces mógł naprawdę ruszyć z miejsca.

Kapuściński ma teraz dużo wolnego czasu – nigdzie nie pracuje, na razie nie wyjeżdża. Zegar wybił pięćdziesiątkę, kłopoty z krążeniem i kręgosłupem też robią swoje. Okoliczności zewnętrzne wymuszają znalezienie sobie innej niż reportaż, nowej formy wypowiedzi literackiej. W innym liście do Nowaka, w listopadzie 1982, pisze:

> Obecnie siedzę nad nową książką, pomyślaną jako pierwsza pozycja z cyklu moich refleksji nad światem i współczesnością. Zgodnie z tematem, książka składać się będzie z zapisków, fragmentów, zdań, myśli, krótkich esejów – słowem będą to jakieś próby filozoficzne, osadzone w różnych latach i w różnych miejscach globu: konstrukcja przecinających się poziomów i pionów, no, muszę to najpierw napisać a potem zobaczymy, co z tego wyjdzie.
>
> Tytuł książki – *Lapidarium* wyjaśnia jej charakter i technikę, w jakiej jest pisana (lapidarium to muzeum szczątków kamiennych, fragmentów rzeźb starożytnych, których całość niemożliwa jest już do odtworzenia, słowem, jest to rodzaj artystycznego gruzowiska, czegoś, co się rozsypało i nie da się złożyć). Książka jest pomyślana jako pierwsza część trylogii (dalsze tomy – *Panta Rhei* i *Wrzenie świata*), która stanowi moją próbę zbudowania pewnego analitycznego obrazu świata (a raczej dostarczenia czytelnikowi elementów do samodzielnej budowy takiego obrazu). Dochodzą tu do głosu moje ambicje nie tylko aksjologiczne, ale i eschatologiczne, ale tylko takie pisanie ma dziś dla mnie wartość.
>
> Oto czym się teraz zajmuję, wbrew wszystkiemu, co dzieje się wokół mnie, ale gdybym poddał się panującym nastrojom, nic bym już więcej nie zrobił, a chcę przecież jeszcze kilka książek napisać. O tym, co u nas słychać, najlepiej opowie Ala, która chyba przyleci do Was 8 grudnia w południe...
>
> Kochani, najważniejsze to – trzymać się, trwać i starać się być sobą. Nas tu napełnia wielki optymizm, gdyż niezależnie od doraźnych trudności i wszelkiego wredniactwa, jesteśmy na dobrej drodze, idziemy z dobrymi ludźmi i myślimy dobrze. Naprawdę – głowa do góry! Dystansować się, wyłączać, otorbić się!... Wasz Rysiek.

Kapuściński ma powód do nagłego wybuchu optymizmu w samym środku depresyjnych nastrojów „wojny polsko-jaruzelskiej". Oto pojawiła się wielka życiowa szansa na wydanie w Stanach Zjednoczonych *Cesarza*.

...jak już pisałem, *Cesarz* wychodzi właśnie w N.Y. w poważnym wydawnictwie, które nazywa się Harcourt Brace Jovanovich. Wkrótce przyleci do N.Y mój tłumacz, pozwólcie, że się z Wami skontaktuje. Wydawnictwo to już zwróciło się do mnie, abym odstąpił im światowe prawa na moją twórczość. Reklamują się, że są właścicielami praw Güntera Grassa, Maxa Frischa i Georges'a Simenona i chcą w tej plejadzie umieścić również mnie. Słowem, zaczyna to wyglądać ciekawie. Liczę w tym na poparcie m.in. pana [Andrew] Nagorskiego [korespondenta „Newsweeka" w Europie Wschodniej], który okazał mi tyle życzliwości, jak również Susan Sontag i innych...

Drugie narodziny pisarza-reportera – teraz na światowej scenie literackiej – sława, międzynarodowy prestiż i przyzwoite w końcu pieniądze są o krok...

Wart tysiąca skamlących gryzipiórków...

Helen ma ponad 80 lat... kiedyś zaprzyjaźniona z Tomaszem Mannem i Hanną Arendt, emigrowała z nimi do Stanów w latach trzydziestych... Helen – głęboka intensywna kultura, wielki kunszt formułowania myśli – ginąca już formacja intelektualistów Europy pierwszej połowy naszego wieku, którzy traktowali rozmowę jak sztukę, za najprostszym wypowiedzianym zdaniem czuło się błyskotliwą kindersztubę, chłonną i pilną młodość, lata studiów i obcowania ze światem myśli i ducha... (*Lapidarium*).

To Helen Wolff z nowojorskiego wydawnictwa Harcourt Brace Jovanovich zachwyciła się *Cesarzem* i sprawiła, że polski reporter, o którym w Ameryce nikt wcześniej nie słyszał, z dnia na dzień stał się znany czołówce amerykańskich intelektualistów, pisarzy i recenzentów. Miała sentyment i dobrą rękę do autorów ze Starego Kontynentu. Jej mąż, Kurt Wolff, wydawał przed wojną dzieła Franza Kafki w Niemczech. Oboje, już w Ameryce, mieli we wspólnym dorobku wydawniczym serię dzieł literatury europejskiej: Güntera Grassa, Borysa Pasternaka, Maxa Frischa, Itala Calvina...

Fragment maszynopisu *Cesarza* ląduje na biurku Wolff na chwilę przed jej przejściem na emeryturę (Kapuściński utrzymywał, że wręcz ostatniego dnia pracy w wydawnictwie). Postanawia skontaktować się z Williamem Brandem, tłumaczem, od którego dostała kopertę z maszynopisem.

Brand o książce Kapuścińskiego dowiedział się od swojej żony, Polki – Katarzyny Mroczkowskiej. Wiosną siedemdziesiątego dziewiątego Mroczkowska wracała z Polski do Stanów, była doktorantką uniwersytetu w Rochester. Ktoś z przyjaciół wręczył jej książkę: to na podróż, to się teraz czyta w Warszawie. Egzemplarz *Cesarza*.

W tomie *Podróże z Ryszardem Kapuścińskim* Mroczkowska-Brand pisze:

> Zaczęłam czytać i od książki nie mogłam się oderwać, zachwycona zarówno ogromnie ciekawą historią, jak i bardzo oryginalną i nowatorską formą. Zauważyłam, i owszem, możliwości interpretowania tego tekstu jako obrazu ówczesnej rzeczywistości w Polsce i ogólnie za „żelazną kurtyną". Równocześnie jednak taka interpretacja, takie rozumienie tekstu, wydawało mi się tylko jedną z możliwych, a przede wszystkim chyba nie tą najważniejszą. Moim najsilniejszym wrażeniem z lektury *Cesarza* wówczas, i tak jest do dziś, było obcowanie z tekstem uniwersalnym, ponadczasowym, wpisującym się w literaturę światową i reportaż na najwyższym poziomie. Równolegle z tym wrażeniem pojawiło się coś w rodzaju podniecenia z niespodziewanego odkrycia: ...mianowicie utworu z literatury polskiej, który byłby przetłumaczalny i miał w sobie potencjał nośności ponadnarodowej. Przetłumaczalny w podwójnym sensie tego słowa: językowym i kulturowym, a więc tekstu, który nie byłby, jak niestety tyle innych z naszej literatury, *lost in translation*, najczęściej dlatego, że znów perspektywa „słoń a sprawa polska" zdominowałaby wszystkie inne.

Polska doktorantka początkowo cieszy się z tego, że trafiła wreszcie na polską książkę, godną polecenia kolegom po fachu – amerykańskim znawcom literatury. Z czasem zaczyna dojrzewać inna myśl: a może by tak *Cesarza* przetłumaczyć? Rok później wysyła list na adres Czytelnika, polskiego wydawcy książek Kapuścińskiego. Pisze w nim o pomyśle przetłumaczenia *Cesarza*, wspólnie z mężem – native speakerem i anglistą; jednak zastrzega, że praca miałaby charakter eksperymentu, nigdy wcześniej nie przetłumaczyli żadnej książki. Kapuściński odpowiada z entuzjazmem.

Osobiście spotykają się po upływie kolejnego roku, późną wiosną osiemdziesiątego pierwszego w Krakowie, gdy przekład *Cesarza* jest w zasadzie gotowy.

– Z tą brodą wygląda pan jak mudżahedin – pierwsze słowa Kapuścińskiego, jakie pamięta Brand.

Tłumaczom sprawia trudności archaiczny język *Cesarza*, stylizacje; szczególnie kłopotliwe są przymiotniki. Kapuściński rozwiązuje ów problem: – Róbcie, jak uważacie, byle byście mieli z tego przyjemność.

Jednak nie samo tłumaczenie jest najtwardszym orzechem do zgryzienia. W jaki sposób znaleźć w Ameryce wydawcę książki nieznanego nikomu za oceanem reportera z kraju średniej wielkości, należącego do obozu radzieckiego? Tłumaczenia z innych języków stanowią w tamtym czasie ledwie jeden procent wszystkich książek wydawanych ogółem w USA. Jak i kogo przekonać, żeby akurat cienka książeczka o cesarzu Etiopii, napisana przez polskiego dziennikarza, znalazła się w tym elitarnym klubie?

Brand jedzie do Stanów i rozsyła próbki tłumaczenia do kilkunastu znanych i mniej znanych oficyn wydawniczych. Niektóre grzecznie odmawiają, inne milczą. „Tak" mówi jedynie Helen Wolff z wydawnictwa Harcourt Brace Jovanovich.

Jak Brand wpadł na pomysł, żeby wysłać *Cesarza* właśnie do niej?

Jadąc po raz ostatni do biblioteki, nie miałem żadnego planu. Dowlokłem się do czytelni czasopism i zapaliłem papierosa, gapiąc się na fasadę Carnegie Museum pokrytą sadzą niczym krakowska Wieża Ratuszowa. Od niechcenia, szukając czegoś dla odwrócenia uwagi, sięgnąłem po leżący obok numer „New Yorkera" i zacząłem przeglądać reklamy: futer, szampana i diamentów. Nagle moją uwagę przykuła rzadkość – strona pokryta tekstem. Artykuł dotyczył Helen Wolff, wdowy po przedwojennym wydawcy Kafki Kurcie Wolffie. Ta uciekinierka z nazistowskich Niemiec była kultową postacią w Nowym Jorku. U podstaw jej kariery leżały tłumaczenia wybitnych europejskich pisarzy... Popędziłem do przewodników po rynku wydawniczym w poszukiwaniu jej adresu. Wczesnym rankiem w poniedziałek, tuż przed wyjazdem na lotnisko, wysłałem maszynopis wraz z listem zaadresowanym do Helen Wolff do wydawnictwa Harcourt Brace Jovanovich.

Kilka tygodni później do krakowskiego mieszkania Brandów przychodzi telegram, w którym Helen Wolff zapowiada, że za kilka dni zadzwoni. „...miała ciepły głos i przeszła prosto do sedna".

Amerykańska edycja *Cesarza* była w zasadzie załatwiona.

Kapuściński ustanawia Branda swoim pełnomocnikiem. Ostatniego dnia listopada osiemdziesiątego pierwszego roku Brand jedzie do Nowego Jorku, gdzie w imieniu Kapuścińskiego podpisuje umowę z wydawnictwem Harcourt Brace Jovanovich. W Polsce tymczasem wybucha stan wojenny, kraj zostaje odcięty od reszty świata, Brand utyka na dłuższy czas w Ameryce.

W tygodniach oczekiwania na możliwość powrotu do Krakowa dochodzi do najbardziej groteskowego zdarzenia w całej światowej karierze książki Kapuścińskiego. Brand wspomina:

> Pewnego dnia zadzwonił prawnik z Harcourt Brace. Było jasne, że nie chciał rozmawiać o stylistyce.
>
> Powiedział, że potrzebuje pewnych oświadczeń i uwierzytelnień.
>
> Poinformowałem go, że podpisanie jakichkolwiek oświadczeń i uwierzytelnień przez pana Kapuścińskiego nie będzie możliwe do czasu wyjaśnienia się sytuacji w Polsce.
>
> „Nie chodzi koniecznie o coś, co musi podpisać pan Kapuściński", powiedział. Potrzebował oświadczeń i uwierzytelnień od obywateli Etiopii, opisanych w książce. Chciał otrzymać podpisane, potwierdzone notarialnie oświadczenia zawierające ich prawdziwe nazwiska i adresy, w których zagwarantują prawdziwość swoich zeznań i uwolnią wydawcę od ewentualnej odpowiedzialności prawnej.
>
> [*Cesarz* jest skonstruowany ze stylizowanych monologów ludzi dworu Hajle Sellasje; nie padają ich nazwiska, jedynie inicjały, uniemożliwiające identyfikację – A.D.].
>
> Ci ludzie, odparłem, to pałacowi oficjele, ukrywający się przed marksistowskim reżimem rewolucyjnym. Rozmawiali z autorem potajemnie, pod warunkiem pełnej anonimowości. Sama próba nawiązania z nimi kontaktu może znaczyć dla nich śmiertelne niebezpieczeństwo.
>
> Sprawy mają się tak, mówił prawnik, że atmosfera wszechobecnego pozywania do sądu jest groźniejsza niż marksistowski ruch rewolucyjny. Żaden wydawca nie może pozwolić sobie na wydanie książki, w której jeden człowiek mówi cokolwiek na temat drugiego, bo osoba, której dotyczy dana wypowiedź, może po prostu pozwać wydawcę, oskarżając go o oszczerstwo. Chyba że zostanie potwierdzone notarialnie, że to, co powiedziała, jest zgodne z prawdą. A jeżeli jakakolwiek informacja opublikowana w książce – a niepotwierdzona wcześniej notarialnie – skrzywdzi kogokolwiek, wówczas osoba ta może pozwać wydawcę. Mówimy o pozwach opiewających na miliony dolarów. Każda osoba cytowana w jakiejkolwiek książce musi dostarczyć oświadczenie uwierzytelniające. Do momentu przedstawienia tych dokumentów przez autora lub jego pełnomocników umowa dotycząca publikacji nie będzie wiążąca prawnie.

Po namyśle i bez konsultacji z Kapuścińskim – na początku stanu wojennego nie ma połączeń telefonicznych z Polską – Brand informuje prawnika wydawnictwa: zarówno autor, jak i on, jako jego przedstawiciel, biorą na siebie odpowiedzialność za wszelkie pretensje i roszczenia, jakie zgłosiliby Etiopczycy. Przeszkody do publikacji pierwszej książki Kapuścińskiego w Ameryce zostają ostatecznie usunięte.

Cesarz ukazuje się na początku osiemdziesiątego trzeciego. Na okładce pierwszego wydania do zakupu i przeczytania książki zachęca rekomendacja Alvina Tofflera, sławnego i rozchwytywanego wówczas przez środki masowego przekazu futurologa: „*Cesarz* jest koszmarem, który śni się władcom, kiedy czują się najbardziej samotni. Jest przerażającą i błyskotliwą baśnią napisaną krystalicznym stylem, pełną politycznej przenikliwości".

Pochwalną notę Tofflera Kapuściński zawdzięcza Wiktorowi Osiatyńskiemu. W październiku osiemdziesiątego drugiego Osiatyński zawiózł Tofflerowi przetłumaczony tekst *Cesarza*; początkowo amerykański myśliciel nie miał ochoty nawet spojrzeć na maszynopis, w końcu uległ namowom polskiego znajomego i... wpadł w zachwyt.

– Wydrukowaliśmy pięć tysięcy egzemplarzy – opowiada w telefonicznej rozmowie Drenka Willen, redaktorka książki i następczyni Helen Wolff; również europejska imigrantka (z Jugosławii).

– Postanowiliśmy zaczekać, jak zareagują recenzenci, krytycy.

Odzew przerósł oczekiwania wydawcy, autora – wszystkich.

Peter Prescott pisze w „Newsweeku":

> ...zjadliwy humor tej książki unosi się nad jej stronicami jak bagienne opary. Efekt jest taki, jakby Kafka opisywał swój *Zamek* od wewnątrz... Alegoria dzisiejszych totalitarnych rządów? Prawie na pewno. Hajle Sellasje zastępuje tu Stalina, Wielkiego Brata, władcę, który sprowadza swój kraj do stanu niemal idealnej stagnacji. Fascynująca książka, czarująco napisana i przetłumaczona tak, jak gdyby nie istniały bariery językowe.

Do sukcesu książki znacząco przyczynia się recenzja Johna Updike'a – ze względu na popularność tego pisarza, jak i miejsce publikacji: prestiżowy tygodnik polityczno-kulturalny „New Yorker". „Niewątpliwie – napisał Updike – wywiady zostały zredagowane i ułożone z niemałym artyzmem i sprawiają wrażenie czegoś więcej niż dokument, jest w nich element poezji i tajemniczości w kafkowskim stylu".

Dla spopularyzowania *Cesarza* w Ameryce wiele uczynił też Toffler: opowiadał o książce potencjalnym recenzentom, ludziom pracującym w mediach, intelektualistom.

Właśnie Toffler jest pierwszym sławnym i wpływowym Amerykaninem, którego Kapuściński poznaje w czasie podróży do USA z okazji premiery wydawniczej *Cesarza.* W notatce z ich spotkania, wyraźnie przejęty, pisze:

> Powitanie bardzo serdeczne. Pokazuje mi swój nowy komputer, potem pokazuje mi, co i gdzie nacisnąć. Kto jest w Ameryce, musi nauczyć się pisać na komputerze (tylko Susan Sontag programowo pisze nadal zwyczajnym, szkolnym ołówkiem). Idziemy we trójkę (bo jest jeszcze żona Alvina – Heidi) na kolację, następnie odwożą mnie do domu na Forest Hills. Toffler – nowojorczyk – ciągle w Nowym Jorku błądzi. Pyta jakiegoś kierowcę taksówki o drogę do Forest Hills. Panie, odpowiada kierowca, sam nie wiem, gdzie jestem! (*Lapidarium*).

Po recenzji Updike'a w „New Yorkerze" pojawiają się inne, pełne zachwytów głosy, tak w prasie amerykańskiej, jak i brytyjskiej. Recenzenci widzą w Kapuścińskim wschodnioeuropejskiego kontynuatora tak zwanego Nowego Dziennikarstwa, kreatywnego pisarstwa non-fiction lub – jak niektórzy nazywają ten typ literatury – *faction* (angielskie słowo łączące opozycję: faktu i fikcji). Kierunek ten, łączący zadania tradycyjnego reportażu z technikami pisarskimi stosowanymi w beletrystyce, spopularyzowali w latach sześćdziesiątych i siedemdziesiątych Truman Capote, Norman Mailer, Hunter S. Thompson, Tom Wolfe.

W ankiecie brytyjskiego „Sunday Timesa" Salman Rushdie uznaje *Cesarza* za książkę roku 1983. „Pisarstwo Kapuścińskiego – uzasadnia Rushdie – zawsze cudownie konkretne i pełne wnikliwych obserwacji, wyczarowuje cuda znaczeń z najdrobniejszych szczegółów. Jego książka wykracza poza reportaż, stając się koszmarem władzy ukazanej jako odrzucenie Historii. *Cesarza* czyta się, jakby się czytało nową wersję Machiavellego napisaną przez Itala Calvino...". Wkrótce potem Rushdie i Kapuściński poznają się osobiście; Rushdie stanie się jednym z najwierniejszych promotorów pisarstwa polskiego kolegi.

– Dzięki zachwytom krytyki sprzedaliśmy pięć tysięcy egzemplarzy – opowiada Drenka Willen. – Postanowiliśmy wydrukować kolejnych pięć tysięcy. Niestety, sprzedaliśmy tylko część dodruku.

– W Ameryce wielka literatura nie ma wielkich nakładów – dopowiada Brand.

Czy tylko o to chodzi? Przypominam sobie rozmowę z Markiem Dannerem, wybitnym reporterem i eseistą, znajomym Kapuścińskiego, który wykłada dziennikarstwo na uniwersytecie w Berkeley. Danner pracował i publikował w najbardziej prestiżowych pismach Ameryki – „New York Timesie", „New Yorkerze", „New York Review of Books"; ma na koncie kilka głośnych książek, między innymi o uwikłaniu CIA w brudne wojny w Ameryce Środkowej, o wojnie irackiej i torturach w Abu Ghraib.

Spytałem go, czy analizuje ze studentami teksty Kapuścińskiego. Tak, odpowiedział, czytamy fragmenty *Cesarza*, *Szachinszacha* i *Wojny futbolowej*, ale nie wzbudzają one wielkiego entuzjazmu studentów. Dlaczego? Sądzę, mówi Danner, że wypływa to z amerykańskiej specyfiki. Amerykanie wierzą, że władza – nawet jeśli nie lubią tego czy innego rządu – służy dobru ludzi i postępowi. To jest cel jej sprawowania. Tymczasem twórczość Ryszarda obnaża ten mit; ukazuje, że we władzy chodzi przede wszystkim o... samą władzę, jej utrzymanie, nic więcej.

Obok ogólnych prawideł losu ambitnej literatury w tym kraju jest to zapewne jedno z prawomocnych, zakorzenionych w amerykańskim doświadczeniu wyjaśnień. Czy dlatego popularność Kapuścińskiego w Ameryce nie ma charakteru masowego, ogranicza się do elity intelektualnej, kręgu znanych pisarzy, środowisk akademickich? Czy dlatego nie jest on busolą dla amerykańskich dziennikarzy?

Pozycję Kapuścińskiego w Stanach i Wielkiej Brytanii, ugruntowuje następna książka: *Szachinszach*, o islamskiej rewolucji w Iranie. Przyjęto ją z jeszcze większą estymą niż *Cesarza*. Recenzent „The New York Timesa" pisał:

> Krótko i przejrzyście Kapuściński ukazuje patologiczne okrucieństwo, które nie ogranicza się do samych rządów szacha, lecz tkwi w irańskim społeczeństwie; [także] niebezpieczeństwa zbyt szybkiej westernizacji... „Wielka Cywilizacja", którą chełpił się szach, mówi, okazała się Wielką Niesprawiedliwością i Wielkim Upokorzeniem.

„The London Review of Books":

> ...bardziej godne uwagi niż personalia przywódców jest to, że ta rewolucja – pierwsza od XVII wieku – była inspirowana przez religię

i używała języka religii do wyrażania swych aspiracji. Cel wolności i braterstwa, wspólny wszystkim rewolucjom, podciągnięty został pod – obcy i anachroniczny dla zachodnich oczu – szyld Rządów Boga... Jak doszło do tego pozornego zawrócenia historii? Jako wschodni Europejczyk, korespondent zagraniczny związany z Polską Agencją Prasową, opisujący przewroty w Trzecim Świecie..., i jako funkcjonariusz państwa, które oficjalnie uznaje doktrynę, że rewolucjom nieuchronnie towarzyszy Postęp, Ryszard Kapuściński jest nadzwyczaj kompetentny, by dostarczyć nam w tej mierze odpowiedzi.

Szachinszach, jakiego poznali Amerykanie i Brytyjczycy, nie jest jednak dokładnie tą samą książką, którą wcześniej poznali polscy czytelnicy. Amerykańskie – a za nim brytyjskie – wydanie, które wzbudziło tak wielki entuzjazm recenzentów, zawiera zagadkę, której rozwiązania prawdopodobnie nie poznamy nigdy ze stuprocentową pewnością. Dzięki podpowiedzi osoby blisko zaprzyjaźnionej z Kapuścińskim, dopiero teraz – niemal kończąc pisanie tej biograficznej opowieści – odkrywam, że z amerykańskiego wydania znikły wszystkie fragmenty mówiące o spisku CIA, udziale Stanów Zjednoczonych w obaleniu demokratycznego rządu Mosaddegha i wspieraniu lojalnego wobec Ameryki szacha Rezy Pahlaviego. Dlaczego? Jak to możliwe? Kto i w jakich okolicznościach Kapuścińskiego ocenzurował?

Czytelnicy w USA nie poznali – między innymi – następujących fragmentów *Szachinszacha*:

Amerykańscy reporterzy David Wise i Thomas B. Ross piszą w swojej książce *The Invisible Government* (Londyn 1965):

„Nie ma żadnej wątpliwości, że CIA zorganizowała i kierowała przewrotem, który w 1953 doprowadził do obalenia premiera Mohammeda Mosaddegha i utrzymał na tronie Mohammeda Rezę Pahlaviego. Ale niewielu Amerykanów wie, że na czele przewrotu stał agent CIA, który był wnukiem Theodore'a Roosevelta. Człowiek ten – Kermit Roosevelt – przeprowadził w Teheranie tak spektakularną operację, że jeszcze przez szereg lat w środowisku CIA nazywano go Mister Iran. W kołach tej agencji szerzyła się legenda, że Kermit kierował zamachem na Mosaddegha, trzymając pistolet przy skroni irańskiego dowódcy czołgu, kiedy kolumna pancerna wtoczyła się na ulice Teheranu. Ale inny agent, który wiedział dobrze, jak przebiegały wydarzenia, określił tę opowieść jako «nieco romantyczną» i powiedział: «Kermit kierował całą operacją nie z terenu naszej ambasady, lecz z pewnej piwnicy w Teheranie», i dodał z podziwem: «Była to naprawdę operacja na miarę Jamesa Bonda»"...

Oczywiście Stany Zjednoczone nigdy nie przyznały się oficjalnie do roli, jaką odegrała CIA. Stosunkowo najwięcej powiedział na ten temat sam Dulles [szef agencji], kiedy po swoim odejściu z CIA wystąpił w 1962 w programie telewizji CBS. Zapytany, czy to prawda, że „CIA wydała miliony dolarów na wynajęcie ludzi, którzy manifestowali na ulicach, i na inne akty mające na celu usunięcie Mosaddegha", Dulles odpowiedział: „OK, mogę tylko powiedzieć, że twierdzenie, jakobyśmy wydali na ten cel dużo dolarów, jest całkowicie fałszywe"...

[Szach] Ma bardzo trudne początki i wielu ludzi nie wierzy, że utrzyma się przez dłuższy czas. Amerykanie uratowali mu tron, ale nie są jeszcze pewni, czy zrobili najlepszy wybór. Szach garnie się do Amerykanów, ponieważ potrzebuje ich poparcia, nie czuje się silny we własnym kraju. Bez przerwy jeździ do Waszyngtonu, przebywa tam tygodniami, rozmawia, przekonuje i daje zapewnienia. Ale inni też jeżdżą i dają zapewnienia. Zaczyna się wyścig naszej elity do Ameryki, licytacja ofert i gwarancji, wyprzedaż kraju...

Prezydent Kennedy zachęca szacha, aby przeprowadził reformy. Kennedy apeluje do monarchy (a także do innych zaprzyjaźnionych dyktatorów), aby się unowocześniali i reformowali swoje kraje, gdyż w przeciwnym wypadku grozi im los Fulgencia Batisty (Ameryka jest w tym czasie – rok 1961 – pod świeżym wrażeniem zwycięstwa Fidela Castro i nie chce, aby podobna historia powtórzyła się w innych krajach). Kennedy sądzi, że tej przykrej perspektywy da się uniknąć, jeżeli dyktatorzy przeprowadzą jakieś reformy i poczynią ustępstwa, które wytrącą broń z rąk agitatorów nawołujących do czerwonych rewolucji.

W odpowiedzi na apele i perswazje Waszyngtonu szach ogłasza swoją Białą Rewolucję. Można sądzić, że Mohammed Reza dostrzegł w myśli prezydenta Stanów Zjednoczonych istotne dla siebie korzyści. Chciał, mianowicie, osiągnąć dwie rzeczy (niestety, niemożliwe do przeprowadzenia) – umocnić swoją władzę i zwiększyć swoją popularność...

...zaledwie w ciągu roku budżet wojenny Iranu wzrósł pięciokrotnie, z dwóch do dziesięciu milionów dolarów, a szach już obmyśla dalszą zwyżkę. Monarcha jeździ, lustruje, ogląda, dotyka. Przyjmuje meldunki, raporty, słucha objaśnień, do czego służy ta oto dźwignia, co się stanie, jeżeli nacisnąć ten oto czerwony guzik. Szach słucha, kiwa głową. Dziwne jednak twarze wyglądają spod okapów hełmów bojowych, z owalu pilotek lotniczych i pancernych. Jakieś bardzo białe, z jasnym zarostem, a czasem zupełnie czarne, murzyńskie. Ależ tak, toć po prostu Amerykanie! Bo przecież ktoś musi tymi samolotami latać, ktoś musi radarem sterować, ktoś ustawiać celowniki, a wiemy, że Iran nie ma licznej kadry techników nie tylko w cywilu, ale również w wojsku. Kupując najbardziej wyszukany sprzęt, szach musiał sprowadzić drogich amerykańskich specjalistów wojskowych, którzy potrafią się nim posłużyć. W ostatnim roku jego panowania przebywało ich w Iranie około czterdziestu tysięcy. Co trzecie nazwisko na oficerskiej liście płac było amerykańskie...

Z amerykańskiej edycji wyparowało w sumie około piętnastu stron oryginalnego tekstu.

Próbę wyjaśnienia zagadki zaczynam od pytań do Agaty Orzeszek, tłumaczki Kapuścińskiego na hiszpański.

– W innych językach ukazał się cały tekst *Szachinszacha*?

– Na pewno po hiszpańsku.

– Rozmawiałaś z Ryśkiem o tym, dlaczego amerykańskie tłumaczenie zostało skrócone?

– Od razu spytałam. Odpowiedział, że są to jego autokorekty. Widać było, że nie chce o tym mówić.

– To szczególne autokorekty: znikło wszystko, co dotyczy roli USA w obaleniu Mosaddegha i wspieraniu odrażającego dyktatora. Wiemy, jak krytyczne zdanie miał Rysiek o popieraniu przez Amerykę dyktatur w Trzecim Świecie...

– Dlatego zwróciłam mu na to uwagę – i to dość pryncypialnie. Odpowiedział, że skrócił tekst na żądanie amerykańskiego wydawcy. „– I tyś się zgodził?" – spytałam. „– Chciałem, żeby książka się ukazała". Najwyraźniej nie miał ochoty na dalsze drążenie tematu...

Sprawdzam, jaka wersja książki ukazała się w kilku innych językach. Wydania francuskie i niemieckie są okaleczone tak samo jak wydanie anglojęzyczne: francuski tłumacz przekładał książkę z angielskiego; niemiecki zaś tłumaczył z polskiego, jednak nota wydawcy informuje, że za podstawę wzięto edycję amerykańską Harcourt Brace Jovanovich. Wydania hiszpańskie, norweskie i węgierskie – tłumaczone z języka polskiego – pokrywają się z oryginalną wersją książki.

Dzwonię do Williama Branda. Próbuję ustalić, czy przetłumaczył cały tekst *Szachinszacha*, czy może dostał inne wytyczne od Kapuścińskiego, na przykład: skrócony tekst. Nie pamięta. Nie pamięta też żadnej rozmowy z Kapuścińskim o zmianach w oryginalnym tekście książki. Jest zdziwiony wszystkim, co opowiadam. Przypomina sobie, że tylko raz dostał od Kapuścińskiego maszynopis – był to sporo późniejszy tom *Lapidarium*. Sugeruje, żebym skontaktował się z redaktorką książki w USA, Drenką Willen.

W trakcie rozmowy telefonicznej również Willen daje wyraz zaskoczeniu, że amerykański *Szachinszach* został okrojony. Prosi o wskazanie miejsc, w którym dokonano skrótów – co czynię. Tłumaczę a vista, na użytek naszej rozmowy kilka zdań na angielski – i raz jeszcze wyjaśniam, że większość „znikniętego" tekstu dotyczy roli Stanów Zjednoczonych w obaleniu Mosaddegha i utrzymywaniu u władzy szacha. Gdy mówię: „Kapuściński wyznał komuś, iż skrótów dokonał na prośbę wydawnictwa", Willen odpowiada, że to niemożliwe. W tym kraju, mówi, nie ma cenzury.

Sugeruję hipotezę: – Być może – tak jak niektórzy ludzie żyjący w reżimie realnego socjalizmu – Kapuściński transponował reguły gry z cenzurą w Polsce na Amerykę? I myśląc w ten sposób, sam – na wszelki wypadek – usunął rzeczone fragmenty?

– Przecież – mówi Willen – był wcześniej w Ameryce [w osiemdziesiątym trzecim roku na premierze wydawniczej *Cesarza*; *Szachinszach* ukazał się dwa lata później]. Musiał wiedzieć, że sprawy w tym kraju wyglądają inaczej niż w Polsce, niż w obozie socjalistycznym.

W tonie głosu Drenki Willen pobrzmiewa troska i zdumienie. Raz jeszcze zapewnia, że tekst *Szachinszacha* ukazał się w Ameryce w takim kształcie, jaki dostarczył Kapuściński. Niewielka redakcja tekstu – owszem, to nic niezwykłego; na pewno nie skrót kilku czy kilkunastu stron.

Czy mam inne hipotezy? Owszem. Daję wiarę wyjaśnieniom redaktorki, że ani ona, ani nikt z wydawnictwa Harcourt Brace Jovanovich nie żądał od Kapuścińskiego wyrzucenia krytycznych na temat polityki amerykańskiej fragmentów książki. W latach osiemdziesiątych ukazywały się publikacje o zbrodniach CIA, o uwikłaniu waszyngtońskich administracji w obalanie demokratycznych rządów w Trzecim Świecie, o wspieraniu tyranów takich jak szach Reza Pahlavi w Iranie, Pinochet w Chile, Somoza w Nikaragui, Suharto w Indonezji czy rasistowskiego systemu apartheidu w RPA. Dlaczego ktoś miałby żądać akurat od

Kapuścińskiego usuwania fragmentów zawierających informacje dostępne w innych książkach?

Dlatego sądzę, że Kapuścińskiego ocenzurował… sam Kapuściński. Pytanie, dlaczego?

Niewykluczone, że podążył za takim rozumowaniem: nawet jeśli w USA nie ma cenzury, po co narażać się demaskatorskimi wypowiedziami o polityce tego kraju? Wszak krytyczni wobec amerykańskiej polityki pisarze – na przykład Gabriel García Márquez, Carlos Fuentes – miewali w czasach zimnej wojny kłopoty z wjazdem do USA, figurowali na „czarnej liście", przez lata odmawiano im wizy; Kapuściński znał ich historie, a bardzo chciał przyjeżdżać do Stanów, gdy zaczęły wychodzić jego książki, gdy zaczynał doceniać go świat. To pierwsza hipoteza.

Inna brzmi tak: po sukcesie *Cesarza* zaczęto Kapuścińskiego zapraszać na wykłady, prelekcje, konferencje; dostał kilkumiesięczne stypendium. Krytyka amerykańskich rządów nie musiała zamykać drzwi do kolejnych zaproszeń i stypendiów – przyznawanych zazwyczaj niezależnie od władz politycznych kraju. Jednak człowiek, który spędził życie w świecie dyktatury i cenzury, niemający złudzeń co do tego, jak działają (lub mogą zadziałać) mechanizmy władzy, także tej wybranej demokratycznie, podjął działanie „na wszelki wypadek".

Hipoteza trzecia. Mógł uznać, że Ameryka, która w latach osiemdziesiątych udzielała moralnego, i nie tylko moralnego wsparcia wolnościowym aspiracjom Polaków zbuntowanych przeciwko realnemu socjalizmowi, nie zasługuje na surową krytykę ze strony polskiego reportera – nawet jeśli krytyka ta dotyczy decyzji rządów USA z dalekiej przeszłości. Nie teraz, nie w tym momencie… Notabene, w latach osiemdziesiątych postawa Kapuścińskiego ulegała ewolucji – od wiary do niewiary w realny socjalizm; niewykluczone, że polityczny neofita zwyciężył w tamtej chwili krytycznego reportera i pisarza.

Wreszcie, mógł Kapuściński kalkulować, że w dobie ideologicznej ofensywy prawicy – w USA to czasy prezydentury Ronalda Reagana! – krytyka Ameryki w książce korespondenta, było nie było, komunistycznej agencji prasowej jest łatwym celem polemicznego ataku, nietrudno podważyć wiarygodność autora, jeśli tylko ktoś by zechciał. To z kolei zaszkodziłoby recepcji *Szachinszacha* i mogło zaważyć na losach kolejnych tytułów. Ataki takie, o marginesowym zresztą zasięgu, i tak miały miejsce. Jak wspomina tłumacz Kapuścińskiego, Iran „był w centrum zainteresowania USA – szach był ważnym sojusznikiem, a zakładnicy w ambasadzie w Teheranie byli Amerykanami. [Chodzi o długotrwałą okupację ambasady USA w Teheranie przez młodych fundamentalistów, która wywołała na początku tamtej dekady największy kryzys w stosunkach między obydwoma państwami – A.D.]. Wkrótce jeden z uwolnionych zakładników zaczął mówić – między innymi – o zbyt dużej wyrozumiałości wobec Irańczyków i, co gorsza, o faktograficznych nieścisłościach w relacji Kapuścińskiego".

Gdy streszczam moje hipotezy jednemu z bliskich przyjaciół Kapuścińskiego, ten mówi:

– Szlachetne te pana teorie. Ja mam, niestety, mniej sympatyczną...

Nie zdradzę jej teraz. Wrócę do niej dalej: gdy opowieść zbliży się do momentu, w którym pewien epizod z przeszłości zatruje Kapuścińskiemu spokój ostatnich lat życia.

W ciągu kilku zaledwie lat Kapuściński zyskuje sławę klasyka reportażu literackiego. Wychodzą kolejne książki – najpierw po angielsku, potem w kilkunastu innych językach. Po dwóch opera magna kolej na *Jeszcze dzień życia*, *Wojnę futbolową*, na początku lat dziewięćdziesiątych *Imperium*... Recenzenci piszą o nim: „legendarny korespondent"; reporterskie wędrówki porównują do przygód Indiany Jonesa i Jamesa Bonda; twórczość zestawiają z pisarstwem Josepha Conrada, Grahama Greene'a, George'a Orwella, Ernesta Hemingwaya, V.S. Naipaula.

Wierny czytelnik i bezinteresowny „promotor" Salman Rushdie pisze w „Guardianie":

> W książkach o Hajle Sellasje i o szachu, a obecnie także w *Jeszcze dzień życia* – opisy Kapuścińskiego (nie, jego reakcje) dokonują tego, co tylko sztuka jest w stanie uczynić: uskrzydlają naszą wyobraźnię. Jeden Kapuściński wart jest tysiąca skamlących i fantazjujących gryzipiórków. Dzięki niezwykłemu połączeniu reportażu i sztuki stajemy wreszcie tak blisko tego, co sam Kapuściński nazywa niedającym się przekazać prawdziwym obrazem wojny.

Jeden z krytyków ogłasza Kapuścińskiego „królem dziennikarzy", gdyż ma on – jak pisze – wszelkie przymioty reportera nad reporterami: wgląd w ludzkie serca jak Szekspir, płynność opowieści jak Dickens, egzystencjalny dystans jak Camus, prostotę Orwella i Hemingwaya. (Pięknie powiedziane!). Recenzent „The Wall Street Journal" zachwala:

„Przetłumaczony na język angielski brzmi bardziej czarująco, inteligentnie, błyskotliwiej od niemal wszystkich innych piszących w tym języku, którzy przychodzą mi na myśl".

Co Kapuścińskiego wyróżnia spośród pisarzy, podróżników, reporterów uprawiających podobny typ literatury? Zadaję to pytanie Richardowi Gottowi, brytyjskiemu reporterowi i pisarzowi politycznemu, który poznał Kapuścińskiego w latach sześćdziesiątych w Chile. Lubili się, mieli tę samą polityczną chemię. Gdy Kapuściński chłonął doświadczenia, które zaowocują tomem *Chrystus z karabinem na ramieniu*, Gott pisał monumentalną książkę o partyzantkach w Ameryce Łacińskiej. Razem fascynowali się Guevarą i socjalizmem Fidela Castro na Kubie.

– Mamy w Wielkiej Brytanii długą tradycję pisania podróżniczego – odpowiada Gott. – Dziesiątki brytyjskich dziennikarzy opisywało Afrykę, nasze stare imperium, lecz żaden nie zrobił tego tak olśniewająco jak Kapuściński. Ryszard ma oko powieściopisarza, posługuje się faktami nie po to, żeby udowodnić swoje polityczne stanowisko; raczej w taki sposób jak malarz używa kolorów, żeby w oryginalny sposób ukazać to, co widzi. W skomplikowanym dziś świecie początku XXI wieku jego pisarstwo daje świadectwo temu, co widział i przeżył. Uderza siłą opisu – wydarzeń, ludzi, społeczeństw, z którymi jego czytelnicy zapewne nigdy się nie zetkną.

Do końca lat osiemdziesiątych sam tylko *Cesarz* wychodzi po włosku, niemiecku, francusku, hiszpańsku, niderlandzku, duńsku, szwedzku, norwesku, japońsku, rosyjsku, persku, hebrajsku, węgiersku. *Cesarz* staje się także klasycznym utworem teatralnym, a najsłynniejszą inscenizację, Jonathana Millera w The Royal Court Theatre w Londynie, krytyka nazywa „bezbłędną". Spektaklowi na scenie towarzyszy inny spektakl – uliczny, przed budynkiem teatru: manifestują rastafarianie, którzy uważają Hajle Sellasje za Boga i kpią z niedorzecznego przeświadczenia jakoby zmarł – wszak Bóg nie umiera. Wołają: „Śmierć Kapuścińskiemu, śmierć! Śmierć, Millerowi, śmierć!".

Gdy upada radzieckie imperium, o mechanice rozkładu kolosa, o tym, co ów upadek zostawia światu jako dziedzictwo, ludzie Zachodu – a potem nie tylko Zachodu – dowiadują się z jednej z najsłynniejszych jego książek *Imperium*. Mają okazję skonfrontowania mechanizmów i istoty kolonializmu i imperializmu swoich ojczyzn z kolonializmem i imperializmem radzieckim. Dzięki książce Kapuścińskiego recenzent „The New York Review of Books" zauważa:

Na przykład interesującą różnicę między dawnymi koloniami Europy i Rosji widać w Taszkiencie i Erewaniu, skąd eksportuje się gotowe wyroby do Rosji. Rosja przysyła tu surowce takie jak drewno, ropę czy gaz. Każdy przedstawiciel Korony w koloniach brytyjskich wiedział, że zależność między kolonią i jego krajem powinna być dokładnie odwrotna. I to jeden z powodów, dla których Rosji w znacznie mniejszym stopniu niż Anglikom, Francuzom czy Belgom udaje się utrzymać gospodarczą dominację nad swoimi koloniami. W rezultacie odwrócenia tych relacji wiele z rosyjskich kolonii, zwłaszcza te położone na obrzeżach imperium, jak republiki nadbałtyckie i Europa Wschodnia, szybko osiągnęło wyższy niż w samej Rosji standard życia. To spowodowało gorycz i zazdrość, rozniecilo rosyjską ksenofobię.

Odkrywcze, prowokacyjne! Jednak to nie intelektualne prowokacje decydują o popularności tej i innych książek Kapuścińskiego. Ten sam recenzent zwraca uwagę:

Co bardzo uderza, to umiejętność zauważenia sytuacji i obrazów, które bardzo wiele mówią o obecnym momencie historycznym, a których sami byśmy nie zauważyli. Jadąc przez Ukrainę, spostrzega z okna pociągu rząd nowych dział artyleryjskich niemal całkowicie zanurzonych w błocie, tak, że wystają tylko lufy.

Kapuścińskiego zajmują przede wszystkim ci, którzy stoją z boku, nie stara się wcale docierać do osób w centrum wydarzeń, do których zazwyczaj starają się dotrzeć inni reporterzy. W swojej książce o ostatnich dniach panowania Portugalczyków w Angoli [*Jeszcze dzień życia*] opisuje kobietę, która cały czas prowadzi sklep z koronkowymi sukniami ślubnymi. Siedzi nieruchomo, niczym otaczające ją manekiny: nie ma żadnych klientów i nigdy już nie będzie.

Gdy podróżowałem śladami Kapuścińskiego w kilku krajach Afryki, spotkałem Williama Pike'a, dziennikarza mieszkającego w dwóch stolicach – Kampali i Nairobi. Opowiedział mi, jak razem z Kapuścińskim pojechali kiedyś na północ Ugandy, gdzie toczyły się negocjacje między rządem a rebeliantami. Pike, jak większość obecnych tam dziennikarzy, przysłuchiwał się oficjalnym rozmowom; Kapuściński tymczasem gdzieś zniknął. Brytyjski kolega odnalazł go dopiero po zakończeniu negocjacji: Kapuściński rozmawiał ze zwykłymi żołnierzami, którzy w naprędce skleconym szałasie ugościli go herbatą. Żalili się, że dowódcy nie płacą im żołdu, że muszą przez to łupić okoliczne wioski zamiast chronić je przed partyzantami. Pike uważa, że to Kapuściński, rozmawiając z szeregowcami, lepiej od niego poznał oblicze tamtej wojny, jej źródła, rzeczywiste problemy Ugandyjczyków.

Czy w ukazywaniu wielkich wydarzeń i wielkiej historii z perspektywy żaby, nie orła, tkwi czar Kapuścińskiego, sekret jego popularności? Zgadzamy się: to na pewno jedno z ważnych źródeł.

Są kraje, w których jest po prostu znany; takie, w których otacza go podziw, legenda; wreszcie – takie, w których uwielbienie, jakim darzą go czytelnicy, przypomina to, jakim cieszą się gwiazdy rocka i religijni guru.

Adam Daniel Rotfeld, były szef polskiej dyplomacji, który przez wiele lat mieszkał w Szwecji, pamięta spotkanie Kapuścińskiego z czytelnikami w Sztokholmie. Przed wejściem do budynku kłębił się tłum, jakieś dwieście osób, które nie zdołały wejść do środka; salę wypełniało już kilkuset słuchaczy. Za wejście na spotkanie płaciło się. Zainteresowanie było tak ogromne, że Kapuściński został kilka dni dłużej, by czytelnicy, którzy nie zdołali wejść tamtego wieczoru, mieli szansę spotkać się z nim innego dnia. – W Polsce nigdy nie miał aż takiego powodzenia – mówi Rotfeld.

Innym przejawem uznania, jakim Kapuściński cieszy się w Szwecji, było zaproszenie od króla Karola XVI Gustawa na prywatne seminarium o źródłach biedy na świecie. Dostało je pięciu mędrców, w tym nobliści, między innymi Amartya Sen. W tej piątce znalazł się Kapuściński.

Poważna odmiana „kapumanii" dotknęła Hiszpanów i Latynosów (reporterzy latynoscy, dla których w ostatnich latach życia prowadził warsztaty, ochrzcili go ksywką Kapu). Dziennikarka z meksykańskiej telewizji, którą w czasie jakiejś debaty studenci rozdzierali na strzępy za polityczne manipulacje jej stacji, mówi tak: – Do każdego zarzutu, jaki stawiali, mieli przypis, cytat, aforyzm z książek i wykładów Kapuścińskiego o zawodzie dziennikarza i roli mediów. Sprawiali wrażenie, jakby znali jego książki na pamięć. Ukrzyżowali mnie Kapuścińskim.

Jego wizerunek w iberyjskim kręgu kulturowym utwierdziły nie tylko książki, lecz także obecność jako osoby publicznej, mistrza zawodu, gwiazdy literackiej. Także formułowana przezeń krytyka mediów mainstreamu: za brak krytycyzmu, selekcję tematyki, która deformuje obraz świata, stadne myślenie, uzależnienie od interesów ekonomicznych swojego właściciela.

W Hiszpanii ukoronowaniem sławy była Nagroda Księcia Asturii w 2003 roku (zwana Noblem świata iberoamerykańskiego), którą odebrał wspólnie z księdzem Gustavem Gutierrezem i prezydentem Brazylii Lulą. W Ameryce Łacińskiej – współpraca z fundacją Gabriela Garcii Marqueza.

O ile wielu Hiszpanów i Latynosów darzy go atencją, nawet uwielbieniem, o tyle Włosi mają na jego punkcie kompletnego bzika. Wiktor Osiatyński, który prowadził zajęcia ze studentami na różnych kontynentach, mówi tak: – W Azji zawsze mnie pytali o polskich piłkarzy: jak tam Lato i Boniek? W Ameryce Łacińskiej – o papieża z Polski. We Włoszech – czy czytałem coś Kapuścińskiego? Kapuściński to dla wielu Włochów pierwsze skojarzenie z Polską. Sława Ryśka w tym kraju nie ogranicza się do uniwersytetów, intelektualistów, dziennikarzy – ma skalę powszechną, masową.

Wpływowy włoski intelektualista Marcello Flores tak tłumaczy źródła tej popularności (streszczam): we Włoszech nie zaczęło się tak, jak w wielu innych krajach, to znaczy od *Cesarza*. Po *Cesarzu* Kapuściński był popularny jedynie wśród intelektualistów, wydano go w małym wydawnictwie. Dopiero gdy w Europie Wschodniej upadał socjalizm, pojawiło się zapotrzebowanie na wiadomości o transformacji ustrojowej – kilka lat później wyszło *Imperium* i odniosło wielki sukces. Kapuścińskim zainteresowały się duże wydawnictwa, zaczęto tłumaczyć wcześniejsze książki. We Włoszech silna jest lewicowa kultura polityczna – i on znakomicie się w tę kulturę wpisał. Wreszcie – nie mieliśmy dobrego reportażu zagranicznego, książki Kapuścińskiego wypełniły istotną lukę.

Na jakie zapotrzebowanie odpowiada jego pisarstwo? Skąd tak wielka popularność w różnych kręgach językowych i kulturalnych?

Zadaję to pytanie różnym swoim rozmówcom na świecie, lecz obok anegdoty z drugim dnem Williama Pike'a najciekawsze odpowiedzi znajduję u polskich przyjaciół pisarza, także krytyków, choć tych akurat Kapuściński prawie w Polsce nie miał.

Rotfeld mówi tak: – Miał niezwykły talent zmysłowego odbierania rzeczywistości, potrafił pisać o zapachach, dostrzegać fakturę rzeczy. Był pisarzem zmysłowym, nie intelektualnym, a większość ludzi odbiera świat przede wszystkim zmysłowo. Doskonale wczuwał się w losy prostych ludzi, rozumiał ich świat, a potem umiał trafnie opisać, opowiedzieć ich historie. Czytelnicy na innych kontynentach odnajdywali się w tych opowieściach.

Był również, ciągnie Rotfeld, pisarzem nowego gatunku, który doskonale rozpoznał mentalność współczesnego człowieka. Jego pisanie przełamuje granice gatunków: są w nim elementy reportażu, refleksji filozoficznych, fikcji. I jest zrozumiałe dla szerokich rzesz czytelników.

Fakt – czytając książki Kapuścińskiego, człowiek dostaje po trochu wszystkiego: sensacyjnej lub awanturniczej opowieści, wiadomości o ważnych wydarzeniach na świecie, nieco lirycznej zadumy i ogólnofilozoficznej refleksji nad życiem. Wszystko w jednym. I pięknie napisane.

Osiatyński mówi tak: – Dostarczał ludziom poetycko-literacki, w sumie dosyć prosty opis świata i jego złożoności poprzez doświadczenia i przeżycia ludzi, a nie teoretyczne rozważania.

Interesująco brzmi sugestia Antoniego Libery, tłumacza i pisarza, który najwyraźniej nie ceni pisarstwa Kapuścińskiego („te poetyzujące opisy odpowiadają zapotrzebowaniu turysty, który na swoją miarę przeżywa podróż, podziwia zachody słońca, egzotyczne klimaty itp".). Spytany, dlaczego Kapuściński tak bardzo podoba się na Zachodzie, Libera odpowiedział:

– Bo spełnia zapotrzebowanie kultury zachodnioeuropejskiej i amerykańskiej na autorozliczenie – na wielce popularne, acz mocno obłudne odprawianie pokuty. Kultura Zachodu bez przerwy bije się w piersi za grzechy przeszłości i dobrobyt, w którym żyje, co przeradza się w rytuał autonegacji charakterystyczny dla zmierzchających cywilizacji. Kapuściński, obarczając Zachód winą za nędzę reszty świata, doskonale wpisuje się w to myślenie.

Kapuściński, w odróżnieniu od Libery, dotknął, poczuł, poznał od podszewki „nędzę reszty świata" zawinioną przez Zachód. Rozumiał też, że łupienie tej „reszty", w której żyje większość ludzkości, nie skończyło się wraz z epoką kolonialną, lecz w innych formach trwa do dziś. To, co niezorientowany widz wiadomości telewizyjnych uważa za krwawe walki plemienne w Afryce, jest zazwyczaj kolejną wojną o surowce, wywołaną i prowadzoną niejawnie przez zachodnie korporacje, coraz rzadziej i nie tak otwarcie jak kiedyś przez rządy zachodnich państw. Jeśli to wrażliwość ludzi Zachodu na krzywdy wyrządzane w ich imieniu, a opisywane przez Kapuścińskiego, stanowi źródło jego popularności, to może jeszcze Europa, jeszcze Zachód, jeszcze świat nie umarł. Jeszcze jest nadzieja.

*

Światowa popularność, książki przetłumaczone na wiele języków, zaproszenia zewsząd na wykłady, seminaria, konferencje zmieniają życie Kapuścińskiego w kilku wymiarach. Pod koniec lat osiemdziesiątych razem z Alicją wyprowadzają się z ciasnego mieszkania w bloku na Woli do dwurodzinnego domu w centrum Warszawy. W nowym miejscu mają trzy pokoje, a Kapuściński ma osobno poddasze domu: własne królestwo, w którym spędza większość czasu, gdy tylko jest w kraju.

Wraz ze sławą międzynarodową zaczyna poznawać kraje dostatku. Przez całe życie zawodowe jeździł do Afryki, Ameryki Łacińskiej, rzadziej do Azji – i oglądał świat z perspektywy Południa. Teraz dostaje szansę przyglądania się światu z perspektywy Północy. To inne zupełnie poznawanie. Do Ameryki, Anglii, Francji, Włoch, Hiszpanii, Szwecji, Niemiec nie podróżuje jako reporter, lecz sławny pisarz, którego wożą dobrymi samochodami z lotniska do hotelu, z hotelu na spotkanie z czytelnikami, ze spotkania z czytelnikami na wywiad w telewizji, z wywiadu w telewizji na wywiad w radiu, z wywiadu w radiu na kolację w luksusowej restauracji – i z powrotem do hotelu. Następnego dnia to samo od nowa.

Wspomina Wiktor Osiatyński:

– Włożył mnóstwo pracy i wysiłku w to nowe „życie sławnego pisarza". W ciągu sześciu miesięcy doszlifował swój angielski tak, żeby móc bez tłumacza i w poczuciu komfortu udzielać wywiadów, uczestniczyć w konferencjach, spotkaniach z czytelnikami. To rzadki wypadek, żeby człowiek po pięćdziesiątce uczynił tak duży postęp w znajomości obcego języka. Zrobił sobie zęby – może to brzmieć dla kogoś śmiesznie, ale dla osoby publicznej, szczególnie na Zachodzie, to rzecz niebagatelna. Zamienił roboczy strój reportera na marynarkę, czasem nawet zawiązywał krawat...

Uważał, że skoro świat chce z nim rozmawiać, to powinien zrobić ukłon w jego kierunku, przygotować się do tego spotkania. Zrozumiał, że bez tego nie osiągnie sukcesu, że sława i kariera międzynarodowa mają cenę i męczące czasem didaskalia, na przykład regularne prowadzenie korespondencji. To przecież pochłania mnóstwo czasu, bywa nudne, odrywa od pisania książek, ale jest konieczne, jeśli chce się utrzymywać ważne kontakty, dostawać zaproszenia – być w świecie literackich sław. I chociaż większość tych prac wzięła na siebie żona Ryszarda, Alicja, to na swój sukces za granicą Rysiek zapracował nie tylko książkami, ale także tym codziennym mozołem, którego wymaga „obsługa" swojej twórczości.

Czasem czuje się odizolowany od realiów, w jakich żyją w tych krajach przeciętni ludzie. Dopiero gdy wyjeżdża na dłużej, na kilka tygodni, miesięcy, jako *visiting professor* – a to do Nowego Jorku, a to do Filadelfii, a to do Oksfordu, ma okazję przyjrzeć się uważniej krajom, które w jego oczach były najeźdźcami, prześladowcami Trzeciego Świata, w którym spędził większość zawodowego życia. Ponad dwie dekady obserwował z bliska głodnych, walczących o przeżycie z dnia na dzień; zdarzało się, że dzielił z nimi los. Teraz jest zmieszany, gdy nowo poznana przyjaciółka po piórze, Susan Sontag, oferuje mu w domu na kolację stek wielkości sporego półmiska. – Co za orgia, co za przepych! – zwierza się potem komuś lekko oburzony.

Jego pierwsze obserwacje w Ameryce też dotyczą jedzenia:

> Od rana do nocy w kawiarniach, w barach, w klubach, w restauracjach – jedzą. Tematy rozmów: gdzie będziemy jedli, co będziemy jedli, co wybraliśmy z karty, co podali, jakie to było. Długo o tym wszystkim. Kończą wnioskiem – za dużo jemy. Część postanawia biegać. Inni studiują czasopisma poświęcone odchudzaniu. Są sympatyczni w tym swoim zatroskaniu o linię i sprawność (*Lapidarium*).

Mimo początkowej rezerwy, zaczyna mu się podobać dynamika, energia Północy, zwłaszcza gdy ją porównuje z szarzyzną Polski stanu wojennego i lat następnych. W liście do Nowaków, którzy właśnie wrócili z kilkuletniego pobytu na placówce w Nowym Jorku, pisze (z Filadelfii):

> Mam tutaj bardzo dużo zajęć, a jeszcze więcej propozycji, różnych spotkań, odczytów, wieczorów autorskich itd. Dopiero tutaj, po wyjeździe z Polski i kiedy żyje się – tak jak ja po raz pierwszy – wewnątrz społeczeństwa amerykańskiego, czuje się jak szalona jest różnica dynamiki życia, u nas wegetacja i czekanie końca, tu tempo, planowanie wszystkiego na lata naprzód, nieprawdopodobna pilność i wydajność...
>
> Jak wiecie, byłem w Calgary na olimpijskim kongresie pisarzy – impreza bardzo udana i ciekawa, dużo dobrych dyskusji, w ogóle w świecie jest teraz tyle twórczej myśli, tyle żywej wyobraźni, tyle rodzącej się

przyszłości! Chce się z tego skorzystać jak najwięcej, bo to też wpłynie i na moje własne pisanie...

Kapuściński przytomnie zauważa, że Polska, wbrew wyobrażeniom wielu rodaków, nie jest pępkiem świata, ani nawet pępkiem zimnej wojny czasów Reagana, jak łudzą się niektórzy ludzie wrogo nastawieni wobec władzy w kraju. Po pierwszej wizycie w Stanach, w osiemdziesiątym trzecim, notuje:

> Ich [Amerykanów] stosunek do Polski (zresztą do innych krajów też): życzliwie obojętny.
> – Ach, tak?
> – Czyżby?
> – Niesłychane!
> – No, no.

Nic się nie zmienia pod koniec lat osiemdziesiątych:

> Jurku, kilka słów o Polsce. Polska jest tutaj krajem nieistniejącym. Otacza ją aura życzliwej obojętności... Po prostu – Polska to taki tonący okręt, że kto pierwszy z niego ucieknie, tym jest mądrzejszy.

Dopiero tu, w świecie dostatku, spotykając najsłynniejszych ludzi pióra, najgłośniejszych intelektualistów – jak równy, jak kolega, jak partner w rozmowie – Kapuściński uświadamia sobie, jaką drogę przeszedł z Pińska, przez Warszawę, New Delhi, Akrę, Dar es-Salaam, Lagos, Rio de Janeiro, Meksyk, Luandę, Addis Abebę do Nowego Jorku, Londynu, Paryża, Berlina. „James Joyce – notuje w Nowym Jorku – mając dwanaście lat, pisał godne uwagi listy; ja w tym wieku biegałem za krowami na polu i nie przeczytałem jeszcze żadnej książki".

W szacownym towarzystwie czuje się oszołomiony, zagubiony. Po przyjęciu z okazji konferencji PEN-Clubu w Nowym Jorku daje upust tym uczuciom:

> Wewnątrz ciasno, tłoczno, duszno, ogłuszający gwar podgrzanych alkoholem głosów. Serwują białe wino, tylko białe wino, skrzynki z tym winem stoją wszędzie. W tłumie migają mi zaczerwienione twarze Mailera, Vonneguta, Gaddisa, posępna, gdzieś nad głowami unosząca się twarz Danilo Kiša (nie wiedziałem, że w tym momencie

był już śmiertelnie chory), nieznająca uśmiechu twarz Güntera Grassa, skupiona i jakby wsłuchująca się w czyjś szept twarz Doctorowa. Nagle potykam się (a raczej – jestem popchnięty) na siedzącą pod ścianą, w kącie, drobną, defensywnie skuloną postać. To staruszek, w geście samoobrony wyciągający przed siebie ręce. Zatrzymuję się, chwytam go tak, aby nie runął na podłogę. Claude Simon, wielki pisarz francuski, laureat Nagrody Nobla. Siedzi cicho, patrzy wokół umęczonym, niespokojnym spojrzeniem. Pochylam się nad nim, bo chcę mu powiedzieć coś ciepłego, coś życzliwego. Więc mówię mu, przekrzykując panujący wokół wrzask, że jego proza jest cudowna, jest głęboka i malarska, że jego *Drogę przez Flandrię* czytałem z zachwytem, że cieszę się, iż mogę go poznać osobiście i powiedzieć mu to wszystko, gdy nagle wali się na mnie ktoś wielki, tak stary, siwy i wielki jak Auden, ale to musi być ktoś inny, w każdym razie wali się na mnie, ja, nie mogąc wytrzymać naporu, padam na Simona i wszyscy trzej lecimy na podłogę, ale w tym tłoku i zamieszaniu nikt tego nie zauważa, nikt nie zwraca na nas uwagi (*Lapidarium II*).

– Z upływem lat stał się inteligentem, nawet intelektualistą, a wyszedł z biedy, prowincji, ignorancji, nie wychował się wśród książek, ani kultu wiedzy – dobrze mówię? – zamyśla się Michael Kaufman, dawny korespondent „The New York Timesa", ten, który zaprzyjaźnił się z Kapuścińskim w Angoli. – Nie dostał od życia niczego dzięki społecznej pozycji rodziców – prostych nauczycieli. Musiał wykonać nadludzki wysiłek, niesamowitą pracę nad sobą, żeby osiągnąć szczyt, żeby znaleźć się w miejscu, do którego dotarł u kresu życia.

Kilka osób, które przysłuchiwały się jego wykładom, konferencjom, pamięta, że okropnie się peszył. Mówił nieefektownie, czasem wręcz dukał. To naprawdę ten sławny Kapuściński?

Przyjaciele, dziennikarze Agnieszka i Andrzej Krzysztof Wróblewscy, których odwiedza w latach osiemdziesiątych w Ameryce, z lekkim niedowierzaniem obserwują jego walkę z materią codziennego życia.

– Ten lew pustyni, który okręcił sobie wokół palca pół świata, nagle zachowuje się jak największa w świecie gapa – opowiada Wróblewski. – Nie mogłem uwierzyć temu, co widzę.

Problemem jest dla niego przejazd kilku stacji metrem. Opowiada przyjaciołom, jak go „wpychają w ten straszny tunel", a potem go stamtąd „wyciągają". W czasie pogawędek z dziennikarzami Kapuścińskiemu brakuje ikry. *Nice to meet you* i w zasadzie nie ma o czym gadać. Po jakimś spotkaniu autorskim w trakcie bankietu ludzie plotkują, że było nudno. Są zawiedzeni.

Pytam Ewę Junczyk-Ziomecką, która zorganizowała Kapuścińskiemu wykład na Uniwersytecie Michigan w Ann Arbor, jak wypadł przed uniwersytecką publicznością. Było to tuż po amerykańskim wydaniu *Imperium*, opowiadał o książce i najgorętszym temacie tamtych lat – upadku Związku Radzieckiego. Przyszły tłumy: wykładowcy, studenci...

– Jak sobie poradził jako wykładowca, prelegent?

– Poprawnie, ale bez fajerwerków. Wypadł gorzej, niż się spodziewałam.

– Nie był efektownym mówcą?

– Nie był.

– Skąd brała się u niego ta niepewność, onieśmielenie wobec publiczności – mimo sławy, mimo wysokiej pozycji w dziennikarskim i literackim panteonie?

– Sądzę, że wciąż siedział w nim ten biedny chłopiec z Polesia. I gdy znalazł się przed wielkim audytorium wielkiego uniwersytetu, czuł się bardziej tamtym chłopcem niż wielkim pisarzem, który przyjechał do wielkiej Ameryki opowiadać o upadku jeszcze większego imperium...

W Ameryce Kapuściński zderza się od czasu do czasu – po raz pierwszy w swoim życiu – z innym niż uwielbienie traktowaniem siebie i swojej twórczości.

– Zadzwonił zdruzgotany – opowiada Wróblewski. – Ktoś napisał o nim krytycznie, a on to odebrał jako wyraz lekceważenia. Strasznie to przeżywał. Złościł się: „Co za gówniarz!", „Jak tak można?".

Podobne wspomnienie o jego reakcjach na krytykę zachował mieszkający wówczas w Chicago dawny szef i kolega z tygodnika „Kultura" Maciej Wierzyński.

– To było spotkanie z chicagowską Polonią. Ktoś z publiczności skrytykował Ryśka za lewicowe poglądy i długoletnie związki z reżimem komunistycznym. On był tym przybity, zmieszany, zwijał się. Zdrowo się potem upiliśmy. Najbardziej zaskoczyło go chyba to, że może wzbudzać inne emocje niż podziw i zachwyt. I trudno się temu dziwić – w kraju przez tyle lat przyzwyczaił się wyłącznie do hołdów i admiracji. Krytyka była dla niego tym bardziej bolesna.

Już wkrótce będzie musiał się z nią oswoić. W jakie czułe miejsce uderzą krytycy? W jaki sposób będzie podejmował rzucaną przez nich rękawicę?

Lapidarium (5): dlaczego Kapuściński nie ma w Polsce krytyki?

Pytanie wypływa w rozmowie z Małgorzatą Szejnert, reporterką, która po upadku realnego socjalizmu wychowała w „Gazecie Wyborczej" sporą gromadę reporterów nowej generacji.

Kapuściński nie miał krytyki, bo krytykę sam unieszkodliwiał. Znał osobiście prawie wszystkich wpływowych recenzentów, wszyscy go lubili. Jeden z rzadkich przypadków dziennikarzy wielkiego sukcesu, który nie wzbudzał zawiści w środowisku. Inni kibicowali mu, dobrze życzyli. Decydenci w Komitecie Centralnym też – mniemali, że ich reprezentuje. Potencjalnych krytyków rozbrajał życzliwością, czarem osobistym, tym swoim nieśmiałym uśmiechem. Potrafił zaoferować pomoc – nie zawodową, taką zwyczajną, ludzką. Wielu imponowało to, że znają Kapuścińskiego, a po jednej z nim rozmowie niejeden mniemał, że jest jego starym przyjacielem. Jak o kimś takim napisać coś krytycznego?

Była to z jego strony świadoma strategia. Chronił się w ten sposób przed krytykami i krytyką. Chronił swoją pracę, którą przypłacał zdrowiem, nieraz ryzykował życiem. Jako reporter w krajach Trzeciego Świata był nędzarzem, nigdy nie miał dość pieniędzy, żeby przyzwoicie tam pożyć. Mieszkał byle gdzie, jadł byle co, praca kosztowała go mnóstwo czasu i wysiłku. Dużo czytał, dużo się uczył. Potem wszystko to próbował z wielkim trudem złożyć w opowieść, reportaż, kolejne książki – a pisał powoli, pisanie było dla niego mordęgą.

I gdyby po tym wszystkim jakiś „mędrzec", który mało wie, mało przeżył i jeszcze ledwie przekartkował książkę, miał się nad tym potwornym wysiłkiem wytrząsać... Gdyby niepochlebna recenzja miała zaważyć na kolejnych wyjazdach, bez których nie mógł żyć... Wiedział też, że ma cienką skórę i łatwo go urazić, zranić...

Dlatego wymyślił strategię samoobrony: rozbroić bombę, zanim wybuchnie.

Nikt jego pisania nie tykał krytycznym słowem przez całe lata, dekady. Żył pod szklanym kloszem. Odosobnione głosy polemiczne zaczęły się w Polsce pojawiać u kresu jego życia.

Na wszelkie krytyczne uwagi reagował atakami złości, bądź przybicia, smutku, prawie depresji. Izabella i Jerzy Nowakowie wspominają, że delikatne nawet sugestie krytyczne – w końcu ze strony najbliższych przyjaciół – wywoływały u niego furię; potrafił z wściekłości podrzeć kartkę z własnym tekstem na ich oczach.

Tomasz Łubieński pamięta, że spotkał go kiedyś przed Pałacem Kultury i Nauki w Warszawie. Zaczął od gratulacji z okazji kolejnej nagrody, którą Kapuściński właśnie odebrał w kraju lub za granicą. Tymczasem ten patrzy smutny, zgnębiony, no, zbity pies. Okazało się, że parę dni wcześniej na jakiejś konferencji w Gdańsku niepochlebne uwagi o jego twórczości wygłosił Tomasz Burek, znany krytyk, niegdyś marksizujący, w latach dziewięćdziesiątych w innym wcieleniu: antykomunistycznym i prawicowym.

– Uderzyło mnie – opowiada Łubieński – że nie powiedział, na przykład: „Ach ten Burek coś tam nawygadywał – do diabła z nim!". Był naprawdę przybity, gryzł się, że ktoś powiedział o nim krytyczne słowo. A przecież miał taką pozycję w kraju i na świecie, że mógł takiej krytyki w ogóle nie zauważać, przemilczeć, zignorować.

Podobnie przeżywał pełen tupetu i kłamstw (np. że pracował rzekomo w Biurze Prasy KC PZPR) atak felietonisty – ideologa z profesorskim tytułem na łamach jednego z tygodników. Ideolog kpił z dość oczywistej tezy Kapuścińskiego, że kolonializm ponosi odpowiedzialność za niedorozwój krajów Trzeciego Świata.

– Mówiłem mu, żeby nie zwracał uwagi na zaczepki pozbawione polemicznej kultury, a on i tak się przejmował – opowiada Jerzy Nowak.

Dawna koleżanka z PAP, Wiesława Bolimowska, która w latach dziewięćdziesiątych zaczęła redagować uniwersytecki periodyk „Afryka", powiadomiła Kapuścińskiego, że planuje opublikować esej najwybitniejszego znawcy życia Hajle Sellasje – krytyczny wobec *Cesarza*. Chciała, żeby odniósł się do stawianych jego książce zarzutów. Nigdy nie odpowiedział na zaproszenie. (Inna afrykanistka z Uniwersytetu

Warszawskiego opowiada, że tekst oferowano różnym gazetom i tygodnikom – wszyscy grzecznie odmawiali).

Irytacją pomieszaną ze smutkiem zareagował na krytyczny artykuł Ernesta Skalskiego w „Gazecie Wyborczej". Skalski polemizował z jego opiniami na temat ciemnych stron globalizacji, które stanowiły kontekst zamachów 11 września 2001 roku w Ameryce. Tekst Skalskiego był elegancki i raczej łagodny w tonie, bez personalnych zaczepek. Kapuściński zezłościł się, jak gdyby został brutalnie zaatakowany. Wygadywał na kolegę i wyraźnie szukał oparcia. – Na co ten Ernest sobie pozwala?! Co to za głupstwa?! Zabolało go i to, że „Gazeta Wyborcza", którą po osiemdziesiątym dziewiątym roku uważał za swoje miejsce, opublikowała krytyczny tekst o jego refleksjach nad światem.

Jeszcze bardziej chyba przejął się krytyczną opinią Henryka Berezy, przewodniczącego jury literackiej nagrody Nike o *Podróżach z Herodotem* – swojej ostatniej książce. *Podróże*... znalazły się w finale konkursu na najlepszą książkę roku 2004 i nieoficjalnie mówiono, że do ostatecznej rozgrywki doszło między książkami właśnie Kapuścińskiego i Andrzeja Stasiuka (*Jadąc do Babadag*). Wygrała książka Stasiuka, Kapuściński otrzymał laur od czytelników. Po przyznaniu nagrody w jakimś wywiadzie spytano Berezę, dlaczego Kapuściński nie dostał Nike. Odpowiedział, iż nie uważa *Podróży z Herodotem* za książkę na tyle wybitną, by zasługiwała na najbardziej prestiżową nagrodę literacką w Polsce. Z nieukrywaną goryczą Kapuściński powiedział potem Wiktorowi Osiatyńskiemu: „Dopóki Bereza będzie przewodniczącym jury, nie mam szans na Nike". Przeżywał to jako dużą porażkę.

W ostatnim roku życia ciężko odchorował surową krytykę Marii Janion, zawartą w *Niesamowitej Słowiańszczyźnie* – tym bardziej że uważał autorkę za pierwszą z najpierwszych wśród badaczek i badaczy polskiej literatury. Cytując z aprobatą zachodnich i rosyjskich krytyków *Hebanu* i *Imperium*, Janion stawia Kapuścińskiemu zarzut uprzedzeń wobec Rosji i Rosjan, postawę wyższościową, przypisywanie wschodnim sąsiadom wyłączności na niektóre patologie polityczne i niedostrzeganie dokładnie tych samych w krajach Europy Zachodniej (np. sakralizacji monarchów). Zdaniem Janion, myślenie Kapuścińskiego – niezależnie od jego empatii dla Innego, słabszego, skolonizowanego – nie było wolne od wpływów „orientalizmu", to znaczy zideologizowanej, pełnej mitów, stereotypów i uprzedzeń wizji Wschodu.

W podobnym duchu krytykował go kilka lat wcześniej Mariusz Wilk w książce *Wilczy notes*. Uznał on *Imperium* za „ostatnią cudzoziemską relację o euroazjatyckim mocarstwie". Sam zamieszkał na Wyspach Sołowieckich, sądząc, że tylko w ten sposób pozbędzie się perspektywy typowej dla obserwatora z Zachodu. Zarzucał Kapuścińskiemu „kolekcjonowanie turystycznych wrażeń" zamiast prawdziwego „doświadczania Rosji" przez włóczęgę, zamieszkanie tu naprawdę. „Metoda Kapuścińskiego jest prosta jak turystyczny wojaż: po kilka dni to tu, to tam, i z każdej dziury rozdział – obrazek, niczym slajd na pamiątkę. Rzecz jasna, świetny pisarz nawet obrazki robi wyśmienite, tylko... po co? By zrobić komiks o Imperium?".

Próbując niejako wytłumaczyć się z lęku przed krytyką, do *Lapidarium II* Kapuściński wpisał ogólną refleksję na ten temat, w której nie zdradza, że pisze także o sobie:

> Pokolenia wychowane w systemach totalitarnych mają szczególny stosunek do krytyki. Krytyka w warunkach demokracji jest formą opinii, poglądem, próbą wpływania na postawy innych, na kształt rzeczywistości. W totalitaryzmie krytyka kryje w sobie sztylet, stryczek, kulę, może być wyrokiem śmierci. Dlatego ludzie znający praktyki tego systemu odruchowo reagują na krytykę ze strachem, uciekają przed nią przerażeni, z uczuciem, że zostali schwytani w bezwyjściowy potrzask.

W czasach Polski Ludowej, kiedy można było mieć takie obawy, krytyków Kapuściński nie miał. Nieśmiałe polemiki zaczęły pojawiać się w czasach demokracji – i też późno, zaledwie parę lat przed jego śmiercią.

Nigdy nie odpowiedział na żadną z krytycznych opinii. Świadomie przyjął strategię przemilczania. Równie mocno przeżywał głupie, pełne złej woli ataki, co próby dyskusji podejmowane przez poważnych ludzi. Milczał tak samo wobec jednych i drugich. Nie lubił (nie chciał?) się konfrontować, polemizować, spierać. Był nadwrażliwy – i wiedział o tym. Chciał być kochany i podziwiany. Lubił być słuchany, nie chciał śpiewać w wielogłosie. Szczególnie, że w tematyce, o której pisał, czuł się bardziej kompetentny od potencjalnych polemistów w kraju (może z wyjątkiem tematu rosyjskiego). Uważał też – zapewne słusznie z punktu widzenia swojej strategii życiowej i pisarskiej – że jakiekolwiek reakcje i polemiki przedłużałyby tylko żywot krytycznych opinii, tworzyły wokół niego i jego twórczości aurę kontrowersji, zamiast aury wielkości i podziwu, na której mu zależało.

*

Raz zrobił wyjątek, lecz zręcznie ukrył, że polemika dotyczy jego poglądów. W *Lapidarium III* zamieścił taką refleksję:

> Młody Kenijczyk, J.B., przyniósł mi do przeczytania scenariusz swojego filmu p.t. Czarno widzę. Dokument. W scenariuszu zebrane wypowiedzi Polaków świadczące, że są rasistami. Mówią o Afrykańczykach – czarnuchy i uważają ich za ludzi podrzędnych czy nawet nieludzi. Dla mnie powtarzanie tezy, że wielu Polaków jest rasistami, niewiele już wnosi nowego. Ciekawszym byłoby co innego, a mianowicie zbadanie, jakimi drogami krążą stereotypy. W tym przypadku ich źródłem jest Zachód. Stereotyp czarnucha był potrzebny, aby uzasadnić, po pierwsze – zbrodnię historyczną, jaką był trwający przez trzy wieki handel niewolnikami, a potem podbój kolonialny, który co najmniej w swojej pierwszej fazie był podstępny i krwawy. W żadnym z tych wydarzeń Polacy nie uczestniczyli. Dlaczego więc przyjęli ideologię służącą nie ich przecież sprawie? To krążenie stereotypów jest fascynujące. Przecież w XIX wieku nasza sytuacja była zbliżona raczej do losu Afryki niż np. Szwajcarii czy Holandii: byliśmy kolonią mocarstw ościennych. Kolonie, którymi zarządzał w tym czasie Berlin: Tanganika, Polska, Rwanda-Burundi. Dlaczego to wspólne doświadczenie nie zrodziło solidarności?

Autor scenariusza i filmu dokumentalnego J.B. to Jakub Barua. Polak po kądzieli i Kenijczyk po mieczu. Kapuściński znał i jego, i jego rodziców, u których zatrzymał się kiedyś w czasie pobytu w Nairobi. Dlaczego nazwał reżysera Kenijczykiem a nie Polakiem? Może Barua zrobił film jako oburzony dziedzictwem naszego rasizmu Polak? Urodził się w Polsce, tu dorastał, tu skończył łódzką filmówkę... Samo ustawienie polemisty jako obcego, który wypowiada się o „naszych" sprawach, nie jest eleganckie.

Lecz krytyka Kapuścińskiego brzmi nie fair nie tylko z tego powodu. Dokument młodego reżysera to swego rodzaju głos polemiczny nie wprost wobec wszystkiego, co o relacjach Polaków i Afrykańczyków Kapuściński głosił przez kilka dekad: my, Polacy, nie ponosimy odpowiedzialności za kolonializm i zniewalanie Afrykańczyków, nigdy nie mieliśmy kolonii, sami jesteśmy „Afrykańczykami" Europy, nasz los przypomina losy mieszkańców podbijanego lądu.

Czy rzeczywiście?

Barua ukazuje fakty i zdarzenia, które podają w wątpliwość przekonanie Kapuścińskiego.

Znająca i rozumiejąca Afrykę reporterka Olga Stanisławska napisała o filmie Barui tak:

> Kreśląc zaskakujące dzieje spotkań Polaków i Afrykanów, Barua zabiera nas w podróż w czasie. Napotykamy postacie ojca Daniela – afrykańskiego księdza, który odprawiał mszę podczas ceremonii przeniesienia do kraju zwłok Mickiewicza, Iry Aldridge'a, zmarłego w Łodzi słynnego aktora szekspirowskiego, albo też, wcześniej jeszcze, Jana Lapierre'a, kamerdynera, który towarzyszył Tadeuszowi Kościuszce w latach więzienia w Rosji i emigracji w Ameryce, by po jego śmierci powrócić do Polski i zostać skarbnikiem Dominika Radziwiłła.
>
> Jakub Barua przedstawia owoce ogromnej pracy dokumentacyjnej z lekkością, niemal bez komentarza. Pozwala mówić wstrząsającym cytatom – jak wtedy, gdy w 1909 roku dr Antoni Jakubowski, biolog, chwali się w liście z wyprawy naukowej do Tanganiki, jak rozdaje baty miejscowym, którzy nie okazali mu dość posłuszeństwa. Słyszymy też świadectwo tych, którzy potrafią wznieść się ponad obskurantyzm swoich czasów, i dla których stosunek do niewolnictwa, kolonializmu i w końcu apartheidu staje się miarą człowieczeństwa. Kościuszko w testamencie uprasza Jeffersona, by przeznaczył cały jego majątek na wykup i edukację niewolników. Józef Konrad Korzeniowski jako pierwszy piętnuje horror belgijskiego Konga, mówiąc o „najnikczemniejszej walce o łup, jaka kiedykolwiek splamiła sumienie ludzkości". Na frontach II wojny światowej polscy żołnierze zawiązują przyjaźnie ze strzelcami senegalskimi przelewającymi krew wraz z nimi...
>
> Polska wydaje się mieć czyste sumienie – nie mieliśmy nigdy, chociażby, kolonialnej przeszłości. Zapominamy jednak, że mieliśmy kolonialne marzenia: „Biały człowiek może tylko rządzić w Afryce, pracować fizycznie może tylko czarny. Biały, który by się brał do pracy fizycznej, zostanie usunięty" – zapowiadał pan Rosiński, sekretarz zarządu Ligi Morskiej i Kolonialnej, która w przedwojennej Polsce liczyła aż milion członków. Prawda, że zaczytujemy się w przepojonych głębokim szacunkiem do drugiego człowieka książkach Kapuścińskiego – ale nawet i on nie zdołał zdetronizować w naszej zbiorowej wyobraźni Sienkiewiczowskiej apoteozy ideologii kolonialnej, w której nawet europejskie dzieci górują nad wszystkim, co afrykańskie. A najpoważniejsze

pisma po dziś dzień bez zażenowania używają wyrażeń „Murzyn", „tubylec", „Czarny Ląd" – niewinnych tylko na pozór.

Jakub Barua powstrzymuje się jednak od wszelkich konkluzji. Jego spojrzenie cechuje rzadka powściągliwość – pozwala sobie tylko miejscami na delikatny odcień melancholijnej ironii. I zwykłą ludzką czułość, kiedy patrzymy jak Daisy, uczennica czwartej klasy jednej z warszawskich szkół, tańczy poloneza wśród swoich koleżanek. To o jej przyszłość pośród nas przecież tutaj chodzi.

Gdyby ktoś odczuwał niedosyt przykładów z historii polskiego rasizmu, Barua dysponuje kolejnymi. W artykule opublikowanym w „Newsweeku", tak jak w filmie, burzy dobre samopoczucie oparte na przeświadczeniu, że Polacy nie mieli nic wspólnego z handlem niewolnikami.

W XVII i XVIII wieku polscy arystokraci – a i owszem – bez wstrętu kupowali Afrykańczyków. Czarnoskórzy służący bywali oznaką prestiżu i zamożności. Niewolników z Afryki mieli Stefan Batory i Jerzy Ignacy Lubomirski, afrykańscy muzycy przygrywali królowi Augustowi II, afrykańskiego sługę-niewolnika miał ostatni król Rzeczypospolitej Stanisław August. Afrykańczyków w prymasowskim orszaku uwiecznił na jednym z obrazów Canaletto. Barua dotarł do dokumentów, które dowodzą, że inni dostojnicy kościelni też miewali afrykańską asystę, a na dworach zaczęły pojawiać się dzieci, mające afrykańskie rysy. Dalej pisze tak:

> W przemyskich aktach grodzkich z 1624 r. znajduje się notatka świadcząca, że nie tylko najbogatsi Polacy mogli sobie pozwolić na czarnych niewolników. Można ich było spotkać także wśród szlachty: „Andrzej Fredro bywał bardzo częstym a niepożądanym gościem w Przemyślu, ku utrapieniu spokojnych łyków, które się go bały jak ognia. Trzymał sobie Murzyna, wielką osobliwość w tych czasach, a ten Murzyn, który przejął miejscowe obyczaje i graczem był na szable, w burdach swego pana brał czynny i wybitny udział".
>
> Wkrótce polscy snobi, pragnący imponować otoczeniu w myśl zasady „zastaw się, a postaw się" (to porzekadło pochodzi właśnie z tamtej epoki), zaczęli otaczać się świtami, w których wypadało mieć Afrykanów. Te wystawne orszaki, przemierzające miasta, opisywał Ignacy Krasicki: „Przy karecie: ci jadą, ci skaczą, ci idą, Kozak z spiszą, z kołczanem Murzyn, Tatar z dzidą".
>
> Wjazdy polskich poselstw do innych stolic, od Istambułu po Paryż, zdumiewały przepychem. Orszak uświetniali Afrykanie, idący obok

karet swoich panów, stojący na karetach i jadący na wielbłądach. Wjazd Jerzego Ossolińskiego do Rzymu z 1633 r. przeszedł do legendy. Podkutego najprawdziwszym złotem rumaka polskiego posła prowadzili jego afrykańscy paziowie z czapami przyozdobionymi strusimi piórami. Ostatni raz Rzym doświadczył czegoś podobnego za odległych czasów imperium rzymskiego.

Służba na polskich dworach nie należała do najcięższych w osiemnastowiecznej Europie. Afrykanie pełnili głównie funkcje dekoracyjne, a ponieważ ich zakup był kosztowny, nie delegowano ich do pracy, gdzie mogliby ponieść uszczerbek na zdrowiu. Ich obowiązki ograniczały się do usługiwania panu. Modni stali się np. afrykańscy fajkowi, którzy jechali na koniu i podawali panu fajkę do karety. Popisywał się takim fajkowym np. Adam Czartoryski w podróżach po Galicji i Podolu.

W Polsce doceniano odwagę Afrykanów. Podczas wojen z Turkami polskie rycerstwo spotykało się z afrykańskimi janczarami. Ceniono ich za kunszt wojskowy i jeździecki. Nic więc dziwnego, że Jędrzej Czarnecki, burgrabia krakowski, właśnie Afrykanina mianował swoim koniuszym. Było to już wyższe stanowisko świadczące o tym, że niektórzy Afrykanie mogli mieć w Polsce szansę na awans. Aleksandra Dynisa biskup [krakowski] uczynił starostą w Koziegłowach na ziemi siewierskiej. Z czasem niektórzy Afrykanie stawali się spolonizowanymi członkami dworu. Jednak większość pozostawała drogą zabawką.

W tamtej właśnie epoce zrodziło się powiedzenie: „Murzyn zrobił swoje, murzyn może odejść". Teraz na początku XXI wieku Polacy powinni się zastanowić, czy już nie czas odejść od używania słowa „Murzyn". Wbrew temu, co się w Polsce sądzi, nie jest to niewinne słowo – zostało skażone, i to także tu, na tej ziemi, zniewoleniem ludzi. Niewolnik bowiem pozostaje niewolnikiem, nawet jeśli służy tylko do zabawy i dekoracji.

Z artykułu wypadł fragment otwarcie polemiczny wobec spojrzenia Kapuścińskiego na polsko-afrykańskie relacje.

– Lepiej Kapuścińskiego w tym artykule nie umieszczać – usłyszał Barua od redaktora tygodnika. – Twój tekst jest wystarczająco mocny.

Zgodził się na skreślenia w tekście; mimo tychże był mile zaskoczony decyzją opublikowania pionierskiego artykułu, krytycznego wobec poglądów Kapuścińskiego (bez wymieniania jego nazwiska), uważanego za wyrocznię w sprawach afrykańskich.

Strategia Kapuścińskiego przybliżania Polakom Afryki i Afrykańczyków poprzez wskazywanie na podobieństwo naszych losów płynęła ze szlachetnych intencji i nieraz miała bardziej charakter pedagogiczny niż poznawczy. Barua dogrzebał się mało znanych faktów z dziejów polskiego rasizmu. W zestawieniu z nimi teza mistrza, że my, moralnie lepsi od Brytyjczyków, Francuzów, Belgów, Niemców, Włochów, Hiszpanów i Portugalczyków, traci blask, nawet jeśli – istotnie – nie mieliśmy w Afryce kolonii, a los Afrykańczyków w I Rzeczypospolitej był nieporównanie znośniejszy niż los niewolników w Stanach Zjednoczonych, w Brazylii czy na Karaibach.

Barua jest przekonany, że krytyka Kapuścińskiego zaważyła na jego zawodowych losach w Polsce. Ukazała się w „Gazecie Wyborczej", gdy ta publikowała w odcinkach *Lapidarium III*. Barua twierdzi, że z powodu krytyki (samego scenariusza, jeszcze nie filmu) szefowie redakcji, na zamówienie której przygotowywał ów dokument, sugerowali zmianę wymowy filmu. Na co komu taki dokument? Sądzisz, że Polacy chcą coś takiego oglądać? Chcesz podważać wizję mistrza? Gdy Barua odmówił dokonania zmian, szefowie – jak twierdzi – piętrzyli trudności, które sprawiły, że produkcja ślimaczyła się pięć lat. Film pokazał I program Telewizji Polskiej w sezonie urlopowo-wakacyjnym 2001 roku nocą. Barua twierdzi, że ktoś z ludzi decydujących o pieniądzach przyznawanych na produkcje filmowe zapowiedział mu w rozmowie w cztery oczy, że nie zrobi już żadnego filmu w Polsce.

Próbował umówić się z Kapuścińskim, wyjaśnić sytuację, jaką wywołała jego krytyka. Liczył, że życzliwe słowo mistrza – teraz w jego obronie – wiele by naprawiło. Nie dopuszczał myśli, że intencją Kapuścińskiego mogło być usunięcie z publicznego widoku polemisty, który podał w wątpliwość jego wizję stosunku Polaków do Afrykańczyków. Kapuściński jednak – opowiada Barua – unikał spotkania, nie odpowiadał na telefony. Nikt ze wspólnych znajomych – dziennikarzy nie chciał się podjąć mediacji.

Barua wyjechał do Kenii. Wśród swoich osiągnięć może się pochwalić zorganizowaniem festiwalu filmów afrykańskich na Zanzibarze. Żal do Kapuścińskiego, który przyjmował go u siebie w domu jak przyjaciela, a potem niespodziewanie skrytykował w książce, co wywołało lawinę konsekwencji, nosi do dziś.

*

Małgorzata Szejnert mówi: – Boję się, że brak krytyki w Polsce, jaki towarzyszył mu całe życie, odbije się prawem wahadła krytyką nadmierną, niesprawiedliwą. Nic w naturze nie ginie.

Nie po raz pierwszy łapię się na obawach, że bez demaskatorskiej intencji, dowiaduję się o faktach z biografii mistrza, o których wcale nie chciałbym wiedzieć. Że stwarzam platformę dla arcykrytycznych o nim opinii.

– I ty to wszystko napiszesz? – pyta koleżanka reporterka, gdy opowiadam o niektórych odkryciach.

– A mam inne wyjście?

Przecież portret Kapuścińskiego, na którym widać ułomności, skazy jest prawdziwszy niż obrazek „beatyfikowanego". Realistyczny – po prostu. Zresztą, czyż taki Kapuściński nie jest bardziej interesujący niż ten zagłaskiwany? Bardziej pouczający niż ten zakłamywany? Bardziej ludzki niż ten wyniesiony na piedestał z laurek i bezrefleksyjnych zachwytów?

Przypomina mi się rozmowa, jaką kiedyś odbyłem z profesorem Clayborne'em Carsonem, historykiem, wydawcą pism Martina Luthera Kinga, zaufanym wdowy po wielkim przywódcy. Carson, któremu wdowa przekazała wszystkie papiery Kinga, odkrył, że ów popełnił plagiat w pracy doktorskiej; ogłosił o tym w prasie. Wdowa nie była zachwycona; jej stosunki z historykiem ochłodziły się. Z czasem zrozumiała, że uczciwy badacz nie mógł postąpić inaczej.

Spytałem Carsona, czy był zdruzgotany nieprzyjemnym odkryciem. Odpowiedział tak:

> Nigdy nie patrzyłem na Kinga jak na Boga, lecz jak na zwykłego człowieka. Jako historyka najbardziej fascynuje mnie to, jak zwykli ludzie potrafią wznieść się ponad siebie i robić rzeczy niezwykłe. Taki był Martin Luther King. Podziwiam Gandhiego – sądzę, że jeśli jakiś człowiek był bliski świętości, to właśnie on. Nie chciałbym jednak być żoną Gandhiego, gdyż jako historyk wiem, że Gandhi-mąż był osobą dużo więcej niż trudną.
>
> Niedobrze jest podziwiać ludzi za to, że są doskonali, bo jeśli okaże się, że mają wady czy plamy w życiorysie – a zawsze mają – nasza wiara musi lec w gruzach. Lepiej podziwiać idoli za niezwykłe rzeczy, które czynią, POMIMO że są najzupełniej zwykłymi istotami.

Słowa amerykańskiego historyka znakomicie pasują do opowieści o Kapuścińskim.

fot. Janusz Sobolewski / FORUM

Warszawa 1962

fot. Andrzej Krzysztof Wróblewski

Na urlopie w Paryżu: Alicja i Ryszard Kapuścińscy
z koleżanką, dziennikarką z kręgu „Polityki"
Agnieszką Wróblewską (z prawej), wrzesień 1964

z archiwum Jerzego i Izabelli Nowaków

Z żoną Alicją (z lewej) i Izabellą Nowak, lata 80.

fot. Maciej Billewicz / FORUM

Z Kazimierzem Boskiem, przyjacielem i wieloletnim sąsiadem, przed kinem „Skarpa" w centrum Warszawy

Narodowe Archiwum Cyfrowe

Ryszard Frelek, długoletni przyjaciel i polityczny „mecenas"

fot. Janusz Fila / FORUM

Z młodszym o pokolenie kolegą z tygodnika „Kultura" Mariuszem Ziomeckim, 1980

z archiwum Jerzego i Izabelli Nowaków

Z Jerzym Nowakiem, najbliższym przyjacielem przez czterdzieści sześć lat, Nowy Jork 1984

fot. Paweł Ulatowski / Agencja Gazeta

Uroczystość nadania doktoratu honoris causa Uniwersytetu Jagiellońskiego, Kraków 2004

fot. Paweł Kozioł / Agencja Gazeta

Na spotkaniu
z czytelnikami
z okazji wydania
Podróży z Herodotem,
Teatr Polski
we Wrocławiu, 2005

fot. Piotr Wójcik / Agencja Gazeta

Kapuściński był jedyną osobą, o spotkanie z którą poprosił noblista J.M. Coetzee w czasie krótkiej wizyty w Warszawie, 8 czerwca 2006

fot. Krzysztof Wojcik / FORUM

Z Martinem Pollackiem, tłumaczem swoich książek na język niemiecki, w mieszkaniu w Warszawie, 1990

z archiwum Fundacji Nowego Dziennikarstwa Iberoamerykańskiego w Cartagenie

Gabriel García Márquez zaprosił Kapuścińskiego do poprowadzenia warsztatów dla reporterów z Ameryki Łacińskiej, Meksyk 2001

z archiwum Fundacji Nowego Dziennikarstwa Iberoamerykańskiego w Cartagenie

Z uczestnikami warsztatów organizowanych przez Fundację Nowego Dziennikarstwa Iberoamerykańskiego, Buenos Aires 2002

fot. Krzysztof Miller / Agencja Gazeta

U siebie na poddaszu na ulicy Prokuratorskiej w Warszawie, 1992

fot. Wojciech Wieteska

Ze starymi znajomymi: historykiem Andrzejem Garlickim i publicystą Andrzejem Krzysztofem Wróblewskim – z lewej oraz felietonistą „Polityki" Danielem Passentem i reżyserem filmowym Markiem Nowickim – z prawej, 23 sierpnia 2006

fot. Maciej Zienkiewicz / Agencja Gazeta

Warszawa 2003

fot. Artur Domosławski

Królestwo na poddaszu – blisko rok po śmierci mistrza, grudzień 2007

Reporter poprawia rzeczywistość, czyli krytycy wszystkich krajów łączą się!

Na reprezentacyjnym stoliku w galerii sztuki Barbary Goshu w Addis Abebie stoi fotografia cesarza Hajle Sellasje. Zrobiono ją w siedemdziesiątym pierwszym. To był wielki dzień w życiu Barbary i jej męża, znanego etiopskiego malarza Worku Goshu: najjaśniejszy pan uroczyście otworzył ich nową galerię.

Barbara mieszka w Etiopii ponad czterdzieści lat. Męża poznała na studiach w krakowskiej Akademii Sztuk Pięknych; po ich skończeniu wspólnie zdecydowali wyjechać do rodzinnego miasta Worku – Addis Abeby. Oboje uprawiają malarstwo religijne; w galerii dominują ikony. Barbara ma idée fixe: ocalić ginącą tradycję prymitywistyczną etiopskiej sztuki ludowej; jej obrazy pełne są stylizacji w takim właśnie duchu.

Powiem panu, mówi, Kapuściński to był uroczy człowiek. Czarujący, ciepły, przyjacielski. Jak tylko przyjeżdżał do Addis, zawsze do nas wpadał; lubił pogadać, posłuchać, coś u nas zjeść. W duszę mu nie zaglądałam, aleśmy go wszyscy kochali. Ale... wie pan... ten *Cesarz*... to baśnie tysiąca i jednej nocy (szeroki uśmiech). Coś tam się trzyma realiów, ale raczej mniej niż więcej.

Co jest nieprawdziwe? Niech pan spyta, co tam jest prawdą, łatwiej będzie powiedzieć. To są bajki, bajeczki, bajdurzenie. Pisze, że Hajle Sellasje nie czytał książek, a to był taki wybitny umysł! Nietuzinkowa inteligencja! Poza tym, to niemożliwe, że Kapuściński odwiedzał Etiopczyków w ich domach i oni snuli tam te wszystkie opowieści. Zaraz powiem dlaczego: szalał reżim Mengistu, pan sobie nie wyobraża, co to się działo, godzina policyjna, na ludzi z dworu cesarza wręcz polowano. Nikt by nie ryzykował, żeby nocą zapraszać do domu, jeszcze białego, który zwraca uwagę? dziennikarza? Niemożliwe, niemożliwe.

Musi pan wiedzieć i to, że Etiopczycy nie zapraszają do domów. W domu się je i śpi, nie ma takiego miejsca, w którym można by przyjąć gościa. Tu rządzi kultura wychodzenia do baru.

Kim są rozmówcy Kapuścińskiego? Powiem panu: poznawał ich na bankietach w ambasadzie. Ktoś mu coś na boku szepnął, a on to potem... no wie pan. Ukolorował. Pofantazjował. Podzielił jedną opowieść na kilka. Podobno jeden z ludzi cesarza wprowadził go raz do pałacu, po cichu, żeby się rozejrzał. Tak opowiadał, nie wiem, czy tak było...

Pewien polski dyplomata, który prosi o nieujawnianie nazwiska, mówi, że rozmówcami Kapuścińskiego byli, istotnie, jacyś ludzie dworu – alkoholicy, których wyciągał na wódkę, stawiał, a oni opowiadali. Barbara Goshu uważa, że i to wątpliwe: wszędzie wojsko, wszędzie policja polityczna, żaden Etiopczyk, a już na pewno nikt z dworu obalonego cesarza, nie odważyłby się pójść do baru z białym, z reporterem; to by zwracało uwagę. Nie, nie; niemożliwe.

Jeden z krytyków *Cesarza* zwrócił kiedyś uwagę, że nawet po upadku Mengistu Kapuściński nie ujawnił tożsamości informatorów, mimo że nic już im nie groziło, a ludzie cesarskiego dworu składali wówczas zeznania jako świadkowie w procesach przeciwko twórcom czerwonego terroru.

Czy rozmawiałam z Kapuścińskim po opublikowaniu *Cesarza*? Oczywiście, od razu mu powiedziałam, że to było nieuczciwe, że przedstawił krzywdzący obraz wspaniałego człowieka, jakim był Hajle Sellasje. Jak zareagował? A tak – zrobił tylko taaaką minę (tu pani Barbara odgrywa grymas zdziwienia chłopca, który narozrabiał). Potem szybko zmienił temat. Nigdy wcześniej ani później nie mówił, co sądzi o cesarzu, ani o Mengistu. Podpytywał, wyciągał na zwierzenia, naprowadzał na temat, który go interesował – i słuchał.

Spontaniczne uwagi Barbary Goshu, której z powodu fascynacji cesarzem trudno zachować chłodne spojrzenie, są zbieżne z krytyką największego znawcy życia Hajle Sellajse, nieżyjącego już profesora Harolda G. Marcusa. Marcus wykładał na uniwersytecie East Lansing w Michigan, a także na uniwersytecie w Addis Abebie za rządów cesarza. Opublikował pierwszy tom monumentalnej biografii Hajle Sellasje, drugiego nie zdążył ukończyć. Podobno ma się ukazać w wersji roboczej, nieskończonej.

…Kapuściński napisał książkę skażoną bezkrytyczną wiarą informatorom, z których kilku opowiedziało wielkie bajki o monarsze niewielkiego wzrostu. Parę przykładów wystarczy, aby wyjaśnić tę kwestię.

Pierwszy, na który powołuje się kilku informatorów, dotyczy posiadania przez cesarza pieska, któremu wolno było siusiać na buty dworzan, zadaniem zaś jednego ze służących było wyłącznie wycieranie butów dworzan, którym to się przydarzyło. Prawdą jest, że cesarz lubił małe pieski, ale nie dopuściłby nigdy, aby jakiekolwiek stworzenie upokarzało jego podwładnych.

Po drugie, Kapuściński powtarza za informatorami, że jedynym nauczycielem cesarza był francuski jezuita, który nie potrafił wdrożyć młodzieńca powierzonego jego pieczy do czytania. W rzeczywistości młody Hajle Sellasje miał kilku nauczycieli, między innymi dwóch kapucynów, ale nie miał jezuity. Etiopski kapucyn, ojciec Samuel, zapoznał swojego ucznia z klasycznymi dziełami etiopskiej i zachodniej literatury filozoficznej oraz wpoił mu głęboki szacunek do czytania i uczenia się.

Trzecia sprawa: Hajle Sellasje, według wszelkich źródeł, był gorliwym czytelnikiem po amharsku, francusku, a później również po angielsku. Czytał uważnie nie tylko książki, ale również raporty, dzienniki oraz czasopisma. Co więcej, sam pisywał polecenia i rozkazy, co zadaje kłam absurdalnemu twierdzeniu Kapuścińskiego: „choć rządził przez pół wieku, nawet najbliżsi nie wiedzą, jak wyglądał jego podpis".

Po czwarte: jeden z informatorów powiedział naszemu polskiemu dziennikarzowi, że Hajle Sellasje wprowadził do Etiopii samochody – co faktycznie wydarzyło się za panowania Menelika II (1889–1912). Następnie Kapuściński powtarza za książką Evelyna Waugha oczerniającą Etiopczyków rasistowską ignorancję na temat etiopskiej dyscypliny i nawyków pracy…

Bez komentarza przytacza zarzut, że Hajle Sellasje w wyborze na stanowiska kierował się lojalnością, a nie talentem kandydata. W rzeczywistości, jak każdy dobry polityk, stosował obydwa kryteria…

Profesor Marcus ma jeszcze więcej zarzutów, nie odmawia jednak książce Kapuścińskiego pewnych zalet.

Chociaż *Cesarz* jest pełen błędów, dobrze ujmuje tło wydarzeń 1974 roku [obalenie cesarstwa], a także trafnie przedstawia ich sprawców…

Być może najbardziej przenikliwą częścią książki Kapuścińskiego jest próba wyjaśnienia bierności cesarza. Cytuje on jednego z informatorów: „czcigodny pan chciał panować nad wszystkim, nawet jeśli był bunt – panował nad buntem, panował nad rebelią, choćby ta przeciw jego panowaniu była wymierzona".

Na koniec Kapuściński snuje rozważania, czy cesarz był w pełni przygotowany, aby zapanować nad własną detronizacją, nigdy bowiem nie lękał się stawienia czoła przyszłości i zawsze popierał zmiany. 12 września 1974 roku, kiedy odczytano mu rozkaz Dergu o odsunięciu go od władzy, Hajle Sellasje podziękował delegacji wojskowej. Stwierdził, że armia nigdy go nie zawiodła i oznajmił, że „jeżeli rewolucja jest dobra dla ludu, on też jest za rewolucją i nie będzie sprzeciwiał się detronizacji".

Cesarz, pomimo swoich wad, zawiera często wnikliwe oceny, dlatego też powinno się go czytać uważnie. Fakty podawane przez Kapuścińskiego powinny być dokładnie sprawdzone ze źródłami historycznymi.

Addis Abeba, listopad 2008. Dyskusja panelowa na uniwersytecie poświęcona *Cesarzowi* – nieoczekiwany kontrapunkt dla surowych krytyk pod adresem Kapuścińskiego.

Pytam swojego współdyskutanta, profesora literatury Abiye Daniela, co sądzi o zarzutach stawianych Kapuścińskiemu przez etiopistów i znawców życiorysu Hajle Sellasje. Że powtarza uliczne plotki, że deformuje obraz kraju i jego mieszkańców, że piesek Lulu nie mógł sikać na buty dworzan, bo w kulturze etiopskiej byłoby to – jak mówią – upokorzenie nad upokorzeniami.

– Przecież nigdy nie wiedzieliśmy o Hajle Sellasje niczego innego niż plotki – odpowiada profesor. – Kapuściński namalował portret cesarza, jakiego wcale nie chcieliśmy poznać. Wielu z nas, Etiopczyków, miało w głowach mityczny obrazek: dobrego pana, który ze swojego samochodu rozdaje biednym pieniądze. Kapuściński burzy ten wizerunek – i bardzo dobrze. To wielka zaleta jego książki.

Głos z sali, mężczyzna, trzydzieści parę lat: – Ta książka jest oburzająca. Ludzie z pokolenia moich rodziców, którzy żyli w czasach cesarza, czują się zniesmaczeni, dotknięci, rozczarowani tym, co napisał ten dziennikarz.

Profesor spokojnie odpowiada. Niektórych irytuje, że obcokrajowiec przedstawił nas w takim świetle, że nie ma do tego prawa. A dlaczego miałby nie mieć? Wspaniały jest ironiczno-sarkastyczny duch tej książki; znakomite fragmenty o twarzach dworzan przepychających się ku cesarskim oczom, o wszechobecnych uszach, które podsłuchują. Piesek Lulu nie mógł sikać dworzanom na buty? Wiedza, jaką dysponujemy na temat psów, sugeruje, że psy sikają. Dlaczego ktoś się upiera przy twierdzeniu, że piesek Lulu nie mógł nasikać komuś na buty?

Abbas Milani kręci głową. Mówi: małe błędy, duże błędy, nieścisłości, pewność, z jaką pisze, do której nie ma tytułu; to znaczy: wystarczającej wiedzy. Milani czytał przed laty *Szachinszacha*, zachował z pierwszej lektury nie najgorsze wrażenie, a przed naszą rozmową książkę przeczytał jeszcze raz.

Niewątpliwie ten pana przyjaciel, mówi Milani, umie słuchać, świetnie chwyta atmosferę miejsca i chwili. Nie ma, niestety, energii, żeby więcej poczytać, poszukać, posprawdzać. Czytając tę książkę po raz drugi, byłem zdumiony, jak wielu błędów mógł uniknąć, gdyby tylko poczytał trochę więcej.

Milani kieruje studiami irańskimi na Uniwersytecie Stanforda w Kalifornii. Zanim wiatry historii przywiały go w stronę jednej z najlepszych uczelni Ameryki, jako młody chłopak był radykałem maoistą w sąsiednim Oakland. Do Ameryki wysłał go ojciec; Milani miał tu skończyć liceum, potem studia. To był koniec lat sześćdziesiątych, Ameryka przypominała beczkę prochu: na ulicach i kampusach starcia młodzieży z policją, płonące getta wielkich miast, zabójstwa polityków – ikon epoki: braci Kennedych, Malcolma X, Martina Luthera Kinga... Milani sympatyzował z Czarnymi Panterami, ugrupowaniem Afroamerykanów, dopuszczającym zbrojną samoobronę przed napaściami policji. Gdy wrócił do Teheranu, otaczała go aura „tego, który wrócił z innego świata"; na wykładach miał pełne sale, myśl marksistowska budziła zaciekawienie studentów. Aresztowany przez Savak, tajną policję szacha, Milani odsiedział rok w więzieniu, połowę w całkowitej izolacji. Tam poznał rzeszę szyickich duchownych – przyszłych zwycięzców islamskiej rewolucji. Siedem lat po upadku starego reżimu Milani, który w państwie rządzonym przez szyickich mułłów stracił prawo do nauczania, wyemigrował na dobre do Stanów. Od dziesięciu lat pracuje nad biografią szacha Iranu Rezy Pahlaviego, bohatera jednej z dwóch najsłynniejszych książek Kapuścińskiego.

Może pan, mówi Milani, otworzyć *Szachinszacha* na dowolnej stronie, wskazać fragment, a ja powiem, co jest błędnego albo nieścisłego.

Próbuję. Otwieram na chybił trafił i czytam na głos: „Roosevelt pyta Churchilla, co stało się z władcą tego kraju, szachem Rezą...". Już, stop! – Milani przerywa. Ależ wiemy, mówi, że Roosevelt nie pytał Churchilla o szacha, ponieważ był lepiej zorientowany w sytuacji wewnętrznej Iranu. Kapuściński sugeruje ignorancję prezydenta USA w tej sprawie; nic bardziej błędnego...

Inny fragment na chybił trafił – z ostatniej części książki: „Szach był zdecydowany, żeby utrzymać się na tronie, i aby to osiągnąć, próbował wszystkich możliwości...".

To fascynujący moment, ożywia się Milani, i doczytuje sam kilka linijek na głos. Mówi: jeśli możemy powiedzieć o szachu cokolwiek absolutnie pewnego, to właśnie to, że był człowiekiem niezdecydowanym. W czasie pracy nad jego biografią natrafiłem na osiem momentów kryzysowych w okresie od 1941 do 1979 roku, kiedy był gotów abdykować i wyjechać z kraju. I w pewnym momencie nawet wyjechał...

Irytuje mnie, ciągnie Milani, pewność, z jaką autor ten pisze o niektórych zdarzeniach. Takiej pewności nie mają nawet historycy, nawet oni spierają się o wiele faktów. Przykład? Fotografia ojca szacha. On ją wspaniale opisuje, styl książki budzi uznanie, problem w tym, że nie wiadomo, czy na zdjęciu uwieczniono istotnie ojca szacha; są nawet tacy, którzy twierdzą, iż nie wiadomo, kto był naprawdę jego ojcem. Czy to znaczy, że dziennikarz musi posiąść całą szczegółową wiedzę o przedmiocie – jak badacz epoki, historyk? Nie. Powinien jednak pisać z większą ostrożnością, orientować się, co jest pewne, a co budzi wątpliwości.

Ten brak ostrożności, mówi Milani, zdradza również to, z kim Kapuściński rozmawiał: miał lewicowych i centrolewicowych przyjaciół, którzy opowiedzieli mu swoją wersję zdarzeń. Posługuje się typową dla swoich rozmówców przesadą. Gdzieś pisze o tysiącach ludzi zamordowanych przez szacha, tymczasem za jego rządów wykonano egzekucję na około 1400 więźniach. Pisze o setkach tysięcy więźniów politycznych – gdy ja siedziałem w więzieniu, było nas cztery i pół tysiąca. Pisze o setkach milionów dolarów zrabowanych przez ludzi dworu, ale nie orientuje się, jak wielka to suma i nie sprawdza, czy rabunek na taką skalę był możliwy w kraju takim jak Iran. Nie był.

Gdyby pana przyjaciel „sprzedawał" tę książkę jako *faction* – zbeletryzowaną opowieść o rewolucji, osnutą wokół prawdziwych zdarzeń, można by mu przyklasnąć. Kłopot w tym, że sprzedaje ją jako dziennikarstwo. „Wzorcowym czytelnikiem" tej opowieści – używając formuły Umberta Eco – jest człowiek lubiący czytać, niemający jednak o Iranie zielonego pojęcia. To nie jest książka, którą będzie się czytać – tak jak dzieło Monteskiusza o Persji czy Tocqueville'a o Ameryce – za sto czy dwieście lat. Poleciłbym ją najwyżej komuś, kto chce się dowiedzieć czegoś nie tyle o szachu, rewolucji czy kulturze mojego kraju, co poczuć atmosferę wydarzeń. Tę Kapuściński zdołał oddać naprawdę dobrze.

Marcin Kula, historyk z Uniwersytetu Warszawskiego, nie kryje irytacji, gdy streszczam zarzuty, jakie stawiają Kapuścińskiemu znawcy Etiopii i Iranu.

Mówi: Nie znoszę tego rodzaju recenzji. Są typowe dla pewnej kategorii historyków, wąskich specjalistów. W naukach społecznych rozplenił się kult specjalizacji, który prowadzi do absurdu, uniemożliwia twórczy obieg myśli. Gdy piszę coś na temat, który nie należy do mojej ścisłej specjalizacji, natychmiast spotyka mnie krytyka bądź milczenie ze strony specjalistów. Szczególną kategorią wewnątrz tej grupy – mówię to na podstawie wieloletnich obserwacji – są orientaliści, głównie filologowie rzadkich języków. Są przekonani, że jako jedyni wiedzą coś o „swoich" krajach i kulturach. Ktokolwiek inny dotyka „ich" tematu, popełnia zbrodnię.

A przecież czytanie *Cesarza*, ciągnie Kula, jako monografii o czasach Hajle Sellasje czy *Szachinszacha* jako podręcznika historii najnowszej Iranu nie ma sensu. Kapuściński tworzy konstrukcje literacko-intelektualne, poszukuje modeli władzy, powtarzających się sytuacji, by za ich pomocą ukazać uniwersalne reguły ludzkich zachowań, mechanizmy władzy, rewolucji. W Biblii też roi się od historycznych błędów i nieścisłości – i cóż z tego wynika? Skupianie się na ich wykrywaniu może być ciekawe dla hobbystów, lecz intelektualnie jest bezpłodne.

Podobnie jak Kula reagują dwaj reporterzy i publicyści, związani niegdyś z „New Yorkerem", obecnie profesorowie uniwersytetów – Nowojorskiego i w Berkeley: Lawrence Weschler i Mark Danner.

– Co za różnica – pyta retorycznie Weschler – na której półce postawimy *Cesarza* i *Szachinszacha*: fiction czy non-fiction? To i tak nadal będą wspaniałe książki.

Danner: – Nigdy mi nie przeszkadzał zarzut nieścisłości faktograficznych stawiany obu tym książkom. Wąscy specjaliści patrzą jednostronnie, krótkowzrocznie. *Cesarz* to opowieść wywodząca się wprost z tradycji *Księcia* Machiavellego. Czy w związku z tym pytanie o to, czy piesek Lulu rzeczywiście siusiał na buty dworzan, czy nie, jest naprawdę takie istotne?

Moje zaskoczenie: obaj rozmówcy są najwyraźniej wolni od obsesji amerykańskiego dziennikarstwa na punkcie sprawdzania każdego detalu; w niektórych redakcjach w Ameryce procedura *fact-checking* bywa prawdziwą zmorą reporterów. Czy mówią tak dlatego, że nie traktują książek Kapuścińskiego jako tekstów dziennikarskich, lecz jak literaturę? Wielką literaturę.

Przed laty Danner napisał esej, w którym zmaga się z obsesją: fiction – non-fiction.

Streszczam: nie istnieje nic takiego, jak czysta faktografia, podobnie, jak nie istnieje czysta fikcja. Beletrystyka czerpie pełnymi garściami z życia, literatura faktu posługuje się artystycznymi środkami wyrazu. Autorzy obu gatunków używają tych samych technik literackich. Zawsze w centrum opowieści jest intryga, postać, symbol, wokół których opowieść zawiązuje się i toczy.

A jak opowiadana historia ma się do „prawdy" o rzeczywistości – czy nie to jest sednem kontrowersji? Owszem. A czy wolno odpowiedzieć pytaniem: o jakiej „prawdzie" mówimy? Nora Ephron napisała powieść z kluczem *Heartburn* – opowiada w niej o waszyngtońskiej elicie; to książka z półki beletrystyka, w której łatwo jednak zidentyfikować miejsca, czas oraz kto jest kim w prawdziwym życiu. W *Cesarzu* Kapuścińskiego identyfikacja taka jest niemożliwa, a to książka z kategorii „prawdziwych historii", non-fiction. Która z nich jest w większym stopniu dziełem czystej sztuki, która bardziej beletrystyczna, a którą zapiszemy do kategorii literatura faktu? Nie ma prostej odpowiedzi.

W beletrystyce, poezji, sztuce teatralnej nie mamy wyjścia: musimy zaufać autorowi; tylko on zna całą opowieść od początku do końca, motywacje bohaterów; nie ma miejsca na alternatywne scenariusze, inne zakończenia. W literaturze faktu – czy to historycznej, czy dziennikarskiej, czy biograficznej – zawsze jakieś pytania zostają bez odpowiedzi; nigdy nie wiemy wszystkiego do końca; jakimi motywami kierował się nasz bohater? co myślał? czy historia mogła potoczyć się inaczej? Zawsze jest coś jeszcze, do czego nie dotarliśmy albo nie pojęliśmy w pełni.

*

Kapuściński miał własną teorię na temat przekraczania granic między literaturą faktu i fikcji. W najprostszy sposób wyłożył ją w czasie sprzeczki z przyjaciółmi.

– Kiedy mieszkaliśmy jeszcze w Afryce – opowiada Izabella Nowak – dał nam do przeczytania jakiś swój tekst o zamieszkach w Dar es-Salaam. Afrykańczycy pobili białych, na miejscu zajścia był mój mąż, więc wiedzieliśmy dokładnie, gdzie i jak zdarzenie przebiegało. Zwróciłam uwagę Ryśkowi, że myli szczegóły, bo bójka miała miejsce na innej ulicy, w innych okolicznościach. Krzyknął na mnie: – Nic nie rozumiesz! Ja nie piszę, żeby się w szczegółach zgadzało, chodzi o istotę rzeczy!

O co chodziło z ową „istotą rzeczy", Jerzy Nowak objaśnia na przykładzie wziętym z życia (bo Kapuściński lekceważył akuratność opisu nie tylko w reportażach). Poznał kiedyś Kapuścińskiego z innym swoim przyjacielem, Adamem Danielem Rotfeldem, i jego nieżyjącą już żoną Barbarą. Rotfeldowie, którzy kochali dobrze zjeść, zaprosili Kapuścińskiego na kolację. Kapuściński zdał potem takie z niej sprawozdanie: – Ty sobie tego nie wyobrażasz: siadam do stołu, a oni ciągle wnoszą i wnoszą, najpierw udźce wieprzowe, potem szynki, potem pół wołu, potem indyki, potem kaczki nadziewane. – To nie było ścisłe, połowa szczegółów nadawałaby się do sprostowania, jednak opowieść Ryśka oddawała istotę gościnności Rotfeldów.

Dialog na temat tego, w jakim stopniu wolno dziennikarzowi poddawać rzeczywistość „obróbce", Kapuściński prowadził przed laty z innym reporterem, Wojciechem Giełżyńskim.

Kapuściński: ...Nie potrafię nic wymyślić. Gdybym potrafił, pisałbym powieści.

Giełżyński: Nie myślę o fikcji. Fikcję wykluczam. Myślę o jakimś fakcie, o jakimś charakterystycznym zdarzeniu, które naprawdę miało miejsce, ale – pech chciał – innego dnia albo w innym miejscu. Powiedzmy, że to zdarzenie bardzo ci pasuje do toku relacji, do jej klimatu. Niestety, ono nastąpiło niedokładnie wtedy, kiedy „powinno nastąpić" – z punktu widzenia dramaturgii reportażu – chociaż mogłoby nastąpić również w momencie „dziania się" opisywanego toku wydarzeń, nie byłoby sprzeczne z ich logiką. Czy dopuszczasz możliwość lekkiego zdeformowania biegu faktów, na przykład poprawienia chronologii dla uzyskania lepszego efektu poznawczego lub artystycznego?

Kapuściński: Tak, można tak robić: rozbudować rzeczywistość, ale biorąc autentyczne elementy z tejże rzeczywistości. To czasem pomaga oddać jakiś głębszy sens. Wszystko zależy, jak się to robi, czy to siedzi w danych realiach, w klimacie, czy też jest sztuczne, wymyślone, zbujane. To się od razu wyczuwa. Czytelnik wyczuwa. Każde wydumane ozdobienie, upiększenie, dodanie grozy brzmi jak fałsz. Ale nie ma też sensu przesadzać z faktograficzną precyzją... W końcu nie jest ważne, czy ten facet został zabity trzema czy pięcioma kulami. Ważne jest, żeby oddać, co było istotą owego zdarzenia.

Kapuściński, który z zasady nie odpowiadał na krytyczne uwagi, ani polemiki, miał jednak z nimi problem. Dlatego w swoich *Lapidariach*, zbiorach luźnych notatek o świecie, nieraz powracał do rozważań na temat reportażu, literackich technik używanych w dziennikarstwie, kierunku, w jakim zmierzają współczesne media. Były to jego odpowiedzi nie wprost adresowane do krytyków.

Reportaż, jako gatunek pisarski, przechodzi ewolucję od dziennikarstwa do literatury. Przyczyną jest tu m.in. słabnąca rola prasy (*print press*) na rynku opinii. Na rynku tym, na którym panowali dawniej politycy i dziennikarze piszący (były to często zajęcia i zawody wymienne), pojawiła się nowa, dominująca postać – dircom (szef, menedżer komunikacji, mediów) – to on kształtuje dziś gusta, zainteresowania i poglądy publiczności. Misja społeczna, interwencyjna, wielkiej prasy zanika, dzienniki zaczynają być rzecznikami różnych grup interesów, ich krytycyzm, społecznikostwo, bojowość słabną. W tej sytuacji reportaż – z natury swej gatunek walczący – traci rację bytu, jest eliminowany z łamów gazet (pod różnymi niemerytorycznymi pretekstami) i znajduje swoje nowe miejsce w prasie literackiej lub wydawnictwach książkowych. Oczywiście dotyczy to reportażu wysokiej, artystycznej klasy (to, co Francuzi nazywają – *le grand reportage*). Doraźny, ulotny, pobieżny reportaż po prostu zanika.

Albo:

Collage, symbioza: reportaż często czerpie dziś z technik charakterystycznych dla powieści czy opowiadania, a tzw. literatura piękna chętnie sięga do zdobyczy reportażu. Ale i dawniej tak bywało. W pilności zbierania materiałów powieściopisarze nie różnili się od reporterów. [Dalej Kapuściński podaje przykład „reporterskiej" pracy Balzaca – A.D.]...

Jednym z tych, którzy przyczynili się do owego „zmącenia gatunków", był Bruce Chatwin. Chatwin, który umarł w 1989 roku, to największe nazwisko współczesnego reportażu w Anglii... O trudnościach ścisłego określenia rodzaju tej literatury pisze wydawca [jego] książki [*W Patagonii*] Susan Clapp: „...Chatwin odrzucił tradycyjne dla dawnego reportażu żądanie wierności faktom i używał technik, którymi posługują się autorzy powieści. Powstał reportaż, który czyta się jak opowiadanie... Jest to reportaż, ale jednocześnie esej historyczny, a także – w dodatku – powieść. Był to nowy rodzaj pisarstwa, który z literatury faktu uczynił gatunek bardziej pojemny i bogaty".

Czyż za pomocą tych luźnych refleksji i cytatów Kapuściński nie szkicuje autoportretu? Czy nie kieruje nim podobny zamiar, gdy przypomina nazwiska amerykańskich prekursorów tzw. nowego dziennikarstwa?

The New Journalism: przełom w dyskusji, czy reportaż jest literaturą, następuje w latach 60-tych. W Stanach Zjednoczonych Tom Wolfe występuje z tezą, że ponieważ fikcjopisarze amerykańscy pomijają milczeniem całe dziedziny życia społecznego i politycznego (a są to na Zachodzie lata rewolucyjne), konieczne jest, aby tematy te podjęli „nowi dziennikarze". Stąd jego termin: nowe dziennikarstwo. Za czołowych, amerykańskich przedstawicieli tego nowego gatunku uważa się właśnie Toma Wolfe'a (np. *The Right Stuff*), Normana Mailera (np. *Advertisements for Myself*), Huntera S. Thompsona (np. *The Great Shark Hunt*) i Trumana Capote, który starał się stworzyć tzw. powieść faktu...

W 1966 [Capote] drukuje *Z zimną krwią*. To przełomowe wydarzenie w światowym reportażu, powstanie „powieści dziennikarskiej". „Pisarz – twierdził Capote – powinien mieć na jednej palecie wszystkie farby, wszystkie swoje umiejętności, żeby móc je mieszać", i wymieniał gatunki: „scenariusze filmowe, sztuki teatralne, reportaże, wiersze, nowele, opowiadania, powieści".

Kontrowersje wokół prawdy i fikcji w swoim dziennikarstwie/pisarstwie, wokół obiektywizmu i subiektywizmu Kapuściński stara się ostatecznie rozbroić miniwykładem z dziejów prasy i zawodu reportera:

Nieporozumienia na temat reportażu wynikają też z różnic między prasą anglosaską i kontynentalno-europejską.

Dziennikarstwo anglosaskie wywodzi się z tradycji liberalnej, z przekonania, że prasa jest instytucją ogólnospołeczną, że wyraża interesy i opinie wszystkich obywateli jednakowo, i dlatego musi być niezależna, bezstronna, obiektywna. Stąd od dziennikarza wymaga się tam, aby jego relacja była właśnie niezależna, bezstronna i niejako – bezosobowa. Reporter to ktoś, komu w tekście nie wolno ujawniać swoich poglądów i opinii. Jego zadaniem jest dostarczyć jak najwięcej „czystej" informacji...

Ponieważ gazeta nie może się składać z samych informacji, czytelnik oczekuje bowiem i komentarzy, w prasie anglosaskiej istnieje specjalna kategoria piszących, którzy zajmują się wyłącznie komentowaniem, objaśnianiem, właśnie – wyrażaniem opinii. Nazywają ich kolumnistami (*columnists*). Jest ich niewielu. To zwykle wielkie nazwiska, sławne w świecie, koryfeusze prasy, arystokraci pióra... Reporterzy i kolumniści – oto dwie sytuacje zupełnie różne, całkowicie od siebie oddzielone. Amerykanie wyodrębniają dwa rodzaje dziennikarstwa: *investigative journalism* (dziedzina reporterów) i *reflective journalism* (dziedzina kolumnistów).

Korzenie prasy kontynentalno-europejskiej są inne. Prasa wywodzi się tu z ruchów politycznych: była narzędziem walki partyjnej. A więc w przeciwieństwie do prasy anglosaskiej cechowała ją stronniczość, zaangażowanie, duch walki, partyjność. Tu informacja i komentarz nie były oddzielone, ale odwrotnie – informację zamieszczano wówczas, jeżeli służyła interesom partii (lub innych sił, które gazeta reprezentowała) i dlatego formą najczęściej spotykaną była nie informacja „czysta" (jak w gazetach Anglosasów), ale informacja komentowana, a od dziennikarza oczekiwano właśnie opinii, zaangażowania i nade wszystko – obecności. (Świadomie, dla jasności wywodu, przedstawiam tu owe dwa różne modele w formie czystej, skrajnej, w praktyce rozwinęło się później wiele form mieszanych, eklektycznych, hybrydycznych).

Wiedząc o tych dwóch modelach prasy, łatwiej odpowiedzieć, czy reportaż to gatunek dziennikarski, czy literacki. W świecie anglosaskim – zdecydowanie literacki. W modelu prasy anglosaskiej nie ma miejsca na produkt tak osobisty, jakim jest reportaż, którego siła zasadza się właśnie na obecności autora w miejscu wydarzeń, na jego obecności fizycznej, ale i emocjonalnej, na jego wrażeniach i refleksjach. Dlatego reportaże są tam drukowane w czasopismach literackich i publikowane w wydawnictwach książkowych. Nikt nie ma wątpliwości, że książki V.S. Naipaula, Jamesa Fentona czy Colina Thubrona to literatura piękna.

W krajach Europy kontynentalnej jest różnie. Przez jakiś czas istniał tu i jeszcze gdzieniegdzie istnieje reportaż dziennikarski. Spełniał on szczególnie ważną rolę w krajach, w których istniała cenzura, ponieważ był formą dającą większą swobodę wypowiedzi niezależnej, krytycznej. W Europie istniał też reportaż literacki, uprawiany głównie przez pisarzy. Ci, którzy pisali taki reportaż, najczęściej nie byli zawodowymi dziennikarzami...

Nie ma zatem jednego rodzaju dziennikarstwa, jednej tradycji. Nie ma w zawodzie reportera uniwersalnej metody przekazywania prawdy o wydarzeniach, nie ma jedynie uprawnionych środków wyrazu.

Czy to wszak jedyna konkluzja? Czy wywód Kapuścińskiego nie tworzy teoretycznego przyzwolenia na nonszalancję, lekceważenie tego, co zwykliśmy nazywać twardymi faktami?

– Wolałbym, żeby nieścisłości czy pomyłek faktograficznych było jak najmniej – mówi Marcin Kula, broniący Kapuścińskiego przed krytykami-„szczególarzami".

Na pytanie o nieścisłości wynikające z nieuwagi bądź niewiedzy – nie ma dobrej odpowiedzi. Tradycja „kontynentalno-europejska" reportażu zaangażowanego rozgrzesza z subiektywizmu przekazu, nie rozgrzesza z błędów. Nie każdą „obróbkę rzeczywistości" daje się wytłumaczyć „wyższą prawdą" bądź „prawdą syntetyczną".

W trakcie podróży śladami Kapuścińskiego, także podczas lektur, natrafiam na kilka kłopotliwych przykładów.

Santa Cruz, Boliwia. W poczekalni małej prywatnej kliniki PreVida czekam na doktora Osvalda Peredo; dla znajomych i przyjaciół – Chato. Doktor Peredo leczy traumy, ale powiedzieć, że jest psychologiem, byłoby sporą nieścisłością. Uprawia rodzaj terapii, w której wiedza medyczna (studiował w Moskwie) idzie w parze z medycyną ludową, rodzajem magii i wynalazkami własnymi.

Na ścianie portrety dwóch braci doktora: Coco i Inti, obaj walczyli w oddziale Che Guevary; Coco zginął, zanim pojmano Guevarę, Inti walczył jeszcze dwa lata po śmierci legendarnego guerrillero – też poległ, zdradzony przez towarzysza, który nie wytrzymał tortur. Przez ścianę klinika sąsiaduje z Fundacją im. Che Guevary. To też dzieło Chato. Nawet pasuje – Guevara był w końcu lekarzem.

Po śmierci braci Chato utworzył swój oddział partyzancki. Mimo że zawiązał sojusz z górnikami w Teoponte, walkę i tak przegrał. Z oblężonego przez armię miasta zabrał go do Chile samolot Salvadora

Allende. Wrócił – organizował zamachy na aktywistów faszyzującej prawicy. Potem znowu musiał uciekać – najpierw do Chile, potem na Kubę, gdzie poleciał na osobiste zaproszenie Fidela Castro. Znowu wrócił, schwytali go, ale szybko wyszedł, bo szybko zmienił się reżim. Za kolejnej dyktatury prowadził nielegalną działalność związkową, ukrywał się pod rozmaitymi nazwiskami, w końcu zrozumiał, że czasy partyzantki przeminęły. Aresztowano go nie za konspirację, lecz posiadanie lewych dokumentów.

Zajmuje się teraz leczeniem i wciąż trzyma blisko polityki – jak cała rodzina, od zawsze.

– Jak się panu podoba nasza rewolucja? – wita w końcu doktor Peredo.

Gdy rozmawiamy, jest orędownikiem pokojowej rewolucji Eva Moralesa, ludowego przywódcy o indiańskich korzeniach, który tu, w Santa Cruz, ma potężną opozycję ze strony oligarchów.

– To, czego kiedyś nie mogliśmy osiągnąć z pomocą karabinów, Evo osiąga dzisiaj bez broni.

Brat Chato, Antonio, jest senatorem z partii Moralesa Movimiento al Socialismo, sam Chato to wielka figura ruchu w mieście i regionie. Rodzinę Peredów – Chato, jego poległych braci i ojca – Kapuściński opisał w reportażu *Chrystus z karabinem na ramieniu*.

Pokazuję Chato hiszpańskie tłumaczenie, które wyszło wiele lat temu w Meksyku. Chato czyta:

> Rodzina Peredów – to temat na całą opowieść. Ojciec naszego dowódcy [Chato], Rómulo Peredo, wydawał w drugim po La Paz mieście Boliwii, Cochabambie, dziennik skandaliczny „El Imparcial". Sam zapisywał całą swoją gazetę. Pił przy tym potężnie. W gazecie ukazywała się wiadomość: „Proboszcz parafii Pocon zgwałcił sześcioletnią dziewczynkę!". Nazajutrz proboszcz przyjeżdżał do Cochabamby oburzony, przerażony.

– Mmm – Chato wydaje odgłosy (chyby dezaprobaty) i czyta dalej.

> – Ja, panie Peredo? Sześcioletnią? – Peredo robił zatroskaną minę i chciał jakoś proboszczowi pomóc. – Trudna sprawa – mówił. – Jedyne, co się da zrobić, to zamieścić sprostowanie, ale to będzie księdza kosztowało sto pesos. Co było dużym pieniądzem. Proboszcz płacił i następnego dnia „El Imparcial" drukował: „Wczoraj zamieściliśmy wiadomość, że proboszcz parafii Pocon zgwałcił sześcioletnią dziew-

czynkę. Przepraszamy za pomyłkę. Chodziło o proboszcza parafii Colón". W dzień później przyjeżdżał proboszcz parafii Colón itd., itd.

(Chato kręci głową).

Nie wszyscy jednak chcieli opłacać sprostowania, wielu przychodziło awanturować się i bić redaktora. W tej sytuacji Rómulo Peredo mianował dyrektorem dziennika sławnego boksera boliwijskiego – Ernesto Aldunante. Aldunante tłukł tych, którzy przychodzili z interwencjami. Po jakimś czasie interwencje ustały...

– Skąd pan to wziął? Co to za fantazje!
– Coś się nie zgadza?
– To powieść, nawet barwnie napisana, ale wszystko nieprawda. No, prawie wszystko.

Chato bierze z półki opasłą encyklopedię boliwijską, szuka hasła „Rómulo Peredo" i czyta na głos: że ojciec był wydawcą, redaktorem naczelnym poważnej gazety, politykiem z pierwszej ligi, w latach czterdziestych – senatorem, patriotą i demokratą, który musiał uciekać do Chile przed represjami kolejnych dyktatur... Opis w encyklopedii wskazuje, że Rómulo Peredo to był KTOŚ – ktoś poważny, nie skandalista, łajdak, naciągacz.

– Ten pana... jak mu tam... to drań jakiś! Człowiek bez moralności!
– Pamięta pan kiedy się spotkaliście?
– W życiu nie widziałem go na oczy. Ktoś mu naopowiadał, bo przyznaję, jest tu coś z prawdy, do tego nazbierał plotek, resztę zmyślił.

Proszę o dalszą lekturę tekstu. Chato co chwilę wskazuje kolejne szczegółowe nieścisłości – ten brat trudnił się tym a nie tym; inny walczył przez dwa lata a nie przez rok, zginął w strzelaninie, a nie zabity we śnie. Itd., itd.

Dalej Kapuściński przytacza relację, spisaną z taśmy magnetofonowej, Guillerma Veliza – partyzanta z oddziału Chato. Znowu to samo, mówi, Guillermo nie mógł tego opowiedzieć, nie w ten sposób. Fakty wymieszane z fikcją. Co to za facet, co to za facet? – Chato powtarza jeszcze wiele razy.

Nieścisłości ignoruję: każdy, kto pisze, wie, że zdarzają się nawet najdokładniejszym. W końcu, jakie znaczenie dla „istoty" opowieści ma to, czy Inti walczył po śmierci Guevary jeszcze przez rok czy przez dwa lata? Niepokoi jednak skala uchybień – za duże, zbyt częste.

Portret ojca rodziny Peredo – zasmuca jeszcze bardziej. Jeśli, jak wynika z encyklopedii (reakcja syna nie musi być najlepszym barometrem), Rómulo Peredo był szacowną postacią boliwijskiego życia publicznego, to dlaczego Kapuściński przedstawił go w tak krzywym zwierciadle? Nie wiem i już się nie dowiem, mogę jedynie snuć hipotezy. Oto ktoś nieżyczliwy redaktorowi Peredo, senatorowi Peredo, może przezeń skrzywdzony, opowiedział Kapuścińskiemu swoją lub cudzą historię. Kapuściński lubił przytaczać najbardziej nawet nieprawdopodobne plotki, gdyż – jak uważał – stanowią one część pejzażu społecznego, mówią o świadomości ludzi w danym miejscu i czasie, są zatem „faktem społecznym". Zamiast jednak napisać, że „uliczna plotka w Cochabambie głosi, że Rómulo Peredo..." albo „w barze La Cueva usłyszałem opowieść, jakoby Rómulo Peredo..." – Kapuściński podał zasłyszaną historię (swoją drogą: arcyzabawną) jako prawdę o człowieku, który ma imię, nazwisko, biografię, reputację.

A może... opisał go akuratnie? Może sprawdził pogłoskę? Wątpię. Gdyby Kapuściński zadbał o szczegóły, to przedstawiając sylwetkę Peredo, wspomniałby słowem, że ów był politykiem (jego główne zajęcie), senatorem, że przebywał na wygnaniu z powodu prześladowań politycznych. Najwyraźniej nie sięgnął do żadnych źródeł, dlatego skłaniam się do hipotezy, że „kupił" zabawnie brzmiącą opowieść, która zagrała swoją rolę w reportażu, pasowała do wizerunku „egzotycznej" Boliwii. Kto by kiedykolwiek sprawdzał – mógł pomyśleć – szczegóły opowieści o jakimś Peredo? Do tego w tekście napisanym i wydanym po polsku?

Na anegdotę innej kategorii, w której Kapuścińskiego ponosi fantazja, natrafiam w Kampali. Rozmawiam tu z Williamem Pikiem i Cathy Watson, dziennikarskim małżeństwem, mieszkającym w Afryce od kilku dekad. Opowiadają o wspólnych z Kapuścińskim wypadach do partyzanckich obozów – w ich rodzinnej Ugandzie i sąsiedniej Rwandzie.

Cathy zwraca uwagę, że w Rwandzie Kapuścińskiego nie interesowały informacje, o jakie zawsze wypytują reporterzy newsowi: kto, gdzie, kiedy, z kim, przeciw komu, dlaczego, po co? Pytał partyzantów o ich osobiste historie, dlaczego walczą, jakie są ich dążenia, o czym marzą. Chciał poczuć, zrozumieć, co to znaczy być bojownikiem, dlaczego ludzie decydują się na taki los. Reszta, czyli tak zwane twarde fakty – to były dla niego didaskalia o drugorzędnym znaczeniu.

William z kolei jest nieopisanym z nazwiska współbohaterem rozdziału *Zasadzka* w afrykańskiej summie Kapuścińskiego *Heban*. Mówi, że książkowy opis zdarzenia w północnej Ugandzie – wpadli w zasadzkę zastawioną przez partyzantów na wojska rządowe – odpowiada mniej więcej rzeczywistemu przebiegowi wypadków. Uśmiecha się nad wyolbrzymionymi detalami: Kapuściński pisze o „wąskiej, pełnej dziur i kolein laterytowej drodze", William pokazuje zdjęcia tejże – równiutka, szeroka. To nieważne, mówi William, to *licentia poetica*.

W zakłopotanie wprawia go dopiero fragment w rozdziale o Idim Aminie:

> Nagle ulicą biegnącą od jeziora nadciągnęła gromada dzieci, wołając: Samaki! Samaki! (w swahili – ryba). Zaraz zbiegli się ludzie, zapadła radość, że będzie coś do jedzenia. Rybacy rzucili swoją zdobycz na stół i kiedy ludzie ją zobaczyli, nagle zaniemówili, znieruchomieli. Była ogromna i tłusta. To jezioro nie znało dawniej takich spasionych, wielkich ryb. A wszyscy wiedzieli, że siepacze Amina od dawna wrzucają do jeziora ciała swoich ofiar. I że żywią się nimi krokodyle i mięsożerne ryby. Wokół stołu panowała cisza, kiedy niespodziewanie i przypadkowo nadjechała wojskowa ciężarówka...

– To była znana w Ugandzie historia – opowiada William. – W latach pięćdziesiątych, jeszcze w czasie obecności Brytyjczyków, ktoś wpadł na pomysł forsownego rozwoju rybołówstwa. Przeprowadzono fatalny w skutkach eksperyment: do Jeziora Wiktorii wpuszczono okonia nilowego. Rybacy mieli znakomite połowy, ale okoń, który jest drapieżnikiem, wytrzebił inne gatunki mniejszych ryb, co doprowadziło do zachwiania równowagi środowiska. Na dodatek, za sprawą dostępności pożywienia, ów okoń rozrósł się do niewiarygodnych rozmiarów. Sugestia, że upasł się na trupach ofiar Idi Amina świetnie pasuje do mrożącej krew w żyłach opowieści o horrorze dyktatury, ale jest fantazją. Okoń nilowy upasł się na mniejszych rybkach.

Na literackie „poprawianie" rzeczywistości przez Kapuścińskiego wskazuje również Wojciech Giełżyński. Najwięcej „poprawek" doszukał się przed laty w angolskiej opowieści – *Jeszcze dzień życia*. Mówi, że rozmawiał o nich z Kapuścińskim, a ten zazwyczaj milcząco potwierdzał, raz czy dwa zaprotestował, na koniec dodał: – Jeszcze paru nie odkryłeś.

Jeden z owych zmyślonych obrazów (jakiż fantastyczny, jakżeż „uskrzydlający wyobraźnię"!):

> Przy życiu trzymały się jeszcze psy.
>
> Były to psy domowe, porzucone przez uciekających w popłochu właścicieli. Widziało się bezpańskie psy wszystkich najdroższych ras – boksery, buldogi, charty i dobermany, jamniki, pinczery i spaniele, nawet szkockie teriery, a także dogi, mopsy, pudle. Opuszczone, zbłąkane, chodziły wielkim stadem w poszukiwaniu żarcia. Dokąd było wojsko portugalskie, ta nieprzebrana psia czereda zbierała się każdego rana na placu przed sztabem generalnym, gdzie wartownicy karmili ją konserwami z żołnierskich racji paktu północno-atlantyckiego. Wygląd był taki, jakby się oglądało światową wystawę rasowych psów. Potem nakarmione, zadowolone stado przenosiło się na miękką, soczystą trawę porastającą ocieniony skwer przed Pałacem Rządu. Zaczynała się nieprawdopodobna, zbiorowa orgia seksualna, roznamiętnione i niestrudzone szaleństwo, gonitwy i kotłowanina do stanu zupełnej zatraty. Znudzeni wartownicy mieli z tego powodu wiele rubasznej uciechy.
>
> Po wyjściu wojska psy zaczęły głodować i chudnąć. Jakiś czas snuły się po mieście bezładną zgrają, poszukując daremnie pożywienia. Pewnego dnia zniknęły. Myślę, że śladem ludzi opuściły Luandę, ponieważ później nigdy nie natrafiłem na zdechłego psa, a tych, które przychodziły pod sztab generalny, a potem baraszkowały przed Pałacem Rządu, były setki. Można przyjąć, że z gromady wyłonił się energiczny przywódca, który wyprowadził psie stado z umierającego miasta. Jeżeli psy poszły na północ, trafiły do FNLA. Jeżeli na południe – trafiły do UNITA. Natomiast jeśli udały się na wschód, na stronę Dalatando i Saurimo, mogły dojść do Zambii, następnie do Mozambiku a nawet Tanzanii.
>
> Być może wędrują one nadal, ale nie wiem, w jakim kierunku i w którym są teraz kraju.
>
> Po wyjściu gromady psów miasto zapadło w ostateczną drętwotę...

John Ryle, który pod koniec lat dziewięćdziesiątych napisał w „Times Literary Supplement" najgłośniejszą krytykę afrykańskiego pisarstwa Kapuścińskiego, układa całą listę potknięć, nieścisłości, błędów. Że sudańskie plemiona Dinka i Nuer utrzymują się przy życiu nie tylko dzięki mleku, jak sugeruje Kapuściński, lecz żywią także zbożami, rybami i mięsem. Że Sudan nie był kolonią brytyjską, lecz zarządzali nim wspólnie Brytyjczycy i Egipcjanie. Że Bari nie pochodzą z Ugandy, lecz Sudanu itd.

Zaskakująca wpadka Kapuścińskiego: twierdzi, że odwiedza jedyną w latach dziewięćdziesiątych księgarnię w Etiopii – na uniwersytecie w Addis Abebie, do tego pozbawioną książek. Ryle kpi z tej „obserwacji", sam dopytuję w Addis, czy tak rzeczywiście było na początku lat dziewięćdziesiątych, i moi rozmówcy przyznają rację Brytyjczykowi, nie Kapuścińskiemu.

Raz jeszcze: mógłbym wzruszyć ramionami nad drobnymi nieścisłościami, które nie czynią *Hebanu* opowieścią mniej fascynującą. Wychodząc od szczegółów, Ryle stawia jednak inny zarzut – o zupełnie fundamentalnym charakterze dla oceny pisarstwa Kapuścińskiego na temat Afryki. Zresztą – nie tylko Afryki.

> …w większości rozdziałów *Hebanu* Kapuściński zapuszcza się w odległe, niebezpieczne miejsca, gdzie dopada go choroba i stoi w obliczu śmierci. Jest świadkiem potwornych wydarzeń, z których następnie wychodzi z głębszym zrozumieniem natury ludzkiej…
>
> Nutka baroku w prozie Kapuścińskiego potwierdza, że przedkłada on świat fantazji i symboli nad fakty. Wszechświat Afryki to dla niego obszar skrajności – skrajnej biedy, klimatu, przemocy i niebezpieczeństw…
>
> W tym tropikalno-barokowym stylu nic nie może być zwyczajne albo znane. Wszystko jest wyolbrzymione, przerysowane, nietypowe. Sam Kapuściński pisał nieraz o barokowej tendencji w południowoamerykańskim świecie: „Jeżeli dżungla – to olbrzymia… jeżeli góry – to gigantyczne… jeżeli równina – to bezkresna… Rzeczywistość jest tu pomieszana z fantazją, prawda z mitem, realizm z retoryką".
>
> Kierunek przejaskrawień i zniekształceń staje się jeszcze bardziej klarowny w świetle niezamierzonej autodemaskacji. Afryka to, jak sam powiada, kontynent pozbawiony księgarni. Jego władcy są analfabetami. Mieszkańcy zaś – więźniami własnego środowiska i więzów krwi. Boją się ciemności… (Kto wie? Może ich głowy spoczywają pod ramionami…). To jasne, że Europejczycy nigdy ich nie zrozumieją…
>
> …jedyną rzeczą, jaka łączy ludzi na tym wielkim i zróżnicowanym kontynencie jest doświadczenie europejskiego kolonializmu (i wojskowej okupacji)… Mimo antykolonialnej postawy, sposób, w jaki Kapuściński pisze o tym kontynencie, jest właśnie rodzajem literackiego kolonia-

lizmu, wymyślnego „orientalizmu", selektywności. Choć Kapuścińskiego przepełnia troska o dobro ludzi i ma aspiracje mówienia w imieniu Afrykańczyków, w istocie lekceważy fakty, akuratność opisu i przez to ukazuje Afrykańczyków w krzywym zwierciadle.

Krytyka ta nie pozbawia pisarstwa Kapuścińskiego blasku, błyskotliwych momentów, sympatii dla ludzi w krajach, które opisuje; stanowi raczej ostrzeżenie, by nie traktować go jako przewodnika po rzeczywistości.

W ostatnim rozdziale *Hebanu* znajduje się kulminacyjne uogólnienie, które oddaje fascynację Kapuścińskiego poezją i fikcją, a zarazem uzmysławia, że on sam podchodzi do reportażu faktograficznego z rezerwą. „Nigdy nie powstanie ich historia zwana w Europie naukową i obiektywną, ponieważ ta, afrykańska, nie zna dokumentów i zapisów, a każde pokolenie, słuchając przekazywanej mu wersji, zmieniało ją i zmienia, przekształca, modyfikuje i ubarwia. Ale przez to, wolna od ciężaru archiwów, od rygoru danych i dat, historia osiąga tu swoją najczystszą, krystaliczną postać – postać mitu".

Taka charakterystyka historii zbiorowej, przekazywanej z pokolenia na pokolenie, jest jednak tylko częściowo uprawniona. Z jednej strony, historia istniejąca tylko w mowie potrafi być całkiem dokładna, a linie genealogiczne – precyzyjne. Z drugiej strony, Kapuściński w ogóle pomija ponad wiekowe badania uniwersyteckie, istnienie ponad stu uniwersytetów i bibliotek, które zresztą wbrew jego przypuszczeniom posiadają zbiory i dobrze funkcjonują.

Cytat ten jest jednak dobrym podsumowaniem aspiracji narracyjnych Kapuścińskiego. Tutaj, w królestwie mitu i świecie analfabetyzmu, jest się wyzwolonym z ograniczeń faktów i informacji, nie trzeba sprawdzać dokumentów, ani akt. Fakty nie są świętością, szukanie prawdy jest jak szukanie duchów; jesteśmy wolni, możemy osądzać i generalizować – Afrykańczycy to, Afrykańczycy tamto i nikt nas nie skrytykuje, nie powie, że to nieprawda...

Z tego miejsca – wyimaginowanej Afryki – pisarz może powrócić z dowolną opowieścią.

O rybach trupożercach. O Addis Abebie bez księgarń. O migracji psiego gangu w Luandzie. Z Ameryki Łacińskiej – prawem analogii: o wydawcy, który naciąga kolejnych proboszczów na gazetowe sprostowania. O jego synu, partyzancie, który zostaje zastrzelony podczas snu, choćby zginął całkiem obudzony...

Czy takie opowieści rzeczywiście oddają „głębszy sens" tego, co dzieje się w Afryce, docierają do „istoty rzeczy" w Ameryce Łacińskiej? Rozszyfrowują uniwersalne mechanizmy ludzkich postaw i zachowań?

Ryle trafnie punktuje:

> Siła pisarstwa Kapuścińskiego zasadza się na pewności co do doświadczeń autorytetu, autentyczności przeżyć człowieka, który – jak nas sam informuje – przeżył 27 zamachów stanu i rewolucji; który jeździł płonącymi drogami i zatrzymywał się w oblężonych miastach; jedynego korespondenta, który zostawał tam, skąd reszta dziennikarskiej braci brała nogi za pas.

Z drugiej strony: czy dobrym kontrapunktem dla zarzutów Ryle'a nie są uwagi katalońskiego teoretyka dziennikarstwa i literatury Alberta Lluisa Chillona?

> Kapuściński uprawia typ dziennikarstwa literackiego niedający się zaszufladkować – różni się bowiem zarówno od *New Journalism*, jak i od „nowych dziennikarstw" europejskich – który, tworząc dotychczas nieznaną symbiozę, łączy techniki zbierania informacji właściwe dziennikarstwu śledczemu, sztukę obserwacji charakterystyczną dla reportażu i poszukiwanie czegoś, co można by nazwać „prawdą poetycką", która – poprzez sposób narracji bliższy legendzie, baśni i podaniu aniżeli powieści realistycznej – przekracza granice samej tylko faktografii.

Jeśli jednak pisanie Kapuścińskiego rodzi – z punktu widzenia dziennikarskich rygorów – tak wiele wątpliwości co do precyzji opisywanych wydarzeń, to...

Po raz pierwszy zaczynam się zastanawiać: może ma jednak znaczenie, czy jego książki stawiamy na półce „dziennikarstwo", czy na półce „literatura piękna"?

Szkolny kolega Andrzej Czcibor-Piotrowski w czasie jednej z naszych rozmów mówi tak: – *Cesarz*? Najwybitniejsza polska powieść XX wieku!

Krytyka akuratności w dziele Kapuścińskiego nie podważa – tak jak ją rozumiem – literackiej wybitności jego książek, przenikliwości w rozszyfrowywaniu mechanizmów władzy, rewolucji, ludzkich postaw i zachowań. Stawia raczej pytanie o to, czy niektóre z jego utworów mogą stanowić wzór, punkt odniesienia dla dziennikarzy i dziennikarstwa, choćby dla najmniej rygorystycznie traktowanego reportażu literackiego. Także pytanie bardziej ogólne i zasadnicze: ile wolno reporterowi? Bo zwiększenie „pojemności" i „ubogacenie" reportażu literackiego, „poprawianie rzeczywistości", przekraczanie granic gatunkowych, wkraczanie na teren literatury fiction ma dla dziennikarstwa wysoką cenę, nieprzyjemny rewers – osłabienie wiarygodności.

Na marginesie sporu o reporterską akuratność, koloryzowanie, konfabulacje nie sposób nie postawić pytań o „prawdy" przekazywane przez dziennikarstwo „rygorystyczne". Na ile wiarygodne są wielkie agencje informacyjne i sieci telewizyjne powiązane z władzą ekonomiczną i – pośrednio – polityczną? Czy zawsze dokładają starań, aby przekazać tak zwaną prawdę obiektywną, to znaczy ukazaną z różnych punktów widzenia – czy raczej pozostają w służbie władzy i pieniądza? Czy dziennikarze i komentatorzy „rygoryści" nie modyfikują czasem szczegółów, nie pomijają istotnych okoliczności wydarzeń, gdy ich ukazanie uderzałoby w interesy możnych – właścicieli mediów, reklamodawców, sponsorów? Kapuściński ubolewał nieraz w ostatnich latach życia nad tym, że wielkie media uprawiają manipulację, upraszczają, że „przestały być opozycją do systemu", „usadowiły się przy władzy, już nie kontestują, nie kwestionują zasad". To nie usprawiedliwienie dla nieścisłości reportażu literackiego – to jeszcze jedna strona debaty o dziennikarskiej wiarygodności.

Kapuściński nie jest jedynym wybitnym reporterem, którego krytykowano za brak precyzji, błędy czy wręcz zmyślenia. Innym wielkim jest kolumbijski noblista Gabriel García Márquez, który uprawiał, szczególnie w swoich młodych latach, reportaż literacki. Sztandarowym przykładem konfabulacji Garcii Marqueza jest reportaż *Caracas sin agua* (Caracas bez wody): zmyślił w nim postać niemieckiego uczonego Samuela Burkarta, który z powodu braku wody w mieście golił się, używając soku brzoskwiniowego. Zarzucano Garcii Marquezowi brak wiarygodności tego i innych jego reporterskich tekstów – w ostatnich latach pierwsze skrzypce wśród atakujących grał Enrique Krauze, wpływowy w całej Ameryce Łacińskiej historyk i redaktor wychodzącego w Meksyku miesięcznika „Letras Libres". Z kolei wielu reporterów-pisarzy uprawiających reportaż literacki – między innymi Juan Villoro, Martín Caparrós – broniło stosowanej przez noblistę licentia poetica: czasem pisarz-reporter musi zmodyfikować szczegóły, żeby jego opowieść miała większą siłę, przekazała „prawdę" bądź „istotę sprawy" w sposób bardziej atrakcyjny i przekonywający.

Jest szkoła myślenia o reportażu literackim, wedle której dziennikarz ma prawo – dla dobra tekstu, dla przekazania „wyższej prawdy" – stworzyć, powiedzmy, fikcyjną postać z kilku postaci rzeczywistych. Tak robili niektórzy dziennikarze w czasach Polski Ludowej – by nie narażać bohaterów swoich reporterskich opowieści. Tak również uczynił, na przykład, Wojciech Jagielski w *Nocnych wędrowcach* – książce o dzieciach wojny w Ugandzie. Ale Jagielski zastrzegł na wstępie: to fikcyjne postaci; w jednym z wywiadów nazwał swoją książkę opowiadaniem, nie reportażem, bo – jak mówi – „w reportażu, dla ochrony bohaterów mogę zmieniać ich imiona, ale nie tworzyć postaci". Jest absolutnie fair wobec czytelnika. Podoba mi się również, gdy mówi tak: – Nie można sobie w dziennikarstwie pozwalać na zbyt wiele. Mówisz: „Zejdę tylko raz i na trochę ze ścieżki dziennikarstwa". Ale to nieważne ile ani jak daleko. Ważne, że się zeszło.

Kłopot z Kapuścińskim polega na tym, że niektóre z jego dzieł mogą stanowić niepodważalny wzór dla dziennikarzy, a niektóre – niekiedy pod względem literackim wybitniejsze – niekoniecznie. Te ostatnie są raczej książkami z półki „literatura piękna" – i to tej najwyższej; lepiej chyba, by nie „sprzedawano" ich publiczności jako dzieł reporterskich, nawet jeśli znaczącą część materiału zebrano reporterskimi metodami a autor posługuje się także reporterskimi instrumentami narracyjnymi. To literatura fiction jest „prawdą kłamstw", by posłużyć się formułą Maria Vargasa Llosy, dziennikarstwo chyba jednak nie.

Sądzę, że za postawienie niektórych swoich książek wśród dzieł „literatury pięknej" Kapuściński nie obraziłby się. Dowód? Proszę bardzo:

W 1981 roku „Washington Post" wydrukował reportaż młodej dziennikarki Janet Cooke pt. *Jimmy's World* o ośmioletnim murzyńskim dziecku – narkomanie. Cooke dostała za ten reportaż Nagrodę Pulitzera, ale w momencie przyznania jej nagrody okazało się, że reportaż jest mistyfikacją. Nagrodę cofnięto.

Podoba mi się to, co z tej okazji powiedział Márquez: – Nie daliście jej w dziennikarstwie? Trzeba było dać w literaturze!

Chciał być pisarzem. Przede wszystkim nim. Przez lata marzył o przyjęciu do grona arystokratów pióra. Dziennikarstwo to było coś jednak gorszego, użytkowego. Poniżej aspiracji. W najlepszym razie – drogą do literatury.

Zanim osiągnął szczyty sławy, do kolegi – pisarza i tłumacza, powiedział ze smutkiem i pewną zazdrością: – Ty to jesteś poetą w Związku Literatów Polskich, a ja tylko dziennikarzem.

Z całą pewnością: nie tylko.

Legendy (4): Kapuściński i Kapuściński

Lepiej teraz rozumiem przeczucie, jakie towarzyszy mi od początku pisania tej opowieści: Ryszard Kapuściński – bohater książek Ryszarda Kapuścińskiego to także postać literatury pięknej.

Tak, ma oczywiście sporo z pierwowzoru. Kapuściński literacki jest nieocenionym sojusznikiem w zrozumieniu Kapuścińskiego realnego. Ukazuje jasno, tak jasno, że jaśniej nie można, na przykład to, co Kapuściński realny chciałby zapomnieć, wymazać, ukryć, spalić. Jaki chciałby być; choćby od czasu do czasu. W jaki sposób chciałby być postrzegany, zapamiętany. Jakiego Kapuścińskiego mamy kochać. Jakiego podziwiać.

Kapuściński literacki (ten z *Podróży z Herodotem*), który zaczyna pracę dziennikarza w latach destalinizacji, ma za zadanie ukryć to, że Kapuściński realny był dziennikarzem wcześniej – w latach szalejącego stalinizmu.

Kapuściński literacki (ten z *Wojny futbolowej*, a także wielu wywiadów), który ma być rozstrzelany przez Belgów w Usumburu, sugeruje, że Kapuścińskiego realnego mamy podziwiać jako nieustraszonego awanturnika, macho.

Kapuściński nie literacki, choć dobrze literacko „wymyślony", który przyjaźnił się z Che Guevarą, Lumumbą, Allende, a nawet znał okrutnika Amina, tworzy legendę Kapuścińskiego realnego: czyż ktoś, kto był za pan brat z tyloma legendami, sam nie jest legendą?

Tak, Kapuściński realny – teoretyk reportażu literackiego – ma rację: dzięki „obróbce rzeczywistości", dzięki jej „rozbudowaniu" można uzyskać „wyższą prawdę", zrozumieć „głębszy sens". Na przykład – sens marzeń i tęsknot tego, który pisze.

Kapuściński realny nie lubił się zwierzać, konfrontować, patrzeć w lustro. Miał tajemnice, liczne tajemnice – jak mówi pewien przyjaciel – osobiste, polityczne, pisarskie. Kapuściński literacki ujawnia nam tylko niektóre z nich, prawdę mówiąc niezbyt wiele, ale pomaga – wbrew życzeniu Kapuścińskiego realnego – zajrzeć temu realnemu choć trochę w duszę. A przecież wiemy, że „trochę" to i tak dużo: w literaturze faktu nigdy nie poznamy bohatera do końca, zawsze coś pozostanie nieodkryte, niepewne, niepojęte.

Przeciwstawiam Kapuścińskiego realnego Kapuścińskiemu literackiemu, a przecież obaj są jak najbardziej prawdziwi. Jeden lustrzanym odbiciem drugiego. To jeden i ten sam człowiek.

Bo Kapuściński zanurzony w fikcji, zmyśleniach, Kapuściński „literacko obrobiony", także ten schowany za podwójną gardą, otwiera drzwi do tego realnego, zrozumienia, kim był naprawdę, co mu w sercu grało.

Równanie: fiction + non-fiction = non-fiction.

Nasz przyjaciel Rysiek

– Był czuły w przyjaźni, oddany, zakochiwał się w ludziach, przywiązywał się do nich, potrafił słuchać – mówi jeden przyjaciel.

– Słuchał? Niektórych tak, innych nie. Sam milczał i bezczelnie wykorzystywał tych, którzy mieli do powiedzenia coś interesującego zawodowo – ripostuje inny.

Jerzy Nowak, najbliższy przez prawie pół wieku przyjaciel, wylicza kilka „konstytutywnych cech Ryśka".

Przede wszystkim od początku, gdy się poznali, cechuje go silna samodzielność myślenia, osobność. Słucha innych, lecz nie ulega łatwo sugestiom; ma zaufanie do swoich zmysłów, spostrzeżeń, ocen. Gdy przyjaciele krytykują szczegóły jakiegoś jego tekstu, potrafi z wściekłością podrzeć go w ich obecności, w poprawionej wersji rzadko jednak uwzględnia krytyczne uwagi.

Jest szczególnego rodzaju pesymistą: cokolwiek złego by się działo, i tak trzeba działać, robić swoje.

Łączy erudycję, kondycję reportera intelektualisty z prostotą, co na niektórych sprawia wrażenie, że jest niewiele wiedzącym prostaczkiem lub wyjątkowo skromnym człowiekiem. Ani jedno, ani drugie. Ma wewnętrzne poczucie wielkości, nie okazuje go jednak, nie wywyższa się. To nie mania wielkości, raczej przekonanie o wadze tego, co pisze.

Skłonny do popadania w namiętności i pasje – tak osobiste, jak i polityczne.

Wyczulony na fałsz – wykrywa go z łatwością w ludziach i w słowie pisanym.

Światowa sława nie zmienia go ani na jotę, przynajmniej w stosunku do najbliższych przyjaciół.

Często dzwoni, pyta, co słychać, w czym pomóc. Słucha uważnie, ale i tak myśli i pisze swoje.

Nie daje sobie rady z popularnością. Nie potrafi odmawiać – spotkań, wywiadów, zaproszeń – choć z czasem się tego nauczy. (Zaporą będzie Alicja i automatyczna sekretarka, mówiąca jego głosem: „Tu numer…, proszę zostawić wiadomość po usłyszeniu sygnału. Dziękuję").

W przyjaźni kieruje się zasadą: przyjaciołom wybacza się więcej.

Zawsze gotowy do pomocy, dający poczucie, że nie zawiedzie w potrzebie.

– Kiedyś wyznał mi, że miarą przyjaźni jest dla niego to, czy z człowiekiem, którego uważa za przyjaciela, mógłby być w okopach.

Naczelna zasada, którą kieruje się w życiu: nie krzywdź nikogo, nawet jeśli tobie samemu przynosi to szkodę, nawet jeśli musisz skłamać, żeby kogoś nie zranić.

Kiedyś nie widzą się przez pięć lat: Nowakowie w Buenos Aires, on – w Meksyku. Nie może ich odwiedzić z powodu trudności wizowych, jakie Argentyna piętrzy przed korespondentem z kraju socjalistycznego. Pozostają listy – pełne romantycznych, niemal miłosnych zwrotów. „Kochani moi", „kochani najdrożsi"… Nie brak wyznań o rozdzierającej tęsknocie. Czułości.

> Ludzie, nie macie pojęcia, jak stęskniłem się za Wami! Pięć lat, Boże święty, czy rozpoznacie tego starca, którego ostatni raz widzieliście, kiedy jeszcze był młodzieniaszkiem? A teraz i laska, i łysina, i skleroza, i oczy mgłą zachodzące. Pierona!

Lata wcześniej w liście ze szpitala w Kampali chory na malarię Kapuściński rysuje serce i obok dopisuje: „posyłam Wam swoje serce".

Gdy Nowakowie oczekują drugiego dziecka, pisze osobny liścik do Izabelli:

> Kochana Iziuniu!
>
> Chciałbym Ci napisać coś wesołego, żeby Ci było raźnie, jak pojedziesz po nowego Krzysia [imię pierwszego dziecka Nowaków], ale Ty wiesz, że ja dowcipny nie jestem, więc tylko życzę Ci, Kochanie, żeby

nic a nic nie bolało, a więcej nie życzę, bo i bez życzeń wiem, że urodzisz coś tak cudownego, jak Krzysiu, z czego będziemy dumni wszyscy od Ziemi Ognistej (Tierra del Fuego) po Meksyk (Ciudad de México). Jak przyjadę do Buenos, zobowiązuję się jedną noc nie spać i kołysać to, co będzie płakało i siusiało w środku kołyski.

Po urodzinach „nowego Krzysia", który okazuje się Dorotką, pisze:

Radość moja i wzruszenie i – co tu dużo mówić – uczucie ulgi, że wszystko poszło dobrze, nie miały granic. Jak się teraz czuje Mama i Pociecha? Krzysiu pewnie bardzo przejęty? Jurek wykończony? Chciałbym Was zobaczyć jak najszybciej, ale to pewnie jeszcze potrwa.

Pisze też liścik do sześcioletniego syna Nowaków:

Kochany Krzysieńku,
Pan, który był u mnie, mówił, że jesteś już bardzo duży i bardzo dzielny. Podobno niedługo idziesz do szkoły. Może przyjadę do Buenos Aires, to pokażesz mi, jak wygląda to miasto, dobrze? Przesyłam Ci na gwiazdkę bardzo mały samochodzik, bo nie wiem, czy ten Pan chciałby zabrać większy. Większy samochód przywiozę, kiedy przyjadę sam. Całuję Cię bardzo, bardzo mocno.

Na ósme urodziny Doroty Kapuściński napisze wierszyk T*akie sobie zwrotki na urodziny Dorotki*:

W słońcu śpiewają ptaszki,
W słońcu srebrzą się ważki.
Rano, gdy noc odchodzi,
Słońce nad ziemię wschodzi
Potem staje za płotem,
I pozdrawia Dorotę.

Dorota Nowak wspomina, że gdy miała kilka lat, a jej brat kilkanaście, robili w domu zawody w stawaniu na głowie. Gdy Kapuściński zobaczył syna Nowaków prostującego się na głowie przy ścianie, natychmiast ruszył w zawody: – Też tak umiem, zobaczcie.

Bez rozgrzewki, na środku pokoju, a nie jak syn przyjaciół przy ścianie, Kapuściński próbuje stanąć na głowie. Gdy już, nogi są w górze, traci nagle równowagę i plecy domorosłego atlety z hukiem uderzają o podłogę. Krzysiek i Dorota wybuchają śmiechem. Kapuściński przez chwilę oszołomiony nie może złapać oddechu. Za chwilę sam zacznie się śmiać, chwila grozy minęła.

Gdy dorosłej już Dorocie, uprawiającej sporty konne, brakuje pieniędzy na kupno konia, pyta bez wahania: – Powiedz tylko, ile potrzebujesz?

Dorota kryguje się, Kapuściński mówi uniesionym nieco, ojcowskim tonem: – Nie wolno ci rezygnować z pasji! Pasja jest w życiu najważniejsza!

I już spokojnie: – Więc ile ci trzeba?

Pożycza, mówi, że nie musi oddawać. Dorota oddaje dług Alicji, już po śmierci przyjaciela.

Byli sąsiadami na osiedlu czteropiętrowych bloków na robotniczej Woli w Warszawie. Kazimierz Bosek – przyjaciel z innej zupełnie bajki niż Nowak. Tak jak Kapuściński, dziennikarz, ale raczej niechętnie nastawiony do Polski Ludowej.

Dokładnie wtedy, gdy Kapuściński jest aktywistą ZMP na Uniwersytecie Warszawskim, Bosek – syn przedwojennego komendanta policji – zostaje usunięty ze studiów jako „element wrogi klasowo" (wiadomość o ojcu zataił w jakiejś ankiecie personalnej). Wcielają go do karnych batalionów, przymusowo pracuje w kopalni, co po latach odbije się na jego zdrowiu.

Przez ponad cztery dekady przyjaźni unikają rozmów na tematy polityczne, niewiele ich w tej materii łączy, prawie nic.

Inne mają strategie życiowe. Kapuściński wie, że przez konflikt niczego się nie wskóra, zawsze łagodzi kanty, układa się z szefami, w ogóle unika konfrontacji z ludźmi. Jak widzi, że ktoś gada głupstwa, nie ciągnie rozmowy. – Tak, tak, ma pan oczywiście rację... – w ten sposób zamyka rozmowy, które do niczego nie prowadzą. Bosek przeciwnie – jest typem pieniacza, który zawsze wie lepiej i musi to zademonstrować; nieraz ma przez to kłopoty w kolejnych miejscach pracy.

Podobni do siebie w innej sferze: obaj emocjonalni, uczuciowi. Dodatkowo łączą ich podobne „kłopoty" z córkami. Zojka wbrew ojcu emigruje do Kanady, córka Boska z pierwszego małżeństwa, Agnieszka, wyjeżdża do Francji i wbrew woli ojca wychodzi tam za mąż. Zwierzają się sobie z tych ojcowskich doświadczeń, wzajemnie wspierają, w tych sprawach rozumieją w pół słowa.

W mieszkaniu przyjaciela Kapuściński ma jedną ze swoich kryjówek przed światem. Gdy przyjaciel i jego druga żona, Marzenna, wyjeżdżają na urlop, zostawiają mu klucze (do nowego mieszkania na Sadybie); pod ich nieobecność Kapuściński pomieszkuje tam nieraz po kilka tygodni.

Żonę przyjaciela, również dziennikarkę, wypytuje o modę i urodę. Jak się ubrać, gdzie kupić ubranie w dobrym w miarę stylu – w czasach, w których niewiele ładnych rzeczy w sklepach.

Gdy zaczyna łysieć, żona przyjaciela radzi mu, żeby nie robił sobie „pożyczek" z włosów do przykrywania łysiny, bo wygląda to żałośnie. – Obcinaj się na krótko.

– Gdy u Ryśka zaczęła się choroba kręgosłupa, nie mógł siedzieć, całymi dniami leżał na twardej podłodze i popadał w depresję, mój mąż przychodził podnosić go na duchu – opowiada Marzenna Baumann-Bosek. – Z kolei gdy mój mąż i ja zaczęliśmy ciężko chorować, Rysiek zawsze się nami interesował, dawał wsparcie psychiczne, a i nieraz finansowe.

Gdy Bosek zaczyna mieć takie same kłopoty z krążeniem (bóle nóg) co przyjaciel, Kapuściński dzwoni do jego żony i udziela instrukcji.

– Nie wolno mu jeść tłusto, zero alkoholu.

– Wiesz przecież, że on nie pije.

– Aaa, tego to nigdy nie wiadomo.

– Rysiek bardzo Boska lubił – opowiada ich wspólny znajomy – ale traktował go z pewną pobłażliwością.

Gdy w nowej Polsce po roku osiemdziesiątym dziewiątym Bosek dobija się o renty i emerytury dla żołnierzy górników, Kapuściński patrzy na wysiłki przyjaciela bez zrozumienia, z przymrużeniem oka, trochę jak na wariacką donkiszoterię.

Cenił natomiast jego pasję na punkcie Jana Kochanowskiego. Bosek odkrył miejsce pierwszego pochówku renesansowego poety i doprowadził do uroczystego pogrzebu jego szczątków w Zwoleniu. Celebrze patronował kardynał Franciszek Macharski, zjechało wielu ludzi świata kultury.

Dzięki wspólnej podróży do Czarnolasu w połowie lat osiemdziesiątych – Kapuściński zawiózł tam przyjaciela, który miał złamany obojczyk i nie mógł prowadzić samochodu – napisał swój pierwszy po trzydziestu latach przerwy wiersz. Zamieścił go w wydanym niedługo potem tomiku *Notes*. (Pierwotnie strofy te dedykuje pamięci Kochanowskiego).

Dlaczego
świat
przeleciał obok mnie
tak szybko
nie dał się zatrzymać
zbliżyć
przejść na ty...

Bosek, równolatek Kapuścińskiego, umiera pół roku wcześniej od sławnego przyjaciela. Nie pierwszy raz, lecz w tamtej chwili bardzo dotkliwie, słaby już Kapuściński, z chorym biodrem i niewydolnym sercem czuje, że i jego czas dobiega końca.

Wojciech i Maria Giełżyńscy szybko milkną, właściwie kończą opowieść o przyjacielu nim na dobre się zacznie. Wpadał do nich przez lata, jedli, pili, mieli poczucie, że odbywają fascynujące rozmowy. Ale o czym? Nie pamiętają. Co mówił, co lubił, jaki był? Teraz uświadamiają sobie, że to oni mówili. Rysiek milczał. Znali go, nie znali.

Ten „schemat przyjaźni" wielu osób z Kapuścińskim jest powtarzalny.

Wielu znajomych mówi o nim „przyjaciel", bo pozwalał im wierzyć, że się przyjaźnili. W istocie – znali się trochę, od czasu do czasu miło rozmawiali. Kapuściński stwarzał wrażenie, że uważnie słucha. Z rozmowy z nim niemal każdy wracał przekonany, że jest dla mistrza tą pierwszą, wyjątkową osobą, najważniejszym na świecie rozmówcą, kompanem, przyjacielem, uczniem.

Reporter Wojciech Jagielski opowiada z uśmiechem, że najbardziej oklepane banały, które człowiek opowiadał, stawały się (w wyobrażeniach opowiadającego) perłami ze skarbnicy ludzkiej mądrości, kiedy słuchał ich Kapuściński.

– To niesamowite, jak się tego dowiedziałeś?

– No wielka rzecz, serdecznie ci gratuluję.

– Wspaniałe, naprawdę wspaniałe rzeczy opowiadasz!

Jagielski ironizuje, że ze spotkania z Kapuścińskim niejeden wychodził z poczuciem, że jest o dziesięć centymetrów wyższy.

Grubi wychodzili szczupli. Milczkowie, nudziarze jako najwspanialsi gawędziarze. Przeciętniacy jako wybitni. Grafomani jako niemal nobliści.

– Rysiek uwodził kobiety, uwodził mężczyzn, uwodził starców i uwodził dzieci – śmieje się Mariusz Ziomecki.

Uwodzenie było jego strategią życiową. Pragnął być kochany i uczynił wielki wysiłek, żeby pragnienie to się spełniło: był kochany.

Większość znajomych, dobrych znajomych, bardzo dobrych znajomych, jeszcze lepszych znajomych i przyjaciół jest przekonana, że nigdy nie powiedział o nikim złego słowa. – Kiedyś wściekły wykrzyczał o pewnym znanym pisarzu: „Obrzydliwy żydłak!" – opowiada przyjaciel, który znał Kapuścińskiego ponad trzydzieści lat. Chodziło o nikczemne, jak sądził, zachowanie owego literata. Mój rozmówca podkreśla, że był to jedyny raz, gdy usłyszał z ust Kapuścińskiego tak dosadne słowa o innej osobie.

Kilku bliskich przyjaciół podważa legendę: krytyczne opinie o innych słyszeli od Kapuścińskiego wielokrotnie. „Kompletny grafoman", podśmiewał się czasem z literatów, których talentu nie cenił, choć osobiście ich bardzo lubił.

„O każdym dobrze" – to była jeszcze jedna maska Ryśka, strategia podboju, uwodzenia. Nieczęsto i nie z każdym pozwalał sobie na szczerość.

Dorota Nowak wspomina, że Rysiek zachwalał kiedyś przed nią walory prozy jednego ze znanych literatów.

– Spośród żyjących polskich pisarzy to niewątpliwie najwybitniejszy stylista – mówił.

Kilka dni później jej kolega, recenzent książkowy jednej z gazet, opowiada o swojej rozmowie z Kapuścińskim. Rozmowa schodzi na „najwybitniejszego stylistę". Okazuje się, że temu koledze Kapuściński powiedział, że „najwybitniejszy stylista" jest literatem bardzo marnym.

Czy Rysiek mówił każdemu co innego?

Czy mówił ludziom to, co chcieli – jak mu się wydawało – od niego usłyszeć?

*

Ewa Junczyk-Ziomecka podróżowała z Kapuścińskim do Ann Arbor. Na Uniwersytecie Michigan Kapuściński miał wygłosić wykład o upadku Związku Radzieckiego (niedawno ukazało się *Imperium*). Tuż przed kontrolą paszportową bezwiednie rozdzielili się: Junczyk-Ziomecka przeszła przez kontrolę pierwsza, Kapuściński utknął.

Okazało się, że nie miał przy sobie zaproszenia, nie wiedział też, w jakim hotelu ma się zatrzymać – wszystkie papiery włożył do odprawionego bagażu. Tymczasem Junczyk-Ziomecka, która kopie miała przy sobie, dawno przeszła kontrolę. Strażnik graniczny wypytywał Kapuścińskiego o wszystko: tak, jak wypytuje się kogoś, kto chce podstępnie wedrzeć się do Ameryki i nielegalnie w niej zostać. Kapuściński wyjął z torby jedną ze swoich książek po angielsku i w ten sposób dowodził, że naprawdę jest pisarzem i przyjechał na zaproszenie uczelni.

– Gdy wreszcie się pojawił – opowiada Junczyk-Ziomecka – zaczął na mnie tak wrzeszczeć, że przybiegli ludzie z ochrony lotniska, pytając, czy nie potrzebuję pomocy. Pomyślałam, że byłby chyba zdolny mnie uderzyć.

Po chwili dodaje, że takie zachowanie świadczy o silnej zażyłości: wobec kogoś, z kim nie był w bliskich stosunkach, nie pozwoliłby sobie na taką utratę kontroli nad własnymi emocjami.

Janusz Rolicki, który nie należał do grona bliskich przyjaciół, był kolegą z redakcji, wspomina, że gdy pod koniec lat osiemdziesiątych leżał w szpitalu po zawale serca, Kapuściński zadzwonił na oddział z prośbą, żeby lekarze się nim dobrze zajęli. O telefonie Rolicki dowiedział się od lekarzy, Kapuściński nigdy mu o swojej interwencji nie wspomniał.

– Był koleżeński w piękny sposób – wspomina Małgorzata Szejnert, która nie uważa się za przyjaciółkę, raczej koleżankę, znajomą.

Na początku lat osiemdziesiątych, po rozbiciu przez władze ruchu „Solidarność", Szejnert chciała wyemigrować do Ameryki. Bała się, że służby graniczne zawrócą ją na lotnisku. Kapuściński zaofiarował wsparcie: pojedzie z nią na lotnisko i będzie z oddali obserwował, co się dzieje.

– Jeśli cię zatrzymają, zamachaj do mnie. Mnie tam wszyscy oni znają, w razie czego gdzieś pójdę i spróbuję załatwić, żeby cię przepuścili.

Kapuściński czeka na lotnisku kilka godzin. Interwencja nie jest jednak potrzebna, wsparcie dla koleżanki w chwili niepokoju – bardzo.

Opowiada Janusz Roszkowski, szef PAP w latach siedemdziesiątych:
– Każdego człowieka z personelu technicznego agencji traktował jak równego sobie współpracownika, kolegę. Ciepły, bezpośredni, szybko przechodził na „ty", każdym gestem niwelował różnice wynikające z układu podległości i hierarchii wewnątrz redakcji. Rozumiał, że bez tych wszystkich życzliwych ludzi sukcesy agencji i jego osobiste są niemożliwe. W PAP – tej fabryce informacji, pracującej w pośpiechu, napięciu, decydował zespołowy wysiłek.

Ulubieńcami Ryśka byli łącznościowcy, znał osobiście każdego z nich. Byli pępowiną łączącą jego, reportera oddzielonego od kraju tysiącami kilometrów, na obszarach objętych wojnami, konfliktami – z Warszawą. To oni odnajdywali drogi połączeń dalekopisowych, umożliwiając mu przekazywanie korespondencji. Nieraz łagodzili męczące go w czasie wielu podróży poczucie izolacji i osamotnienia. Nawet te lakoniczne kontakty dawały poczucie związku z zespołem.

W książce o wojnie w Angoli Rysiek przytacza tekst swojej depeszy wysłanej do centrali tuż przed zakończeniem misji:

> Dział odbioru informacji z zagranicy PAP: Michał Fertak, Stefan Brodzik, Henryk Kowalczyk, Michał Musiał: Drodzy, ponieważ łączymy się po raz ostatni, gdyż zaraz wylatuję z Luandy, chciałem najserdeczniej podziękować wam wszystkim za wspaniałą punktualność, wielką cierpliwość, wytrwałość, sumienność i przede wszystkim za pamięć. Te zalety były doceniane nie tylko przeze mnie, ale przez wszystkich kolegów z prasy światowej tutaj obecnych, którzy bardzo mi zazdrościli tak doskonałej pracy telexu PAP w Warszawie, rzeczywiście najlepszej ze wszystkich agencji na świecie... Schodzili się oni do telexu, kiedy mnie wywoływaliście, regulować swoje zegarki...

Koleżanka po piórze, znana reporterka, dzieli się wspomnieniem:
Po opublikowaniu *Imperium*, na początku lat dziewięćdziesiątych, grupa reporterów „Gazety Wyborczej" odwiedziła Kapuścińskiego w jego pracowni na ul. Prokuratorskiej w Warszawie. To miała być nieformalna, szczera rozmowa młodych reporterów z mistrzem. Padło

sporo kłopotliwych dla Kapuścińskiego pytań, niemało krytycznych uwag o nowo wydanej książce o Związku Radzieckim. Tylko jedna reporterka chwaliła mistrza, koleżanki i koledzy odnieśli wrażenie, że wręcz mu się podlizywała, w ich odczuciu opowiadała głupstwa.

Po spotkaniu Kapuściński zadzwonił do jednej z zaprzyjaźnionych uczestniczek wieczoru. Był niezadowolony z rozmowy, narzekał na młodych adeptów sztuki reportażu. W pewnym momencie mówi: – Tylko jedna tam mądra dziewczyna.

– To mi dało do myślenia – opowiada koleżanka reporterka. – Mimo swojej pozycji mistrza, mimo światowych sukcesów miał zachwiane poczucie własnej wartości. Podobały mu się tanie dusery, pozbawione refleksji, a rozmowa na serio zasmuciła go, zirytowała.

– Miał wiele pięknych cech, a najpiękniejszą chyba była nieudawana życzliwość wobec ludzi – opowiada Wiktor Osiatyński. – Pamiętam, że w czasach „Kultury" zawsze miał czas dla młodych reporterów – na rozmowy, rady, uwagi. Przyjaciele mogli liczyć, że wysłucha, pójdzie na spacer, a jeśli tylko będzie mógł, to pomoże. Poważnie i z życzliwością traktował również nieznajomych, których mu przedstawiano.

Takie zdarzenie: do Polski ma przyjechać z Anglii wujek Osiatyńskiego, który walczył w czasie II wojny światowej jako lotnik RAF-u i chciałby poznać sławnego reportera. Kapuściński wypytuje przyjaciela o przeszłość wujka i na spotkanie zjawia się „obkuty" w wiedzę o RAF-ie, rozmawiają o sprawach, którymi żyje gość.

– Czynił wysiłek, żeby wyjść innemu naprzeciw, nawet jeśli był to ktoś zupełnie nieznajomy, ktoś, kogo nigdy więcej miał nie spotkać.

Próbuję skonfrontować opinię, którą słyszałem nieraz w innych rozmowach o Ryśku: dobrze udawał, że słucha innych.

– Nieraz bywało tak, że jednym uchem mu wpadało, a drugim wylatywało. Tych, co mieli coś ciekawego do powiedzenia, zwłaszcza z punktu widzenia zawodowego, słuchał naprawdę, choć własnymi przemyśleniami zwykle się nie dzielił. Pamiętam też jednak głębokie i fascynujące rozmowy: o tym, jak zmienia się charakter mediów i władzy na świecie; o wyzwaniach globalizacji.

Inne obserwacje przyjaciela:

– był typem panikarza: „Co to będzie, co to będzie?!",

– cechowała go pewna nieporadność w relacjach z ludźmi,

– ułomność tę wysublimował w literaturę.

– Czy byliśmy przyjaciółmi? On tak o mnie mówił. Czy odczuwałem jego przyjaźń? Na pewno, i to często. Gdy byłem chory, odwiedzał mnie w Konstancinie. Wielokrotnie, bezinteresownie szukał najlepszych lekarzy na moje dolegliwości, za co zawsze będę mu wdzięczny i czego nie mogłem odwzajemnić. Ale odmawiał też różnym prośbom, potrafił być twardy wobec bliskich, przyjaciół.

Osiatyńskiemu niezręcznie o tym mówić, ale wiem, że jednym z tych, którzy owej „twardości" doświadczyli, był między innymi on sam: pomagał wypromować *Cesarza* w Ameryce, zawiózł książkę do Alvina Tofflera, gdy jednak po latach prosił Kapuścińskiego o krótką notę na okładkę swojej książki, ten wykręcił się zajęciami.

Nie odmawiał wielu nieznajomym, zależało mu na dobrym wizerunku – żeby nikt nie pomyślał, że wielki Kapuściński się wywyższa – a przyjacielowi odmówił. Książek, które rekomendował na okładkach, z których pisał recenzje, często nie cenił; czasem pokazywał przyjaciołom ich stosy w swojej pracowni, zgryźliwie komentując: – Zobacz, co mi tu przynoszą – i ja mam to czytać? o tym pisać?

– Lecz i tak go wielbiłem – dopowiada Osiatyński.

– Jeszcze jedno: miał okropne, dręczące go poczucie, że musi pisać i jak nie pisze, to jego życie jest nic niewarte. Jedynym stanem, który uzasadniał nie-pisanie była choroba. Może stąd wzięła się jego hipochondria? Ciągle na coś umierał, narzekał, a potem i tak brał walizkę i jechał w świat.

Jedno z ostatnich wspomnień: niespełna rok przed śmiercią Ryśka jadą razem na tydzień do Sieny, gdzie Osiatyński uczy. Tam mieszkają w starym klasztorze, przerobionym na centrum konferencyjne uniwersytetu. Rysiek codziennie chodzi na spacery po ogrodzie, z uwagą przygląda się kwiatom, drzewom, narzędziom ogrodniczym. Codziennie jedzą obiad wśród uczonych. Rysiek je bardzo mało i bardzo wolno, tak wolno, że mija pora obiadu i stół tuż obok nich nakrywają dla siebie kucharze, kelnerzy, ogrodnicy.

– Przedtem był zajęty naszą rozmową, a teraz zamilkł i patrzył na tych zmęczonych ludzi – jak jedzą, rozmawiają, śmieją się – z dziecięcym zachwytem. Mówił z podziwem o ich prostocie przy jednoczesnej dbałości o czystość i formę. Siedział tak wpatrzony, aż musiałem oderwać go od stołu. Dzięki takim chwilom zrozumiałem, że jego zaciekawienie prostymi ludźmi było pełne szacunku, pozbawione jakiejkolwiek wyższości. Wtedy dowiedziałem się czegoś niezwykle ważnego o nim jako człowieku, a także o jego warsztacie reportera. Bez tego zaciekawienia i szacunku nie byłoby Kapuścińskiego.

Dokąd od socjalizmu?

Kapuściński stracił niepowtarzalną okazję opowiedzenia o swoim oddaniu idei komunizmu. Podróżował po upadającym Związku Radzieckim w czasie ostatnich dwóch lat jego istnienia, napisał po tej podróży głośną książkę – *Imperium*, lecz o swoim związku z ideą komunizmu, która legła u podstaw stworzenia imperium, nie wspomniał słowem.

Opowieść zaczyna się we wrześniu trzydziestego dziewiątego, tuż po wybuchu wojny: mały Rysio z matką i siostrą wracają do Pińska z letnich wakacji, żołnierze radzieccy nie pozwalają im wjechać do miasta, wrzeszczą, straszą, celują do nich z karabinów. Potem przychodzi głód, strach, wywózki, dlatego rodzina Kapuścińskich przenosi się spod okupacji radzieckiej pod niemiecką. To nie jest „obiektywna", pisana na chłodno książka historyczna, to „osobista relacja z podróży", refleksyjny pamiętnik, opowieść o kilku „spotkaniach" autora z imperium. Opowieść, która rodzi w wielu miejscach pytania.

Na przykład: „spotkaniu" z imperium w drugiej połowie lat sześćdziesiątych Kapuściński poświęca kilkadziesiąt stron, nie dowiemy się jednak, w jakich okolicznościach przyjechał wtedy do Związku Radzieckiego. A okoliczność warta wspomnienia, w osobistej opowieści – wręcz konieczna. Wysłała go tam Polska Agencja Prasowa, na zamówienie której miał napisać propagandową laurkę z okazji pięćdziesiątej rocznicy Rewolucji Październikowej – cykl reportaży o azjatyckich republikach imperium. (Wybrnął z pułapki i napisał cykl fascynujących opowieści).

Kapuściński osobiście oprowadza nas po *Imperium*, jest obecny właściwie przez cały czas. Wyjątek stanowią fragmenty, w których zaczyna opowiadać o koszmarach stalinowskiego terroru, łagrach, gdy snuje rozważania na temat tego, czym był radziecki komunizm, jak zamieniał ofiary w katów i na odwrót, jakie były koszty ludzkie trwającego ponad siedemdziesiąt lat eksperymentu. Wówczas *Imperium* zamienia się w chłodną relację historyka, analityka; ów Kapuściński, który kilka razy w życiu „spotykał się" z imperium, gdzieś się ulatnia, niepostrzeżenie znika. Można by sądzić, że relację o Związku Radzieckim zdaje tu człowiek, który na początku II wojny światowej stał się ofiarą agresji Stalina na Polskę (to fakt), a kilka dziesięcioleci później podróżuje po upadającym mocarstwie jako... kto właściwie? Dawna ofiara powracająca do kraju dzieciństwa? Niezaangażowany obserwator z innej planety? Historyk? Wrażenia takie miałby prawo odnieść czytelnik, który nie zna życiowej trajektorii autora.

Intuicję, że tak można tę książkę odebrać potwierdza w niezamierzony sposób dziennikarka z Hongkongu, która wypytuje mnie o mistrza. To ona, od lat fanka Kapuścińskiego, zarekomendowała *Imperium* pewnemu chińskiemu wydawnictwu.

– Do tej pory *Imperium*, jako książka antykomunisty, nie mogło się ukazać w Chinach – mówi.

– Antykomunisty? Przecież przez większość dorosłego życia Kapuściński był członkiem partii komunistycznej.

– Niemożliwe! – wykrzykuje zaskoczona.

W książce Kapuściński ani razu nie wspomina, że przez niemal całe dorosłe życie miał coś wspólnego z ideą, która napędzała budowę a potem politykę imperium. Że jego kraj także był swego rodzaju prowincją imperium. Jakich wówczas on sam dokonywał wyborów? Dlaczego takich? Milczenie o tym to spora osobliwość w osobisto-politycznej refleksji o Związku Radzieckim, własnych doświadczeniach z historią imperium i najbardziej pociągającą ideą XX wieku, która wcielana w życie kończyła się koszmarem, w najlepszych wypadkach – niepowodzeniem.

Wiosną 1989, czytając napływające z Moskwy informacje, pomyślałem: warto, by tam pojechać. Inni popychali mnie w tym samym kierunku, jako że Rosja, kiedy ożywia się, zaczyna interesować wielu ludzi. A nadszedł właśnie czas, kiedy wszystkim udzielił się nastrój ciekawości i oczekiwania czegoś niezwykłego. Wtedy to, w końcu lat osiemdziesiątych, czuło się, że świat wchodzi w okres wielkiej przemiany, transformacji tak głębokiej i zasadniczej, że nie ominie ona nikogo, żadnego kraju ani państwa, a więc także i ostatniego imperium na ziemi – Związku Radzieckiego.

Na naszym globie coraz powszechniej zaczął panować wówczas klimat przychylny dla demokracji i wolności. Na wszystkich kontynentach dyktatury padały jedna po drugiej: Obote w Ugandzie, Marcosa na Filipinach, Pinocheta w Chile. W Ameryce Łacińskiej despotyczne reżimy wojskowe traciły władzę na rzecz bardziej umiarkowanych cywilów, a w Afryce panujące tu niemal wszędzie reżimy jednopartyjne (z reguły groteskowe i skorumpowane) rozpadały się i schodziły ze sceny politycznej.

Na tle tej nowej i obiecującej panoramy świata system stalinowsko-breżniewowski ZSRR wyglądał coraz bardziej anachronicznie, jako podupadający i niewydolny przeżytek. Ale był to anachronizm o ciągle potężnej i groźnej sile. Kryzys, jaki przeżywało Imperium, śledzono na świecie z uwagą, ale i niepokojem – wszyscy mieli świadomość, że chodzi tu o mocarstwo wyposażone w broń masowego zniszczenia, która mogłaby wysadzić w powietrze naszą planetę. W tym ostatnim wypadku ów mroczny i zatrważający scenariusz nie przesłaniał jednak zadowolenia i powszechnej na świecie ulgi, że komunizm kończy się i że jest w tym fakcie jakaś nieodwracalna ostateczność.

Niemcy mówią – *Zeitgeist*, duch czasu. Otóż fascynująca i obiecująco brzemienna jest chwila, kiedy ów duch czasu, drzemiący markotnie i apatycznie jak zmokłe ptaszysko na gałęzi, nagle i bez wyraźnego powodu (w każdym razie powodu dającego objaśnić się wyłącznie racjonalnymi przyczynami) niespodziewanie zrywa się do śmiałego i radosnego lotu. Szum tego lotu słyszymy wszyscy. Pobudza on naszą wyobraźnię i dodaje energii: zaczynamy działać.

Duch czasu prowadzi Kapuścińskiego w stronę kopalń Workuty i dawnych obozów pracy przymusowej na Kołymie.

Problem, dramat i makabra Workuty wzięły się z połączenia węgla z bolszewizmem. Workuta leży w republice Komi, za Kołem Polarnym.

W latach dwudziestych odkryto tu wielkie złoża węgla. Szybko zaczęło powstawać zagłębie węglowe. Budowano je głównie rękoma skazańców, ofiar stalinowskiego terroru. Powstawały dziesiątki łagrów.

Wkrótce Workuta, obok Magadanu, stała się nazwą-symbolem, nazwą budzącą strach i przerażenie, miejscem upiornej i często bezpowrotnej zsyłki. Składał się na to terror NKWD panujący w łagrach, mordercza praca w kopalniach, głód, jaki dziesiątkował więźniów, i koszmarne, trudne do wytrzymania zimno. Bo chodziło tu o zimno dręczące ludzi bezbronnych, półnagich, chronicznie głodnych, krańcowo wycieńczonych, oddanych na pastwę najbardziej wymyślnego okrucieństwa...

Przyjechałem do Workuty, żeby zobaczyć strajk, ale przyjechałem też, żeby odbyć pielgrzymkę. Bo Workuta jest miejscem męczeństwa, jest miejscem świętym. W łagrach Workuty zginęły setki tysięcy ludzi. Ilu dokładnie? Tego nikt nie policzy. Pierwszych łagierników przywieziono tu w 1932 roku, ostatnich zwolniono w 1959. Najwięcej ludzi zginęło przy budowie linii kolejowej, którą dziś wywozi się stąd węgiel do Archangielska, Murmańska i Petersburga. To przy tej budowie jeden z oficerów NKWD powiedział: Zabraknie podkładów? Nie szkodzi! Wy posłużycie jako podkłady!...

Człowiek nie ginął tu od jakiejś jednej, szczególnej broni, ale był ofiarą struktury okrucieństwa, zbudowanej i nadzorowanej przez NKWD...

Początek Magadanu to jednocześnie początek wielkiego terroru epoki Stalina. Miliony ludzi dostają się do więzień. Na Ukrainie dziesięć milionów chłopów ginie z głodu. Ale nie wszyscy jeszcze umarli. Niezliczone tłumy „kułaków" i innych „wrogów ludu" można by wysłać na Kołymę, ale wąskim gardłem jest transport. Jedna tylko linia kolejowa prowadzi do Władywostoku, kilka tylko statków kursuje stąd do portu w Magadanie. Tą właśnie drogą, nieustannie przez 25 lat, trwa przewóz żywych szkieletów ludzkich z całego Imperium...

Łagrów – albo jak nazywają je również – arktycznych obozów śmierci (Conquest) było w Magadanie i na Kołymie sto sześćdziesiąt. W ciągu lat skazańcy zmieniali się, ale w każdym momencie przebywało w tych obozach około pół miliona ludzi. Z nich – jedna trzecia umierała na miejscu, inni, po odbyciu lat katorgi, wyjeżdżali jako fizyczne kaleki lub osoby o trwałych urazach psychicznych. Kto przeżył Magadan i Kołymę, nigdy już nie był tym, kim był kiedyś.

Łagier był sadystycznie i zarazem precyzyjnie pomyślaną strukturą, mającą na celu zniszczenie i zagładę człowieka w taki sposób, aby przed śmiercią doznał on największych upokorzeń, cierpień i męczarni. Była to kolczasta sieć zniszczenia, z której, raz dostawszy się w nią, człowiek często nie mógł się już wyplątać...

Kiedy dowiedział się o tym wszystkim? Czy Kapuścińscy, którzy opuścili Pińsk w obawie przed wywózkami, wracali do tego doświadczenia w rodzinnych rozmowach? Czy osiemnastoletni Rysiek przystępował do budowania socjalizmu z wiedzą – choćby wypartą – o radzieckim systemie, wierząc, że w Polsce będzie inaczej? Czy o wszystkich potwornościach radzieckiego stalinizmu dowiedział się później? Kiedy? Nie stawiam tych pytań z intencją „rozliczania", modnego po upadku realnego socjalizmu polowania na czerwonych, stawiania pod pręgierzem. Nie mam prawa ani ochoty. Chciałbym zrozumieć lepiej mojego bohatera, być może dowiedzieć się czegoś uniwersalnego – jak działa mechanizm godzenia niedających się pogodzić wiadomości o zbrodniach z marzeniami o lepszym świecie. I chciałbym się tego dowiedzieć od Kapuścińskiego.

Czy gdyby nie napisał *Imperium*, też bym stawiał te pytania? Tak, choć mniej stanowczo. Uznałbym, że za brakiem publicznego namysłu nad dawnym zaangażowaniem kryje się trauma, ból, tajemnica. Lecz tutaj, w *Imperium*, sam Kapuściński zabiera nas w podróż po Związku Radzieckim, po łagrach, po historii stalinowskich czystek, dziejach specyficznego radzieckiego kolonializmu – różnego od brytyjskiego, hiszpańskiego. Zaprasza do rozmowy na ten temat, więcej – przeprowadza rachunek krzywd i strat, a o sobie – w osobistej w końcu opowieści o „spotkaniach z imperium" – ani własnej wierze w ideę, która powołała do życia Związek Socjalistycznych Republik Radzieckich, nie mówi ani słowa. Absolutnie nic. Ze swoim talentem do obserwacji ludzkich postaw i zachowań, z wyjątkową zdolnością empatii mógłby wnieść coś nowego do wiedzy o dziejach komunizmu, o XX wieku. Zamiast tego przytacza kilka interesujących, niekoniecznie oryginalnych refleksji, sterylnych, to znaczy wypranych z osobistej perspektywy.

Chyba tylko raz – i też nie na pewno – zbliża się do konfrontacji z własną biografią, gdy pisze:

> Po ulicach Magadanu chodzi się wysokimi korytarzami wykopanymi w śniegu. Jest wąsko, przy mijaniu trzeba przystawać, przepuszczać drugą osobę. Czasem zdarzy mi się tak stanąć oko w oko z jakimś starszym mężczyzną. Zawsze, zawsze przychodzi mi wtedy do głowy pytanie: A wy kim byliście? Katem czy ofiarą?
>
> I dlaczego mnie to intryguje, i porusza? Dlaczego nie potrafię spojrzeć na tego człowieka zwyczajnie, bez tej nieznośnej i natrętnej ciekawości? Gdybym jednak zdobył się na odwagę i zadał mu pytanie, a on zachował

się szczerze, mógłbym usłyszeć odpowiedź: Widzicie, macie przed sobą i kata, i ofiarę.

W tym też była cecha stalinizmu – że w wielu wypadkach nie sposób oddzielić tych dwóch ról. Najpierw ktoś bił jako oficer śledczy, potem siedział i był bity, po wyroku wychodził i mścił się, itd. Był to świat zamkniętego kręgu, z którego istniało tylko jedno wyjście – śmierć. Była to koszmarna gra, w której przegrali wszyscy.

Gdy myślę o życiu Kapuścińskiego, o czasach, w których dokonywał politycznych i życiowych wyborów, przychodzą mi do głowy inne pytania. Komunizmu w Polsce, nawet w tych najgorszych latach, nie da się żadną miarą porównać do komunizmu radzieckiego. Z wyjątkiem kilku lat stalinizmu, który ma na koncie tysiące zamordowanych, realny socjalizm Polski Ludowej był chyba – niech mi wybaczą ci, którzy doznali krzywd – jedną z najłagodniejszych dyktatur drugiej połowy XX wieku. Dlatego stawianie Kapuścińskiemu pytania „byłeś katem czy ofiarą?" nie ma sensu. Sens mają inne: co o tym wszystkim wiedział? Czy słyszał o łagrach, lodowatym piekle gułagu, gdy ołówkiem rysował „schodki" wiersza ku czci Stalina? Czy ów wiersz dźwięczał mu w uszach, gdy zapisywał strony *Imperium* danymi o zbrodniach radzieckiego tyrana?

Nie domagam się skruchy ani samokrytyki – chcę zrozumieć. Pragnąłbym usłyszeć głos człowieka, za którym stoi wyjątkowe doświadczenie: ofiary imperium, potem budowniczego prowincji posłusznej imperialnej władzy, świadka rozpadu zachodniego kolonializmu w Azji i Afryce, obserwatora niezliczonych rewolucji, powstań i przewrotów, kogoś, kto widział nędzę i wielkość człowieka, jego marzenia i okrucieństwa pod wieloma szerokościami geograficznymi. Lecz zamiast głosu – tego najbardziej wyjątkowego głosu – jest milczenie. Milczenie, które rozczarowuje, uwiera – i które także próbuję rozumieć.

Wiktor Osiatyński uważa, że w Polsce po osiemdziesiątym dziewiątym roku nie było atmosfery, w której dałoby się bez obaw opowiedzieć o własnych doświadczeniach z komunizmem: aktywności w partii, dwuznacznych wyborach i kompromisach... Być może to jest klucz do milczenia Kapuścińskiego na temat własnych zaangażowań. Iluż to byłych aktywistów partii, szczególnie ludzi ze świecznika, polityków, dziennikarzy, twórców kultury poddano publicznemu linczowi, nie dociekając winy indywidualnej, nie starając się zrozumieć ich losów, biografii, pogmatwanej historii własnego kraju? Tak zwane rozliczenia były narzędziem walki o władzę, batem na przeciwnika, po który sięgano, gdy to przynosiło poklask, czyli głosy wyborców. Kapuściński, który miał cienką skórę, bał się wszelkiej konfrontacji, zawsze odchorowywał polemiczne głosy, nie miał w takich warunkach cienia szansy zmierzenia się ze swoją przeszłością, opowiedzenia o niej bez strachu, że zostanie opluty, wdeptany w ziemię.

Teraz przychodzi mi na myśl, że właśnie *Imperium* było taką szansą – jedną jedyną. Może osobista opowieść największego z żyjących reporterów o wierze w komunizm, nadziejach i rozczarowaniach, wmontowana w podróż po upadającym Związku Radzieckim nie ściągnęłaby wcale gromów. Opowieść przez nikogo niewymuszona – jeszcze wtedy dekomunizatorzy i lustratorzy na Kapuścińskiego się nie zasadzali – miałaby walor podróży intelektualnej w przeszłość, szukania prawdy o sobie i ludziach, których porwała wielka idea. Gdyby go nawet zaatakowano, miałby zastępy obrońców – w kraju i na świecie.

Najwyraźniej chciał o przeszłości zapomnieć, a nie o niej rozprawiać, zmagać się z nią. Jego pisarska i obywatelska aktywność od chwili wprowadzenia stanu wojennego sugeruje, że czerwona przeszłość przeszkadza mu, ciąży, nie wie, co z nią zrobić, jaką wobec niej przyjąć postawę, jaką zastosować strategię. Wyczuwam to dopiero teraz, w trakcie ponownej lektury *Imperium* – gdy mam za sobą prawie trzyletnią podróż po życiu Kapuścińskiego. Czytając teraz tę książkę, po raz pierwszy słyszę fałszywą nutę. Chciałbym wiedzieć, jakie myśli, jakie uczucia targają człowiekiem, który opisuje zbrodnie i który ma w swoim dorobku napisany przed laty wiersz ku chwale zbrodniarza. Co stateczny, mądry wiekiem sześćdziesięciolatek myśli o podekscytowanym osiemnastolatku, dwudziestoparolatku, który dużo już widział, ale jeszcze chyba niewiele rozumiał? Co miałby mu do powiedzenia?

Jeden z przyjaciół podsuwa myśl-pytanie: – A może nie powiedziałby nic? Wiedział wiele, bardzo wiele o świecie, o innych ludziach, a o sobie wiedział mało. Nie znał siebie.

Lata osiemdziesiąte: początek wielkiej światowej kariery, lecz również kłopoty z własną przeszłością. Wystąpił już z partii, odrzuca propozycje dawnych towarzyszy („wybierz sobie, jaką chcesz placówkę w Trzecim Świecie"), chodzi na msze za ojczyznę, od czasu do czasu pojawia się na spotkaniach podziemnego SDP, lecz na otwarte zaangażowanie po stronie nielegalnej „Solidarności" nie decyduje się. Coś mu przeszkadza.

Własna biografia? Zapewne. Jest też inny powód: chce wyjeżdżać za granicę, a otwarte opowiedzenie się po stronie podziemnej opozycji mogłoby – przynajmniej w pierwszej połowie lat osiemdziesiątych – utrudnić, wręcz uniemożliwić wyjazdy na stypendia, wykłady, a przede wszystkim spotkania z okazji wydawanych za granicą książek.

W osobistych zapiskach – rok 1982 – notuje z pewną irytacją:

> Człowiek kompromisu, elastyczny. U nas nie lubią takich. Powiedzą o nim, że dwuznaczny. U nas człowiek musi być jednoznaczny. Albo biały, albo czarny. Albo tu, albo tam. Albo z nami, albo z nimi. Wyraźnie, otwarcie, bez wahań! Nasze widzenie jest manichejskie, frontowe. Denerwujemy się, jeżeli ktoś zakłóca ten kontrastowy obraz. Wynika to z braku tradycji liberalnej, demokratycznej, bogatej w odcienie. W zamian mamy tradycję walki, sytuacji skrajnych, gestu ostatecznego.

Gdzie się podział aktywista, który „otwarcie i bez wahań" stawał po stronie zetempowskiej rewolucji, „frontowo" gardłował za zmianami Października '56, a w reporterskich relacjach z rewolucji w Trzecim Świecie opowiadał się – „po „manichejsku" – „przeciw komplikacjom", lubił „sytuacje jednoznaczne" i tak długo pozostawał im wierny?

Wiek robi swoje, Kapuściński skończył pięćdziesiątkę, wiele widział, zbyt dużo wie, żeby wciąż malować świat na czarno-biało, na dodatek ma kłopot z dawnymi zaangażowaniami – to dlatego staje się piewcą kompromisu i elastyczności, tęskni za „tradycją liberalną, demokratyczną, bogatą w odcienie". Stan swojego „politycznego" ducha utrwala w wierszu (po trzydziestu latach wraca wówczas do poezji):

> O tak
> trwało długo
> zanim nauczyłem się myśleć o człowieku
> jako o człowieku
> zanim odkryłem ten sposób myślenia
> nim poszedłem tą drogą
> w tym zbawczym kierunku
> i mówiąc o człowieku albo rozmyślając o nim
> przestałem zadawać pytania
> czy jest biały czy czarny
> anarchista czy monarchista
> czciciel mody czy stęchlizny

swój czy obcy
a zacząłem pytać
co w nim jest z człowieka...

To wyznanie nie tylko dojrzałego mężczyzny, który coraz częściej odczuwa smugę cienia, nie tylko spełnionego, uznanego w kraju i na świecie pisarza, lecz także człowieka na politycznym zakręcie, któremu nie na rękę są pytania: czerwony czy biały, partyjniak czy solidarnościowiec, opozycjonista czy obrońca status quo.

Tylko raz próbuje zmierzyć się otwarcie z przeszłością, lecz robi ledwie zaczyn do opowieści, której nigdy z siebie nie wydusi, szkic do wywodu, którego nigdy nie rozwinie. Pisze w *Lapidarium*:

Ci, którzy przeżyli stalinizm, i ci, którzy dowiadują się o nim z książek i opowieści, nie mogą zrozumieć się, ponieważ żyli na zupełnie różnych poziomach informacji, nie tylko chodzi o to, że ktoś nie wiedział, ale także, że wolał nie wiedzieć, albo – nie chciał wiedzieć: zadać pytanie nieuzgodnione, nielubiane przez władzę, było aktem samobójczym. Instruktor ZMP musiał zdawać zarządowi relację z zebrań, podając nie tylko, jakie były wypowiedzi, ale kto i jakie zadawał pytania.

Tę jego walkę wewnętrzną, zmagania z sobą widać także w towarzysko-politycznych zachowaniach. Idzie na wódkę ze starymi towarzyszami, spotka się z rzecznikiem rządu Urbanem (jego propozycjom odmawia), korzysta z drobnej pomocy starego towarzysza z partii, a w osobistych notatkach wyznaje:

Wytykają mu, że się zmienił. Ale czy to zasługuje na potępienie? Przecież trzeba zacząć od pytania – z kogo na kogo się zmienił? Robią mu wyrzut, że dawniej brał. Mają mu za złe, że więcej brać nie chce. Stracili wspólnika – stąd ich wściekłość. Typowa moralność gangu przestępczego: wspólnota poprzez udział w nadużyciu. W momencie, kiedy przestajesz czynić zło, skazujesz się na potępienie ze strony tych, których zdemaskowałeś swoim aktem odmowy. Im dłużej przebywasz w gangu, tym bardziej będziesz odczuwać, że jesteś skazany na gang. Przyjdzie ci ochota, aby wyjść z gangu. Ale natychmiast pojawi się pytanie – czy druga strona uzna mnie za swojego? Siłą, która sprawia, że pozostajemy w gangu, jest nie tyle strach przed zemstą gangsterów, co lęk, że nie będziemy akceptowani przez tych, którzy byli poza gangiem...

Druga strona zaakceptuje go, przyklaśnie; współtworzy ją zresztą wielu ludzi o takich samych jak on życiorysach politycznych – byłych komunistów, których rozczarował realny socjalizm, tyle że nieco wcześniej.

I znowu po stronie rewolucji!

W maju osiemdziesiątego siódmego Kapuściński dostaje zaproszenie na spotkanie z Lechem Wałęsą, który właśnie skrzyknął kilkudziesięciu działaczy opozycji i sympatyzujących z nimi ludzi kultury na spotkanie w kościele przy ulicy Żytniej w Warszawie. Po spotkaniu Kapuściński notuje:

> 31.5. Spotkanie z Wałęsą. Zaprosił m.in. Łapickiego, Samsonowicza, Osmańczyka, Beksiaka, Edelmana, Strzeleckiego, Turowicza, Tischnera. Wałęsy nie widziałem dawno. Dojrzał bardzo. W pewnym momencie pomyślałem – przypomina mi Witosa.

Półtora roku później z owej grupy zaproszonej przez Wałęsę wyłania się 135-osobowy Komitet Obywatelski, który przy Okrągłym Stole, bez jednego wystrzału, wynegocjuje z rządem Polski Ludowej koniec realnego socjalizmu. Kapuściński, należący formalnie do komitetu, będzie wtedy podróżował po gnijącym od środka Związku Radzieckim, obserwował zachodzące w imperium procesy rozkładu, bez których Okrągły Stół w Polsce, koniec starego ustroju, upadek bloku socjalistycznego byłyby niemożliwe.

W nowej Polsce, po zmianie ustroju, pali mosty z przeszłości.

Październik '89, w hotelu Marriott przyjęcie z okazji wizyty króla Hiszpanii Juana Carlosa. Kapuściński wpada na starego towarzysza z partyjno-dyplomatycznej paczki Stanisława Jarząbka. Szeroki uśmiech, serdeczne uściski, kopę lat! Po chwili Jarząbek widzi, że Kapuściński blednie, tężeje, z brata łaty przeistacza się w zimnego nieznajomego – i nagle odchodzi.

– Jego pierwszy odruch był naturalny, przyjacielski, a chwilę potem zorientował się, że popełnił faux pas. Był tam w towarzystwie Bronisława Geremka i kolegów z „Solidarności", musiał sobie uświadomić, że ja, towarzysz z innej epoki, jestem „trefny", w tym nowym gronie nie wypada się przyznawać do takich zażyłości. Obserwowałem go potem do końca wieczoru: nie ruszył się na krok od ludzi nowej ekipy, żeby nie wpaść chyba na kogoś ze starych kumpli, których sporo kręciło się na imprezie. To był decydujący moment, w którym zmieniłem o Ryśku zdanie.

Jakiś czas później podobna sytuacja. Po mszy żałobnej z okazji pogrzebu starego znajomego do Kapuścińskiego podchodzi kolega z tej samej co Jarząbek starej gwardii – Henryk Sobieski. Próbuje przywitać się wylewnie, lecz trafia na mur z drugiej strony.

– Co, Rysiu, czasy się zmieniły i starych przyjaciół już nie poznajesz? – Sobieski powiedział to bardzo głośno, najwyraźniej, żeby zwrócić na siebie uwagę – opowiada świadek zdarzenia.

Ludzie w kościele zaczęli się oglądać, Kapuściński pospiesznie odszedł w inną stronę.

Puentę do obu sytuacji dopisuje towarzyskie spięcie w zupełnie innym gronie. Krótko po zmianie ustrojowej w Polsce Kapuściński rozmawia ze swoją przyjaciółką i tłumaczką Agatą Orzeszek oraz jej koleżanką, zdeklarowaną antykomunistką. Koleżanka stawia Kapuścińskiego pod ostrzałem: – Przez całe życie byłeś partyjny, a teraz co? Taki się zrobiłeś solidarnościowy, poszedłeś stadnie, ze środowiskiem...

– Niemądra ta... – mówi potem Orzeszek, gdy zostają sami.

– Wiesz, wcale nie taka głupia. To prawda, że poszedłem ze środowiskiem. A z kim miałem pójść?

Co znaczy: „poszedłem ze środowiskiem"?

Jak większość czołowych postaci świata dziennikarskiego, Kapuściński z ulgą przyjmuje koniec realnego socjalizmu i z entuzjazmem popiera nowy, demokratyczno-rynkowy ład. Najpierw – kandydatów Lecha Wałęsy, gdy w częściowo demokratycznych wyborach do Sejmu i Senatu w '89 roku gromią ludzi ancien régime'u. Potem – w najważniejszych kwestiach transformacji ustrojowej – staje w jednym szeregu z liberalną inteligencją: między innymi początkowo przychylnie patrzy na terapię szokową Balcerowicza, która gospodarkę planową przekształca w neoliberalną wersję ekonomii rynkowej (tak pamiętają znajomi, bo publicznych wypowiedzi na ten temat Kapuściński nie udzielał).

Gdy dawni towarzysze walki z „komuną" kłócą się o władzę i drogę ku lepszej przyszłości, tak jak większość liberalnej inteligencji Kapuściński popiera pierwszego niekomunistycznego premiera Tadeusza Mazowieckiego w sporze z niedawnym liderem całego ruchu „Solidarność",

Lechem Wałęsą. W czasie przegranych przez Mazowieckiego wyborów prezydenckich w 1990 roku należy – jak wiele gwiazd świata kultury i nauki – do jego komitetu wyborczego.

W wyborach parlamentarnych lat dziewięćdziesiątych popiera Unię Demokratyczną i jej kontynuatorkę Unię Wolności, które bronią społeczno-ekonomicznego kursu Balcerowicza i uważają, że dla przekształcenia Polski w kraj demokracji i kapitalizmu potrzeba szerokiego konsensu społecznego, zaciskania pasa, powstrzymania rewindykacji socjalnych (wchodzi w skład honorowych komitetów wyborczych, co nie wiąże się z żadnymi działaniami, użycza jedynie swojego nazwiska). Tak jak większość liberalnej inteligencji wyraża niechęć – również tylko w towarzyskich rozmowach, nic na ten temat nie pisze – wobec rozliczeń z byłymi komunistami, wszelkiego rodzaju polowań na czarownice, wypominania ludziom przeszłości. Z niepokojem patrzy na polityczną ekspansję Kościoła w świat politycznych rozgrywek i próby tworzenia państwa konfesyjnego.

Wiosną '91 roku, w liście do Nowaka, wówczas ambasadora w Austrii, Kapuściński szkicuje atmosferę nowej Polski po pierwszych wstrząsach politycznych:

> Kochany Jurku,
>
> parę słów tylko, żeby dać znak, że żyję i pamiętam o Tobie. Bardzo mi brak tu rozmów i kontaktów z Tobą. Proces pustoszenia Polski z umysłów żywych i ciekawych, niestety, trwa nadal i trudno spotkać człowieka, z którym można by rzeczowo i interesująco porozmawiać. W kraju w zasadzie nic rewelacyjnego. Sytuacja pełna najbardziej przedziwnych sprzeczności, ale taki stan rzeczy charakteryzuje przecież każdą rewolucję.
>
> Coraz bardziej nasila się proces chomeinizacji kraju. Bałagan i rozproszenie polityczne – ogromne, a także wielka jest i dotkliwa brutalizacja życia politycznego. Więcej jednak jest gadania niż rzeczywistych decyzji politycznych i personalnych. To znaczy – dużo więcej opluwania niż rzeczywistego ścinania głów.
>
> Wczoraj – 3 maja – byłem wieczorem na Zamku na przyjęciu wydanym przez Prezydenta. Wypadło nadspodziewanie dobrze. Przez chwilę rozmawiałem z Wałęsą. Mówił, że wszystko bardzo przeżywa i że to sprawia mu trudność zachować dystans i spokój, jakie przystoją jego funkcji. Słowem dzielił się wrażeniami, jak to jest, kiedy człowiek zostanie prezydentem.

Dłużej rozmawiałem z Balcerowiczem, a to on głównie pytał mnie o sytuację w ZSRR. Wrażenie o nowej ekipie [Jana Krzysztofa Bieleckiego, który został premierem po zwycięstwie prezydenckim Wałęsy w grudniu 1990 roku – A.D.]: jeszcze niezbyt pewnie czują się w siodle, ale starają się być sympatyczni i sprawiać dobre wrażenie.

Myślę, że najważniejsze w kraju – to pewna poprawa atmosfery. Otwierają dużo nowych sklepów, wszystko można kupić, tu i tam notuje się korzystne zmiany, jest wiele przeróżnych inicjatyw (zwłaszcza w terenie), słowem, można zauważyć trochę jaśniejszych punktów...

Jako swoje miejsce w nowej Polsce Kapuściński wybiera „Gazetę Wyborczą", największy opiniotwórczy dziennik, stworzony w momencie transformacji przez ludzi wywodzących się z prasy podziemnej, kierowany przez legendę opozycji demokratycznej, Adama Michnika. Polityczna linia dziennika wyznacza (wyraża) stanowisko dużej części liberalnej inteligencji w głównych debatach publicznych Polski po komunizmie.

Do redakcji „Gazety" przy ulicy Iwickiej, potem Czerskiej, Kapuściński wpada nie do pracy – jest międzynarodową gwiazdą dziennikarstwa i literatury faktu – lecz w odwiedziny, na koleżeńskie ploty. Lubi wiedzieć, o czym się mówi w środowisku. Spotyka znajomych, poznaje dziennikarzy nowej generacji, stwarza wokół siebie dobrą aurę. W czasie regularnych wizyt, co miesiąc, czasem co dwa – o ile tylko jest w kraju – zagląda zazwyczaj do zastępców naczelnego: Heleny Łuczywo i starych kolegów z prasy Polski Ludowej, Juliusza Rawicza i Ernesta Skalskiego.

– Ustaliliśmy z Heleną żelazną zasadę: nie rozmawiamy o „Gazecie" – powiedział mi kiedyś, a chwilę potem opowiadał anegdoty świadczące, że tematem rozmowy była przede wszystkim „Gazeta".

– Więc o czym rozmawiacie?

– O wszystkim: co tu, co tam, co w Polsce, co na świecie.

(Tak zapamiętałem wymianę uwag, do której nie przywiązywałem wagi; nie przyszło mi wtedy do głowy, że Rysiek kiedyś umrze, a ja będę pisał jego biografię).

Już po jego odejściu, spytałem Helenę Łuczywo, o czym właściwie z Ryśkiem rozmawiali. Zastanowiła się przez chwilę i odpowiedziała, że nie bardzo pamięta coś konkretnego. – Bieżące sprawy, aktualności.

Kapuściński potrzebował poczucia przynależności do środowiska. Był zazwyczaj osobny w myśleniu – może z wyjątkiem pierwszych kilku lat demokracji, kiedy „poszedł ze środowiskiem" – lecz rozumiał, że do sukcesu potrzebne są nie tylko praca i talent, także grupa, która wspiera, daje siłę, poczucie akceptacji i bezpieczeństwa. Uważał, że dziennikarz, reporter, publicysta potrzebuje przyjaznego otoczenia, w którym jego twórczość może rozkwitać. I „Gazeta Wyborcza", z którą w polskich sprawach znacznie więcej łączyło go, niż dzieliło, była dla niego takim miejscem. Różnice światopoglądowe między nim a środowiskiem dziennika, które ujawnią się niezbyt wyraźnie pod koniec lat dziewięćdziesiątych, a w sprawach międzynarodowych – po zamachach 11 września 2001 w Nowym Jorku i Waszyngtonie, nigdy nie doprowadzą do konfliktu, otwartego sporu czy rozejścia. W przyjaźni z „Gazetą", jej szefami i wieloma dziennikarzami Kapuściński pozostanie do końca.

Tak jak w poprzedniej epoce kolejne książki publikował najpierw w odcinkach na łamach „Kultury", tak w nowych czasach robi dokładnie to samo w „Gazecie". W taki sposób ukazują się *Imperium*, *Heban*, *Podróże z Herodotem* i niektóre tomy *Lapidariów*. Cotygodniowy rygor był, jak sam powtarzał, jedynym sposobem mobilizowania się do systematycznego pisania; przymusem, który pozwalał odrzucić zabójczy dla twórczości perfekcjonizm, niepozwalający zaakceptować niepełnej wiedzy o danej materii, powstrzymujący przed rozpoczęciem pracy nad książką.

Ślady „pójścia ze środowiskiem" zostawia również na piśmie. Zmaga się z własną przeszłością. Ile w tych zmaganiach jest dopasowywania swoich poglądów do nowych czasów? Ile autentycznej ich ewolucji? Ile zwyczajnej dezorientacji, najzupełniej zrozumiałej w momencie historycznego przełomu?

W notatkach z początku lat dziewięćdziesiątych pisze:

> Dramat byłych komunistów. Że nadal pozostają w orbicie sprawy komunizmu. Obsesyjnie, nieuleczalnie. Całe ich myślenie, ich działanie jest ożywiane, napędzane, motywowane najpierw walką o komunizm, później – walką z komunizmem.

Uderzające – byli komuniści to „oni". Komentarz, jaki przychodzi na myśl: Kapuściński ma kłopot ze zmierzeniem się z własną przeszłością... To zresztą postawa wielu ludzi o podobnych doświadczeniach.

Dalej pisze tak:

> Również środowisko wymusza na byłym komuniście, aby ciągle wałkował sprawę komunizmu (dlaczego wstąpił, dlaczego wystąpił itd.). Zwłaszcza środowisko naciska na tych, którzy potrafią coś powiedzieć, coś napisać. Tymczasem ci właśnie mają często mało do powiedzenia, ponieważ przebywali w dobrych warunkach i nie stykali się ze zbrodniami systemu. Rzecz w tym, że system był anonimowy, opierał się na anonimach, na szarej, bezimiennej masie biurokratów, policjantów, kontrolerów, strażników, donosicieli. Cała demoniczność systemu tkwiła w jego szarzyźnie, mglistości, bylejakości, w jego zapyziałości, w otępieniu.

Mocno nieścisłe: system miał także wiernych twórców kultury, nauki, dziennikarzy; atrakcyjny – do czasu – program społeczny, wizję przyszłości, która rozbudzała wyobraźnię. Skąd sugestia, że tylko ofiary systemu i ludzie żyjący w tamtym systemie w niedobrych warunkach mogą opowiedzieć o komunizmie coś istotnego?

W latach dziewięćdziesiątych w *Lapidariach* zdarza się Kapuścińskiemu napisać: marksiści to, marksiści tamto, „wbrew oczekiwaniom marksistów...". Wyłapuje nietrafne proroctwa Marksa: na przykład to, że klasa robotnicza miała zlikwidować kapitalizm, tymczasem jesteśmy świadkami tego, jak kapitalizm likwiduje klasę robotniczą. Nie wspomina ani słowem, czym w jego biografii intelektualnej była przez kilka dekad myśl marksistowska: że był marksistą. Marksiści są – tak samo jak byli komuniści – „onymi".

To chyba z pragnienia wymazania przeszłości (z obawy, że w czasach polowania na byłych czerwonych ktoś sobie tę jego przeszłość przypomni?) wzięła się afirmacja poglądu, że „dziś nie ma lewicy, ani prawicy, są tylko ludzie o mentalności, otwartej, liberalnej, chłonnej, zwróconej w przyszłość oraz ludzie o mentalności zamkniętej, sekciarskiej, ciasnej, zwróconej w przeszłość". Kapuściński powtarza tu myśl takich intelektualistów jak Leszek Kołakowski czy brytyjski socjolog i ideolog Anthony Giddens, którzy żegnając się z lewicą, przyklasnęli pozimnowojennemu przesunięciu polityki ku centrum i utopii „końca Historii".

Upłynie niecała dekada i Kapuściński pożegna się z tym nurtem refleksji, w gruncie rzeczy obcym wszystkiemu, co przez całe życie pisał, z czym się identyfikował, za czym się opowiadał. Przeprosi się szybko z lewicowym myśleniem, wróci do siebie sprzed '89 roku – tyle że w nowym, bardziej strawnym w czasach „końca Historii" języku.

Tymczasem środowisko ogłasza go „Dziennikarzem Wieku".

W 1999 roku branżowy miesięcznik „Press" zaprasza do głosowania pięćdziesięciu znanych dziennikarzy prasowych, radiowych i telewizyjnych. Każdy z zaproszonych wskazuje trzy nazwiska ludzi mediów, których dokonania mogą być przykładem dla przyszłych adeptów zawodu.

Kapuściński wygrywa plebiscyt – między innymi z Jerzym Turowiczem, Jerzym Giedroyciem, Melchiorem Wańkowiczem, Adamem Michnikiem, Hanną Krall i Ksawerym Pruszyńskim.

> Ryszard Kapuściński to mistrz reportażu. Jego teksty zyskały uznanie nie tylko za profesjonalny warsztat, ale także za literacki język i charakterystyczną frazę.

Czas zbierania laurów w kraju i za granicą: statuetki, doktoraty honoris causa, wykłady... Znajduje się u szczytu sławy. W świecie iberyjskim, we Włoszech, Szwecji, a i w krajach anglosaskich – choć w mniejszym stopniu – traktują go jak największą znakomitość, mistrza reportażu, wybitnego pisarza. Gabriel García Márquez zaprasza go jako mistrza zawodu dziennikarskiego do założonej przez siebie szkoły reportażu w Cartagenie.

Wydaje się, że Kapuściński niczego już więcej nie może osiągnąć, niczego ponad to, co osiągnął w życiu zawodowym – pragnąć.

Lapidarium (6): czy Kapuściński był myślicielem?

Marzenie reportera – zostać uznanym za pisarza. Marzenie pisarza – zostać uznanym za myśliciela.

Droga do marzenia: *Lapidaria*, czyli krótkie refleksje, cytaty z filozofów, reporterskie miniatury, luźne notatki, rzadziej obszerniejsze analizy zjawisk na świecie.

Kolejne tomy lapidariów – coraz oszczędniejsze w formie, ewoluują ku zbiorom „złotych myśli". Nierówne.

Skąd się wzięły *Lapidaria*?

Hipoteza Adama Daniela Rotfelda:

– Chciał, żeby jego pisanie było zrozumiałe dla szerokiej publiczności, lecz zarazem wstydził się, że z powodu prostoty, z jaką opowiadał swoje historie, wielcy wezmą go za szaraczka. Dlatego wymyślił *Lapidaria* – pełne cytatów z mądrych książek i komentarzy na różne tematy; niestety, nie zawsze najlepsze, czasem irytujące, pretensjonalne. Jak gdyby chciał pokazać: „Ja też dużo czytam, też jestem intelektualistą". Niepotrzebnie.

– Po co ty, Rysiek, wydajesz te swoje *Lapidaria*? – pyta kiedyś Wiktor Osiatyński.

– A bo ludzie chcą to czytać.

– Dlaczego nie napiszesz poważnej książki o sprawach, które tam poruszasz?

Bez odpowiedzi. Uśmiech.

– Dzisiaj *Lapidaria* wydają mi się lepsze niż kiedyś, bo Ryśka już nie ma. Fantastycznie, że coś takiego zostawił!

– Był myślicielem?

– Chciał, żeby go za myśliciela uważano – i w jakimś sensie to mu się udało. Zapraszały go uniwersytety, jeździł z wykładami po świecie. Ale myślicielem, moim zdaniem, nie był.

– Bo?

– Myśliciel dokonuje uogólnień, tworzy syntezy, szuka podobieństw. Rysiek przeciwnie: szukał różnic, jego świat był światem szczegółu – i on te szczegóły, te różne kolory świata potrafił wspaniale pokazać. Był reporterem i pisarzem.

– Dowiedział się pan od niego czegoś, czego nie wyczytał pan z książek współczesnych myślicieli?

– Intelektualnie odkrywcze było dla mnie to, co mówił o globalizacji: że w CNN oglądamy globalizację, lecz ogromne połacie świata przechodzą proces odwrotny – de-globalizacji, to znaczy oddzielania się od reszty. W czasach tużpokolonialnych wszędzie w Afryce można się było dogadać po angielsku i francusku; dziś w wielu miejscach tego kontynentu, poza wielkimi metropoliami, trzeba znać lokalne języki, żeby się porozumieć. To jeden ze znaków de-globalizacji, którą dostrzegł, a wielu zachodnich myślicieli – nie.

Wycinki

Fragment wywiadu dla „Gazety Wyborczej" opublikowanego kilka miesięcy po agresji Stanów Zjednoczonych na Irak, 2003:

Ryszard Kapuściński: ...Gdy upada państwo, nie ma siły historycznej zdolnej do odtworzenia państwowej władzy. Władza plemienna, klanowa jest władzą regionalną, terytorialną. I okazuje się, że oprócz niej nie ma nic innego; nie ma żadnego elementu, żadnej siły, która byłaby w stanie odtworzyć państwo. Kiedyś były nią partie narodowowyzwoleńcze, ale dzisiaj już ich nie ma. To były w tych krajach jedyne siły o charakterze ogólnonarodowym. Gdy rozlatuje się państwo, one rozlatują się razem z nim.

Nie ma sił, które byłyby zdolne do odtwarzania struktur państwa, ale nie ma również sił zainteresowanych taką odbudową. Siły plemienne, klanowe, regionalne nie mają interesu w odtwarzaniu struktury, która byłaby ponad nimi. Jest to dla mnie istota dzisiejszej sytuacji w postkolonialnym Trzecim Świecie. Rozbicie państwa ma straszne skutki. To są przecież państwa słabe, obalić je można bardzo łatwo. Nie trzeba wysyłać całych armii. Wystarczy dobrze wyszkolony batalion desantowy, aby wiele z tych rządów od razu przestało istnieć, jak to już było wielokrotnie w Afryce, np. na Seszelach, w Beninie czy Sierra Leone. Tylko co potem? Co dalej?

Pod nieobecność partii ogólnonarodowych – a taka jest właśnie rzeczywistość – wszelkie koalicje międzyplemienne, międzyreligijne i międzyetniczne są kruche, nietrwałe, niezdolne do rządzenia. Więc opleść naszą planetę siłami stabilizacyjnymi? Kto to będzie finansować? Kto tym będzie dowodzić?

Artur Domosławski: – Masowy czytelnik zna ten mechanizm z głośnego hollywoodzkiego filmu *Psy wojny* według powieści Fredericka Forsytha. Przylatuje kompania najemników i obala okrutnego tyrana, który traktuje ludzi jak swoich poddanych, terroryzuje ich, wtrąca do więzień, torturuje.

R.K.: – Takie państwa bardzo łatwo rozbić, bo władza państwowa w tych krajach kontroluje często tylko stolicę albo niewielką część terytorium kraju, a nad resztą panuje ktoś inny – kacyk plemienny, szczep, klan. No dobrze, rozbijamy takie państwo – i co potem?

A.D.: – Co?

R.K.: – Pustka. Pustynia. I tu zaczyna się jeszcze jeden problem – powrotu do białych plam. Poznawanie Trzeciego Świata zaczynało się od map, na których większość terytoriów była zamalowana białymi plamami. To były terytoria niedostępne. Dziś znów mamy powrót do takich białych plam. Są to terytoria zarządzane przez lokalne władze, które nie respektują niczego poza własnym interesem, nie są zainteresowane większą organizacją społeczną typu państwowego.

A.D.: – To jakiś niezwykły paradoks, że w epoce, którą charakteryzuje globalizacja, następuje równocześnie coś w rodzaju de-globalizacji. A może globalizacja to w ogóle fałszywa diagnoza?

R.K.: – W ostatniej dekadzie wszyscy koncentrowali się na dyskusji o globalizacji, natomiast nie zauważono, że równocześnie z globalizacją postępuje proces anarchizacji świata, jego rozdrobnienia lub osłabienia struktur państwowych w wielu miejscach planety. Jedne struktury państwowe znikały, jak np. w Somalii, inne nadal istnieją, ale tylko w postaci marionetkowej. Świat pokryty jest dzisiaj wielkimi połaciami marionetkowych państw, w których rząd formalnie istnieje, które mają swoją flagę narodową, hymn, tyle że ten rząd niczym naprawdę nie rządzi.

Cztery lata temu w Mali – w Afryce Zachodniej – leciałem z delegacją rządową do Timbuktu, gdzie przedstawiciele rządu malijskiego mieli organizować lokalną administrację państwową. Ten region obejmuje mniej więcej jedną trzecią terytorium kraju. Ci oficjele mieli zachęcać miejscową ludność, żeby zgodziła się na jakieś ich propozycje. Jako dodatkowy „argument" wieźli worki z kukurydzą, żeby rozdać ludziom. Uświadomiłem sobie nagle, że działo się to 40 lat po odzyskaniu niepodległości przez Mali! Ten przykład doskonale unaocznia, jak bardzo władza państwowa w takich krajach jest słaba; sięga często do granic stolicy albo stołecznego regionu. A przecież są takie przykłady jak Kongo-Brazzaville, w którym władza państwa obejmowała jeszcze mniejsze terytorium – tylko kilka dzielnic stolicy, bo już nad innymi dzielnicami panował ktoś zupełnie inny, zupełnie inna władza.

Możemy zatem obalać kolejne rządy, tylko że stracimy państwo – może na zawsze – bo nie będzie sił zdolnych je odbudować. Przecież nawet jeśli narzuci się jakąś sztuczną koalicję sił lokalnych, to ona szybko się rozpadnie. W tych społeczeństwach nie ma ogólnonarodowych sił ani ogólnonarodowych partii.

A.D.: – Czyli ani w państwie kolonialnym, ani później, w czasach niepodległości, nie powstał tam twór zwany narodem czy choćby społeczeństwo mające poczucie przynależności państwowej, czy tak?

R.K.: – Czegoś takiego jak naród na obszarach większości krajów postkolonialnych nigdy nie było i nie ma. Albowiem wraz z powstaniem postkolonialnego państwa nie dokonała się rewolucja społeczna, przemiana plemion w jednolity naród czy jedno społeczeństwo. Jedyne, co ocalało, to – jak powiedziałem – klan i plemię. Jedynymi autentycznymi reprezentantami tych społeczności są przywódcy klanowi, przywódcy plemienni albo watażkowie, tzw. warlordowie. Owszem, oni mogą być zainteresowani jakimś chwilowym porozumieniem w skali dawnego państwa, ale następnego dnia mogą się rozejść i wrócić do swoich plemion. Jest to zresztą cecha charakterystyczna tych społeczności – płynność, nietrwałość, nic nie jest ustalone raz na zawsze. Dziś można podpisać porozumienie, a jutro już będzie ono nieważne.

Bywał oryginalny, odkrywczy również wtedy, gdy szukał światopoglądowych źródeł kolonializmu, podboju, zbrodni XX wieku:

Ideologią handlarzy niewolników był pogląd, że Czarny to nie-człowiek, że ludzkość dzieli się na ludzi i podludzi i że z tymi ostatnimi można zrobić, co się chce, najlepiej – wykorzystać ich pracę, a potem unicestwić. W notatkach i zapiskach tych handlarzy wyłożona jest (co prawda w prymitywnej formie) cała późniejsza ideologia rasizmu i totalitaryzmu, z jej tezą-rdzeniem, że Inny – to wróg, więcej – to nie-człowiek. Cała ta filozofia obsesyjnej pogardy i nienawiści, podłości i zdziczenia, nim zainspirowała budowę Kołymy i Oświęcimia, została wieki wcześniej sformułowana i zapisana przez kapitanów „Marthy" i „Progresso", „Mary Ann" czy „Rainbow" w ich kabinach, kiedy patrząc przez okno na lasy palmowe i rozgrzane plaże, czekali w swoich statkach, uczepionych wysp Sherebro, Kwale czy Zanzibar, na załadunek kolejnej partii czarnych niewolników.

Pogarda dla „nie-człowieka" była w XIX wieku słabo widoczna na Starym Kontynencie, daleka od europejskich oczu. Refleksja Kapuścińskiego wzbogaca wiedzę o „korzeniach totalitaryzmu" – by przywołać tytuł fundamentalnego dzieła Hannah Arendt – o wiek późniejszego. Jak gdyby pytał: czy okrucieństwa, jakie Europejczycy czynili sobie nawzajem w wieku XX, są aż tak zaskakujące, skoro wcześniej czynili to innym? Dlaczego Europejczycy zauważyli je dopiero wtedy, gdy dopadły ich samych, gdy obróciły się przeciw nim, a nie wcześniej? Co nam to mówi o europejskiej świadomości?

Kapuściński przyniósł czytelnikom z Zachodu wiele opowieści o ich świecie widzianym z perspektywy Południa; nie był pierwszy ani jedyny, należał jednak do niewielkiego grona popularnych, dość masowo czytanych pisarzy przyjmujących tę nie-europocentryczną optykę.

Jeszcze jedna refleksja na temat dziejów XX stulecia z punktu widzenia innego niż zachodni – na temat mapy świata:

> ...w połowie naszego stulecia przebudził się Trzeci Świat. To było niezwykłe zjawisko historyczne. Wiek XX był jedynym w swoim rodzaju nie tylko ze względu na doświadczenie totalitaryzmu, lecz i ze względu na narodziny Trzeciego Świata. Gdy polityczną mapę świata z pierwszej połowy wieku położymy obok mapy z drugiej połowy, to zobaczymy dwa zupełnie różne światy. Na pierwszej mapie świat był uporządkowany hierarchicznie. Ziemia była zdominowana przez kilka niezależnych państw, reszta świata miała status kolonii, półkolonii, dominiów. Wszystko było częścią struktury opanowanej przez Europę Zachodnią i USA. Dziś patrzymy na zupełnie inny świat. Dostrzegamy niemal 200 niezależnych państw, widzimy mapę bez kolonii, półkolonii lub protektoratów...

Dominacja silniejszych nad słabszymi przybrała inne, bardziej subtelne i złożone formy.

...druga połowa naszego stulecia to epoka wielkiej i ostatecznej dekolonizacji świata, awansu politycznego setek plemion, narodowości i narodów, ich wejścia na arenę świata, ich stopniowego przekształcania z przedmiotów w podmioty historii. Ta zmiana, ten awans otworzyły drogę dla procesu cywilizacyjnego, dla wielkiej migracji ze wsi do miast, ruchu, który przybrał skalę planetarną.

A sprawa godności? Kapuściński uparcie głosił, że rewolucje wybuchają niekoniecznie dlatego – nie przede wszystkim – że ludzie nie mają chleba, lecz ponieważ nie potrafią znosić dłużej upokorzeń, pogardy rządzących, gwałcenia godności. Czynnik niedoceniany przez zawodowych komentatorów: historyków, politologów, filozofów od polityki.

Kiedy dochodzi do rewolucji? Kiedy ludzie są zdolni wystąpić przeciwko tyranii? W momencie, w którym pęka strach, gdy jeden człowiek z tłumu przestaje bać się policjanta, a inni idą za nim, naśladują go, wkraczają do nowego świata – bez strachu. „...człowiek z tłumu przestał się bać... to jest właśnie początek rewolucji...". W Polsce, Iranie, Chile, Meksyku... Wszędzie.

A jego uwagi o Trzecim Świecie i ubóstwie?

Mój temat główny to życie ubogich. Tak rozumiem pojęcie Trzeciego Świata. Trzeci Świat nie jest terminem geograficznym (Azja, Afryka, Ameryka Łacińska) ani rasowym (tzw. kolorowe kontynenty), ale egzystencjalnym. Jest nim właśnie życie ubogie, które charakteryzować będzie stagnacja, strukturalny bezruch, skłonność do regresu, stała groźba upadku ostatecznego, ogólna bezwyjściowość. Ubóstwo ma wiele postaci, wiele masek i form, wiele strzępów i dziur, rdzy i kikutów, łachmanów i łat...

Zupełnie genialne jest odkrycie tego, co na początku lat osiemdziesiątych najbardziej odmieniło życie codzienne w wielu częściach Afryki: plastikowy kanister!

Kilkanaście lat temu ten kanister zrewolucjonizował życie w Afryce. Warunkiem przetrwania w tropiku jest woda. Ponieważ na ogół nie ma tu kanalizacji i wody jest wszędzie mało, trzeba ją nosić na duże odległości – czasem kilkanaście kilometrów. Wieki całe do tego celu służyły ciężkie gliniane lub kamienne stągwie... I oto pojawił się plastikowy kanister. Cud! Rewolucja! Po pierwsze jest stosunkowo tani... kosztuje około dwóch dolarów. Ale najważniejsze, że jest lekki! Ważne jest też, że jest w różnych rozmiarach, więc nawet małe dziecko może przynieść kilka litrów wody.

Wszystkie dzieci noszą wodę! I oto widzimy całe tabuny rozhasanej dzieciarni, jak bawiąc się i przekomarzając, idą gdzieś do odległego źródła po wodę. Jakaż to ulga dla umordowanej do kresu sił kobiety afrykańskiej! Jakaż to przemiana w jej życiu! O ileż więcej czasu ma ona teraz dla siebie, dla domu!

Nieszablonowe było jego spojrzenie na zimną wojnę, którą przez pół wieku „traktowano jako centralny i właściwie jedyny konflikt, który zasłaniał wszystkie inne konflikty i problemy. Liczyło się tylko, ile bomb mają jedni, ile drudzy. Jakie kto ma wpływy i gdzie". Myślenie to – jak uważał – przeniesiono w dzisiejsze czasy, stąd zaskoczenie zamachami 11 września 2001 roku, stąd pomysły „szerzenia demokracji" drogą wojny, stąd ignorowanie niebezpieczeństwa, jakim jest globalne ubóstwo – największa bomba zagrażająca planecie.

Kapuściński zauważał to, co uchodziło nieraz uwadze tych, którzy mają status myślicieli. Nie wyrażał swoich obserwacji w języku teorii, lecz prosto, w sposób zrozumiały dla masowej publiczności, dokładnie tak samo jak pisał reporterskie opowieści. Jeden z moich rozmówców mówi tak:

– Był odkrywczy, oryginalny tam, gdzie osobiście dotknął innej ziemi, powąchał nieznaną rzeczywistość; tam, gdzie się zmęczył i spocił. Kapuściński „biblioteczny" stawał się płaski, wtórny.

A miał również „blibioteczne" aspiracje. W *Lapidariach* i wywiadach nieraz polemizował z najsłynniejszymi myślicielami Zachodu epoki pozimnowojennej.

Przede wszystkim fałszywie zrozumiano zakończenie zimnej wojny. Potraktowano je jako koniec konfliktów i wojen w ogóle. Sztandarowym przejawem tego sposobu myślenia był ogłoszony w 1989 r. esej Francisa Fukuyamy *Koniec historii*. Rozumowanie Fukuyamy było następujące: historia skończyła się, ponieważ upadł komunizm i dla liberalnej demokracji nie ma alternatywy ustrojowej. System liberalnej demokracji funkcjonuje najlepiej w Stanach Zjednoczonych, ergo – będzie automatycznie przyjmowany przez wszystkich, gdyż jest systemem najbardziej racjonalnym. Tak oto skończyła się historia jako pewien dramat, zderzenie, rywalizacja. Tekstowi Fukuyamy nadano ogromne znaczenie, zaczęto tłumaczyć na wiele języków i potraktowano jako koncepcję tego, co będzie się działo w świecie po zakończeniu zimnej wojny.

To stanowisko – że zwycięża liberalna demokracja jako jedyny możliwy wariant rozwoju ludzkości – pociągnęło za sobą dwa praktyczne następstwa: błyskawiczny rozwój konsumeryzmu jako filozofii życia i przenicowanie środków przekazu w narzędzia rozrywki. Jak pisał wybitny myśliciel amerykański Neil Postman, ludzie Zachodu zaczęli „zabawiać się na śmierć". W swojej znakomitej książce *Amusing ourselves to death* Postman ukazuje, jak my, ludzie Zachodu, zamieniliśmy wszystko w quizy, konkursy, loterie, lunaparki. Cały nasz świat stał się wielkim centrum zabawy. Rozrywka stała się główną treścią kultury. A ponieważ i konsumpcja, i rozrywka wymagają spokoju, dobrego nastroju, ów nastrój zaczęły nam stwarzać media, usuwając z naszych oczu prawdziwe problemy świata: nędzę, głód, choroby, wojny.

Dzięki temu zapomnieliśmy, że my, ludzie Zachodu, stanowimy niewielką część ludzkości na naszej planecie. Że naszej zabawie i rozrywce towarzyszy pogłębiający się podział świata, rosnące nierówności. Świat zaczyna dzielić się na 20-procentową mniejszość beneficjentów i 80-procentową większość zmarginalizowanych. Tu nie chodzi tylko o realną biedę czy głód, ale również o poczucie bycia zmarginalizowanym; o wewnętrzną urazę, gorycz i frustrację ludzi, którzy widzą, że w wyścigu po coraz doskonalsze produkty konsumpcji nie ma dla nich miejsca...

...obok „końca historii" Fukuyamy w myśli amerykańskiej pojawiła się również inna koncepcja, którą reprezentuje Samuel Huntington. Mówi ona o zderzeniu cywilizacji i jest – jak sądzę – bliższa rzeczywistości. Huntington zresztą sam jej nie wymyślił. Myślenie o historii nie jako o historii państw i narodów, lecz cywilizacji sformułował Arnold Toynbee. Huntington rozwinął tę koncepcję, uwspółcześnił ją. Ona również ma swoje słabości, gdyż uwzględnia jedynie konflikty między cywilizacjami, nie dostrzegając, że wiele konfliktów toczy się wewnątrz poszczególnych cywilizacji. Ostatnia duża wojna XX wieku toczyła się między Irakiem i Iranem w latach 80. i 90., i była wojną wewnątrz cywilizacji islamu. Co jednak ważne w myśli Huntingtona to, że przewidział świat XXI wieku jako świat napięć i konfliktów, czego nie zauważył Fukuyama.

Nigdy nie rozwinął swoich polemik w formę większego eseju, książki; zaczepiał obu amerykańskich politologów na kartach *Lapidariów* krótkimi komentarzami. Nic więcej.

Fukuyamę spotkał osobiście w Warszawie, a potem subtelnie obśmiał.

20 listopada 2001.

Dzień z Francisem Fukuyamą. Ciekawił mnie jego sposób myślenia, jego widzenie świata.

Fukuyama – w średnim wieku, skromny, uprzejmy. Spokój, grzeczność, żeby nie powiedzieć – nieśmiałość to jego sposób bycia, zachowania wobec innych, natomiast w dyskusji autor *Końca historii* jest partnerem bardzo trudnym, a ściślej – w ogóle nie można z nim dyskutować, nie dopuszcza bowiem do wymiany zdań. Na każde pytanie ma gotową odpowiedź, którą wygłasza od razu, bez wahania, tonem pewnym, nieznoszącym sprzeciwu. W tym myśleniu nie ma miejsca na zwątpienia, znaki zapytania, sceptycyzm. Jeżeli jest problem, to wcześniej czy później będzie rozwiązany. Bieda? Zostanie zlikwidowana. Choroby? Wynajdzie się lekarstwa. Zanieczyszczenie powietrza? Zainstaluje się filtry itd., itp. Rzeczywistość nie stawia oporu, a jeżeli stawia – będzie on przełamany. W świecie Fukuyamy mogą oczywiście pojawiać się trudności, ale wszystkie z pewnością zostaną przezwyciężone. Pełny, zwycięski optymizm.

W tym sposobie myślenia o nic nie można zaczepić, żeby nawiązać rozmowę, dialog. Powierzchnia dyskursu jest gładka, aerodynamiczna, bez trudu pokonująca siły oporu.

Nie czuł się dobrze w towarzystwie amerykańskiego myśliciela, także dlatego, że tamten nie traktował go jak równorzędnego partnera w dyskusji. Prowadzili między sobą debatę w bibliotece Uniwersytetu Warszawskiego: to jednak Fukuyama mówił, Kapuściński – raczej nieefektowny w publicznych występach, nieumiejący się odnaleźć w polemikach – nie potrafił przebić się; tylko raz lub dwa doszedł na chwilę do głosu. Przy gwieździe Fukuyamy wypadł blado, mimo że miał do powiedzenia – jak sądzę – bardziej interesujące, odkrywcze rzeczy niż amerykański politolog.

Ta scena ma też symboliczny wymiar: ilustruje kiepskie „samopoczucie ideowe" Kapuścińskiego po '89 roku, jego zagubienie w czasach dominującej ideologii neoliberalnej, lekceważenia problemów nędzy, udzielania uproszczonych odpowiedzi na skomplikowane wyzwania, hurraoptymizmu „końca Historii".

W książeczce *Ten Inny* zawarł swój intelektualny manifest, polityczne i moralne przesłanie. Świat współczesny to teren współistnienia różnych kultur, z których żadna nie jest i nie będzie dominująca – w taki sposób, w jaki przez wiele stuleci dominowała kultura europejska. Pozostaje nam uważne słuchanie się nawzajem, dialog; jest nas już ponad sześć miliardów, siedzimy na beczce prochu.

Osiatyński uważa, że Kapuściński napisał w tej książce poważne głupstwo: mianowicie – że Oświecenie zamyka w stosunkach Europy z Innymi okres „dzikości" i otwiera nową epokę nowoczesną, w której pojawia się nowy język i przekonanie, że Inny jest nam, Europejczykom, równy.

– A gdzie cały kolonializm XIX wieku, ideologia rasizmu, o których Rysiek tyle pisał? Przecież te potworności zrodziła epoka już pooświeceniowa. Powiedziałem mu o tym i obiecał, że w kolejnym wydaniu książki wprowadzi korekty. Nie zdążył.

Inna niedorzeczność, jaką Osiatyński usłyszał od przyjaciela: że prawa człowieka nie mogą stanowić uniwersalnej filozofii politycznej ludzkości, ponieważ „stawiają jednostkę ponad zbiorowością". To nonsens, mówi Osiatyński, ekspert w tej materii: prawa człowieka określają jedynie, jakiego rodzaju przymusu zbiorowość nie może zastosować wobec jednostki, co nie znaczy, że jednostka rządzi grupą – to nieporozumienie.

W jednym z *Lapidariów* Kapuściński napisał: „Prawa człowieka rozumiemy zbyt instytucjonalnie. Zwykle o łamanie tych praw oskarżamy państwo – rząd, biurokrację, policję. A przecież prawa człowieka może łamać inny człowiek, osoba najzupełniej pojedyncza i prywatna". Znowu konfuzja: prawa człowieka to dyscyplina z pogranicza prawa i filozofii politycznej, określająca wzajemne relacje jednostki i państwa, jednostki i zbiorowości, nie relacje jednostka – jednostka.

– Myślę, że Rysiek uwierzył w swoją wielkość i zaczął formułować ogólne refleksje, nie mając solidnych podstaw. Czytał wybiórczo, mniej go interesowały procesy, nie zawsze dostrzegał ogólne prawa. Doskonale za to widział szczegóły.

„Doświadczenie przebywania latami wśród dalekich Innych uczy mnie, że tylko życzliwość do drugiej istoty jest tą postawą, która może poruszyć w niej strunę człowieczeństwa". W ostatnich latach życia wymyśla ideę reportera-tłumacza kultur, życzliwego obserwatora, budowniczego mostów ponad barierami kulturowymi. Pierwszym był Herodot, współczesnym tłumaczem – on sam. W jednym z wywiadów mówi:

> Wartość pracy reportera polega nie tylko na tym, że się stykam z inną kulturą, lecz także na tym, że o tej innej rzeczywistości muszę komuś opowiedzieć. Muszę więc szukać kluczy do otwierania innych światów. Bez tego ten zawód nie ma sensu. Reporter to trochę zwiadowca, który penetruje obce obyczaje, sytuacje, i trochę tłumacz, który próbuje te obserwacje przenieść na język, pojęcia i obrazy właściwe dla jego kultury.

Reporter-tłumacz kultur jest jednak skazany na porażkę – Kapuściński wie o tym. Świat jest zbyt bogaty, trudno przeniknąć inną cywilizację, zrozumieć inne zachowania, obyczaje, inną historię. W *Podróżach z Herodotem* opisuje, jak założył na siebie w Rzymie nową koszulę, nowy garnitur i modny krawat w groszki – i tak wszyscy widzieli, że jest obcy. W Algierze po obaleniu Ahmeda Ben Belli zauważa zbiegowisko, biegnie na miejsce zdarzenia, lecz okazuje się, że gapie obserwują uliczną stłuczkę samochodową. „Tłumacz kultur" nie jest w stanie rozpoznać najprostszych znaków innej kultury, lecz mimo to, na przekór kolejnym porażkom próbuje dalej, nawet jeśli znowu miałoby się nie udać. Mierzy się z niemożliwością.

Ta niemożliwość zawiera jednak program etyczny i polityczny dla świata, reporter zwiadowca daje tylko przykład: wzajemne słuchanie, wychodzenie naprzeciw Innemu, globalna solidarność. Inaczej wszyscy się pozabijamy.

W tym fragmencie swojej refleksji szedł radykalnie pod prąd tendencjom dominującym w polityce światowej po zimnej wojnie.

Dokąd od socjalizmu? cd.

Kiedy sobie uświadamia, że zacierając ślady przeszłości, dopasowując się do głównego nurtu myślenia po komunizmie i zimnej wojnie, chodzi w nie swojej skórze?

Może wtedy, gdy pod koniec lat dziewięćdziesiątych notuje:

> Kilka dogmatów ekonomicznych legło w gruzach. Najważniejszy z nich – że rozwój inwestycji, handlu i technologii będzie zwiększał dobrobyt całego społeczeństwa. Jest inaczej: dziś bogacą się ci, którzy już są bogaci. Ludzkość – w skali każdego kraju i całej planety można podzielić na dwie grupy, na wygranych i przegranych. Ktoś czuje, że się coraz bardziej wspina, ale inny widzi, że znalazł się na boku, poza grą, daleko od zastawionego stołu: oto na jakie obozy podzieliła się rodzina człowiecza, a raczej – podzielona była zawsze, ale rozwój masowej komunikacji coraz to dobitniej wszystkim uzmysławia…

Może chwilę później, gdy dopowiada:

> Zmierzch klasy robotniczej w krajach rozwiniętych nie oznacza, że zniknęła ona z powierzchni ziemi. Tradycyjne przemysły przecież istnieją i rozwijają się – ale ich miejscem są kraje Trzeciego Świata. Kiedyś, jeszcze 50 lat temu, podział pracy był następujący: kraje Północy wytwarzały i eksportowały towary do krajów Południa, a importowały stamtąd surowce. Dziś kraje Północy eksportują tam coraz mniej, bo ich towary są dla Południa zbyt drogie, natomiast właśnie Południe coraz więcej wytwarza i eksportuje tanich towarów na Północ. W ten

sposób wielki kapitał wykończył kosztowną klasę robotniczą krajów bogatych rękami tanich robotników Trzeciego Świata.

Raczej na pewno, gdy pisze:

> Coraz więcej mówi się o globalizacji, ale jest ona pojmowana nie jako zbliżenie i poznawanie się kultur i społeczeństw, lecz jako operacja finansowo-ekonomiczna, jako prawo działania kapitału na wszystkich rynkach świata, przepojone duchem nie zbliżenia, tylko – dominacji...
> Szczególna szkodliwość przesiąkniętego egoizmem neoliberalizmu polega na tym, że stał się praktyką państw zamożnych w momencie, kiedy w wyniku eksplozji demograficznej pojawiły się na naszej planecie olbrzymie, liczące setki milionów masy ubogich, które bez wsparcia bogatszych nie znajdą sobie godziwego miejsca na ziemi.

Gdy w 2001 roku w Meksyku obserwuje wjazd do stolicy partyzantów Marcosa – pierwszego buntownika przeciwko neoliberalizmowi – znowu jest tym samym, co kiedyś reporterem z sercem po lewej stronie: zawsze z rebeliantami przeciwko wielkiemu kapitałowi i władzy, w obronie przegranych.

Teraz nazywa siebie „tłumaczem kultur" – w tej formule zawiera się postawa ideowa, światopogląd, lewicowość. Jeśli żyjemy w świecie, w którym zwycięzca bierze wszystko, narzuca reguły gry, eksploatuje słabszych, w tym zazwyczaj ludzi z innych niż własna kultur, a stary lewicowy język krytyki utracił wiarygodność, siłę przebicia, należy poszukiwać nowego, uzupełnić dawne diagnozy i krytykę, wyciągnąć wnioski z porażek, sformułować przesłanie adekwatne dla teraźniejszości.

– Marks jest ciągle przydatny – mówi kiedyś, gdy opowiadam mu o swoich obserwacjach z podróży do Brazylii.

Podróżowałem po brazylijskim interiorze, w Mato Grosso opowiadano o ciałach nieboszczyków, które co jakiś czas wyrzuca na brzeg rzeka Araguaia. To chłopi, którzy nielegalnie zajmowali poletka i nieużytki rolne. Wcześniej pracowali u latyfundystów za głodowe pensje albo za marne wyżywienie. Gdy stracili pracę, nie mieli dokąd pójść. Jedyny pomysł, jaki przychodził im do głowy, to okroić kawałek ziemi dawnego pana i z niej żyć. Do zamachu na święte prawo własności popchnęły ich głód i rozpacz. Prywatne policje właścicieli ziemskich urządzają na nich polowania, a zabitych wrzucają do rzeki.

– Klasyczny konflikt klasowy, z Marksa wyjęty – diagnozuje Rysiek.

Świetnie rozumie, dlaczego wraca „moda na Marksa": bo istnieją konflikty, do których marksowski opis pasuje jak ulał. Nawet tygodnik „The Economist" poświęca numer renesansowi myśli autora *Kapitału*, mimo że nadal twardo broni rynku w wersji neoliberalnej. Kapuściński „po socjalizmie" traktuje marksizm nie jako wytrych do wszystkich drzwi, raczej jako zbiór obserwacji o świecie, niekiedy metodę analizy wydarzeń, stawiania pytań. Myśl Marksa, uważa, zachowała żywotność, w wielu sytuacjach przydaje się.

– Pochopnie wyrzucono całego Marksa na śmietnik.

Znowu ten sam dystans, ta sama niechęć do przyznania się do błędu: „wyrzucono" nie „wyrzuciliśmy".

W drugiej połowie lat dziewięćdziesiątych Kapuściński-komentator zaczyna zupełnie otwarcie mówić i pisać językiem lewicowych krytyków neoliberalizmu i globalizacji. W gruncie rzeczy z lewicowym myśleniem nie rozstał się nigdy, na początku lat dziewięćdziesiątych nie potrafił odnaleźć dla siebie duchowej i intelektualnej przestrzeni; w świecie neoliberalnej ideologii, wynoszenia na ołtarze rynku, apoteozy bezwzględnej konkurencji i lekceważenia przegranych czuł się zagubiony. To w tym zagubieniu i próbie znalezienia sobie miejsca w nowych realiach mają swoje źródło jego komentarze, opinie z pierwszych *Lapidariów* niepasujące do wszystkiego, co pisał wcześniej i później. Gdy pod koniec dekady na scenę wraca krytyka kapitalizmu i społecznych (teraz także globalnych) nierówności, a także pojawiają się nowe ruchy kontestacji, Kapuściński odżywa, dostaje wiatru w żagle, znajduje swoją ojczyznę – tyle że zazwyczaj ta ojczyzna jest poza krajem. To za granicą, nie w Polsce, ma słuchającą go naprawdę publiczność, jego diagnozy są szanowane i mają siłę przebicia w Hiszpanii, Włoszech, Meksyku czy Argentynie. Choćby ta z przedostatniego tomu *Lapidariów*:

> Globalizacja nie jest globalna, bo obejmuje prawie wyłącznie Północ, gdzie znajduje się 81 procent wszystkich inwestycji zagranicznych...
>
> Szybkiemu, dynamicznemu rozwojowi świata towarzyszą dwie groźne deformacje:
>
> po pierwsze – rozwój ten generuje nierówności (wewnątrz kraju i w skali planety);
>
> po drugie – wszędzie rośnie siła i zamożność centrum, a słabną i ubożeją peryferie.

Wszyscy i wszędzie uczestniczymy w grze, której zasadą jest, że zwycięzca bierze wszystko (np. szef zarabia tyle, ile reszta załogi łącznie). Słowem – nowy feudalizm: na wierzchołku – pan, władca, suweren, a poniżej – cały podległy mu świat lenny – wasale, służba, kmiotkowie...

Dobry słuch na tę problematykę mają lewicujące ruchy kontestacji, szczególnie w Europie i obu Amerykach, lecz także niektórych krajach Azji i Afryki. Ostatnie tomy *Lapidariów* Kapuścińskiego zawierają katalogi społecznych skandali – takich jak głód, nędza, wyzysk, nowe nierówności. Współbrzmią one z wątkami podejmowanymi od drugiej połowy lat dziewięćdziesiątych przez ruch alterglobalistyczny. Dlatego jeden z intelektualnych „ojców chrzestnych" tego ruchu, Ignacio Ramonet, sytuował Kapuścińskiego w panteonie współczesnych myślicieli, komentatorów, którzy kształtują globalną wrażliwość na krzywdę i nierówności, nowe krytyczne myślenie; wśród nich – Noam Chomsky, Eric Hobsbawm, Gore Vidal, José Saramago, Carlos Fuentes, a także nieżyjący już wtedy Susan Sontag i Edward Said.

Sam Kapuściński stroni pod koniec życia od politycznych afiliacji. Widzi siebie jako osobnego, krytycznego komentatora spraw świata; asocjacje z konkretną tendencją, etykietą alterglobalisty – mimo że w zasadniczych kwestiach mówił to samo, co alterglobaliści – mogłaby go zirytować.

Stara się zachować osobność.

W *Hebanie* spisuje katalog rozczarowań, choć ubiera je w formy rozmów z innymi, nie pisze od siebie. Jeden z jego afrykańskich rozmówców zauważa: groźny dla zdekolonizowanej Afryki jest fanatyzm religijny i etniczny. Następny – że Afryka musi się ocknąć. Jeszcze ktoś inny: że dopiero po trzydziestu latach niepodległości Afrykańczycy dostrzegli, że oświata sprzyja rozwojowi. („Gospodarka chłopa piśmiennego jest 10–15 razy bardziej wydajna niż gospodarka chłopa-analfabety").

– Zanim zabrał się do pisania *Hebanu* – opowiada Jerzy Nowak – pojechał do Afryki sprawdzić, co z tego, czym dawniej się zachwycaliśmy, da się jeszcze obronić. Mówił mi potem, że można dojść do świętokradczego wniosku, iż jest gorzej, niż było w czasach kolonialnych, lecz nie obwiniał o to Afrykańczyków, raczej dostatnią

Północ, która nie spieszy z pomocą, choćby mogła. Zamiast pomocy kraje dostatnie interesują się w Afryce eksploatacją surowców, niczym więcej.

Świat późnego Kapuścińskiego komplikuje się. Nadal jest adwokatem Afryki, lecz dopuszcza pytanie o zdolność afrykańskich kultur do autokrytyki, ergo: postępu i rozwoju. Zaprzysięgły wróg kolonializmu głosi apoteozę europejskiej kultury?

> Umysł europejski uznaje, że ma granice, akceptuje swoją niedoskonałość, jest sceptyczny, wątpi, stawia znaki zapytania. W innych kulturach tego ducha krytyki nie ma. Więcej – są one skłonne do pychy, do uznawania wszystkiego, co własne, za doskonałe, słowem – są one w stosunku do siebie bezkrytyczne... Przedstawiciele tych kultur traktują krytykę jako osobistą obrazę, jako rozmyślną próbę ich poniżenia, nawet jako formę znęcania się. Jeżeli powiedzieć im, że miasto jest brudne, traktują to, jakby ktoś powiedział, że sami są brudni, że mają brudne uszy, szyje, paznokcie itd. Zamiast ducha autokrytyki noszą w sobie pełno uraz, kompleksów, zawiści, zadrażnień, dąsów, manii. To powoduje, że są kulturowo, trwale, strukturalnie niezdolni do postępu, do wytworzenia w sobie, wewnętrznie, woli przemiany i rozwoju.
>
> Czy kultury afrykańskie (bo jest ich wiele, tak jak wiele jest afrykańskich religii) należą do tych nietykalnych, bezkrytycznych? Tacy Afrykańczycy jak Sadig Rasheed zaczęli się nad tym zastanawiać, chcąc znaleźć odpowiedź, dlaczego Afryka w wyścigu kontynentów zostaje w tyle.

Nadal domaga się pomocy dostatniego świata dla Afryki, by za chwilę podzielić się taką myślą:

> Obraz Afryki, jaki ma Europa? Głód, dzieci-szkieleciki, sucha spękana ziemia, slumsy w mieście, rzezie, AIDS, tłumy uchodźców bez dachu nad głową, bez odzienia, bez lekarstw, wody i chleba.
>
> Więc świat spieszy z pomocą.
>
> Jak w przeszłości, tak i dziś Afryka jest postrzegana przedmiotowo, jako odbicie jakiejś innej gwiazdy, jako teren i obiekt działania kolonizatorów, kupców, misjonarzy, etnografów, wszelkich organizacji charytatywnych... Tymczasem poza wszystkim, istnieje ona dla siebie samej, w sobie samej, wieczny, zamknięty, osobny kontynent...

W drugim ukochanym regionie – Ameryce Łacińskiej – zachwyca go „wiosna ludów", nowa lewicowa fala rozpoczęta w końcu lat dziewięćdziesiątych.

Jesteśmy świadkami nowego, wielkiego przebudzenia i odrodzenia etnicznego tej części społeczeństw Ameryki Łacińskiej, która była jej ludnością autochtoniczną. To byli „oryginalni" – by tak rzec – mieszkańcy tej ziemi, podbici w czasach XVI-wiecznej konkwisty. Wywalczenie niepodległości przez kolonie hiszpańskie i portugalskie w XIX wieku, które od tamtej pory są osobnymi, niezależnymi państwami latynoamerykańskimi, nie zmieniło w sposób zasadniczy społecznego położenia Indian. Oni wciąż pozostawali ludźmi z marginesu, władza zaś należała i należy do białej mniejszości. Teraz Ameryka indiańska budzi się ze snu. Nie tylko w Meksyku, ale wszędzie tam, gdzie indiańskie społeczności są jeszcze silne, czyli w Peru, Boliwii, całej Ameryce Środkowej, Kolumbii, Wenezueli, Ekwadorze, Paragwaju i Brazylii. Jest to zjawisko na skalę całego regionu. Indianie uzyskują świadomość etniczną i żądają równoprawnego członkostwa w nowym, wielokulturowym świecie XXI wieku...

Istotą rzeczy jest kompletna zmiana nastroju we wszystkich niemal krajach regionu, które ostatnio odwiedziłem; także wiara, że możliwy jest pozytywny scenariusz wypadków dla tej części świata. Ameryka Łacińska przestała być kontynentem, na którym skupiają się napięcia globalne, a zaczęła stawać się laboratorium jakichś nowych form społecznych, kulturalnych, miejscem różnych eksperymentów. XXI wiek będzie wiekiem Ameryki Łacińskiej.

Niektórzy uważają, że na starość „rozliczył się" – między innymi w *Hebanie* – z młodzieńczych fascynacji rewolucjami, rebeliami, buntami. Co znaczy: „rozliczył się"? Odwrócił od tego, co pisał wcześniej? Zanegował to, co widział i przeżył? Zweryfikował dawne oceny? U znawcy jego twórczości Andrzeja Pawluczuka czytam:

Zapytałem kiedyś Kapuścińskiego, czy dzisiaj, po dwudziestu latach, tak samo, identycznie, napisałby tamte swoje książki: *Wojnę futbolową* i *Chrystusa z karabinem na ramieniu*. Tak, identycznie – odparł bez wahania. A przecież w ciągu ostatnich dwudziestu lat zmieniła się nie tylko Polska, ale i nasze widzenie świata. Nie mamy już złudzeń, co kryło się za „walką z imperializmem światowym" i ile w słusznych przecież i sprawiedliwych wojnach antykolonialnych było manipulacji wielkich mocarstw i ich rozgrywek o własne, polityczne i ekonomiczne interesy.

Do końca uważał, że to „zła" Moskwa, a nie „dobry" Zachód, pomagała krajom Trzeciego Świata wybijać się na niepodległość; Zachód był siłą zniewalającą społeczeństwa Południa. Cóż z tego, że radzieccy ubijali przy okazji swoje ekonomiczne i geostrategiczne interesy? Czy dlatego Afrykańczycy mieliby dłużej znosić kolonializm, żeby temu zapobiec? Pomagać Zachodowi w zimnej wojnie? Nonsens. Jaki mieli w tym interes? Ocenianie zasadności buntu, walki wyzwoleńczej, rewolucji ex post na podstawie późniejszych porażek Kapuściński uważał za niedorzeczne.

Moskwa nie wszędzie oczywiście, nie w każdym zakątku Trzeciego Świata, wspierała w czasie zimnej wojny wyzwoleńcze czy rewolucyjne rebelie. Więcej – sprzeciwiała się im, gdy zależało jej na pokoju z Waszyngtonem albo wtedy, gdy jakiś ruch, bunt nie pasował ideologicznie, nie uznawał Moskwy za rewolucyjny Rzym. Wówczas sympatie Kapuścińskiego ciążyły zazwyczaj ku heretykom – niekoniecznie ze względów ideologicznych. To była raczej sprawa empatii, solidarności z desperatami albo ideowcami, którzy na przekór wszelkim przeciwnościom biorą karabin i poświęcając własny spokój, często życie, idą walczyć o bardziej sprawiedliwy świat.

Kapuściński wraca na własną ścieżkę, z której zboczył na początku lat dziewięćdziesiątych. Wyłamuje się z politycznej poprawności nowych czasów, podobnie jak wyłamywał się z niej w czasach Polski Ludowej. A zarazem pozostaje w głównym nurcie jako największa gwiazda polskiego dziennikarstwa – dokładnie tak samo, jak w poprzedniej epoce. To, co pisze i głosi na temat współczesnych konfliktów i wyzwań, ma jednak ograniczony wpływ na myślenie politycznego i dziennikarskiego establishmentu w Polsce. Nie pierwszy i nie ostatni wielbiony, kompletnie niesłuchany.

Światopoglądowy rozdźwięk między Kapuścińskim a „środowiskiem" reprezentującym główny nurt myślenia (na pewno główny w Polsce) zwerbalizuje się po zamachach 11 września 2001 roku na WTC i Pentagon.

Kilka dni po tamtym zdarzeniu dzwoni: – Wpadnij, musimy porozmawiać.

Nigdy wcześniej nie słyszałem w jego głosie takiego tonu, pełnego irytacji, zniecierpliwienia.

– To okropne, co piszecie w gazecie, wszystko nie tak, żadnej refleksji. Głupstwa i niedorzeczności!

– Robimy rozmowę?

– Zapytaj, czy będą chcieli.

Na wywiad przychodzę razem z Aleksandrem Kaczorowskim, wtedy szefem „Gazety Świątecznej", sobotnio-niedzielnego działu, w którym ukazują się obszerne eseje, reportaże, rozmowy „Gazety Wyborczej". Kapuściński kreśli panoramę globalizacji – kontekst zamachów 11 września:

> Zjawisko globalizacji nie funkcjonuje na jednym poziomie, jak się często mówi, lecz na dwóch, a nawet trzech. Pierwszy z nich to ten oficjalny, czyli swobodny przepływ kapitału, dostęp do wolnych rynków, komunikacja, ponadnarodowe firmy i korporacje, masowa kultura, masowe towary, masowa konsumpcja. To jest ta globalizacja, o której dużo się mówi i pisze. Ale jest też globalizacja druga – moim zdaniem – bardzo silna, negatywna, dezintegrująca. Jest to globalizacja świata podziemnego, przestępczego, mafii, narkotyków, masowego handlu bronią, prania brudnych pieniędzy, unikania płacenia podatków, oszustw finansowych. To też się dzieje w skali globalnej. Spójrzmy tylko, jakie rozmiary ma dzisiaj nielegalny handel bronią, ludźmi, jak się prywatyzuje przemoc, jak powstają prywatne armie, które można wynająć do prowadzenia wojen w Trzecim Świecie. Istnieją one nielegalnie, a nawet legalnie.
>
> Ta druga globalizacja również korzysta ze swobody i środków komunikacji elektronicznej. I coraz trudniej ją kontrolować ze względu na coraz większe osłabienie państwa. Kiedyś monopol na przemoc miało państwo – tylko ono mogło mieć armię, policję, służby itd. To się skończyło. Teraz wszystko zaczyna się prywatyzować i pod przykrywką oficjalnej globalizacji mamy też tę drugą – globalizację światowego podziemia.
>
> I jest jeszcze trzecia globalizacja, która obejmuje formy życia społecznego: międzynarodowe organizacje pozarządowe, ruchy, sekty. Ona świadczy o tym, że w starych, tradycyjnych strukturach – takich jak państwo, naród, Kościół – ludzie nie znajdują już odpowiedzi na swoje potrzeby i szukają czegoś nowego. O ile więc początek XX wieku cechowało istnienie silnych państw i silnych instytucji, o tyle początek XXI wieku cechuje osłabienie państwa i wielki rozwój różnego typu

małych, pozapaństwowych, pozarządowych form – i cywilnych, i religijnych. Zmienia się kontekst i struktura, w jakiej żył człowiek. Wartości zaczyna nabierać to, co po angielsku nazywa się *community*, czyli wspólnota. Ludzie organizują się według prywatnych potrzeb i zainteresowań, rozwija się patriotyzm nie w skali narodu czy państwa, ale właśnie w skali małej *community*. Co charakterystyczne, tego typu działań nie sposób kontrolować.

To niezwykle istotna okoliczność dla zrozumienia takich wydarzeń jak 11 września, bo ona ukazuje, że możemy mieć do czynienia z siłami, nad którymi nikt nie panuje, i które będą trudne do opanowania w przyszłości.

Postuluje, nie pierwszy raz, ideę globalnej solidarności:

Tu nie chodzi o doraźną pomoc – taką, jaką się daje w przypadku powodzi, trzęsienia ziemi, głodu czy innego kataklizmu. Tu chodzi o całościową koncepcję dobrej woli ze strony świata rozwiniętego. Taka nigdy dotąd nie powstała. Owszem, 30 lat temu kraje rozwinięte zadeklarowały przekazywanie jednego procentu swojego PKB na pomoc dla krajów najbiedniejszych. Pieniędzy tych nigdy nie przekazano. I ów brak myślenia w kategoriach globalnej solidarności trwa niezmiennie do dziś…

Jeśli nie pomożemy biednym, nie zasypiemy choć w minimalnym stopniu nierówności na świecie, to się pozabijamy. Mam wrażenie, że przechodzimy dramatyczny kryzys myśli humanitarnej.

Pod koniec rozmowy uderza w polemiczny ton, krytyczny wobec głównego nurtu myślenia o tym, co się stało 11 września w Nowym Jorku i Waszyngtonie:

Nie jestem w stanie słuchać kolejnych wypowiedzi o islamie czy cywilizacji arabskiej, na których – nagle się okazało – wszyscy świetnie się znają. Albo snucia planów, kogo by tutaj zabić, na kim się zemścić, kogo zbombardować. Sprawców zamachów w Ameryce trzeba oczywiście odnaleźć i ukarać. Ale nie taki powinien być horyzont myślenia o obecnym kryzysie. Jeśli będziemy myśleć jedynie o militarnym odwecie, daleko nie zajedziemy. Jeśli po zbrojnej odpowiedzi wrócimy do błogostanu, w jakim tkwiliśmy przez ostatnią dekadę, za chwilę znów coś wprawi nas w przerażenie…

11 września unaocznił, jak strasznie kruchy jest ten nasz świat. Świadomość tej kruchości wydaje mi się niesłychanie ważna – dla dalszej refleksji o świecie, a przede wszystkim dalszego w nim działania.

Tydzień później, jedyny raz w historii „Gazety Wyborczej", ukazuje się polemika z Kapuścińskim: łagodna w tonacji, stanowcza w opozycji do stylu myślenia, jaki reprezentuje. Pisze ją były wicenaczelny dziennika, Ernest Skalski.

Fragmenty:

Z Kapuścińskim można się zgadzać lub nie, lecz jego wiedza i poziom analiz zmuszają do refleksji. W latach 70. pracowaliśmy w tygodniku „Kultura", gdzie Ryszard publikował reportaże z wojny domowej w Angoli. Czarnymi charakterami jego tekstów byli zapomniany już Roberto Holden i szef partyzantki UNITA Jonas Savimbi – do dziś zły duch tego kraju. Na ich tle „postępowy" Agostinho Neto wypadał, rzecz jasna, pozytywnie.

Nic więcej nie można było wówczas napisać. Na zebraniach redakcyjnych zastanawialiśmy się jednak, dlaczego lewacki reżim, który wspierają Związek Sowiecki i Kuba, ma być lepszy od sił realizujących interesy zachodnich popleczników. Od tego czasu mam jeszcze w świecie parę spraw, które uważam za swoje, lecz nie mam swoich terrorystów. A jeśli chodzi o zamachowców, poczuwam się do wspólnoty tylko z tymi, którzy chcieli zabić generała-gubernatora Skałona, i tymi, którzy zastrzelili gen. Kutscherę.

„Myślę, że najważniejszą rzeczą jest w tej chwili ustalenie i zrozumienie kontekstu tego wydarzenia" – mówi Kapuściński. Gotów jestem się zgodzić, że to rzecz najważniejsza, lecz tu pojawia się odwieczny konflikt między ważnym i pilnym. Zrozumienie wymaga przemyśleń, a przemyślenia – czasu. Myśliciele mogą dojść do różnych wniosków, więc ustalenie czegokolwiek będzie trudne. A tymczasem trzeba zacząć coś robić, by w trakcie pracy myślowej nie zaskoczył nas kolejny straszliwy zamach...

Dobrze by było, gdyby teraz zmienił się stosunek do terroryzmu. Warunkiem sine qua non, który należy postawić cywilizowanym państwom, jest odcięcie się od terroru...

Można i trzeba współczuć, ofiarować usługi mediacyjne i pomoc – naprawdę – humanitarną. Nie wolno jednakże zachęcać kogokolwiek do użycia – niechby i w słusznej sprawie – przemocy, którą w naszych czasach coraz trudniej odróżnić od terroryzmu. Nie korzystamy, nie popieramy, nie wspomagamy, nie pochwalamy! W XXI wieku piękne hasło „Za wolność waszą i naszą" nie może oznaczać przyłączenia się do czyjejś irrendenty czy wspierania słusznego „ruchu narodowowyzwoleńczego"...

Z terroryzmem jak z torturami – usłyszałem. – Nie ma dobrych i złych. Wszystkie trzeba zwalczać.

No dobrze. A jeśli trzeba będzie wydać porywacza samolotu Chinom czy Irakowi, gdzie nikt nawet nie wspomni o uczciwym procesie? Gdzie na pewno czekają go tortury i śmierć?...

Jeśli ktoś zostaje członkiem organizacji terrorystycznej, jeśli się szkoli, nawiązuje kontakty, zbiera dane, przygotowuje broń, to jest wrogiem, którego należy wyeliminować, zanim kogoś zabije. Na postępowanie dowodowe, rzetelny proces i obrońców będzie czas, jeśli zbrodniarz dostanie się w ręce wymiaru sprawiedliwości.

Cywilizowanym społeczeństwom trudno będzie się pogodzić z taką logiką. Ale wydaje się, że jest to konieczne. Prezydent Ford pozbawił wywiad amerykański prawa, które w filmach z Jamesem Bondem nazywa się „licencją na zabijanie". Teraz prawo to zostanie chyba przywrócone, jeśli już tego nie uczyniono. Rodzi to oczywiście problem nadużyć, kontroli i odpowiedzialności. Tego typu operacje muszą być tajne. Lecz później, w miarę możliwości, mogłyby być publicznie oceniane. A jeśli jawność nadal nie będzie możliwa, trzeba by się zdać na ocenę jakiegoś ciała, może sądu, cieszącego się odpowiednim autorytetem.

Palestyńscy samobójcy to przeważnie chłopcy z obozów i biednych miasteczek Autonomii, niewidzący szans na godziwe życie. Zamachowcy wysyłani na śmierć przez Osamę ben Ladena to ludzie inteligentni, sprawni, kształcący się, dający sobie radę na Zachodzie, z szansami na karierę.

Ryszard Kapuściński twierdzi, że stanowią oni wierzchołek wielkiej piramidy złożonej z ruchów wrogich zachodniej cywilizacji. Ma oczywiście rację. Trzeba się z nim też zgodzić, gdy mówi, że nie można tego, co stało się w USA, traktować jako wrzodu, który wystarczy wyciąć i będzie spokój. Lecz gdy autor wraca do pomysłu, by bogate kraje dzieliły się swoim bogactwem z biednymi, otwiera pole do dyskusji.

Z praktyki wiadomo, że dzielenie się bogactwem nie jest sposobem na biedę. Zresztą zorganizowany terror nie lęgnie się w skrajnej biedzie i zastoju, lecz tam, gdzie coś się ruszyło, gdzie pojawiły się nowe aspiracje, przerastające możliwości ich zaspokojenia. Palestyńczycy żyją na wyższym poziomie niż Jemeńczycy. Nie warto też żywić złudzeń, by w ramach walki z terroryzmem dało się rozwiązać wszystkie trudne problemy świata...

...w demokratycznych krajach wszelkie formy agresji i przemocy wyczerpały swą przydatność i nie powinny być dłużej tolerowane. Dotyczy to także antyglobalistów. Cywilizowana dyskusja na temat globalizmu na pewno jest potrzebna. Akty agresji – zdecydowanie nie...

Artykuł Skalskiego nieźle ilustruje kierunek myślenia redaktorów „Gazety" w tamtej chwili. Kapuściński jest poirytowany i przybity. Polemikę odbiera jako rodzaj ciosu, który przyszedł z najmniej spodziewanej strony. Na krytyczne uwagi jednak nie odpowiada.

Różnice między jego diagnozami sytuacji na świecie a diagnozami redaktorów „Gazety" stają się jeszcze bardziej wyraźne w miesiącach kampanii propagandowej, mającej uzasadnić agresję Stanów Zjednoczonych na Irak. „Gazeta" otwarcie sympatyzuje z wojennymi planami administracji Busha. Piórem redaktora naczelnego Adama Michnika uznaje inwazję i zbrojne obalenie dyktatury Saddama Husajna za zło konieczne. Komentatorzy dziennika upatrują zagrożenie w szerzącym się na świecie „antyamerykanizmie", nie w imperialnych tendencjach polityki Waszyngtonu. Przyklaskują idei „szerzenia demokracji" za pomocą amerykańskich (i polskich) sił zbrojnych.

Kapuściński polemizuje z tym sposobem myślenia na łamach „Gazety", w wywiadzie udzielonym u progu najazdu Ameryki na Irak.

...„antyamerykanizm". Otóż to określenie budzi we mnie wątpliwości. Ameryka to bardzo wiele rzeczy, to masa wspaniałych osiągnięć, o których marzą miliony, jeśli nie miliardy ludzi na świecie. Ameryka to fantastyczna nauka, imponująca dyscyplina społeczeństwa, osiągnięcia technologiczne – wszystko to stanowi dziś motor rozwoju całej planety. W czasie licznych podróży nie spotkałem nikogo, kto by to negował, pomniejszał, nie doceniał. Odwrotnie – Stany Zjednoczone to miejsce, gdzie wielu ludzi chciałoby pracować, mieszkać, budować przyszłość. Zatem „antyamerykanizm" to slogan propagandowy. Ludzie na świecie odnoszą się do tego kraju życzliwie, cenią go, mają wiele ciepłych uczuć w stosunku do tej dobrej Ameryki...

Wielu ludzi na świecie jest przeciwnych nie Ameryce, ale amerykańskiej „partii wojny". Oni są przeciwni zakusom imperialnym Ameryki, co jest zrozumiałe. Ludzie są przeciwni jakiejkolwiek dominacji;

taka jest natura człowieka – człowiek jest za wolnością, przeciwko panowaniu, narzucaniu czegoś. Tu jest pogrzebany problem „antyamerykanizmu". Próbuje się określić nastrój ludzi jako antyamerykański, podczas gdy jest to nastrój raczej antyimperialny, antywojenny.

...w Ameryce o „antyamerykanizmie" mówi się chyba po to, żeby w społeczeństwie wytworzyć przekonanie, że ludzie na świecie są przeciwni ich ojczyźnie.

...upraszczanie, ograniczanie pola widzenia i słyszenia do werbli wojennych pozwala myśleć, że wszystko inne na świecie nie jest problemem, że jest mniej ważne, że problem świata sprowadza się do wojny z terroryzmem. Wojna z terroryzmem to istotnie problem, ale tylko jeden z wielu. Ale ponieważ przedstawia się go jako ten najważniejszy, i niemal jedyny, inne, nie mniej istotne, schodzą na dalszy plan. Mechanizm myślenia wielu polityków i ludzi mediów jest następujący: „Najpierw rozprawimy się z terroryzmem, a potem zajmiemy się następną sprawą". Otóż z terroryzmem nie rozprawimy się nigdy – to niemożliwe. Lecz przy okazji nie podejmiemy prób pokazania innych plag ludzkości i zaradzenia im: nędzy, nierówności, marginalizacji. Nie podejmiemy tych spraw, bo mamy coś ważniejszego na głowie.

Mówienie o eksportowaniu zachodniej demokracji odczytuję jako próbę uzasadnienia działań ekspansywnych. W kolonializmie też uzasadniano podboje tym, że niesie się postęp, wyższą cywilizację, nawraca na prawdziwą wiarę. I to się rzeczywiście udaje, tyle że za cenę ogromnego przelewu krwi, kilkuwiekowej okupacji i dominacji. Jest to zatem pomysł nienowy, historia zna wiele przykładów niesienia „barbarzyńcom" innej, „wyższej cywilizacji". Te uzasadnienia towarzyszą całej ponad 500-letniej historii europejskiego kolonializmu. Tak, to nie jest zły pomysł... tylko trzeba najpierw oszacować, ile milionów istnień ludzkich będzie kosztował. Kto podejmie za to odpowiedzialność? Ile pokoleń będzie to trwało? Ile setek lat?

– Krytycznie oceniał działania Ameryki i Europy prowadzone w ramach „wojny z terroryzmem" – wspomina Jerzy Nowak. – Ja usprawiedliwiałem amerykańską interwencję w Afganistanie, Rysiek uważał, że doprowadzi ona tylko do dalszego wyniszczenia kraju. Nie popierał wojny w Iraku. Był krytyczny wobec rządu Izraela, mówił o Izraelu z żalem: że zaczynał od idei, by potem oprzeć się na sile. Pod koniec życia sporo było pesymizmu w myśleniu Ryśka o toczących się na świecie konfliktach...

*

O polityce krajowej milczy – z zasady. Narasta w nim przekonanie, że Polska to polityczny i umysłowy zaścianek, operetkowe państwo. Nie chce wiedzieć, kto kogo nie lubi, kto z kim knuje przeciw komu. Nie chce wiedzieć – choć w czasie politycznego plotkowania o wszystko wypytuje. Potem zapomina. Znane z telewizji nazwiska brzmią w jego ustach czasem tak, jakby wymawiał je cudzoziemiec, który właśnie przed chwilą usłyszał o nich pierwszy raz i upewnia się, czy dobrze zapamiętał.

Dlatego gdy próbuję teraz prześledzić, jak zmieniał się jego stosunek do ładu w Polsce po komunizmie, pozostaje tylko pamięć własna i innych znajomych, przyjaciół. Okruchy. Żadnych wypowiedzi, żadnych na ten temat wywiadów.

Wiktor Osiatyński: – Przeżywał euforię w czasach rządu Mazowieckiego, potem z coraz większym niepokojem patrzył na szarpaniny, chaos, inwazję chamstwa, osłabienie jakości klasy politycznej. Martwiła go słabość lewicy, niepokoiły rosnące nierówności.

Jerzy Nowak mówi przy jakiejś okazji, że uprawnione jest porównanie poglądów i wrażliwości Ryśka z poglądami i wrażliwością Jacka Kuronia. Kuroń, minister w dwóch rządach po '89 roku, budował kapitalizm po to, by – jak mówił – było potem co dzielić. Pod koniec życia winił się za to, że zbudował niesprawiedliwy, pełen krzywd i nierówności porządek. Myślenie Kapuścińskiego o kierunku przemian w Polsce miało podobną temperaturę, zbliżony odcień, nigdy jednak nie zwerbalizowało się w jakąś spójną diagnozę.

Pamiętam jego uwagę o Balcerowiczu, już w ostatnich latach życia: – Doktryner.

Zarazem nie znosił populizmu, chamstwa, hołoty, które rewindykowały prawa w imieniu skrzywdzonych.

Jeszcze w latach osiemdziesiątych, gdy nikomu nie śnił się ruch polityczny w rodzaju „Samoobrony", notował:

> Unikaj hołoty, bo źle skończysz, bo ona cię pogrąży, zniszczy. Traktuj tych ludzi jako roznosicieli zarazy, omijaj ich z daleka. W hołocie jest jakaś wola podboju, zawistna pasja unicestwienia wszystkiego. Dążeniem hołoty jest burzyć twój spokój, uniemożliwić ci pracę, a ludzkości – uniemożliwić postęp. Ruch hołoty to zawsze ruch wstecz, do tyłu, to ruch – w bezruch…

– Dlaczego tak lewicowy ktoś jak Rysiek tak bardzo nie lubił populizmu?

– Bo populiści psuli mu jego pomysł na świat.

Tak mówi Hanna Krall.

Ciepło spoglądał na inicjatywy młodej lewicy w Polsce, choć nie miał na ich temat głębszych przemyśleń.

– Na poziomie jest ta „Krytyka Polityczna", nie sądzisz? – trochę pytał, a trochę się upewniał.

Jeden z esejów – o „spotkaniu z Innym" jako głównym wyzwaniu przyszłości – dał polskiemu „Le Monde diplomatique", lewicowemu miesięcznikowi, którego francuskie wydanie prenumerował od lat (zawsze leżało na jego biurku). W rozmowach nieustająco powoływał się na komentarze i informacje zaczerpnięte z tych właśnie łamów, a z długoletnim dyrektorem pisma, Ignaciem Ramonetem, darzyli się wzajemnym uznaniem.

Najczęściej jednak gadał o prawicy.

– Straszne facety!

– Idzie na faszyzm!

– Ty sobie nie wyobrażasz, co się tu dzieje! – gorączkuje się latem dwa tysiące szóstego, gdy po rocznej nieobecności wracam do Polski. (Od ponad pół roku prezydentem jest Lech Kaczyński, a jego brat Jarosław właśnie zostaje premierem).

Chodziło przede wszystkim o lustrację, czyli ujawnianie współpracy znanych postaci życia publicznego z tajnymi służbami Polski Ludowej. A także o „rozliczenia" w szerszym sensie – polegające na piętnowaniu ludzi polityki i kultury, którzy kiedyś należeli do partii, wierzyli w socjalizm.

– W kółko powtarzał: „Zobaczycie, teraz to już koniec, Kaczory nas załatwią!" – opowiada jeden z przyjaciół.

Niepokój, obawy, nawet strach pojawiają się w nim za każdym razem, gdy przy okazji kolejnych politycznych kryzysów i wyborów wraca sprawa „byłych agentów" – zawsze jako oręż w walce o władzę, prawie nigdy z intencją poznania dziejów powojennej Polski, mechanizmów systemu, zrozumienia ludzkich biografii. Sprzeciw wobec lustracji silnie łączy go ze środowiskiem „Gazety Wyborczej".

Na początku lat dziewięćdziesiątych na przyjęciu u ambasadora jednego z krajów zachodnich Kapuściński przysłuchuje się, jak pewien urzędnik MSZ z naboru po '89 roku wylicza w obecności wszystkich nazwiska urzędujących dyplomatów polskich, którzy – w jego mniemaniu – byli radzieckimi agentami. Gdy przyjęcie dobiega końca, zebrani słyszą dochodzące z korytarza odgłosy szarpaniny. Podbiegają i widzą: Kapuściński trzyma urzędnika MSZ za poły marynarki, przypiera go do ściany i krzyczy: – Jak śmiesz, ty skurwysynu!

W drugiej połowie lat dziewięćdziesiątych jeden z prawicowych publicystów (wcześniej znajomy z prasy Polski Ludowej) pisze na łamach niszowego tygodnika, że Kapuściński „jak mało kto znał wszystkie kulisy i zawiłości partyjnych rozgrywek, karier i upadków" i „jeśli nawet nie był kadrowym agentem wywiadu", to „nierzadko okazjonalnie wykorzystywano go do tajnych działań".

Kapuściński podśmiewa się z lustratora, ale nie jest to śmiech pełną piersią. Boi się.

– Widziałem, jak narasta w nim ten strach, że w końcu wyciągną mu kontakty z wywiadem – opowiada Osiatyński.

– Rozmawialiście o tym?

– Tak. Powiedział: „Na pewno mam coś w papierach".

W ostatnich miesiącach życia docierają do niego pogłoski, że telewizja publiczna ma ujawnić w jednym z programów publicystycznych jego kontakty z wywiadem Polski Ludowej. Nie wie dokładnie, „co na niego mają", ale jest przerażony, skurczony ze strachu.

Dzwoni do znajomych i przyjaciół z „Gazety":

– Nie wiecie, co oni tam szykują?

Dwa miesiące przed śmiercią idzie na promocję książki Krzysztofa Teodora Toeplitza, na którego kilka dni wcześniej telewizja publiczna rzuca oskarżenie o współpracę ze Służbą Bezpieczeństwa (drugim „zlustrowanym" jest wówczas Daniel Passent z „Polityki").

– Pojawienie się Ryśka odebraliśmy jako gest solidarności – mówią obaj, Toeplitz i Passent.

– Zadzwonił, że przyjdzie pół godziny wcześniej, żeby pogadać – opowiada Passent. – Był wzburzony. Czuło się, że i nad nim zbierają się chmury, ale nikt z nas wtedy tego nie powiedział. Przyszedł, żeby pokazać, że jest z nami, że nie godzi się na takie polowanie na ludzi, jakie uprawia prawica.

W jednej z ostatnich rozmów mówi Osiatyńskiemu, że powątpiewa, czy „to, co mamy w Polsce, można jeszcze nazwać demokracją".

Teczka

Bomba wybucha cztery miesiące po jego śmierci. Tygodnik „Newsweek Polska" publikuje materiały z archiwów służb specjalnych Polski Ludowej o kilkuletniej współpracy Kapuścińskiego z wywiadem. W polskich debatach politycznych po '89 roku współpracę z tajnymi służbami komunistycznego państwa zwykło się uważać za coś pomiędzy zdradą, nieprzyzwoitością i oportunizmem – niezależnie od materialnej treści tej współpracy.

Demaskatorską wymowę publikowanych sensacji „Newsweek" łagodzi rozmową z Ernestem Skalskim – kolegą Kapuścińskiego, dziennikarzem, który miał w swoim życiorysie epizodyczny kontakt z wywiadem. (Do Skalskiego przed wyjazdem na stypendium do Danii w 1967 roku zgłosił się funkcjonariusz MSW i poprosił o zainteresowanie się w trakcie pobytu reporterami zachodnioniemieckimi, których wypowiedzi „mogłyby zagrażać Polsce". Współpracy z MSW Skalski nie podjął). Zasadnicza teza Skalskiego: gdyby Kapuściński nie zgodził się na współpracę z wywiadem, nie wyjeżdżałby za granicę jako korespondent PAP, ergo nie powstałyby książki takie jak *Cesarz*, *Szachinszach*, *Wojna futbolowa* i inne, nie byłoby wielkiego reportera i pisarza Ryszarda Kapuścińskiego. Cena, jaką zapłacił za swoją zgodę, była niewielka; nikomu nie szkodził, nikogo nie skrzywdził.

„Newsweek" znalazł się w ogniu strzelaniny między zwolennikami a przeciwnikami lustrowania życiorysów. Prawicowi publicyści nie kryli satysfakcji: oto jeszcze jeden – lewicowy czy liberalny, słowem: „nie nasz" – autorytet legł w gruzach; okazał się oportunistą, człowiekiem „umoczonym". Ze strony środowisk zaprzyjaźnionych z Kapuścińskim, przede wszystkim „Gazety Wyborczej", padły zarzuty o „dramatyczne wykrzywienie prawdy o wybitnym pisarzu", „rzucenie cienia na człowieka prawego" na podstawie „niezweryfikowanych ubeckich akt". Także deklaracje: „Bardziej wierzymy jego książkom; temu, co pisał i mówił głośno do czytelników i słuchaczy, niż temu, co rzekomo mówił ukradkiem do szantażystów z bezpieki".

Przyjaciele i obrońcy odezwali się także za granicą. Ian Traynor w brytyjskim „Guardianie":

> Kapuściński jest ostatnim z wybitnych Polaków, którzy zostali ujawnieni w tym, co krytycy nazywają prawicowym polowaniem na czarownice, organizowanym przez paranoiczny rząd, który wszędzie w Polsce węszy komunistyczny spisek. Prawicowa ekipa braci Kaczyńskich drakońskim prawem nastawiła kraj przeciwko samemu sobie.

Włoski publicysta Paolo Rumiz w „La Repubblica":

> Polska lustracja to selektywne akty zemsty, których celem jest zaatakowanie wolnych ludzi zasłużonych dla rozsławienia dobrego imienia kraju. Lustracja grozi zbrukaniem wszystkiego i jest grą hien. Kapuściński był ofiarą bezlitosnej machiny uruchomionej przede wszystkim wobec tych, którzy jeździli za granicę. Przeciętniaki z warszawskich salonów nie mogły wybaczyć mu sukcesu i oskarżały o wypisywanie bzdur. Być może obecne błoto pochodzi z tamtych środowisk. Te nowe dokumenty nie udowadniają niczego. Z wyjątkiem jednej rzeczy: że w Polsce nie skończył się jeszcze czas jadu.

Wojna ideologiczna nie służy ustalaniu prawdy materialnej, spokojnemu namysłowi ani zniuansowanym ocenom. Lustratorów nie interesuje złożona, wolna od taniej moralistyki prawda o czasach minionych, z kolei obrońcy lustrowanych – chcąc nie chcąc – stają się zakładnikami atakujących, wkraczają w niewidoczny dla siebie sposób na ich ścieżki myślenia. Tak się stało po trosze, jak sądzę, w „sprawie Kapuścińskiego". Solidaryzuję się z obrońcami dobrego imienia Ryśka, o polowaniach na czarownice po '89 roku napisałem niemało, lecz ani jedno, ani drugie nie zwalnia mnie od ustalania – w miarę dostępnych możliwości – prawdy o bohaterze tej opowieści.

Więc... współpracował Kapuściński z wywiadem czy nie? Jeśli tak, co to właściwie znaczy? Co konkretnie robił? Dlaczego? Czym w ogóle zajmował się wywiad Polski Ludowej w częściach świata, do których Kapuściński podróżował jako korespondent PAP? Jaka była przydatność jego współpracy? Jak on sam ją traktował? Jak w ogóle oceniać współpracę dziennikarzy z tajnymi służbami?

Nieraz czułem – a teraz wiem to na pewno – że strach przed ujawnieniem teczki z archiwum służb specjalnych, lęk przed publicznym pręgierzem jako konsekwencją zaciążył nad jego samopoczuciem w ostatnich kilkunastu latach życia. Sądzę także, że ów strach miał przynajmniej jeden raz wpływ na jego pisanie (to hipoteza, którą wyjaśnię później). Dlatego chcę i muszę dowiedzieć się, czego Kapuściński tak strasznie się obawiał. Czy miał powody do strachu? Czy zawarł, jak sądzą dziś niektórzy, niepisany układ z diabłem: współpraca z wywiadem za wyjazdy zagraniczne? A może w ogóle wszystko wyglądało zupełnie inaczej?

Rozumiem naczelny motyw, z powodu którego o swojej współpracy nigdy nie opowiedział: nie było w Polsce po '89 roku atmosfery, w której człowiek mógłby z otwartą przyłbicą – bez obawy, że będzie skończony, opluty, napiętnowany – wyznać: – Tak, współpracowałem. Robiłem to, ponieważ... Żałuję, że... Albo: – Nie żałuję, gdyż...

Czas, żeby w sposób wolny od moralistycznego szantażu i strachu przed nim opowiedzieć tę historię.

Najpierw teczka. Co zawiera?

Kluczowa jest konkluzja sformułowana przez anonimowego funkcjonariusza MSW w 1972 roku: „...był operacyjnie wykorzystywany do rozeznania i ujawniania pracowników central wywiadowczych [w Ameryce Łacińskiej]. W czasie współpracy wykazywał dużo chęci, ale istotnych materiałów interesujących SB nie przekazał".

Chronologicznie najwcześniejsze w teczce Kapuścińskiego są notatki oficerów Departamentu I MSW (wywiad) sporządzone w 1963 roku. Kapuściński był wtedy korespondentem PAP w Afryce Wschodniej, prawdopodobnie nie miał pojęcia, że interesują się nim tajne służby. Notatki zawierają zdawkowe informacje o tym, jakie ukończył szkoły, studia, do jakich należał organizacji; że rodzice są nauczycielami, żona – lekarką, a siostra – studentką. Jedna z notatek zawiera informację o zatargu Kapuścińskiego z literatem Drozdowskim o plagiat. „W/w rozpatrywany jest przez nas jako ewentualny kandydat do współpracy" – stwierdza w tej notatce oficer Departamentu I MSW.

Na podstawie dokumentów dostępnych w Instytucie Pamięci Narodowej (miejscu, w którym zgromadzono archiwa tajnych służb z czasów Polski Ludowej) nie sposób ustalić, kiedy wywiad nawiązał z Kapuścińskim kontakt.

Kolejne – chronologicznie – dwie notatki oficera MSW pochodzą z wiosny 1965 roku: po krótkim pobycie w kraju Kapuściński przygotowywał się do wyjazdu do Afryki Zachodniej, dokąd przenosił z Nairobi afrykańską placówkę PAP (osiadł w Lagos, stolicy Nigerii). Wtedy dochodzi do osobistej rozmowy z oficerem MSW. W relacji z tego spotkania oficer ów opisuje Kapuścińskiego kryptonimem „Poeta", nazywa go „kontaktem informacyjnym". Streszcza też jego plan wyjazdu do Afryki (myli się, pisząc, że Kapuściński wybiera się do Afryki Wschodniej).

W notatce dla oficera Kapuściński opisuje prawdopodobną trasę najbliższej podróży po Afryce; jeszcze nie zdecydował, czy nową siedzibą placówki PAP będzie Akra (Ghana) czy Lagos (Nigeria). W szczątkowej postaci zachował się dokument będący listą oczekiwań wywiadu wobec Kapuścińskiego: tajne służby są zainteresowane informacjami o działaniach amerykańskich instytucji, firm, organizacji. Oficer MSW informuje Kapuścińskiego, że w Afryce ktoś nawiąże z nim kontakt, posługując się hasłem: „Przesyłam pozdrowienia od Zygmunta". Odzew: „Czy sprzedał wóz?".

Kapuściński przyjmuje zlecenia „do wiadomości i wykonania" oraz składa podpis. W teczce nie ma jednak żadnego śladu współpracy z wywiadem podczas pobytu w Afryce. Ani jednej informacji, notatki czy wzmianki. Nie wiadomo nawet, czy ktokolwiek zgłosił się do niego z ustalonym w Warszawie hasłem.

Ponownie wywiad przypomina sobie o Kapuścińskim przed jego wyjazdem na placówkę w Ameryce Łacińskiej. Późną jesienią 1967 roku spotyka się z nim major Henryk Sobieski, po spotkaniu raportuje: „«Poeta» jest znany naszemu aparatowi z terenu Afryki. Wśród wszystkich tych, którzy go osobiście znają, cieszy się pełnym zaufaniem i bardzo dobrą opinią. Na mnie również zrobił bardzo dodatnie wrażenie. Jest nam bliski klasowo i mocno zaangażowany ideowo. Stosunek do pracy dla nas bardzo dobry".

W trakcie spotkania Sobieski informuje Kapuścińskiego, że w Ameryce Łacińskiej polskie służby wywiadowcze interesują się działalnością agentury Stanów Zjednoczonych. „Z uwagi na wybitnie polityczną pozycję" Kapuścińskiego zlecenia z MSW „nie będą odbiegały od jego kierunków pracy jako dziennikarza". Wywiad oczekuje, że Kapuściński będzie „naprowadzał" na dziennikarzy, „którzy mają koneksje ze środowiskiem pracowników kontrwywiadu, względnie z pozycji oficjalnych (prowadzą działy kryminalno-sensacyjne w swoich gazetach) mają dostęp do tych instytucji". Będzie też „opracowywał niektóre zagadnienia związane z działalnością syjonizmu, Amerykanów i NRF". Pozostałe wątki rozmowy opisane w notatce mają charakter techniczny: w jaki sposób Kapuściński ma się łączyć z centralą w Warszawie (przez szyfranta z ambasady w Santiago de Chile; w Meksyku ktoś się do niego zgłosi, jeszcze nie wiadomo kto), a także jak się konspirować przed kontrwywiadem.

Dwa lata później wywiad rozszerza swoje oczekiwania o „rozpracowywanie i dotarcie do komórek CIA i FBI rozmieszczonych na terenie Meksyku lub w innych państwach Ameryki Łacińskiej", „opracowywanie osób związanych z działalnością tych instytucji", „rozeznanie środowisk i miejsc częstego pobytu funkcjonariuszy CIA i FBI oraz rozpoznanie ich kontaktów z obywatelami miejscowego pochodzenia", a także „wrogiej działalności przeciwko PRL", prowadzonej „przede wszystkim przez wywiady USA, Izraela i NRF".

W ciągu ponad czterech lat pobytu w Ameryce Łacińskiej Kapuściński – jak wynika z archiwaliów dostępnych w IPN – dostarcza wywiadowi zaledwie kilku notatek. Podpisuje je pseudonimem „Vera Cruz".

Informuje o Centro de Estudios de Desarrollo (CENDES), instytucie studiów nad rozwojem na Uniwersytecie Centralnym w Caracas, który – według jego ustaleń – jest „jednym z ważnych ośrodków penetracji i rozpoznania CIA na terenie Wenezueli". Stwierdza, że ośrodek powstał z inicjatywy jednego z szefów CIA zajmującego się Ameryką Łacińską przy współpracy dwóch amerykańskich profesorów, pracujących dla tejże agencji. Ośrodek finansują: Fundacja Forda oraz Massachusetts Institute of Technology (MIT). Za pośrednictwem badań nad rozwojem regionu CIA prowadzi „akcję rozpoznania elity politycznej Wenezueli".

Źródłem tych informacji jest działający na uniwersytecie członek kierownictwa Komunistycznej Partii Wenezueli.

(Wiele lat później słuchaczka dziennikarskich warsztatów Kapuścińskiego, Sandra La Fuente, której opowiedziałem o tej notatce, będzie śmiała się, że maestro wszystko pokręcił: – CENDES był zawsze najbardziej postępowym instytutem w całej Wenezueli – mówi. – Stamtąd wywodzą się niektórzy ludzie z intelektualnego zaplecza rządów Hugona Chaveza. Wydaje się nieprawdopodobne, by CENDES mógł być przykrywką CIA).

Fragmenty charakterystyki Pabla Moralesa, redaktora naczelnego latynoskiej edycji miesięcznika „Reader's Digest", „współfinansowanego przez CIA":

> Mieszka w Meksyku od kilku lat. Hiszpan z pochodzenia, ale obywatel USA. Poza hiszpańskim włada biegle angielskim z akcentem amerykańskim... wiek ok. 45–48 lat. Wysoki – około 1,90 wzrostu. Typ męski, bardzo przystojny... Pije często, ale nie upija się. Zawsze przebywa w towarzystwie kobiet (Amerykanek). Grzeczny, uprzejmy. Typ leniwy, faceta salonowego, zawsze elegancko ubrany. W zasadzie małomówny. Nigdy nie podejmuje rozmów na poważny temat... W stosunku do korespondentów socjalistycznych uprzejmy, ale nie wykazuje żadnej ochoty do nawiązania kontaktów. Stwarza wrażenie człowieka apolitycznego, który lubi dobrze zjeść, lubi kobiety i alkohol.

„O inspirowaniu przez CIA działalności organizacji faszystowskich w Ameryce Łacińskiej":

> Z inspiracji amerykańskich służb specjalnych, a szczególnie CIA, w krajach Ameryki Łacińskiej istnieją organizacje terrorystyczne, których działalność jest skierowana przeciwko partiom komunistycznym i wszelkim ruchom postępowym. Członkami organizacji najczęściej są przedstawiciele oligarchii finansowej i wielkiej burżuazji należącej do skrajnej prawicy. Część członków rekrutuje się również z lumpenproletariatu. Organizacje są finansowane przez CIA i skrajnie prawicowe ugrupowania w krajach Ameryki Łacińskiej.

Opracowania Kapuścińskiego o naradzie ambasadorów USA akredytowanych w krajach Ameryki Łacińskiej i o ruchu trockistowskim w regionie nie zachowały się, wiadomo o nich z notatki jednego z oficerów prowadzących – pseudonim „Benito". Relację Kapuścińskiego o naradzie amerykańskich ambasadorów polski wywiad „przekazał w marcu br. [1970] do towarzyszy kubańskich".

O dążeniach Kuby do normalizacji stosunków z krajami Ameryki Łacińskiej – tekst identyczny co do formy i języka jak korespondencje dla Biuletynu Specjalnego PAP.

Kapuściński stwierdza między innymi, że partyzantki w stylu Che Guevary zamierają, a Kuba „wycofuje swoje poparcie dla tego rodzaju ruchów i działań". Izolowany na zachodniej półkuli kraj socjalistyczny rządzony przez Fidela Castro

> wyraża gotowość wznowienia stosunków dyplomatycznych i handlowych z każdym z poszczególnych państw Ameryki Łacińskiej, natomiast nie chce, aby ta normalizacja odbywała się poprzez OPA [Organizację Państw Amerykańskich]. Fidel Castro nazywa OPA „Ministerstwem Kolonii USA" i uważa, że Kuba w ramach tej organizacji, zdominowanej przez Stany Zjednoczone, utraciłaby dotychczasową niezależność... Z drugiej strony jednak trudność polega na tym, że państwa Ameryki Łacińskiej – będąc członkami OPA – są związane decyzjami i uchwałami tej organizacji w sprawie Kuby. To jest problem, wokół którego toczy się w tej chwili walka. Stany Zjednoczone są nadal przeciwne normalizacji stosunków między krajami Ameryki Łacińskiej a Kubą... Dlatego walka państw latynoamerykańskich o normalizację stosunków z Kubą ma swoje antyamerykańskie ostrze i jest wykorzystywana m.in. jako narzędzie nacisku na Stany Zjednoczone, jako instrument szantażu wobec Waszyngtonu...

O antykomunistycznym zwrocie w polityce Meksyku – analiza, jak wyżej, w stylu publicystycznym:

> W ostatnim okresie Meksyk wkroczył na drogę otwartego antykomunizmu. Nastąpiło to wkrótce po objęciu władzy przez nowego prezydenta Luisa Echeverrię (1 grudnia 1970). W trakcie kampanii wyborczej, która trwała przez cały rok ubiegły, Echeverría składał ludności daleko idące obietnice poprawy stopy życiowej... Już po objęciu władzy Echeverría wygłosił kilka przemówień, w których skrytykował oligarchię za zbyt gwałtowne i brutalne bogacenie się... Bardzo reakcyjna oligarchia meksykańska zaczęła oskarżać Echeverrię o sympatie lewicowe. W tej sytuacji prezydent Meksyku zdecydował udowodnić, że komunistą nie jest. Chciał przekonać oligarchię i kapitał USA o swoim antykomunizmie. Tak doszło do antykomunistycznej kampanii w marcu br. [1971]. Początek tej kampanii stanowił komunikat Prokuratury Generalnej Meksyku z 15 marca br., który informuje, że organa śledcze Meksyku ujęły grupę partyzantów z tzw. Movimiento de Acción Revolucionaria (MAR), zmierzającą do obalenia istniejącego rządu i utworzenia władzy marksistowsko-leninowskiej... Wydarzeniom tym towarzyszyła niezwykle brutalna kampania antykomunistyczna w całej prasie meksykańskiej...

Stwarza to obecnie szczególnie trudne warunki dla naszej pracy. Ludzie boją się utrzymywać z nami kontakt, unikają spotkań, są zastraszeni...

Z papierów IPN wynika, że wywiad chciał, żeby Kapuściński zdobył materiały z Kongresu Nauki i Techniki w Tel Awiwie. W tym celu podczas urlopu w Warszawie miał się spotkać z wicerektorem meksykańskiej uczelni technicznej, wracającym ze stolicy Izraela. Brak informacji, czy do spotkania doszło. (Interpretator tych materiałów, którego przedstawię później, twierdzi, że nie).

Najwięcej nieprzychylnych Kapuścińskiemu komentarzy – wypowiadanych pokątnie po publikacji „Newsweeka" – wzbudziła jego notatka o Marii Sten. Sten była pracowniczką Uniwersytetu Warszawskiego, badaczką kultur prekolumbijskich, którą na fali antysemickich czystek '68 roku zwolniono z pracy. Wyemigrowała do Meksyku. Kapuściński, który – jak zastrzega w notatce – wcześniej jej nie znał, zdaje taką relację z ich spotkania:

> Maria Sten przyjechała bezpośrednio z kraju. Przedstawiała obraz tego, co się dzieje w kraju, nazywając to „koszmarem". W rozmowie M. Sten poruszyła następujące sprawy:
>
> powiedziała, że rok 1968 był najbardziej tragiczny w dziejach Polski, ponieważ „najlepsi ludzie", to znaczy syjoniści, zostali „zmuszeni do wyjazdu z kraju",
>
> wyraziła zdziwienie, że w międzyczasie, kiedy ona znajdowała się w drodze między Warszawą i Meksykiem, nie było w naszej prasie komunikatu o „usunięciu tow. Świtały i tow. Szlachcica za to, że zainstalowali podsłuch w gabinetach Towarzyszy z Kierownictwa Partii – Gomułki, Cyrankiewicza, Gierka itd.",
>
> była zdziwiona, że tow. Kępa pozostał I Sekr. KW, ponieważ, kiedy wyjeżdżała, „była już decyzja o jego zdjęciu",
>
> „nie mogła zrozumieć", dlaczego pozostali Solecki i Kolczyński, którzy też „mieli być zdjęci",
>
> dawała wyraz swojemu zmartwieniu, że „cała ta banda nie została rozpędzona", na co ona liczyła,
>
> z jej wypowiedzi na temat jej przyszłości wynikało, że zamierza pozostać w Meksyku i poszukuje mieszkania.

Notatka zawiera klisze oficjalnej, antysemickiej propagandy (Polaków pochodzenia żydowskiego, których popchnięto wtedy do wyjazdu z Polski, Kapuściński nazywa „syjonistami"). Czy przekazując wywiadowi informacje o Marii Sten, Kapuściński mógł jej zaszkodzić? Prawdopodobnie nie. Sten nie zamierzała wracać do kraju i Kapuściński o tym wiedział. Czy – mimo to – notatka ma charakter donosu? Niestety, tak.

Przyjaciółka Marii Sten, Danuta Rycerz, której mówię o swoich odczuciach, twierdzi, że Sten domagała się wręcz od Kapuścińskiego – z którym później przyjaźniła się przez wiele lat – żeby przekazał ludziom ze szczytów partii jej krytyczne opinie. Biorę tę glossę za dobrą monetę, choć nie kryję wątpliwości: pobrzmiewa jak dopisana ex post, w szlachetnej intencji obrony dobrego imienia kolegi.

Sten jest jedyną osobą, o której Kapuściński napisał tego rodzaju notatkę, a miał w Meksyku kontakty z innymi Polakami, krytycznymi wobec rządu w Warszawie. Jedną z tych osób był profesor Jerzy Plebański, fizyk z Uniwersytetu Warszawskiego, który w ramach wymiany naukowej wyjechał w latach siedemdziesiątych do Meksyku. Będący nieco później ambasadorem w tym kraju Józef Klasa opowiada, że wywiad próbował zwerbować Plebańskiego, lecz ów opierał się. Straszono go konsekwencjami odmowy i być może dlatego Plebański zdecydował się w końcu zostać w Meksyku do końca życia. – Rysiu – wspomina Klasa – spotykał się z Plebańskim, musiał znać jego krytyczne opinie o naszej władzy, lecz nigdy nikomu o tym nie doniósł. Rysiu to był porządny człowiek, nikogo by nie skrzywdził.

(Może rzeczywiście na prośbę Marii Sten napisał, co myślała o towarzyszach z Warszawy?).

W teczce Kapuścińskiego znajduje się jeszcze jedna notatka, która po publikacji w „Newsweeku" prowokowała kąśliwe uwagi. Dotyczy Alice B., Angielki, domniemanej agentki służb specjalnych, „grającej rolę ultralewacką". Kapuściński spotkał ją w Angoli w 1975 roku. Według notatki, Alice B. jest „brzydka" i „utrzymywała stosunki seksualne z Murzynami". Jej charakterystyki, pisanej w języku subkultury bezpieki, nie sporządził jednak Kapuściński, lecz powołujący się na rozmowę z nim funkcjonariusz MSW.

Zachowały się także trzy oświadczenia podpisane pseudonimem „Vera Cruz", w których Kapuściński deklaruje wydatki „w związku z wykonywaniem zadań": 350 meksykańskich pesos (około 30 dolarów).

W 1972 roku wywiad przekazał akta Kapuścińskiego do archiwum, co oznacza, że współpracę przerwano. Według materiałów dostępnych w IPN współpracę wznowiono jeszcze tylko raz – w czasie wojny wyzwoleńczej w Angoli. Czy i jakie informacje Kapuściński dostarczył wówczas wywiadowi, nie wiadomo; dokumentów brak.

Oficerami wywiadu, którzy „opiekowali się" Kapuścińskim w Ameryce Łacińskiej, byli dwaj pracownicy polskiej ambasady w Meksyku, prywatnie – jego koledzy: Eugeniusz Spyra, podpisujący się pseudonimem „Grzegorz", i Henryk Sobieski – „Benito" (ten sam, który przedstawiał Kapuścińskiemu oczekiwania wywiadu przed wyjazdem na placówkę; ten sam, który wiele lat później obruszy się, gdy Kapuściński nie będzie skory do wylewnego powitania na pogrzebie wspólnego znajomego).

O Spyrze Kapuściński wspomniał mi kiedyś przyciszonym głosem, jakby ujawniał wielką tajemnicę: – Ten Spyra to był rezydent naszego wywiadu na całą Amerykę Łacińską.

Znali się dobrze, często rozmawiali, bywali u siebie.

Z Sobieskim i jego żoną oboje Kapuścińscy utrzymywali relacje towarzyskie jeszcze wiele lat po wyjeździe z Meksyku. Gdy pod koniec lat siedemdziesiątych Sobieski został ambasadorem w Wenezueli, Kapuściński odwiedził go w Caracas (przyjechał do Wenezueli z cyklem wykładów). Jeden z dawnych towarzyszy opowiada, że po roku '89, kiedy stare znajomości zaczęły Kapuścińskiemu ciążyć, kontakty z Sobieskimi utrzymywała od czasu do czasu Alicja.

I Spyra, i Sobieski odmawiają rozmowy o Kapuścińskim. Z Sobieskim udaje mi się porozmawiać dłuższą chwilę przez telefon.

– Powiem jedno – mówi – te rewelacje „Newsweeka" są niepoważne. Jeśli ktoś sądzi, że Kapuścińskiemu można było coś kazać, to nic o nim nie wie. To on mógł mi różne rzeczy ułatwić, nie ja jemu, to on miał znajomości na górze... [Po wyjeździe z Meksyku Sobieski poszedł pracować do Wydziału Zagranicznego KC u Frelka i tam spotykał często Kapuścińskiego – A.D.]. Kapuścińskiego – mówi dalej – nikt nie mógł tknąć, był poza zasięgiem... Ludzie z Rakowieckiej [adres siedziby MSW] mogli mu przeszkadzać, ale nie zaszkodzić. On się przyjaźnił z Frelkiem, z Waszczukiem... A poza tym, proszę pana, Kapuściński nie był żadnym gorliwym współpracownikiem, jak dzisiaj piszą niektórzy, tylko mistrzem uników!

To by się zgadzało. W odręcznej notatce dla przełożonych w Warszawie „Benito" tłumaczy, że choć Kapuściński „stosunek do naszej służby ma bardzo dobry, jego postawa polityczna nie budzi najmniejszych zastrzeżeń", to jednak przytłacza go nadmiar obowiązków korespondenta i nie ma dość czasu dla „realizacji naszych zadań operacyjnych". „Benito" przyznaje, że z „rozmów operacyjnych" z Kapuścińskim uzyskał jak do tej pory niewiele. Kluczowy fragment o „mistrzostwie uników" brzmi tak: „gdy upora się z zakończeniem napisania książki o Che Guevarze (jest w końcowej fazie), to mimo wspomnianych trudności będzie mógł wykroić nieco więcej czasu na wykonywanie zlecanych mu zadań operacyjnych".

Rzeczywiście – Kapuściński planował napisać książkę o Che Guevarze, ale nigdy jej nie zaczął. Pewnie opowiadał Sobieskiemu, że prócz codziennej PAP-owskiej harówki pisze jeszcze książkę – której w istocie nie pisał – i na nic innego nie ma już czasu. A może było jeszcze inaczej: może koledzy umówili się, że Sobieski tak właśnie napisze przełożonym, żeby nie zawracali głowy? Bo Kapuściński był naprawdę potwornie zajęty swoimi sprawami zawodowymi.

Najważniejsze dla zrozumienia kwestii „Kapuściński a wywiad PRL" jest wyjaśnienie kontekstu. Bez kontekstu teczka z IPN to „opowieść idioty", zbiór szczątkowych informacji, z których niewiele wynika; na dodatek łatwo je opacznie zinterpretować. Jakie znaczenie miało tych parę notatek i analiz, które dostarczył oficerom wywiadu? Dlaczego przez ponad cztery lata napisał ich tak mało? Bo jako współpracownik był nieważny? Nieudolny? Bo Ameryka Łacińska nieistotna? O co tu chodzi?

Nazwę go Tłumaczem, ponieważ tłumaczy zawartość teczki, jak również okoliczności i reguły rządzące na styku wywiad – korespondenci zagraniczni; bez takich objaśnień nic w tej sprawie nie jest klarowne, czytelne. Nie mogę napisać, kim jest, może tylko tyle, że jego wiedza o „sprawie Kapuścińskiego" pokrywa się w ogromnym stopniu z wiedzą oficerów prowadzących. Mam do Tłumacza zaufanie, to znaczy jestem pewien, że istotę sprawy wyjaśnia rzetelnie, choć muszę założyć, że jakieś informacje zachowuje dla siebie.

– Co interesowało polski wywiad w Ameryce Łacińskiej w czasach zimnej wojny?

– Zacznijmy od czegoś innego: jakie kraje znajdowały się w polu zainteresowania polskiego wywiadu w tamtych czasach? Jakie były priorytety? Bez tej hierarchii umknie nam coś ważnego.

A zatem, nasz wywiad interesował się przede wszystkim krajami Zachodu, w pierwszej kolejności Stanami Zjednoczonymi i Niemcami Zachodnimi. Tam działała główna agentura. Korespondenci, którzy wyjeżdżali na placówki do Stanów, do NRF, a także innych krajów zachodnich dostawali od wywiadu zadania i dostarczali cennych, nieraz bardzo cennych informacji.

Z dziennikarzami jeżdżącymi do krajów Trzeciego Świata było nieco inaczej: też ich wciągano do współpracy, lecz robiono to raczej dla zasady. To znaczy, każdego reportera, który wyjeżdżał na placówkę w Afryce, Ameryce Łacińskiej czy Azji proszono o informacje, pisanie sprawozdań, lecz ich współpraca nie miała zazwyczaj większego znaczenia, nie przywiązywano do niej wagi.

– Dlaczego?

– Bo Trzeci Świat jako taki był dla naszego wywiadu nieistotny, liczył się tylko jako pole rywalizacji Ameryki i Związku Radzieckiego.

– Coś jednak interesowało polski wywiad, na przykład, w Ameryce Łacińskiej i Afryce.

– Tak, działalność Stanów Zjednoczonych na tamtym terenie, ich agentury, firmy, organizacje. W krajach takich jak Meksyk czy Angola, do których pan Kapuściński jeździł jako korespondent, różne wywiady werbowały współpracowników. Współpracownicy ci byli zazwyczaj „uśpieni", wykorzystywano ich sporadycznie, gdy nadchodził moment, w którym informacje od nich mogły być przydatne.

– I Kapuściński pomagał typować tych współpracowników, werbować ich?

– Pańskie pytanie brzmi trochę tak, jakby pan Kapuściński był jakimś ważnym agentem, miał jakieś specjalne zadania. Tymczasem on był płotką, płoteczką. Na dodatek jeździł w regiony świata, które były strategicznie nieistotne dla polityki ówczesnej Polski, ani nawet dla Związku Radzieckiego. Gdyby nie to, że mogłoby to zabrzmieć niegrzecznie, powiedziałbym, że jako współpracownik wywiadu był prawie nikim. Ta teczka to zbiór śmieci...

– Śmieci? Więc do czego była potrzebna wywiadowi – na przykład – charakterystyka redaktora naczelnego latynoskiej edycji „Reader's Digest"?

– Wiadomo było, że pismo miało związki z CIA, więc charakterystykę redaktora naczelnego sporządzano na wszelki wypadek. Wywiady zbierają informacje o wszystkim, co może się przydać, zwykle bez konkretnego celu. Większość informacji nigdy nie zostaje wykorzystana, ale trzeba je mieć, bo a nuż... Na tym polega ta praca. Wywiad gromadzi zazwyczaj takie same informacje jak dziennikarze i stara się, żeby mieć o ułamek procenta więcej wiadomości niż prasa. Bo ten czy inny szczegół może być użyteczny, nie wiadomo kiedy, ani w jakich okolicznościach.

Charakterystykę redaktora „Reader's Digest", jak zresztą każdą inną, sporządzano na podstawie kilku źródeł; to, co przekazał pan Kapuściński, było tylko jednym z jej elementów.

– To była jakaś ważna postać? Ważny agent CIA?

– Z tego, co wiem, nie. Wywiady zbierają informacje nie tylko o „pewnych" agentach czy kandydatach na agentów. Te o redaktorze „Reader's Digest" zbierano na wszelki wypadek.

– A nie mógł tych informacji zebrać etatowy pracownik wywiadu?

– Oczywiście, że mógł, ale zawsze chodzi o to, żeby mieć obserwacje, wiadomości, uwagi z różnych źródeł. Dlatego poproszono o nie pana Kapuścińskiego, który znał tego człowieka.

– Czy ważna dla wywiadu była informacja Kapuścińskiego, że CIA finansuje terrorystyczne organizacje prawicy w Ameryce Łacińskiej, które mordują działaczy lewicowych?

– Wiedziano o tym i bez pana Kapuścińskiego. Jego relacja była jeszcze jednym potwierdzeniem.

– Chyba miał prawo uważać, że dostarczając taką informację, obnaża zbrodniczą działalność wroga w czasach zimnej wojny...

– Wie pan przecież, czym były te wszystkie szwadrony śmierci, „Mano Negra", „Triple A" i wiele innych. Popełniały potworne zbrodnie. Pan Kapuściński miał na ten temat szeroką wiedzę.

– Po co wywiad zamawiał u Kapuścińskiego analizy polityczne, jak te o „antykomunistycznym zwrocie" w polityce Meksyku czy próbach normalizacji stosunków Kuby z krajami regionu?

– Bo pan Kapuściński był znakomitym obserwatorem, pisał świetne analizy polityczne, miał szersze spojrzenie niż przeciętni pracownicy wywiadu. Wywiady zabiegają o takich analityków.

– A czy informacje, których dostarczał, na przykład o owym redaktorze, mogły być niebezpieczne dla tej osoby, jak sugerowali prasowi lustratorzy Kapuścińskiego?

– Nie żartujmy...

– Jeden z lustratorów Kapuścińskiego pisał tak: „Pomieszczone w raportach charakterystyki obcokrajowców mogły być użyteczne dla wywiadu polskiego i sowieckiego. A pojawiająca się tam informacja, że ktoś jest być może «agentem [amerykańskich] służb specjalnych» mogła okazać się dla tej osoby śmiertelnie niebezpieczna".

– To nonsensy, rozmawiamy o realnym świecie. No ale jak ktoś przejął się filmami o Jamesie Bondzie, to ma takie właśnie wyobrażenie o pracy wywiadu.

– Niewłaściwe? Dlaczego uważa pan, że to nonsensy?

– Bo wywiady zajmują się zbieraniem informacji, a nie zabijaniem agentów drugiej strony.

(We wspomnieniach Johna Stockwella, rezydenta CIA w Angoli w latach siedemdziesiątych, znajduję fragment, będący dobrą odpowiedzią na oskarżenia lustratora: „W ciągu dwunastu lat mojej służby oficerskiej w CIA – 1966–1978 – nigdy nie widziałem, ani nie słyszałem o tym, by KGB storpedowało bądź utrudniało jakąś operację CIA". W innych fragmentach książki Stockwell opisuje koleżeńskie rozmowy i wspólne libacje agentów CIA i KGB w Angoli. Objaśnia żelazną zasadę wywiadów: ich praca polega na zbieraniu informacji, „przekręcaniu" współpracowników przeciwnika, żeby pracowali dla „naszej" strony, nie na zabijaniu. Zabójstwo to błąd w sztuce, zawsze porażka).

– Słyszałem pogłoskę, że Kapuściński po powrotach z podróży do krajów Trzeciego Świata jeździł do Moskwy. W pogłosce tej zawiera się sugestia, że z jego usług korzystali nawet towarzysze radzieccy ergo był bardzo ważnym agentem...

– (śmiech) To opowieści w rodzaju „jak mały Dyzio wyobraża sobie tamte czasy"... Pan Kapuściński był płotką nawet dla polskiego wywiadu. Dla radzieckiego – nie istniał, nikt o nim nie wiedział ani nie słyszał...

– Czy możliwe, że dostarczył wywiadowi więcej informacji, lecz je zniszczono, zagubiły się?

– Nie. Jeśli coś zaginęło, to nic istotnego. Teczka z IPN pokazuje trafnie, jaka była waga współpracy pana Kapuścińskiego z wywiadem. Znikoma, prawie żadna.

W czasie rozmów z niektórymi ze znajomych Kapuścińskiego uporczywie powracają takie motywy:

– Musiał jakoś grać z tymi facetami z wywiadu.

– Nie miał wyjścia, musiał się zgodzić.

– Gdyby nie współpracował, nie wyjeżdżałby i nie byłoby pisarza

Kapuścińskiego (o tym między innymi mówił Skalski w rozmowie w „Newsweeku").

– Czy z pana ustaleń wynika, że Ryszard wykręcał się od współpracy? Mam nadzieję, że tak.

„Grał", „musiał", „wykręcał się"... Wszystkie hipotezy pobrzmiewają ahistorycznie, wypowiadane są z perspektywy Polski po '89, z punktu widzenia oponentów realnego socjalizmu. Ciąży na nich sposób myślenia antykomunistów inkwizytorów, lustratorów, choć wypowiadają je ludzie dalecy od obozu prawicy; niektórzy kiedyś należeli do partii. W tych życzeniowych supozycjach tkwią niewypowiedziane założenia: że Polska Ludowa nie była Polską; że kontakty z wywiadem były w podobnym stopniu moralnie naganne, co donoszenie bezpiece inwigilującej przeciwników dyktatury; że Kapuściński był porządnym człowiekiem, więc jeśli współpracował z wywiadem, to nie dlatego, że chciał, lecz „musiał", a skoro „musiał", to „grał", „wykręcał się"...

– A nie pomyślał pan, że mogło być zupełnie inaczej? – sugeruję jednemu z rozmówców, który bardzo liczył na „wykręcanie się" Kapuścińskiego od współpracy. – Że Ryszard Kapuściński nie był bojownikiem antykomunistycznego podziemia, lecz lojalnym członkiem partii przez blisko 30 lat? Nie karierowiczem, lecz takim *true believer*, naprawdę wierzącym w socjalizm przez większość tego czasu? Polska Ludowa była jego Polską, nawet jeśli rozczarowywał się do Gomułki po odejściu od ideałów Października '56 czy potem do Gierka. Kapuściński namawiał przecież przyjaciół do wstępowania w szeregi partii, żeby tamtą rzeczywistość czynić lepszą...

Mój rozmówca zamyśla się, a po chwili przyznaje, że nigdy nie pomyślał w taki sposób.

Tymczasem biografię Kapuścińskiego, jak sądzę, jego zachowania i wybory można otworzyć tylko tym kluczem, inne nie pasują, zgrzytają, przekręcają zamek do połowy i dalej ani rusz. Dopiero gdy na jego polityczny życiorys spojrzy się w taki sposób, sporadyczna współpraca z wywiadem przestaje jawić się jako mroczny układ, niemoralny pakt z diabłem, przehandlowanie duszy za wyjazdy zagraniczne, awans czy karierę.

Nie było diabła; przynajmniej nie było go dla Kapuścińskiego. Stary system mógł się jawić jako diaboliczny w oczach zaprzysięgłych antykomunistów, zdeklarowanych opozycjonistów, a nawet tych członków partii, którzy wstępowali w jej szeregi tylko dla kariery. Kapuściński był komunistą, socjalistą, lewakiem wierzącym; z upływem czasu mniej w nim było wiary, więcej pragmatycznej aprobaty, uznania, że mimo mankamentów socjalizm jest bardziej sprawiedliwym porządkiem niż kapitalizm. Jakżeż zresztą mógł myśleć wrażliwy człowiek, który znał kapitalizm w wersji kolonialnej, postkolonialnej, imperialistycznej – z krajów Afryki, Azji i Ameryki Łacińskiej epoki zimnej wojny? Przekazywanie wiadomości o mrocznych operacjach CIA i jej agentach wywiadowi SWOJEGO państwa, napisanie kilku analiz politycznych Kapuściński miał prawo uważać za czyn moralnie dobry (patriotyczny?), z całą pewnością nie jako rzecz naganną.

Jeśli „wykręcał się", jeśli zachowywał jak „mistrz uników", to raczej dlatego, że był przytłoczony ogromem obowiązków korespondenta. Obsługiwał z Meksyku całą Amerykę Łacińską, codziennie musiał przeczytać dziesiątki albo i setki stron gazet w obcym języku, wysłuchać audycji radiowych i telewizyjnych, napisać mnóstwo krótkich depesz i not, spotykać się z ludźmi. Nie starczało mu doby na pozazawodowe życie.

Ktoś mi opowiada, że po powrocie z Ameryki Łacińskiej poskarżył się Frelkowi, że nagabuje go wywiad, i to Frelek przez swoje koneksje załatwił, żeby panowie z Rakowieckiej dali mu spokój. Wątpię, iżby skarga miała ton antykomunistycznej opowieści, w której wywiad PRL odgrywa rolę zbrodniczej instytucji. Kapuściński poskarżył się raczej dlatego, że nie miał czasu, a Rakowiecka nalegała, domagała się analiz i raportów, zawracała głowę.

Akurat on, dzięki koneksjom na szczytach władzy, mógł być może odmówić wywiadowi wcześniej, lecz nie przyszło mu to do głowy. Z mizernego urobku w teczce widać zresztą, że nie angażował się we współpracę, na pewno nie budował na niej kariery.

Czy poczuł w jakimś momencie, że nawet okazjonalne pisanie raportów i analiz dla tajnych służb to nie jest zajęcie dla reportera? Że przekracza granicę, której dziennikarz przekraczać nie powinien? Nie dlatego, że to wywiad komunistycznego państwa, lecz dlatego że to – po prostu – wywiad.

W czasie przeglądania wycinków prasowych o „teczce Kapuścińskiego" co chwilę trafiam na ślady, że nawet życzliwi Kapuścińskiemu komentatorzy wpadają w pułapkę antykomunistycznej poprawności politycznej.

– Czy nie za łatwo go rozgrzeszamy? – pytają szefowie „Newsweeka" Wojciech Maziarski i Aleksander Kaczorowski. – Przecież gdyby w USA wyszło na jaw, że słynny reporter, laureat Pulitzera, współpracował z CIA, byłby skompromitowany w oczach czytelników.

Teza ta prowokuje, żeby przyjrzeć się temu, jak w „dobrej" Ameryce w czasach zimnej wojny traktowano współpracę dziennikarzy z CIA – jeszcze jedno lustro dla kwestii „Kapuściński a wywiad PRL". Może pozwoli zobaczyć całą sprawę w innym kontekście, innych proporcjach i odcieniach?

W połowie lat siedemdziesiątych dwie komisje Kongresu USA – kongresmana Otisa Pike'a i senatora Franka Churcha – prowadziły śledztwa w sprawie tajnych operacji CIA. W ich toku wyszło na jaw, że werbowanie amerykańskich dziennikarzy do współpracy z CIA jest standardową praktyką agencji. Od samego początku śledztw administracja waszyngtońska, na czele z prezydentem Fordem i jego sekretarzem stanu Kissingerem, stosowała obstrukcję, a naciski byłych i aktualnego wówczas szefa CIA, George'a Busha seniora, powstrzymały dociekliwość kongresmanów i senatorów (z większym skutkiem tych ostatnich). Szefowie CIA argumentowali, że ujawnienie wielu informacji wyrządzi szkodę amerykańskiej polityce zagranicznej. Część rewelacji, zwłaszcza z komisji Pike'a, wyciekła jednak do prasy, a to sprowokowało śledztwa dziennikarskie na temat uwikłania poszczególnych reporterów, jak i całych instytucji medialnych w kolaborację z wywiadem.

Spośród ukazujących się na ten temat publikacji najgłośniejszy był wówczas artykuł *The CIA and the Media*, opublikowany w magazynie „Rolling Stone" w 1977 roku. Jego autor, Carl Bernstein, był w tamtym czasie jednym z dwóch najbardziej znanych reporterów w Ameryce – do dziś zresztą należy do ścisłej czołówki dziennikarzy wszech czasów. Zaledwie trzy lata wcześniej jego śledztwo dla „Washington Post", prowadzone wspólnie z Bobem Woodwardem w sprawie afery Watergate, doprowadziło do dymisji prezydenta Richarda Nixona.

The CIA and the Media, streszczenie:

Dokumenty CIA ukazują jasno: w ciągu ćwierć wieku, począwszy od początku lat pięćdziesiątych, ponad czterystu amerykańskich dziennikarzy było tajnymi współpracownikami CIA. Ich relacje z wywiadem miały zróżnicowany charakter – od „niewinnych" rozmów, wymiany spostrzeżeń po zupełnie otwartą współpracę, na przykład, przyjmowanie zleceń stricte wywiadowczych. Dziennikarze dzielili się z CIA zdobytymi informacjami, najmowano ich do roli łączników między centralą a zawodowymi szpiegami, na przykład w krajach komunistycznych. W opinii wysokich funkcjonariuszy agencji byli jednym z najbardziej wartościowych „narzędzi" zbierania danych. Z wywiadem współpracowali wolni strzelcy, stringerzy, etatowi dziennikarze największych mediów, laureaci Nagród Pulitzera, uważani za nieformalnych ambasadorów swojego kraju za granicą, jak również szefowie opiniotwórczych dzienników oraz stacji radiowych i telewizyjnych.

Wśród dyrektorów wielkich domów medialnych jako współpracowników CIA funkcjonariusze agencji wymieniają Arthura Haysa Sulzbergera, wydawcę „New York Timesa", Williama Paleya z Columbia Broadcasting System (CBS), Jamesa Copleya z Copley News Service (CNS). Z wywiadem współpracowały American Broadcasting Company (ABC), National Broadcasting Company (NBC), Associated Press (AP), United Press International (UPI), Reuters, Hearst Newspapers, tygodnik „Newsweek", Mutual Broadcasting System (MBS) i wiele innych. W opinii wysokich funkcjonariuszy CIA najbardziej użyteczne dla agencji były związki z „New York Timesem", CBS oraz Time Inc.

Jak funkcjonowała taka instytucjonalna współpraca? Zwykle sam dyrektor CIA lub któryś z jego zastępców nawiązywał przyjaźń lub znajomość z kimś z kierownictwa gazety lub stacji telewizyjnej. Gazeta zatrudniała u siebie pracownika CIA jako dziennikarza bądź udzielała mu swojej akredytacji. Zagraniczne biura gazety lub stacji dzieliły się z agentem CIA zdobytymi informacjami. Niekiedy agentów wywiadu zatrudniano w biurze jako pracowników personelu administracyjno-technicznego.

Również relacje samych reporterów z CIA miały formalnie różny status: niektórzy podpisywali z agencją umowy o poufności, niektórzy deklarowali, że nigdy nie ujawnią współpracy, jeszcze inni mieli kontrakty przypominające umowy o pracę bądź doraźne zlecenia. Wielu wreszcie pozostawało w luźniejszych relacjach, choć powierzano im nieraz takie same zadania, jak reporterom zakontraktowanym.

Jakie to były zadania? CIA wykorzystywała dziennikarzy przede wszystkim do rekrutowania i prowadzenia zagranicznych agentów, zdobywania i analizowania informacji, jak również do dezinformowania, wywoływania zamętu, rozpowszechniania fałszywych wiadomości w elitach politycznych danego kraju.

„Standardowe oczekiwania" agencji wobec dziennikarzy – według relacji wysokiego funkcjonariusza CIA – wyglądały mniej więcej tak:

– Chcieliśmy prosić cię o przysługę. Wróciłeś z Jugosławii, tak? Jak wyglądają u nich drogi? Widziałeś znaki obecności wojska? Gdzie dokładnie? Dużo tam cudzoziemców? Zaraz, zaraz, przeliteruj jeszcze raz to nazwisko…

Podobnie wyglądały rozmowy instruktażowe przed podróżą: na co zwrócić uwagę, z kim się spotkać, z kim zawrzeć znajomość. CIA traktowało takich dziennikarzy jako swoich agentów; oni sami uważali się często za godnych zaufania przyjaciół, którzy wyświadczają CIA przysługę – najczęściej bez finansowych profitów – z pobudek patriotycznych, dla dobra ojczyzny.

Publicysta Joseph Alsop, którego CIA wysłała w 1953 na Filipiny – dokładnie tak, jak się wysyła swojego pracownika – mówił potem otwarcie: – Jestem dumny, że poproszono mnie o to i że to zrobiłem. Gadanie, że dziennikarz nie ma obowiązków wobec swojego kraju, jest gówno warte.

Współpraca mediów z CIA w czasach zimnej wojny miała swoją ideologię: walkę ze „światowym komunizmem", podobnie zresztą jak współpraca z wywiadem wielu innych instytucji, korporacji, firm. Przenikanie wywiadu do świata dziennikarskiego było o tyle łatwe, że granice między establishmentem politycznym, ekonomicznym i medialnym nigdy nie były w Ameryce zbyt przejrzyste. Niemal nie zdarzało się, iżby CIA korzystała ze współpracy dziennikarzy lub ich zaplecza, czyli biur zagranicznych gazet, radiostacji i telewizji, bez wiedzy właściciela, redaktora naczelnego bądź kluczowej postaci w kierownictwie danego medium. Oznacza to, że najpotężniejsze środki masowego przekazu – w sumie około 25 organizacji, korporacji, agencji medialnych – spełniały wobec służb wywiadowczych funkcje usługowe.

Wciąganie mediów i ich zagranicznych korespondentów do współpracy z wywiadem na dużą skalę zainicjował Allen Dulles, który został dyrektorem CIA w 1953 roku. Odsłuchiwanie przez funkcjonariuszy CIA relacji reporterów powracających z zagranicy, udostępnianie przez tychże notesów z kontaktami i obserwacjami stało się od czasów Dullesa codzienną praktyką.

Pracownicy wywiadu nie zwykli ujawniać nazwisk tych, którzy z nimi współpracowali. Argumentują, że byłoby nie fair oceniać zachowania tych dziennikarzy w oderwaniu od kontekstu czasów, w których – jak mówi z goryczą pewien wysoki oficer CIA – „służby rządowi swojego kraju nie uważano za zbrodnię".

Jakieś nazwiska od czasu do czasu jednak wypływały: Jerry O' Leary z „Washington Star", Hal Hendrix z „Miami News", laureat Nagrody Pulitzera... Hendrix dostarczał CIA – w opinii funkcjonariuszy agencji – „niezwykle użytecznych informacji" na temat kubańskich imigrantów na Florydzie, O'Leary – o sytuacji w Dominikanie i Haiti. CIA posiada w archiwach obszerne raporty o działalności obu reporterów; wynika z nich, że nie dostawali za swoje usługi pieniędzy.

W opinii funkcjonariuszy wywiadu O'Leary regularnie pracował dla CIA, jednak sam dziennikarz widział to inaczej. Twierdził, że nie była to praca ani współpraca, lecz zwykłe rozmowy, wymiana obserwacji. Przyznawał się do przyjacielskich stosunków z agentami CIA, lecz to oni – zarzekał się – pomagali bardziej jemu niż on im.

Ta rozbieżność nieźle ukazuje nieprzejrzystość i dwuznaczność sytuacji, w jakiej znajdują się dziennikarze utrzymujący kontakty z wywiadem: mogą sądzić, że tylko rozmawiają, zdobywają od agentów informacje potrzebne do swojej pracy, tymczasem przez pracowników wywiadu, tu: CIA, są uważani za „swoich ludzi", po prostu – agentów.

Byli wśród amerykańskich dziennikarzy i tacy, którzy dostawali od CIA jasno zdefiniowane zadania, podpisywali umowy i trudno byłoby im tłumaczyć, że „tylko" rozmawiali (Bernstein podaje kilka nazwisk).

Jak dwuznaczna i „szara" jest sytuacja układów z wywiadem – tu: układów instytucjonalnych – nieźle ukazuje przypadek Arthura Haysa Sulzbergera, wydawcy „New York Timesa". W latach 1950–1966 jego gazeta dała „przykrywkę" dziesięciu agentom CIA. Przywilej bliskich relacji z najbardziej opiniotwórczą gazetą w Stanach Zjednoczonych CIA zawdzięczała przyjacielskim stosunkom Sulzbergera z Allenem Dullesem. To był deal dwóch potężnych ludzi i dwóch potężnych instytucji; obie na tym układzie korzystały i trudno mówić o jakimś „przyciśnięciu" słabszego przez silniejszego. Sulzberger podpisał poufną umowę z CIA, której treść jest przedmiotem kontrowersji; według jednych, zgodził się jedynie na nieujawnianie tajnych informacji, które udostępniono mu „do wiadomości", nie do publikacji; według innych – przysiągł nigdy nie ujawnić jakiejkolwiek współpracy gazety z agencją. Sulzberger nigdy nie krył przed swoimi redaktorami i reporterami, że gazeta współpracuje z wywiadem. W dalszym ciągu poufne pozostawały jednak informacje o tym, kto z reporterów lub pracowników wykonuje prócz pracy dla gazety zadania wywiadowcze bądź kto jest pracownikiem CIA, któremu gazeta daje „przykrywkę".

W 1976 roku w trakcie śledztw obu komisji Kongresu ówczesny szef CIA George Bush senior obiecał publicznie, że agencja nie będzie wchodzić w żadne płatne bądź wiążące jakimikolwiek umowami relacje z dziennikarzami zatrudnionymi w amerykańskich środkach przekazu. Równocześnie dał do zrozumienia, że wywiad oczekuje od dziennikarzy dobrowolnej i nieodpłatnej współpracy.

Jedno z kluczowych przesłań artykułu: wywiad jest od zbierania informacji, nie musi przejmować się etyką zawodu dziennikarskiego. To problem dziennikarzy i ich szefów, właścicieli środków przekazu. – Jeśli choć jeden amerykański korespondent noszący legitymację prasową jest płatnym informatorem CIA, wówczas wszyscy korespondenci są podejrzani – mówi były korespondent „Los Angeles Times".

Trudno o trafniejszą konkluzję.

Wypytuję piątkę znanych w Ameryce reporterów zagranicznych z prasy i radia: czy kiedykolwiek byli nagabywani przez CIA, czy próbowano ich werbować bądź namówić do nieformalnej wymiany informacji? Każdy z moich rozmówców podróżował w czasach zimnej wojny i później do różnych ogarniętych konfliktami regionów świata: do krajów bloku radzieckiego, w tym Polski, do Afryki, Ameryki Łacińskiej, na Bliski Wschód, do Wietnamu w czasie wojny, do Iraku po napaści Ameryki na ten kraj w 2003 roku. Wszyscy znają kontekst mojego pytania: że chodzi o przedstawienie szerszego tła dla sprawy „Kapuściński a wywiad Polski Ludowej" i ukazanie, jak służby wywiadowcze obu stron zimnej wojny wykorzystywały dziennikarzy. Każde z tej piątki słyszało o lustrowaniu życiorysu słynnego polskiego reportera.

Tylko jeden odpowiada na pytanie twierdząco: tak, CIA próbowała wciągać go do współpracy. Inny przyznaje się do rozmowy z amerykańskim personelem wojskowym i „chyba wywiadowczym też" w Iraku, choć nic nigdy nie było powiedziane wprost; żadne propozycje nie padały. Ktoś inny, odpowiadając, że CIA nigdy nie próbowała wyciągać od niego informacji, przyznaje się później w toku rozmowy do przyjaźni z rezydentem CIA w jednym z krajów, w którym pracował jako korespondent.

Jedyny z rozmówców, który mówi otwarcie, że ludzie z CIA składali mu propozycje, ma w swoim dorobku tak wiele publikacji demaskujących zbrodnicze operacje amerykańskiego wywiadu, że pytanie, co im odpowiedział, uznaję za niestosowne.

Ów reporter zwraca uwagę, że korespondenci zagraniczni, szczególnie w rejonach konfliktów, nigdy nie mogą być pewni, czy są, czy nie źródłem informacji dla ludzi wywiadu; także tego, czy w archiwach CIA nie figurują jako „kontakty operacyjne" bądź „współpracownicy". Bo jakie jest – pyta retorycznie – naturalne miejsce, do którego udaje się amerykański reporter po przybyciu na miejsce? Ambasada USA. Jeśli jej nie ma w danym kraju, idzie do siedziby jakiejś amerykańskiej korporacji, robiącej w danym kraju interesy, a w takim miejscu zawsze pełno agentów wywiadu; spotkanie w korporacji jest czymś zupełnie naturalnym, dziennikarz szuka u swoich rodaków oparcia na obcym terenie, zbiera kontakty, obserwacje. Czy może mieć pewność, że wymieniając uwagi z kimkolwiek z personelu ambasady bądź wielkiej firmy, nie udziela informacji CIA? Nigdy. Ma raczej prawo podejrzewać, że sekretarz polityczny ambasady, z którym rozmawia, powtórzy jego opinie komu trzeba. A gdy rozmawia z samym ambasadorem i opowiada mu o czymś, co widział, słyszał, do czego dotarł – do czego dyplomaci nie mają łatwego dostępu, to przekracza granice czy nie? Kiedy jest już współpracownikiem wywiadu, a kiedy jeszcze nie? Bo przecież może być pewien, że ambasador powtórzy rewelacje reportera ludziom z CIA...

– Więc jaka rada?

– Ostrożność. Nie należy za dużo gadać. Ale prawdę powiedziawszy, nie ma dobrej rady.

Pytam, czy dzisiaj CIA również korzysta ze współpracy dziennikarzy. Oczywiście, choć od czasów komisji Pike'a i Churcha jest ostrożniejsza, nie wciąga do współpracy tak nachalnie i otwarcie jak wcześniej.

– Jakie widzi pan podobieństwa i różnice między „sprawą Kapuścińskiego" a współpracą amerykańskich dziennikarzy z CIA?

Mój rozmówca rysuje na kartce, jak wyglądała struktura zależności między władzami politycznymi a środkami przekazu w krajach socjalistycznych i Ameryce epoki zimnej wojny. Piramidka zależności w kraju komunistycznym jest wertykalna: władza – medium (gazeta, agencja prasowa) – dziennikarz. Agencja prasowa czy tygodnik, w którym pracował Kapuściński, nie były niezależne; mówiąc w uproszczeniu: władza mogła wydawać polecenia szefom agencji prasowej, gazety. Rozważając hipotetycznie – jeśli dziennikarz odmówiłby współpracy z wywiadem, władze polityczne kraju mogły nakazać pracodawcy, żeby go ukarał, zwolnił. System stwarzał taką możliwość, mniejsza o to, czy i na ile z niej korzystano.

Rysunek zależności między władzą a środkami przekazu w Ameryce jest inny, nie ma tu pionowych zależności. Władza może rozmawiać bezpośrednio z dziennikarzem, jak i jego szefami. Może wpływać na właścicieli i zarządzających mediami, nie może jednak niczego im nakazać.

– To różnice między systemami, istotne w politycznej analizie, jednak w praktyce, gdy już dochodziło do współpracy dziennikarza lub organizacji medialnej z wywiadem, charakter przekazywanych informacji, możliwe konsekwencje, wymiar etyczny były takie same.

– To znaczy?

Tu pada odpowiedź podobna do tej, jaką zawiera artykuł Bernsteina: – Jeśli jeden korespondent jest współpracownikiem wywiadu, to wszyscy jesteśmy podejrzani. Współpraca z wywiadem to cholernie niebezpieczny dla naszej profesji proceder. Nie tylko ze względu na wiarygodność, aspekt moralny; jest wiele „szarych" sytuacji, wymykających się jednoznacznym ocenom. Chodzi też jednak o zwykłe bezpieczeństwo nas jako ludzi. Jeśli pada podejrzenie na jednego, nikt nie może czuć się bezpiecznie.

Czy to główny morał opowieści o reporterze uwikłanym w konszachty z tajnymi służbami? Współpracując z wywiadem, nawet okazjonalnie, wszystko jedno, czy w szlachetnych intencjach, czy z oportunizmu, Kapuściński nie popełniał grzechu zaprzedania duszy „czerwonemu diabłu", jak głosi antykomunistyczna inkwizycja, lecz zupełnie inny. Kto w czasach zimnej wojny był „dobry", a kto „zły" zależało od miejsca i czasu, nie ma jednego kryterium oceny; akurat w Trzecim Świecie to kraje Zachodu, przede wszystkim Ameryka, były potęgami zniewalającymi, gwałcącymi słabsze kraje i społeczeństwa. Popełnił jednak Kapuściński grzech przeciwko własnej profesji, nawet jeśli nie do końca zdawał sobie z tego sprawę. Czy mógł nie być świadomy jego popełnienia? Sądzę, że tak, i to przez długi czas. Nie wyrastał w liberalnej kulturze świata zachodniego, w którym debatuje się otwarcie o obiektywizmie i stronniczości mediów, konfliktach interesów i niezależności. Pewne pytania mogły mu nie przyjść do głowy. Przez całą młodość i wiek średni był reporterem zaangażowanym, idealistą wyrosłym w prometejskiej, romantycznej tradycji, walczącym o socjalizm lub kibicującym tej idei na świecie; reporterem i człowiekiem swojej epoki, który utożsamiał się z ideałami wyzwalających się – z zachodniej niewoli – ludów i który widział świat w kolorach czarno-białych. Uważał zresztą, że tak jest dobrze, że tak ma być.

Współpracą z wywiadem wyrządził krzywdę przede wszystkim sobie, a świadomość tego przyszła dobrych parę lat po jej zakończeniu. Gdy w połowie lat osiemdziesiątych w Ameryce wychodził *Szachinszach*, Kapuściński sam, bez niczyich nacisków – to moje przypuszczenie – usunął fragmenty dotyczące kluczowej roli CIA w obaleniu irańskiego premiera Mosaddegha w 1953 roku. Przedstawiłem wcześniej kilka uzupełniających się nawzajem hipotez, dlaczego to zrobił, jednak tę najważniejszą stawiam dopiero tutaj, kończąc opowieść o „teczce Kapuścińskiego". Skoro miał w życiorysie epizod współpracy z wywiadem państwa bloku radzieckiego, nie było rzeczą roztropną w Ameryce, w czasach zimnej wojny, oskarżanie wywiadu amerykańskiego o polityczną zbrodnię. Kapuściński nie mógł wiedzieć, czy CIA ma jego charakterystykę – korespondenta z komunistycznej Polski, być może agenta wywiadu; charakterystykę analogiczną do tej, jaką sam sporządził w Meksyku – redaktora „Reader's Digest". (Nie byłoby zaskakujące, gdyby ów napisał notatkę o Kapuścińskim). Nie wiedząc, czy CIA kiedykolwiek się nim interesowała, wolał nie ryzykować. Jako dawny współpracownik wywiadu – nieistotne jak mało znaczący – musiał liczyć się z tym, że jeśli oskarży CIA w książce wydanej w Ameryce, agencja może oddać cios. I znokautować. Jak wyglądałaby jego wiarygodność w Stanach, jaki byłby los jego książek, dalszej kariery, gdyby CIA zrobiła „przeciek" do prasy z informacją, że autor *Szachinszacha*, demaskator tajnej operacji CIA w Iranie, był kiedyś na żołdzie konkurencyjnego – komunistycznego – wywiadu?

Chciałem sprawdzić, czy CIA ma w swoich zasobach jakieś materiały o Kapuścińskim. Dyrektor National Security Archive Thomas Blanton, który nieraz toczył boje z agencją o odtajnienie akt, sugeruje, bym nie tracił czasu i energii. CIA nie udostępnia informacji o ludziach, nigdy nie odpowiada na pytania o konkretne osoby; CIA wygrała kilka precedensowych procesów, w których na podstawie ustawy o dostępie do informacji próbowano zmusić ją do potwierdzenia lub zaprzeczenia informacjom o istnieniu w archiwach akt konkretnych osób. Nie udzieli nawet odpowiedzi negatywnej w rodzaju: „nic o Kapuścińskim nie mamy", niezależnie od tego, czy rzeczywiście coś mają, czy nie.

Legendy (5): cena wielkości

Czy właśnie dlatego, że może zostać publicznie napiętnowany za współpracę z wywiadem Polski Ludowej, jest w ostatnich latach życia pełen obaw, zbyt często smutny, przybity, jak na człowieka, który odniósł tak wielki sukces w kraju i na świecie?

Oprócz Kapuścińskiego, trudno wymienić pisarza czy myśliciela z Polski (Zygmunt Bauman? Stanisław Lem?), który może poszczycić się tym, że jego książki są obecne w księgarniach w tylu krajach, wydane w tylu językach. Codziennie do domu listonosz przynosi listy z całego świata: zaproszenia na odczyty, konferencje, warsztaty, prośby o wywiady. Kapuściński odbiera doktoraty honoris causa, prestiżowe nagrody, jest jurorem, komentatorem, mentorem. Często jednak, chyba zbyt często, niektórzy z jego przyjaciół odnoszą wrażenie, że mniej cieszą go te wszystkie honory, które składają mu czytelnicy, literaturoznawcy, a bardziej przerażają – jak mówi – „straszne facety": ci od lustracji i dekomunizacji, którzy w życiorysach publicznych postaci tropią epizody współpracy ze służbami specjalnymi PRL.

Wracają słowa z początku mojej podróży po życiu Ryśka: – Mimo światowej sławy, która powinna mu dać pewność siebie, był czymś przygnieciony, widziałem to w spojrzeniu, kroku; ten uśmiech, ta miękkość...

Niepokój wyraził w wierszu napisanym w ostatnich latach życia:

Właściwie co miałem zrobić powiedzieć – nie
powiedziałem – tak
I wtedy zaczęło się całe to staczanie w dół w dół

Co tu dużo mówić

Zbliżając się ku końcowi tej opowieści, odnoszę wrażenie, że przygniatał go strach – nie tylko ten przed ujawnieniem współpracy z wywiadem. Chodziło o coś znacznie więcej.

Wiktor Osiatyński sugeruje takie wyjaśnienie:

– Rysiek stworzył wielkie dzieło. Jednak po to, ażeby to dzieło mogło zaistnieć, musiał również stworzyć samego siebie, swój własny obraz. W połowie lat osiemdziesiątych w Ameryce obserwowałem z bliska, jak uczył się tego, że pisarz musi zbudować własny wizerunek, żeby odnieść sukces. Wkładał w to mnóstwo pracy i wysiłku, było to dla niego trudne, szczególnie na początku, lecz wspaniale ten egzamin zdawał.

– Jaki obraz samego siebie stworzył dla świata? – dopytuję.

– Nieustraszonego reportera wojennego. Na ile świadomie tworzył taki wizerunek – nie wiem, ale taki obraz z tego tworzenia wyszedł.

– Także obraz człowieka, który poznał osobiście wszystkich ważnych ludzi w najnowszej historii krajów, o których pisał: Che Guevarę, Lumumbę, Idi Amina?

– Tak, sądził, że bez tej legendy nikt nie będzie chciał słuchać i czytać reportera, pisarza z dalekiej Polski. Potem tworzył obraz myśliciela. Paradoksalnie, kiedy zmarł i już tego obrazu tworzyć nie może, on się tworzy samoczynnie, wynosząc Ryśka coraz wyżej i wyżej.

– Stworzył legendę o sobie, w której jest mnóstwo pięknych, imponujących i czasem mrożących krew w żyłach opowieści, lecz nieraz są one, niestety, „podkolorowane".

– To cena, jaką zapłacił za swoją wielkość. Zwykle była ona ceną drobnych nieścisłości, a niekiedy nawet konfabulacji. Z czasem zamieniła się w cenę strachu, że to się wyda i zmiecie z takim trudem stworzony obraz.

Sprzedam panu za darmo pomysł na tytuł tej książki: „Kapuściński – cena wielkości". Jeśli w taki sposób spojrzymy na życiorys Kapuścińskiego, wówczas wszystkie konfabulacje, układy z władzą w czasach PRL i współpraca z wywiadem, podporządkowanie wszystkiego, także życia rodzinnego, sukcesowi, zabrzmią o wiele łagodniej i – jak myślę – sprawiedliwiej.

Maestro Kapu

– Herodot ma wreszcie godnego kompana – Jaime Abello pokazuje jeden z e-maili, jakie po śmierci Kapu, jak wszyscy tu nazywają Kapuścińskiego, nadeszły do Fundacji Nowego Dziennikarstwa Iberoamerykańskiego w kolumbijskiej Cartagenie.

– Widocznie Bóg potrzebował się dowiedzieć, co naprawdę dzieje się na świecie, i dlatego wezwał do siebie najlepszego.

– Pewnie gawędzisz sobie z takimi jak ty, zamieszkującymi owe terytoria podbite przez babki i ciotki – mistrzynie w opowiadaniu historii.

Wiele listów – naliczyłem ich 144 – nadeszło od uczestników warsztatów Kapuścińskiego; jeszcze więcej od tych, którzy na warsztaty się nie dostali, choć pragnęli. W tych najwięcej żalu, że już nigdy nie spotkają mistrza.

Do fundacji docieram niemal rok po jego śmierci. Kilka pokoików w kamienicy na urokliwej kolonialnej starówce. Na ścianach fotografie sławnego założyciela i prezesa. Fundację w swoim ukochanym mieście założył Gabriel García Márquez. Razem z grupą przyjaciół postanowił zrobić coś dla poprawy kiepskiego, jak uważał, stanu dziennikarstwa w Ameryce Łacińskiej. Idea naczelna: uformować nowe pokolenie piszących reporterów jako świadomych misji zawodu.

W roku dziewięćdziesiątym piątym ruszyły warsztaty prowadzone przez dziennikarską śmietankę z obu Ameryk i Europy.

Alma Guillermoprieto i Jon Lee Anderson (oboje związani z „New Yorkerem"), Horacio Verbitsky i Tomás Eloy Martínez z Argentyny, Clóvis Rossi z Brazylii, Sergio Ramírez z Nikaragui, Joaquín Estefanía z Hiszpanii. W ostatnich latach gwiazdą warsztatów był Kapuściński.

– Na warsztaty z innymi mistrzami zawodu aplikuje zwykle 100–120 dziennikarzy. Na warsztaty z Kapu przychodziło 180–200 wniosków – opowiada Jaime, który na co dzień zarządza fundacją. Ostatecznie w warsztatach bierze udział piętnastka wybrańców.

Kapuściński był od dawna na liście mistrzów sugerowanej przez Garcię Marqueza. Do fundacji trafił jednak okrężną drogą. W dwutysięcznym roku odwiedził Bogotę, zaproszony przez Maruję Pachón, bohaterkę powieści-reportażu Garcii Marqueza *Raport z pewnego porwania*. Na początku lat dziewięćdziesiątych Maruję, wówczas dziennikarkę, porwał narkobaron Pablo Escobar, chcąc wymusić na rządzie Kolumbii rezygnację z polityki ekstradycji do USA przestępców takich jak on. Maruja spędziła pół roku w niewoli Escobara, teraz kieruje Instytutem im. Luisa Carlosa Galana (swojego szwagra – polityka zabitego przez Escobara). Instytut prowadzi programy socjalne, wspiera rozwój lokalnych społeczności w kolumbijskim interiorze.

Maruja zaprasza do siedziby fundacji na bogotańskiej starówce – Candelarii. Opowiada: – Zrobiliśmy konferencję o naszej wojnie domowej. Chcieliśmy posłuchać głosu kogoś z zewnątrz, kto obserwował wiele innych konfliktów. Kapuściński wydawał się idealnym kandydatem.

W czasie konferencji unika jednak wydawania osądów czy udzielania rad. Ma żelazną zasadę: po kilku dniach pobytu w nieznanym na co dzień kraju nie wygłasza żadnych opinii.

Maruja wymyśliła dla niego stypendium na pół roku, może nawet na rok. Chciała, żeby obserwował konflikt w Kolumbii, a potem napisał o nim książkę. Do realizacji projektu nigdy nie doszło – Kapuściński był zbyt zajęty.

Dziennikarz, który był w grupie witającej go na lotnisku, zapamiętał dziwne zachowanie gościa, gdy dotarli do hotelu. Kapuściński rozglądał się nerwowo, wyglądał nieswojo. Asystentka, która rządziła jego rozkładem zajęć, spytała w końcu, o co chodzi.

– Za drogi ten hotel, zbyt luksusowy – powiedział.

Ale został, żeby nie robić gospodarzom kłopotu.

Gdy wieść o wizycie Kapu w Bogocie dotarła do fundacji, Jaime Abello stanął na głowie, żeby ściągnąć go choć na jeden dzień do Cartageny. Udało się. Kapuściński poprowadził nieformalne konwersatorium dla dziennikarzy z lokalnych mediów.

Maruja: – Ludzie z fundacji w Cartagenie zabrali go do slumsów „Nelson Mandela" na przedmieściach miasta. Umierałam ze strachu, że go tam zabiją albo porwą. To naprawdę niebezpieczna okolica, w której rządzą gangi żyjące z okupów.

Jaime ma zupełnie inne, raczej liryczne wspomnienia.

– Jechaliśmy samochodem. Ryszard w pewnej chwili powiedział: „Kiedy przymrużę oczy, nie wiem, czy jestem na Karaibach, czy w Afryce. Ten sam zapach powietrza, architektura kolonialna jak w Mozambiku, ludzie... Nie wiem, gdzie jestem – niesamowite uczucie".

Kapuściński zakochał się w Cartagenie. Nie zawsze chętnie jechał, gdy go zapraszano na rozmaite konferencje, wykłady. Publiczne imprezy odciągały go od najważniejszego: pisania; dlatego w ostatnich latach życia częściej odmawiał, niż przyjmował zaproszenia, choć i tak jeździł sporo. Z fundacją w Cartagenie było inaczej: myśl o wyjeździe na kolejne warsztaty do któregoś z krajów Ameryki Łacińskiej – regionu, który go fascynował, i który po ludzku lubił – przynosiła w chwilach zwątpienia, nerwów i rozmaitych lęków ulgę, poczucie, że będzie mógł się oderwać, na chwilę zapomnieć. Poza tym zapraszała fundacja Garcii Marqueza – a Kapuścińskiemu zależało na znajomości z noblistą, najsłynniejszym pisarzem regionu i hiszpańskojęzycznej literatury.

Jaime i Kapu ustalili, że za kilka miesięcy, w marcu dwa tysiące pierwszego, poprowadzi pierwsze warsztaty w Meksyku.

Zajęcia z zasady odbywają się w różnych krajach, Kapuściński zawsze wybierał miejsca, w których się coś działo („żeby – jak mówił – mieć też coś z tego dla siebie"). W dwa tysiące pierwszym wybrał Meksyk – bo po siedemdziesięciu jeden latach autorytarnych rządów Partii Rewolucyjno-Instytucjonalnej nastawała demokracja. Rok później Buenos Aires – bo kilka miesięcy wcześniej pospolite ruszenie obaliło tam rząd, rozkwitały rady ludowe i wydawało się, że kraj jest u progu nowej rewolucji październikowej. Caracas za następne dwa lata – bo rewolucja Hugona Chaveza to uczta dla reportera, który miał wówczas w planach napisanie książki o Ameryce Łacińskiej.

W archiwum fundacji przeglądam listy motywacyjne, by zorientować się, czego reporterzy szukali na warsztatach z Kapuścińskim.

– Wyczerpałem wszystkie siły, jakich trzeba do napisania dobrego reportażu – napisał aplikant z Wenezueli. – Cierpię na „odwodnienie wyobraźni". Marzę o tym, że spotkanie z panem Kapuścińskim będzie źródłem inspiracji.

Ktoś inny: – Kapuściński to dziennikarz, który opowiada o wielkich wydarzeniach z punktu widzenia LUDZKOŚCI. W swoich książkach obalił znaczenie rządów, wojsk, wielkich interesów i dał głos zwykłemu człowiekowi, zwykłemu żołnierzowi, który, choć nie rozumie, dlaczego ma zabijać, wypełnia swój obowiązek z pewnym nawet zadowoleniem.

Zasada warsztatów: każdy z uczestników przywozi własny reportaż. Wszyscy czytają każdy tekst, a podczas sesji wspólnie analizują: dobór tematu, rozmówców, język, metodę.

Sandra La Fuente z Caracas, którą poznałem dzięki Kapuścińskiemu, mówi jednak, że najważniejsze nie były wcale rozmowy o warsztacie – nad tym każdy musi pracować sam.

– Kapu pokazał mi sens uprawiania zawodu.

Co ma na myśli, łapię po przejrzeniu zapisu dyskusji w czasie warsztatów. Reporterzy pytają o wszystko: o przeżycia wojenne, o to, jak znosi samotność, jak sobie radzi ze strachem, czy obiektywizm w ogóle istnieje.

Ktoś spytał, dlaczego uważa, że dziennikarstwo nie jest zawodem dla cyników. Pytanie to było aluzją do tytułu książki *Los cínicos no sirven para este oficio*, niewydanej po polsku, która jest zapisem spotkań Kapuścińskiego z reporterami zagranicznymi.

– Nie wierzę – odpowiedział Kapu – że prawdziwy dziennikarz może być cynikiem, a dziennikarzy poznałem wielu. Nasz sukces zawodowy zależy od innych. Nasi rozmówcy potrafią bezbłędnie odróżnić reportera, który pyta o sprawy, którymi sam się do głębi przejmuje, od takiego, który przyjechał tylko po to, żeby złapać story i szybko wyjechać. Bez empatii nie da się dzielić cierpień i radości ludzi, o których piszemy. Tylko na poziomie głębszych międzyludzkich relacji uzyskujemy dobry materiał dla naszego pisania.

Kiedy prowadzi warsztaty w Meksyku, do miasta wkracza kolumna partyzantów wicekomendanta Marcosa – zapatystów. Są bez broni, chcą rozmawiać z władzami kraju. Domagają się od nowego rządu – wybranego w pierwszych od siedemdziesięciu jeden lat demokratycznych wyborach – uznania praw Indian i odejścia od neoliberalnej polityki lat dziewięćdziesiątych.

Jaime wspomina, że w pewnym momencie Kapu poderwał się i powiedział: „A teraz, drodzy przyjaciele, *adiós*, idę popracować". I rozpłynął się w tłumie zapatystów, ich zwolenników i gapiów.

Refleks meksykańskich obserwacji: po powrocie do Polski Kapuściński wieszczy przebudzenie Ameryki indiańskiej – na kilka lat przed dojściem do władzy Eva Moralesa w Boliwii, Rafaela Correi w Ekwadorze, Fernanda Lugo w Paragwaju. W wywiadzie dla „Gazety Wyborczej" mówi:

> Wyglądało to tak, jak gdyby Indian przywieziono z innego kontynentu. A byli to obywatele tego samego państwa! Ludzie, którzy mają takie samo prawo głosu, taki sam paszport. Ci Indianie i mieszkańcy stolicy nie mają ze sobą nic wspólnego. I właśnie to rozwarstwienie zaatakowali zapatyści.

Polemizuje z poglądem, że Marcos to czerwony radykał z nożem w zębach: to buntownik, nie rewolucjonista, ktoś, kto jest krytykiem, lecz nie ma aspiracji wywracania ładu i przejęcia władzy. Czuło się, że podziela diagnozy buntownika:

> Znów powołam się na Marcosa, który mówi, że sam rynek nie jest zagrożeniem. Natomiast globalizacja może nim być, choć nie musi. Marcos mówi, że gospodarcze elity Meksyku i innych krajów nie zdają sobie sprawy, że zagrożenie nie płynie ze strony rewindykacyjnych ruchów społecznych, lecz wielkiego kapitału. Bo te lokalne burżuazje nie zostaną zniszczone przez buntowników, ale będą wchłonięte przez wielkie centra finansowe.

Zwraca uwagę na nową rolę mediów:

> Między partyzantką lat sześćdziesiątych – z czasów Che Guevary – a ówczesną władzą nie było kontaktu. To była konspiracja i otwarta wojna od pierwszego dnia. Natomiast w Meksyku – mimo że ruch zapatystów zaczął się od zbrojnego powstania w Chiapas w 1994 roku – już po kilku dniach walki nastąpiła pierwsza wymiana informacji między władzą a rebeliantami: wysyłanie postulatów, przekaz medialny itd. To media ułatwiły pokojowe zakończenie krwawego na początku powstania; bezbłędnie odgrywały rolę pośrednika i mediatora.

Jednak w czasie wywiadów i paneli dyskusyjnych w Meksyku, dopytywany o Marcosa, uchyla się: – Za krótko tu jestem, nie mogę wydawać ocen.

Sądzę, że to nie jedyny powód. Kapuściński chciał być kochany i podziwiany „ponadpartyjnie". Nietrudno było domyślić się, że lubi Marcosa, solidaryzuje się z dążeniami zapatystów. Wolał jednak, żeby w Meksyku nie odbierano jego wypowiedzi jako politycznych, by nie ciążyły na odbiorze tego, co mówił o dziennikarstwie i o świecie.

Podobnie zachowywał się w trzy lata później w Caracas. Uczestnik jednego z warsztatów, Boris Muñoz, opowiada tak:

– Ani w czasie warsztatów, ani w czasie spotkania z szerszym gronem dziennikarzy nie powiedział wprost, co sądzi o kontrowersjach, jakie wywołuje w Wenezueli postać prezydenta Hugona Chaveza. Jeśli ktoś chciał, mógł usłyszeć w jego słowach dezaprobatę dla tendencji autorytarnej. Jeśli ktoś chciał... Bo Kapu nie powiedział niczego wprost. Ktoś go w końcu zapytał: – Jaka jest pana rada na uprawianie dziennikarstwa w kraju tak głębokiej polaryzacji politycznej jak Wenezuela? I znowu – szalenie ostrożna, defensywna odpowiedź. Zaoferował dyskurs, w którym z jednej strony – dystansował się od autorytaryzmu, a z drugiej – namawiał dziennikarzy do otwartości na dokonujące się w Wenezueli i Ameryce Łacińskiej zmiany społeczne. W tej ostatniej części pobrzmiewała nuta sympatii do Chaveza, tak to przynajmniej rozumiano.

Kapuściński miał dużo zrozumienia, empatii dla źródeł popularności wenezuelskiego trybuna i zmian, które zapoczątkował. Rewolucję Chaveza (czy to rewolucja, to temat na osobną dyskusję) traktował jako część przebudzenia biedoty kontynentu, Ameryki etnicznej – a z tym procesem otwarcie sympatyzował.

> – Teraz Ameryka indiańska budzi się ze snu. Nie tylko w Meksyku, ale wszędzie tam, gdzie indiańskie społeczności są jeszcze silne, czyli w Peru, Boliwii, całej Ameryce Środkowej, Kolumbii, Wenezueli, Ekwadorze, Paragwaju i Brazylii. Jest to zjawisko na skalę całego regionu. Indianie uzyskują świadomość etniczną i żądają równoprawnego członkostwa w nowym, wielokulturowym świecie XXI wieku.

Rozumiejąc jednak mechanizmy i pokusy władzy, które opisał w swoich najlepszych książkach, rezerwował sobie przestrzeń dla krytycznych ocen konkretnych polityków i ich decyzji. Wyrażając sympatię dla nowych ruchów, był jednocześnie ostrożny w formułowaniu sądów o konkretnych politykach, zwłaszcza sądów pozytywnych, będących rodzajem intelektualnego kredytu zaufania. Widział w życiu zbyt wielu szlachetnych wodzów, których władza zamieniała w potwory.

Chyba nikt z uczniów ani znajomych Kapuścińskiego w Ameryce Łacińskiej nie wie (sprawdzałem w kilku krajach), że kiedyś przetłumaczył na polski *Dziennik z Boliwii* Che Guevary – to jedyna książka, jaką w ogóle przetłumaczył. Guevara był jego wielką fascynacją; długo też Kapuściński żywił nadzieje – można rzec: złudzenia – wobec Fidela Castro i jego socjalizmu karaibskiego.

Spytałem Jaime Abella, czy zauważył, że Kapu był w swoim myśleniu głęboko lewicowy, nie partyjnie, lecz – powiedzmy – „ogólnohumanistycznie"; w swoim pisarstwie zawsze stawał po stronie pokrzywdzonych, biednych, po stronie ruchów emancypacyjnych.

– Lewicowy? Był przecież demokratą! – zaniepokoił się Jaime.

Nieporozumienie wyjaśnia przyjaciel z Bogoty: – Dla przeciętnego Kolumbijczyka „lewicowy" znaczy „partyzant z FARC" – a FARC to dzisiaj zdegenerowana guerrilla, która miała kiedyś lewicowe ideały. Działa ten sam mechanizm, który znasz z Polski: gdy ktoś mówi „lewica", wielu Polakom ciągle przychodzi na myśl rządząca niegdyś partia i represje komunizmu. Oto źródło emocjonalnej reakcji Jaime.

Interpretację tę podziela Jon Lee Anderson, tak jak Kapuściński mistrz zawodu, prowadzący warsztaty dla reporterów na zaproszenie fundacji w Cartagenie.

Jaime García Márquez, młodszy brat noblisty, człowiek numer dwa w fundacji, rozkłada ręce, gdy proszę o pomoc w uzyskaniu spotkania z Gabem, jak wszyscy nazywają tu Gabriela Garcię Marqueza.

– Gabito nigdy nie mówi ani nie pisze wspomnień o zmarłych przyjaciołach. (Skądinąd słyszę, że stan zdrowia nie pozwala mu na udzielanie wywiadów).

Brat noblisty nie ma wątpliwości, że Kapu i Gabo, prócz wzajemnego podziwu dla dokonań pisarskich drugiego, mieli dobrą „chemię polityczną".

Obu fascynował temat władzy – szczególnie tej absolutnej. Mniej więcej wtedy, gdy Kapu pisał *Cesarza*, Gabo wydawał *Jesień patriarchy*. Gdy jeden snuł plany napisania powieści o Simonie Bolivarze (*Generał w labiryncie*), drugi podbijał świat *Szachinszachem*. Czy spierali się o ocenę Fidela Castro, z którym García Márquez przyjaźni się od ponad trzydziestu lat? Nie dowiemy się nigdy. Kapuściński, który nigdy nie napisał o Castro żadnego większego tekstu – z wyjątkiem analiz dla Biuletynu Specjalnego PAP – właśnie podczas imprez towarzyszących warsztatom w Meksyku wypowiedział publicznie kilka krytycznych słów o kubańskim przywódcy: że jest on jednym z nielicznych na naszej planecie przedstawicieli władzy autorytarnej, że należy do przeszłości.

Kapu i Gabo poznali się w siedemdziesiątym roku, gdy Kapuściński pracował jako korespondent PAP w Meksyku. *Sto lat samotności* nie było jeszcze przetłumaczone na polski, a Gabo dopiero wyrastał na giganta prozy iberoamerykańskiej, ciągle bardziej był znany jako autor reportaży.

„Zawsze uważałem go za przyjaciela, za kogoś, z kim doskonale się rozumiem" – pisał Kapuściński, wspominając wspólne warsztaty w Meksyku. Nazwał Gaba „klasykiem reportażu" i stwierdził, że „jakkolwiek podziwia jego powieści, to wielkość Garcii Marqueza tkwi w jego tekstach dziennikarskich, z których wyrosła późniejsza literatura".

Na pierwsze warsztaty Kapu w Meksyku Gabo celowo się spóźnił, żeby nie skupiać na sobie uwagi. Wszystko na nic – gdy tylko się zjawił, wszyscy wstali, by go powitać: – Mistrzu... A Gabo na to: – Prawdziwy mistrz jest tutaj – i wskazał na Kapuścińskiego. Po czym usiadł razem ze słuchaczami, żeby podkreślić, że przy Kapu jest jeszcze jednym uczniem.

Przeglądam kalendarz pobytu Kapuścińskiego w Meksyku. Prywatne spotkania z Gabem to żelazny punkt programu: lunch z Gabem, popołudnie z Gabem, kolacja z Gabem. Musieli czuć się ze sobą wybornie, skoro rozmawiali o wspólnej podróży na wyspy Oceanii. Gabo chciał podpatrzyć, jak pracuje przyjaciel z Polski, który planował kolejną książkę – o badaczu kultury Trobriandów Bronisławie Malinowskim.

Któregoś razu Jaime Abello przeprowadził eksperyment. Gdy był sam na sam z każdym z nich, zadał to samo pytanie: – Którędy prowadzi najlepsza droga do dobrego dziennikarstwa? Obaj, niezależnie od siebie, odpowiedzieli to samo: poprzez poezję. Dlaczego? Bo bardziej niż inne formy literackie zmusza do szukania lapidarności, trafności określeń. Kapu dodał jeszcze historię, którą studiował na uniwersytecie. Uważał, że dziennikarz to taki historyk, który pisze o dniu dzisiejszym.

W idyllicznym krajobrazie wzajemnej fascynacji i zrozumienia dopatruję się rysy – a przynajmniej znaczącej różnicy między dwoma mistrzami. W czasie długiej rozmowy Jaime García Márquez wspomina mimochodem o znajomości Gaba z Henrym Kissingerem. – Oni się znają i przyjaźnią od lat – mówi. Nie miałem śmiałości zburzyć familiarnej atmosfery i nie powtórzyłem Jaime treści rozmowy o Kissingerze, jaką odbyłem kiedyś z Kapuścińskim. Jemu też – jak opowiadał – proponowano spotkanie z Kissingerem, lecz odmówił. Kissinger był dla niego – tak jak dla Christophera Hitchensa, autora demaskatorskiej książki *The Trial on Henry Kissinger* – zbrodniarzem wojennym współodpowiedzialnym za masakry cywilów w Wietnamie, Kambodży, na wschodnim Timorze i w innych miejscach; kumplem Pinocheta i obrońcą quasi-nazistowskiej junty w Argentynie.

Gabo i Kapu wyznaczali sobie inne granice fascynacji ludźmi władzy.

Trudno uwierzyć, że na spotkaniach Kapu z gronem ambitnych dziennikarzy ani razu nie zaiskrzyło, że tylko sielanka i dusery spotykały mistrza, jak opowiadają tu wszyscy, chcąc pamiętać o Kapu same dobre rzeczy. Dzielę się swoim przeczuciem z Jonem Lee Andersonem i dowiaduję się, że kontrowersje budziło samo zaproszenie Kapuścińskiego na warsztaty jako mistrza dziennikarstwa. Nikt z fundacji w Cartagenie oficjalnie tego nie potwierdzi.

Nie chodzi o ocenę literackiej wybitności książek Kapuścińskiego – co do tego wszyscy się zgadzają, raczej – o zadania fundacji, która ma przyczyniać się do podwyższania standardów dziennikarstwa w Ameryce Łacińskiej. Jednym ze standardów wymagających wypracowania, ciągłego uzdrawiania, doskonalenia jest akuratność informacji, wiarygodność, dbałość o detale, czyli także buchalteria – sprawdzanie po wiele razy wiadomości niepewnych. Dla nikogo – także w fundacji – nie jest tajemnicą, że faktograficzna dokładność w książkach Kapuścińskiego nie należy do podręcznikowych. Czy należy zatem zapraszać właśnie jego jako mistrza zawodu? Może raczej na jakieś warsztaty literackie?

Właśnie faktograficzna dokładność, wierność realiom jest tematem polemiki w czasie warsztatów w Meksyku.

W toku dyskusji García Márquez stawia prowokacyjne pytanie:

– Czy smutnej staruszce występującej w reportażu dziennikarz ma prawo „domalować" łzę, której w rzeczywistości nie uroniła? „Domalować" – dla silniejszego efektu literackiego?

– To zdrada dziennikarstwa – odpowiada Graciela Mochkofsky z Argentyny. – Pisarz może to zrobić, dziennikarz absolutnie „nie". Nie wolno poprawiać rzeczywistości.

Gracieli wtóruje koleżanka z Kolumbii, Juanita León.

– A ja uważam – mówi na to García Márquez – że dziennikarz ma prawo tę łzę „domalować". Żeby lepiej oddać nastrój chwili. Stan ducha opisywanej postaci. Jaka tu zdrada?

I zwraca się z uśmiechem do Kapuścińskiego: – Ty też, Ryszard, czasem kłamiesz, prawda?

Kapuściński śmieje się. Nie wypowiada ani słowa. Uczestnicy warsztatu doskonale wyczuwają, jaka jest odpowiedź.

Graciela uważa, że problem reporterskiej „prawdy" nie bardzo Kapuścińskiego obchodził.

– Zależało mu raczej na stworzeniu nowej literatury, nowego gatunku, nowych form narracyjnych, a realizm, dokładność opisu, tak jak ją rozumieją dziennikarze, znajdowały się na dalekim planie.

Rozczarowanie niektórych uczestników warsztatów: każdy przywiózł jeden własny tekst, który wszyscy mieli przeczytać, a potem wspólnie dyskutować – na przykładach, potknięciach; jednak Kapu, który wszystkie teksty dostał wcześniej, nie przeczytał ani jednego. Robi to na słuchaczach warsztatów złe wrażenie – nie wiedzą, jaki jest rzeczywisty powód nieprzygotowania mistrza. Nie wiedzą, że Kapu jest zmęczony, że ogarnia go niemoc, dopada wiek. Że naprawdę próbuje przeczytać ich reportaże, ale w trakcie tych prób ze smutkiem odkrywa, że nie rozumie hiszpańskiego w takim stopniu, jak dawniej. Od wyjazdu z placówki korespondenta w Ameryce Łacińskiej upłynęło trzydzieści lat; kilka razy wracał tam później, jeździł również do Hiszpanii, ale zawsze na krótko. Nadal potrafi rozmawiać po hiszpańsku, jednak reporterskie teksty, literackie słownictwo okazują się przeszkodą nie do pokonania. Dlatego proponuje uczestnikom warsztatów plan B: każdy ma opowiedzieć o jednym zasadniczym problemie, z jakim zmagał się w swoim życiu zawodowym. Potem nastąpi wymiana uwag, doświadczeń. Debata.

– Sam Kapu nie chciał jednak nic mówić o sobie – opinię tę słyszę od trójki uczestników: Gracieli, Wenezuelczyka Borisa i Julia Villanuevy z Peru.

Warsztaty w Meksyku zbliżają się do końca, ostatni dzień, a Kapu nie powiedział jeszcze młodym reporterom nic od siebie, ani słowa, moderował tylko dyskusję. Julio i Boris rezygnują z wypowiedzi i proszą mistrza o głos. Po chwili namysłu Kapu zgadza się. Opowiada skąpo o wyprawach do Afryki, obsługiwaniu konfliktów zbrojnych, trochę o wojennym dzieciństwie. O tym, jak powstawał *Cesarz*.

Boris: – Sprawiał wrażenie zazdrosnego o swoje tajemnice – osobiste i pisarskie.

Podobne odczucia mają Graciela i Julio. Ten ostatni tuż przed wyjazdem robi z Kapuścińskim wywiad; nie dowie się nawet, jakie książki mistrz planuje jeszcze napisać. To też tajemnica.

– Przed samym końcem warsztatów – opowiada Graciela – zaraz po tym, jak opowiedział nam w końcu coś o sobie, spytałam, czy czegoś w życiu nie żałuje, czy nie utracił czegoś ważnego przez to, że tak wiele lat był nieobecny w domu, z dala od żony, córki.

– Dlaczego zawsze kobiety zadają to pytanie? – odpowiada poirytowany Kapu.

– Ja jestem mężczyzną – wtrąca jeden z dziennikarzy – i mnie również interesuje odpowiedź na to pytanie.

Na wpół obrażony, wściekły Kapuściński wychodzi z sali. Warsztaty skończone.

Zapis trzech warsztatów Kapuścińskiego i towarzyszących im konferencji fundacja wydała w książeczce *Los cinco sentidos del periodista* (Pięć zmysłów dziennikarza). Być, widzieć, słyszeć, współodczuwać, myśleć. W umowie, którą pokazuje mi Jaime Abello, Kapuściński zastrzega: książka musi być rozdawana, nie wolno jej sprzedawać („Moja agentka w Szwajcarii byłaby zazdrosna" – żartował).

To rodzaj summy Kapuścińskiego o zawodzie dziennikarza (w czasie kolejnych warsztatów i publicznych paneli coś jednak o sobie i dziennikarskiej profesji opowiadał). Przyznaje się do inspiracji francuską szkołą historii społecznej Annales – sposobu myślenia polegającego na budowaniu obrazu całości z detali i wydobywaniu elementów „długiego trwania".

Szkicuje linię reporterskiej tradycji, z którą się utożsamia: Balzac, Goethe, Orwell, Malaparte, Chatwin, Baudrillard, García Márquez. Mówi o reporterskiej misji „tłumacza kultur", spotykania Innego, zagrożeniach globalizacji – wątkach znanych z jego książek, artykułów, wywiadów.

W części poświęconej dylematom zawodu dziennikarze pytają między innymi, jak sobie radzić z cenzurą. Kapu opowiada o grach z cenzorem w czasach Polski Ludowej, lecz główne zagrożenie dzisiaj widzi w innego typu cenzurze: konflikcie między prawdą a interesami właścicieli mediów, w tym, że media usadowiły się blisko władzy, przestały być krytyczne.

– Tu nie ma jednej dobrej rady. Trzeba walczyć i negocjować, żeby dochować wierności naszej zawodowej misji.

Jeszcze jedno wyznanie: Kapu nie wierzy w obiektywizm. Formalny obiektywizm w sytuacjach konfliktów może nieść nawet dezinformację. Najwięksi reporterzy, tacy jak Orwell czy García Márquez, zawsze uprawiali „dziennikarstwo z intencją", które „walczy o jakąś sprawę". (Czyli nie zmienił w tej sprawie zdania do końca życia!).

W siedzibie fundacji w Cartagenie zaglądam do kwestionariuszy ocen, jakie Kapuścińskiemu wystawili słuchacze warsztatów. Ani jednej negatywnej. Zaledwie dwie oceny letnie („Dobra robota", „OK"). Reszta w duchu: – To Ryszard Kapuściński. Nie trzeba mówić nic więcej. Albo: – W końcu potrafię wymówić słowo „mistrz" bez cienia wahania.

Kolumbijski dziennikarz Óscar Escamilla przejął się naukami Kapu o budowaniu większych obrazów z detali i we wstępie do *Los cinco sentidos del periodista* napisał:

> Zwróciłem uwagę na jego małe stopy – i nie byłem jedyny. Ktoś mi później powiedział, że nigdy nie byłby w stanie wyobrazić sobie, iż człowiek, który tak dużą część życia przemierzał świat, może mieć tak małe stopy.

Nienapisane książki

Na maszynie wystukał tytułową stronę: Ryszard Kapuściński, *Amin*, Czytelnik 1983.

Rano pojechałem na targ, myśląc – a nuż będą ryby. Ulica była pusta, ale nagle zobaczyłem, jak pojawił się na niej zielony land-rover, który zresztą za chwilę zniknął. W ostatniej sekundzie, kiedy już mnie wyprzedzał, zauważyłem za kierownicą Amina...

Tak miała zaczynać się jedna z książek, których nie napisał.

Zostawił kilka niedokończonych projektów, nienapisanych tomów. Niektóre pomysły pielęgnował przez lata, a potem porzucał dla pilniejszych.

Lecz były też książki, o których nie przestawał myśleć, pisać ich w wyobraźni, a także w zeszytach, zeszycikach, na luźnych kartkach.

1.

Książka o dyktatorze Ugandy, Idim Aminie, miała być – po *Cesarzu* i *Szachinszachu* – trzecim tomem tryptyku o mechanizmach władzy.

Opowiadał po latach, że złożony malarią mózgową w szpitalu wojskowym w Kampali, widział Amina w grupie oficerów, którzy przyszli zwiedzać nowo otwartą klinikę. Skąd w roku sześćdziesiątym drugim, półprzytomny od malarycznej gorączki, mógł wiedzieć, że ten „jowialny wesołek, ogromne chłopisko" to Amin – postać wtedy nieznana – pozostanie tajemnicą. (Sądzę, że to jeszcze jedna z legend).

W latach 1971–1979 Idi Amin wymordował – według różnych szacunków – 150–300 tysięcy ludzi.

Amin według Kapuścińskiego:

Psychicznie niedojrzały, takie okrutne, wielkie dziecko, niezrównoważone, porywcze, zmienne. Rano potrafił być pogodny, wieczorem wpadał we wściekłość lub depresję. Szybko się nudził, zrywał z krzesła i wychodził. Miał gonitwę myśli, mówił chaotycznie, nie kończył zdań. W tej swojej dzikości i szaleństwie działał jednak logicznie i konsekwentnie.

Kilkanaście lat po pechowej podróży, w czasie której zapadł na malarię, Kapuściński odwiedza ponownie Ugandę. To lata apogeum dzikości i szaleństw Amina. Do rządzonego przezeń policyjnego państwa dziennikarzy nie wpuszczano, w sąsiedniej Etiopii wbito Kapuścińskiemu ugandyjską wizę prawdopodobnie przez pomyłkę.

Już na lotnisku w Entebbe zauważa, że ma ogon. Na krok nie odstępują go barczyści milczący panowie w mundurach i ciemnych okularach. Zatrzymuje się, jak zwykle, gdy przyjeżdżał do Kampali, w hotelu Stanley. Panowie w ciemnych okularach są o krok za nim. Gdy idzie do baru, siada przy stoliku, panowie w ciemnych okularach siadają przy stoliku obok. O nic nie pytają. Patrzą.

Rankiem 24 grudnia 1977 roku Kapuściński idzie na targ. To Wigilia, chce kupić ryby na kolację. Nagle pustą ulicą w centrum miasta przemyka zielony land-rover. W ostatniej sekundzie dostrzega kierowcę. Amin, to był Amin. W pierwszych akapitach niedokończonej książki pisze:

> Pędził, przejechał skrzyżowanie (mimo czerwonych świateł) i pomachał komuś ręką (komu? nie było żywego ducha). Mógłbym przysiąc, że słyszałem jego oddalający się, ale ciągle jeszcze donośny śmiech. Dopiero w jakiś czas potem tą samą ulicą, w tym samym kierunku jechała wolno kolumna wozów – zasłonięte jeepy, obstawa, lufy wymierzone w bramy, w drzewa, w okna, w niebo, a w środku kolumny lśniący citroen-maserati Amina (i rozparta na tylnym siedzeniu masywna sylwetka jakiegoś oficera, wystawionego na skrytobójczy strzał zamachowca).

Na widok kolumny Kapuściński ani drgnie, idzie tak samo, jak do tej pory – ani szybciej, ani wolniej. W takiej chwili obowiązuje żelazna zasada: nie zwracać na siebie uwagi, wtopić się w krajobraz. Siepacze odjechali bez zatrzymywania się, bez strzału.

Idzie do dzielnicy Kisenyi, dawnego serca Kampali. Kiedyś – wspomina – było tu życie: handel, pijaństwo, zabawa do świtu. Teraz

Kisenyi jest ponure, podejrzliwe, agresywne. Można dostać kamieniem w twarz, można dostać nożem.

Spotyka białego misjonarza, ojca Eusebio. Zaprasza na kolację, jest przecież Wigilia, lecz misjonarz nie odpowiada.

> Uśmiecha się, robi taki gest, z którego nie mogę odczytać, czy przyjdzie, i zaraz znika. Biali wolą nie zbierać się w grupy – grupa budzi podejrzenie. Zebrali się – po co? Stoją, rozmawiają – o czym? Gdzie byli, kto był, o czym mówili, ile to trwało? Nazwiska. Dokładne wypowiedzi. Z kogo śmiali się. Co postanowili. Gdzie kto potem pojechał. Z kim. Czym.

W odręcznych notatkach, planach, szkicach książki Kapuściński zapisuje, że *Amin* będzie książką nie tylko o człowieku, lecz także o sytuacji; Amin – to człowiek-sytuacja. To także klimat powszechnego zakłamania i wszechogarniającego strachu.

Kłamstwo, notuje Kapuściński, polegało na całkowitym odwróceniu prawdy. Prawda nie mogła być trochę odwrócona, musiała być odwrócona zupełnie. Na przykład: Amin morduje ludzi swojego wroga – Miltona Obote i ogłasza, że zamordował ich sam Obote po to, żeby skompromitować Amina.

Kapuściński szuka klucza do charakterystyki tyrana-rzeźnika, tyrana-wesołka, tyrana-dziecka. Przegląda dzieła filozofów, psychologów. Wygląda to na przymiarkę do traktatu o głupocie. (Kiedy już wie, że nie napisze książki o Aminie, niektóre uwagi włącza do *Lapidariów*).

> Popper, jego wnikliwa uwaga na temat niewiedzy. Niewiedza, pisze, nie jest prostym brakiem wiedzy, lecz POSTAWĄ, postawą odmowy, postawą niezgody na przyjęcie wiedzy. Dureń NIE CHCE wiedzieć...
>
> Dureń ma o wszystkim z góry ustalone opinie, które przez to, że nigdy się nie zmieniają, sprawiają wrażenie, jakby już się z nimi urodził, jakby je wyssał z mlekiem matki...
>
> Tu jednak pojawia się inna odmiana durnia – dureń chytry, który wszędzie widzi tajemne siły, dźwignie, sprężyny („coś się za tym kryje", „coś w tym jest" itd.).

Durniem tego gatunku, durniem, który węszył spiski, lecz potrafił zarazem kalkulować, działać logicznie i skutecznie – dla zdobycia i zachowania swojej władzy – był Amin.

*

W lutym osiemdziesiątego ósmego roku Kapuściński dostaje list z Kampali. Nadawcą jest Piotr Zeydler, pracujący w Ugandzie polski emigrant, mieszkający wtedy na stałe w Szwajcarii. Z amerykańskiego tygodnika „Time" Zeydler dowiedział się, że Kapuściński planuje pisać książkę o Aminie, dlatego wpada na pomysł zaproszenia pisarza do Kampali. Oferuje dach nad głową, wszelką pomoc, ostrzega przed zagrożeniami.

Przypomina Kapuścińskiemu, że w Ugandzie trwa coś w rodzaju wojny domowej, a także rozprzestrzenia się błyskawicznie plaga AIDS. Uspokaja, że seksualna wstrzemięźliwość, zalecana przez rząd, chroni przed chorobą (choć w tamtych latach nie jest jeszcze jasne, czy można zarazić się AIDS od ukąszenia komara; w Ugandzie ich mnóstwo).

Ustalają datę przyjazdu: 25 maja 1988 roku.

Czy Uganda to pech? Kilka dni po przyjeździe Kapuściński notuje:

> Coś jakby słaby atak malarii. Leżę do południa. Potem uzupełniam notatki i czytam. O 19, kiedy gaśnie niebo i nadchodzi zmierzch, zaczyna się nagle donośny, ostry, bardzo uporczywy koncert świerszczy.

Dużo czasu spędza w bibliotece, gdzie – jak się okazuje – są porządnie oprawione roczniki gazet z okresu rządów Amina. Niemal sto procent notatek z podróży to wypisy z prasy i książek; jest tego gruby kołonotatnik z zieloną okładką.

Notatka z książki Henry'ego Kyemby *State of Blood*:

> Jeżeli Aminowi podobała się jakaś kobieta, mordował jej męża albo narzeczonego...
>
> Amin brał z kasy państwa pieniądze i miał wypchane nimi kieszenie. Rozdawał je potem, komu chciał...

Miejsca związane z postacią Amina pokazuje mu w Kampali William Pike, założyciel i redaktor naczelny gazety „New Vision". W budynku, z którego Amin kierował zamachem stanu, mieści się ambasada Korei Północnej. Dzięki legitymacji reportera z kraju socjalistycznego Kapuścińskiemu udaje się wejść do środka i chwilę pomyszkować pod czujnym okiem koreańskich bezpieczniaków.

Po latach mówił:

– O Aminie napisano wiele książek, ale żadnej dobrej, traktującej o samym jego fenomenie. Swojej nie napisałem z prostej przyczyny. Ledwie zacząłem pierwsze szkice, zaczęła się pierestrojka w Związku Radzieckim. Zwyciężyła we mnie natura dziennikarza-depeszowca. Zarzuciłem Amina i pognałem na wschód zbierać materiały do *Imperium*.

Znajomi wspominają, że namawiano go – początkowo nie palił się do tego pomysłu – do napisania książki o upadającym imperium radzieckim. Nie miał przekonania, między innymi dlatego, że zajęty był pracą nad tomem o Aminie. Zwyciężył argument potencjalnego sukcesu na Zachodzie książki o upadku komunizmu, pisanej przez sławnego już wtedy reportera z Europy Wschodniej. Kto, jeśli nie ktoś stąd, ktoś taki, jak na przykład Kapuściński, miałby opowiedzieć ludziom Zachodu o upadającym imperium?

Nie żal zostawić tylu lat pracy nad Aminem?

– Żal, ale nie wiem, czy zdążę, czy zmieszczę go gdzieś w swoich napiętych planach – mówił w sierpniu 2003 roku, tuż po śmierci Amina na wygnaniu w Arabii Saudyjskiej.

2.

25 maja 2000 roku. Kapuściński ląduje w Limie. Nie poznaje miasta, w którym mieszkał krótko trzydzieści dwa lata wcześniej. Zamknął się tu wtedy na kilka tygodni w hotelu i przetłumaczył dziennik rozstrzelanego kilka miesięcy wcześniej Che Guevary.

Do pracy nad książką o Ameryce Łacińskiej, o której mówił od lat siedemdziesiątych, przystąpił wiele lat później. Gdy w dziewięćdziesiątym ósmym roku wydał afrykańską summę *Heban*, ogłosił, że kolejny tom poświęci światu latynoskiemu.

Po śmierci Kapuścińskiego dostałem e-mail od Ignacia Ramoneta z „Le Monde diplomatique" z pytaniem, czy Ryszard zostawił jakieś nieskończone fragmenty tej nowej książki, czy w ogóle zaczął ją pisać. Jeszcze za życia Kapuścińskiego Ramonet mówił: – Świat czeka na tę książkę.

Miała nazywać się *Fiesta* (rozważał też tytuł *Lot ptaków*). Na kartce formatu A4 spisał ideę książki: byłaby najbardziej eseistyczna ze wszystkich dotychczasowych. Zawierałaby elementy reportażu, ale służące jedynie za punkty wyjścia do szerszej refleksji antropologicznej. Trzy zasadnicze wątki: realia kontynentu, mieszanie kultur – jednoczenie się obu Ameryk oraz „kontekst globalny".

Ale najpierw – podróż. Co to dziś za kontynent? Jak się zmienił? Czym żyją ludzie?

Pierwsze zderzenie po latach: nie poznaje Limy, nie poznaje świata, który – jak mu się zdawało – znał doskonale, w którym jako korespondent PAP spędził prawie pięć lat.

Z centrum Limy zbudowanego wedle wzorów architektury kolonialnej znikła arystokracja i bogate mieszczaństwo; bogatsi wynieśli się do odległych od centrum eleganckich dzielnic.

W dzienniku podróży, pod datą 31 maja 2000 roku, notuje:

> Ich dawne domy i pałace często z powybijanymi szybami – stoją teraz puste, pozamykane, niszczejące.
>
> Jeszcze 30 lat temu tymi ulicami przechadzali się starsi panowie, wymieniali ukłony, zachodzili do kawiarni, które przypominały kawiarnie Wiednia i Barcelony. Dzisiaj te ulice należą do młodych Peruwiańczyków, do ludu andyjskiego ubranego identycznie w jeansy i adidasy, zajadającego hamburgery, chipsy i lody na patyku. Przychodzą tu tłumnie, najwyraźniej obecność w tym miejscu jest dla nich nobilitacją, przecież ich dziadkowie nie odważyliby się przekroczyć progów starego miasta! A tu – wszystko stoi otworem!
>
> Ciekawe, że ze starówki zniknęły wszystkie sklepy z folklorem peruwiańskim – ten lud nie przyniósł go ze sobą, zostawił w Andach, odciął się na rzecz tekstylnej gumy do żucia, plastikowej coca-coli.

Jak zawsze Kapuściński kieruje uwagę na biednych.

> Piątek, 2 czerwca 2000. Tu (w Peru) *El Pobre* [biedak] – to jakby inny człowiek, żyjący w innym świecie... Od tych *El Pobre* lepiej się odcinać, pobreza [bieda] to jakby choroba zakaźna, społeczne AIDS, coś, o czym mówi się niechętnie i z niesmakiem...

Słowa obsesje, słowa klucze w dzienniku: hybryda, synkretyzm, *mezcla* (mieszanina).

Obok obserwacji notuje zapowiadane w konspekcie książki refleksje, uogólnienia:

> Ameryka Łacińska tworzy wzór przyszłej cywilizacji światowej. Tu zaczęła się nowoczesność (przybycie Kolumba) – tu zaczyna się wiek XXI. To wiek prezentacji bogactwa i różnorodności kultur, wy-

obraźni, postaw. W centrum bogactwa kultur jest tytułowa fiesta – święto. Święto – radość z plonów, święto – radość ze zwycięstwa drużyny piłkarskiej, święto – zabawa czysta.

Są też – jak zawsze w jego prozie – wątki przygodowe. W Peru 9 czerwca 2000 roku jedzie na „samobójczą" – jak notuje po wszystkim – wyprawę do Alto Andino. Środek lokomocji: terenowa zdezelowana toyota, tak brudna, że nie widać koloru. W którymś momencie samochód jedzie pionową, jak się zdaje, ścianą w dół.

Panuje w wozie zupełna cisza... Czuję nudności. Jedziemy polną drożyną, półką w ścianie. Zakręty zasłonięte. Przerażenie. Nie można zawrócić. Staje silnik. Nie można wysiąść. Łyse opony. Zatarte hamulce. Powrót – jeszcze gorszy... Wczepiam się w samochód, ale to przecież – bez sensu... Boże, daj mi pożyć jeszcze chwilę. Dlaczego mam zginąć teraz! Właśnie tu! Gdzieś na dnie tej Barranca! Starałem się nie patrzeć. Ale gdzie tam! Im bardziej zamykałem oczy, tym bardziej mnie kusiło, żeby mieć je otwarte, wpatrzone w przepaść...

Musimy wziąć ludzi, żeby obciążyć wóz. Inaczej – możemy się ześlizgnąć. Postacie, jak kamienie – ożywają. Wsiadają, wdzięczni, że ich bierzemy, że zabieramy ich ze sobą na śmierć.

Rozpytuje o wczoraj i dziś Peru. Jego rozmówcami są akademicy, duchowni, działacze społeczni. Jeden z tematów: zbrodnicza partyzantka Świetlisty Szlak.

Prowincja – uniwersytety były szkołą frustracji. Studenci nie mogli wrócić na wieś, ale nie mieli szans awansu, bo poziom nauczania był niski. Dali im ideologię totalitarną, która wyjaśniała wszystko. Taka ideologia ma wymiar religijny. Jak Hitler, Stalin – lider jest rodzajem boga. To mentalność świadków Jehowy... Abimael Guzmán [ideolog Świetlistego Szlaku] to maoista. Nie było w nim miłości do Peru, lecz chęć wojny z peruwiańskim społeczeństwem.

Przed lądowaniem w Boliwii Kapuściński ma lęki, jak zniesie wysokość. Lotnisko w El Alto, na którym się tu ląduje, położone jest ponad 4000 m n.p.m. Niektórzy ciężko przechodzą chorobę wysokościową, *soroche*. Mdleją, mają torsje, zwidy. Można dostać obrzęku płuc i mózgu.

Oficer długo studiował listę krajów, których obywatele nie potrzebują wizy do Boliwii. (Często spotykam się tu z pytaniem: – Czy Polska jest krajem komunistycznym?).

W Boliwii interesują go nowe ruchy etniczne – jeden z liderów, Evo Morales, zostanie pięć lat później prezydentem – lecz jeszcze bardziej: kultura ludów andyjskich.

Świat andyjski to świat milczenia, świat niewielu słów. W każde z tych słów trzeba się wsłuchać, wyobrazić sobie, co się za nim kryje. Między nimi musi być przestrzeń, którą ma wypełnić nasza wyobraźnia...

Paragwaj. W miasteczku Encarnación mija hotelik, o którym polscy księża przewodnicy opowiadają legendy. Ukrywał się tu ponoć doktor Mengele, kat z Auschwitz, a agentkę Mossadu, która była na jego tropie, zamordowano.
Po prawie dwóch miesiącach wędrówki Kapuściński jest zmęczony. Coraz więcej wpisów nie ma dat. Notatki – zdawkowe. Obiecuje skończyć z wyczerpującymi podróżami.
Ostatni etap – Brazylia, São Paulo. Uwagę przykuwa informacja w gazecie: „Korporacje ponadnarodowe w naszym kraju otwierają swoje banki". Wniosek:

Element penetracji USA w Ameryce Łacińskiej. Epoka zbrojnych interwencji i *golpe de estado* [zamachów stanu] minęła. Mamy dziś nie tylko rewolucje aksamitne, mamy też aksamitne ekspansje (świat się cywilizuje – częściowo!).

Jest zaskoczony jednym ze swoich odkryć:

Moim wielkim tematem były wielkie ruchy skrzywdzonych i poniżonych, którzy walczyli o godność i prawo do lepszego życia, ale skrzywdzeni i poniżeni dziś o nic nie walczą, tylko starają się przystosować, urwać tę odrobinę, którą się uda wycyganić, wygrzebać sobie możliwie wygodną, ciepłą, prywatną niszę i z niej rozglądać się na prawo i lewo – co by tu można jeszcze dla siebie wydębić.

Rok później, po wizycie w Meksyku, wyraźnie zmienia zdanie. Wrażenie robi na nim wkroczenie partyzantów Marcosa do stolicy. Wieszczy przebudzenie Ameryki etnicznej. Dostrzega nową falę protestów skrzywdzonych i poniżonych, którą nazywa „wiosną ludów latynoskich". Tryska optymizmem, bo walka toczy się teraz bez rozlewu krwi (zazwyczaj), którego był świadkiem, gdy w latach sześćdziesiątych po raz pierwszy przybył na ten kontynent.

Coś się na kontynencie kończyło, coś nowego zaczynało.

Skończył mi się temat. Bo był nim dramat władzy, a władza już nie przeżywa dramatów, przeżywa co najwyżej lęk, że zostaną odkryte jej konta, i że pójdzie do więzienia.

Odkłada Amerykę Łacińską na później.

3.

Najpierw plan i cała logistyka.
Kiedy najlepiej pojechać na Wyspy Trobrianda?
Jak się tam dostać? Da się samolotem czy tylko statkiem?
Gdzie tam się zatrzymać?
Jakie trzeba powziąć środki bezpieczeństwa?
Jakie lekarstwa, jakie szczepienia?
Czy da się pić tamtejszą wodę?

W lipcu 2004 roku kończy pisać *Podróże z Herodotem* i zaczyna dumać nad nową książką. Herodota potraktował jako pierwszego reportera, protoplastę. Starożytny historyk miał być lustrem dla jego własnych doświadczeń reportera, podróżnika, badacza Inności. W takiej samej roli obsadza następnego bohatera: sławnego polskiego antropologa Bronisława Malinowskiego. *Podróże z Malinowskim*? Również ta książka ma być reporterskim ucieleśnieniem pozytywnej obsesji lat ostatnich – konieczności pełnego szacunku i zrozumienia „spotkania z Innym" („bo inaczej wszyscy się pozabijamy, jest nas sześć miliardów!" – powtarzał z uporem w wielu wywiadach). Obie książki – poniekąd o sobie samym.

Niespełna rok później pyta znajomą z Gdańska, jak dostać się na Wyspy Trobrianda, gdzie Malinowski prowadził swoje badania.

Ta odpowiada, że to już nie PRL-owskie czasy, kiedy polskie statki pływały po morzach i oceanach świata. Znajoma ustala, że teraz dowożą towary do Hamburga i Rotterdamu oraz do portów na Morzu

Śródziemnym, stamtąd, na wielkich kontenerowcach, płyną one na przykład do Singapuru, dopiero stamtąd ewentualnie do Australii. O rejsach do Papui-Nowej Gwinei nikt nic nie wie.

Istnieje szansa, że ludzie z Pol-Euro i Pol-Fracht (pozostałości po Polskich Liniach Oceanicznych) mogliby zaoferować Kapuścińskiemu pomoc w podróży, lecz najpierw chcieliby wiedzieć coś więcej o planach reportera.

Pomysł upada: trudno ustalić coś pewnego; Kapuściński ma wątpliwości, czy zniósłby tak długą podróż.

W tym samym czasie inna znajoma, Jola Wolski (przez lata mieszkała w Australii), prowadzi w imieniu Kapuścińskiego korespondencję e-mailową, żeby przygotować podróż śladami Malinowskiego. Jej znajomy z Sydney ustala, że są tylko dwa loty tygodniowo (wtorki i niedziele) z Port Moresby do Losuia; że są tam tylko dwa miejsca, w których można się zatrzymać, „skromne, lecz wygodne". Pisze o kłopotach z połączeniami lotniczymi, możliwych opóźnieniach, doradza, jak robić rezerwację biletu. Radzi sprawdzić na stronach internetowych Światowej Organizacji Zdrowia, czy przed podróżą na Wyspy Trobrianda należy wziąć leki antymalaryczne. Odpowiada, że jemu żona lekarka doradzała ostrożność, długie spodnie, długie rękawy, repelent na komary.

Kapuściński rozważa podróż we wrześniu, październiku lub listopadzie 2005 roku – liczy na radę znajomych, która pora jest najdogodniejsza. Plan legnie jednak w gruzach z powodu choroby biodra i potwornego bólu, jaki jej towarzyszy. Nie może długo siedzieć, musi polegiwać.

Tymczasem może coś robić w domu: rzuca się do lektur. Czyta dzieła Clifforda Geertza, słynnego amerykańskiego antropologa, i książki o Geertzu (właśnie wtedy, 30 października 2006 roku, Geertz umiera w wieku 80 lat).

Zastanawia się: „jak skonstruować tekst naukowy oparty na własnych, osobistych, biograficznych doświadczeniach, być jednocześnie pielgrzymem i kartografem, życzliwym i chłodnym. Bo antropologia uwikłana jest w problem spotkania z Innym".

Wreszcie – sam bohater opowieści: Malinowski.

> Malinowski to człowiek o wyjątkowo rozwiniętych zdolnościach adaptacyjnych oraz silnie rozwiniętej wspólnocie odczuć. Z jednej strony – romantyk, z drugiej – rygorystyczny badacz.
>
> Malinowski – to etnografia polegająca na zanurzeniu.

Poznanie jest możliwe tylko przez „totalne zanurzenie". Do tego potrzebne jest „poczucie powołania". Zanurzenie w mrokach własnego „ja". Zdolność prowadzenia wielopostaciowego życia...

Reporterka, wywiad – jest aktem przemocy (na poziomie symbolicznym) – naruszeniem integralności mojego rozmówcy. Wynurzeniem.

Robi symulację podróży: w teczce „Wyspy Trobrianda (Podróż)" znajduje się rezerwacja przelotu – rodzaj symulacji połączeń, czasu podróży, cen. Warszawa – Frankfurt (1 godz. 45 min), Frankfurt – Singapur (12 godz.), Singapur – Cairns w Australii (7 godz. 50 min). Dalej podróż do Papui-Nowej Gwinei: z Cairns do Port Moresby, potem – do Losuia na Kiriwinie, największej z Wysp Trobrianda. Orientacyjna cena przelotu w obie strony (w kwietniu – maju 2006) – 8866 zł. Inna symulacja: do Australii i osobno loty stamtąd na wyspy: ponad 12 tys. zł.

Na miejscu mieli pomagać polscy misjonarze, ojcowie pallotyni (cztery nazwiska).

Ostatnia (chronologicznie) notatka z lektur w „sprawie Malinowskiego":

> Dziś jednak nie opis izolowanych ludów jest potrzebny i możliwy, lecz zwiększenie możliwości dialogu ludzi różnych interesów i poglądów zamkniętych w świecie niekończących się wzajemnych powiązań, świecie zawierającym całą gamę coraz bardziej przemieszanych (?) różnic. „Tam" i „tu" jest coraz mniej ostro zdefiniowane. Trzeba zmagać się z realiami w świecie, który znowu zmienił naturę.

W czasie przygotowywania dalekiego wojażu robi notatki, szkicuje wiersze o starości, bólu, śmierci.

Czuje, że nie pojedzie. Planowanie podróży to ucieczka od depresji i natrętnych myśli o końcu.

Bez sił, żeby umeblować twarz

To już koniec podróży. Wracam do jej początku: kiedy niespełna rok po śmierci Ryśka wchodzę do jego królestwa na poddaszu, mam napisać reportaż dla gazety o tej pracowni, a właściwie coś o jej nieżyjącym mieszkańcu.

Przede wszystkim rzucają się w oczy książki. Wszędzie – książki. Wszędzie – wycinki z prasy. Wszędzie – zeszyty, zeszyciki, notesy.

Na lewo od wejścia „salonik gościnny": mały stolik i niskie foteliki. Tu się gadało godzinami. Polegiwał na ławosofce, gdy po godzinach pisania bolały plecy; w ostatnich dwóch latach coraz częściej, gdy chore biodro nie pozwalało zbyt długo siedzieć.

Po prawej od wejścia, w głębi – biurko. Przykryta serwetą maszyna do pisania marki Erica, w antyramie fotografia jego rąk, jak pisze komuś dedykację w książce – litery niewyraźne, chyba po hiszpańsku. Dwie lampy: stojąca i taka „na ramieniu", dająca światło z góry. Kilkaset długopisów w kubeczkach, gumki do ścierania, taśma klejąca, kolorowe karteczki do zaznaczania w książkach. Różne notatki – w notesikach, na luźnych kartkach.

Jedna z ostatnich:

> 23.12.06: Reporter wciela się w PACJENTA, który idzie do szpitala na operację jamy brzusznej. *Don't complain.*

Na innej taki zapisek:

> górny odcinek przewodu pokarmowego
> – żołądek

– wątroba
– trzustka

Lista osób, do których trzeba zadzwonić przed pójściem do szpitala – 14 nazwisk.

Na dostawce do biurka – przykryty serwetą laptop, na którym uczył się pisać, ale nigdy nie polubił.

– Jeszcze nikt nie napisał na komputerze wielkiej książki! – kłócił się kiedyś nie na żarty z córką przyjaciół, Dorotą.

– Ależ Rysiek, co ty mówisz? Ilu wielkich pisarzy pisze dzisiaj na komputerach. Zwymyślał mnie wtedy tak, że się poryczałam.

To Dorota poleciła kogoś, kto pomagał mu uczyć się obsługi tego nowoczesnego wynalazku. Bez większego skutku.

To drugi komputer w pracowni, jaki kupił w życiu. Pierwszy – jak podejrzewał – ukradł mu pewien fotograf, który przyszedł na wywiad z zagranicznym reporterem i na dłuższą chwilę został w pokoju sam – „żeby obfotografować pracownię mistrza". Po tamtej wizycie laptop wyparował, tak samo fotograf, wynajęty za pośrednictwem internetu.

Byłem tu dziesiątki razy, ale dopiero teraz ustalam geografię przepastnej, pełnej zakamarków pracowni na poddaszu. Piętro niżej znajduje się mieszkanie; prawdziwe królestwo jest tutaj.

Vis-à-vis wejścia – stół, na którym zawsze leżały lektury potrzebne do pracy nad książką aktualnie pisaną. Bo pisanie to przede wszystkim czytanie („na jedną napisaną stronę przeczytaj sto" – od lat wbijał do głów młodym reporterom).

Teraz panuje tam chaos: Cioran, Chomsky, Postman, „Foreign Affairs" (wersja hiszpańska), gazety i periodyki, *Białoruskie ścieżki*, powieść Virginii Woolf, *Psychologia starzenia się*.

– Wszystko tak, jak zostawił, idąc do szpitala – mówi pani Alicja.

Pod stołem imponujący komplet kilkudziesięciu, może ponad stu książek o Ameryce Łacińskiej. Kilka lat wcześniej, gdy się zabierał do pisania swojej summy latynoamerykańskiej książki te wylądowały na stole. Chodził wokół nich, zakreślał markerem cytaty, wklejał samoprzylepne karteczki. Aż pewnego dnia pod stół zepchnął je Herodot; po Herodocie zaś na stoliku nastał bałagan absolutny.

Ciągle marzył o napisaniu tamtej książki, zostawione na biurku notatki z podróży do Peru, Boliwii, Brazylii, Kolumbii świadczą o tym, że pomysł ów zamieszkał na stałe w jego głowie, lecz nie tak bliski był to zamiar, by latynoskie książki wróciły na stół, na którym wcześniej leżały rzeczy afrykańskie – w czasie pisania *Hebanu*, i o starożytności – gdy pracował nad *Podróżami z Herodotem*.

Za to na stoliku, tym po lewej od wejścia, który nazywam herbacianym – tu przyjmował przyjaciół i znajomych – zostawił lektury z antropologii: o rytuałach na wyspach Pacyfiku. Przygotowania do *Podróży z Malinowskim*.

Na półkach za biurkiem: literatura wszelka. Po kolei: filozofia, religia, historia (głównie starożytność i średniowiecze), cywilizacje, antropologia. Dalej: teoria literatury, współczesna filozofia polityczna, historia sztuki. Tu nieoczekiwanie wpadamy na wejście do wnęki kuchennej, gdzie parzył kawę i herbatę; dalej – mała łazienka; na kołkach wiszą sprężyny do rozciągania i gumowe kółka do ściskania w dłoni; na podłodze kilogramowe hantle i odważnik 17,5 kg!

Obok schodków, które prowadzą na antresolę (tam składzik wszystkich zagranicznych wydań *Cesarza*, *Szachinszacha*, *Hebanu* itd.) – książki o Pińsku, Polesiu, klasyka reportażu i o podróżach. Dalej: słowniki i encyklopedie, w tym Britannica.

A wszędzie – poezja, rozsypana po całym królestwie. W każdym miejscu można się natknąć na tomiki Brodskiego (jego portret jest przypięty do drewnianego filaru z plikami notatek, wycinków, cytatów), Różewicza, Miłosza, Audena, albo przeczytać przypineskowane do ściany strofy Szymborskiej, Świrszczyńskiej. Gdzieś liścik od Edwarda Stachury, Meksyk 14 stycznia 1975: „Najlepszego w Nowym Roku i kilkudziesięciu następnych, jeżeli nam nie rozsadzą planety naszej".

Rozsiani poeci i poezja (a i proza, którą przez wycięcie lub podkreślenie fragmentu, cytatu, aforyzmu w poezję zamieniał) mówią o nieobecnym gospodarzu tego królestwa najwięcej. Bez nich to biblioteka; imponująca, lecz tylko biblioteka. Wiersze, cytaty, aforyzmy są duszą tego miejsca. I wiele jego fragmentów tylko wiersz opisać może.

Na przykład półkę pod oknem: kłębowisko pamiątek i gadżetów. Czego tu nie ma?

Czaroit – fioletowy kamień z dołączoną notatką: jedyne jak dotąd odkryte złoże nad rzeką Czarą (dopływ Leny – Syberia).

Zegarki – nowe i zardzewiałe.

Fifka do picia yerba mate.
Numerek z szatni (9); bez nazwy knajpy? teatru?
Karta magnetyczna (hotel Complex Ukraina).
Stare monety z czasów Polski Ludowej i kilka z krajów, których alfabetu nie rozpoznaję.
Obrazeczek Buddy.
Samochodzik z Cartageny (dają je w lepszych hotelach w tym mieście na wybrzeżu karaibskim).
Znaczek „Solidarności".
Znaczek z Leninem.
Figurki aniołków (złota i biała – na parapecie nad półeczką).
Maskotki: wiewiórka, koziołek, róża, dwa słoniki metalowe.
Naboje do karabinu.
Okulary – plusy (do czytania).
Gliniane naczynia, figurka z Indii i tysiąc innych skarbów.
Skojarzenie, jakie od razu przychodzi na myśl, to wiersz Leopolda Staffa:

O, bajeczna poezjo kieszeni chłopięcej,
Co kryje w sobie dziwów drogocennych więcej
Niż dno morza, rupieci różnych skarbce całe:
Kamyki, sznurki, szkiełka, pióra zardzewiałe
I kredki kolorowe, gdzie snom jeno znane
Śpią stubarwne pejzaże nie namalowane.

Pejzaże Ameryki Łacińskiej. Wysp Oceanii. Rodzinnego Pińska.
Na biurku kartka z odręczną notatką – jak autokomentarz do „kieszeni chłopięcej", co rozsypała się na półkę i parapet: „Studia nad psychologią dziecka są studiami nad psychologią człowieka. W gruncie rzeczy tylko u nielicznych zmienia się ona z wiekiem. Najczęściej – wewnętrznie pozostajemy dziećmi do końca. Tyle że z coraz bardziej pomarszczoną skórą".
A jak opisać globus z górnej części poddasza? Na szczęście sam się opisuje. Każdy kontynent, bez granic państw, zawiera jedno lub więcej słów-przesłań.
Ameryka Północna: wspólnota.
Ameryka Południowa: zaufanie.
Eurazja – wiele słów-przesłań: dociekliwość, otwartość, radość, przyjaźń, współczucie, nadzieja.

Australia: bez słowa.
Afryka: MIŁOŚĆ.

Mówił nieraz, że twórczość to męka. Że bardziej niż talentu wymaga pasji, wytrwałości, koncentracji.

Teraz na korkowej tablicy na drzwiach odnajduję cytat z dziennika Kazimierza Brandysa, który na wiele sposobów często trawestował:

> Znam wielu ludzi, którzy mimo świetnych zapowiedzi, niczym pełnotłuste i dobrze nastawione mleko, zwarzyli się lub nie zsiedli. Zastanawiam się dlaczego. Myślę, że przyczyną jest niezdolność do wewnętrznej koncentracji na swoim powołaniu. To wymaga wysiłku. Strasznego wysiłku.

Inne karteczki na ten sam temat:

> Rano przy śniadaniu nie myśleć o niczym poza tym, że pójdzie się do pracowni, gdzie czekają rozpięte płótna (Miłosz).

> Nie każdy dzień może przynieść łupy, ale każdy dzień musi być dniem polowania (Ernst Jünger).

W innym rewirze królestwa (nad rozsypaną „kieszenią chłopca") zakreślona na czerwono refleksja z *Dziennika* Jules'a Renarda:

> 1887. Talent to kwestia ilości. Talent nie polega na napisaniu stronicy, ale trzystu stronic. Nie ma takiej powieści, której przeciętny talent nie mógłby pomyśleć, tak pięknego zdania, którego debiutant nie mógłby zbudować. Trzeba tylko unieść pióro, ułożyć papier i cierpliwie go zapełniać. Silni nie wahają się. Zasiadają do stołu, nie ustaną w trudzie. Wyczerpią atrament, zużyją papier. To jedynie różni ludzi utalentowanych od tchórzy, którzy nie zaczną nigdy. W literaturze są tylko woły, orzą przez 18 godzin na dobę, niezmordowanie. Sława to ciągły wysiłek.

Wysiłek, plan, dyscyplina. Także frustracja, że czas ucieka. Jeśli miałbym wskazać dominujące wrażenie z tej podróży po zakamarkach poddasza, wskazałbym na poczucie uciekającego czasu. Spieszyć się, nie stracić nawet jednej godziny. Starość goni, nie ma czasu na głupstwa. Jeszcze tyle do przeczytania i przemyślenia. Do napisania i opowiedzenia.

Teczki z dorobkiem kolejnych lat: 2001, 2002... 2005: artykuły, wywiady, konferencje, odczyty. Sprawdzanie siebie: czy się człowiek nie leni? Lista tekstów do napisania i wygłoszenia (jedna z wielu): Katowice UŚ – islam, Kraków, Znak – globalizm, Taranienko – wolność i twórczość artysty, Życiński, Lublin – władza i zło, Palermo – nagroda.

Któregoś roku zorientował się, że od tego jeżdżenia, wygłaszania, uświetniania – nic nie napisał. Obiecywał sobie, że musi się wyłączyć – i zrobił to na czas podróżowania z Herodotem. Ale potem złożoną sobie obietnicę ustawicznie łamał. Nie umiał odmawiać. Zresztą – „sława to ciągły wysiłek".

Try not to get to hung up too many activities, czyli nie łap za ogon zbyt wielu srok – drwi z korkowej tablicy wycięta skądś (chyba z „New Yorkera") maksyma.

Inna nauka z podróży po pracowni: sława to nie tylko laury; to też udręka, ciągły niepokój. Mówią o tym podkreślenia na czerwono w dzienniku Mircei Eliadego *Religia, literatura i komunizm*, który zostawił na biurku (obok maszyny do pisania):

> Tyle dni straconych na napisanie jednej strony.
>
> Spędzam przy moim stole siedem do ośmiu godzin, lecz z tego potrafię efektywnie pracować zaledwie trzy czy cztery godziny. W pozostałych godzinach przepisuję, marzę, czytam.
>
> Listy, listy!... Przedwczoraj napisałem pięć listów, wczoraj dziewięć, a dzisiaj rozpoczynam właśnie szósty.

Dlaczego nigdy nie napisał powieści? Odpowiedź też u Eliadego:

> ...nawet gdybym był znakomitym powieściopisarzem, i tak szkoda byłoby mojego czasu na pisanie powieści. Jest, było i będzie może tysiąc wielkich powieściopisarzy w całym świecie, podczas gdy w chwili obecnej tylko ja jeden jestem w stanie napisać „szamanizm" i inne prace...
>
> Jak każdy płodny pisarz noszę w sobie pomysły wielu książek, których nigdy nie napiszę.

(Na ścianie karteczka sprzed dobrych paru lat: Projekty następnych książek: – *Lapidarium IV* – Album *Z Afryki* – *Cywilizacje pozaeuropejskie* – *Non-Europeans* – o Pińsku – ułamek sekundy – Herodot, Goethe + ten trzeci jako reporterzy).

Czas ucieka, dlatego pisać trzeba w tempie. Cytaty i aforyzmy ze ściany:

> Po sześćdziesiątce zaczął się spieszyć (Parandowski o Petrarce).

> L.N. Tołstoj mówił, że niewiele mu już pozostało w życiu, a powiedzieć i zrobić chciałby jeszcze bardzo dużo. Spieszy się i pracuje bez przerwy (Aleksy Suworin, *Dziennik*).

Wydarta karta z książki Mikołaja Reja:

> A tak człowiekowi nic nie jest droższego jako czas, a trzeba mu strzec każdej godzinki, aby jej wszetecznie nie upuścił, aby mu ten ślachetny klenot, czas żywota jego, jako po wodzie list, nikczemnie a niepotrzebnie darmo nie upłynął.

Hantle i sprężyny miały rozciągnąć czas.

– Dbam o kondycję – mówił z niejaką dumą przed ostatnią chorobą. – Chodzę na siłownię, mam nawet swojego instruktora.

Notatka na luźnej kartce: „Wykonaj setki czynności dziennie, które wymagają ruchu – w ruchu jest życie". W antyramie na ścianie wiersz Anny Świrszczyńskiej (przepisany ręcznie) o „mądrze tresowanym ciele" – zwierzęciu, „któremu przystoi koncentracja i dyscyplina".

I – trochę jak zgrzyt – gorzki cytat z dziennika Eliadego: „Moje najlepsze książki zostaną napisane przez kogoś innego".

Skąd gorycz u pisarza tak spełnionego?

„Gazeta Wyborcza", 5 października 2005. Artykuł: *Nobel przychodzi w czwartek* (fragment):

> Kto dostanie literackiego Nobla? Czy po dekadach hołubienia prozaików, dramaturgów i poetów wyróżniony zostanie przedstawiciel krytyki, teorii literatury, filozofii lub literatury faktu? Wśród kandydatów wymieniany jest Ryszard Kapuściński. Rozstrzygnięcie 13 października.

Testament Alfreda Nobla nie przesądza, że nagroda w dziedzinie literatury ma przypaść autorom beletrystyki i poezji. Jednak noblowskie jury rzadko wskazywało laureatów spoza tego grona. W 1950 r. nagrodzono angielskiego filozofa Bertranda Russella, a w 1953 r. Winstona Churchilla za prace historyczne.

– Literatura piękna dominowała przez lata chyba tylko dlatego, że modernistyczny trend skłaniał jurorów do krzywienia się na wszelką naukowość – powiedział kilka dni temu sekretarz generalny Akademii Szwedzkiej Horace Engdahl. – Nagroda Nobla powinna się rozwijać razem z literaturą – podkreślił.

Ta właśnie wypowiedź skłoniła obserwatorów do spekulacji, że w tym roku Nobel zostanie przyznany na przykład krytykowi literatury lub autorowi jakiegoś niedocenionego dotąd gatunku – jak literatura faktu. – Może go dostać polski reporter Ryszard Kapuściński – zasugerowała Eva Bonnier, szwedzki wydawca Kapuścińskiego, a jej ocenę potwierdził recenzent szwedzkiej gazety „Dagens Nyheter" Ola Larsmo...

Sugestia odbiła się szerokim echem w polskiej i światowej prasie. Anders Bodegård, znany tłumacz literatury polskiej ze Szwecji, nie wierzy jednak w pogłoski: – Od lat jestem zaprzyjaźniony z kilkoma członkami Akademii, a to niezwykle hermetyczne grono. Sugestia, że Kapuściński mógłby dostać Nobla, na pewno nie wyszła od nich – podkreśla.

Na konferencji prasowej Horace Engdahl zachwalał „system bezpieczeństwa" noblowskiego jury. – Żadne dokumenty nie opuszczają budynku Akademii, a członkowie jury mają zakaz dyskusji o werdykcie przez e-mail, nawet z najbliższymi członkami rodziny – mówił. Dowodem skuteczności „systemu bezpieczeństwa" była konsternacja, jaka zapanowała w zeszłym roku po uhonorowaniu Elfriede Jelinek. Nikt się tego nie spodziewał, jej nazwisko nie pojawiło się w żadnych prasowych spekulacjach. Tegoroczne spekulacje trafiły w Polsce na równie podatny grunt co zeszłoroczna pogłoska o pokojowej Nagrodzie Nobla dla Jana Pawła II...

Pogłoski o Noblu pojawiają się uporczywie zarówno wcześniej, jak i rok później: że w noblowskim jury ma silne lobby, że to tylko kwestia czasu i tę najbardziej prestiżową nagrodę literacką na świecie w końcu dostanie.

W październiku 2006, trzy miesiące przed śmiercią, notuje: „Rano telefon od prof. Noszczyka: – Jestem rozczarowany, że nie dostał pan Nobla". Ani słowa o własnej reakcji, mogła jednak wyglądać podobnie, jak odpowiedź na mój telefon – niemal identycznej treści – rok wcześniej:

– I całe szczęście! To byłby koszmar, nie daliby mi żyć.

Ton głosu mówił jednak coś zupełnie przeciwnego. Który pisarz nie chciałby dostać Nobla?

– Gdy zadzwoniłem do niego – wspomina Wiktor Osiatyński – i powiedziałem: „Jaka szkoda...", starał się umniejszać znaczenie Nobla. Mówił, że ważne są także inne nagrody, którymi hojnie obdarowywano go na całym świecie.

– Bardzo pragnął Nobla i zarazem bardzo się bał – mówi Jerzy Nowak.

Wracający motyw rozmów o Noblu: jedna z jego obsesji ostatnich lat życia.

Najlepsze książki zostaną napisane przez kogoś innego. Nie tylko o nagrody tu chodzi. Nawet nie o pisanie, lecz o czas, którego już nie ma. Przemijanie. Cierpienie. One nie czynią mądrzejszym, nie „uszlachetniają" – a jeśli nawet, to co z tego?

Zanim reporter zamieni się w pacjenta, zapisuje na kartkach:

– Starość to postępujące sztywnienie – mięśni, sposobu myślenia. Człowiek zapada się w sobie, słabnie, jego związki z otoczeniem, ze światem. Trwa to czas jakiś, aż zesztywnienie stanie się zupełne, a związki ustaną ostatecznie i na zawsze.

– Cieszę się, jeżeli młodszy narzeka na zmęczenie, na starość. „– Ach, myślę, to ze mną jeszcze nie jest tak źle!".

– Starość to lęk przed samotnością. Teraz rozumiem, dlaczego ciotka Oleńka tak bardzo chciała iść do domu starców.

12 października 2005 (gdy chore biodro dawało się we znaki):

Rób małe kroki.
Najpierw – jeden, dwa.
I pauza. Odpoczywaj.
Wyłączaj się.
Potem znowu następny.
I pauza.

Ile razy powtarzał z cichą rozpaczą: – Reporter bez nóg? To koniec. Z tego strachu, gdy przed laty zaczęły się kłopoty z krążeniem, rzucił palenie.

Choroba jest lepka (to pająk). Wciąga otoczenie. Usidla, wikła, wykańcza.

Alicja:

– W 1994 roku miał udar. Zszedł od siebie z góry – w domu, w którym już mieszkaliśmy, miał na górze swoją pracownię, z książkami, płytami, całymi dniami tam siedział. Mówi: Słuchaj, coś z moją ręką niedobrze, nie mogę trafić we właściwy klawisz. I słyszę, że mówi niewyraźnie. Położył się, widzę: leży, patrzy na rękę i zaczyna płakać. Niedawno na raka mózgu zmarł jego młodszy kolega, którego lubił, też dziennikarz. Nie – mówię do niego – to, co masz, to objawy porażenia lewej półkuli mózgowej. Jest piątek wieczór, zaczynam obdzwaniać znajomych neurologów, wszyscy każą natychmiast do szpitala. „Nie pójdę na weekend do szpitala! Nie będę leżał w pustym szpitalu, na zimnym korytarzu! Nigdzie nie pójdę!".

Wytrwałam z nim do poniedziałku, aplikując leki rozkurczowe, a w poniedziałek z samego rana zadzwoniłam do mojego dawnego stażysty, kierownika kliniki neurologicznej na Banacha. Rysiek, jedziemy na Banacha, Hubert cię zbada. A Rysio: To po co piżamę pakujesz, ja w szpitalu nie zostanę. Mówię: Dobra, jedziemy bez piżamy. Piżamę wsadziłam po kryjomu do worka i pojechaliśmy. Prof. Hubert Kwieciński zrobił badanie komputerowe mózgu, stwierdził zator tętnicy i zdecydował, że natychmiast trzeba go rozpuścić.

– Nie zostanę w szpitalu – oświadczył Rysio. – Mam umówione spotkanie w Berlinie.

– To pani Ala – profesor Kwieciński starał mu się wytłumaczyć – zadzwoni i powie, że pan nie może, bo jest chory.

– I co powie! Że mam udar! Oni mnie tam skreślą, wszyscy mnie skreślą. Bo Kapuściński jest *mente captus*, niepotrzebny, już nic nie napisze, nie ma na co liczyć.

A profesor spokojnie: – Pani Ala zadzwoni, że miał pan drobną kraksę drogową i poleży kilka dni na obserwacji, czy nie ma żadnego złamania.

Został. Zator rozpuścili, postawili go na nogi, przywiozłam do domu. Miałam cichą satysfakcję, że dopięłam swego.

W domu poinformował, że jest zaproszony na Kongres Polonii do Australii i właśnie pojedzie. Zlituj się – prosiłam.

Pojechał. Tłumaczenia neurologów nie pomogły. Zwiedził Australię, wrócił szczęśliwy.

W 2005 roku musiał mieć operację biodra. Nie mógł chodzić. Operacji nie chciał, zgodził się na rehabilitację. Przez półtora roku dwa razy w tygodniu woziłam go na Bielany na ćwiczenia. Źle znosił siedzenie w samochodzie, miałam tico – twarde, kupiliśmy nissana micrę, żeby było miękko i wygodnie. Rehabilitowano go przez godzinę, a ja w tym czasie wszystkie sprawy, jakie miałam do załatwienia, załatwiałam. Poczta, apteka, sklepy.

Z wielu chorób go wyciągnęłam, a z tej jednej nie potrafiłam. Może coś zaniedbałam?

Czy szukał Boga? Czy był w ogóle w jego życiu?

– Mój rodzinny dom był bardzo katolicki – opowiadał dominikaninowi Tomaszowi Dostatniemu. – W czasie wojny byłem ministrantem. Jak ksiądz mówi podczas mszy *Ojcze nasz*, to ja nie potrafię tego powiedzieć po polsku, mówię: „*Pater Noster, qui es in caelis: sanctificetur nomen tuum. Adveniat regnum tuum. Fiat voluntas tua, sicut in caelo et in terra. Panem nostrum quotidianum da nobis hodie...*". I tak mogę mówić do końca.

– Pozostał nam w rozmowie jeszcze jeden wątek – mówi ojciec Dostatni. – Bardzo osobisty i dramatyczny. Pan przecież w swoim życiu kilkakrotnie otarł się o śmierć.

– To nie jest przyjemne. Zawsze w takich sytuacjach się modliłem. I nigdy się nie wywiązałem ze swojego zobowiązania. Zawsze się modliłem do Matki Boskiej. I mówiłem: Jak mnie teraz uratujesz, to przysięgam, że nigdy więcej w taką aferę się nie wpakuję. I oczywiście się z tej przysięgi nie wywiązywałem. Jestem wielokrotnym krzywoprzysięzcą. Ale jak przychodzi co do czego, to się znowu modlę.

Niektórzy przyjaciele są zaskoczeni tą rozmową (obszerny fragment ukazuje się w „Gazecie Wyborczej" po śmierci Kapuścińskiego). Rysiek i Kościół? Rysiek i wiara? To nieznana twarz przyjaciela.

Kilkanaście lat wcześniej katalońska dziennikarka pyta go wprost: – Jest pan katolikiem?

– Byłem wychowany w katolickiej wierze. W Polsce, tak jak w Iranie, religia jest zasadniczym składnikiem narodowej tradycji. Korzenie tego tkwią w czasach, w których Kościół był jedynym zwornikiem zbiorowej tożsamości, kanalizował niezadowolenie zwrócone przeciwko władzy politycznej. W sensie kulturowym uważam się za katolika, chociaż jestem niewierzący.

Bliska przyjaciółka z Barcelony, Agata Orzeszek, była świadkiem tej rozmowy. Twierdzi, że Kapuściński udzielił innej odpowiedzi. – Sens był taki: „Nie czuję się związany z Kościołem-instytucją, nie leżę krzyżem w kościele, lecz jestem wierzący".

– Rozmawialiście o wierze, o Bogu?

– Nieraz. Zawsze było dla mnie jasne, że Ryś jest wierzący. Nie musiał tego mówić, takie rzeczy się wyczuwa. Drażniłam go czasem, mówiąc, że to dla mnie niepojęte, jak można być komunistą i człowiekiem wierzącym. Spokojnie mi wtedy wyjaśniał, że to najzupełniej „pojęte", nie ma żadnej sprzeczności. I chrześcijaństwo, i marksizm, tłumaczył, wyrastają z troski o ubogich, upominają się o tych, co nie mają głosu, a jedną z wartości, jakie stawiają w centrum, jest sprawiedliwość. Chrystus był buntownikiem przeciwko władzy możnych.

– To taka wiara w stylu teologii wyzwolenia?

– Właśnie.

Jak tylko był w pobliżu kościoła i akurat odprawiano mszę, potrafił pójść do komunii bez spowiedzi. Nie miał z tym żadnego problemu.

9 września 2006:

Są dni dziarskie
dynamiczne
a są też inne –
klapnięte
bezsilne (wtedy bolą kości,
serce jest słabsze
nogi waciałe)

Są dni, kiedy nie chce mu się wstawać z łóżka. Połyka środki antydepresyjne. Wstaje. Szuka w sobie resztek życia.

Potrafi wybuchnąć o byle co. Zmieszać z błotem szatniarkę, która zbyt wolno podaje płaszcz w Klubie Księgarza.

Coraz słabszy leci do Włoch: podróż to męka, ale też impuls życia. Tego samego dnia dowiaduje się, że telewizja przygotowuje demaskatorski program o nim i paru innych dziennikarzach, pisarzach (konkretów nie zna), uwikłanych we współpracę z wywiadem Polski Ludowej. Boi się.

Chce od tego strachu uciec, kochające go Włochy to jedno z najlepszych miejsc chwilowej ucieczki. Z entuzjazmem i uwielbieniem witają go licealiści i studenci spod Bolzano, wpatrzeni weń jak w guru, mędrca. Licealistka Anna recytuje mu jego wiersz, a on nie potrafi ukryć wzruszenia:

Tylko okryci zgrzebnym płótnem
potrafią przyjąć w sobie
cierpienie drugiego
podzielić jego ból

Zapis tamtych spotkań wychodzi w książce już po śmierci.

Okęcie, piątek, 13.10.06
– dzień piękny, jesienny, słoneczny, bez cienia wiatru.
– najbardziej zmienną cząstką świata są chmury. Jakaż różnorodność: ileż form, kształtów, barw! I to wszystko w ciągłym ruchu, przekształceniach, przemianie!
– najważniejsze: wrócić do rytmu pracy. Rytm to jest coś, co scala, czyni, że całość jest spójna, a przede wszystkim – wymusza krok następny i następny.
Caffè Greco – tam bywał Mickiewicz, Norwid, Miłosz; 6 największych włoskich polonistów będzie czytać swoje przekłady.

Rozmowa z samym sobą – w poprzek wszystkiego, czym zajmował się całe życie: „Czy zainteresowanie się polityką nie wynika z twojej pustki wewnętrznej, z wyczerpania, z braku pomysłu? W tę pustkę wlewa się czarna stygnąca lawa polityki – czyli bezsensu (22 października 2006)".

A przecież, jak pisze Wisława Szymborska w wierszu *Dzieci epoki*, który przyczepił do ściany obok swoich ukochanych aforyzmów – wszystkie nasze dzienne i nocne sprawy to są sprawy polityczne:

Chcesz czy nie chcesz,
twoje geny mają przeszłość polityczną,

skóra odcień polityczny,
oczy aspekt polityczny.

Mówienie jest polityczne. Milczenie polityczne. Polityczne nawet wiersze apolityczne.

Z włoskich notatek, 22 października 2006:

> Przychodzi taki moment w życiu, kiedy już nie możemy przyjąć nowych twarzy. To w związku z tym, że dzwoni Jarek [Mikołajewski]: przyjechała urocza para filmowa – on reżyser z najśliczniejszą żoną. Pójdziesz z nami na kawę? A akurat siedzę pogrążony w Rilkem. Nie, nie pójdę. Bo już nie mogę. Bo musiałbym jakoś przemeblować, umeblować własną twarz. Uśmiech, życzliwość itd. – a już nie mam ochoty ani sił.

Trudno uwierzyć, że na drzwiach sam zawiesił kiedyś aforyzm: *Enthusiasm moves the world.*

Gdy koniec jest blisko, nie mówi o nim. Gdy był daleko – owszem. Wracał do rozmów o umieraniu obsesyjnie, jak tylko skończył czterdziestkę. Kolekcjonował statystyki „krótkowieczności" dziennikarzy, ustalił, że średnia wynosi około sześćdziesiątki. Na wieść o śmierci jakiegoś żurnalisty, powtarzał z rezygnacją: – O, proszę, statystyki się potwierdzają.

Lata temu, kupując kurtkę przeciwdeszczową, mówił, że to ostatnia kurtka w życiu. To samo – gdy kupował volkswagena, „ostatni już samochód". Istotnie, był ostatni: kupił go ćwierć wieku przed śmiercią.

Przed ostatnimi świętami Bożego Narodzenia sugeruje najbliższemu przyjacielowi:

– Wiesz, Jurek, musimy się zastanowić, co robić, gdyby któremuś z nas coś się stało.

Czuje, że będzie pierwszy.

A zaraz potem zabiera się do planowania podróży po Oceanii. Przygotowywanie następnej książki, kolejnej podróży, to najlepsze lekarstwo na depresję, godzenie się z końcem.

– Będzie mi bardzo trudno – mówił innemu z przyjaciół, Andrzejowi Lubowskiemu – bo póki co niewiele wiem o świecie Oceanii. To daleko, muszę tam pomieszkać co najmniej kilka miesięcy. A przedtem, spójrz, to wszystko muszę przeczytać. (W tym momencie wskazywał stertę książek w rozmaitych językach). Zanim tego nie przetrawię, nie mam po co tam jechać.

– Jak się tam dostaniesz? Czy masz na to siły? – pyta przyjaciel.

– W kwietniu 2006 roku – wspomina Lubowski – na eleganckim balu w Waldorf Astoria w Nowym Jorku odbierał nagrodę Fundacji Kościuszkowskiej. W pewnym momencie piękna wysoka dziewczyna prosi go do tańca. On uśmiecha się trochę nieporadnie, a trochę rozbrajająco i ku memu zdziwieniu idzie na parkiet. Następnego dnia pytam go, jak to zniósł. „Nie mogłem odmówić. Powoli nauczyłem się żyć z bólem" – mówi. I dodaje cicho, z tym swoim nieśmiałym uśmiechem: „Wiem, że umieram, ale tak bardzo chcę jednak dotrzeć w to miejsce, którego nie znam". Znów ta Oceania.

Agacie Orzeszek Alicja przekazuje ostatnią od niego wiadomość: – Rysiek powiedział, że nie udzieli tego wywiadu, no wiesz, to co komuś obiecał.

– Dopiero później zrozumiałam, że to było jego pożegnanie.

Osiatyński nie żegna się z przyjacielem: podejrzewa, że jego opowieści o ciężkiej chorobie to kolejny przypływ hipochondrii.

– Zawsze na coś umierał, a potem zrywał się, brał walizkę i wyjeżdżał na koniec świata. Dlatego gdy naprawdę umarł, nie mogłem w to uwierzyć.

Alicja:

– 13 grudnia zostałam zaproszona na mikołajki do swojej kliniki. Mówię do Rysia – on taki biedny leżał, chory, nie miał apetytu – Rysiek, nie będę gotowała obiadu. Na Krzywickiego bliziutko wydawano obiady domowe, bardzo smaczne. Mówię – idź tam, przejdziesz się. – Nie mam siły. Namawiam: – Przejdź się. Poszedł. Wracam z mikołajek, Rysio mówi: – Jedzenie dzisiaj było fatalne, przesolone, zrobiłem im awanturę. Już wiedziałam. Masz coś z przewodem pokarmowym – rzekłam. – To nie jest tylko noga.

Zrobiłam nazajutrz USG. Guz na trzustce.

Nie mogłam sobie darować, że tak późno to odkryłam. Ale chirurdzy powiedzieli mi potem, że rak trzustki bardzo długo nie daje żadnych objawów. Mógł się rozwijać od roku. Zrobiono operację. A po operacji był zawał serca.

I tyle.

*

To już naprawdę koniec podróży. Reporter idzie do szpitala na operację jamy brzusznej.

Notatka z biurka:

Przekreślone: „Zacząć dziennik".

Niżej: „Bodil chce, abym pisał dziennik (notatnik). Tak myślę, gdyby było inaczej, po co posyłałaby mi z Francji czysty brulion?".

Dziennika nie pisze. Jedynie drobne zapiski, uwagi, kto przyszedł w odwiedziny. Rzadziej krótkie refleksje.

Środa, 3 stycznia 2007:

> Od rana seria badań przedoperacyjnych. Ogólny wynik – pomyślny. Organizacja szpitala – dobra, sprawna. Ludzie życzliwi, przychylni...
>
> Spytałem [profesora Wojciecha Noszczyka], na czym będzie polegać moja operacja. „Tak na dobrą sprawę – powiedział – niczego nie wiadomo, dopóki nie otworzy się brzucha. Dopiero wówczas możemy zobaczyć, co się w nim dzieje"...
>
> Kryzys nastąpił wieczorem. Nagle poczułem, że słabnę, lecę w dół, w ciemną mgłę...

Piątek, 5 stycznia 2007:

> Dziś wczepiono mi pompę żywienia pozajelitowego. W południe kryzys odwodnienia: kryzys = odwodnienie = słabnę, czuję, że uszły ze mnie resztki sił, że zapadam się w czeluść, oblepia mnie czarna mgła.
>
> Straszne uczucie bezradności, tracę kontakt ze światem, ze światłem, z otoczeniem, z rzeczywistością, wszystko oddala się, znika.
>
> Siostra podłącza kroplówkę: powoli wracam do życia, do sił. Znowu widzę, ale nadal nie słyszę.
>
> Z każdą minutą jest lepiej – z radości chce mi się płakać...
>
> Jakże nie doceniamy tego mechanicznego aspektu natury ludzkiej! Aż w końcu podłączony do różnych rurek, pojemników, przewodów i zegarów człowiek widzi, że stał się tylko elementem, i to często drugorzędnym, tego wielkiego świata maszyn.

Nie jest w stanie pisać, po kilka zdań, kilka uwag. Nie może czytać, tylko trochę – *Pana Tadeusza*, najważniejszy polski poemat.

Ma dość szpitala, chce wrócić do swojej pracowni na poddaszu, królestwa mądrych ksiąg i wierszy.

Jakże mogłaś mnie
tak opuścić
siło tajemna
zwana życiem?

Herodot traci siły, zapał, optymizm dziecka. Wszystko oddala się, znika. Jak w takim stanie podróżować, jak otwierać się na spotkanie ze światem, z Innym? A żyć bez odkrywania nowego? Nie lepiej odejść? *Navigare necesse est, vivere non est necesse*: żegluga jest koniecznością – życie koniecznością nie jest. Jeszcze jeden aforyzm ze ściany królestwa na poddaszu.

Niech żeglują inni. Dosyć przetarł szlaków. Dosyć zostawił kompasów, map i przestróg, które można zabrać w podróż.

sierpień 2008 – styczeń 2010
Dąbrowa Leśna – Buenos Aires – Nowy Jork
– Kampala – Dąbrowa Leśna

Podziękowania

Na początku był e-mail od Ani Bikont: „Może byśmy napisali wspólnie biografię Ryśka…". Ania wciągnęła mnie w przygotowania do podróży po jego życiu, po czym sama podążyła w inne rewiry. Zaangażowałem się w ten pomysł tak bardzo, że nic nie zdołało mnie odwieść od powziętego zamiaru. Pożeglowałem sam.

Miałem wyjątkowe szczęście do dobrych duchów, które roztoczyły nade mną opiekę i dodawały sił w czasie tej podróży. Zanim wymienię te, które czuwały z największym oddaniem, systematycznie, niech wyrazy wdzięczności zechcą przyjąć wszyscy moi rozmówcy w Polsce i na świecie. Bez ich otwartości, życzliwego nastawienia, zainteresowania, nieraz bolesnej szczerości nigdy nie mógłbym napisać tak wielowątkowej opowieści o Ryszardzie Kapuścińskim.

Mam również poczucie, że zyskałem wielu nowych znajomych, przyjaciół, poznałem ludzi, od których dowiedziałem się wiele nie tylko o bohaterze tej książki. Chcę wierzyć, że przynajmniej niektóre znajomości i przyjaźnie przetrwają czas pracy nad biografią Ryśka.

Niech mi wybaczą wszyscy, którzy zachowali w pamięci lub mają we własnych wyobrażeniach inny wizerunek Kapuścińskiego i po przeczytaniu tej książki trudno im przyjąć to, że starałem się oddzielić fakty od mitologii. To oddzielanie nie zawsze było łatwe i nie zawsze przyjemne: z Ryśkiem łączyła mnie przyjaźń; zawsze wierzyłem, że nie tylko zawodowa. Dokładałem starań, ażeby jego portret był wielostronny, życzliwy i krytyczny zarazem; co i rusz zakładałem jego buty, próbowałem patrzeć na świat jego oczami, by za chwilę z tych butów wyskoczyć, stanąć z boku, postawić przed nim, za nim, z boku i z tyłu rozmaite lustra.

Nade wszystko starałem się wystrzegać mitologizacji – w końcu to biografia reportera i pisarza uważanego za mistrza literatury faktu. Musiałem nauczyć się Ryśka na nowo, bo z moich poszukiwań zaczął wyłaniać się człowiek trochę inny, czasem nawet bardzo różny od tego, którego znałem, z którym przez blisko dekadę spotykałem się i rozmawiałem, od którego uczyłem się, którego podpatrywałem i o którym miałem własne wyobrażenie. Różne ustalenia były dla mnie zaskoczeniem. Niektóre nawet sporym.

Namalowanie tego portretu byłyby niemożliwe, gdyby nie kilka osób, którym chcę tu podziękować w sposób szczególny.

Pani Alicji Kapuścińskiej dziękuję za wszystko, co służyło powstaniu tej książki. Jestem wdzięczny za troskę, udostępnienie archiwum i wiele godzin wspólnych rozmów, które pomogły mi wiele zrozumieć.

Pani Barbarze Wiśniewskiej, siostrze bohatera książki, dziękuję za ciepło, otwartość i niełatwe czasem „ćwiczenia pamięci" podczas naszych długich rozmów w Vancouver.

Najgorętsze podziękowania pragnę złożyć panu Jerzemu Nowakowi, najbliższemu przyjacielowi bohatera opowieści, bez którego cierpliwości, uwagi i oddania książka ta byłaby o wiele uboższa. Wszystkie kontrowersje starał się zawsze tłumaczyć na korzyść Ryśka. Pani Izabella Nowak wnosiła zazwyczaj spojrzenie z zupełnie innej strony, co przydawało portretowi nowych kolorów i odcieni. Raz jeszcze najserdeczniejsze dzięki!

Teresa Torańska wierzyła, że się uda, podpowiadała, z kim jeszcze porozmawiać, jaki trop sprawdzić. Uspokajała w czasie kilku trudnych momentów, jakie zdarzały się podczas prawie trzyletniej pracy. Wspólnie przeprowadziliśmy rozmowę z panią Alicją Kapuścińską. Ukazała się w „Gazecie Wyborczej". Rozmowa ta odgrywa w kilku fragmentach książki arcyważną rolę.

Agata Orzeszek była „wspólniczką ideologiczną", nieraz dokładała starań, żebym w jakimś miejscu opowieści o Ryśku nie uległ obowiązującej w Polsce antykomunistycznej poprawności politycznej. Mam nadzieję, że się udało.

Joanna Perzyna była świetną researcherką, bez jej pracy siedziałbym pewnie jeszcze w bibliotekach i rozmaitych archiwach.

Jarosław Kurski i Marek Beylin, moi szefowie w „Gazecie Wyborczej", udzielili mi urlopu, dzięki czemu przez blisko rok mogłem poświęcić sto procent swojego czasu na pisanie książki. Duża rzecz!

Profesor Tony Judt z Instytutu Remarque'a na Uniwersytecie Nowojorskim przyznał mi miesięczne stypendium w swoim instytucie, żebym mógł zbadać dwie istotne dla zrozumienia biografii Kapuścińskiego kwestie: relacje między CIA i dziennikarzami w USA w czasach zimnej wojny (co stanowi lustro dla sprawy „teczki Kapuścińskiego") oraz granice między fiction i non-fiction we współczesnym dziennikarstwie, a przede wszystkim w twórczości mojego bohatera.

Gosia Domosławska, moja żona – co tu dużo mówić. Była piorunochronem, który – jak sama nazwa wskazuje – uziemiał potężne wyładowania atmosferyczne; coachem, który zagrzewał do dalszej gry. Wykazała mnóstwo cierpliwości, gdy „podróżowałem z Kapuścińskim" po Meksyku, Boliwii, Kolumbii, Argentynie, Angoli, Etiopii, Kenii, Ugandzie, Tanzanii, Kanadzie, Stanach Zjednoczonych. Była pierwszą czytelniczką wielu rozdziałów i redaktorką, która oszlifowała niejeden ostry kant.

Andrzej Stasiuk udzielił mi wsparcia w najtrudniejszym – w dotychczasowych losach tej książki – momencie.

Paweł Szwed, mój wydawca, stworzył zupełnie wyjątkową atmosferę pracy nad wydaniem książki. Przywrócił mi wiarę w to, że wydawca i autor mają wspólny cel, i że mogą być w przyjaźni.

Całą książkę lub jej fragmenty przeczytali: Jerzy i Izabella Nowakowie, Dorota Nowak, Agata Orzeszek, Wiktor Osiatyński, Zygmunt Bauman, Marcin Kula, Andrzej Stasiuk, Teresa Torańska, Daniel Passent, Marian Turski i Andrzej Czcibor-Piotrowski, za co im ogromnie dziękuję. Starałem się uwzględnić jak najwięcej uwag i sugestii, oczywiście tych, które trafiały mi do przekonania. Już tylko rytualnie zaznaczę, że za wszelkie braki i niedociągnięcia, a także „wymowę" całej książki odpowiadam wyłącznie ja.

23 stycznia 2010
Artur Domosławski

Źródła cytatów

[Przede wszystkim rzuca się w oczy uśmiech...]
Ryszard Kapuściński, *Szachinszach*, cyt. na s. 14.

Dagerotypy
Ryszard Kapuściński, *Cierpienie i wina*, za: Tegoż, *Prawa natury*, cyt. na s. 15.
Tenże, *Dałem głos ubogim*, cyt. na s. 15.
Tenże, Notatki, za: Artur Domosławski, *Kamyki, szkiełka i tysiąc innych skarbów*, cyt. na s. 16.

Pińsk: początek
Człowiek z bagna. Z Ryszardem Kapuścińskim rozmawia Barbara N. Łopieńska, cyt. na s. 20.
Słów kilka o Pińsku, cyt. na s. 20–21.
Józef Ignacy Kraszewski, *Wspomnienia z Wołynia, Polesia i Litwy*, cyt. na s. 21–22.
Słów kilka o Pińsku, cyt. na s. 22, 23.
Jerzy Orda, *Geneza Pińska*, cyt. na s. 24.
Słów kilka o Pińsku, cyt. na s. 24.
Człowiek z bagna. Z Ryszardem Kapuścińskim rozmawia Barbara N. Łopieńska, cyt. na s. 25.
„Piński Przegląd Diecezjalny", 17 września 1930, cyt. na s. 25.
„Piński Przegląd Diecezjalny", 16 października 1930, cyt. na s. 26.
„Dwutygodnik Kresowy" 1938 nr 1, cyt. na s. 26.
„Słowo Polesia" 1934 nr 59, cyt. na s. 26.
„Echo Pińskie", 6 maja 1934, cyt. na s. 26.
Azriel Shohat, *Under Polish Rule 1921–1939*, cyt. na s. 27.
Satyr Niekrasicki, *Swój do swego po swoje...*, cyt. na s. 27–28.
Azriel Shohat, *Under Polish Rule 1921–1939*, cyt. na s. 28.
„Słowo Polesia" 1934 nr 1, cyt. na s. 28.
„Echo Pińskie", 16 kwietnia 1934, cyt. na s. 28–29.

Pełny opis bibliograficzny każdej z cytowanych pozycji zawiera „Bibliografia".

Ryszard Kapuściński, *Dobre wychowanie dzieci chrześcijańskich*, za: Artur Domosławski, *Hycle w Arkadii*, cyt. na s. 30.
Nahum Boneh, *The Holocaust and the Revolt in Pinsk 1941–1942*, cyt. na s. 31.
„Nowe Echo Pińskie" 1936, cyt. na s. 33.
Ryszard Kapuściński, *Wojna futbolowa*, cyt. na s. 34.

Wojna

Ryszard Kapuściński, *Ćwiczenia pamięci*, za: Tegoż, *Buszu po polsku* (2008), cyt. na s. 36–38.
Tenże, *Imperium*, cyt. na s. 40–42.
Tenże, *Ćwiczenia pamięci*, za: Tegoż, *Busz po polsku* (2008), cyt. na s. 43, 44.
Tenże, *Podróże z Herodotem*, cyt. na s. 45.
Tenże, *Ćwiczenia pamięci*, za: Tegoż, *Busz po polsku* (2008), cyt. na s. 46, 47.
Tenże, *Wojna futbolowa*, cyt. na s. 48, 49.
Tenże, *Podróże z Herodotem*, cyt. na s. 50.
Tenże, *Wojna futbolowa*, cyt. na s. 50.

Legendy (1): ojciec i Katyń

Ryszard Kapuściński, *Imperium*, cyt. na s. 52.
Człowiek z bagna. Z Ryszardem Kapuścińskim rozmawia Barbara N. Łopieńska, cyt. na s. 53.

Natchniony poezją, szturmujący niebo

Ryszard Kapuściński, *Lapidarium II*, cyt. na s. 56–57.
Tenże, *Uzdrowienie*, cyt. na s. 60.
Tenże, *Obrazki zimowe. Różowe jabłka*, cyt. na s. 61.
Tenże, *Bóg rani miłością*, cyt. na s. 62.
Dyskusja o poezji w gimnazjum im. Staszica w Warszawie, cyt. na s. 62–65.
Ryszard Kapuściński, *W sprawie zobowiązań*, cyt. na s. 64–65.

Lapidarium (1): poeta

Pisanie wierszy jest dla mnie luksusem, Z Ryszardem Kapuścińskim rozmawia Jarosław Mikołajewski, cyt. na s. 66.
Claudio Magris, *Wierność wędrówce*, cyt. na s. 66–67
Silvano de Fanti, *Stworzył swój świat*, cyt. na s. 67.

Na budowie socjalizmu

Ryszard Kapuściński, *Podróże z Herodotem*, cyt. na s. 68.
Tenże, *Lamus*, cyt. na s. 69.
Tenże, *Szachinszach*, cyt. na s. 70.
Zbigniew Herbert, *Prolog*, za: Tegoż, *Napis*, cyt. na s. 70.
Jacek Kuroń, Jacek Żakowski, *PRL dla początkujących*, cyt. na s. 71.
Stefan Kieniewicz, *Z rozmyślań dziejopisa czasów porozbiorowych*, cyt. na s. 72.
Akta studenta Ryszarda Kapuścińskiego, cyt. na s. 73–75.
Jacek Kuroń, Jacek Żakowski, *PRL dla początkujących*, cyt. na s. 76.
Ryszard Kapuściński, Zygmunt Korta, *W oparciu o doświadczenia Komsomołu...*, cyt. na s. 76–78.
Tenże, *Szachinszach*, cyt. na s. 78.
Tenże, *Pierwszy spust* (fragment *Poematu o Nowej Hucie*), cyt. na s. 78–79.

Lapidarium (2): starszy szeregowy Kapuściński

Mirosław Ikonowicz, *Zawód: korespondent*, cyt. na s. 80–81.

Na budowie socjalizmu cd.

Podanie [Ryszarda Kapuścińskiego] do Oddziałowej Organizacji Partyjnej Wydziału Historycznego Uniwersytetu Warszawskiego, za: Leszek Żebrowski, *„Chcę partyjnie żyć, pracować i walczyć", czyli o Ryszardzie Kapuścińskim inaczej*, cyt. na s. 82, 83.
Rekomendacja Bronisława Geremka, za: Leszek Żebrowski, *„Chcę partyjnie żyć, pracować i walczyć", czyli o Ryszardzie Kapuścińskim inaczej*, cyt. na s. 83–84.
Ryszard Kapuściński, *Lapidarium*, cyt. na s. 85.
Wypowiedzi Ryszarda Kapuścińskiego, za: Beata Nowacka, Zygmunt Ziątek, *Ryszard Kapuściński. Biografia pisarza*, cyt. na s. 85.
Wypowiedź Wiktora Woroszylskiego, za: Anna Bikont, Joanna Szczęsna, *Lawina i kamienie*, cyt. na s. 86.
Wypowiedzi Tadeusza Konwickiego, za: Anna Bikont, Joanna Szczęsna, *Lawina i kamienie*, cyt. na s. 86–87.
Ryszard Kapuściński, *Podróże z Herodotem*, cyt. na s. 87.
Wypowiedź Ryszarda Kapuścińskiego, za: *Był taki dziennik. „Sztandar Młodych"*, cyt. na s. 88.
Był taki dziennik. „Sztandar Młodych", cyt. na s. 88.
Ryszard Kapuściński, *Masowe wydania poetyckie*, cyt. na s. 89.
Tenże, *Nasze dni* (fragm. poematu *Droga prowadzi naprzód*), cyt. na s. 89.
Tenże, *Młodzieży Wrocławia należy się dobry teatr*, cyt. na s. 90.
Tenże, *Więcej rozmachu w pracy kulturalno-oświatowej w Nowej Hucie*, cyt. na s. 91.
Tenże, *Łamiąc stare niesłuszne normy...*, cyt. na s. 91.
Tenże, *Zetempowcy*, cyt. na s. 91–92.
Tenże, *II Światowy Kongres Obrońców Pokoju*, cyt. na s. 92.
Tenże, *Przywieźli na zlot sztukę ludową swojej ziemi*, cyt. na s. 92.
Tenże, *Pieśni i tańce młodzieży krajów kolonialnych...*, cyt. na s. 93.
Tenże, *Niekończące się życie. W 8. rocznicę śmierci Janka Krasickiego*, cyt. na s. 93.
Tenże, *O pracy szkoleniowej w gryfickiej organizacji ZMP*, cyt. na s. 94.
Tenże, *Zaciągu pionierskiego ochotnicy*, cyt. na s. 94.
Tenże, *Lapidarium*, cyt. na s. 96.

Alicja, maminek, Zojka

Wypowiedzi Alicji Kapuścińskiej, za: *Mąż reporter.* Z Alicją Kapuścińską rozmawiają Teresa Torańska i Artur Domosławski, cyt. na s. 99, 101.
L. Kosmodemiańska, *Opowieść o Zoi i Szurze*, cyt. na s. 103–104.

'56: rewolucja od nowa

Ryszard Kapuściński, *Szachinszach*, cyt. na s. 107.
Ryszard Kapuściński, *Podróże z Herodotem*, cyt. na s. 107, 108.
Dyskusja w ZLP, za: Anna Bikont, Joanna Szczęsna, *Lawina i kamienie*, cyt. na s. 108.
Mieczysław Jastrun, *Epoka*, cyt. na s. 108.
Julian Przyboś, [Wypowiedź w ankiecie „Pisarze wobec dziesięciolecia"], cyt. na s. 108.
Witold Dąbrowski, [Towarzysze, może z was drwi...], za: Jacek Kuroń, Jacek Żakowski, *PRL dla początkujących*, cyt. na s. 109.
Jacek Kuroń, Jacek Żakowski, *PRL dla początkujących*, cyt. na s. 109, 110.

Ryszard Kapuściński, *Szachinszach*, cyt. na s. 110.
Ryszard Kapuściński, R. Rywanowicz, *Niespełnione zadania. Po łódzkim plenum ZMP*, cyt. na s. 112.
Ryszard Kapuściński, *W połowie drogi*, cyt. na s. 112.
Tenże, *Szachinszach*, cyt. na s. 113.
Ryszard Kapuściński, R. Rywanowicz, *Niespełnione zadania...*, cyt. na s. 113.
Ryszard Kapuściński, *Walka, spór i „rzeczy drobne"*, cyt. na s. 113, 114.
Tenże, *Imię przyszłości*, cyt. na s. 114, 115.
Tenże, *Szachinszach*, cyt. na s. 115.
Wojciech Adamiecki, *Nie podam ci ręki*, cyt. na s. 116.
Adam Ważyk, *Poemat dla dorosłych*, cyt. na s. 117.
Remigiusz Szczęsnowicz, *Wspomnień czar*, cyt. na s. 118.
Ryszard Kapuściński, *To też jest prawda o Nowej Hucie*, cyt. na s. 118, 119.
Komunikat o wypadkach w Poznaniu, cyt. na s. 122.
Jacek Kuroń, Jacek Żakowski, *PRL dla początkujących*, cyt. na s. 123.
Ryszard Kapuściński, *Poszukiwanie klucza*, cyt. na s. 123, 124.
Tenże, *O demokracji robotniczej*, cyt. na s. 125.
Wypowiedź Hanny Świdy-Ziemby, za: Anna Bikont, Joanna Szczęsna, *Lawina i kamienie*, cyt. na s. 125–126.
Wypowiedź Adama Michnika, za: Anna Bikont, Joanna Szczęsna, *Lawina i kamienie*, cyt. na s. 126.
Wypowiedź Artura Starewicza: Materiały z narady 14 września 1957 w Biurze Prasy KC, cyt. na s. 126–127.
Ryszard Kapuściński, Krzysztof Kąkolewski, *Metryka naszego pokolenia*, cyt. na s. 127.
Ryszard Kapuściński, *Czasy wolnych kozaków*, cyt. na s. 129.
Tenże, *Powroty*, cyt. na s. 129–130.
Tenże, *Powrót do końcowych*, cyt. na s. 130, 131.
Tenże, *Szachinszach*, cyt. na s. 131–132.
Ryszard Kapuściński, Krzysztof Kąkolewski, *Metryka naszego pokolenia*, cyt. na s. 132.

Trzeci Świat: zderzenie, początek
Ryszard Kapuściński, Podróże z Herodotem, cyt. na s. 133.
Tenże, *Co się nie udało Kolumbowi...*, cyt. na s. 133.
Tenże, *Na lotnisku*, cyt. na s. 134.
Tenże, *Gorzki smak wody*, cyt. na s. 136.
Tenże, *Podróże z Herodotem*, cyt. na s. 136.
Tenże, *Gorzki smak wody*, cyt. na s. 137.
Tenże, *Czyściec w Benares*, cyt. na s. 137–138.
Tenże, *Fatamorgana egzotyki*, cyt. na s. 138–139.
Tenże, *Stacja donikąd*, cyt. na s. 139–140.
Tenże, *Okrzyk Napoleona*, cyt. na s. 140–141.
Tenże, *Więzień królewskiej policji*, cyt. na s. 141–142.
Ryszard Kapuściński, Krzysztof Kąkolewski, *Metryka naszego pokolenia*, cyt. na s. 145.

W „bandzie Rakowskiego"
Ryszard Kapuściński, *Busz po polsku*, cyt. na s. 146.
Michał Radgowski, *„Polityka" i jej czasy*, cyt. na s. 147, 148.
Wiesław Władyka, *„Polityka" i jej ludzie*, cyt. na s. 148, 149.

Mirosław Ikonowicz, *Zawód: korespondent*, cyt. na s. 150.
Ryszard Kapuściński, *Podróże z Herodotem*, cyt. na s. 150–151.
Tenże, *Wojna futbolowa*, cyt. na s. 151–153.
Tenże, *Bojkot na ołtarzu*, cyt. na s. 153, 154.
Tenże, *Bezdomny z Harlemu*, cyt. na s. 154.
Tenże, *Stracony dla Forda*, cyt. na s. 154.
Tenże, *Zaproszenie do Afryki*, cyt. s. 155, 156.
Tenże, *Jak robić egzotyczkę*, cyt. na s. 156.
Tenże, *Wojna futbolowa*, cyt. na s. 156, 157.
Tenże, *List z Afryki*, cyt. na s. 158–159.
Tenże, *Kongo z bliska*, cyt. na s. 159.
Tenże, *Wojna futbolowa*, cyt. na s. 159, 160.

Legendy (2): skazany na rozstrzelanie
Podróże z Ryszardem Kapuścińskim, pod red. Bożeny Dudko, cyt. na s. 162.
Ryszard Kapuściński, *Wojna futbolowa*, cyt. na s. 163.
Jaroslav Bouček, *Do Nitra Konga. Pravda Kapuścinskěho a pravda Boučka*, przeł. Andrzej Czcibor-Piotrowski, cyt. na s. 163–165.
Czterokrotnie rozstrzelany. Z Ryszardem Kapuścińskim rozmawia Wojciech Giełżyński, cyt. na s. 165.
Gdzieś kryje się większa racja... Z Ryszardem Kapuścińskim rozmawia Andrzej Kantowicz, cyt. na s. 165.

W „bandzie Rakowskiego" cd.
Ryszard Kapuściński, *Kongo z bliska*, cyt. na s. 167–168.
Mieczysław F. Rakowski, *Dzienniki polityczne 1958–1962*, cyt. na s. 168.
Michał Radgowski, *„Polityka" i jej czasy*, cyt. na s. 169.
Wiesław Władyka, *„Polityka" i jej ludzie*, cyt. na s. 169, 170.
Ryszard Kapuściński, *Reklama pasty do zębów*, cyt. na s. 171.
Tenże, *Wielki rzut*, cyt. na s. 171.
Tenże, *Wydma*, cyt. na s. 171.
Tenże, *Uprowadzenie Elżbiety*, za: Tegoż, *Busz po polsku*, cyt. na s. 172.
Małgorzata Szejnert, *Postscriptum. Busz po 46 latach*, cyt. na s. 172.
Ryszard Kapuściński, *Piątek pod Grunwaldem*, cyt. na s. 173.
Tenże, *Spokojna głowa gapy*, cyt. na s. 174.
Tenże, *Dalszy ciąg dramatu (List do redakcji tygodnika „Polityka")*, cyt. na s. 175, 176.
List B. Drozdowskiego [do redakcji tygodnika „Polityka"], cyt. na s. 176.
[Komunikat Zarządu Głównego ZLP z 2 lutego 1962 r.], cyt. na s. 176.
Odpowiedź Redakcji [„Polityki" na list Bohdana Drozdowskiego], cyt. na s. 176–177.
Julian Przyboś, [Wypowiedź w ankiecie „Inspiracja czy plagiat"], cyt. na s. 177.
Jerzy Putrament, [Wypowiedź w ankiecie „Inspiracja czy plagiat"], cyt. na s. 177.
Andrzej Mandalian, [Wypowiedź o *Sztywnym* i *Kondukcie*], cyt. na s. 177.
Ryszard Kapuściński, *Spokojna głowa gapy*, cyt. na s. 179.

Życie w Afryce
Ryszard Kapuściński, *Heban*, cyt. na s. 182.
Tenże, *Wojna futbolowa*, cyt. na s. 183.
Tenże, *Heban*, cyt. na s. 184, 186.

Tenże, *Uganda w kilka tygodni po proklamowaniu niepodległości*, cyt. na s. 189.
Tenże, *Tanganika: Nyerere prezydentem*, cyt. na s. 189–190.
Tenże, *Uganda: konferencja partii rządzącej*, cyt. na s. 190.
Tenże, *Kenia: Działalność Armii Wolności Ziemi*, cyt. na s. 190–191.
Tenże, *O sytuacji w Kenii*, cyt. na s. 191.
Tenże, *Znaczenie rozmów Kaundy i Czombego*, cyt. na s. 191–192.
Tenże, *Czombe prowadzi grę na zbliżenie do Stanów Zjednoczonych*, cyt. na s. 192.
Tenże, *Uwagi korespondenta PAP*, cyt. na s. 193.

Alfabet fascynacji: afrykańskie ikony

Frantz Fanon, *Wyklęty lud ziemi*, przeł. Hanna Tygielska, cyt. na s. 195–196.
Ryszard Kapuściński, *Elita władzy*, cyt. na s. 196–197.
Tenże, *Bar wzięty*, cyt. na s. 198.
Tenże, *Jeszcze dzień życia*, cyt. na s. 198–199.
Tenże, *Wojna futbolowa*, cyt. na s. 199, 200.
Tenże, *Ghana*, cyt. na s. 200.
Julius Nyerere, *Ujamaa – podstawa socjalizmu afrykańskiego*, przeł. Ryszard Kapuściński, cyt. na s. 200–201.

Życie w Afryce cd.

Wypowiedzi Alicji Kapuścińskiej, za: *Mąż reporter*. Z Alicją Kapuścińską rozmawiają Teresa Torańska i Artur Domosławski, cyt. na s. 203.
Ryszard Kapuściński, listy do Jerzego i Izabelli Nowaków, Kampala, październik 1962, cyt. na s. 204, 205.
Ryszard Kapuściński, list do Jerzego i Izabelli Nowaków, Nairobi, bez daty (prawdopodobnie listopad lub grudzień 1963), cyt. na s. 206.
Ryszard Kapuściński, *Nairobi: Korespondencja z Kenii*, cyt. na s. 207.
Tenże, *Pierwszy polski dziennikarz w Republice Zanzibaru*, cyt. na s. 207–209.

Życie w Afryce cd.

Ryszard Kapuściński, *Nigeria przed i po przewrocie*, cyt. na s. 212, 213.
Tenże, *Sytuacja w Nigerii* (do wiadomości redakcji), cyt. na s. 213.
List/rezolucja Komitetu Centralnego Komunistycznej Partii Nigerii do KC PZPR, 13 października 1963, Archiwum Akt Nowych, Zespół KC PZPR 237/XXII-1414, cyt. na s. 213, 214.
Ryszard Kapuściński, *Uwagi korespondenta PAP*, cyt. na s. 214–215.
Tenże, list do Jerzego Nowaka, Lagos, 29 września 1965, cyt. na s. 215, 216.
Tenże, list do Jerzego Nowaka, Lagos, 6 stycznia [1966], cyt. na s. 216.
Tenże, *Wojna futbolowa*, cyt. na s. 216, 217.
Tenże, list do Jerzego Nowaka, Lagos, 29 września 1965, cyt. na s. 217.
Tenże, list do Jerzego Nowaka, Lagos, 6 stycznia [1966], cyt. na s. 217.
Tenże, *Gdyby cała Afryka...*, cyt. na s. 218, 219.
Tenże, karta pocztowa do Jerzego Nowaka, Addis Abeba, 16 listopada 2003, cyt. na s. 220.

W korytarzach władzy

Mieczysław F. Rakowski, *Dzienniki polityczne 1963–1966*, cyt. na s. 225, 226.
Ryszard Kapuściński, list do Jerzego Nowaka, Meksyk, 15 grudnia 1969, cyt. na s. 228.

Andrzej Werblan, *Przyczynek do genezy konfliktu*, cyt. na s. 230.
Mieczysław F. Rakowski, *Dzienniki polityczne 1984–1986*, cyt. na s. 233.
Ryszard Kapuściński, list do Jerzego Nowaka, Meksyk, 15 grudnia 1969, cyt. na s. 234–235.

Lapidarium (4): reporter polityk
Ryszard Kapuściński, *Kirgiz schodzi z konia* (2007), cyt. na s. 236.
Tenże, *Kirgiz schodzi z konia*, (1967), cyt. na s. 236–237.
Tenże, *Wyprawa na wieżę*, cyt. na s. 237.
Tenże, *Kirgiz schodzi z konia* (2007), cyt. na s. 237.

Na szlaku Che Guevary
Ryszard Kapuściński, *Ostry kryzys w Ameryce Łacińskiej*, cyt. na s. 238–239.
Tenże, *Fala konfliktów i walk w krajach Ameryki Łacińskiej*, cyt. na s. 238–239.
Tenże, *Wojna futbolowa*, cyt. na s. 242 i 243.
Tenże, *Ostre napięcia w Chile*, cyt. na s. 244.
Tenże, list do Jerzego Nowaka, Rio de Janeiro, 4 listopada 1968, cyt. na s. 245.
Tenże, [Od tłumacza], w: Ernesto Che Guevara, *Dziennik z Boliwii*, cyt. na s. 247.
Tenże, *KP Chile wzywa do udaremnienia zamachu stanu*, cyt. na s. 247.

Na szlaku Che Guevary cd.
Ryszard Kapuściński, list do Jerzego i Izabelli Nowaków, Rio de Janeiro, 4 listopada 1968, cyt. na s. 253–255.
Tenże, list do Jerzego i Izabelli Nowaków, Meksyk, 22 września 1971, cyt. na s. 255–256.
Tenże, list do Jerzego i Izabelli Nowaków, Meksyk, 15 grudnia 1969, cyt. na s. 256.
Tenże, list do Jerzego i Izabelli Nowaków, Meksyk, 22 września 1971, cyt. na s. 256.
Tenże, *Nixon i Ameryka Łacińska*, cyt. na s. 257.
Tenże, *Relacja polskiego korespondenta z walk Hondurasu z Salwadorem*, cyt. na s. 259.
Tenże, *Pierwsza autentyczna rewolucja*, cyt. na s. 259–260.
Tenże, *Co stanowi rewolucję w Panamie...*, cyt. 260.
Tenże, *Nowa rola Ameryki Łacińskiej*, cyt. na s. 260–261.
Tenże, *Emigranci kubańscy w USA przygotowują nową awanturę przeciw Kubie?*, cyt. na s. 261.
Tenże, *W sobotę – ostateczny wybór prezydenta Chile*, cyt. na s. 261.
Tenże, *Kandydat lewicy S. Allende prezydentem Chile*, cyt. na s. 261–262.
Tenże, *Śmierć gen. Schneidera*, cyt. na s. 262.
Tenże, *Umacnianie postępowego rządu w Boliwii*, cyt. na s. 262.
Tenże, *Prawica objęła władzę w Boliwii*, cyt. na s. 262–263.
Tenże, *Urugwaj*, cyt. na s. 263.
Tenże, *Spisek CIA w Kostaryce*, cyt. na s. 263–264.
Wiosna ludów latynoskich. Z Ryszardem Kapuścińskim rozmawia Artur Domosławski, cyt. na s. 264.

Alfabet fascynacji: latynoskie ikony
Ryszard Kapuściński, *Chrystus z karabinem na ramieniu*, cyt. na s. 265–267.
Tenże, [Depesze dotyczące Juana Velasco Alvarado i Omara Torijosa], cyt. na s. 268, 269.
Tenże, *Radykalizacja duchowieństwa latynoamerykańskiego*, cyt. na s. 269, 270.

Szlakiem Che Guevary cd.

Ryszard Kapuściński, *Dr Hector Cuadra o problemie porywania dyplomatów*, cyt. na s. 273–275.

Wypowiedź Ryszarda Kapuścińskiego, zamieszczona na stronie internetowej poświęconej życiu i twórczości jej autora: http://www.kapuscinski.hg.pl/, cyt. na s. 275.

Z tamtego świata. Z Ryszardem Kapuścińskim rozmawia Jacek Syski, cyt. na s. 276.

Ryszard Kapuściński, *Dlaczego zginął Karl von Spreti*, cyt. na s. 277.

Ryszard Kapuściński, *Pierwsze oceny wizyty Fidela Castro w Chile*, cyt. na s. 278, 279.

Wiktor Osiatyński, *Zamki z piasku*, cyt. na s. 279 i 280.

Julio Cortázar, *Książka dla Manuela*, przeł. Zofia Chądzyńska, cyt. na s. 281–282.

Ryszard Kapuściński, list do Jerzego i Izabelli Nowaków, Meksyk, 19 lutego 1972, cyt. na s. 284.

Ucieczki Zojki

Wypowiedzi Alicji Kapuścińskiej, za: *Mąż reporter.* Z Alicją Kapuścińską rozmawiają Teresa Torańska i Artur Domosławski, cyt. na s. 285, 286.

Mój tata Ryszard Kapuściński. Z Rene Maisner rozmawia Bartosz Marzec, cyt. na s. 290–291.

Z Rene Maisner rozmawia Liliana Śnieg-Czaplewska, cyt. na s. 290–291.

Reporter zaangażowany, świat czarno-biały

Rozmowy o wojnie w Etiopii, cyt. na s. 294.

Czterokrotnie rozstrzelany. Z Ryszardem Kapuścińskim rozmawia Wojciech Giełżyński, cyt. na s. 294.

Z tamtego świata. Z Ryszardem Kapuścińskim rozmawia Jacek Syski, cyt. na s. 297, 298.

Gdzieś kryje się większa racja... Z Ryszardem Kapuścińskim rozmawia Andrzej Kantowicz, cyt. na s. 298–299.

Czterokrotnie rozstrzelany, Z Ryszardem Kapuścińskim rozmawia Wojciech Giełżyński, cyt. na s. 299–300.

Ryszard Kapuściński, *Korespondent PAP o sytuacji w Angoli* (nie do wykorzystania w prasie), cyt. na s. 300, 301.

John Stockwell, *In Search of Enemies. A CIA Story*, cyt. na s. 301.

Ryszard Kapuściński, *Sytuacja w Angoli*, cyt. na s. 301.

Tenże, *Korespondent PAP o sytuacji w Angoli*, cyt. na s. 301.

Tenże, *Sytuacja w Angoli*, cyt. na s. 301–302.

Tenże, *Korespondent PAP o sytuacji w Angoli*, s. 302, 303.

Tenże, *Gdyby cała Afryka...*, cyt. na s. 303.

Serdecznie witamy w Polsce cesarza Haile Selassie I, cyt. na s. 304.

Toast Edwarda Ochaba [na cześć cesarza Haile Selassie I], cyt. na s. 304.

Wizyta przywódcy Etiopii w Polsce. Henryk Jabłoński, Mengistu Haile Mariam, cyt. na s. 304.

Ryszard Kapuściński, *W Etiopii nasila się coraz bardziej terrorystyczna działalność sił prawicy*, cyt. na s. 305.

Czterokrotnie rozstrzelany. Z Ryszardem Kapuścińskim rozmawia Wojciech Giełżyński, cyt. na s. 305.

W drodze. Z Ryszardem Kapuścińskim rozmawia Teresa Krzemień, cyt. na s. 305.

Czterokrotnie rozstrzelany. Z Ryszardem Kapuścińskim rozmawia Wojciech Giełżyński, cyt. na s. 305–306.

Ryszard Kapuściński, *Sytuacja w Angoli* (nie do przedrukowania w prasie), cyt. na s. 306.

Rozmowa z Sekretarzem Generalnym KC Komunistycznej Partii Chile tow. Luisem Corvalanem. Rozmawiają Ryszard Kapuściński i Walery Namiotkiewicz, cyt. na s. 307.
Czterokrotnie rozstrzelany, Z Ryszardem Kapuścińskim rozmawia Wojciech Giełżyński, cyt. na s. 307.
Ryszard Kapuściński, *Velasco Ibarra zostaje dyktatorem*, cyt. na s. 308–309.

Chrystus z karabinem w czeskiej komedii na dworze cesarza
Ryszard Kapuściński, *Cesarz*, cyt. na s. 311–314.
Barbara N. Łopieńska, *Ulica Brzeska*, cyt. na s. 319.
Teresa Torańska, *W kręgu*, cyt. na s. 319.
Ryszard Kapuściński, *Cesarz*, cyt. na s. 320–322.
Z tamtego świata. Z Ryszardem Kapuścińskim rozmawia Jacek Syski, cyt. na s. 323–324.
Andrzej Pawluczuk, *Świat na stadionie*, cyt. na s. 324–325.
Ryszard Kapuściński, *Cesarz*, cyt. na s. 325, 328, 329, 331–333.
Andrzej Pawluczuk, *Traktat o upadaniu*, cyt. na s. 333–334.
Józef Tejchma, *W kręgu nadziei i rozczarowań*, cyt. na s. 334, 335.
Ryszard Kapuściński, *Cesarz*, cyt. na s. 336.

O miłości i innych demonach
Lapidarium III, cyt. na s. 337.
Wypowiedzi Alicji Kapuścińskiej, za: *Mąż reporter.* Z Alicją Kapuścińską rozmawiają Teresa Torańska i Artur Domosławski, cyt. na s. 337, 338.
Ryszard Frelek, [Wypowiedź w ankiecie „Odszedł dziennikarz wieku"], cyt. na s. 338.
Ryszard Kapuściński, *Fin de siècle*, za: Tegoż, *Wiersze zebrane*, cyt. na s. 339.
Tenże, *Jeszcze dzień życia*, cyt. na s. 340.
Tenże, *Heban*, cyt. na s. 341.
Tenże, *Podróże z Herodotem*, cyt. na s. 341.
Tenże, [Odkąd jesteś], za: Tegoż, *Wiersze zebrane*, cyt. na s. 343.
Jarosław Mikołajewski, *Sentymentalny portret Ryszarda Kapuścińskiego*, cyt. na s. 345.
Wypowiedzi Alicji Kapuścińskiej, za: *Mąż reporter.* Z Alicją Kapuścińską rozmawiają Teresa Torańska i Artur Domosławski, cyt. na s. 346.

Ostatnia rewolucja, ostatni zamach
Ryszard Kapuściński, *Szachinszach*, cyt. na s. 347.
Wypowiedź Ryszarda Kapuścińskiego, za: *Kto tu wpuścił dziennikarzy. 20 lat później*, cyt. na s. 347.
Timothy Garton Ash, *Polska rewolucja*, przeł. Małgorzata Dziewulska i Marcin Król, cyt. na s. 348.
Wypowiedź Ryszarda Kapuścińskiego, za: *Kto tu wpuścił dziennikarzy. 20 lat później*, cyt. na s. 348, 349.
Ryszard Kapuściński, *Szachinszach*, cyt. na s. 351.
Wypowiedź Ryszarda Kapuścińskiego, za: *Kto tu wpuścił dziennikarzy. 20 lat później*, cyt. na s. 351–359.
Ryszard Kapuściński, *Notatki z Wybrzeża*, cyt. na s. 359–361.
Wypowiedź Ryszarda Kapuścińskiego, za: *O przemianach obyczaju* (dyskusja), cyt. na s. 362.
Wypowiedź Ryszarda Kapuścińskiego, za: *Kto tu wpuścił dziennikarzy. 20 lat później*, cyt. na s. 363.

Wyjście z kostiumu. Z Ryszardem Kapuścińskim rozmawia Zbigniew Miazga, cyt. na s. 365–367.
Wypowiedź Ryszarda Kapuścińskiego, za: *Etos klasy robotniczej*, cyt. na s. 368–369.
Oświadczenie [intelektualistów i ludzi kultury w sprawie sytuacji w kraju], cyt. na s. 371.
Ryszard Piekarowicz, *Dziennik* (niepublikowany), cyt. na s. 373–374.
Jerzy Urban, list do Mariusza Szczygła, cyt. na s. 375.
Zawsze będę przeciwny zawracaniu Polaków w przeszłość. Rozmowa z wicepremierem Mieczysławem Rakowskim, cyt. na s. 377.
Jerzy Urban, wypowiedź na konferencji prasowej rzecznika rządu, za: Beata Nowacka, Zygmunt Ziątek, *Ryszard Kapuściński. Biografia pisarza*, cyt. na s. 377.
Wypowiedź Ryszarda Kapuścińskiego, za: *Kto tu wpuścił dziennikarzy. 20 lat później*, cyt. na s. 378.
Ryszard Kapuściński, *Lapidarium*, cyt. na s. 379.
Wypowiedź Ryszarda Kapuścińskiego, za: *Kto tu wpuścił dziennikarzy. 20 lat później*, cyt. na s. 380.
N.D. [kryptonim Ryszarda Kapuścińskiego], *Afganistan*, cyt. na s. 380.
Ryszard Kapuściński, list do Jerzego Nowaka, [Warszawa], bez daty [I połowa 1982], cyt. na s. 381.
Tenże, list do Jerzego Nowaka, [Warszawa], 4 listopada 1982, cyt. na s. 382.
Tenże, list do Jerzego Nowaka, [Warszawa], bez daty, cyt. na s. 383.

Wart tysiąca skamlących gryzipiórków...
Ryszard Kapuściński, *Lapidarium*, cyt. na s. 384.
Katarzyna Mroczkowska-Brand, *Jak wpadłam na pomysł, że warto przetłumaczyć „Cesarza"*, w: *Podróże z Ryszardem Kapuścińskim*, pod red. Bożeny Dudko, cyt. na s. 385.
William Brand, *Prawnik zażądał notarialnych poświadczeń z Etiopii*, w: *Podróże z Ryszardem Kapuścińskim*, pod red. Bożeny Dudko, cyt. na s. 386, 387.
Peter Prescott, *His Clement Highness*, za: Beata Nowacka i Zygmunt Ziątek, *Ryszard Kapuściński. Biografia pisarza*, cyt. na s. 388.
John Updike, *Koniec imperium*, przeł. Łukasz Sommer, w: Ryszard Kapuściński, *Cesarz*, cyt. na s. 388.
Ryszard Kapuściński, *Lapidarium*, cyt. na s. 389.
Wypowiedź Salmana Rushdiego w ankiecie „The Sunday Timesa", za: Adam Krzemiński, *Stara sztuka pisania*, cyt. na s. 389.
Moorhead Kennedy, *The Great Injustice and the Great Humiliation*, cyt. na s. 390.
Recenzja „The London Review of Books", za: Beata Nowacka i Zygmunt Ziątek, *Ryszard Kapuściński. Biografia pisarza*, cyt. na s. 390–391.
Ryszard Kapuściński, *Szachinszach*, cyt. na s. 391–393.
William Brand, *Prawnik zażądał notarialnych poświadczeń z Etiopii*, w: *Podróże z Ryszardem Kapuścińskim*, pod red. Bożeny Dudko, cyt. na s. 395, 396.
Salman Rushdie, *Reporting a Nightmare* [pol. *Reportaż z koszmaru*, przeł. Ewa Don], cyt. na s. 396.
Joe Queenan, *A Pole Apart*, za: Beata Nowacka i Zygmunt Ziątek, *Ryszard Kapuściński. Biografia pisarza*, cyt. na s. 397.
Adam Hochschild, *Magic Journalism*, cyt. na s. 398.
Wypowiedź Antoniego Libery, za: *Oskarżał Zachód o nędzę świata*, cyt. na s. 401.

Ryszard Kapuściński, *Lapidarium*, cyt. na s. 403.
Tenże, list do Jerzego i Izabelli Nowaków, Filadelfia, 21 lutego 1988, cyt. na s. 403–404.
Ryszard Kapuściński, *Lapidarium*, cyt. na s. 404.
Tenże, list do Jerzego i Izabelli Nowaków, Filadelfia, 21 lutego 1988, cyt. na s. 404.
Tenże, *Lapidarium II*, cyt. na s. 404–405.

Lapidarium (5): dlaczego Kapuściński nie ma w Polsce krytyki?
Mariusz Wilk, *Wilczy notes*, cyt. na s. 409–410.
Ryszard Kapuściński, *Lapidarium II*, cyt. na s. 410.
Tenże, *Lapidarium III*, cyt. na s. 411.
Olga Stanisławska, *Dokument. Polskie odcienie*, cyt. na s. 412–413.
Jakub Barua, *Niewolnicy Rzeczypospolitej*, cyt. na s. 413–414.
Artur Domosławski, *Ameryka zbuntowana*, cyt. na s. 416.

Reporter poprawia rzeczywistość, czyli krytycy wszystkich krajów łączą się!
Harold G. Marcus, *Uprzedzenia i ignorancja w recenzowaniu książek o Afryce: dziwny przypadek „Cesarza" Ryszarda Kapuścińskiego*, przeł. Ewa Wołk, cyt. na s. 419–420.
Ryszard Kapuściński, *Szachinszach*, cyt. na s. 422.
Czterokrotnie rozstrzelany. Z Ryszardem Kapuścińskim rozmawia Wojciech Giełżyński, cyt. na s. 425–426.
Ryszard Kapuściński, *Lapidarium III*, cyt. na s. 426–429.
Tenże, *Chrystus z karabinem*, cyt. na s. 430, 431.
Tenże, *Heban*, cyt. na s. 433.
Tenże, *Jeszcze dzień życia*, cyt. na s. 434.
John Ryle, *Tropical Baroque, African reality and the work of Ryszard Kapuściński*, cyt. na s. 435–437.
Albert Lluís Chillón Asensio, *Literatura y periodismo. Una tradición de relaciones promiscuas*, cyt. na s. 437.
Ryszard Kapuściński, *Autoportret reportera*, cyt. na s. 438.
Bez litości. Z Wojciechem Jagielskim rozmawia Andrzej Skworz, cyt. na s. 439.
Ryszard Kapuściński, *Lapidarium*, cyt. na s. 439.

Nasz przyjaciel Rysiek
Ryszard Kapuściński, list do Jerzego i Izabelli Nowaków, Meksyk, 19 lutego 1972, cyt. na s. 444.
Tenże, list do Izabelli Nowak, Meksyk, 15 grudnia 1969, cyt. na s. 444–445.
Tenże, list do Jerzego i Izabelli Nowaków, [Meksyk], 11 lutego 1970, cyt. na s. 445
Tenże, list do Krzysia Nowaka, Meksyk, 15 grudnia 1969, cyt. na s. 445.
Tenże, *Takie sobie zwrotki na urodziny Dorotki*, za: Witold Bereś, Krzysztof Burnetko, *Kapuściński: nie ogarniam świata*, cyt. na s. 445.
Tenże, [Dlaczego świat przeleciał...], za: Tegoż, *Wiersze zebrane*, cyt. na s. 448.
Tenże, *Jeszcze dzień życia*, cyt. na s. 451.

Dokąd od socjalizmu?
Ryszard Kapuściński, *Imperium*, cyt. na s. 455–459.
Tenże, *Lapidarium*, cyt. na s. 461.
Tenże, *Zapis pewnej idei*, w: Tegoż, *Wiersze zebrane*, cyt. na s. 461–462.

Tenże, *Lapidarium*, cyt. na s. 462–463.
Tenże, list do Jerzego Nowaka, 4 maja 1991, cyt. na s. 465–466.
Tenże, *Lapidarium II*, cyt. na s. 467, 468.
Dziennikarz wieku. 1999, „Press", www.press.pl, cyt. na s. 469.

Lapidarium (6): czy Kapuściński był myślicielem?
Wojna i pustka. Z Ryszardem Kapuścińskim rozmawia Artur Domosławski, cyt. na s. 471–473.
Ryszard Kapuściński, *Heban*, cyt. na s. 473–474.
Tenże, *Lapidarium II*, cyt. na s. 474–475.
Tenże, *Szachinszach*, cyt. na s. 475.
Tenże, *Lapidarium II*, cyt. na s. 475.
Tenże, *Heban*, cyt. na s. 475–476.
Nasz kruchy świat. Z Ryszardem Kapuścińskim rozmawiają Artur Domosławski i Aleksander Kaczorowski, cyt. na s. 476–477.
Ryszard Kapuściński, *Lapidarium V*, cyt. na s. 478, 479.
Tenże, *Ten Inny*, cyt. na s. 479–480.
Reporter to taki zwiadowca. Z Ryszardem Kapuścińskim rozmawiają Artur Domosławski i Aleksander Kaczorowski, cyt. na s. 480.

Dokąd od socjalizmu cd.
Ryszard Kapuściński, *Lapidarium III*, cyt. na s. 481–482.
Tenże, *Lapidarium IV*, cyt. na s. 482.
Tenże, *Lapidarium V*, cyt. na s. 483–484.
Tenże, *Heban*, cyt. na s. 484, 485.
Wiosna ludów latynoskich. Z Ryszardem Kapuścińskim rozmawia Artur Domosławski, cyt. na s. 486.
Andrzej Pawluczuk, *Reporter ginącego świata. Opowieść o Ryszardzie Kapuścińskim*, cyt. na s. 486–487.
Nasz kruchy świat. Z Ryszardem Kapuścińskim rozmawiają Artur Domosławski i Aleksander Kaczorowski, cyt. na s. 488–490.
Ernest Skalski, *Zero tolerancji*, cyt. na s. 490–492.
Ciszej z tymi werblami. Z Ryszardem Kapuścińskim rozmawia Artur Domosławski, cyt. na s. 492–493.
Ryszard Kapuściński, *Lapidarium*, cyt. na s. 494.

Teczka
Ian Traynor, *Famed Polish Writer Outed As 'spy' in Anti-communist Purge*, przeł. Artur Domosławski, cyt. na s. 498.
Paolo Rumiz, Andrea Tarquini, *Accuse postume a Kapuscinski: „Era una spia di Varsavia"*, przeł. Artur Domosławski, cyt. na s. 498.
Teczka kontaktu operacyjnego krypt. „Poeta", cyt. na s. 499–507.
Igor Ryciak, *Kontakt 11630/I*, cyt. na s. 509, 510.
John Stockwell, *In Search of Enemies. A CIA Story*, cyt. na s. 510.

Legendy (5): cena wielkości
Ryszard Kapuściński, [Właściwie co miałem zrobić...], w: Tegoż, *Wiersze zebrane*, cyt. na s. 521.

Maestro Kapu

Wiosna ludów latynoskich. Z Ryszardem Kapuścińskim rozmawia Artur Domosławski, cyt. na s. 527, 528.

Oscar Escamilla, *Retrato de un encuentro*, w: Ryszard Kapuściński, *Cinco sentidos del periodista*, cyt. na s. 534.

Nienapisane książki

Notatki Ryszarda Kapuścińskiego do nienapisanych książek, za: Artur Domosławski, *Hycle w Arkadii*, cyt na s. 535–538, 540–545.

Czarny Ląd i czarne karty. Z Ryszardem Kapuścińskim rozmawia Wojciech Jagielski, cyt. na s. 539.

Notatki Ryszarda Kapuścińskiego do nienapisanych książek, za: Artur Domosławski, *Hycle w Arkadii*, cyt na s. 540–545.

Bez sił, żeby umeblować twarz

Notatki Ryszarda Kapuścińskiego, za: Artur Domosławski, *Kamyki, szkiełka i tysiąc innych skarbów*, cyt. na s. 546–547.

Leopold Staff, *Kieszeń*, za: Tegoż, *Poezje zebrane*, cyt. na s. 549.

Jules Renard, *Dziennik*, przeł. Joanna Guze, cyt. na s. 550.

Mircea Eliade, *Religia, literatura i komunizm. Dziennik emigranta*, przeł. Adam Zagajewski, cyt. na s. 551, 552.

Jan Parandowski, *Petrarka*, cyt. na s. 552.

Aleksy Suworin, *Dziennik*, przeł. Jerzy Pański, cyt. na s. 552.

Mikołaj Rej, *Żywot człowieka poczciwego*, cyt. na s. 552.

Notatki Ryszarda Kapuścińskiego, za: Artur Domosławski, *Kamyki, szkiełka i tysiąc innych skarbów*, cyt. na s. 552.

Anna Świrszczyńska, *Mówię do swego ciała*, cyt. na s. 552.

Konrad Godlewski, *Nobel przychodzi w czwartek*, cyt. na s. 552–553.

Notatki Ryszarda Kapuścińskiego, za: Artur Domosławski, *Kamyki, szkiełka i tysiąc innych skarbów*, cyt. na s. 554, 555.

Wypowiedzi Alicji Kapuścińskiej, za: *Mąż reporter*, Z Alicją Kapuścińską rozmawiają Teresa Torańska i Artur Domosławski, s. 555, 556.

Notatki Ryszarda Kapuścińskiego, za: Artur Domosławski, *Kamyki, szkiełka i tysiąc innych skarbów*, cyt. na s. 557.

Ryszard Kapuściński, *Cierpienie i wina*, za: Tegoż, *Prawa natury*, cyt. na s. 558.

Notatki Ryszarda Kapuścińskiego, za: Artur Domosławski, *Kamyki, szkiełka i tysiąc innych skarbów*, cyt. na s. 558.

Wisława Szymborska, *Dzieci epoki*, za: Taż, *Ludzie na moście*, cyt. na s. 558–559.

Notatki Ryszarda Kapuścińskiego, za: Artur Domosławski, *Kamyki, szkiełka i tysiąc innych skarbów*, cyt. na s. 559.

Wypowiedzi Alicji Kapuścińskiej, za: *Mąż reporter*. Z Alicją Kapuścińską rozmawiają Teresa Torańska i Artur Domosławski, s. 560.

Ryszard Kapuściński, *Zapiski szpitalne*, za: Jarosław Mikołajewski, *Sentymentalny portret Ryszarda Kapuścińskiego*, cyt. na s. 561, 562.

Bibliografia

Rozmowy
z Jaime Abello, listopad 2007, Cartagena
z Jonem Lee Andersonem, 28 stycznia 2009 (telefoniczna)
z Januszem Balewskim, 11 czerwca 2008
z Jakubem Baruą, listopad 2008, Nairobi
z Marzenną Baumann-Bosek, 6 września 2008
z Anną Bikont, wiosna 2008
z Wiesławą Bolimowską-Gawarską, 13 czerwca 2008
z Anną Borkowską, 14 czerwca 2009
z Williamem Brandem, 18 czerwca 2009 (telefoniczna)
z Jerzym Chociłowskim, 1 czerwca 2009 (telefoniczna)
z Krzysztofem Czabańskim, 19 czerwca 2009
z Andrzejem Czciborem-Piotrowskim, wiosna – jesień 2008
z Józefem Czyrkiem, 13 czerwca 2008
z Markiem Dannerem, 24 stycznia 2007 (telefoniczna) i 22 stycznia 2009, Nowy Jork
z Marianem Dąbrowskim, 22 kwietnia 2008
z E.H., jesień 2006, Warszawa
z Marią Frelek, 14 czerwca 2009 (telefoniczna)
z Jaime Garcią Marquezem, listopad 2007, Cartagena
z generałem Farrusco (Joaquimem Antoniem Lopesem), 16 maja 2008, Luanda
z Wojciechem Giełżyńskim, październik 2007
z Wojciechem i Marią Giełżyńskimi, październik 2007
z Barbarą Goshu, listopad – grudzień 2008, Addis Abeba
z Jerzym Górskim, 29 maja 2008
z Piotrem Halbersztatem, 16 czerwca 2009
z Julią Hartwig, 30 maja 2008
z Dominikiem Horodyńskim, 6 maja 2008
z Mirosławem Ikonowiczem, 24 kwietnia 2008
z Maciejem Iłowieckim, 1 lipca 2009
z Wojciechem Jagielskim, 4 maja 2008
z Ewą Junczyk-Ziomecką, 1 czerwca 2009

z Alicją Kapuścińską, wiosna 2007 – jesień 2008
z Michaelem Kaufmanem, 29 stycznia 2009, Nowy Jork
z Józefem Klasą, 7 maja 2008
z Hanną Krall, 24 kwietnia 2008
z Marcinem Kulą, 10 kwietnia 2009
z Sandrą La Fuente, marzec 2007 i wrzesień 2009
z Teresą Lechowską, październik 2008
z Adamem Leszczyńskim, 9 kwietnia 2009
z Ireną Lewandowską, 29 marca 2009
z Tomaszem Łubieńskim, wrzesień 2008 i 16 czerwca 2009
z Ireną Majchrzak, 5 maja 2008
z Abbasem Milanim, luty 2008, Palo Alto
z Gracielą Mochkofsky, 10 czerwca 2009 (telefoniczna)
z Borisem Munozem, 20 lutego 2009 (telefoniczna)
z Dorotą Nowak, 4 września 2008
z Jerzym i Izabellą Nowakami, 4 i 25 maja 2008
z Jerzym Nowakiem, 4 maja 2008 i 3 sierpnia 2009
z Agatą Orzeszek, 8 czerwca 2009
z Wiktorem Osiatyńskim, 6 czerwca 2008; 17 czerwca 2009 i 30 października 2009
z Lidią Ostałowską, 23 kwietnia 2009
z Marują Pachon, marzec 2003; styczeń 2007 (telefoniczna) i listopad 2007
z Danielem Passentem, 29 października 2007
z Keithem Pearsonem, 24 listopada 2008 (telefoniczna oraz korespondencja elektroniczna)
z Osvaldem „Chato" Peredo, listopad 2007, Santa Cruz (Boliwia)
z Ryszardem Piekarowiczem, 10 czerwca 2008
z Williamem Pikiem, 23 listopada 2008, Nairobi i 13 grudnia 2008, Kampala
z Mieczysławem Rakowskim, październik 2007
z Javierem Dariem Restrepo, listopad 2007, Bogota
z Januszem Rolickim, maj 2008 i 14 czerwca 2009
z Januszem Roszkowskim, 1 sierpnia 2008
z Adamem Danielem Rotfeldem, 1 września 2008
z Danutą Rycerz, wiosna 2008
z Renatą Salecl, 14 lutego 2009, Nowy Jork
z Jonathanem Schellem, styczeń – luty 2009, Nowy Jork
z Ernestem Skalskim, 14 czerwca 2009 (telefoniczna)
z Henrykiem Sobieskim, 1 lipca 2008 (telefoniczna)
z Arturem Starewiczem, 24 maja 2008
z Lechem Stefańskim, 18 czerwca 2009
z Anną Szaniawską, wiosna 2009 (telefoniczna)
z Małgorzatą Szejnert, 26 sierpnia 2008
z Józefem Tejchmą, 26 września 2007
z Tłumaczem (osobą zachowującą anonimowość), lato 2008 – lato 2009
z Krzysztofem Teodorem Toeplitzem, 24 maja 2008
z Teresą Torańską, 5 czerwca 2008
z Marianem Turskim, 2 i 23 maja 2008
z Juliem Villanuevą Changiem, 17–27 września 2009, Lima
z Jerzym Waszczukiem, 7 lipca 2008

z Cathy Watson, 13 grudnia 2008, Kampala
z Andrzejem Werblanem, 24 kwietnia 2008; 11 września 2008 i 12 czerwca 2009
z Lawrence'em Weschlerem, 18 lutego 2009, Nowy Jork
z Maciejem Wierzyńskim, 24 czerwca 2008
z Drenką Willen, 22 czerwca 2009 (telefoniczna)
z Ewą Wipszycką, 11 października 2008
z Barbarą Wiśniewską, czerwiec 2008, Vancouver
z Kazimierzem Wolnym-Zmorzyńskim, 20 sierpnia 2009 (telefoniczna)
z Andrzejem Krzysztofem Wróblewskim, 28 maja 2008
z Agnieszką i Andrzejem Krzysztofem Wróblewskimi, 28 maja 2008
z Andrzejem Wyrobiszem, 4 lipca 2008
z Mariuszem Ziomeckim, 4 czerwca 2009
ze Stanisławem Jarząbkiem, 27 maja 2008
ze Zdzisławem Marcem, 9 maja 2008 i 18 czerwca 2009

Materiały archiwalne

Akta studenta Ryszarda Kapuścińskiego, WH 19900, Archiwum Uniwersytetu Warszawskiego
Bouček Jaroslav, *Do Nitra Konga. Pravda Kapuścinského a pravda Boučka*, referat na konferencję „Podróże Czechów i Polaków", 6–7 września, Praga 2007, cytat przeł. Andrzej Czcibor-Piotrowski
Korespondencja elektroniczna autora z Thomasem Blantonem, styczeń 2009
Korespondencja elektroniczna autora z Williamem Brandem
Korespondencja elektroniczna autora z Richardem Gottem
Korespondencja między ambasadami PRL w Akrze i Lagos, Archiwum Akt Nowych, Zespół KC PZPR 237/XXII-1414
List ambasadora PRL w Nigerii Bronisława Musielaka do Józefa Czesaka, kierownika Wydziału Zagranicznego KC PZPR, 15 marca 1965, Archiwum Akt Nowych, Zespół KC PZPR 237/XXII-1414
List J. Chukwudolue-Orhakamadu, I sekretarza Komunistycznej Partii Nigerii i C.U. Mba, II sekretarza, do KC PZPR (ściśle tajne), 11 stycznia 1964, Archiwum Akt Nowych, Zespół KC PZPR 237/XXII-1414
List/rezolucja Komitetu Centralnego Komunistycznej Partii Nigerii do KC PZPR, 13 października 1963, Archiwum Akt Nowych, Zespół KC PZPR 237/XXII-1414
Marzec Zdzisław, [Notatka „Uwagi o «BS PAP»", 5 czerwca 1971], Archiwum Akt Nowych, Zespół KC PZPR, 237/XIX-265
Materiały z archiwum Fundación de Nuevo Periodismo Iberoamericano w Cartagenie
Materiały z narady 14 września 1957 w Biurze Prasy KC, Archiwum Akt Nowych, Zespół KC PZPR237/XIX-144
Notatka ambasadora Bronisława Musielaka, „Partie marksistowskie w Nigerii", 23 czerwca 1967, Archiwum Akt Nowych, Zespół KC PZPR 237/XXII-1414
Odpowiedź Mariana Renke, zastępcy kierownika Wydziału Zagranicznego KC PZPR, adresowana do Bronisława Musielaka, 14 kwietnia 1965, Archiwum Akt Nowych, Zespół KC PZPR 237/XXII-1414
Piekarowicz Ryszard, *Dziennik* (niepublikowany)
Relacja ze spotkania delegacji Nigeryjskiej Socjalistycznej Partii Robotniczo-Chłopskiej (sekretarza generalnego KC T. Otegbeye i członka Biura Politycznego A. Basseya) z kierownictwem PZPR, Władysławem Gomułką, Zenonem Kliszką, Edwardem Gierkiem

i premierem Józefem Cyrankiewiczem, 7 kwietnia 1966 w Pałacu Zjazdów w Moskwie, Archiwum Akt Nowych, Zespół KC PZPR 237/XXII-1414
Teczka kontaktu operacyjnego krypt. „Poeta", Intytut Pamięci Narodowej BU 001043/255

Publikacje

1. Prasowe

Adamiecki Wojciech, *Nie podam ci ręki.* [Wypowiedź w ankiecie „Odszedł dziennikarz wieku"], „Press" 2007 nr 2
Artykuł z „Der Spiegla" o porwaniu ambasadora Karla von Spretiego, „Biuletyn Specjalny PAP. Dodatek Tygodniowy" nr 80, 25 kwietnia 1970
Barua Jakub, *Niewolnicy Rzeczypospolitej*, „Newsweek Polska", 21 września 2003
Bernstein Carl, *The CIA and the Media*, „Rolling Stone", 2 października 1977
Bez litości. Z Wojciechem Jagielskim rozmawia Andrzej Skworz, „Press" 2009 nr 11
Bodegård Andres, *Kapuściński w Pińsku*, „Gazeta Wyborcza", 30 października 1997
Brzeziński Zbigniew, *Od Monroego do Mitrione*, „Biuletyn Specjalny PAP. Dodatek Tygodniowy" nr 100, 12 września 1970 (przedruk z „Newsweeka" 7 września 1970)
Byłem na wojnie w Angoli. Rozmowa z Ryszardem Kapuścińskim, „Za Wolność i Lud" 1976 nr 18, 19
Ciszej z tymi werblami. Z Ryszardem Kapuścińskim rozmawia Artur Domosławski, „Gazeta Wyborcza", 24 grudnia 2002
Czarnocki Kazimierz, *Zagadnienia poleskie*, „Dwutygodnik Kresowy" 1938 nr 1
Czarny Ląd i czarne karty. Z Ryszardem Kapuścińskim rozmawia Wojciech Jagielski, „Gazeta Wyborcza", 23 sierpnia 2003
Czcibor-Piotrowski Andrzej, *Wspólny czas*, „Rzeczpospolita", 3 marca 2007
Człowiek z bagna. Z Ryszardem Kapuścińskim rozmawia Barbara N. Łopieńska, „Przekrój", 13 VII 2003
Czterokrotnie rozstrzelany. Z Ryszardem Kapuścińskim rozmawia Wojciech Giełżyński, „Ekspres Reporterów" 1978 nr 6
Danner Mark, *Erotic Pull of the Strange: An Introduction*, „Zeotrope All-Story", lato 2003
Dlaczego w Ameryce Łacińskiej opłaca się kidnaping, „Biuletyn Specjalny PAP. Dodatek Tygodniowy" nr 79, 18 kwietnia 1970 (przedruk z „Sunday Timesa")
Do studentów Uniwersytetu Warszawskiego, „Słowo Powszechne", 11 marca 1968
Domosławski Artur, *Hycle w Arkadii*, „Gazeta Wyborcza" („Duży Format"), 21 stycznia 2008
– *Kamyki, szkiełka i tysiąc innych skarbów*, „Gazeta Wyborcza", 24 grudnia 2007
Drozdowski Bohdan, *Kondukt*, „Dialog" 1960 nr 11
Dyskusja o poezji w gimnazjum im. Staszica w Warszawie, „Odrodzenie", 5 marca 1950
Dziennikarz wieku. 1999, „Press", www.press.pl
El Classico Latino. Z Ryszardem Kapuścińskim rozmawia Jacek Żakowski, „Viva", 23 marca 2003
Etos klasy robotniczej (dyskusja), „Miesięcznik Literacki" 1981 nr 4
Fishlock Trevor, *Entering Sombre and Untrodden Recesses*, „The Sunday Telegraph", 25 listopada 1990
Frelek Ryszard, [Wypowiedź w ankiecie „Odszedł dziennikarz wieku"], „Press" 2007 nr 2
Gdzieś kryje się większa racja... Z Ryszardem Kapuścińskim rozmawia Andrzej Kantowicz, Kultura 1976 nr 31
Godlewski Konrad, *Nobel przychodzi w czwartek*, „Gazeta Wyborcza", 5 października 2005

Gomułka Władysław, [Przemówienie na spotkaniu z aktywem partyjnym Warszawy], „Kultura" 24 marca 1968
Historycy czy socjologowie nigdy by nie zrobili rewolucji. Rozmowa z Ryszardem Kapuścińskim, „Nowe Książki" 1981 nr 16
Hochschild Adam, *Magic Journalism*, „The New York Review of Books", 3 listopada 1994
Hoz Simanca Jaime de la, Anderson Jon Lee, *La musica de un perfil*, http://www.saladeprensa.org/art700.htm
Hunter Helen-Louise, *Zanzibar Revisited: Reconstruction of the 1964 Revolution*, http://zanzibardaima.wordpress.com
Jagielski Wojciech, *Nyerere, święty socjalizmu*, „Gazeta Wyborcza", 22–23 kwietnia 2006
Jastrum Mieczysław, *Epoka*, w: Tegoż, *Gorący popiół*, PIW, Warszawa 1956
Joyce G., *Indiana Jones with a Note Pad*, „The Orlando Sentinel", 2 czerwca 1991
Kapuściński Ryszard, *10 miesięcy pracy „Domu Książki"*, „Sztandar Młodych", 27 października 1950
– *II Światowy Kongres Obrońców Pokoju*, „Sztandar Młodych", 18 listopada 1950
– *II Zjazd ZMP...*, „Przedpole" (dodatek do „Sztandaru Młodych"), 30 października 1954
– *Afryka po ostatniej serii przewrotów*, „Biuletyn Specjalny PAP. Dodatek Tygodniowy" nr 710, 6 stycznia 1966
– *Afryka z dnia na dzień*, „Biuletyn Specjalny PAP" nr 5456, 11 maja 1963
– *Ameryka Łacińska: ruch lewicowy na nowym etapie*, „Biuletyn Specjalny PAP. Dodatek Tygodniowy" nr 1263, 24 czerwca 1971
– *Bar wzięty*, „Polityka" 1961 nr 20
– *Bez adresu*, „Polityka" 1960 nr 46
– *Bezdomny z Harlemu*, „Polityka" 1960 nr 15
– *Bojkot na ołtarzu*, „Polityka" 1960 nr 9
– *Bóg rani miłością*, fragm., „Rzeczpospolita", 3 marca 2007
– *Budowniczowie Wołgo-Donu*, „Sztandar Młodych", 13 sierpnia 1952
– *Chile: po zabójstwie Pereza Zujovica – Czy chadecja przejdzie do totalnej opozycji?*, „Biuletyn Specjalny PAP. Dodatek Tygodniowy" nr 1260, 14 czerwca 1971
– *Chile: zwycięstwo Salvadora Allende*, „Biuletyn Specjalny PAP" nr 7677, 7 września 1970
– *Co się nie udało Kolumbowi...*, „Sztandar Młodych", 24 stycznia 1957
– *Co stanowi rewolucję w Panamie...*, „Trybuna Ludu" 1970 nr 227
– *Czarna gwiazda*, „Polityka" 1960 nr 17
– *Czasy wolnych kozaków*, „Sztandar Młodych" 1957
– *Czombe prowadzi grę na zbliżenie do Stanów Zjednoczonych*, „Biuletyn Specjalny PAP. Dodatek Tygodniowy" nr 394, 29 listopada 1962
– *Czyściec w Benares*, „Sztandar Młodych", 30 stycznia 1957
– *Dalszy ciąg dramatu* (List do redakcji tygodnika „Polityka"), „Polityka" 1961 nr 46
– *Danka*, „Polityka" 1960 nr 34
– *Dlaczego zginął Karl von Spreti*, „Biuletyn Specjalny PAP. Dodatek Tygodniowy" nr 84, 23 maja 1970
– *Dobre wychowanie dzieci chrześcijańskich*, w: Domosławski Artur, *Hycle w Arkadii*, „Gazeta Wyborcza" („Duży Format"), 21 stycznia 2008
– *Dom*, „Polityka" 1960 nr 52
– *Dr Hector Cuadra o problemie porywania dyplomatów*, „Biuletyn Specjalny PAP. Dodatek Tygodniowy" nr 1143, 13 kwietnia 1970
– *Droga prowadzi naprzód*, „Twórczość" 1950 nr 11

– *Elita władzy*, „Polityka" 1964 nr 8
– *Emigranci kubańscy w USA przygotowują nową awanturę przeciw Kubie?*, „Trybuna Ludu" 1970 nr 125
– *Fala konfliktów i walk w krajach Ameryki Łacińskiej*, „Trybuna Ludu" 1970 nr 82
– *Fatamorgana egzotyki*, „Sztandar Młodych", 20 lutego 1957
– *Gdyby wszyscy ludzie...*, „Sztandar Młodych", 21–22 lipca 1956
– *Ghana*, „Biuletyn Specjalny PAP. Dodatek Tygodniowy" nr 731, 21 marca 1966
– *Gorzki smak wody*, „Sztandar Młodych", 28 stycznia 1957
– *Honduras powstrzymał agresję Salwadoru*, „Trybuna Ludu" 1969 nr 196
– *Idziemy na spotkanie*, „Sztandar Młodych", 23 sierpnia 1955
– *Imię przyszłości*, „Sztandar Młodych", 30 kwietnia – 1 maja 1955
– *Jak robić egzotyczkę*, „Polityka" 1960 nr 16
– *Kandydat lewicy S. Allende prezydentem Chile*, „Trybuna Ludu" 1970 nr 297
– Karta pocztowa do Jerzego Nowaka, Addis Abeba, 16 listopada 2003, „Le Monde diplomatique – edycja polska", 2010 nr 1
– *Kenia – droga do wolności*, „Wiedza i Życie" 1964 nr 5
– *Kenia: Działalność Armii Wolności Ziemi*, „Biuletyn Specjalny PAP" nr 5309, 14 listopada 1962
– *Kirgiz schodzi z konia*, „Życie Warszawy" 1967 nr 255
– *Kongo z bliska*, „Polityka" 1961 nr 12
– *Korespondent PAP o sytuacji w Angoli* (nie do wykorzystania w prasie), „Biuletyn Specjalny PAP. Dodatek Tygodniowy" nr 1692 z 18 września 1975
– *KP Chile wzywa do udaremnienia zamachu stanu*, „Trybuna Ludu", 14 maja 1968
– *Książki o życiu Związku Radzieckiego*, „Sztandar Młodych", 22 listopada 1950
– *La grandeza del reportero*, „Cambio", 7 października 2002
– *Lepiej kierować pracą młodzieży w skupie zboża*, „Sztandar Młodych", 4 września 1952
– *List z Afryki*, „Polityka" 1961 nr 6
– Listy do Jerzego Nowaka, Jerzego i Izabelli Nowaków, Doroty Nowak i Krzysztofa Nowaka, „Le Monde diplomatique – edycja polska" 2010 nr 1
– *Łamiąc stare niesłuszne normy...*, „Sztandar Młodych", 31 sierpnia 1950
– *Malowanie portretu*, „Polityka", 14 listopada 1959
– *Masowe wydania poetyckie*, „Sztandar Młodych", 27 lipca 1950
– *Meksyk: kampania antyradziecka*, „Biuletyn Specjalny PAP. Dodatek Tygodniowy" nr 1238, 22 marca 1971
– *Ministrowie spraw zagranicznych obradują w Addis Abebie*, „Biuletyn Specjalny PAP" nr 546, 17 maja 1963
– *Miss o szkarłatnym spojrzeniu*, „Sztandar Młodych", 8 września 1950
– *Młodzi w wielkich zakładach pracy (1): Poszukiwanie klucza*, „Sztandar Młodych", 13 lutego 1956
– *Młodzieży Wrocławia należy się dobry teatr*, „Sztandar Młodych", 25 sierpnia 1950
– *Moja walka trwa*, „Sztandar Młodych", 6 grudnia 1952
– *Na lotnisku*, „Sztandar Młodych", 24 czerwca 1955
– *Nairobi: Korespondencja z Kenii*, „Biuletyn Specjalny PAP. Dodatek Tygodniowy" nr 491, 25 listopada 1963
– *Napięta sytuacja w Boliwii*, „Biuletyn Specjalny PAP. Dodatek Tygodniowy" nr 1261, 21 czerwca 1971
– *Nasze dni* (fragm. poematu *Droga prowadzi naprzód*), „Sztandar Młodych", 12 sierpnia 1950

– *Nie może pójść w las*, „Sztandar Młodych", 16 września 1955
– *Nie rozdzierajmy szat: „Jaka ta młodzież bierna!"*, „Sztandar Młodych", 14 lutego 1956
– *Nie tylko za, ale i przeciw*, „Sztandar Młodych", 28 lutego 1956
– *Niekończące się życie. W 8. rocznicę śmierci Janka Krasickiego*, „Sztandar Młodych", 3 września 1951
– *Nigeria przed i po przewrocie*, „Biuletyn Specjalny PAP. Dodatek Tygodniowy" nr 719, 7 lutego 1966
– *Nixon i Ameryka Łacińska*, „Biuletyn Specjalny PAP. Dodatek Tygodniowy" nr 1026, 13 lutego 1969
– *Notatki z Wybrzeża*, „Kultura" 1980 nr 37
– *Nowa rola Ameryki Łacińskiej*, „Biuletyn Specjalny PAP. Dodatek Tygodniowy" nr 1062, 23 czerwca 1969
– *O demokracji robotniczej*, „Sztandar Młodych", 29–30 września 1956
– *O pracy szkoleniowej w gryfickiej organizacji ZMP*, „Sztandar Młodych", 16 grudnia 1952
– *O programach szkolenia ZMP. Znowu ta lekcja*, „Sztandar Młodych", 15 grudnia 1955
– *O programach szkoleniowych ZMP. A gdyby zrobić tak?*, „Sztandar Młodych", 3 stycznia 1956
– *O sytuacji w Kenii*, „Biuletyn Specjalny" nr 5315, 21 listopada 1962
– *O sytuacji w Rodezji Północnej*, „Biuletyn Specjalny" nr 5311, 16 listopada 1962
– *Obietnica zbawienia*, „Sztandar Młodych", 29 sierpnia 1956
– *Obrazki zimowe. Różowe jabłka*, w: *Dyskusja o poezji w gimnazjum im. Staszica w Warszawie*, „Odrodzenie", 5 marca 1950
– *Od kilofa i szufli do węglowego kombajnu*, „Sztandar Młodych", 13 września 1950
– *Okrzyk Napoleona*, „Sztandar Młodych", 8 marca 1957
– *Ostre napięcia w Chile*, „Trybuna Ludu", 10 maja 1968
– *Ostry kryzys w Ameryce Łacińskiej*, „Życie Warszawy" 1969 nr 30
– *Panamska droga do socjalizmu*, „Biuletyn Specjalny PAP" nr 1066, 7 lipca 1969
– *Partery*, „Polityka" 1959 nr 21
– *Peru: nacjonalizacja systemu bankowego*, „Biuletyn Specjalny" nr 7675, 4 września 1970
– *Peruwiańska reforma rolna najnowszym przewrotem społecznym Trzeciego Świata*, „Biuletyn Specjalny PAP. Dodatek Tygodniowy" nr 1066, 7 lipca 1969
– *Pierwsza autentyczna rewolucja*, „Polityka" 1970 nr 42
– *Pierwsze oceny wizyty Fidela Castro w Chile*, „Biuletyn Specjalny PAP. Dodatek Tygodniowy" nr 1306, 11 listopada 1971
– *Pierwszy polski dziennikarz w Republice Zanzibaru*, „Trybuna Ludu" 1964 nr 18
– *Pierwszy spust* (fragment *Poematu o Nowej Hucie*), „Nowa Kultura", 5 listopada 1950
– *Pieśni i tańce młodzieży krajów kolonialnych…*, „Sztandar Młodych", 14 sierpnia 1951
– *Po Chile – Urugwaj?*, „Biuletyn Specjalny PAP. Dodatek Tygodniowy" nr 1221, 21 stycznia 1971
– *Po konferencji ministrów spraw zagranicznych OPA*, „Biuletyn Specjalny PAP. Dodatek Tygodniowy" nr 1225, 4 lutego 1971
– *Po zamachu stanu w Boliwii*, „Biuletyn Specjalny PAP. Dodatek Tygodniowy" nr 1281, 26 sierpnia 1971
– Podanie do Oddziałowej Organizacji Partyjnej Wydziału Historycznego Uniwersytetu Warszawskiego, w: Żebrowski Leszek, *„Chcę partyjnie żyć, pracować i walczyć", czyli o Ryszardzie Kapuścińskim inaczej*, „Nasz Dziennik", 16 czerwca 2009
– *Podnosi się fala rewolucyjna*, „Trybuna Ludu" 1971 nr 1

– *Poemat o Nowej Hucie*, „Nowa Kultura" 1950 nr 32
– *Poezja braterstwa*, „Sztandar Młodych", 21 grudnia 1950
– *Poezja w walce o pokój*, „Sztandar Młodych", 6 września 1950
– *Poszukiwanie klucza*, „Sztandar Młodych", 13 lutego 1956
– *Powroty*, „Sztandar Młodych", 6–7 lipca 1957
– *Powrót do końcowych*, „Sztandar Młodych", 2–3 marca 1957
– *Pozycja Chin w Afryce*, „Biuletyn Specjalny PAP. Dodatek Tygodniowy" nr 710, 6 stycznia 1966
– *Prawica objęła władzę w Boliwii*, „Życie Warszawy" 1971 nr 202
– *Proces faszyzacji życia w Argentynie i Brazylii*, „Biuletyn Specjalny PAP. Dodatek Tygodniowy" nr 1058, 9 czerwca 1969
– *Prognozy dla Salvadora Allende*, „Biuletyn Specjalny PAP" nr 7680, 10 września 1970
– *Przywieźli na zlot sztukę ludową swojej ziemi*, „Sztandar Młodych", 11 sierpnia 1951
– *Rada Bogów*, „Sztandar Młodych", 28–29 kwietnia 1956
– *Radykalizacja duchowieństwa latynoamerykańskiego*, „Trybuna Ludu" 1970 nr 216
– *Reklama pasty do zębów*, „Polityka" 1961 nr 41
– Rekomendacja Bronisława Geremka, w: Żebrowski Leszek, *„Chcę partyjnie żyć, pracować i walczyć", czyli o Ryszardzie Kapuścińskim inaczej*, „Nasz Dziennik", 16 czerwca 2009
– *Relacja polskiego korespondenta z walk Hondurasu z Salwadorem*, „Życie Warszawy" 1969 nr 171
– *Rewolucja boliwijska w ślepym zaułku*, „Biuletyn Specjalny" nr 7632, 15 lipca 1970
– *Rozbicie próby prawicowego przewrotu w Boliwii*, „Trybuna Ludu" 1971 nr 13
– *Rozmowy o wojnie w Etiopii*, „Sztandar Młodych", 31 sierpnia 1977
– *Skarga na młodzież*, „Sztandar Młodych", 21 marca 1957
– *Słabe strony rewolucji w Ameryce Łacińskiej*, „Biuletyn Specjalny PAP. Dodatek Tygodniowy" nr 1282, 30 sierpnia 1971
– *Spisek CIA w Kostaryce*, „Trybuna Ludu" 1971 nr 46
– *Spokojna głowa gapy*, „Polityka" 1959 nr 23
– *Sprawy kongijskie: Czombe prowadzi grę na zbliżenie do Stanów Zjednoczonych*, „Biuletyn Specjalny PAP. Dodatek Tygodniowy" nr 394, 29 listopada 1962
– *Stacja donikąd*, „Sztandar Młodych", 14 lutego 1957
– *Stracony dla Forda*, „Polityka" 1960 nr 18
– *Sytuacja w Angoli* (nie do przedrukowania w prasie), „Biuletyn Specjalny PAP. Dodatek Tygodniowy" nr 1700, 16 października 1975
– *Sytuacja w Angoli*, „Biuletyn Specjalny PAP. Dodatek Tygodniowy" nr 1702, 23 października 1975
– *Sytuacja w Nigerii* (do wiadomości redakcji), „Biuletyn Specjalny PAP. Dodatek Tygodniowy" nr 715, 24 stycznia 1966
– *Sztywny*, „Polityka" 1959 nr 31
– *Śmierć gen. Schneidera*, „Trybuna Ludu" 1970 nr 299
– *Tanganika: Nyerere prezydentem*, „Biuletyn Specjalny PAP" nr 5304, 8 listopada 1962
– *Tanganika: połączenie partii opozycyjnej z partią rządzącą*, „Biuletyn Specjalny" nr 5313, 19 listopada 1962
– *Temperatura czynu*, „Sztandar Młodych", 12 września 1955
– *To też jest prawda o Nowej Hucie*, „Sztandar Młodych", 30 września 1955
– *Tym razem: gospodarcze*, „Sztandar Młodych", 28–29 lipca 1956
– *Uganda w kilka tygodni po proklamowaniu niepodległości*, „Biuletyn Specjalny PAP" nr 5303, 7 listopada 1962

– *Uganda: konferencja partii rządzącej*, „Biuletyn Specjalny PAP" nr 5308, 13 listopada 1962
– *Umacnianie postępowego rządu w Boliwii*, „Trybuna Ludu" 1971 nr 78
– *Urugwaj*, „Trybuna Ludu" 1971 nr 76
– *Urugwajska rewolucja – Tupamaros*, „Biuletyn Specjalny PAP" nr 7654, 11 sierpnia 1970
– *Uwagi korespondenta PAP*, „Biuletyn Specjalny PAP. Dodatek Tygodniowy" nr 412, 7 lutego 1963
– *Uwagi o różnicach między Zachodnią a Wschodnią Afryką*, „Biuletyn Specjalny PAP. Dodatek Tygodniowy" nr 406, 17 stycznia 1963
– *Uzdrowienie*, „Dziś i Jutro", 14 sierpnia 1949
– *Velasco Ibarra zostaje dyktatorem*, „Biuletyn Specjalny PAP" nr 7633 z 16 lipca 1970
– *W Etiopii nasila się coraz bardziej terrorystyczna działalność sił prawicy*, „Życie Warszawy" 1976 nr 276
– *W połowie drogi*, „Sztandar Młodych", 26–27 listopada 1955
– *W sobotę – ostateczny wybór prezydenta Chile*, „Trybuna Ludu" 1970 nr 292
– *W sprawie zobowiązań*, w: *Dyskusja o poezji w gimnazjum im. Staszica w Warszawie*, „Odrodzenie", 5 marca 1950
– *Walka, spór i „rzeczy drobne"*, „Walka Młodych" 1956 nr 3
– *Wielki poeta pokoju*, „Sztandar Młodych", 27 listopada 1950
– *Wielki rzut*, „Polityka" 1959 nr 48
– *Więcej rozmachu w pracy kulturalno-oświatowej w Nowej Hucie*, „Sztandar Młodych", 30 sierpnia 1950
– *Więzień królewskiej policji*, „Sztandar Młodych", 24–26 grudnia 1956
– *Wokół wydarzeń w Afryce Wschodniej*, „Biuletyn Specjalny PAP. Dodatek Tygodniowy" nr 511, 30 stycznia 1964
– *Wołanie mułłów*, „Sztandar Młodych", 1 stycznia 1957
– *Wydma*, „Polityka" 1961 nr 50
– *Wymarsz piątej kolumny*, „Polityka" 1961 nr 39
– *Wyprawa na wieżę*, „Życie Warszawy" 1967 nr 251
– *Wzmóc w okresie wyborów pracę kulturalno-artystyczną*, „Sztandar Młodych", 17 października 1952
– *Zaciągu pionierskiego ochotnicy*, „Sztandar Młodych", 11 kwietnia 1953
– *Zaproszenie do Afryki*, „Polityka" 1960 nr 44
– *Zetempowcy*, „Sztandar Młodych", 9 września 1950
– *Ziemia – nie ziemia*, „Sztandar Młodych", 7 stycznia 1957
– *Złoty pas Afryki*, „Trybuna Ludu" 1963 nr 187
– *Znaczenie rozmów Kaundy i Czombego*, „Biuletyn Specjalny" nr 5316, 22 listopada 1962
– *Zwycięstwo Allende – zmierzch chadecji*, „Biuletyn Specjalny" nr 7678, 8 września 1970
Kapuściński Ryszard, Kąkolewski Krzysztof, *Metryka naszego urodzenia*, „Sztandar Młodych", 20–22 kwietnia 1957
Kapuściński Ryszard, Korta Zygmunt, *W oparciu o doświadczenia Komsomołu…*, „Sztandar Młodych", 22 sierpnia 1950
Kapuściński Ryszard, Rywanowicz R., *Niespełnione zadania. Po łódzkim plenum ZMP*, „Sztandar Młodych", 29 marca 1955
Kapuściński Ryszard, Skrobiszewski Stefan, *Ludzie nowego Brandenburga*, „Sztandar Młodych", 5 września 1951
– *„Miliony rąk" w premnitzkiej świetlicy*, „Sztandar Młodych", 12 września 1951

– *Na Berlińskim Zlocie było 1000 chłopców i dziewcząt*, „Sztandar Młodych", 7 września 1951
– *Na trasie Magdeburg – Schoenebeck*, „Sztandar Młodych", 18 września 1951
– *Rozmowy na ulicy*, „Świat i Polska" 1957 nr 24
– *W hucie Brandenburg widzieliśmy piec im. Bieruta*, 1 września 1951
Kapuściński Ryszard, Szwedówna K., *Lepiej wykorzystywać w szkoleniu ZMP-owskim*, „Sztandar Młodych", 22 lutego 1952
Kapuściński Ryszard, Wacowska Ewa, Korta Zygmunt, Bubień Władysław, *My z huty „Feniks"*, „Sztandar Młodych", 17 października 1950
Kaufman Michael T., *Angola's Rival Factions*, „The New York Times", wrzesień 1975
– *National Rebirth as Painful as the Colonial Misrule*, „The New York Times", listopad 1975
– *On the Eve of Independence, Angola Faces More Strife*, „The New York Times", listopad 1975
– *Suddenly, Angola Magazine*, „The New York Times", styczeń 1976
– *The 3 men Who Control Angola's Warring Factions*, „The New York Times", październik 1975
Kennedy Moorhead, *The Great Injustice and the Great Humiliation*, „The New York Times", 7 kwietnia 1985
Kieniewicz Stefan, *Z rozmyślań dziejopisa czasów porozbiorowych*, „Kwartalnik Historii Nauki i Techniki" 1980 nr 2
Komunikat o wypadkach w Poznaniu, „Sztandar Młodych", 29 czerwca 1959
[Komunikat Zarządu Głównego ZLP z 2 lutego 1962], „Współczesność" 1962 nr 4
Kronika pińska, „Dzień Dobry Pińsk!", maj 1932
Kronika pińska, „Słowo Polesia" 1934 nr 70
Kronika pińska. Namiętna dyskusja na posiedzeniu Rady Miejskiej, „Słowo Polesia" 1932 nr 5
Krzemiński Adam, *Stara sztuka pisania*, „Polityka" 1985 nr 20
List B. Drozdowskiego, „Polityka" 1961 nr 47
Lubowski Andrzej, *Podróż marzeń z Pińska do Oceanii*, „Gazeta Wyborcza", 25 stycznia 2007
Mandalian Andrzej, [Wypowiedź o *Sztywnym* i *Kondukcie*], „Współczesność" 1962 nr 2
Marcus Harold G., *Uprzedzenia i ignorancja w recenzowaniu książek o Afryce: dziwny przypadek „Cesarza" Ryszarda Kapuścińskiego*, przeł. Ewa Wołk, „Afryka" 1996 nr 4
Mąż reporter. Z Alicją Kapuścińską rozmawiają Teresa Torańska i Artur Domosławski, „Gazeta Wyborcza" („Duży Format"), 19 stycznia 2009
Milam Lorenzo W., *Another Day of Life*, „The Fessenden Review", 5 lutego 1987
Misiorny Michał, *Niecierpliwość czy współodpowiedzialność*, „Kultura" 1978 nr 35
Mój tata Ryszard Kapuściński. Z René Maisner rozmawia Bartosz Marzec, „Rzeczpospolita", 21 stycznia 2008
N.D. [kryptonim Ryszarda Kapuścińskiego], *Afganistan*, „Tygodnik Mazowsze" 1983 nr 45
Na froncie wyborczym w Pińsku, „Słowo Polesia" 1934 nr 59
Nasz kruchy świat. Z Ryszardem Kapuścińskim rozmawiają Artur Domosławski i Aleksander Kaczorowski, „Gazeta Wyborcza", 28 września 2001
Nasze zdanie w naszej sprawie, „Kultura", 24 marca 1968
Niebezpieczeństwo partyjnych mrzonek, „Echo Pińskie", 6 maja 1934
Niektóre sprawy ZMP do dyskusji, „Sztandar Młodych", 11 kwietnia 1956

Nowakowski Stefan, *Józef Obrębski – socjolog niedoceniony*, „Kultura i Społeczeństwo" 1982 nr 1–2
Nyerere Julius, *Ujamaa – podstawa socjalizmu afrykańskiego*, przeł. Ryszard Kapuściński, „Biuletyn Specjalny PAP" nr 5309, 14 listopada 1962
O pamięci i jej zagrożeniach. Z Ryszardem Kapuścińskim rozmawiają Zbigniew Benedyktowicz i Dariusz Czaja, „Konteksty" 2003 nr 3–4
O przemianach obyczaju (dyskusja), „Meritum", wrzesień 1981
Odpowiedź Redakcji [na list B. Drozdowskiego], „Polityka" 1961 nr 47
Orda Józef, *Geneza Pińska* (artykuł)
Osiatyński Wiktor, *Zamki z piasku*, „Odra" 1980 nr 7–8
Oskarżał Zachód o nędzę świata, „Dziennik", 26–27 stycznia 2008
Oświadczenie [intelektualistów i ludzi kultury o sytuacji politycznej w kraju], „Tygodnik Solidarność" 1981 nr 11
Parker Ian, *The Reporter as Poet*, „The Independent", 18 września 1994
Pawluczuk Andrzej, *Świat na stadionie*, „Kontrasty" 1979 nr 4
– *Traktat o upadaniu*, „Literatura" 1979 nr 9
Pisanie wierszy jest dla mnie luksusem. Z Ryszardem Kapuścińskim rozmawia Jarosław Mikołajewski, „Gazeta Wyborcza" 21 lutego 2006
Pisma pasterza diecezji, „Piński Przegląd Diecezjalny" 17 września i 16 października 1930
Pokazał, że dziennikarstwo może być sztuką. Z Markiem Dannerem rozmawia Artur Domosławski, „Gazeta Wyborcza", 24 stycznia 2007
Prescott Peter, *His Clement Highness*, „The Newsweek", 11 kwietnia 1983
Przyboś Julian, [Wypowiedź w ankiecie „Inspiracja czy plagiat"], „Współczesność" 1962 nr 2
– [Wypowiedź w ankiecie „Pisarze wobec dziesięciolecia"], „Nowa Kultura" 1955 nr 18
Putrament Jerzy, [Wypowiedź w ankiecie „Inspiracja czy plagiat"], „Współczesność" 1962 nr 2
Queenan Joe, *A Pole Apart*, „The Wall Street Journal", 25 kwietnia 1991
Ramonet Ignacio, *De viaje con Che Guevara*, „La Voz de Galicia", 1 grudnia 2004
Reporter to taki zwiadowca. Z Ryszardem Kapuścińskim rozmawia Marek Radziwon, „Gazeta Wyborcza", 29 września 2005
Reprezentacja polska musi posiadać w Radzie M. Większość!, „Echo Pińskie", 13 maja 1934
Rozmowa z Sekretarzem Generalnym KC Komunistycznej Partii Chile tow. Luisem Corvalanem. Rozmawiają Ryszard Kapuściński i Walery Namiotkiewicz, „Nowe Drogi" 1973 nr 1
Rozmowy z Żydami, „Słowo Polesia" 1934 nr 19
Rumiz Paolo, Tarquini Andrea, *Accuse postume a Kapuscinski: „Era una spia di Varsavia"*, „La Repubblica, 22 maja 2007
Rushdie Salman, *Reporting a Nightmare*, „The Guardian", 13 lutego 1987 (wyd. pol. *Reportaż z koszmaru*, przeł. Ewa Don, „Literatura na Świecie" 1987 nr 12)
Ryciak Igor, *Kontakt 11630/I*, „Newsweek Polska", 27 maja 2007
Ryle John, *Tropical Baroque, African reality and the work of Ryszard Kapuściński*, „The Times Literary Supplement", 27 lipca 2001
Rzeczy, których nie można cofnąć. [Rozmowa z Ryszardem Kapuścińskim], „Kontrasty" 1981 nr 2
Samuel Stuart M., Raport o masakrze Żydów w Pińsku w 1919 roku, http://niniwa2.cba.pl/pogromy.htm (na podstawie książki tegoż *O pogromach w Polsce*, Lwów 1920)
Satyr Niekrasicki, *Swój do swego po swoje...*, „Nowe Echo Pińskie", 7 lutego 1936
Schiff Stephen, *The Years of Living Dangerously*, „Vanity Fair", marzec 1991

Sensacyjny epilog miłości chrześcijanina ku żydówce, „Echo Pińskie" 1934 nr 16
Serdecznie witamy w Polsce cesarza Haile Selassie I, „Trybuna Ludu", 17 września 1964
Skalski Ernest, *Zero tolerancji*, „Gazeta Wyborcza", 3 października 2001
Skulska Wilhelmina, *Reporter*, „Przekrój", 30 października 1988
Stanisławska Olga, *Dokument. Polskie odcienie*, „Gazeta Wyborcza", 23 sierpnia 2001
Święty Franciszek w stylu macho. Z Jerzym i Izabellą Nowakami rozmawia Anna Bikont, „Gazeta Wyborcza", 3–4 marca 2007
Teczka pisarza. Z Ernestem Skalskim rozmawiają Aleksander Kaczorowski i Wojciech Maziarski, „Newsweek Polska", 27 maja 2007
Toast Edwarda Ochaba [na cześć cesarza Haile Selassie I], „Trybuna Ludu" 18 września 1964
Toeplitz Krzysztof Teodor, *Trend antyinteligencki?*, „Kultura", 14 kwietnia 1968
Torańska Teresa, *Odbiór*, „Kultura" 1976 nr 49
– *W kręgu*, „Kultura" 1980 nr 23
– *Więźniowie kosmosu*, „Kultura" 1976 nr 1
Traynor Ian, *Famed Polish Writer Outed As „Spy" in Anti-comunism Purge*, „The Guardian", 21 maja 2007
Tressider M., *A Man of War, a Man of Words*, „The Sunday Telegraph", 4 listopada 1990
Umbon Carmen, *En el ojo de huracan*, „El Dominical" (dodatek do „El Periodo"), 10 stycznia 1991
Updike John, *Koniec imperium*, „The New Yorker", 14 maja 1983 (przeł. Łukasz Sommer), w: Kapuściński Ryszard, *Cesarz* (= *Dzieła wybrane Ryszarda Kapuścińskiego*, t. 13), Agora, Warszawa 2008
Urban Jerzy, List do Mariusza Szczygła, „Gazeta Wyborcza", 29 stycznia 2007
– [Wypowiedź na konferencji prasowej rzecznika rządu], cyt. za: Nowacka Beata, Ziątek Zygmunt, *Ryszard Kapuściński. Biografia pisarza*, SIW Znak, Kraków 2008
W drodze. Z Ryszardem Kapuścińskim rozmawia Teresa Krzemień, „Kultura", 19 listopada 1978
Werblan Andrzej, *Przyczynek do genezy konfliktu*, „Miesięcznik Literacki" 1968 nr 6
Wierzyński Maciej, *Duszy systemowi nie oddał*. [Wypowiedź w ankiecie „Odszedł dziennikarz wieku"], „Press" 2007 nr 2
Wierzyński Maciej, *Współodpowiedzialność*, „Kultura" 1978 nr 40
Wildstein Bronisław, *W świetle sprawy Kapuścińskiego*, „Rzeczpospolita", 2–3 czerwca 2007
Winiecki Jan, *Załatwione odmownie – kto zniszczył Trzeci Świat*, „Wprost" 2003 nr 40
Wiosna ludów latynoskich. Z Ryszardem Kapuścińskim rozmawia Artur Domosławski, „Gazeta Wyborcza", 7 kwietnia 2001
Wizyta przywódcy Etiopii w Polsce. Henryk Jabłoński, Mengistu Haile Mariam, „Trybuna Ludu", 11 grudnia 1978
Wojna i pustka. Z Ryszardem Kapuścińskim rozmawia Artur Domosławski, „Gazeta Wyborcza", 10 sierpnia 2003
Wyjście z kostiumu. Z Ryszardem Kapuścińskim rozmawia Zbigniew Miazga, „Sztandar Ludu", 11 marca 1981
Wywiad Ryszarda Kapuścińskiego dla meksykańskiego dzienniku „La Jornada" (przedruk: „El Espectador", 3 stycznia 1988)
Z René Maisner rozmawia Liliana Śnieg-Czaplewska, „Gala" 2009 nr 5
Z tamtego świata. Z Ryszardem Kapuścińskim rozmawia Jacek Syski, „Literatura", 22 lipca 1976

Zawsze będę przeciwny zawracaniu Polaków w przeszłość. Rozmowa z wicepremierem Mieczysławem F. Rakowskim, „Zdanie" 1985 nr 5
Żebrowski Leszek, *„Chcę partyjnie żyć, pracować i walczyć", czyli o Ryszardzie Kapuścińskim inaczej*, „Nasz Dziennik", 16 czerwca 2009
Żydowski Klub Myśli Państwowej w Pińsku, „Słowo Polesia" 1934 nr 1
Żydzi za wystawieniem jednej listy chrześcijańsko-żydowskiej, „Słowo Polesia" 1934 nr 54

2. Pozostałe

Anderson Jon Lee, *Che Guevara. A Revolutionary Life*, Grove Press, New York 1997
Bereś Witold, Burnetko Krzysztof, *Kapuściński: nie ogarniam świata*, Świat Książki, Warszawa 2007
Bikont Anna, Szczęsna Joanna, *Lawina i kamienie. Pisarze wobec komunizmu*, Prószyński i S-ka, Warszawa 2006
Boneh Nahum, *The Holocaust and the Revolt in Pinsk 1941–1942*, Tel Aviv 1977
Brand William, *Prawnik zażądał notarialnych poświadczeń z Etiopii, w: Podróże z Ryszardem Kapuścińskim*, pod red. Bożeny Dudko, SIW Znak, Kraków 2007
Był taki dziennik. „Sztandar Młodych", pod redakcją Wojciecha Borsuka, Wydawnictwo Nowy Świat, Warszawa 2006
Castañeda Jorge G., *Companero. The Life and death of Che Guevara*, Bloomsbury 1997 (wyd. pol. *Che Guevara*, przeł. Jarosław Mikos, Świat Książki, Warszawa 2007)
Chillón Asensio Albert Lluís, *Literatura y periodismo. Una tradición de relaciones promiscuas*, Universidad Autónoma de Barcelona, Bellaterra 1999
CIA. The Pike Report, Spokesman Books, Nottingham, Engl. 1977
Cortázar Julio, *Książka dla Manuela*, przeł. Zofia Chądzyńska, MUZA, Warszawa 2001
Dąbrowski Witold, [Towarzysze, może z was drwi...], w: Kuroń Jacek, Żakowski Jacek, *PRL dla początkujących*, Wydawnictwo Dolnośląskie, Wrocław 1995
Domosławski Artur, *Ameryka zbuntowana. Siedemnaście dialogów o ciemnych stronach imperium wolności*, Świat Książki, Warszawa 2007
Eliade Mircea, *Religia, literatura i komunizm. Dziennik emigranta*, przeł. Adam Zagajewski, Puls, Londyn 1990
Escamilla Oscar, *Retrato de un encuentro*, w: Kapuściński Ryszard, *Los cincos sentidos del periodista (estar, ver, oír, compartir, pensar)*, Bogotá 2004
Fanon Frantz, *Wyklęty lud ziemi*, przeł. Hanna Tygielska, PIW, Warszawa 1985
Fanti Silvano de, *Stworzył swój świat*, w: Kapuściński Ryszard, *Wiersze zebrane* (= *Dzieła wybrane Ryszarda Kapuścińskiego*, t. 10), Agora, Warszawa 2008
Fikus Dariusz, *Foksal '81*, SAWW, [Poznań] 1989
Garton Ash Timothy, *Polska rewolucja*, przeł. Małgorzata Dziewulska i Marcin Król, Res Publica, Warszawa 1990
Giełżyński Wojciech, Stefański Lech, *Gdańsk Sierpień 80*, Książka i Wiedza, Warszawa 1981
Herbert Zbigniew, *Prolog*, w: Tegoż, *Napis*, wyd. II, Wydawnictwo Dolnośląskie, Wrocław 1997
Ikonowicz Mirosław, *Zawód: korespondent. Wilno – Hawana – Madryt*, Oficyna Wydawnicza Branta, Bydgoszcz 2007
Janion Maria, *Niesamowita Słowiańszczyzna*, Wydawnictwo Literackie, Kraków 2006
Kapuściński Ryszard, *A sahinsah*, Europa Konyvkiado, Budapest 1985
– *Autoportret reportera*, SIW Znak, Kraków 2003
– *Busz po polsku* (= *Dzieła wybrane Ryszarda Kapuścińskiego*, t. 3), Agora, Warszawa 2008
– *Cesarz* (= *Dzieła wybrane Ryszarda Kapuścińskiego*, t. 13), Agora, Warszawa 2008

– *Chrystus z karabinem na ramieniu*, Czytelnik, Warszawa 1976
– *Cierpienie i wina*, w: Tegoż, *Prawa natury*, Wydawnictwo Literackie, Kraków 2006
– *Ćwiczenia pamięci*, w: Tegoż, *Buszu po polsku* (= *Dzieła wybrane Ryszarda Kapuścińskiego*, t. 3), Agora, Warszawa 2008
– *Dałem głos ubogim. Rozmowy z młodzieżą*, SIW Znak, Kraków 2008
– [Dlaczego świat przeleciał...], w: Tegoż, *Wiersze zebrane* (= *Dzieła wybrane Ryszarda Kapuścińskiego*, t. 10), Agora, Warszawa 2008
– *Dlaczego zginął Karl von Spreti*, Książka i Wiedza, Warszawa 1970
– *El Sha*, Anagrama, Barcelona 1987
– *Fin de siècle*, w: Tegoż, *Wiersze zebrane* (= *Dzieła wybrane Ryszarda Kapuścińskiego*, t. 10), Agora, Warszawa 2008
– *Gdyby cała Afryka...*, Czytelnik, Warszawa 1971
– *Heban*, Czytelnik, Warszawa 1998
– *Imperium*, wyd. I, Czytelnik, Warszawa 1993
– *Jeszcze dzień życia*, wyd. IV, Czytelnik, Warszawa 2000
– *Kirgiz schodzi z konia*, wyd. V, Czytelnik, Warszawa 2007
– *Lamus*, w: Tegoż, *Busz po polsku* (= *Dzieła wybrane Ryszarda Kapuścińskiego*, t. 3), Agora, Warszawa 2008
– *Lapidarium*, Czytelnik, Warszawa 1990
– *Lapidarium II*, Czytelnik, Warszawa 1996
– *Lapidarium III*, Czytelnik, Warszawa 1997
– *Lapidarium IV*, Czytelnik, Warszawa 2000
– *Lapidarium V*, Czytelnik, Warszawa 2002
– *Las Botas*, przeł. Gustaw Kolinski i Mario Muñoz, Biblioteca Universidad Veracruzana, México 1980
– *Le Shah*, Flammarion, Paris 1986
– *Los cincos sentidos del periodista (estar, ver, oír, compatir, pensar)*, Fundación Nuevo Periodismo Latinoamericano, Bogotá 2004
– *Los cínicos no sirven a este oficio*, Anagrama, Barcelona 2008
– [Od tłumacza], w: Guevara Ernesto Che, *Dziennik z Boliwii*, Książka i Wiedza, Warszawa 1969
– [Odkąd jesteś...], w: Tegoż, *Wiersze zebrane* (= *Dzieła wybrane Ryszarda Kapuścińskiego*, t. 10), Agora, Warszawa 2008
– *Piątek pod Grunwaldem*, w: Tegoż, *Busz po polsku* (= *Dzieła wybrane Ryszarda Kapuścińskiego*, t. 3), Agora, Warszawa 2008
– *Podróże z Herodotem*, SIW Znak, Kraków 2004
– *Schah-in-schah*, Kipenheuer & Witsch, Köln 1986
– *Shah of Shahs*, Quartet Books, London–Melbourne–New York 1985
– *Shah of Shahs*, Vintage International, New York 1992
– *Sjahen*, Det Norske Samlatet, Oslo 1988
– *Szachinszach*, Czytelnik, Warszawa 1997
– *Takie sobie zwrotki na urodziny Dorotki*, w: Bereś Witold, Burnetko Krzysztof, *Kapuściński: nie ogarniam świata*, Świat Książki, Warszawa 2007
– *Ten Inny*, SIW Znak, Kraków 2006
– *Uprowadzenie Elżbiety*, w: Tegoż, *Busz po polsku* (= *Dzieła wybrane Ryszarda Kapuścińskiego*, t. 3), Agora, Warszawa 2008
– [Właściwie co miałem zrobić...], w: Tegoż, *Wiersze zebrane* (= *Dzieła wybrane Ryszarda Kapuścińskiego*, t. 10), Agora, Warszawa 2008

– *Wojna futbolowa*, Czytelnik, Warszawa 1998
– *Zapis pewnej idei*, w: Tegoż, *Wiersze zebrane* (= *Dzieła wybrane Ryszarda Kapuścińskiego*, t. 10), Agora, Warszawa 2008
– *Zapiski szpitalne*, w: Mikołajewski Jarosław, *Sentymentalny portret Ryszarda Kapuścińskiego*, Wydawnictwo Literackie, Kraków 2008
Kosmodemiańska L., *Opowieść o Zoi i Szurze*, Wydawnictwo MON, Warszawa 1951
Kraszewski Józef Ignacy, *Wspomnienia z Wołynia, Polesia i Litwy*, Anafielas, Wilno 1840
Kto tu wpuścił dziennikarzy. 20 lat później, Rosner i Wspólnicy, Warszawa 2005
Kula Marcin, *Religiopodobny komunizm*, Nomos, Kraków 2003
Kuroń Jacek, *Gwiezdny czas*, Aneks, Londyn 1991
Kuroń Jacek, *Wiara i wina*, NOWA, Warszawa 1989
Kuroń Jacek, Żakowski Jacek, *PRL dla początkujących*, Wydawnictwo Dolnośląskie, Wrocław 1995
Łopieńska Barbara N., *Ulica Brzeska*, w: Tejże, *Łapa w łapę i inne reportaże*, Iskry, Warszawa 2004
Magris Claudio, *Wierność wędrówce*, przeł. Jarosław Mikołajewski, w: Ryszard Kapuściński, *Wiersze zebrane* (= *Dzieła wybrane Ryszarda Kapuścińskiego*, t. 10), Agora, Warszawa 2008
Meredith Martin, *The State of Africa*, Free Press, London 2005
Mikołajewski Jarosław, *Sentymentalny portret Ryszarda Kapuścińskiego*, Wydawnictwo Literackie, Kraków 2008
Miller Marek, *3 × K: Kąkolewski, Krall, Kapuściński*, Laboratorium Reportażu, Instytut Dziennikarstwa UW, w: Nowacka Beata, Ziątek Zygmunt, *Ryszard Kapuściński. Biografia pisarza*, SIW Znak, Kraków 2008
Mroczkowska-Brand Katarzyna, *Jak wpadłam na pomysł, że warto przetłumaczyć „Cesarza"*, w: *Podróże z Ryszardem Kapuścińskim*, pod red. Bożeny Dudko, SIW Znak, Kraków 2007
Nowacka Beata, Ziątek Zygmunt, *Ryszard Kapuściński. Biografia pisarza*, SIW Znak, Kraków 2008
Obrebski Joseph, *Yesterday's People Peasants of Polesie*, University of Massachusetts, Amherst 1973
Osęka Piotr, *Marzec 1968*, SIW Znak, Kraków 2008
Osęka Piotr, *Syjoniści, inspiratorzy, wichrzyciele. Obraz wroga w propagandzie marca 1968*, Żydowski Instytut Historyczny, Warszawa 1999
Parandowski Jan, *Petrarka*, Czytelnik, Warszawa 1956
Pawluczuk Andrzej, *Reporter ginącego świata. Opowieść o Ryszardzie Kapuścińskim*, fragm. książki, http://www.kapuscinski.info/page/zyciorys/15
Podróże z Ryszardem Kapuścińskim, pod red. Bożeny Dudko, SIW Znak, Kraków 2007
Radgowski Michał, *„Polityka" i jej czasy*, Iskry, Warszawa 1981
Rakowski Mieczysław F., *Dzienniki polityczne 1958–1962*, Iskry, Warszawa 1999
Rakowski Mieczysław F., *Dzienniki polityczne 1963–1966*, Iskry, Warszawa 1999
Rakowski Mieczysław F., *Dzienniki polityczne 1984–1986*, Iskry, Warszawa 2005
Ramonet Ignacio, *El mundo en la nueva era imperial*, Librería de „Le Monde diplomatique", Santiago de Chile 2002
Rej Mikołaj, *Żywot człowieka poczciwego*, Ossolineum, Wrocław 1956
Renard Jules, *Dziennik*, przeł. Joanna Guze, Krąg, Warszawa 1993
Shohat Azriel, *Under Polish Rule 1921–1939*, w: Tegoż, *History of the Jews of Pinsk 1881–1941*, http://www.jewishgen.org/Yizkor/Pinsk1/Pine11_050.html

Słów kilka o Pińsku, Koło Krajoznawcze Uczniów Gimnazjum im. Marszałka Piłsudskiego, Pińsk 1936
Staff Leopold, *Kieszeń*, w: Tegoż, *Poezje zebrane*, PIW, Warszawa 1967
Stockwell John, *In Search of Enemies. A CIA Story*, W.W. Norton & Co, New York 1987
Suworin Aleksy, *Dziennik*, przeł. Jerzy Pański, Czytelnik, Warszawa 1975
Szczęsnowicz Remigiusz, *Wspomnień czar*, w: *Był taki dziennik. „Sztandar Młodych"*, pod redakcją Wojciecha Borsuka, Wydawnictwo Nowy Świat, Warszawa 2006
Szejnert Małgorzata, *Postscriptum. „Busz" po 46 latach*, w: Kapuściński Ryszard, *Busz po polsku* (= *Dzieła wybrane Ryszarda Kapuścińskiego*, t. 3), Agora, Warszawa 2008
Szymborska Wisława, *Dzieci epoki*, w: Tejże, *Ludzie na moście*, Czytelnik, Warszawa 1985
Świda-Ziemba Hanna, [wypowiedź], w: Bikont Anna, Szczęsna Joanna, *Lawina i kamienie. Pisarze wobec komunizmu*, Prószyński i S-ka, Warszawa 2006
Świrszczyńska Anna, *Mówię do swego ciała*, w: Tejże, *Mówię do swego ciała / Talking to my body*, Colonel Press, Kraków 2002
Tejchma Józef, *W kręgu nadziei i rozczarowań*, Wydawnictwo Projekt, Warszawa 2002
Waszczuk Jerzy, *Biografia niezlustrowana*, Studio Emka, Warszawa 2007
Ważyk Adam, *Poemat dla dorosłych*, w: Tegoż, *Poemat dla dorosłych i inne wiersze*, PIW, Warszawa 1956
Werblan Andrzej, *Stalinizm w Polsce*, Towarzystwo Wydawnicze i Literackie, Warszawa 2009
Wilford Hugh, *The Mighty Wurlitzer. How the CIA Played America*, Harvard University Press, Cambridge, Ma. 2008
Wilk Mariusz, *Wilczy notes*, Noir sur Blanc, Warszawa 1998
Władyka Wiesław, *„Polityka" i jej ludzie*, „Polityka", Warszawa 2007

Indeks nazwisk